Reflexiones

CREADO EXCLUSIVAMENTE PARA
CALIFORNIA

California:
Un estado cambiante

EDICIÓN DEL MAESTRO
TOMO 2

**Harcourt**
SCHOOL PUBLISHERS

Orlando   Austin   New York   San Diego   Toronto   London

¡Visite The Learning Site!
www.harcourtschool.com

**Harcourt**
SCHOOL PUBLISHERS
   MAPQUEST®   PBS   TIME
FOR KIDS®

Reflexiones

CREADO EXCLUSIVAMENTE PARA CALIFORNIA

HARCOURT SCHOOL PUBLISHERS

Printed in the United States of America

ISBN 0-15-342431-1

1 2 3 4 5 6 7 8 9 10 030 11 10 09 08 07 06

Contents

Reflections  Program Contributors

HARCOURT SCHOOL PUBLISHERS

SENIOR AUTHOR

Dr. Priscilla H. Porter
Professor Emeritus
School of Education
California State University,
Dominguez Hills
Center for History–
Social Science Education
Carson, California

SERIES AUTHORS

Dr. Michael J. Berson
Associate Professor
Social Science Education
University of South Florida
Tampa, Florida

Dr. Margaret Hill
History–Social Science Coordinator
San Bernardino County/Superintendent of Schools
Director, Schools of California Online Resources for Education: History–Social Science
San Bernardino, California

Dr. Tyrone C. Howard
Assistant Professor
UCLA Graduate School of Education & Information Studies
University of California at Los Angeles
Los Angeles, California

Dr. Bruce E. Larson
Associate Professor
Social Science Education-
Secondary Education
Woodring College of Education
Western Washington University
Bellingham, Washington

Dr. Julio Moreno
Assistant Professor
Department of History
University of San Francisco
San Francisco, California

SERIES CONSULTANTS

Martha Berner
Consulting Teacher
Cajon Valley Union School District
San Diego County, California

Dr. James Charkins
Professor of Economics
California State University
San Bernardino, California
Executive Director of California Council on Economic Education

Rhoda Coleman
K–12 Reading Consultant Lecturer
California State University,
Dominguez Hills
Carson, California

Dr. Robert Kumamoto
Professor
History Department
San Jose State University
San Jose, California

Carlos Lossada
Co-Director Professional Development Specialist
UCLA History–Geography Project
University of California, Los Angeles
Regional Coordinator,
California Geographic Alliance
Los Angeles, California

Dr. Tanis Thorne
Director of Native Studies, Lecturer in History, Department of History
University of California, Irvine
Irvine, California

Rebecca Valbuena
Los Angeles County
Teacher of the Year—2004–05
Language Development Specialist
Stanton Elementary School
Glendora Unified School District
Glendora, California

Dr. Phillip VanFossen
Associate Professor, Social Studies Education
Associate Director, Purdue Center for Economic Education
Department of Curriculum
Purdue University
West Lafayette, Indiana

GRADE-LEVEL AUTHORS

Dr. Iris H. W. Engstrand, Grade 4
Professor of History
University of San Diego
San Diego, California

Dr. Thelma Foote, Grade 5
Associate Professor of History and African American Studies
Department of History
University of California, Irvine
Irvine, California

Dr. André J. Branch, Grade 6
Assistant Professor of Education
School of Teacher Education
San Diego State University
San Diego, California

CONTENT AND CLASSROOM REVIEWERS

Haroon Abdul-Mubaarik
Teacher
Holly Drive Leadership Academy
San Diego, California

Elly Alvarado
Teacher
Baird Middle School
Fresno, California

Staci Andrews
Teacher
Delevan Drive Elementary School
Los Angeles, California

Anti-Defamation League
Education Policy & Advocacy
New York, New York

Brian Arcuri
Teacher
Longfellow Elementary School
San Francisco, California

Gordon Morris Bakken
Professor of History
California State University, Fullerton
Fullerton, California

Pamela Brown
Teacher
Hearst Elementary School
San Diego, California

Theresa Jean Brown
Teacher
Skyblue Mesa Elementary School
Canyon Country, California

Kristin Carver
Teacher
Fairmount Elementary School
San Francisco, California

Ramon D. Chacon
Professor of History and Ethnic Studies
Santa Clara University
Santa Clara, California

Dr. Henry E. Chambers
Professor of History
Department of History
California State University, Sacramento
Sacramento, California

Susan Christenson
Teacher
McKinley Elementary School
San Gabriel, California

Fifi Chu
Teacher
Repetto Elementary School
Monterey Park, California

Toni Chu
Teacher
Delevan Drive Elementary School
Los Angeles, California

Margie Clark
Teacher
Vineland Elementary School
Baldwin Park, California

Constance Cordeiro-Weidner
Teacher
Conejo Valley Unified School District
Thousand Oaks, California

David Crosson
President and CEO
History San José
San Jose, California

Linda Dean
Teacher
Webster School
Fresno, California

Cynthia Delameter
Los Angeles County Teacher of the Year—2004–05
Leland Street Elementary School
Los Angeles Unified School District
Los Angeles, California

Dr. Shalanda Dexter-Rodgers
Assistant Professor
Department of Ethnic Studies
University of California, San Diego
San Diego, California

Dr. Brian Fagan
Emeritus Professor
Department of Anthropology
University of California, Santa Barbara
Santa Barbara, California

Michelle Ferrer
Teacher
John Muir Elementary School
Long Beach, California

Stacey Firpo
Teacher
Aynesworth Elementary School
Fresno, California

Dr. Walter Fleming
Department Head and Associate Professor
Native American Studies
Montana State University
Bozeman, Montana

Dr. Robert Green, Jr.
Professor
School of Education
Clemson University
Clemson, South Carolina

Dr. Judson Grenier
Professor of History Emeritus
California State University,
Dominguez Hills
Carson, California

Gay Grieger-Lods
Teacher
Wilson School
Richmond, California

Dr. Charles W. Hedrick, Jr.
Professor
Cowell College
University of California, Santa Cruz
Santa Cruz, California

Kathleen L. Hovore
Teacher
North Park Elementary School
Valencia, California

Michael L. Jarman
Teacher
Manchester Gate Elementary School
Fresno, California

Mary Jew
Director of Instruction
Cupertino Union School District
Cupertino, California

Ken Johnson
Teacher
Pinewood Elementary School
Tujunga, California

Kimberly M. Johnson
San Gabriel Band of Mission Indians
Claremont, California

Paige Johnson
Teacher
Azaveda Elementary School
Fremont, California

Michelle Jolly
Associate Professor of History
Sonoma State University
Rohnert Park, California

Dr. John P. Kaminski
Director, Center for the Study of
  the American Constitution
Department of History
University of Wisconsin
Madison, Wisconsin

Dr. Cathleen A. Keller
Associate Professor of Egyptology
Department of Near Eastern Studies
University of California, Berkeley
Berkeley, California

Dave Kirk
Teacher
North Park Elementary School
Valencia, California

Ruth M. Landmann, M.A.
Teacher
Rio del Mar Elementary School
Aptos, California

Lynda Lemon-Rush
Teacher
Cedargrove Elementary School
Covina, California
Teacher Consultant
California Geographical Alliance

Mary Mann
Teacher
North Park Elementary School
Valencia, California

Dr. Thomas D. Mays
Assistant Professor
Department of History
Humboldt State University
Arcata, California

Mireya Melendez-Lousteau
Teacher
Harborside Elementary School
Chula Vista, California

Roswithe Mueller
Teacher
Tahoe Elementary School
Sacramento, California

Virginia Rios Núñez
Teacher
Fruit Ridge Elementary School
Sacramento, California

Dr. Samuel A. Oppenheim
Professor Emeritus/Half-Time Professor
Department of History,
California State University, Stanislaus
Turlock, California

Beverly R. Ortiz
Ethnographic Consultant
Walnut Creek, California

Dr. Richard Pierard
Stephen Phillips Professor of History
Gordon College
Wenham, Massachusetts

Dr. Pearl Ponce
Assistant Professor
History Department
California State University,
  San Bernardino
San Bernardino, California

Kim M. Purviance
Teacher
Willow Elementary School
Lakewood, California

Dr. Jack Rakove
W. R. Coe Professor of History
  and American Studies
Department of History
Stanford University
Stanford, California

Dr. Cheryl A. Riggs
Professor and Chair
History Department
California State University,
  San Bernardino
San Bernardino, California

Laura Rivas
Teacher
Twenty-Eighth Street Elementary School
Los Angeles, California

Dr. Terry Rugeley
Associate Professor
Department of History
University of Oklahoma
Norman, Oklahoma

Jeannee L. Schlumpf
Teacher
J. H. McGaugh Elementary School
Seal Beach, California

Robin Sischo
Teacher
Bullard TALENT School
Fresno, California

Dr. David Smith
Professor
History Department
California Polytechnic University Pomona
Pomona, California

Dr. Stuart Tyson Smith
Associate Professor
Department of Anthropology
University of California, Santa Barbara
Santa Barbara, California

Tom Snyder
Teacher
Baird Middle School
Fresno, California

Hiromi Somawang
Teacher
Baird Middle School
Fresno, California

Stephen J. Squire
Teacher
Ocotillo School
Palmdale, California

Christine M. Steigelman, M.A. Ed.
Teacher
Manzanita Elementary School
Newbury Park, California

Kathy Stendel
Teacher
North Park Elementary School
Valencia, California

Cynthia E. Thomas
Teacher
Palmyra Elementary School
Orange, California

Loreta V. Torres
Teacher
Fairmount Elementary School
San Francisco, California

Melinda Trefzger
Teacher
William Northrup Elementary School
Alhambra, California

Helen Tross
Teacher
Santa Ana Unified
  School District Office
Santa Ana, California

Dr. Stanley J. Underdal
Professor of History
San Jose State University
San Jose, California

Maria Villa
Teacher
Twenty-Eighth Street Elementary School
Los Angeles, California

Dr. Miriam Raub Vivian
Department Chair and Professor of Ancient
  History
California State University, Bakersfield
Bakersfield, California

Dr. Eugene Volokh
Professor
UCLA School of Law
Los Angeles, California

Pamela West
Teacher
North Park Elementary School
Valencia, California

Karen Westbrook
Teacher
Sage Canyon School
San Diego, California

Dr. Marilyn J. Westerkamp
Professor
Department of History
University of California, Santa Cruz
Santa Cruz, California

Dr. Arlene Wolinski
Professor
Mesa College
San Diego, California

Dr. Stanley Wolpert
Professor
University of California, Los Angeles
Los Angeles, California

Dr. Ping Yao
Associate Professor
Department of History
California State University, Los Angeles
Los Angeles, California

Reflections
TEACHER INTRODUCTION

Alignment with Standards

From the outline of the history–social sciences curriculum provided by the California History–Social Science Standards, the California History–Social Science Framework, and the Historical and Social Sciences Analysis Skills, the authors of **Reflections** have crafted an informative and engaging narrative.

WHY TEACH TO THE STANDARDS?

Today's students will live and work in a world that is highly connected and extremely complex. This reality makes the study of history and the social sciences more important than ever. To ensure that students receive the education that will prepare them for success in this world, teachers, parents, employers, and the public have an interest in knowing

- what students are learning.
- how they are learning.
- how their progress is evaluated.

The **California History–Social Science Standards** address the first question by stating explicitly what students learn at each grade level from Kindergarten through Grade 12.

In Harcourt School Publishers' **Reflections** series, each lesson at each grade level is built upon California's History–Social Science standards. Teaching the History–Social Science standards is important for several reasons.

- Standards promote a uniform and high-quality education in history and the social sciences for all students.

- These standards serve as the basis for statewide testing that begins in the eighth grade. Teaching the standards at lower grade levels builds the knowledge base and the skill level that will help students succeed in mastering higher-level standards and in demonstrating this mastery through assessment.

- Standards help ensure that students not only learn facts but also understand the themes that flow through history. Understanding these themes allows students to grasp how their own lives connect to the peoples and cultures of the past.

Putting the Fun in Teaching Standards

While some maintain that standards are not "fun," the group of scholars and practitioners who planned **Reflections** did not subscribe to that idea. Much time was spent visiting standards-based classrooms where students knew exactly what they were learning and what was expected of them. Students in these exemplary classrooms were enthusiastic about showing off what they had done; but, equally important, they had mastered the academic language that was required of them and could often cite the standards they were being taught.

DESIGNING STANDARDS-BASED INSTRUCTION

Several years before the publication of this series, Dr. Priscilla Porter, Professor of Education, Emeritus, California State University, Dominguez Hills, sat down with editors from Harcourt and a group of California teachers and supervisors who are state leaders in History–Social Science to plan a program that would meet the unique needs of California's teachers and students. This dedicated group began with an instructional design model, using a process sometimes referred to as "backward mapping."

Simply stated, backward mapping means starting with the desired outcome and working backward to develop a strategy for achieving that outcome. For the educators who planned *Reflections*, the desired outcome was student mastery of the Standards, the Framework, and the Analysis Skills. They worked back from this outcome to plan a sequence of instruction that would lead students directly to this goal.

Authors, consultants, editors, and content specialists looked carefully at every standard at each grade level. They then

 developed a "Big Idea" that reflects the overarching concept embodied in a standard or set of standards;

 determined how mastery of the standard or standards could be measured through traditional tests, through writing activities aligned to the English–Language Arts Standards, and through performance projects;

 planned an instructional sequence that would lead students to success on these assessments;

 determined the materials students would need in this instructional sequence; and

 identified the resources teachers would need.

START WITH THE STANDARDS	UNLOCK THE STANDARDS	PLAN ASSESSMENT	PLAN INSTRUCTION
HSS 5.3 HSS 5.5 HSS 5.6	The Big Idea What to Know	Assessment Options • Option 1: Unit 4 Test • Option 2: Writing • Option 3: Unit Project	Unit 4 Teacher Edition • materials • instructional strategies • activities

Only then did the group begin to outline and create what appears in *Reflections* today.

FOLLOWING THE FRAMEWORK

The development team used the California History–Social Science Standards to determine what *Reflections* would teach. The team followed the California Framework to determine how the content should be delivered. Guided by the Framework, the team designed *Reflections* to

- present history as **a story well-told**;

- highlight significant **people** from the past;

- locate important **places** and integrate **geography** into the story of history;

- identify important events and locate them in **time**;

- define important history–social science **vocabulary**;

- introduce **literature** from and about each historical period;

- address the **six strands of literacy** described in the Framework: historical, ethical, cultural, geographical, economic, and sociopolitical.

- reflect **current and confirmed research** in the field of history–social science.

TEACHING RELATED SKILLS

The California History–Social Science Standards and the California Framework require students to acquire core knowledge in history and social science. They also encourage the development of related skills that enhance students' ability to understand and apply this core knowledge. For this reason, *Reflections* explicitly teaches the following kinds of skills.

CALIFORNIA HISTORICAL AND SOCIAL SCIENCES ANALYSIS SKILLS

California requires students to learn these cognitive skills as they study history. These skills are to be applied to and assessed in conjunction with the content standards. The Analysis Skills fall into three categories:

- **Chronological and Spatial Thinking Skills,** which equip students to locate people and events chronologically and geographically and to explain how geography influences history.

- **Research, Evidence, and Point of View Skills,** which equip students to critically assess what they read and to frame, make connections between the past and the present, and answer questions about the primary source material.

- **Historical Interpretation Skills,** which equip students to analyze and interpret information about history.

California has established three sets of Analysis Skills, one for students in Kindergarten through Grade 5, one for students in Grades 6 through 8, and one for students in Grades 9 through 12. The appropriate Analysis Skills for a particular level can be found in the back of the *Reflections* Student Edition for that level.

Reflections teaches the Analysis Skills by prompting students to think in specific ways about information presented in the program. For example, students are asked to discuss how historical circumstances compare and contrast to current ones and to place historical events in chronological sequence.

The Analysis Skills appear at point of use throughout the program. The abbreviations for the three kinds of Analysis Skills match those used by the state of California in its History–Social Science Standards Test 6–8 and are referenced as follows:

- **CS** for **Chronological and Spatial Thinking**
- **HR** for **Research, Evidence, and Point of View**
- **HI** for **Historical Interpretation**

READING SOCIAL STUDIES FOCUS SKILLS

Reflections provides direct instruction and practice of essential reading social studies focus skills, including summarizing, identifying cause and effect, comparing and contrasting, making generalizations, and others. In addition, writing activities (aligned to the California English–Language Arts Standards) provide opportunities for students to practice English–Language Arts skills as they hone and express their ideas.

INTEGRATING THE CURRICULUM

Reflections integrates history–social science with other academic subjects including mathematics, science, language arts, and the visual and performing arts. All activities in these subject areas are correlated to the relevant California standards.

The No Child Left Behind Act of 2001 and its mandate—that all students develop strong reading skills—has presented an unusual opportunity in history–social science education, which can serve as yet another vehicle for helping classroom teachers improve their students' reading skills. When students read about history, geography, cultures, economics, and civics in their textbooks,

they practice and reinforce reading skills used in comprehending nonfiction text. In fact, throughout the *Reflections* program, students are encouraged to use reading social studies skills, such as main idea and details, and cause and effect.

Also, many of the activities in *Reflections* provide reading and writing practice. Many students may find these skills highly accessible through a history–social science context and may then successfully transfer them to reading and writing. In addition, The Reading Support and Intervention component offers students opportunities to link their study of phonemic awareness, phonics, vocabulary, fluency, and comprehension to the task of reading expository text.

LOOK FOR . . .

- California History–Social Science Standards at the beginning of every unit and lesson in the Student Edition

- California History–Social Science Standards and California Analysis Skills at their point of use in the Teacher Edition

- A complete list of grade-level History–Social Science Standards and Analysis Skills at the back of the Student Edition

- California History–Social Science Standards on Homework and Practice Book and Assessment Program pages

- Correlated cross-curriculum standards in the Teacher Edition

Program Organization

OVERALL ORGANIZATION

The California History–Social Science Standards and the California Framework form the foundation on which *Reflections* was built. Throughout the program, in Big Books and Student Editions alike, historical events are presented within a **chronological** and **geographical** context. Students at every level learn about the significant people, places, and events that have shaped California and the entire country.

The **Teacher Edition** and the **Homework and Practice Book** align with the Student Edition to form an integrated program whose primary goal is to provide students with the concepts, knowledge, and skills they need to become informed and effective participants in twenty-first-century society.

CONTENT

Unit Previews Each unit in Grades 4–6 opens with a preview of significant events, people, and places that it covers. A time line highlights key events and ideas. The pages that follow then introduce the people and places central to the events. In the primary grades, unit previews introduce concepts and key vocabulary.

Reading Social Studies This two-page feature introduces the unit Reading Social Studies Focus Skill and gives students an opportunity to practice the skill in a history–social science context.

Study Skills Each unit includes one or more study skills that provide students with techniques for remembering what they read. Using visuals, organizing information, making K-W-L charts, posing questions, or taking notes are just some of the Study Skills addressed in the units.

Start with Literature Each chapter is enriched by a piece of literature selected for its ability to build background and interest in the chapter content. Literature selections include award-winning titles and authors from a wide variety of fiction and nonfiction works. Stories, poems, legends, folktales, plays, and songs can all be found within the *Reflections* series. A Response Corner at the end of each selection gives students an opportunity to analyze and respond to what they have read.

Core Lessons Each historical lesson begins with a time line that identifies important events covered in the lesson. All lessons provide a What to Know question for students to think about as they read, along with several objectives. Lesson openers also list key vocabulary, people, and places.

In addition, lessons in Grades 4–6 feature a short **You Are There** scenario. You Are There generally is written in the present tense and in the second person to draw students into the time and place covered in the lesson.

Lesson content is then presented in narrative form as a coherent story with a clear beginning, middle, and end. Topical subheadings guide students through the text. Primary sources give voice to the past. Historical photographs and maps illustrate each part of the story. These visuals foster geographic literacy and allow students to see people, places, and events as people of the time saw them. All lesson content has been carefully reviewed for accuracy.

Each lesson concludes with a lesson review, which includes the following items:

Grades 1–2 Lesson Review

- **What to Know** This question addresses the main idea expressed in the lesson, giving students an opportunity to see how well they have mastered the objectives of the lesson.

- **Vocabulary Activity** This activity provides students with practice in using the vocabulary terms introduced in the lesson.

- **Activity** Each lesson review provides a writing or other performance activity related to the lesson content.

- **Reading Social Studies Focus Skill** Each lesson review concludes with an opportunity for students to practice the unit focus skill.

Grades 3–6 Lesson Review

- **What to Know** This question addresses the main idea expressed in the lesson, giving students an opportunity to see how well they have mastered the objectives of the lesson.

- **Vocabulary Activity** This activity provides students with practice in using the vocabulary terms introduced in the lesson.

- **Content Understanding** Students answer one or more questions to see how well they remember what they have read.

- **Critical Thinking** Higher-level questions are posed to offer students opportunities to continue to sharpen their thinking skills. Included in this section are **Analysis Skill** questions and **Make It Relevant** questions.

- **Activity** Each lesson review provides a writing or other performance activity related to the lesson content.

- **Reading Social Studies Focus Skill** Each lesson review concludes with an opportunity for students to practice the unit focus skill.

Special boxed features appear as appropriate within the lessons.

- **Children in History** tells about the experiences and roles of individual children or groups of children in historical periods and events.

- **Citizenship** uses historical examples to explore civic values, democratic principles and institutions, and the rights and duties of American citizens.

- **A Closer Look** uses visuals and text to explain a place, a process, or an event in detail.

- **Cultural Heritage** builds cultural literacy by calling attention to historical roots of present-day customs. This feature emphasizes the nation's diversity by highlighting the contributions of men and women from different demographic and ethnic groups, helps students understand their role in a society that welcomes and protects diversity, and underscores the significance of key historical events.

- **Fast Fact** highlights an interesting fact about the period discussed in the lesson.

- **Geography** boxes provide additional information about a place integral to the story told in the lesson along with a clear map showing the place and locating it within a larger area.

- **Primary Sources** provides a verbal or visual primary source along with a brief explanation of its significance.

In addition, the following appear as one- or two-page features:

- **Biographies** provide additional background on historically important individuals mentioned in the lessons. Biographies build ethical literacy by focusing on character traits such as responsibility, trustworthiness, and patriotism.

- **Citizenship** features illustrate the principles of good citizenship and promote sociopolitical literacy through the examples of historical and contemporary figures.

- **Examine Primary Sources** give in-depth treatment to significant primary sources.

- **Points of View** features present multiple perspective on historical issues and events. The views of both historical and contemporary individuals are presented, as are those of well-known persons and ordinary people. These two-page features give students an opportunity to explore controversy, reasoned debate, and the ways in which viewpoints change over time.

- **Skill Lessons**, based on content from the standards, the framework, and the criteria, teach a wide range of skills, including reading maps, charts, and graphs; critical thinking skills, such as solving problems and distinguishing fact from opinion; and participation skills, such as resolving conflict and acting as a responsible citizen. Collectively, the skill lessons, along with the program's focus skills, study skills, and analysis skills, provide opportunities for students to master skills attainment and social participation.

Chapter Reviews (Grades 3–6) guide students through a review of the vocabulary, lesson content, and skills taught in the chapter. Reviews include both recall and critical thinking questions. Each chapter review also includes two writing prompts aligned to the California English–Language Arts standards.

Unit Reviews provide students with a comprehensive review of unit content.

A **Field Trip** feature at the end of each unit takes students on a virtual visit to a significant site related to the unit's content. Throughout the series, students "visit" famous buildings, historical sites, and cities. These highly visual features introduce students to a variety of places in California, the United States, and around the world.

LOOK FOR . . .

- Reading Social Studies page introducing the unit reading skill

- You Are There scenario (Grades 4–6) that draws students into the narrative

- Children in History feature describing the experiences and roles of students' counterparts in the past

- Primary Sources in the core lesson text, in boxed features within lessons, and in special features between lessons

- Biographies highlighting character traits of significant individuals

COMPONENTS

Big Book (Grade K)

Student Edition (Grades 1–6)

Teacher Edition (Grades K–6)

Unit Big Books (Grades 1–2)

Homework and Practice Book (Grades K–6)

Homework and Practice Book Teacher Edition (Grades 3–6)

Assessment Program (Grades 1–6)

Skills Transparencies (Grades 1–6)

Vocabulary Transparencies (Grades 1–6)

Success for English Learners (Grades 1–6)

Atlas (Primary, Intermediate)

Reading Support and Intervention (Grades 1–6)

Vocabulary Power (Grades 1–6)

Social Studies in Action: Resources for the Classroom (Grades 1–6)

Primary Source Collection (Primary, Intermediate)

Books for All Learners (Grades K–6)

Books for All Learners Teacher Guide (Grades K–2, 3–4, 5–6)

TimeLinks: Interactive Time Line (Primary, Intermediate)

Audiotext CD Collection (Grades K–6)

Music CD (2 CDs for Grades K–6)

Time for Kids Readers (Grades K–6)

Time for Kids Readers Teacher Guide (Grades K–6)

Interactive Map Transparencies (California, United States, World)

Interactive Desk Maps (California, United States, World)

Ebooks (Grades 1–6)

Electronic Tests (Grades 1–6)

Online Lesson Planners (Grades K–6)

The Learning Site (website)

GeoSkills (Primary, Intermediate)

Comprehensive Assessment

FOCUSED ON THE STANDARDS

Reflections incorporates a wide variety of assessment tools to track students' progress toward mastery of both the History–Social Science Standards and the Historical and Social Sciences Analysis Skills. These assessments are integrated throughout the program, allowing teachers and students to continually monitor learning. Assessments are designed to measure not just what students know but also what they can do; that is, their ability to apply, analyze, synthesize, and evaluate the material they have read. Frequent assessments in a variety of modes and formats provide teachers with valuable guidance for planning and modifying instruction.

ASSESSMENT OPTIONS

For each unit in the Student Edition, *Reflections* provides three assessment options.

Option 1: Tests

These pretests, reviews, and tests provide an objective measure of students' progress toward meeting the History–Social Science Standards and the Analysis Skills for the grade level.

- A Unit Pretest for each unit appears in the Assessment Program.

- For Grades 3–6, a Chapter Review appears at the end of each chapter.

- For Grades 3–6, a Chapter Test appears in the Assessment Program.

- A Unit Review appears at the end of each unit.

- A Unit Test appears in the Assessment Program.

- Two summative tests—one covering Units 1 through 3 and one covering Units 4 through 6—appear in the Assessment Program.

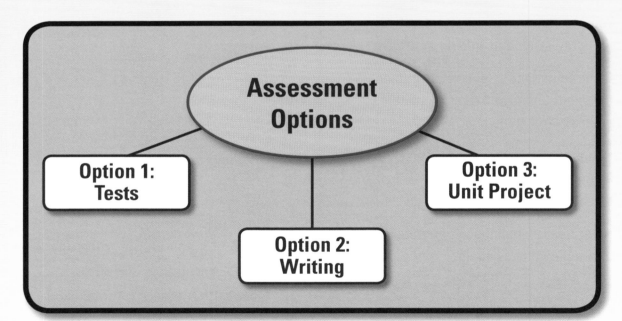

Assessment Options

Option 1: Tests

Option 2: Writing

Option 3: Unit Project

Option 2: Writing

Students have an opportunity to demonstrate their command of the History–Social Science content through writing assignments that appear after lessons, chapters, and units. All writing tasks are aligned to the grade-level English–Language Arts Content Standards. Writing assignments cover both the Writing strand and the Written and Oral Language Conventions strand.

- Each unit concludes with a Unit Activities page that features a Unit Writing Activity. The Unit Writing Activity assesses the student's mastery of both the History–Social Science standards covered in the unit and the grade-level English–Language Arts standards.

Each unit also provides additional opportunities for student writing:

- Some Lesson Reviews include a writing activity that calls on students to write about material covered in the lesson.

- Each Chapter Review in Grades 3–6 includes two California Writing Prompts. These prompts ask students to produce a piece of writing that in its content reflects the chapter History–Social Science standards and in its form reflects the grade-level English–Language Arts standards.

Option 3: Unit Project

Option 3 provides performance assessments and informal assessments of several types.

Unit Project

- Each unit includes a Unit Project, a performance task that culminates in a complex product, such as a colonial newspaper or a museum exhibit.

- A Unit Project Performance Assessment appears in the Teacher Edition and provides detailed support for assigning, completing, and assessing the Unit Project. A project rubric is included.

- Additional performance activities appear as part of the Lesson Reviews that do not have a Writing Activity. Many of these activities culminate in products that become part of the Unit Project.

Analytical Rubrics

Analytical rubrics are included for all Writing Activities and for all Performance Activities at the end of lessons. Each rubric is content-specific and has been written to help teachers and students evaluate students' work on a specific activity.

Student rubrics for the Unit Writing Activity and the Unit Project appear in the Assessment Program. Teacher rubrics appear in the Teacher Edition.

INFORMAL ASSESSMENT

A variety of informal assessments appear throughout the Student Edition.

- The **Reading Social Studies** feature at the beginning of each unit includes a Practice the Skill section and an Apply What You Learned section that ask students to demonstrate their ability to apply the unit reading skill.

- The **Start with Literature** feature includes a Literature Response Corner in which students answer questions that measure their comprehension of the literature and their ability to analyze and interpret it. An additional Write a Response activity for each selection appears in the Teacher Edition.

- Each lesson ends with a set of **Lesson Review** questions that focus on the History–Social Science Standards and the Analysis Skills covered in the lesson.

- Each Skill feature has a **Practice the Skill** section in which students answer questions that assess their understanding of the skill. In addition, each Skill feature includes an **Apply What You Learned** section in which students apply the skill to a new situation or data set.

- Each **Primary Sources** feature includes a set of questions that requires students to analyze the source. The Teacher Edition includes an activity designed to evaluate students' understanding of the feature content and a research project that challenges students to independently analyze an additional source.

- Each **Points of View** feature closes with an It's Your Turn section that asks students to analyze the viewpoints presented in the feature.

- Each **Citizenship** feature asks students to summarize the material presented in the feature.

STUDENT SELF-EVALUATION

Opportunities for student self-evaluation appear throughout each chapter.

- The **Study Skills** page that opens each chapter instructs students to apply the skill as they read the chapter. As they do so, students create a chart or a set of notes that they can use to evaluate their ability to use the study skill.

- Within lessons, each section ends with a **Reading Check** question. Many of the Reading Check questions ask students to apply the unit reading skill to the section content.

- Also within lessons, graphics (such as charts and graphs), maps, and **A Closer Look** features include questions that help students monitor their comprehension of visuals.

- Each **Biography** feature includes a **Why Character Counts** question that asks students to explain the link between the person's life and the featured character trait.

ASSESSMENT MODES AND FORMATS

Assessments encompass a broad spectrum of modes and formats, including multiple-choice items and short-answer questions.

In addition, writing activities and performance activities assess students' information literacy skills and their ability to use libraries and media centers as they complete tasks related to history and social science.

Finally, where appropriate, opportunities are included for students to complete assessment activities in pairs or groups.

ELECTRONIC ASSESSMENT

All pretests, chapter and unit tests, and summative tests are provided in an electronic format to allow teachers to customize assessment.

LOOK FOR . . .

- Unit Pretests, Tests, and Summative Tests in the Assessment Program

- Lesson Reviews, Chapter Reviews (Grades 3–6), and Unit Reviews in the Student Edition

- California Writing Prompts in each unit

- A Unit Project on each Unit Activities page in the Student Edition and a Unit Project Performance Assessment in the Teacher Edition

- Analytical rubrics and student rubrics for all writing activities and performance activities in the Teacher Edition

- Informal assessments and opportunities for student self-evaluation throughout the Student Edition

- Electronic testing to customize assessment

Universal Access

Reflections provides access to the standards for all learners through differentiated instruction for students and clear guidance for teachers.

CONSIDERATE TEXT

Reflections makes full use of text features and design principles that support comprehension.

- Each lesson begins with a **What to Know** question that establishes a purpose for reading.

- Lesson vocabulary words are listed on the opening page, boldfaced and highlighted in the text, and defined in context.

- Titles and topical subheadings guide readers through the lesson text.

- Introductory and summary paragraphs create a clear, easy-to-follow text organization.

- Paragraphs are simply organized with topic sentences, supporting details, and clear transitions.

- The text is presented in an easy-to-read format and typeface and an appropriate type size for the grade-level audience.

- Each page presents a balance of verbal and visual information that is engaging but not overwhelming.

- Each lesson ends with a Lesson Review directly related to the History–Social Science standards and the Analysis Skills covered in the lesson.

WHEN MINUTES COUNT

Ten Quick Tips for **Supporting English Language Learners** in History–Social Science

For all English Language Learners

1. Provide a low-anxiety environment.

2. Keep your expectations high. Differentiate instructional strategies while teaching the same standards to all students.

Beginning and Early Intermediate Levels

3. Ask questions that can be answered with a single word or by pointing to pictures.

4. Utilize photographs, paintings, drawings, and maps as much as possible.

Intermediate Level

5. Frontload vocabulary and language structures.

6. Introduce graphic organizers, allowing students to use them as a prewriting tool.

7. Use writing frames to scaffold written responses.

Early Advanced and Advanced Levels

8. Maximize the teachable moments to accelerate the learning of new language forms and to expand vocabulary.

9. Provide ample opportunities to practice, apply, and use language purposefully.

10. Allow students time to reflect on language forms and processes.

Rebecca Valbuena
Language Development Specialist
Stanton Elementary School
Glendora Unified School District

Differentiated Instruction to Reach All Learners

Reflections has been designed to address the needs of all learners. The text is presented in a clear and concise manner and is divided into manageable portions, each constructed around a main idea. Illustrations are large and appropriately placed to complement the text and to facilitate learning through both text and visuals. The presentation of concepts is well paced, and new terms are clearly defined in context.

The Teacher Edition also provides special features to help ensure that all students will master the content required by the California History–Social Science standards and will thrive in their classroom environment. Throughout the Teacher Edition, tips for preparing assignments for English Language Learners are provided. These include frontloading language activities for beginning, intermediate, and advanced learners and individual activities for each of these levels.

Reach All Learners boxes provide activities for the varying needs of individual students, including special-needs students. Leveled practice activities offer separate but related tasks for students at basic, proficient, and advanced levels. Additional activities designed to engage and challenge advanced learners appear as appropriate throughout the Teacher Edition. These activities focus on the History–Social Science standards and provide opportunities for students to

- extend their study of people, places, events, and ideas covered in the lessons and features;

- carry out independent research and study of topics related to the material covered in the lessons and features; and

- explore and apply the Analysis Skills in ways that surpass the grade-level expectations.

Suggestions for student independent reading are also an important part of the Teacher Edition at every grade level. For each unit, additional reading is suggested for basic, proficient, and advanced readers.

In addition, *Reflections* offers resources targeted at students who need additional background as they read the student textbook. These additional components were designed to help provide access to standard-based content for English Language Learners, students below grade level in reading or writing skills, and students requiring extra assistance in learning the concepts addressed in grade-level standards.

SUCCESS FOR ENGLISH LEARNERS

The goal of instruction using the Success for English Learners component is to support English Learners' access to the History–Social Science standards while also building proficiencies in speaking, reading, and writing English.

The Success for English Learners component of *Reflections* focuses on four strategies.

Developing Academic Language These pages provide an extended introduction to the unit focus skill, along with practice and application of this skill in a history–social science context.

Build Background Teachers are provided with methods for accessing students' prior knowledge, strategies for introducing lesson vocabulary terms, and rhymes and chants to help students develop fluency in their use of history–social science vocabulary, reading social studies focus skills, and lesson content. With this additional background, students will be well prepared for learning the content in the Student Edition.

Scaffolding the Content These pages offer suggestions for teachers to help build pathways to student understanding of the concepts presented in the Student Edition. These pages allow teachers to build background, model thinking, and preview lesson content to allow students to fully understand the Student Edition lessons.

Apply and Assess A performance activity is provided to help students fully comprehend the concepts presented in each Student Edition lesson. Each page also contains guidelines for informal assessment of the performance task.

READING SUPPORT AND INTERVENTION

This component provides students with assistance in approaching and comprehending the lesson text of the *Reflections* Student Edition. Suggestions for before-reading, during-reading, and after-reading support are given for every lesson. The component also includes student practice reviewing not only vocabulary terms but also additional terms with which some students may have difficulty. Special phonemic awareness activities are provided for Grades 1 and 2.

VOCABULARY POWER

The Vocabulary Power books provide activities to reach all learners. This component includes activities and games designed to strengthen vocabulary skills in general, vocabulary activity strategies to use while studying lesson vocabulary, and word cards containing all grade-level vocabulary terms along with their definitions.

BOOKS FOR ALL LEARNERS

These leveled readers provide not only practice in reading history–social science materials but also background, enrichment, and extension of the concepts presented in each unit of each level of *Reflections*.

TIME FOR KIDS READERS

Time for Kids Leveled Readers are available for every unit of every grade level of the *Reflections* program. These magazine-style leveled readers were specifically produced to match the content of the *Reflections* program and, therefore, the California History–Social Science Standards. The readers allow all students opportunities to read more about topics related to unit content. The Time for Kids Leveled Readers are categorized into three reading levels: Basic, Proficient, and Advanced. The Teacher Edition provides before-reading, during-reading, and after-reading activities to use with the Time for Kids Leveled Readers.

AUDIOTEXT CD COLLECTION

An audiotext of the Student Edition is provided to assist in the learning process. The audiotext can be used in conjunction with the printed Student Edition or independently, depending on students' needs.

ELECTRONIC VERSION (EBOOK) OF STUDENT TEXT

An electronic version of the Student Edition is also available as an alternate format. The electronic version can be used to assist a variety of students. For example, to support visually impaired students, verbal descriptions accompany all visuals that teach the standards. In addition, audio of the electronic text is also provided.

LOOK FOR . . .

- Clear and concise Student Edition text that is accessible to all students.

- Vocabulary words listed on the first page of each lesson are boldfaced and highlighted in the text.

- Special features throughout the Teacher Edition to provide additional guidance for working with students at various levels.

- English Language Learners activities providing leveled practice throughout the Teacher Edition.

- Separate components to help students better access the content of the Student Edition.

- Time for Kids Leveled Readers to help engage students in standard-based content.

Instructional Planning and Support

Since standards were the starting point for *Reflections*, educators who teach *Reflections* can be assured that they are teaching these standards as they use the program.

Through the Teacher Edition and other materials, *Reflections* provides comprehensive instructional support. Teachers are guided by a clear road map that shows what to teach, when to teach it, and how to teach it.

TEACHER EDITION

The Teacher Edition includes several instructional support features.

- Instructional suggestions and examples throughout all lessons and features lead teachers through the text. The Teacher Edition text for each Student Edition page provides discussion topics and questions aligned to the History–Social Science standards.

- The text also provides specific suggestions for teaching the Historical and Social Sciences Analysis Skills, including discussion questions that are closely aligned to these skills.

- Teaching suggestions are also provided to help students understand and analyze primary sources and visuals.

- Background information for teachers appears both in the main text of the Teacher Edition and in special boxed Background features.

- The **Correct Misconceptions** feature alerts teachers to likely misunderstandings that students may have or to content that is likely to cause confusion without teacher clarification. It provides language that teachers can use to help clear up students' confusion.

- Teacher Edition pages show exactly which ancillary materials may be used with each lesson and feature. Teachers are referred to the relevant pages in Success for English Learners, Reading Support and Intervention, the Homework and Practice Book, and the Assessment Program.

- The **When Minutes Count** feature in the Teacher Edition provides teaching suggestions for when time is limited.

INSTRUCTIONAL SUPPORT BEYOND THE TEACHER EDITION

The following components and resources provide additional instructional support.

- The Homework and Practice Book contains at least one activity for each lesson and for each skill lesson. These activities are aligned to the History–Social Science standards and provide opportunities for students to practice and reinforce the material they are learning.

- A School to Home Newsletter for each unit introduces family members to the content students are learning and suggests related at-home activities.

- The Harcourt School Publishers' *Reflections* website **www.harcourtschool.com/hss** provides a range of constantly updated and expanded electronic resources that support the core instruction. These electronic resources include Time for Kids news updates; online atlases and an almanac, including almanacs for each state; multimedia biographies of historically significant people; extensive links to primary source material online; virtual tours of historically significant places; activities and games; and additional resources for teachers and parents.

- Suggestions for outside resources that can be incorporated into the core curriculum include recommended trade books related to the content of each chapter and unit.

LOOK FOR . . .

- In the Teacher Edition, discussion questions that are aligned to the History–Social Science standards and to the Analysis Skills.

- Also in the Teacher Edition, the Correct Misconceptions feature highlights material that students may find confusing and provides suggestions for clarifying understanding.

- Background information for teachers both in the main text of the Teacher Edition and in special boxed Background features.

- Clear, point-of-use references to ancillaries for each lesson and feature.

- A home letter for each unit that describes at-home activities to reinforce learning.

- Recommended trade books that can be incorporated into the curriculum.

- Online lesson planners help facilitate teacher preparation.

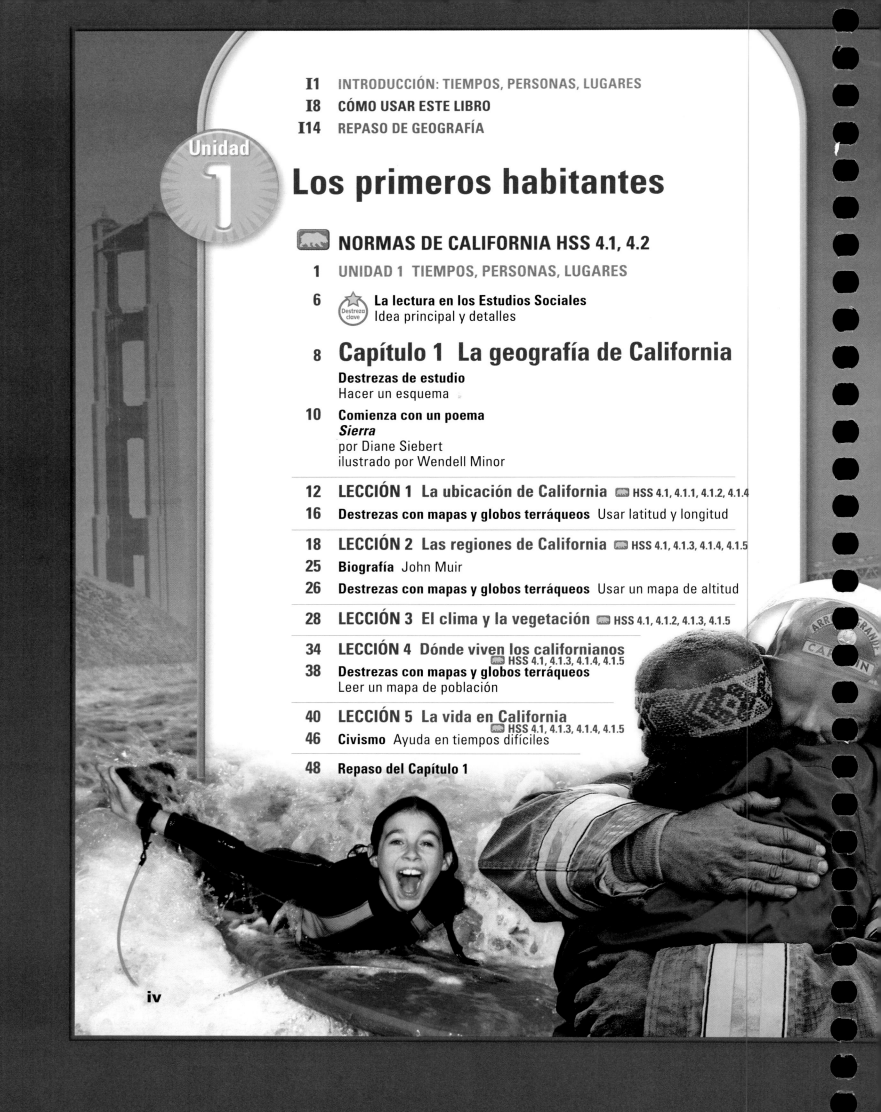

Unidad 1

Los primeros habitantes

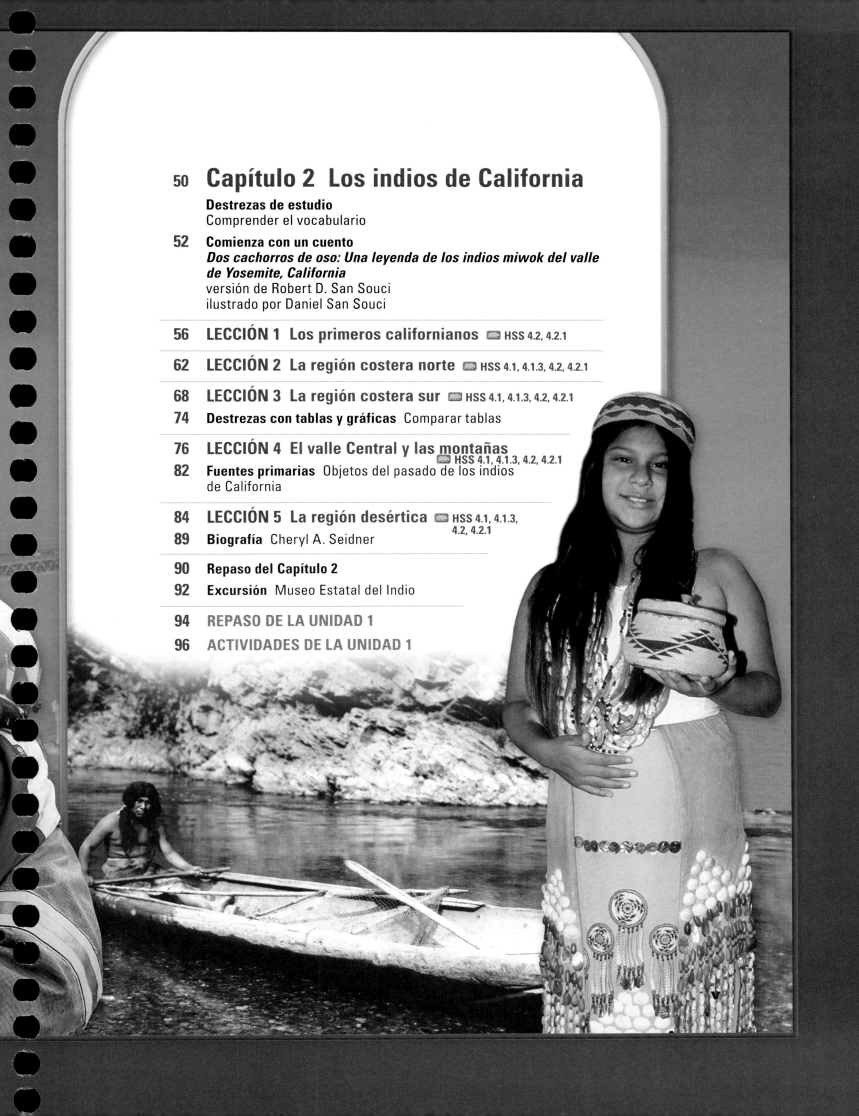

v

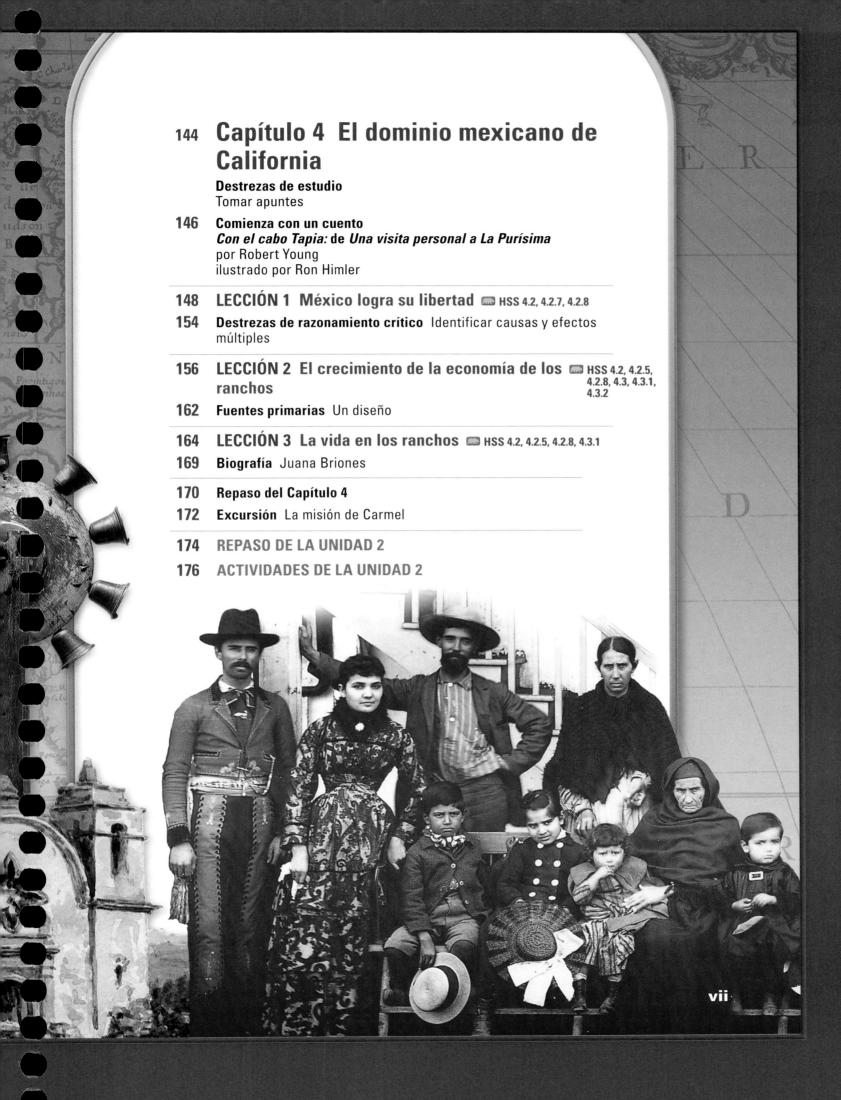

vii

viii

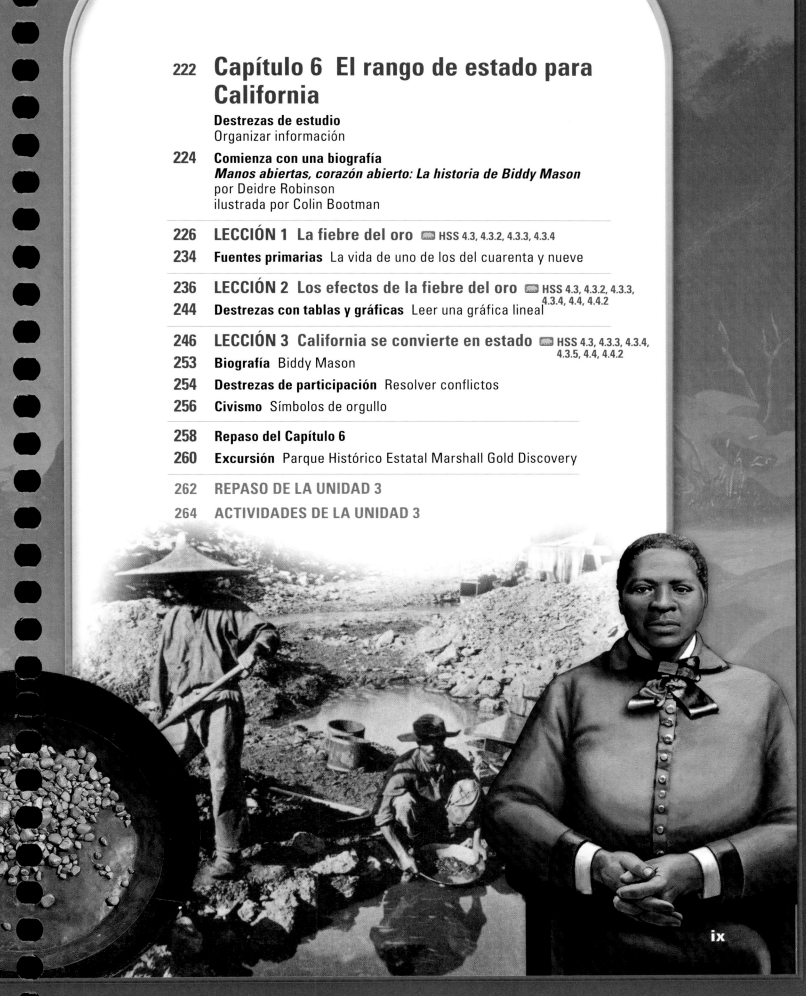

ix

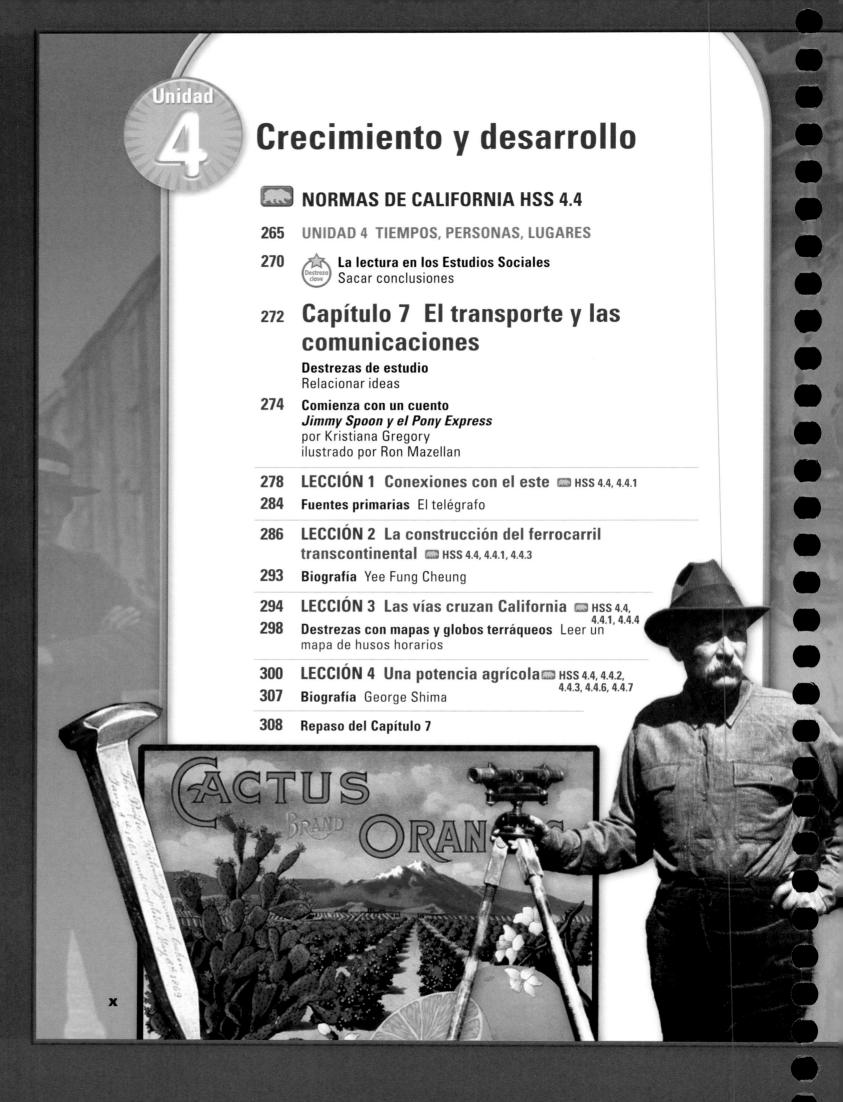

Unidad 4

Crecimiento y desarrollo

NORMAS DE CALIFORNIA HSS 4.4

Unidad 5

El estado progresa

NORMAS DE CALIFORNIA HSS 4.4

xiii

xiv

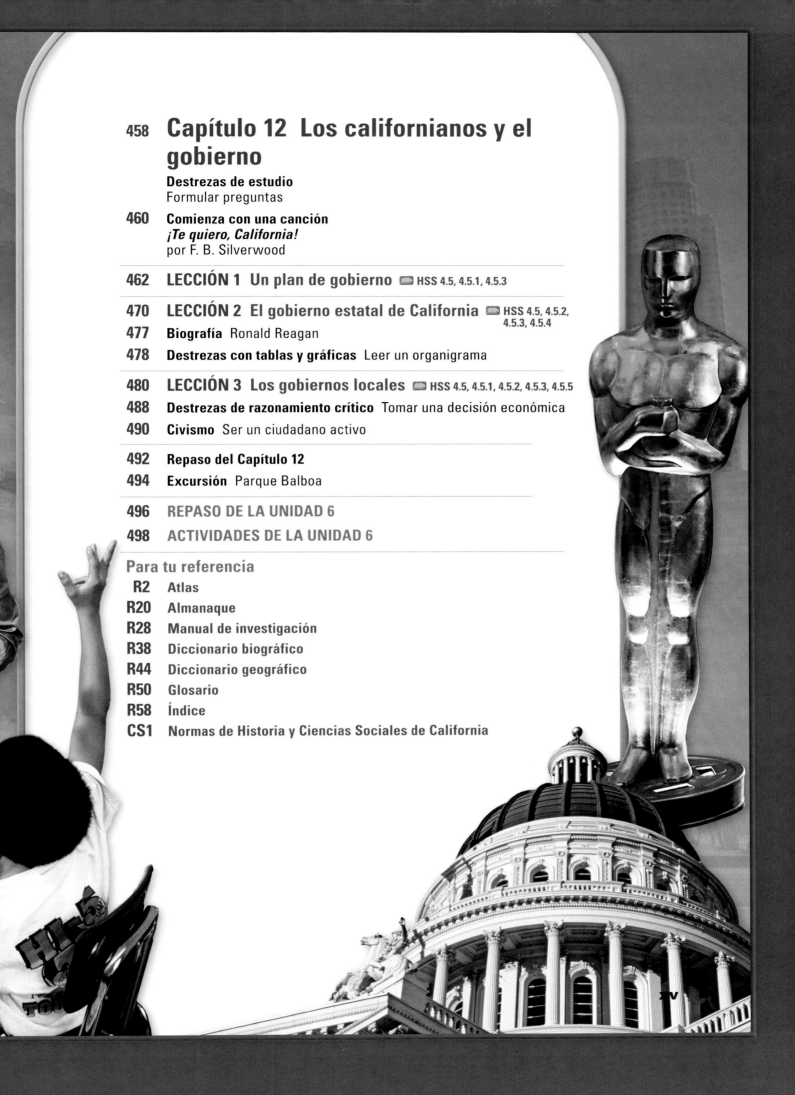

Secciones útiles

Líneas cronológicas

Una historia bien contada

"El prometedor futuro de California es nada menos que el prometedor futuro de Estados Unidos."*

—Kevin Starr, bibliotecario estatal emérito de California

¿Alguna vez te has preguntado cómo se formó California y de qué manera su pasado influye en tu vida? Este año lo sabrás. Estudiarás la geografía y la historia de California. Leerás sobre cómo era vivir en los **tiempos** en que se produjeron los acontecimientos más importantes para el desarrollo de nuestro estado. También conocerás a algunas de las **personas** que participaron en estos acontecimientos y los **lugares** donde ocurrieron. Lee ahora la historia de *California: Un estado cambiante.*

*Kevin Starr. "California-The Dream, The Challenge". Biblioteca estatal de California.

California:

UN ESTADO CAMBIANTE

I1

Los ⏱ tiempos en la historia de California

Estudiar historia te ayudará a comprender cómo se relacionan el pasado y el presente, y a identificar sus semejanzas y sus diferencias. También te ayudará a comprender que, aunque algunas cosas cambian a través del tiempo, otras permanecen iguales. A medida que aprendas a reconocer estas relaciones, comenzarás a pensar como un historiador. Un historiador es una persona que estudia el pasado.

Los historiadores **investigan**, o estudian en profundidad, los tiempos en que se produjeron los acontecimientos. Buscan pistas en los objetos y documentos de quienes vivieron en el pasado. Los historiadores leen diarios personales, cartas, artículos periodísticos y otros textos que fueron escritos por las personas que participaron en los acontecimientos.

12

También observan fotografías, películas y obras de arte. Además, prestan atención a la historia oral, es decir, a los relatos contados por personas de esa época. Estudiando cuidadosamente estas **evidencias**, o pruebas, los historiadores pueden reconstruir el contexto histórico de cada evento, o sea, cómo era el mundo cuando ese evento ocurrió. El contexto ayuda a los historiadores a **interpretar**, o explicar, el pasado.

Los historiadores deben prestar mucha atención al modo en que están relacionados los acontecimientos. Para ver más claramente estas relaciones, pueden estudiar la **cronología**, o sea, el orden por fechas, en que sucedieron los eventos. Una manera de hacerlo es usando líneas cronológicas. Una línea cronológica muestra los eventos clave del período. En ella también puede observarse cómo un evento puede haber llevado a que ocurriera otro.

13

Las personas en la historia de California

Los historiadores estudian acerca de las personas que vivieron en diferentes épocas. A partir de las evidencias que reúnen, los historiadores tratan de imaginar cómo era la vida de esas personas. Tratan de comprender por qué actuaban de cierta forma y cómo los distintos acontecimientos afectaban sus sentimientos y creencias.

Los historiadores también estudian los puntos de vista de las personas. El **punto de vista** de una persona es la forma en que percibe las cosas, ese punto de vista está moldeado por el origen y las experiencias de esa persona. Cambia según su condición o estado: joven o vieja, rica o pobre, hombre o mujer. Las personas con distintos puntos de vista pueden percibir el mismo evento de manera muy diferente.

14

Quienes vivieron en el pasado pueden servir como modelos de conducta para saber cómo actuar o cómo no actuar ante acontecimientos problemáticos. Los historiadores tratan de identificar los **rasgos de personalidad**, tales como integridad, respeto, responsabilidad, equidad, bondad y patriotismo, que las personas del pasado demostraron a través de sus actos. Los historiadores observan cómo estos rasgos de personalidad han influido y aún influyen en la formación de buenos líderes.

15

Los lugares en la historia de California

Los historiadores también deben pensar en los lugares donde ocurrieron los hechos. Cada lugar de la Tierra tiene características que lo hacen diferente del resto. A menudo, esas características determinaron que los acontecimientos ocurrieran en cierto lugar y se desarrollaran de cierta manera.

Con el objetivo de comprender mejor las características propias de un lugar, los historiadores usan mapas. Los mapas muestran la ubicación de un lugar, pero además pueden brindarles información acerca de la tierra y de los pueblos que vivieron allí. Pueden mostrar las rutas que recorrieron las personas, los lugares donde se asentaron y el uso que le daban a la tierra.

Los mapas, al igual que otros tipos de evidencia, ayudan a los historiadores a escribir con mayor precisión acerca del pasado. También son una valiosa herramienta para comprender mejor cómo se relacionan los tiempos, los lugares y las personas.

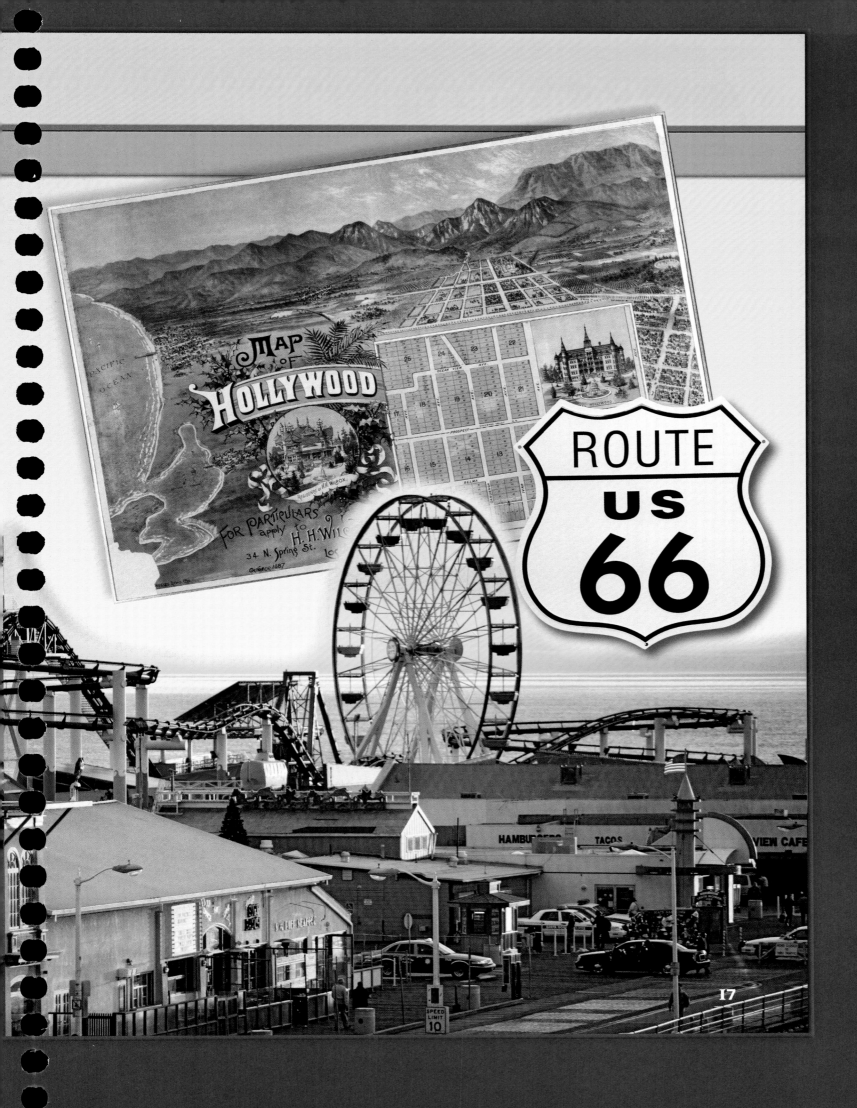

Cómo usar este libro

Título de la unidad

Este libro está dividido en seis unidades.

Cada unidad comienza con las Normas de Historia y Ciencias Sociales de California que se tratan en la unidad.

La gran idea expone la idea clave que debes haber comprendido al finalizar la unidad.

Estas preguntas te ayudarán a concentrarte en La gran idea.

Para comprobar que has comprendido las Normas de Historia y Ciencias Sociales de California y La gran idea, el maestro puede pedirte que completes una o más de estas tareas.

OBSERVAR TIEMPOS, PERSONAS Y LUGARES

TIEMPOS Estas páginas muestran los acontecimientos más importantes y cuándo ocurrieron. Leerás acerca de esos eventos a lo largo de la unidad.

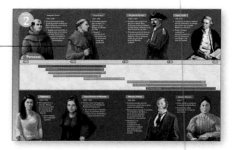

PERSONAS Estas páginas te presentan a algunos hombres y mujeres sobre los que leerás en la unidad.

LUGARES Estas páginas te muestran dónde ocurrieron algunos de los eventos que se estudiarán en la unidad.

LA LECTURA EN LOS ESTUDIOS SOCIALES

La lectura en los Estudios Sociales es una destreza clave que te ayudará a comprender mejor los eventos sobre los que lees y a establecer relaciones entre esos eventos.

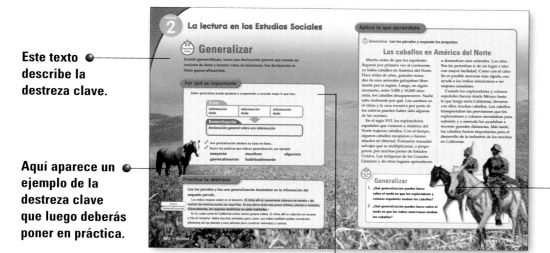

Este texto describe la destreza clave.

Aquí aparece un ejemplo de la destreza clave que luego deberás poner en práctica.

Después de leer algunos párrafos, deberás aplicar la destreza clave para responder estas preguntas.

Este texto explica por qué esta destreza clave es importante.

COMENZAR UN CAPÍTULO

Cada unidad está dividida en capítulos, y los capítulos están divididos en lecciones.

La sección de destrezas de estudio te brinda estrategias que puedes usar para recordar y organizar lo que lees.

Cada capítulo tiene una lista de las Normas de Historia y Ciencias Sociales que se tratan en el capítulo.

Título y número del capítulo

Cada capítulo comienza con una canción, un poema, un diario, un cuento o algún otro material de lectura.

LEER UNA LECCIÓN

Esta pregunta te ayudará a enfocarte en la idea principal de la lección.

Este texto te indica las habilidades que deberás tener cuando termines la lección.

Estas son las nuevas palabras de vocabulario que aprenderás en la lección.

En esta lista se mencionan algunas de las personas y lugares de la lección.

A medida que leas la lección, recuerda aplicar la destreza clave de La lectura en los Estudios Sociales.

Lección 1

Tiempos

1535   1685   1835

1535
Hernán Cortés llega a Baja California

1542
Juan Rodríguez Cabrillo explore Alta California

1602
Sebastián Vizcaíno navega hasta la bahía de Monterey

REFLEXIONA
¿Por qué los europeos exploraron las Américas?

✓ Identifica las rutas marítimas de los primeros exploradores de California y del Pacífico Norte.

✓ Explica los efectos de las rutas por agua en la exploración.

VOCABULARIO
conquistador pág. 111
costa pág. 111
beneficio pág. 111
península pág. 112
galeón pág. 114
corriente oceánica pág. 114
sistema de vientos pág. 114

PERSONAS
Juan Rodríguez Cabrillo
Francis Drake
Sebastián Rodríguez Cermeño
Sebastián Vizcaíno

LUGARES
Alta California
Baja California

GENERALIZAR

Normas de California
HSS 4.2, 4.2.2, 4.2.3

110 ▪ Unidad 2

Los exploradores llegan a California

IMAGÍNATE ALLÍ Imagina que eres un marinero español del siglo XVI. Estás por desembarcar en la costa de California. En lo alto, el viento bate las velas de tu barco ruidosamente. Bajo tus pies, la cubierta se mece sobre las aguas del Pacífico. Mientras miras la nueva tierra, te preguntas si tu viaje te reportará oro, plata y otras riquezas. ¡No ves la hora de que llegue el momento de remar hasta la playa!

▶ Hernán Cortés llegó a las Américas en busca de tesoros, como la joya azteca que aparece arriba.

La línea cronológica muestra cuándo sucedieron algunos eventos clave de la lección.

Título de la lección

Imagínate allí te lleva a la época en que ocurrieron los acontecimientos que se mencionan en la lección.

Las personas y los lugares clave aparecen en letra negrita.

Algunas lecciones tienen secciones especiales donde puedes leer sobre Civismo, Los niños en la historia, Fuentes primarias y Puntos de vista.

GEOGRAFÍA

Un pasaje por el norte
Durante más de 100 años después de que Cabrillo y Drake fracasaran en su intento de encontrar un pasaje por el norte, otros exploradores siguieron recorriendo el Pacífico Norte en busca de un pasaje que uniera los océanos Pacífico y Atlántico. **Vitus Bering** navegó desde el norte de Rusia esperando hallar el Pasaje del Noroeste. No lo halló, pero en 1728 descubrió que América del Norte y Asia eran continentes diferentes. En 1778, **James Cook**, de Gran Bretaña, también buscó un pasaje norte a lo largo de la costa noroeste de América del Norte. Cook no logró hallarlo, pero se convirtió en el primer europeo en desembarcar en la isla de Vancouver, frente a la costa de Canadá, y en las islas de Hawai.

OCÉANO PACÍFICO

OCÉANO ÁRTICO

ESTRECHO DE BERING

Bering, 1728
Cook, 1778

La colonización de California

Más de 150 años después de que Vizcaíno entrara en la bahía de Monterey, España decidió establecer una colonia en Alta California. Una **colonia** es un asentamiento gobernado por un país que está lejos del asentamiento. La decisión de establecer una colonia en Alta California se tomó a mediados del siglo XVIII. Exploradores rusos y comerciantes de pieles habían llegado a lo que es actualmente Alaska. El rey Carlos III temía que los rusos avanzaran por la costa hacia el sur y entraran en Alta California.

Los líderes españoles creían que una colonia en Alta California podía prosperar.

España ya había establecido colonias en lo que serían más tarde Florida, Texas y New Mexico, a través de la fundación de **misiones**, o asentamientos religiosos. Las misiones habían fortalecido el dominio de España sobre la Nueva España y América Latina. El rey esperaba seguir el mismo plan en Alta California.

Las misiones eran dirigidas por misioneros. Un **misionero** es alguien que enseña religión a otras personas. En California, sacerdotes católicos y otros trabajadores religiosos se desempeñaron como misioneros. Ellos trataron de convertir a los indios a la religión católica. También trataron de enseñarles el idioma y el modo de vida español.

REPASO DE LA LECTURA ⊘ GENERALIZAR
¿Por qué España decidió establecer una colonia en Alta California? para proteger de otros países sus posesiones

Capítulo 3 ▪ 119

Las palabras de vocabulario están resaltadas en amarillo.

Cada sección breve concluye con una pregunta de **REPASO DE LA LECTURA** **que te permite verificar si has comprendido lo que leíste. Asegúrate de que puedes responder correctamente la pregunta antes de seguir leyendo la lección.**

Cada lección, al igual que cada capítulo y cada unidad, concluye con un repaso. En él encontrarás preguntas y actividades que te ayudarán a comprobar si has comprendido las normas que se tratan en la lección.

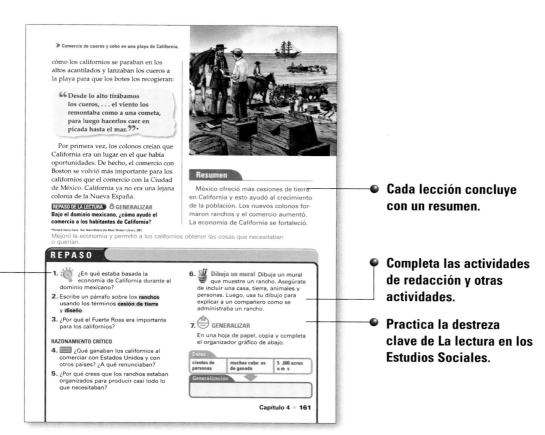

Cada lección concluye con un resumen.

Completa las actividades de redacción y otras actividades.

Practica la destreza clave de La lectura en los Estudios Sociales.

APRENDER LAS DESTREZAS DE ESTUDIOS SOCIALES

Tu libro de texto tiene lecciones que te ayudarán a desarrollar destrezas de participación, destrezas con mapas y globos terráqueos, destrezas con tablas y gráficas, y destrezas de razonamiento crítico.

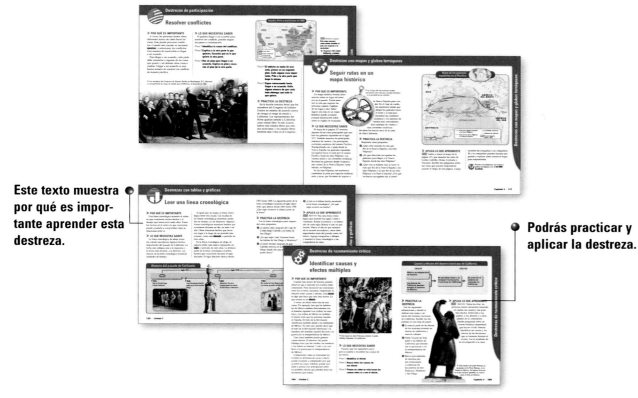

Este texto muestra por qué es importante aprender esta destreza.

Podrás practicar y aplicar la destreza.

SECCIONES ÚTILES

La sección **Biografía** te brinda abundante información sobre algunas de las personas que vivieron en la época que se estudia.

Cada biografía está centrada en uno de los rasgos de carácter de la persona.

Una línea cronológica te muestra las fechas de nacimiento y muerte de la persona, como también, acontecimientos clave de su vida.

La sección **Civismo** te muestra cómo, al igual que las personas del pasado, las personas en la actualidad pueden ser ciudadanos activos.

La sección **Excursión** te permite "visitar" muchos lugares interesantes.

La sección **Puntos de vista** te permite examinar diferentes puntos de vista, o múltiples perspectivas, sobre cierto tema.

La sección **Fuentes primarias** te muestra formas de aprender acerca de diferentes tipos de objetos y documentos.

I12 ■ **Introducción**

PARA TU REFERENCIA

Al final del libro encontrarás diferentes herramientas de consulta. Puedes usar estas herramientas para buscar palabras o para encontrar información acerca de personas, lugares y otros temas.

Almanaque
datos sobre California y sus líderes

Atlas
mapas que te muestran lugares en California, en Estados Unidos y en el resto del mundo

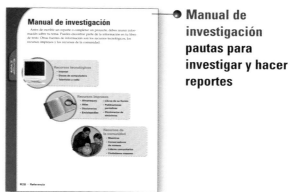

Manual de investigación
pautas para investigar y hacer reportes

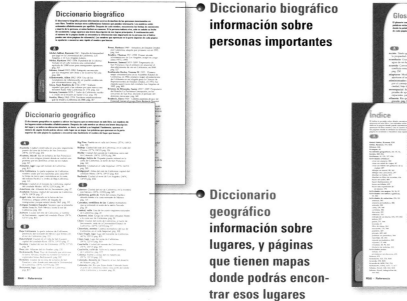

Diccionario biográfico
información sobre personas importantes

Diccionario geográfico
información sobre lugares, y páginas que tienen mapas donde podrás encontrar esos lugares

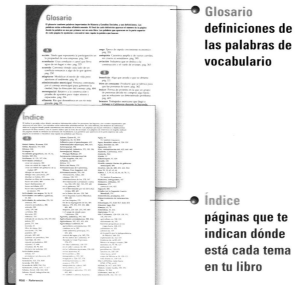

Glosario
definiciones de las palabras de vocabulario

Índice
páginas que te indican dónde está cada tema en tu libro

Introducción ■ I13

Los cinco temas de la Geografía

Aprender sobre los lugares es una parte importante de la Historia y la Geografía. La Geografía es el estudio de la superficie terrestre y el uso que le dan las personas. Para estudiar la Tierra y su geografía, los geógrafos a menudo se enfocan en cinco temas principales. Recordar estos temas mientras lees te ayudará a pensar como un geógrafo.

Ubicación

Todo en la Tierra tiene su propia **ubicación,** o sea, el lugar donde se encuentra.

TEMAS DE

Lugar

Todos los lugares tienen características físicas y humanas que los hacen diferentes del resto. Las **características físicas** han sido formadas por la naturaleza. Las **características humanas** han sido creadas por las personas.

Interacciones entre los seres humanos y el ambiente

Los seres humanos y el ambiente interaccionan. Las actividades de las personas modifican el ambiente, y, a su vez, el ambiente afecta a las personas. A menudo, las personas deben cambiar su modo de vida para adaptarse al entorno.

Movimiento

Las personas, las cosas y las ideas se mueven todos los días a través de nuestro estado, de nuestro país y alrededor del mundo.

GEOGRAFÍA

Regiones

Las áreas de la Tierra que tienen características propias que las hacen diferentes de otras áreas reciben el nombre de regiones. Una **región** puede describirse a partir de sus características físicas o de sus características humanas.

REPASO DE GEOGRAFÍA

Observar la Tierra

Si observamos la Tierra desde el espacio, podremos ver su forma redonda. Probablemente en tu salón de clases haya un globo terráqueo. Un globo terráqueo es una esfera, o bola, que es un modelo de la Tierra. Muestra sus principales masas de agua y los siete **continentes**, o grandes extensiones de tierra. Los continentes, ordenados de mayor a menor tamaño, son: Asia, África, América del Norte, América del Sur, Antártida, Europa y Australia.

Debido a su forma, cuando miras un globo terráqueo solo puedes ver una mitad de la Tierra a la vez. En el globo terráqueo, a la misma distancia del Polo Norte que del Polo Sur, se encuentra una línea llamada **ecuador**.

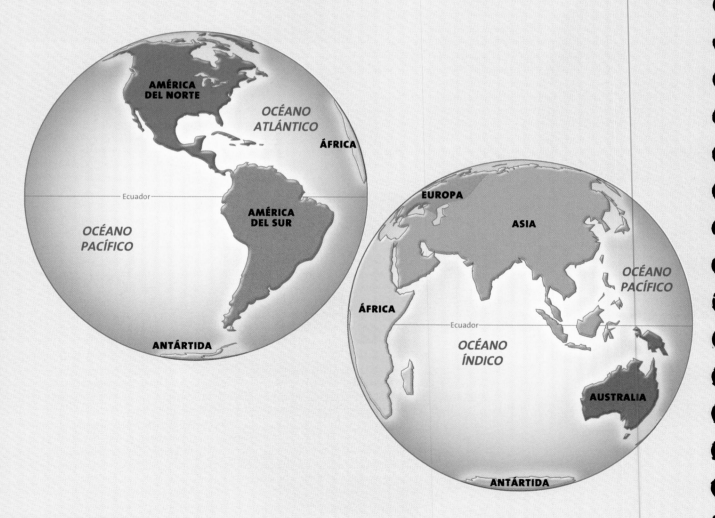

El ecuador divide la Tierra en dos partes iguales, o **hemisferios**. El hemisferio norte se encuentra al norte del ecuador, y el hemisferio sur, al sur del ecuador. Otra línea que corre de norte a sur, llamada **primer meridiano**, divide la Tierra en hemisferio occidental y hemisferio oriental.

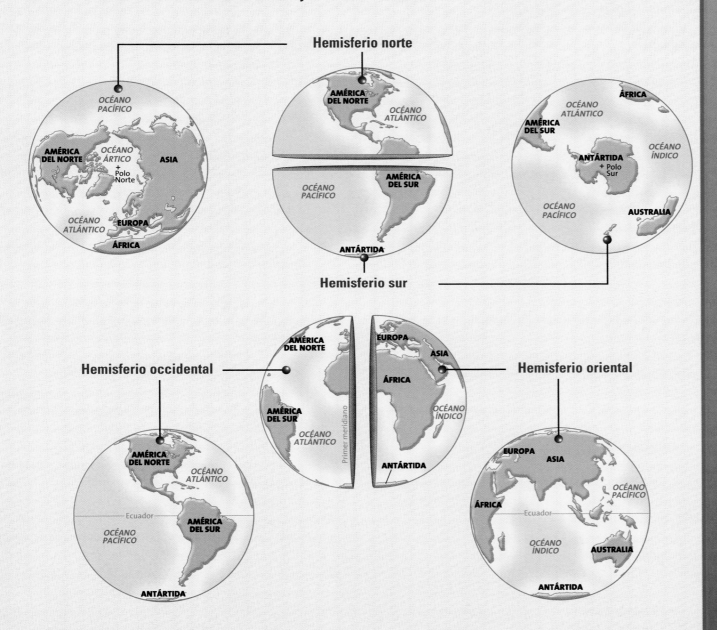

Términos geográficos

1. **cuenca** gran depresión de terreno en forma de tazón, rodeada de terreno más alto
2. **bahía** entrada del mar u otra masa de agua en un continente, normalmente más pequeña que un golfo
3. **acantilado** pared alta y escarpada de roca o tierra
4. **cañón** valle angosto y profundo bordeado de paredes abruptas
5. **cabo** punta de tierra que penetra en el mar
6. **catarata** cascada de grandes dimensiones
7. **canal** parte más profunda de una masa de agua
8. **risco** pared alta y escarpada de roca o tierra
9. **costa** franja de tierra a orillas de un mar u océano
10. **llanura costera** región de tierra plana situada a lo largo de un mar u océano
11. **delta** área triangular de tierra situada en la desembocadura de un río
12. **desierto** región seca con escasa vegetación
13. **duna** colina de arena acumulada por el viento

14. **línea de declive** línea donde los ríos forman cascadas o rápidos al caer desde tierras elevadas a tierras más bajas
15. **terreno aluvial** llanura a orillas de un río; su terreno está formado por los sedimentos que el río deposita al inundarla
16. **estribaciones** zona de colinas al pie de una montaña
17. **glaciar** gran masa de hielo que se desplaza lentamente por la ladera de una montaña o a través de un terreno
18. **golfo** gran porción de un mar u océano que se interna en el continente, normalmente más grande que una bahía
19. **colina** terreno que se eleva por encima del área que lo rodea
20. **ensenada** parte de una masa de agua que entra en la tierra
21. **isla** área de tierra rodeada totalmente de agua
22. **istmo** franja muy angosta de tierra que une dos grandes áreas de tierra

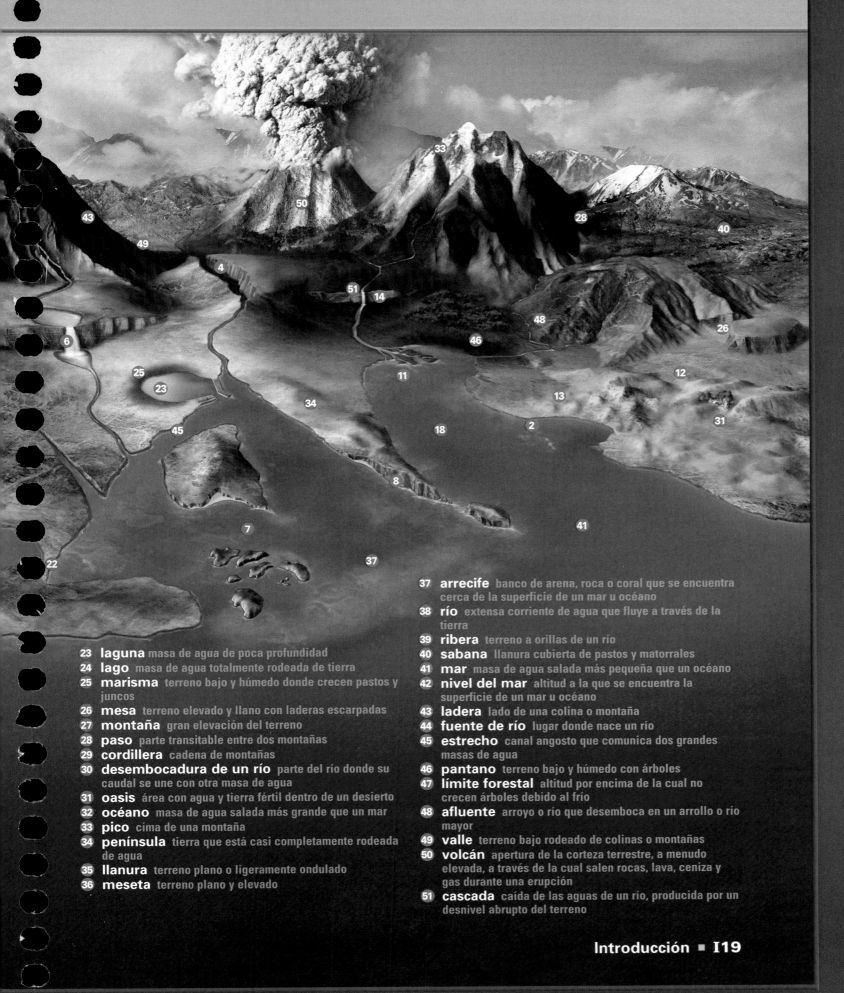

23 **laguna** masa de agua de poca profundidad
24 **lago** masa de agua totalmente rodeada de tierra
25 **marisma** terreno bajo y húmedo donde crecen pastos y juncos
26 **mesa** terreno elevado y llano con laderas escarpadas
27 **montaña** gran elevación del terreno
28 **paso** parte transitable entre dos montañas
29 **cordillera** cadena de montañas
30 **desembocadura de un río** parte del río donde su caudal se une con otra masa de agua
31 **oasis** área con agua y tierra fértil dentro de un desierto
32 **océano** masa de agua salada más grande que un mar
33 **pico** cima de una montaña
34 **península** tierra que está casi completamente rodeada de agua
35 **llanura** terreno plano o ligeramente ondulado
36 **meseta** terreno plano y elevado

37 **arrecife** banco de arena, roca o coral que se encuentra cerca de la superficie de un mar u océano
38 **río** extensa corriente de agua que fluye a través de la tierra
39 **ribera** terreno a orillas de un río
40 **sabana** llanura cubierta de pastos y matorrales
41 **mar** masa de agua salada más pequeña que un océano
42 **nivel del mar** altitud a la que se encuentra la superficie de un mar u océano
43 **ladera** lado de una colina o montaña
44 **fuente de río** lugar donde nace un río
45 **estrecho** canal angosto que comunica dos grandes masas de agua
46 **pantano** terreno bajo y húmedo con árboles
47 **límite forestal** altitud por encima de la cual no crecen árboles debido al frío
48 **afluente** arroyo o río que desemboca en un arrollo o río mayor
49 **valle** terreno bajo rodeado de colinas o montañas
50 **volcán** apertura de la corteza terrestre, a menudo elevada, a través de la cual salen rocas, lava, ceniza y gas durante una erupción
51 **cascada** caída de las aguas de un río, producida por un desnivel abrupto del terreno

Introducción ▪ I19

Leer mapas

Los mapas te ayudan a ubicar diferentes lugares en el mundo. Un mapa es un dibujo que representa la Tierra, o parte de ella, en una superficie plana. Con el fin de ayudarnos a interpretar y a usar con mayor facilidad los mapas, los cartógrafos a menudo agregan ciertos elementos, tales como el título, la leyenda del mapa, la rosa de los vientos, un mapa de ubicación y la escala del mapa.

En ocasiones, los cartógrafos necesitan mostrar detalladamente algunos lugares del mapa. Otras veces, deben mostrar lugares que están fuera del área que se muestra en el mapa.

El **título del mapa** indica el tema del mapa. También puede ayudarte a identificar de qué tipo de mapa se trata.
- Los mapas políticos muestran ciudades, estados y países.
- Los mapas físicos muestran accidentes geográficos y masas de agua.
- Los mapas históricos muestran partes del mundo tal como eran en el pasado.

La **leyenda del mapa**, o clave, explica qué representan los símbolos que se usan en el mapa. Los símbolos pueden ser colores, patrones, líneas o algún otro tipo de marca especial.

El **mapa de recuadro** es un mapa pequeño dentro de un mapa más grande.

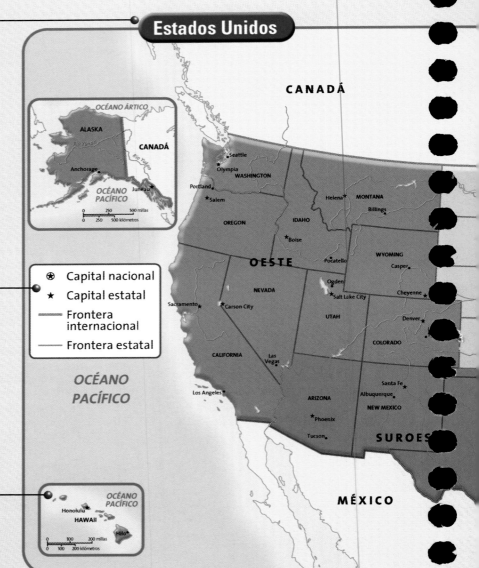

Encuentra Alaska y Hawaii en el mapa de Estados Unidos que está en las páginas R8-R9. El mapa muestra la ubicación de los dos estados en relación con el resto del país.

Ahora ubica Alaska y Hawaii en el mapa de abajo. Para representar con tantos detalles estos dos estados y el resto del país se necesitaría un mapa mucho más grande. Por eso, Alaska y Hawaii aparecen en el mapa de recuadro, es decir, un mapa más pequeño dentro de un mapa principal.

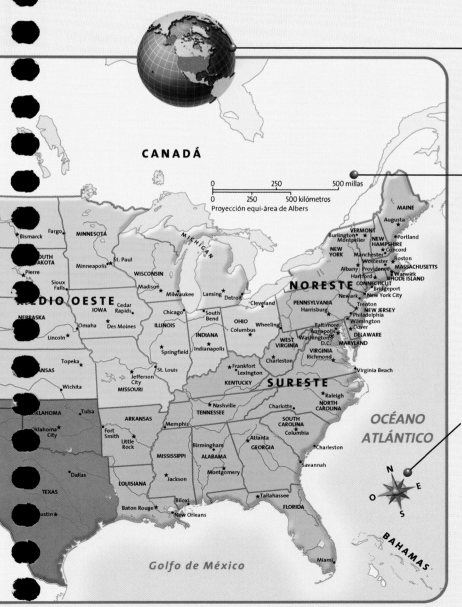

Un **mapa de ubicación** es un pequeño mapa o globo terráqueo que indica la ubicación del área que se muestra en el mapa principal con relación a un área mayor.

La **escala del mapa** indica la relación entre las distancias representadas y las distancias reales. Las escalas permiten conocer la distancia real entre los diferentes lugares representados en el mapa.

La **rosa de los vientos**, o indicador de direcciones, indica los puntos cardinales en un mapa.
• Los **puntos cardinales** son norte, sur, este y oeste.
• Los **puntos cardinales intermedios**, o puntos que se encuentran entre los puntos cardinales, son: noreste, noroeste, sureste y suroeste.

Ubicar un lugar

Para que resulte más fácil ubicar un lugar en un mapa, los cartógrafos dibujan líneas que se entrecruzan formando un patrón de cuadrados llamado **cuadrícula**. Observa el mapa de California de esta página. Alrededor de la cuadrícula podrás ver letras y números. Las columnas, que cruzan el mapa de arriba abajo, se indican con números. Las hileras, que lo cruzan de izquierda a derecha, se indican con letras. Cada cuadrado del mapa puede identificarse con una letra y un número. Por ejemplo, la primera hilera de cuadrados del mapa está formada por los cuadrados A1, A2, A3, y así sucesivamente.

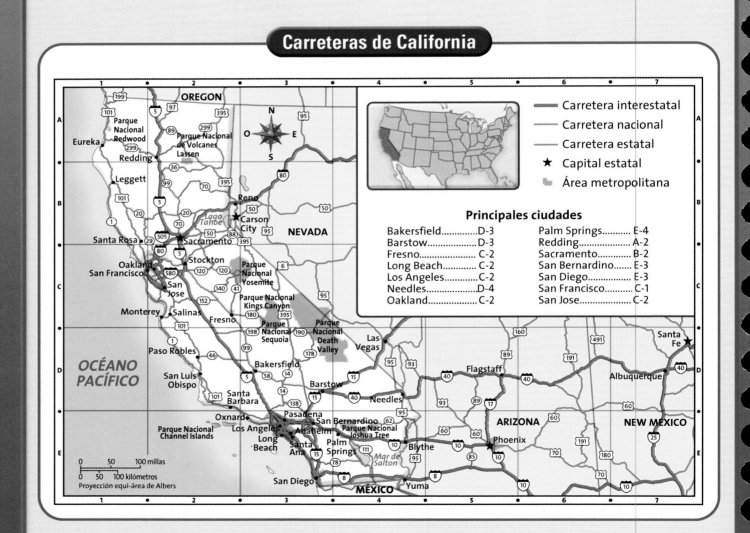

Carreteras de California

Carretera interestatal
Carretera nacional
Carretera estatal
★ Capital estatal
Área metropolitana

Principales ciudades

Bakersfield	D-3	Palm Springs	E-4
Barstow	D-3	Redding	A-2
Fresno	C-2	Sacramento	B-2
Long Beach	C-2	San Bernardino	E-3
Los Angeles	C-2	San Diego	E-3
Needles	D-4	San Francisco	C-1
Oakland	C-2	San Jose	C-2

Unit 4 Growth and Development

 CALIFORNIA HISTORY-SOCIAL SCIENCE STANDARDS

4.4 Students explain how California became an agricultural and industrial power, tracing the transformation of the California economy and its political and cultural development since the 1850s.

4.4.1 Understand the story and lasting influence of the Pony Express, Overland Mail Service, Western Union, and the building of the transcontinental railroad, including the contributions of Chinese workers to its construction.

4.4.2 Explain how the Gold Rush transformed the economy of California, including the types of products produced and consumed, changes in towns (e.g., Sacramento, San Francisco), and economic conflicts between diverse groups of people.

4.4.3 Discuss immigration and migration to California between 1850 and 1900, including the diverse composition of those who came; the countries of origin and their relative locations; and conflicts and accords among the diverse groups (e.g., the 1882 Chinese Exclusion Act).

4.4.4 Describe rapid American immigration, internal migration, settlement, and the growth of towns and cities (e.g., Los Angeles).

4.4.6 Describe the development and locations of new industries since the turn of the century, such as the aerospace industry, electronics industry, large-scale commercial agriculture and irrigation projects, the oil and automobile industries, communications and defense industries, and important trade links with the Pacific Basin.

4.4.7 Trace the evolution of California's water system into a network of dams, aqueducts, and reservoirs.

CALIFORNIA HISTORY-SOCIAL SCIENCE STANDARDS
4.4

INTEGRATE OTHER CALIFORNIA STANDARDS

English Language Arts **Reading** 1.0 Students understand the basic features of reading. They select letter patterns and know how totranslate them into spoken language by using phonics, syllabication, and word parts. They apply this knowledge to achieve fluent oral and silent reading. 1.3 Use knowledge of root words to determine the meaning of unknown words within a passage. 1.4 Know common roots and affixes derived from Greek and Latin and use this knowledge to analyze the meaning of complex words. 1.6 Distinguish and interpret words with multiple meanings. 2.0 Students read and understand grade-level-appropriate material. They draw upon a variety of comprehension strategies as needed. 2.2 Use appropriate strategies when reading for different purposes. 2.3 Make and confirm predictions about text by using prior knowledge and ideas presented in the text itself, including illustrations, titles, topic sentences, important words, and foreshadowing clues. 3.2 Identify the main events of the plot, their causes, and the influence of each event on future actions. 3.3 Use knowledge of the situation and setting and of a character's traits and motivations to determine the causes for that character's actions. **Writing** 1.1 Select a focus, an organizational structure, and a point of view based upon purpose, audience, length, and format requirements. 2.0 Students write compositions that describe and explain familiar objects, events, and experiences. Student writing demonstrates a command of standard American English and the drafting, research, and organizational strategies outlined in Writing Standard 1.0. 2.1 Write narratives: a. Relate ideas, observations, or recollections of an event or experience. b. Provide a context to enable the reader to imagine the world of the event or experience. c. Use concrete sensory details. d. Provide insight into why the selected event or experience is memorable. 2.2 Write responses to literature: a. Demonstrate an understanding of the literary work. b. Support judgments through references to both the text and prior knowledge. 2.3 Write personal and formal letters, thank-you notes, and invitations: a. Frame a central question about an issue or situation. b. Include facts and details for focus. c. Draw from more than one source of information. 2.4 Write summaries that contain the main ideas of the reading selection and the most significant details. **Written and Oral English Language Conventions** 1.0 Students write and speak with a command of standard English conventions appropriate to this grade level. **Speaking Applications** 1.6 Use traditional structures for conveying information. 1.7 Emphasize points in ways that help the listener or viewer to follow important ideas and concepts. 1.9 Use volume, pitch, phrasing, pace, modulation, and gestures appropriately to enhance meaning.

Health **Expectation 1** Students will demonstrate ways in which they can enhance and maintain their health and well-being.

Mathematics **Number Sense** 3.0 Students extend their use and understanding of whole numbers to the addition and subtraction of simple decimals. 3.2 Demonstrate an understanding of, and the ability to use, standard algorithms for multiplying a multidigit number by a two-digit number and for dividing a multidigit number by a one-digit number; use relationships between them to simplify computations and to check results. 3.4 Solve problems involving division of multidigit numbers by one-digit numbers.

Science **Physical Sciences** 1 Electricity and magnetism are related effects that have many useful applications in everyday life. 1.a Students know how to design and build simple series and parallel circuits by using components such as wires, batteries, and bulbs. **Earth Sciences** 5.a Students know some changes in the earth are due to slow processes, such as erosion, and some changes are due to rapid processes, such as landslides, volcanic eruptions, and earthquakes.

Visual Arts 1.3 Identify pairs of complementary colors and discuss how artists use them to communicate an idea or mood. 1.5 Describe and analyze the elements of art, emphasizing form, as they are used in works of art and found in the environment. 2.0 Students apply artistic processes and skills, using a variety of media to communicate meaning and intent in original works of art. 5.3 Construct diagrams, maps, graphs, timelines, and illustrations to communicate ideas or tell a story about a historical event.

42431

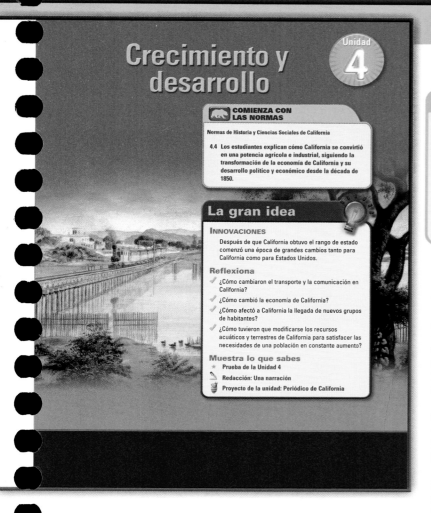

Crecimiento y desarrollo

Unidad 4

COMIENZA CON LAS NORMAS

Normas de Historia y Ciencias Sociales de California

4.4 Los estudiantes explican cómo California se convirtió en una potencia agrícola e industrial, siguiendo la transformación de la economía de California y su desarrollo político y económico desde la década de 1850.

La gran idea

INNOVACIONES

Después de que California obtuvo el rango de estado comenzó una época de grandes cambios tanto para California como para Estados Unidos.

Reflexiona

✓ ¿Cómo cambiaron el transporte y la comunicación en California?

✓ ¿Cómo cambió la economía de California?

✓ ¿Cómo afectó a California la llegada de nuevos grupos de habitantes?

✓ ¿Cómo tuvieron que modificarse los recursos acuáticos y terrestres de California para satisfacer las necesidades de una población en constante aumento?

Muestra lo que sabes

★ Prueba de la Unidad 4

  Redacción: Una narración

  Proyecto de la unidad: Periódico de California

Introduce the Unit

START WITH THE STANDARDS

Read the standards with students, and explain that the focus of these standards is on political, economic, and cultural developments in California since the 1850s. Remind students that in Unit 3 they learned about California during the Spanish and Mexican periods, and about how California achieved statehood.

The Big Idea Have students read the Big Idea. Explain that innovation is a concept they have studied in earlier grades and will continue to study in History-Social Science. In this unit, they will focus on the ways in which California began to develop into a modern state. Remind students to refer back to the Big Idea periodically as they complete this unit.

What to Know Have students read "What to Know." Explain that these three essential questions will help them focus on the Big Idea.

Show What You Know Share with students that throughout this unit they will be asked to show evidence of their understanding of the Big Idea. See Assessment Options on page 265J of this Teacher Edition.

Introducción de la unidad

COMIENZA CON LAS NORMAS

Lea las normas con los estudiantes y explíqueles que estas normas se enfocan en el desarrollo político, económico y cultural de California desde la década de 1850. Recuerde a los estudiantes que en la Unidad 3 aprendieron acerca de los períodos español y mexicano en California, y sobre cómo California obtuvo el rango de estado.

La gran idea Pida a los estudiantes que lean "La gran idea". Explíqueles que la innovación es un concepto que han estudiado en grados anteriores y que continuarán estudiando en Historia y Ciencias Sociales. En esta unidad, los estudiantes se enfocarán en la manera en que California comenzó su desarrollo como estado moderno. Recuerde a los estudiantes que repasen periódicamente "La gran idea" mientras completan esta unidad.

Reflexiona Pida a los estudiantes que lean la sección "Reflexiona". Explique que estas tres preguntas esenciales les ayudarán a enfocarse en "La gran idea".

Muestra lo que sabes Comente a los estudiantes que a lo largo de la unidad se les pedirá que demuestren que han comprendido "La gran idea". Vea Assessment Options en la página 265J de esta Edición del maestro.

Instructional Design

Standards-based instructional planning always begins with the standards. The flowchart below shows briefly how instruction was planned for Unit 4.

START WITH THE STANDARDS	UNLOCK THE STANDARDS	PLAN ASSESSMENT	PLAN INSTRUCTION
HSS 4.4	The Big Idea What to Know	Assessment Options • Option 1: Unit 4 Test • Option 2: Writing • Option 3: Unit Project	Unit 4 Teacher Edition • materials • instructional strategies • activities

UNIT 4 ▪ **265A**

Lexical Variations

Encourage students to share other familiar terms with their classmates.

WORD	STUDENT PAGE	VARIATIONS
remedio (remedy)	293	medicina, medicamento
papa (potato)	307	patata
fresa (strawberry)	317	frutilla
automóvil (automobile)	324	carro, auto, coche
acera (sidewalk)	331	banqueta, andén, vereda

Plan de la Unidad 4

Crecimiento y desarrollo

6 WEEKS	**WEEK 1**	**WEEK 2**	**WEEK 3**	**WEEK 4**	**WEEK 5**	**WEEK 6**
	Introduce the Unit	CHAPTER 7		CHAPTER 8		Wrap Up the Unit

TESTED STANDARDS

4.4 Students explain how California became an agricultural and industrial power, tracing the transformation of the California economy and its political and cultural development since the 1850s.

4.4 Students explain how California became an agricultural and industrial power, tracing the transformation of the California economy and its political and cultural development since the 1850s.

4.4.1. Understand the story and lasting influence of the Pony Express, Overland Mail Service, Western Union, and the building of the transcontinental railroad, including the contributions of Chinese workers to its construction.

4.4.2. Explain how the Gold Rush transformed the economy of California, including the types of products produced and consumed, changes in towns (e.g., Sacramento, San Francisco), and economic conflicts between diverse groups of people.

4.4.3. Discuss immigration and migration to California between 1850 and 1900, including the diverse composition of those who came; the countries of origin and their relative locations; and conflicts and accords among the diverse groups (e.g., the 1882 Chinese Exclusion Act).

4.4.4. Describe rapid American immigration, internal migration, settlement, and the growth of towns and cities (e.g., Los Angeles).

4.4.6. Describe the development and locations of new industries since the nineteenth century, such as the aerospace industry, electronics industry, large-scale commercial agriculture and irrigation projects, the oil and automobile industries, communications and defense industries, and important trade links with the Pacific Basin.

4.4.7. Trace the evolution of California's water system into a network of dams, aqueducts, and reservoirs.

4.4 Students explain how California became an agricultural and industrial power, tracing the transformation of the California economy and its political and cultural development since the 1850s.

4.4.3. Discuss immigration and migration to California between 1850 and 1900, including the diverse composition of those who came; the countries of origin and their relative locations; and conflicts and accords among the diverse groups (e.g., the 1882 Chinese Exclusion Act).

4.4.4. Describe rapid American immigration, internal migration, settlement, and the growth of towns and cities (e.g., Los Angeles).

4.4.6. Describe the development and locations of new industries since the nineteenth century, such as the aerospace industry, electronics industry, large-scale commercial agriculture and irrigation projects, the oil and automobile industries, communications and defense industries, and important trade links with the Pacific Basin.

4.4.7. Trace the evolution of California's water system into a network of dams, aqueducts, and reservoirs.

REACH ALL LEARNERS

ENGLISH LANGUAGE LEARNERS, pp. 265l, 265

Special Needs, p. 265l

Advanced, p. 265l

Leveled Practice, p. 271

Leveled Practice, pp. 272, 282, 291, 296, 299, 305

ENGLISH LANGUAGE LEARNERS, pp. 279, 287, 295, 301, 302

Advanced, pp. 281, 307

Special Needs, pp. 284, 290, 304

Reading Support, pp. 279, 287, 295, 301

Leveled Practice, pp. 310, 312, 319, 326, 329, 334, 337

ENGLISH LANGUAGE LEARNERS, pp. 315, 323, 331

Reading Support, pp. 315, 323, 331

Advanced, p. 341

UNIT RESOURCES

Leveled Support

 Time for Kids Readers

 Time for Kids Readers Teacher Guide

Homework and Practice Book, pp. 71–92

Social Studies Skills Transparencies 4-1—4-2

Study Skills Transparencies 7–8

Unit 4 School-to-Home Newsletter, pp. S9–S10

Success for English Learners, pp. 100–128

Social Studies in Action: Resources for the Classroom

Primary Source Collection

Music CD

Interactive Map Transparencies

Interactive Desk Maps

Atlas

Reading Support

Reading Support and Intervention, pp. 98–125

Unit 4 Audiotext CD Collection

Focus Skills Transparency 4

Vocabulary Power, pp. 93–100

Vocabulary Transparencies 4-7-1—4-8-3

TimeLinks: Interactive Time Line

Technology Support

The Social Studies Website: Virtual Tours and Primary Sources

GeoSkills CD-ROM

Internet Resources

Assessment

 Assessment Program, Tests, pp. 67–82
Unit 4 Writing Activity, p. 83
Unit 4 Project, p. 85

Leveled Readers

TIME For Kids Readers
Lesson Plan Summaries

BASIC

TOPIC
Growth and Development

Summary *The Pony Express,* by Renee Skelton. Students will read about the legendary mail delivery system known as the Pony Express. ⬛ HSS 4.4.1

BEFORE READING

Vocabulary Power Have students define the following words. Help them identify root words and their affixes. ⬛ ELA READING 1.4

bandidos legendarias ruta telégrafo territorio deshabitado

DURING READING

(Focus Skill) **Draw Conclusions** Have students complete the graphic organizer to help them draw conclusions about the growth and development of California as described in the Reader.

Evidence	Knowledge
2,000 people met the mail at 1:00 A.M.	People will stay up late to see something exciting.

Conclusion
People were excited to see the first Pony Express arrive in California.

AFTER READING

Critical Thinking Lead students in a discussion about the changes in delivering mail since the 1860s. What is the fastest way to send mail today?

Write Questions Have students write a list of questions to ask a Pony Express rider. Then have them role-play an interview with a partner. Students can use the interviews to write newspaper articles. ⬛ ELA WRITING 2.2

PROFICIENT

TOPIC
Growth and Development

Summary *The Golden Spike,* by Renee Skelton. Students will read about difficulties encountered during the race to finish construction of the first transcontinental railroad. ⬛ HSS 4.4.1

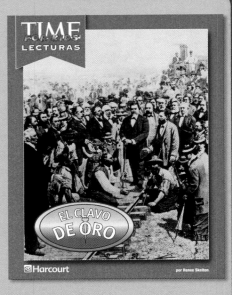

BEFORE READING

Vocabulary Power Have students define the following words. Help them identify root words and their affixes. ⬛ ELA READING 1.4

ceremonia inmigrantes rivales ruta transcontinental

DURING READING

(Focus Skill) **Draw Conclusions** Have students complete the graphic organizer to help them draw conclusions about the growth and development of California as described in the Reader.

Evidence	Knowledge
Some tracks were laid on snow and ice.	Rushing can cause sloppy work.

Conclusion
The rival railroads were rushing to win the race.

AFTER READING

Critical Thinking Discuss with students how the transcontinental railroad changed American history. What would have happened if the railroads had not been able to get through the mountains?

Write a Poem Have students write a poem to be read at the celebration of the completion of the transcontinental railroad at Promontory, Utah. ⬛ ELA WRITING 2.2

CALIFORNIA STANDARDS HSS 4.4 Students explain how California became an agricultural and industrial power, tracing the transformation of the California economy and its political and cultural development since the 1850s.

ADVANCED

TOPIC
Growth and Development

Summary *Coming to California: Chinese Immigrants,* by Susan Kim. Students will read about the contributions of Chinese immigrants to the development of California, before and after it became a state.
🐻 HSS 4.4.3

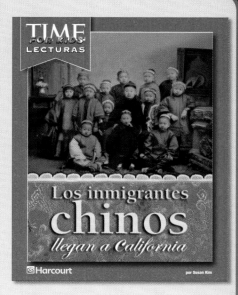

TIME FOR KIDS LECTURAS

Los inmigrantes
chinos
llegan a California

Harcourt   por Susan Kim

BEFORE READING

Vocabulary Power Have students define the following words. Help them identify root words and their affixes. 🐻 ELA READING 1.4

cultura comerciales discriminación inmigrantes
transcontinental

DURING READING

Draw Conclusions Have students complete the graphic organizer to help them draw conclusions about the growth and development of California as described in the Reader.

Evidence	Knowledge
Chinese were not allowed to own land.	Chinese immigrants were clever.

Conclusion
The Chinese would find a way to use their farming skills.

AFTER READING

Critical Thinking Lead students in a discussion about how immigrants bring diversity to the United States. Help them cite examples of cultural influences prominent today in our country.

Write a Letter Have students imagine they are a Chinese immigrant in 1850s California. Have them write a letter to a friend in China that reflects their emotions and describes life in California. 🐻 ELA WRITING 2.2

Teacher Guide

TIME FOR KIDS LECTURAS

CALIFORNIA:
UN ESTADO CAMBIANTE

Guía del maestro

Harcourt

Includes Complete Lesson Plan for Each Leveled Reader

The *TIME For Kids Teacher Guide* has three lessons that provide background, reading tips, fast facts, answer keys, and copying masters to broaden students' understanding of California's growth and development.

Students will

• make a help-wanted poster for Pony Express riders

• research the displacement of American Indians due to the transcontinental railroad

• use a time-zone map to answer questions

• make a bulletin board display to honor Chinese Americans

• identify important jobs that Chinese immigrants did to help develop the United States

The *TIME For Kids Readers* may be used for small-group reading, shared reading, buddy reading, literature circles, or reading at home.

GO ONLINE **INTERNET RESOURCES**

Visit the Social Studies website at
www.harcourtschool.com/hss

Independent Reading

BASIC

Ada, Alma Flor. ***Gathering the Sun***. HarperTrophy, 1997. A Spanish/English alphabet about Mexican farm workers and the crops they tend and harvest.

Santiago, Chiori. ***Home to Medicine Mountain***. Children's Book Press, 1998. A story, based on fact, about two California Indian boys and their journey home from an Indian boarding school.

Brimner, Larry D. ***Angel Island***. Children's Press, 2001. Nonfiction history about Angel Island's role as the entrance point for thousands of Chinese immigrants to America.

PROFICIENT

Weitzman, David (editor). ***Water***. California Chronicles, 1998. A collection of factual articles about how water has shaped the development and growth of California.

Krensky, Stephen. ***The Iron Dragon Never Sleeps***. Yearling Books, 1995. A fictional story about Chinese and American workers building the transcontinental railroad.

Weitzman, David (editor). ***Railroads***. California Chronicles, 1999. A collection of factual articles showing how railroads changed California and shaped its rural and urban development.

ADVANCED

Leland, Dorothy Kupcha. ***The Balloon Boy of San Francisco***. Tomato Enterprises, 2005. Fictional adventures of a newspaper boy show the growth of California.

Tanaka, Shelley. ***Earthquake, A Day That Changed America***. Hyperion, 2004. Facts and photos from the 1906 San Francisco earthquake combined with the stories of four people who survived it.

Fletcher, Susan. ***Walk Across the Sea***. Simon & Schuster, 2001. A story of one girl's struggle to stay true to her own values while those around her shun the Chinese immigrants in town.

Additional books are also recommended at the point of use throughout the unit. Note that information, while correct at time of publication, is subject to change.

For information about ordering these trade books, visit **www.harcourtschool.com/hss/trader**

⚲ CALIFORNIA STATE AND COMMUNITY RESOURCES

The California Department of Education provides a number of resources related to the study of History-Social Science. **www.cde.ca.gov/ci**

Resources include the California **History-Social Science Course Models.** The Course Models provide lesson plans to help you implement the California History-Social Science Standards. **www.history.ctaponline.org**

Resources include **Pages of the Past**, which aligns numerous children's literature titles to the History-Social Science Standards. **score.rims.k12.ca.us/literature/k6**

Schools of California Online Resources (SCORE) provides web resources searchable by topic or grade level. It supports academic standards with lesson activities, projects, and field trips, for example. **score.rims.k12.ca.us**

For **Primary Sources** the following sites may be useful.

CONFERENCE of California Historical Societies (including links to museums, libraries, and other history-oriented groups and individuals **www.californiahistorian.com**

California State Library **www.library.ca.gov**

Oakland Museum of California **www.museumca.org**

Additional sites are available at www.harcourtschool.com/hss/resourcesca

Harcourt's The Learning Site offers a Social Studies Website at www.harcourtschool.com/hss that provides a wide variety of activities, Internet links, and online references.

THE LEARNING SITE

GO ONLINE

INTERNET RESOURCES

Primary Sources

- Artwork
- Clothing
- Diaries
- Government Documents
- Historical Documents
- Maps
- Tools

and more!

Visit **PRIMARY SOURCES** at www.harcourtschool.com/hss

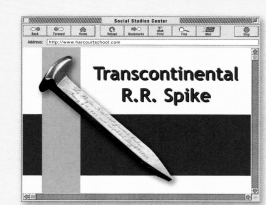

Transcontinental R.R. Spike

Find all this at www.harcourtschool.com/hss

- Activities and Games
- California Resources
- Current Events
- Free and Inexpensive Materials
- Interactive Multimedia Biographies
- Online Atlas
- Primary Sources
- Virtual Tours

and more!

Virtual Tours

- Capitols and Government Buildings
- Cities
- Countries
- Historical Sites
- Museums
- Parks and Scenic Areas

and more!

Visit **VIRTUAL TOURS** at www.harcourtschool.com/hss

Angel Island

Free and Inexpensive Materials

Free and inexpensive materials are listed on the Social Studies Website at **www.harcourtschool.com/hss/free**

- Addresses to write for free and inexpensive products
- Links to unit-related materials
- Internet maps
- Internet references

Interactive Multimedia Biographies

- A thorough biography for each famous figure
- Links to additional information and further reading
- Special features that include photographs, video clips, audio, and additional text

Visit **MULTIMEDIA BIOGRAPHIES** at www.harcourtschool.com/hss

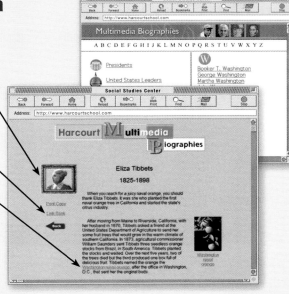

Multimedia Biographies

ABCDEFGHIJKLMNOPQRSTUVWXYZ

Presidents

United States Leaders

Booker T. Washington
George Washington
Martha Washington

Harcourt **M**ultimedia **B**iographies

Eliza Tibbets
1825-1898

Suggestions for Additional Technology Support

- Computer Software
- Videos and DVDs

Suggestions for computer software, videos, and DVDs to extend and enrich student learning are listed on the Social Studies website at www.harcourtschool.com/hss/resourcesca

PBS **Videos and DVDs**

PBS videos available at www.harcourtschool.com/hss/resourcesca

Integrate the Curriculum

Use these topics to help you integrate social studies into your daily planning. See the page numbers indicated for more information about each topic.

Social Studies

VISUAL ARTS

Design a Monument, p. 290

Present Information, p. 317

Design a Cable Car, p. 341

TECHNOLOGY

Go Online, pp. 267, 285, 293, 307, 321, 341

GeoSkills CD-ROM, p. 299

ENGLISH LANGUAGE ARTS

Draw Conclusions About News Events, p. 270

Write a Comparison Paragraph, p. 275

Write a Paragraph, p. 318

SCIENCE

Diagram a Circuit, p. 285

Research Electricity, p. 325

Learn About Earthquakes, p. 332

HEALTH

Chart Sources of Essential Vitamins, p. 304

PHYSICAL EDUCATION

Compete in a Relay Race, p. 274

MATHEMATICS

Multiply and Divide to Solve Problems, p. 276

Divide to Estimate an Answer, p. 281

TIMELINKS: INTERACTIVE TIME LINE

Have students use the TimeLinks: Interactive Time Line to place events from other curriculum areas.

Health In 1881, Clara Barton founded the American Red Cross, which helps victims of war and natural disasters.

Technology In 1885, Gottlieb Daimler and Karl Benz each developed an engine that became the basis for modern gas engines.

Physical Education Modern Olympic Games were first held in Greece, in 1896.

Use these activities to help differentiate instruction. Each activity has been developed to address a different level or type of learner.

ELL ENGLISH LANGUAGE LEARNERS

 45 minutes

Materials
- textbook
- paper
- pens and pencils
- markers

ILLUSTRATE MAJOR CHANGES Have students create illustrations that represent California before and after the first 65 years of statehood.

- Assign each student a major topic to focus on, such as *communication, transportation, population,* or *economy.*
- Ask students to review the unit, noting the ways in which California changed in their area of focus during the period from 1850 to 1915.
- Have students make two drawings about their topic, one showing what California was like just before statehood and the other showing what it was like 65 years later.

HSS 4.4, VISUAL ARTS 2.0

SPECIAL NEEDS

 1 hour

Materials
- textbook
- paper
- pens and pencils

MAKE A PEOPLE AND PLACES BOOK Have students gather information to make fact sheets about the unit's important people and places.

- Have students work in small groups to create lists of the important people and places in the unit, using the listings on each lesson's opening page. Have group members divide the entries in their lists among themselves.
- Ask students each to review the text and take notes about the importance of the people and places on their list.
- Have students make fact sheets about these people and places and then combine these with those of others in the group to make a "People and Places" book for the entire unit. Group members can use their books to review the unit.

HSS 4.4, ELA WRITING 2.0

ADVANCED

 1 hour

Materials
- textbook
- legal paper
- pens, pencils
- ruler
- encyclopedia and other reference sources

MAKE A TIME LINE Have students create a time line to compare major changes in California and the United States.

- Discuss with students the unit's Big Idea. Then have them examine the Preview: Time time line on pages 265P–265 as well as the time line on the first page of each lesson.
- Ask students each to create a time line in which they show major changes in California above the line and major changes in the United States below it. HSS 4.4, CS 1

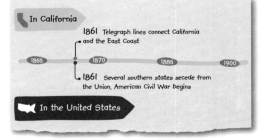

Assessment Options

The Assessment Program gives all learners many opportunities to show what they know and can do. It also provides ongoing information about each student's understanding of social studies.

 Online Standards Assessment available at www.harcourtschool.com/hss/standardsassessment

 OPTION 1 — CHAPTER AND UNIT TESTS

- **Unit Pretest, Assessment Program,** pp. 67–68
- **Chapter Reviews,** pp. 308–309, 338–339
- **Chapter Tests, Assessment Program,** pp. 69–72, 73–76
- **Unit Review,** pp. 342–343
- **Unit Test, Assessment Program,** pp. 77–82

 OPTION 2 — WRITING

- **Show What You Know, Unit Writing Activity, Write a Narrative,** p. 344
- **Chapter Review, California Writing Prompts,** pp. 265M, 308, 338
- **Lesson Review, Writing Activities,** at ends of lessons

 OPTION 3 — UNIT PROJECT

- **Show What You Know, Unit Project, Publish a California Newspaper,** p. 344
- **Unit Project: Performance Assessment,** pp. 265N–265O
- **Lesson Review, Performance Activities,** at ends of lessons

INFORMAL ASSESSMENT

- **Lesson Review,** at ends of lessons
- **Skills:** Practice the Skill, pp. 299, 337 Apply What You Learned, pp. 299, 337
- **Reading Social Studies, Draw Conclusions,** pp. 270–271
- **Literature Response Corner,** pp. 277, 313
- **Primary Sources, Analysis Skills,** pp. 284–285
- **Points of View, It's Your Turn,** pp. 328–329

STUDENT SELF-EVALUATION

- **Reading Check Questions,** within lessons
- **Study Skills:** Connect Ideas, p. 272 Use An Anticipation Guide, p. 310
- **Biography, Why Character Counts,** pp. 293, 307, 321
- **Analyze Graphics questions,** within lessons
- **A Closer Look questions,** p. 290

UNIT PRETEST

UNIT PRETEST

Unidad 4 Nombre _____ Fecha _____

Prueba preliminar

NORMAS DE CALIFORNIA
HSS 4.3, 4.4

INSTRUCCIONES Relaciona cada declaración de la izquierda con la persona o grupo de la derecha que podría haberla hecho. Escribe la letra de la respuesta correcta en el espacio en blanco. (7 puntos cada una)

1 __D__ Vine en la primera caravana de carromatos que cruzó la sierra Nevada. Ahora cultivo el mejor trigo del mundo en el valle Central. | HSS 4.4, CS 1

2 __H__ Muchos de nosotros no podemos hallar trabajo, y a nuestros niños no les permiten asistir a las escuelas públicas. | HSS 4.4.3

3 __F__ ¡Qué desastre! El terremoto y el incendio arrasaron nuestra ciudad, pero la reconstruiremos, ¡más grande y mejor que nunca! | HSS 4.4, HI 1

4 __I__ Con mi invento, puedes escribir palabras pulsando "puntos" y "guiones". | HSS 4.4.1, HI 1

5 __J__ Esta zona es perfecta para cultivar naranjas, limones y toronjas. | HSS 4.4.6

6 __A__ Hemos viajado miles de millas cruzando el océano Pacífico para abrir túneles y tender vías de ferrocarril a través de la sierra Nevada. | HSS 4.4.1, 4.4.3, HI 1

7 __C__ Planeo construir un canal para llevar agua desde el valle del Owens hasta Los Angeles. | HSS 4.4.7

8 __G__ Nuestro lema es "¡El correo debe llegar!" | HSS 4.4.1, HI 1

9 __B__ Inundar el valle Hetch Hetchy para tener más agua para San Francisco es malo para la naturaleza, y yo estoy en contra de eso. | HSS 4.4

10 __E__ El ejército de Estados Unidos quiere obligar a mi pueblo a vivir en una reserva, pero lucharemos para volver a nuestras tierras. | HSS 4.4.3

A. trabajadores chinos del ferrocarril

B. John Muir, naturalista

C. William Mulholland, jefe del Departamento de Agua de la ciudad

D. John Bidwell, pionero y agricultor

E. jefe Kientepoos

F. residentes de San Francisco

G. jinete del Pony Express

H. afroamericanos y chinos

I. Samuel F. B. Morse, inventor del telégrafo

J. productores de cítricos del sur de California

(sigue)

Nombre _____ Fecha _____

INSTRUCCIONES En el espacio en blanco, escribe tus respuestas a las preguntas.
(10 puntos cada una)

11 ¿Por qué los habitantes de Estados Unidos querían que la comunicación y el transporte entre California y el Este fueran más veloces? | HSS 4.4.1

Respuesta posible: para conocer las noticias importantes de la otra mitad del país justo cuando se producían; para que fuera más fácil viajar entre el Este y el Oeste.

Usa el mapa para responder la pregunta 12.

12 A finales del siglo XIX y comienzos del siglo XX, la mayoría de los inmigrantes que llegaban por barco a la costa del Pacífico eran retenidos en la isla Angel. Allí los examinaba un doctor y otras autoridades, quienes decidían si podían entrar a Estados Unidos. ¿Por qué crees que se eligió la isla Angel para ese fin? | HSS 4.4.3, CS 4, 5

Respuesta posible: La isla Angel está cerca de la entrada a la bahía de San Francisco. Además, está apartada de la tierra que la rodea, lo que ayudaba a evitar que los enfermos contagiaran al resto de las personas.

13 ¿Cuál fue la reacción de los funcionarios de Estados Unidos ante el aumento de inmigrantes al país? | HSS 4.4.3

Respuesta posible: Hicieron más difícil el ingreso de inmigrantes y, en ocasiones, aprobaron leyes que prohibían la entrada de ciertos grupos.

UNIT TEST

Unidad 4 Nombre _____ Fecha _____

Prueba

NORMAS DE CALIFORNIA HSS 4.4

SELECCIÓN MÚLTIPLE (3 puntos cada una)

INSTRUCCIONES Elige la letra de la respuesta correcta.

1 ¿Qué era la Ley de Servicio Postal?
A una demostración que hicieron los inventores del telégrafo para explicar cómo funcionaba
(B) una ley que establecía que el correo tenía que ser transportado en diligencia
C un acuerdo entre el gobierno y los propietarios de barcos para llevar correo al Oeste
D una ley que establecía que todo el correo de Estados Unidos debía ser transportado por tren | HSS 4.4.1

2 ¿Por qué el servicio del Pony Express duró menos de dos años?
A Se inventó el teléfono.
B El viaje a caballo se volvió muy peligroso.
C No hallaban suficientes jinetes.
(D) Terminaron de construirse las líneas de telégrafo entre California y el Este. | HSS 4.4.1

Usa la información del recuadro para responder la pregunta 3.

> "El Pacífico saluda al Atlántico."
> —Stephen J. Field

3 ¿Qué significaba este mensaje?
A Field felicitaba a Lincoln por su elección.
(B) El Oeste y el Este se habían conectado a través del telégrafo.
C Había terminado la construcción del ferrocarril transcontinental.
D Se había inaugurado el canal de Panamá. | HSS 4.4.1, CS 1, HI 1

Usa la información del recuadro para responder la pregunta 4.

> "Es el proyecto más grandioso jamás concebido [pensado]."
> —Theodore Judah

4 ¿A qué proyecto se refería Theodore Judah?
A al tendido de cables telegráficos
B al Pony Express
(C) a la construcción del ferrocarril transcontinental
D a la plantación de cítricos en el sur de California | HSS 4.4.1, CS 1, HI 1

(sigue)

Nombre _____ Fecha _____

5 De acuerdo con Judah, ¿cuál era el mayor desafío para la construcción del ferrocarril transcontinental?
(A) el cruce de la sierra Nevada
B hallar personas que estuvieran dispuestas a invertir en el ferrocarril
C convencer al Congreso de que proporcionara dinero y tierras para el ferrocarril
D reclutar trabajadores inmigrantes que ayudaran a construir el ferrocarril | HSS 4.4, 4.4.1

6 ¿Cómo ayudó al ferrocarril Central Pacific y a otras compañías de ferrocarriles la Ley del Ferrocarril del Pacífico de 1862?
A Proporcionó comida para las compañías de ferrocarril.
B Proporcionó dinero para construir pueblos a lo largo de las líneas de ferrocarril.
(C) Otorgó las tierras aledañas a las vías de ferrocarril a la compañía que las tendía.
D Aumentó la competencia entre las compañías de ferrocarril. | HSS 4.4

7 ¿Cuál de las siguientes declaraciones acerca de las primeras granjas comerciales de California es verdadera?
A Fueron desarrolladas por los "Big Four".
B La mayoría estaba ubicada en las áreas urbanas del estado.
C Pertenecían siempre a grupos de personas.
(D) En lugar de cultivar para sus familias, cultivaban con el objetivo de vender sus cosechas. | HSS 4.4, 4.4.6

Usa la información del recuadro para responder la pregunta 8.

> En la década de 1870, las compañías de ferrocarril aumentaron el precio de la tierra y los agricultores de California que no pudieron pagar se convirtieron en agricultores arrendatarios.

8 ¿Qué es un agricultor arrendatario?
A un agricultor que trabaja para el ferrocarril en lugar de sembrar
(B) un agricultor que paga la renta con el dinero obtenido de la venta de sus cultivos
C un agricultor que cada temporada debe pedir prestada la maquinaria agrícola
D un agricultor que trabaja la tierra solo seis meses al año | HSS 4.4, 4.4.6

9 ¿Cómo se protegían las granjas que estaban cerca del río Sacramento?
(A) Los terratenientes construían diques para evitar que el río inundara los campos.
B Los terratenientes cavaban zanjas de irrigación para controlar las crecidas del río.
C Los granjeros plantaban arroz en los campos inundados.
D Los agricultores plantaban árboles para que absorbiera el exceso de agua. | HSS 4.4, 4.4.6

(sigue)

Unit 4 Assessment

Option 1 — UNIT TEST (top left)

UNIT TEST

Nombre _____ Fecha _____

10 ¿Qué hizo el gobierno de Estados Unidos cuando la inmigración y la migración de mediados del siglo XIX condujeron a conflictos entre los recién llegados y los indios de California?

A Protegió las tierras que pertenecían a los indios de todos los recién llegados.

(B) Obligó a los indios a trasladarse a reservas.

C Alentó a los recién llegados a mudarse a las ciudades.

D Ayudó a los indios a expulsar a los recién llegados. [HSS 4.4.3, HI 1]

11 ¿Cómo se convirtió Los Angeles en una ciudad portuaria?

A La ciudad se expandió hacia el sur y ocupó la bahía de San Diego.

B Se ensanchó el río Los Angeles para que los barcos pudieran llegar a la ciudad.

C Se construyó un canal hasta el río San Joaquin.

(D) Se excavó la bahía de San Pedro para hacer un puerto. [HSS 4.4.4]

12 ¿Quién fue Edward Doheny?

A el gobernador de California a fines del siglo XIX

(B) un hombre que descubrió grandes cantidades de petróleo en Los Angeles en 1892

C el propietario de la mayor parte de las tierras del oeste de Los Angeles

D el alcalde de Los Angeles a fines del siglo XIX [HSS 4.4.4, CS 1, HI 1]

13 ¿Qué ayudó a que la demanda de petróleo aumentara?

A un nuevo puerto en Los Angeles

B la energía hidroeléctrica

C la publicidad que hacían los ferrocarriles

(D) la popularidad de los automóviles [HSS 4.4, 4.4.6]

14 ¿Cuál fue el mayor problema que enfrentaron los bomberos al intentar controlar el incendio después del terremoto que sacudió San Francisco en 1906?

(A) No había agua porque el terremoto había destrozado las tuberías.

B Había demasiados incendios.

C Todos los edificios eran de madera.

D La ciudad de San Francisco no tenía ningún coche de bomberos. [HSS 4.4, HI 3]

15 ¿Qué cambio importante se produjo en Oakland después del terremoto y el incendio de San Francisco?

A Se convirtió en el principal puerto de la bahía de San Francisco.

B Se convirtió en terminal de todos los trenes del área de la bahía de San Francisco.

C La mayoría de sus habitantes decidió mudarse a San Francisco.

(D) Su población se duplicó porque muchos habitantes de San Francisco se mudaron allí. [HSS 4.4.4]

(sigue)

Option 1 — UNIT TEST (top right)

UNIT TEST

Nombre _____ Fecha _____

EMPAREJAR

INSTRUCCIONES Relaciona cada persona de la derecha con la descripción correcta de la izquierda. Escribe la letra de la respuesta que corresponda en el espacio en blanco. (3 puntos cada una)

16 **D** una productora de nueces que desarrolló nuevos métodos para almacenar agua para irrigación [HSS 4.4.6]

17 **A** fundador de la colonia Yamato, una comunidad agrícola en el valle Central [HSS 4.4.3, 4.4.4]

18 **E** empresario que fundó la Overland Mail Company para llevar el correo en diligencia desde Missouri hasta California [HSS 4.4.1]

19 **C** banquero italoamericano que dio préstamos de dinero a los habitantes de San Francisco para reconstruir la ciudad después del terremoto [HSS 4.4, 4.4.4]

20 **B** educadora que fundó el primer jardín de niños gratuito de San Francisco [HSS 4.4]

A. Kyutaro Abiko

B. Kate Douglas Wiggin

C. Amadeo Pietro Giannini

D. Harriet Russell Strong

E. John Butterfield

(sigue)

Option 1 — UNIT TEST (bottom left)

UNIT TEST

Nombre _____ Fecha _____

Acueducto de Los Angeles | **Acueducto Hetch Hetchy**

INSTRUCCIONES Usa los mapas de arriba para responder las siguientes preguntas. (3 puntos cada una)

21 ¿Cómo consiguieron más agua Los Angeles y San Francisco? [HSS 4.4.4, 4.4.7, CS 4]

Los Angeles compró los derechos sobre el agua del río Owens y construyó el acueducto de Los Angeles. San Francisco construyó una presa en el río Tuolumne y el acueducto Hetch Hetchy.

22 ¿Qué características físicas aparecen en los dos mapas? [HSS 4.4.7, CS 4]

El lago Mono, los ríos Merced, Owens y San Joaquin, el valle Central, la cordillera Costera y la sierra Nevada.

23 ¿En qué se parecen los acueductos? ¿En qué se diferencian? [HSS 4.4.7, CS 4]

Ambos tomaban agua para abastecer a las grandes ciudades de la costa. El acueducto de Los Angeles tiene más embalses que el Hetch Hetchy.

24 ¿Cuál de los acueductos crees que fue más difícil de construir? ¿Por qué? [HSS 4.4.7, CS 4]

El acueducto de Los Angeles probablemente fue más difícil porque cubría una distancia más larga y tenía que atravesar desiertos y montañas.

25 ¿Qué grupos protestaron contra cada proyecto? ¿Por qué? [HSS 4.4.4, HI 1, 4]

Los habitantes del valle del Owens se enojaron porque el acueducto de Los Angeles les quitaba mucha agua. En el norte de California, los naturalistas estaban furiosos porque el proyecto causaba inundaciones en una parte del parque nacional.

(sigue)

Option 1 — UNIT TEST (bottom right)

UNIT TEST

Nombre _____ Fecha _____

INSTRUCCIONES Responde cada pregunta en el espacio en blanco. (5 puntos cada una)

26 ¿Por qué algunas personas de Sacramento y San Francisco cambiaron su opinión acerca del ferrocarril transcontinental? [HSS 4.4, 4.4.1]

Como el ferrocarril trajo productos más baratos, muchas empresas se vieron perjudicadas y cerraron. Sacramento no creció tanto como se esperaba, y la inauguración del canal de Suez afectó a muchas empresas de San Francisco.

27 ¿Cómo creció la influencia de los "Big Four" en toda California? [HSS 4.4.1, 4.4.4]

Respuesta posible: como eran propietarios de los ferrocarriles Southern Pacific, Western Pacific y California Southern, los "Big Four" controlaron el transporte durante casi 20 años y pudieron cobrar precios altos.

28 Según algunos californianos, ¿cuáles eran los costos del aumento de la inmigración? ¿Cuáles fueron los beneficios para el estado? [HSS 4.4.3, 4.4.4, HI 4]

Respuesta posible: Algunos californianos culpaban a los inmigrantes de los problemas económicos que enfrentó el estado en la década de 1870. Algunos también sentían que los nuevos inmigrantes estaban quitándoles sus empleos. Los inmigrantes trajeron nuevas ideas, culturas y destrezas a California. También trajeron y plantaron cultivos de sus países de origen, aumentando el desarrollo de la industria agrícola de California.

Usa las citas sobre el terremoto de San Francisco para responder las preguntas 29 y 30.

> "Salí despedido de la cama . . . Me caí y me arrastré por las escaleras entre pedazos de vidrio, madera y yeso que volaban por todos lados."
>
> —Ernest H. Adams, ciudadano de San Francisco

> "Es casi imposible describir la ruina . . . Sin embargo, los habitantes tienen confianza y esperanza en el futuro . . ."
>
> —Victor H. Metcalf, secretario de Trabajo de Estados Unidos

29 ¿Cuál de los hombres vivió directamente la experiencia del terremoto? ¿Cómo lo sabes? [HSS 4.4]

Ernest H. Adams. Respuesta posible: Porque la cita dice que Adams es un ciudadano de San Francisco. Además, su cita brinda detalles vívidos de los pedazos de vidrio, madera y yeso que volaban.

30 ¿En qué se diferencian las dos descripciones del terremoto? [HSS 4.4]

Respuesta posible: Adams describe cómo fue vivir el terremoto; Metcalf cuenta lo que vio después del terremoto y la reacción de las personas.

OPTION 2 — WRITING

RUBRIC

Nombre _____ Fecha _____

Unidad 4 • Pautas de redacción

Escribir una narración

Tema de redacción Imagina que escribes un artículo para un periódico de California. Elige a una de las personas que se mencionan en esta unidad para una entrevista y haz una lista de las preguntas que le harías. Basándote en la información de la unidad, escribe las respuestas que habría dado esa persona. Usa tu entrevista como ayuda para escribir sobre la persona que elegiste.

▶ **PASO 1** Ojea la unidad para hacer una lista de personas a las que te gustaría entrevistar. Repasa tu lista y elige una persona como sujeto de la entrevista.

▶ **PASO 2** Repasa tu libro de texto y toma notas para reunir toda la información posible acerca de la persona que vas a entrevistar. Al hacerlo, piensa en el papel que jugó en la historia de California.

▶ **PASO 3** Imagina que eres un periodista y consulta tus apuntes para hacer una lista de preguntas. Debes tratar de escribir preguntas que destaquen los logros de tu entrevistado y expliquen cómo ayudó al crecimiento y al desarrollo de California.

▶ **PASO 4** Ahora imagina que eres la persona entrevistada. Usa la información que has reunido para responder cada pregunta de la manera que esa persona lo habría hecho. Escribe cada respuesta debajo de la pregunta. Si no tienes suficiente información para responder adecuadamente alguna pregunta, puedes buscar más detalles sobre la persona en una enciclopedia o en otra fuente de referencia.

▶ **PASO 5** Revisa tu trabajo para asegurarte de haber respondido todas las preguntas en forma completa. También busca posibles errores de gramática, ortografía, puntuación y uso de mayúsculas.

▶ **PASO 6** Haz todos los cambios que consideres necesarios y prepara tu versión final de la entrevista.

SCORE 4	SCORE 3	SCORE 2	SCORE 1
• questions and answers reflect a very strong understanding of the subject's life and contributions	• questions and answers reflect an adequate understanding of the subject's life and contributions	• questions and answers reflect a partial understanding of the subject's life and contributions	• questions and answers reflect a poor understanding of the subject's life and contributions
• includes many details that vividly bring the subject to life	• includes several details that adequately describe the subject's life	• includes a few details related to the subject's life	• includes very few details about the subject's life
• information is clear and accurate	• information is mostly clear and accurate	• information is somewhat unclear and contains some inaccuracies	• information is generally unclear and inaccurate
• has no or very few errors in spelling, grammar, punctuation, and capitalization	• has a few errors in spelling, grammar, punctuation, and capitalization	• has several errors in spelling, grammar, punctuation, and capitalization	• has many errors in spelling, grammar, punctuation, and capitalization

OPTION 3 — PROJECT

RUBRIC

Nombre _____ Fecha _____

Unidad 4 • Pautas del proyecto

Periódico de California

Hagan un periódico que cuente sobre algunos de los eventos importantes ocurridos en California en los años posteriores a que obtuviera el rango de estado. Elijan personas y eventos y escriban artículos, editoriales y caricaturas sobre ellos. Ilustren su periódico con dibujos y también incluyan avisos publicitarios de la época.

▶ **PASO 1** Repasa las partes de un periódico, tales como artículos de noticias, editoriales, caricaturas políticas, fotografías y anuncios.

▶ **PASO 2** Ahora imagina que tú y tus compañeros trabajan para un periódico de 1915. Están preparando una edición especial para celebrar los primeros 65 años de que California obtuviera el rango de estado. Revisa la Unidad 4 e identifica algunos de los temas principales, como el desarrollo y el crecimiento de la economía, los cambios en las comunicaciones, en el transporte y en la población del estado.

▶ **PASO 3** Cada miembro del grupo debe tener una o dos tareas. Recuerda que los periódicos presentan la información en forma escrita y en forma visual.
  • Los artículos de noticias deberán responder las preguntas ¿Quién?, ¿Qué?, ¿Dónde?, ¿Cuándo?, ¿Por qué? y ¿Cómo?
  • Los editoriales deberán expresar claramente un punto de vista.
  • Los anuncios e ilustraciones deberán parecerse a los de esa época.

▶ **PASO 4** Usa la información de tu libro de texto y otros recursos, si es necesario, para preparar cada sección del periódico. Revisa tu trabajo y corrige errores de ortografía, gramática, puntuación y utilización de mayúsculas.

▶ **PASO 5** Trabaja con tus compañeros para organizar todas las secciones y armar una versión final del periódico.

SCORE 4	SCORE 3	SCORE 2	SCORE 1
• contributions reflect a very strong understanding of the time period and the format of a newspaper	• contributions reflect a strong understanding of the time period and the format of a newspaper	• contributions reflect a partial understanding of the time period and the format of a newspaper	• contributions reflect a poor understanding of the time period and the format of a newspaper
• covers the assigned topics accurately and completely	• covers the assigned topics adequately	• covers the assigned topics partially	• does not cover the assigned topics
• has no or very few errors in grammar, spelling, punctuation, and capitalization	• has a few errors in grammar, spelling, punctuation, and capitalization	• has several errors in grammar, spelling, punctuation, and capitalization	• has many errors in grammar, spelling, punctuation, and capitalization
• has worked very well with others to plan and complete the project	• has worked adequately with others to plan and complete the project	• has worked somewhat adequately with others to plan and complete the project	• has not worked well with others to plan and complete the project

RUBRICS Copying masters of a student *Writing Rubric* and *Project Rubric* appear in the Assessment Program, pp. 84, 86.

Publish a California Newspaper

Getting Started

Distribute the Unit 4 Project Guidelines provided on page 85 of the Assessment Program.

Introduce the Unit Project to students as you begin Unit 4. Explain to students that they will be designing and publishing a newspaper that commemorates the first 65 years of California's statehood. Their newspaper should cover the important people, places, and events as well as the major developments that took place in California. Have students use the Student Edition's Research Handbook and your school's media center as they work on the newspaper. The newspaper should celebrate California's first 65 years as a state and reflect the Unit's Big Idea.

The Big Idea
Innovations The years after statehood were a time of great change for California and the United States.

Materials: textbook, paper, pens and pencils, encyclopedia and other reference sources

Graphic Organizer: As students pick the topics they will cover in their sections of the newspaper, have them take notes on their topics or use the graphic organizer below.

ORGANIZER

My Topic
The Telegraph
- Who:
- What:
- Where:
- When:
- Why:
- How:

During the Unit

As students read Unit 4, they can begin work on their newspaper. The newspaper can include:

- Lesson review activities
- Additional activities listed on page 265O
- Your own favorite activities
- Ideas students develop on their own

Project Management

- Have students compile and lay out the parts of the newspaper.
- Remind students that they can find reference resources in the Media Center and on the Internet. Direct students to the Research Handbook on pages R28–R37 of their textbooks.
- Display the newspapers in your classroom or in your school's multimedia center.

CALIFORNIA STANDARDS HSS 4.4 Students explain how California became an agricultural and industrial power, tracing the transformation of the California economy and its political and cultural development since the 1850s.

Publishing the Newspaper

Have students work in groups to compile their articles, photographs, and drawings into a final newspaper. Remind them to create a title for the newspaper that relates to the newspaper's theme. Encourage volunteers to share their sections of the newspaper with the class before displaying the final newspaper.

Assessment

For a project rubric, see the Assessment Program, p. 86, or Teacher Edition, p. 265M.

What to Look For

- Articles fit the period and describe the major events of the first 65 years of California's statehood.

- All information is accurate and complete.

- Drawings and illustrations reflect an understanding of the time period and the unit's Big Idea.

- Students work well with others to organize and assemble the newspaper.

- Materials have few errors in spelling.

Lesson Review Activities

CHAPTER 7

CHAPTER 8

Additional Activities

TimeLinks Have students use the TimeLinks: Interactive Time Line and cards to place people and events from this unit. They can use the completed time line to review for the assessments or to prepare their newspaper. HSS 4.4, CS 1

Write a Biography honoring a person and his or her contribution to California's development during the first 65 years of statehood.
HSS 4.4, ELA WRITING 2.0

Draw a Map that illustrates the major agricultural products grown in various areas around the state. HSS 4.4, CS 4

Compare and Contrast San Francisco in the years before the 1906 earthquake and in the years following the earthquake. Include pictures and written descriptions. HSS 4.4, ELA READING 2.0

Draw a Picture from the viewpoint of an eyewitness to an event. Make sure to show the place where the event happened as well as some or all of the people who were there.
HSS 4.4, VISUAL ARTS 2.0

Presentación de la Unidad 4: Tiempos

Analizar la gran idea

Innovaciones **Después de que California obtuvo el rango de estado comenzó una época de grandes cambios tanto para California como para Estados Unidos.**

Explique a los estudiantes que en esta unidad leerán acerca de los cambios que se produjeron en California a partir del desarrollo del transporte y de la comunicación, y de cómo este desarrollo afectó la relación de California con el resto de Estados Unidos.

Aplícalo Comente la siguiente pregunta:

• ¿Cómo pueden haber afectado las mejoras en el transporte y en la comunicación entre California y el este de Estados Unidos la vida en California?

Despertar conocimientos previos

Invite a los estudiantes a comentar lo que saben acerca de los primeros años transcurridos desde que California obtuvo el rango de estado.

• Pida a los estudiantes que propongan ideas sobre los principales desarrollos de la época.

• Organice las ideas en una red de palabras.

- ferrocarril transcontinental
- telégrafo
- Los primeros años de California como estado
- proyectos hídricos
- agricultura a gran escala
- Pony Express

Analizar la pintura

1 Explique que la pintura muestra la ciudad de Oakland, en California, alrededor de 1870. Pida a los estudiantes que observen con atención la pintura.

P **¿Por qué creen que el artista decidió pintar esta escena?**

R Respuesta posible: porque el crecimiento del ferrocarril fue un evento importante

---

Unit 4 Preview: Time

Discuss the Big Idea

Innovations **The years after state-hood were a time of great change for California and the United States.**

Explain to students that they will read about how developments in communication and transportation led to changes in California and affected its relationship to the rest of the United States.

Make It Relevant Discuss the following question:

• How might improved communication and travel between California and the eastern United States have affected life in California?

Access Prior Knowledge

Have students share what they know about the early years of California statehood.

• Brainstorm major developments of the period.

• Organize the ideas in a word web.

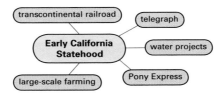

- transcontinental railroad
- telegraph
- Early California Statehood
- water projects
- large-scale farming
- Pony Express

Analyze the Painting

1 Explain that the painting shows Oakland, California about 1870. Ask students to look closely at the painting.

Q **Why do you think the artist decided to paint this scene?**

A Possible response: because the growth of the railroad was an important event

265P ■ **UNIT 4**

Unidad 4

Tiempos

Crecimiento y desarrollo

1858 El correo se transporta en diligencia desde la costa este hasta San Francisco, pág. 280

1869 Se termina la construcción del primer ferrocarril transcontinental, pág. 291

1882 El Congreso aprueba la Ley de Exclusión de los Chinos, pág. 318

1855   1870   1885

Al mismo tiempo

1861 Comienza la Guerra Civil en Estados Unidos

1869 Se termina la construcción del canal de Suez, en Egipto

Practice and Extend

BACKGROUND

The Painting In this painting from about 1871, artist Joseph Lee presents a view of Oakland, California. In particular, the painting shows the Oakland estuary near Lake Merritt Inlet. Lee painted views of Oakland from the north and south. This painting captures the city at a time of impressive growth. Oakland was incorporated as a city about 20 years earlier, in 1852.

Practicar y ampliar

ANTECEDENTES

La pintura En esta pintura de alrededor de 1871, el artista Joseph Lee presenta una vista de Oakland, en California. Más precisamente, la pintura muestra el estuario de Oakland situado cerca de la ensenada del lago Merritt. Lee pintó vistas de Oakland desde el norte y el sur. Esta pintura retrata la ciudad en una época de gran crecimiento. Oakland había sido incorporada como ciudad aproximadamente 20 años antes, en 1852.

Crecimiento y desarrollo

1899 Comienzan los trabajos de excavación en la bahía de San Pedro, pág. 323

1906 Un fuerte terremoto sacude San Francisco, pág. 331

1909 California aprueba un presupuesto de 18 millones de dólares para la construcción de un sistema de carreteras estatales, pág. 333

1900

1915

1885 Francia regala la Estatua de la Libertad a Estados Unidos

1903 Orville y Wilbur Wright realizan con éxito los primeros vuelos motorizados

1914 Se termina la construcción del canal de Panamá

Unidad 4 ■ 265

 **CALIFORNIA STANDARDS** HSS 4.4 Students explain how California became an agricultural and industrial power, tracing the transformation of the California economy and its political and cultural development since the 1850s. Chronological and Spatial Thinking 1, 2.

ENGLISH LANGUAGE LEARNERS

Frontloading Language: Draw Conclusions Explain that students can use what they already know along with the details or information presented in a painting or text to draw a conclusion. Then focus students' attention on the terrain shown in the background of the painting. Use the following prompts to develop the academic language of drawing conclusions.

Beginning The painting is set near _____. (a city, a lake)

Intermediate The painting shows methods of transportation such as _____. (trains, boats)

Advanced The painting shows that _____. (Accept reasonable responses.)

Discuss the Time Line

2 **Chronological Thinking** Explain that the events on the top of the time line relate to California's expansion and development in the 65 years after statehood, and the events on the bottom of the time line took place elsewhere during the same time period.

Growth and Development

Q What centuries are shown on the time line? How many decades does the time line cover? HSS 4.4, CS 1, 2

A The time line shows years in the 19th and 20th centuries; six decades

Q What major event happened in 1906? Where did it occur? HSS 4.4, CS 1

A a large earthquake; in San Francisco

At the Same Time

Q How many years before the start of the Civil War was mail first delivered by stagecoach to San Francisco? HSS 4.4, CS 1

A three years

Q In what year could people first use the Panama Canal to travel from the East Coast to California? HSS 4.4, CS 1

A 1914

Have students work in pairs to ask and answer questions about events on the time line.

TIMELINKS: Interactive Time Line

Have students use the TimeLinks: Interactive TimeLine to track events in this unit. Provide event cards for students to place on the time line, as well as copies of blank event cards they can use to add other events described in the unit.

UNIT 4 ■ **265**

Analizar la línea cronológica

2 **Pensamiento cronológico** Señale que los eventos que aparecen en la parte superior de la línea cronológica se refieren a la expansión y al desarrollo de California durante los primeros 65 años después de haber obtenido el rango de estado. Los eventos que aparecen en la parte inferior de la línea cronológica ocurrieron en otras partes del mundo en la misma época.

Crecimiento y desarrollo

P ¿Qué siglos muestra la línea cronológica? ¿Cuántas décadas abarca? HSS 4.4, CS 1, 2

R La línea cronológica muestra años de los siglos XIX y XX; seis décadas.

P ¿Qué evento importante ocurrió en 1906? ¿Dónde sucedió? HSS 4.4, CS 1

R un gran terremoto; en San Francisco

Al mismo tiempo

P ¿Cuántos años antes del comienzo de la Guerra Civil llegó el correo por diligencia a San Francisco por primera vez? HSS 4.4, CS 1

R tres años

P ¿En qué año se usó por primera vez el canal de Panamá para viajar de la costa este a California? HSS 4.4, CS 1

R 1914

Pida a los estudiantes que trabajen en parejas para formular y responder preguntas sobre los eventos de la línea cronológica.

Presentación de la Unidad 4: Personas

PÁGINAS 266–267

Analizar a las personas

Pida a los estudiantes que lean la información sobre las personas que aparecen en estas páginas. Explíqueles que no existen pinturas que representen a Yee Fung Cheung. La ilustración que aparece aquí es la interpretación que da un artista de su posible aspecto. 📖 HSS 4.4

1 **Eliza Tibbets** y Luther Tibbets recibieron como regalo el primer par de árboles de naranjas de ombligo sin semilla, que eran de origen brasileño. 📖 HSS 4.4

2 **Yee Fung Cheung** se retiró como exitoso hombre de negocios en 1904 y regresó a China tres años después.

P **¿Qué revela la historia de Yee Fung sobre las oportunidades que California brindaba a los inmigrantes?** 📖 HSS 4.4.1, 4.4.3

R Respuesta posible: Algunos inmigrantes prosperaron con trabajo y esfuerzo.

3 **Theodore Judah** dirigió la construcción del ferrocarril Sacramento Valley Line, que fue el primero al oeste del río Missouri. 📖 HSS 4.4.1

4 **El jefe Kientepoos** condujo a su pueblo de regreso a sus tierras después de que los indios klamath los trataran cruelmente en una reserva. 📖 HSS 4.4.2

5 **John Muir** quedó ciego durante un tiempo a causa de un accidente en 1867. Después de recuperar la visión, dedicó gran parte de su vida a cuidar las bellezas naturales del mundo.

P **¿Cómo describirían la aportación que hizo John Muir a la historia de California?** 📖 HSS 4.4

R Respuesta posible: Luchó por proteger los lugares naturales de California.

Unit 4 Preview: People

PAGES 266–267

Discuss the People

Have students read the information about the highlighted people. Explain to students that no actual paintings exist of Yee Fung Cheung. The illustration shown is an artist's interpretation of what he may have looked like.

1 **Eliza Tibbets** and Luther Tibbets received their first pair of seedless Brazilian navel orange trees as a gift. 📖 HSS 4.4

2 **Yee Fung Cheung** retired as a successful businessperson in 1904 and returned to China three years later.

Q **What does Yee Fung Cheung's story reveal about opportunities for immigrants to California?** 📖 HSS 4.4.1, 4.4.3

A Possible response: Through hard work, some immigrants were able to become very successful.

3 **Theodore Judah** was a leader in the building of the Sacramento Valley Line, the first railroad west of the Missouri River. 📖 HSS 4.4.1

4 **Chief Kientepoos** led his people back to their native lands in California after they had been treated harshly on a reservation by the Klamath Indians. 📖 HSS 4.4.2

5 **John Muir** was temporarily blinded after an accident in 1867. After regaining his sight, he dedicated much of his life to seeing the natural wonders of the world.

Q **How would you describe John Muir's contribution to California history?** 📖 HSS 4.4

A Possible response: He fought to protect California's natural places.

Practice and Extend

BACKGROUND

The Civil War Remind students that the period in which the individuals on these pages lived was one of great change throughout the United States. The Civil War, which began in 1861 and was finally resolved in 1865, greatly impacted the economy, government, and ways of life in the eastern United States. You may want to briefly discuss with students the Civil War and its effects.

Practicar y ampliar

ANTECEDENTES

La Guerra Civil Recuerde a los estudiantes que el período en el que vivieron los individuos que aparecen en estas páginas se caracterizó por grandes cambios en todo Estados Unidos. La Guerra Civil, que comenzó en 1861 y finalizó en 1865, tuvo un fuerte impacto en la economía, el gobierno y el modo de vida en el este de Estados Unidos. Tal vez desee analizar brevemente la Guerra Civil y sus consecuencias con los estudiantes.

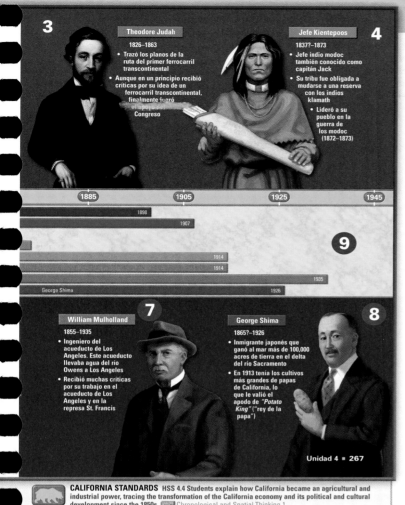

3 Theodore Judah
1826–1863
- Trazó los planos de la ruta del primer ferrocarril transcontinental
- Aunque en un principio recibió críticas por su idea de un ferrocarril transcontinental, finalmente logró el apoyo del Congreso

4 Jefe Kientepoos
1837?–1873
- Jefe indio modoc también conocido como capitán Jack
- Su tribu fue obligada a mudarse a una reserva con los indios klamath
- Lideró a su pueblo en la guerra de los modoc (1872–1873)

1885 1905 1925 1945
1898
1907
1914
1914
1935
1926
George Shima

7 William Mulholland
1855–1935
- Ingeniero del acueducto de Los Angeles. Este acueducto llevaba agua del río Owens a Los Angeles
- Recibió muchas críticas por su trabajo en el acueducto de Los Angeles y en la represa St. Francis

8 George Shima
1865?–1926
- Inmigrante japonés que ganó al mar más de 100,000 acres de tierra en el delta del río Sacramento
- En 1913 tenía los cultivos más grandes de papas de California, lo que le valió el apodo de "Potato King" ("rey de la papa")

Unidad 4 ■ 267

CALIFORNIA STANDARDS HSS 4.4 Students explain how California became an agricultural and industrial power, tracing the transformation of the California economy and its political and cultural development since the 1850s. **SKILL** Chronological and Spatial Thinking 1.

6 **Allen Allensworth** was born into slavery in Kentucky but escaped during the Civil War. He then joined the United States Army, where he rose to the rank of lieutenant colonel. HSS 4.4.3

7 **William Mulholland** was head of Los Angeles's Bureau of Water Works and Supply before leading the effort to build the Los Angeles Aqueduct.

Q **Why do you think the Los Angeles Aqueduct project was criticized by Owens River Valley residents?** HSS 4.4.7

A Possible response: because it drained away the water they needed

8 **George Shima** was elected president of the Japanese Association of America in 1908. The emperor of Japan also rewarded his efforts by making him a member of the Order of the Rising Sun in 1926.

Q **Why do you think the Japanese community, both in Japan and in the United States, applauded George Shima's efforts?** HSS 4.4.3

A Possible response: because he was very successful and was an example of achievement

Discuss the Time Line

9 **Chronological Thinking**
Point out that, with the exceptions of William Mulholland and George Shima, the people who appear on these pages were alive during the gold rush and when California became a state. Have students think about how old each person was when these important events occurred and what his or her reactions might have been. HSS 4.4.3, CS 1

INTERNET RESOURCES
Visit Multimedia Biographies at **www.harcourtschool.com/hss**

6 **Allen Allensworth** nació en la esclavitud en Kentucky pero se escapó durante la Guerra Civil. Luego se incorporó al ejército de Estados Unidos, donde alcanzó el rango de teniente coronel. HSS 4.4.3

7 **William Mulholland** fue jefe del Departamento de Obras Sanitarias y Provisión de Agua, *Bureau of Water Works and Supply,* de Los Angeles antes de dirigir la construcción del acueducto de Los Angeles.

P **¿Por qué creen que el proyecto del acueducto de Los Angeles recibió las críticas de los residentes del valle del río Owens?** HSS 4.4.7

R Respuesta posible: porque les quitaba el agua que necesitaban

8 **George Shima** fue elegido presidente de la Asociación Japonesa de Estados Unidos en 1908. El emperador de Japón también reconoció sus méritos y lo nombró miembro de la Orden del Sol Naciente en 1926.

P **¿Por qué creen que la comunidad japonesa, tanto en Estados Unidos como en Japón, aplaudió los esfuerzos de George Shima?** HSS 4.4.3

R Respuesta posible: por su éxito y sus logros

Analizar la línea cronológica

9 **Pensamiento cronológico**
Señale que, a excepción de William Mulholland y George Shima, las personas que aparecen en estas páginas vivieron durante la fiebre del oro y el momento en el que California obtuvo el rango de estado. Pida a los estudiantes que calculen qué edad tenía cada una de estas personas cuando ocurrieron esos eventos importantes y cuál puede haber sido su reacción. HSS 4.4.3, CS 1

APRENDE en línea **RECURSOS EN INTERNET**
Visite MULTIMEDIA BIOGRAPHIES en **www.harcourtschool.com/hss** para hallar biografías multimedia.

Presentación de la Unidad 4: Lugares

Analizar el mapa

1 **DESTREZA DE ANÁLISIS** **Pensamiento espacial** Comente a los estudiantes que el mapa muestra los estados y los territorios que conformaban Estados Unidos en 1886. Explique que muestra también los ferrocarriles que cruzaban el país en aquella época, y explique la forma en que la leyenda lo indica. Guíelos para que enfoquen su atención en la importancia de la ubicación relativa de los ferrocarriles en relación con las ciudades más importantes.

P **¿Por qué creen que el número de líneas de ferrocarril al oeste del río Mississippi era mucho menor que el número de líneas de ferrocarril ubicadas al este del río?** 📖 HSS 4.4, CS 4, 5

R Respuesta posible: porque el área al oeste del río Mississippi tenía menos habitantes y menos ciudades

Analizar las ilustraciones

Refuerce la idea de que los primeros 65 años del rango de estado de California fueron una época de gran crecimiento y desarrollo tanto en el estado como en el resto del país.

2 **Tranvías en San Francisco** El tranvía se inventó en San Francisco en 1873 como una alternativa a los carruajes jalados por caballos. Se decía que los caballos tenían dificultad para jalar vehículos pesados cuesta arriba en las empinadas colinas de la ciudad.

3 **Cultivo de cítricos en California** Las primeras naranjas de ombligo de California fueron plantadas en la ciudad de Riverside en 1873. Estos árboles llevaron al crecimiento y posterior éxito de la industria de los cítricos en California.

Unit 4 Preview: Place

Discuss the Map

1 **ANALYSIS SKILL** **Spatial Thinking** Tell students that the map shows the states and territories that made up the United States in 1886. Point out that it also shows the railroads that crisscrossed the country at that time. Explain how the legend indicates this. Guide students to focus on the significance of the relative location of railroads to major cities.

Q Why do you think the number of rail lines west of the Mississippi River was much lower than the number east of the river? 📖 HSS 4.4, CS 4, 5

A Possible response: because the area west of the Mississippi River had fewer people and cities

Discuss the Illustrations

Reinforce the idea that the first 65 years of California statehood were a time of rapid development and growth both in the state and the country.

2 **Cable cars in San Francisco** Cable cars were developed in San Francisco in 1873 as an alternative to horse-drawn carriages, reportedly because horses had difficulty pulling the heavy vehicles up the city's steep hills.

3 **Farming in California** The first navel oranges in California were planted in 1873 in the city of Riverside. These trees led to the growth and ultimate success of California's citrus industry.

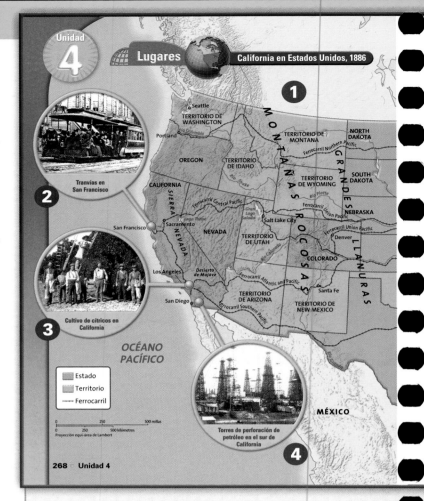

Unidad 4 Lugares · California en Estados Unidos, 1886

1 Seattle · TERRITORIO DE WASHINGTON · Portland · OREGON · TERRITORIO DE MONTANA · NORTH DAKOTA · TERRITORIO DE IDAHO · SOUTH DAKOTA · TERRITORIO DE WYOMING · NEBRASKA · Ferrocarril Northern Pacific · Ferrocarril Central Pacific · CALIFORNIA · SIERRA NEVADA · Sacramento · San Francisco · NEVADA · Salt Lake City · TERRITORIO DE UTAH · Denver · COLORADO · Ferrocarril Union Pacific · Los Angeles · Desierto de Mojave · TERRITORIO DE ARIZONA · Santa Fe · TERRITORIO DE NEW MEXICO · San Diego · Ferrocarril Southern Pacific · Ferrocarril Atlantic and Pacific · MONTAÑAS ROCOSAS · GRANDES LLANURAS · MÉXICO

Tranvías en San Francisco

2

Cultivo de cítricos en California

3

OCÉANO PACÍFICO

☐ Estado
☐ Territorio
---- Ferrocarril

0 · 250 · 500 millas
0 · 250 · 500 kilómetros
Proyección equi-área de Lambert

Torres de perforación de petróleo en el sur de California

4

268 · Unidad 4

Practice and Extend

Cable Cars Scotsman Andrew Smith Hallidie, who came to California in 1852 during the gold rush, originally developed a cable-driven rail system to haul ore from mines. In 1873, he applied the idea to car transportation on the steep streets of San Francisco. Sixteen years later, San Francisco had more than 50 miles of cable-car tracks. When the people of San Francisco rebuilt their city after the earthquake of 1906, they also rebuilt the city's cable-car system. In the late 1940s, the advent of electric streetcars threatened to end the cable-car system. However, a public campaign to save the cars was successful, and today the city's public transportation authority maintains three cable-car lines.

Practicar y ampliar

El tranvía Scotsman Andrew Smith Hallidie, que llegó a California en 1852 durante la fiebre del oro, inventó un sistema de vagones jalados por cables para retirar el mineral de hierro de las minas. En 1873, aplicó la idea a un transporte de vagones en las calles empinadas de San Francisco. Dieciséis años después, San Francisco tenía ya más de 50 millas de vías de tranvías. A fines de la década de 1940, la llegada del tranvía eléctrico amenazó con poner fin al antiguo sistema. Sin embargo, la ciudad todavía tiene tres líneas de estos tranvías.

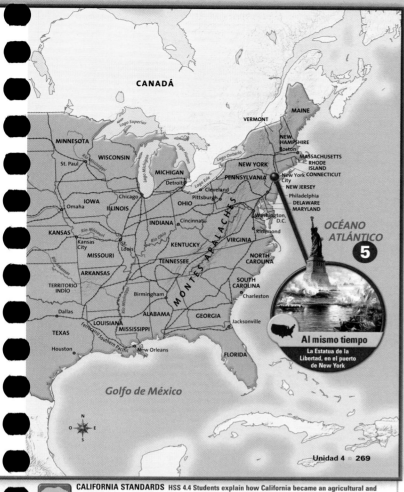

CANADÁ

OCÉANO ATLÁNTICO

5

Golfo de México

Al mismo tiempo
La Estatua de la
Libertad, en el puerto
de New York

4 Oil derricks in southern California
Edward Doheny discovered large
amounts of oil in Los Angeles in 1892,
launching an oil boom throughout
southern California. Many oil wells
in the southern part of the state still
operate today.

At the Same Time

Remind students that while California
developed and grew, the eastern states
were also changing dramatically. The
period after the Civil War was a time
of innovation and development in the
East as well as the West.

**5 Statue of Liberty, in New York
Harbor** In the late 1800s and early
1900s, the population of the United
States—and of California—exploded.
Millions of immigrants from all over
the world arrived at ports on both the
Atlantic and Pacific Coasts. For immigrants arriving at New York Harbor,
the Statue of Liberty was a symbol of
freedom and the start of a new life.

**4 Torres de perforación de petróleo
en el sur de California** En 1892, Edward
Doheny descubrió grandes cantidades
de petróleo en Los Angeles, lo que dio
comienzo a un auge del petróleo en todo
el sur de California. Muchos de los pozos
de la región sur del estado están aún
en operación.

Al mismo tiempo

Recuerde a los estudiantes que mientras
California crecía y se desarrollaba, los
estados del este también cambiaban rápidamente. El período que siguió a la Guerra
Civil fue una época de innovación y desarrollo tanto en el Este como en el Oeste.

**5 La Estatua de la Libertad, en el
puerto de New York** A fines del siglo
XIX y comienzos del XX, la población de
Estados Unidos –y de California– aumentó
de manera explosiva. Millones de inmigrantes de todo el mundo llegaron a los
puertos de la costa Atlántica y de la del
Pacífico. Para los inmigrantes que llegaban al puerto de New York, la Estatua de
la Libertad simbolizaba la libertad y el
comienzo de una nueva vida.

CALIFORNIA STANDARDS HSS 4.4 Students explain how California became an agricultural and
industrial power, tracing the transformation of the California economy and its political and cultural
development since the 1850s. ▨ Chronological and Spatial Thinking 4, 5.

GEO CHALLENGE

Have students study the map and
answer the following questions.
1 Which railroad goes from Salt
Lake City to Sacramento?
the Central Pacific Railroad
2 About how long is the trip from
Dallas to Los Angeles on the
Southern Pacific Railroad?
about 1,500 miles

SCHOOL TO HOME

Use the Unit 4 SCHOOL-TO-
HOME NEWSLETTER on pages
S9–S10 to introduce the unit to family
members of students and to suggest
activities families can do at home.

DESAFÍO DE GEOGRAFÍA

Pida a los estudiantes que observen el mapa y que respondan
las siguientes preguntas.
1 ¿Qué ferrocarril va de Salt Lake City a Sacramento?
el ferrocarril Central Pacific
2 ¿Qué distancia aproximada recorre el ferrocarril Southern
Pacific en el tramo de Dallas a Los Angeles?
1,500 millas aproximadamente

La lectura en los Estudios Sociales

PÁGINAS 270–271

 Sacar conclusiones

OBJETIVOS

■ Sacar conclusiones para comprender mejor los eventos históricos sobre los que se lee.

VOCABULARIO

conclusión pág. 270

RECURSOS

Transparencia de destrezas clave 4; Colección de audiotextos en CD de la Unidad 4

1 Presentar

Por qué es importante

❶ Comente a los estudiantes que relacionar lo que saben con lo que aprenden puede ayudarlos a sacar conclusiones de la información que leen.

Aprendizaje visual: Organizadores gráficos Pida a los estudiantes que lean la definición del término *conclusión* y que busquen en el diccionario los términos *evidencia* y *conocimiento*. Luego, dígales que observen detenidamente el organizador gráfico. Converse con ellos acerca de cómo el organizador puede ayudarlos a comprender lo que leen sobre los eventos de la historia.

Reading Social Studies

PAGES 270–271

 Draw Conclusions

OBJECTIVES

■ Draw conclusions to better understand what you read about historical events.

VOCABULARY

conclusion p. 270

RESOURCES

Focus Skills Transparency 4; Unit 4 Audiotext CD Collection

1 Introduce

Why It Matters

❶ Discuss with students how connecting what they learn with what they already know can help them draw conclusions in information they read.

Visual Literacy: Graphic Organizers Have students read the definition of the term *conclusion* and look up definitions for the terms *evidence* and *knowledge* in the dictionary. Then direct students to look closely at the graphic organizer. Discuss how using the organizer can help them understand what they learn about events in history.

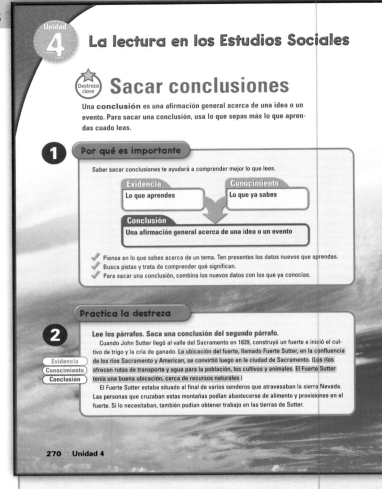

270 Unidad 4

Practice and Extend

INTEGRATE THE CURRICULUM

ENGLISH LANGUAGE ARTS Have students read a brief news article. Discuss what information they know about the article's subject. Then have them use a graphic organizer similar to the one above to draw conclusions about the events described in the article. **Draw Conclusions About News Events**

ELA READING 2.3

FOCUS SKILLS

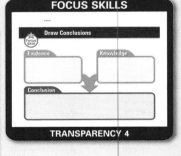

TRANSPARENCY 4

Practicar y ampliar

DESTREZAS CLAVE

TRANSPARENCIA 4

Aplica lo que aprendiste

Sacar conclusiones **Lee los párrafos y responde las preguntas.**

El lugar de Sacramento en la historia

En 1850, Sacramento se convirtió oficialmente en ciudad. En 1854 fue designada capital del estado. En aquel entonces, muchas personas habían llegado a la zona en busca de oro. Había servicios regulares de barcos de vapor entre Sacramento y el puerto de San Francisco. El camino que recorrían los carromatos entre Sacramento y los yacimientos de oro era muy transitado.

Durante este período, se abrieron muchos comercios en la ciudad. Estos comercios ofrecían bienes y servicios a los mineros. En las afueras de la ciudad se cultivaban granos y frutas para alimentar a la población, que aumentaba día a día. El suelo de la zona, que se había enriquecido por las inundaciones, resultó ser muy fértil. Hacia 1860, el valle del Sacramento era

una de las principales regiones agrícolas del estado.

El primer ferrocarril de pasajeros del oeste tenía su base en Sacramento. La ciudad fue también la primera de California que tuvo servicio regular de correo. Con el tiempo, Sacramento sería la terminal oeste del ferrocarril que cruzaba la nación de este a oeste.

En 1870, el ferrocarril Central Pacific construyó un vagón que se refrigeraba con hielo. Varios años después, los vagones refrigerados se usaban para transportar fruta hasta la costa este. Este nuevo método para mantener frescos los productos transformó a Sacramento en una de las regiones agrícolas más importantes de Estados Unidos.

Sacar conclusiones

1. ¿Qué conclusiones puedes sacar acerca de cómo la fiebre del oro afectó a Sacramento?

2. ¿Qué conclusiones puedes sacar acerca del impacto que tuvo el vagón refrigerado en la agricultura del valle del Sacramento?

CALIFORNIA STANDARDS HSS 4.4 Students explain how California became an agricultural and industrial power, tracing the transformation of the California economy and its political and cultural development since the 1850s.

Leveled Practice Have students draw other conclusions from the information in the passage.

Basic Assign each student a sentence from the selection to draw a conclusion about. Guide students to identify the sentence's subject and share their prior knowledge about it before they make a general statement about the subject.

Proficient Have students select two or three facts from the selection and draw conclusions based on them.

Advanced Have students review the selection and then write a conclusion about Sacramento's place in history, based on the information presented and their prior knowledge. Ask them to explain how they drew their conclusions.

---

2 Teach

Practice the Skill

2 Use the first example paragraph to help students learn how to draw conclusions. Have students read the second paragraph and then share what they know about the subject. Challenge students to draw a conclusion about the second paragraph. You may want to discuss other conclusions they can draw about what they have learned.

Apply What You Learned

3 Use this activity to provide students with experience in drawing conclusions about a multi-paragraph selection. Provide students with these guidelines:

Step 1: Identify the subject of the paragraph or selection.

Step 2: Think about what you know about the subject.

Step 3: As you read, combine what you learn with what you already know so you can draw conclusions about the subject.

Draw Conclusions— Answers

1. Due to the population boom caused by the gold rush, transportation routes developed in Sacramento and the city grew. HSS 4.4.2

2. Possible response: Refrigerated railroad cars opened up new markets for Sacramento farm products, helping the farm industry grow. HSS 4.4

3 Close

As students read each lesson, encourage them to draw conclusions about the material.

---

2 Enseñar

Practica la destreza

2 Use el primer párrafo como ejemplo para ayudar a los estudiantes a aprender cómo sacar conclusiones. Luego, pídales que lean el segundo párrafo y comenten lo que saben sobre el tema. Propóngales sacar una conclusión del segundo párrafo. Tal vez quiera conversar sobre otras conclusiones que los estudiantes puedan sacar de lo que han aprendido.

Aplica lo que aprendiste

3 Use esta actividad para que los estudiantes adquieran experiencia en sacar conclusiones de una selección de múltiples párrafos. Dé a los estudiantes las siguientes pautas:

Paso 1: Identificar el tema del párrafo o de la selección.

Paso 2: Pensar en lo que saben acerca del tema.

Paso 3: Mientras leen, combinar lo que aprenden con lo que saben para poder sacar conclusiones sobre el tema.

Sacar conclusiones— Respuestas

1. Debido al auge de población causado por la fiebre del oro, se desarrollaron rutas de transporte y la ciudad creció. HSS 4.4.2

2. Respuesta posible: El uso de vagones refrigerados abrió nuevos mercados para los productos agrícolas de Sacramento y ayudó al crecimiento de esta industria. HSS 4.4

3 Concluir

Aliente a los estudiantes a sacar conclusiones mientras leen cada lección.

El transporte y las comunicaciones

La gran idea

INNOVACIONES Después de que California obtuvo el rango de estado comenzó una época de grandes cambios tanto para California como para Estados Unidos.

LESSON	PACING	TESTED STANDARDS
Introducción del capítulo Destrezas de estudio: Relacionar ideas pág. 272 Presentación del Capítulo 7 pág. 273	**1** DAY	**4.4** Students explain how California became an agricultural and industrial power, tracing the transformation of the California economy and its political and cultural development since the 1850s.
Comienza con un cuento *Jimmy Spoon y el Pony Express* págs. 274–277	**1** DAY	**4.4.1.** Understand the story and lasting influence of the Pony Express, Overland Mail Service, Western Union, and the building of the transcontinental railroad, including the contributions of Chinese workers to its construction.
① **Conexiones con el Este** págs. 278–283 🔆 **REFLEXIONA** ¿Qué cambios mejoraron la comunicación entre California y el resto de Estados Unidos?	**2** DAYS	**4.4** Students explain how California became an agricultural and industrial power, tracing the transformation of the California economy and its political and cultural development since the 1850s. **4.4.1.** Understand the story and lasting influence of the Pony Express, Overland Mail Service, Western Union, and the building of the transcontinental railroad, including the contributions of Chinese workers to its construction.
FUENTES PRIMARIAS **El telégrafo** págs. 284–285	**1** DAY	**4.4.1.** Understand the story and lasting influence of the Pony Express, Overland Mail Service, Western Union, and the building of the transcontinental railroad, including the contributions of Chinese workers to its construction.
② **La construcción del ferrocarril transcontinental** págs. 286–292 🔆 **REFLEXIONA** ¿Por qué era necesario un ferrocarril transcontinental? ¿Cómo se construyó?	**2** DAYS	**4.4** Students explain how California became an agricultural and industrial power, tracing the transformation of the California economy and its political and cultural development since the 1850s. **4.4.1.** Understand the story and lasting influence of the Pony Express, Overland Mail Service, Western Union, and the building of the transcontinental railroad, including the contributions of Chinese workers to its construction. **4.4.3.** Discuss immigration and migration to California between 1850 and 1900, including the diverse composition of those who came; the countries of origin and their relative locations; and conflicts and accords among the diverse groups (e.g., the 1882 Chinese Exclusion Act).
BIOGRAFÍA **Yee Fung Cheung** pág. 293	**1** DAY	**4.4** Students explain how California became an agricultural and industrial power, tracing the transformation of the California economy and its political and cultural development since the 1850s. **4.4.3.** Discuss immigration and migration to California between 1850 and 1900, including the diverse composition of those who came; the countries of origin and their relative locations; and conflicts and accords among the diverse groups (e.g., the 1882 Chinese Exclusion Act).

3 WEEKS	**WEEK 1**			**WEEK 2**		**WEEK 3**	
	Introduce the Chapter	Lesson 1		Lesson 2	Lesson 3	Lesson 4	Chapter Review

OBJECTIVES	READING SUPPORT/ VOCABULARY	REACH ALL LEARNERS	RESOURCES
■ Analyze the purpose and structure of web organizers. ■ Organize historical information in a web. ■ Explain how the Pony Express operated. ■ Understand the job of a Pony Express rider.	(Focus Skill) **Reading Social Studies** **Draw Conclusions, Review the Unit 4 Reading Social Studies Focus Skill,** pp. 270–271 **Vocabulary Power:** Categorize Vocabulary, p. 275	**Leveled Practice,** p. 272	Social Studies in Action: Resources for the Classroom Primary Source Collection ⊙ Music CD 🖐 Interactive Map Transparencies Interactive Desk Maps Atlas TimeLinks: Interactive Time Line 🖐 Study Skills Transparency 7 💻 Internet Resources ⊙ Unit 4 Audiotext CD Collection
■ Describe how the Overland Mail Service, the Pony Express, and the telegraph linked California to the rest of the United States. ■ Identify the lasting influence of the new links to California. ■ Describe how the telegraph sent messages. ■ Analyze different perspectives on the importance of the telegraph.	(Focus Skill) **Reading Social Studies** **Draw Conclusions,** pp. 279, 283 **Vocabulary Power:** Roots, p. 279 **comunicación** pág. 279 **diligencia** pág. 280 **telégrafo** pág. 282	**ENGLISH LANGUAGE LEARNERS,** p. 279 **Leveled Practice,** p. 282 **Advanced,** p. 281 **Reading Support,** p. 279 **Special Needs,** p. 284	Homework and Practice Book, p. 71 Reading Support and Intervention, pp. 98–101 Success for English Learners, pp. 101–104 Vocabulary Power, pp. 93–96 🖐 Vocabulary Transparency 4-7-1 🖐 Focus Skills Transparency 4 ⊙ Unit 4 Audiotext CD Collection 💻 Internet Resources
■ Describe how the transcontinental railroad was built. ■ Describe the contribution of Chinese workers and other immigrant groups to the building of the transcontinental railroad. ■ Examine the life and values of Yee Fung Cheung.	(Focus Skill) **Reading Social Studies** **Draw Conclusions,** pp. 287, 289, 292 **Vocabulary Power:** Context Clues, p. 287 **ferrocarril transcontinental** pág. 287 **invertir** pág. 288	**ENGLISH LANGUAGE LEARNERS,** p. 287 **Special Needs,** p. 290 **Leveled Practice,** p. 291 **Reading Support,** p. 287	Homework and Practice Book, pp. 72–73 Reading Support and Intervention, pp. 102–105 Success for English Learners, pp. 105–108 Vocabulary Power, pp. 93–96 Vocabulary Transparency 4-7-2 🖐 Focus Skills Transparency 4 TimeLinks: Interactive Time Line ⊙ Unit 4 Audiotext CD Collection 💻 Internet Resources

LESSON	PACING	🐻 TESTED STANDARDS
③ Las vías cruzan California págs. 294–297 💡 **REFLEXIONA** ¿Cómo ayudaron los ferrocarriles a transformar la economía de California a fines del siglo XIX?	**1** DAY	**4.4 Students explain how California became an agricultural and industrial power, tracing the transformation of the California economy and its political and cultural development since the 1850s.** **4.4.1.** Understand the story and lasting influence of the Pony Express, Overland Mail Service, Western Union, and the building of the transcontinental railroad, including the contributions of Chinese workers to its construction. **4.4.4.** Describe rapid American immigration, internal migration, settlement, and the growth of towns and cities (e.g., Los Angeles).
DESTREZAS CON MAPAS Y GLOBOS TERRÁQUEOS **Leer un mapa de husos horarios** págs. 298–299	**1** DAY	**4.4.1.** Understand the story and lasting influence of the Pony Express, Overland Mail Service, Western Union, and the building of the transcontinental railroad, including the contributions of Chinese workers to its construction.
④ Una potencia agrícola págs. 300–306 💡 **REFLEXIONA** ¿Cómo pudo California llegar a convertirse en una potencia agrícola?	**2** DAYS	**4.4 Students explain how California became an agricultural and industrial power, tracing the transformation of the California economy and its political and cultural development since the 1850s.** **4.4.2.** Explain how the Gold Rush transformed the economy of California, including the types of products produced and consumed, changes in towns (e.g., Sacramento, San Francisco), and economic conflicts between diverse groups of people. **4.4.3.** Discuss immigration and migration to California between 1850 and 1900, including the diverse composition of those who came; the countries of origin and their relative locations; and conflicts and accords among the diverse groups (e.g., the 1882 Chinese Exclusion Act). **4.4.6.** Describe the development and locations of new industries since the nineteenth century, such as the aerospace industry, electronics industry, large-scale commercial agriculture and irrigation projects, the oil and automobile industries, communications and defense industries, and important trade links with the Pacific Basin. **4.4.7.** Trace the evolution of California's water system into a network of dams, aqueducts, and reservoirs.
BIOGRAFÍA **George Shima** pág. 307	**1** DAY	**4.4.6.** Describe the development and locations of new industries since the nineteenth century, such as the aerospace industry, electronics industry, large-scale commercial agriculture and irrigation projects, the oil and automobile industries, communications and defense industries, and important trade links with the Pacific Basin.
Repaso del Capítulo 7 págs. 308–309	**1** DAY	**4.4 Students explain how California became an agricultural and industrial power, tracing the transformation of the California economy and its political and cultural development since the 1850s.**

OBJECTIVES	READING SUPPORT/ VOCABULARY	REACH ALL LEARNERS	RESOURCES
■ Describe how railroads in California affected cities and businesses. ■ Identify the lasting influence of the transcontinental railroad on life in California. ■ Describe how to read a time zone map. ■ Use a time zone map to determine the time in various locations.	(Focus Skill) **Reading Social Studies** **Draw Conclusions,** pp. 295, 297 **Vocabulary Power:** Roots, p. 295 **competencia** pág. 296 **huso horario** pág. 298	**ENGLISH LANGUAGE LEARNERS,** p. 295 **Leveled Practice,** pp. 296, 299 **Reading Support,** p. 295	Homework and Practice Book, pp. 74–75, 76–77 Reading Support and Intervention, pp. 106–109 Success for English Learners, pp. 109–112 Vocabulary Power, pp. 93–96 Vocabulary Transparency 4-7-3 Focus Skills Transparency 4 ⊙ Unit 4 Audiotext CD Collection Internet Resources GeoSkills CD-ROM
■ Identify the reasons for disagreements between farmers and the railroads. ■ Compare farming in California before and after the development of irrigation systems. ■ Discover how George Shima became the largest grower of potatoes in California.	(Focus Skill) **Reading Social Studies** **Draw Conclusions,** pp. 301, 302, 306 **Vocabulary Power:** Roots, p. 301 **granja comercial** pág. 301 **exportar** pág. 301 **agricultor arrendatario** pág. 302 **canal** pág. 305 **dique** pág. 305	**ENGLISH LANGUAGE LEARNERS,** pp. 301, 302 **Leveled Practice,** p. 305 **Special Needs,** p. 304 **Reading Support,** p. 301 **Advanced,** p. 307	Homework and Practice Book, pp. 78–79 Reading Support and Intervention, pp. 110–113 Success for English Learners, pp. 113–116 Vocabulary Power, pp. 93–96 Vocabulary Transparency 4-7-4 Focus Skills Transparency 4 ⊙ Unit 4 Audiotext CD Collection Internet Resources
	(Focus Skill) **Reading Social Studies** **Draw Conclusions,** p. 308		Homework and Practice Book, pp. 80–82 Assessment Program, Chapter 7 Test, pp. 69–72

LESSON 1

Nombre _____ Fecha _____

Conexiones con el Este

INSTRUCCIONES Lee cada oración acerca de las conexiones de California con el Este de Estados Unidos. Decide si la oración es verdadera (*V*) o falsa (*F*). Vuelve a escribir cada oración falsa para hacerla verdadera.

1 __V__ El telégrafo usaba electricidad para enviar mensajes a través de cables.

2 __F__ El telégrafo fue inventado por Johnny Fry.
El telégrafo fue inventado por Samuel F. B. Morse.

3 __V__ La Ley de Servicio Postal ayudó a brindar un servicio de correo entre el río Mississippi y San Francisco.

4 __F__ Enviar un mensaje por telégrafo tomaba horas.
Enviar un mensaje por telégrafo tomaba minutos.

5 __V__ John Butterfield fundó la Overland Mail Company.

6 __F__ La Ley de Servicio Postal causó que terminara el servicio del Pony Express.
El telégrafo causó que terminara el servicio del Pony Express.

7 __V__ Las diligencias de la Overland Mail podían transportar correo y pasajeros.

8 __V__ Las mejoras en las comunicaciones fortalecieron los vínculos de California con el resto de Estados Unidos.

🐻 **NORMAS DE CALIFORNIA HSS 4.4, 4.4.1**

LESSON 2

Nombre _____ Fecha _____

La construcción del ferrocarril transcontinental

INSTRUCCIONES Imagina que eres un inmigrante chino que trabaja en la construcción del ferrocarril transcontinental. Estás por escribir una carta a casa. Usa las preguntas de abajo para ayudarte a organizar tus ideas.

1 ¿Para qué compañía de ferrocarril trabajas?
Trabajo para la compañía de ferrocarril Central Pacific

2 ¿Qué tipo de trabajo haces? ¿Es peligroso?
Respuesta posible: Ayudo a abrir túneles. Es peligroso. A veces, los trabajadores chinos tienen que colocar explosivos.

3 ¿Hay muchos trabajadores chinos? ¿Aproximadamente cuántos hay?
Respuesta posible: Sí, hay muchos trabajadores chinos. En un año hubo más de 12,000 trabajadores chinos.

4 ¿Cuánto dinero ganas? ¿Es un buen salario?
Respuesta posible: 25 dólares al mes. Ese no es un buen salario.
A los trabajadores chinos les pagan entre 25 y 35 dólares al mes, menos de lo que les pagan a otros trabajadores del ferrocarril.

5 ¿Cuál es la mayor cantidad de vías que tú y otros trabajadores chinos han tendido en un día?
Respuesta posible: Una vez, lo trabajadores chinos batieron el récord al tender 10 millas de vías en 12 horas.

🐻 **NORMAS DE CALIFORNIA HSS 4.4, 4.4.1, 4.4.3; CS 3**

(sigue)

LESSON 2

Nombre _____ Fecha _____

INSTRUCCIONES Compara y contrasta el viaje de la costa este a la costa oeste antes y después de la construcción del ferrocarril transcontinental.

1 Antes de la construcción del ferrocarril transcontinental, el viaje por tierra a California podía durar semanas. ¿Cuánto tiempo duraba el viaje por tierra después de la construcción del ferrocarril transcontinental?
El viaje por tierra duraba aproximadamente una semana.

2 Antes del ferrocarril, el viaje por tierra era duro y peligroso. ¿Cómo era el viaje para los pasajeros del tren?
Los pasajeros podían viajar cómodamente, mirando el paisaje desde las ventanillas. El viaje era mucho menos difícil y peligroso.

3 ¿De qué manera el ferrocarril transcontinental aumentó el comercio de California?
El ferrocarril facilitó el transporte de productos entre California y el resto del país.

4 ¿Qué cambios crees que se produjeron en California con la llegada del ferrocarril?
Respuesta posible: Aumentó el comercio, se incrementó la población, California se conectó más con el resto de Estados Unidos y hubo mejoras en la comunicación y en el transporte.

LESSON 3

Nombre _____ Fecha _____

Las vías cruzan California

INSTRUCCIONES Imagina que eres un viajero en 1871. Usa el mapa para responder las preguntas.

1 ¿Qué parada en California se encuentra más al norte en este mapa?
Yreka

2 ¿Qué parada se encuentra más al sur en el mapa?
Bear Creek

Algunas líneas de ferrocarril en California, 1871

3 Si fueras un comerciante de San Francisco y quisieras enviar productos a Monterey, ¿te resultaría más fácil hacerlo por tren o por barco de vapor? Explica tu respuesta.
Sería más fácil enviarlos por barco de vapor, porque no hay una ruta de ferrocarril directa a Monterey.

4 ¿Podías viajar en tren a Crescent City en 1871? ¿Por qué?
No, porque no había ningún tren a Crescent City.

5 Imagina que planeaste un viaje en tren de Truckee a Bear Creek. ¿Cuáles son algunos de los lugares por los que pasarás?
Respuesta posible: Pasaría por Colfax, Sacramento, Stockton y Lathrop.

🐻 **NORMAS DE CALIFORNIA HSS 4.1, 4.1.5, 4.4, 4.4.1; CS 5**

(sigue)

LESSON 3

Nombre _____ Fecha _____

INSTRUCCIONES Lee las siguientes declaraciones. Decide si cada declaración describe pasajeros *(P)*, comerciantes *(C)* o propietarios de ferrocarril *(F)*.

1 __F__ Podían cobrar lo que querían por los boletos de tren porque había poca competencia.

2 __C__ Perdieron dinero cuando se inauguró el canal de Suez.

3 __F__ Obtuvieron más de 11 millones de acres de tierra para construir un ferrocarril como consecuencia de la Ley del Ferrocarril del Pacífico de 1862.

4 __P__ Muchos de ellos no viajaban al oeste porque los boletos de tren eran muy caros.

5 __C__ Algunos de ellos perdieron sus empresas porque los productos traídos del Este a veces costaban menos que los productos fabricados y vendidos en California.

6 __F__ Sus ferrocarriles recibieron el apodo de "el pulpo".

7 __C__ Cuando se terminó de construir el ferrocarril transcontinental, estaban ansiosos por enviar productos asiáticos a la costa este.

8 __C__ Algunos de ellos tuvieron que cerrar sus empresas cuando se terminó de construir el ferrocarril transcontinental.

9 __P__ El ferrocarril les facilitó el viaje de la costa este a la costa oeste.

10 __F__ A medida que se enriquecían, compraban o comenzaban la construcción de otros ferrocarriles, incluyendo los ferrocarriles Western Pacific y California Southern.

SKILL PRACTICE

Nombre _____ Fecha _____

Destrezas: Leer un mapa de husos horarios

INSTRUCCIONES Estudia el mapa de husos horarios de abajo. Usa la información del mapa para responder las preguntas.

Husos horarios de Estados Unidos

1 ¿Qué husos horarios atravesarías en un viaje en tren de San Francisco a Chicago?

Los husos horarios del Pacífico, de montaña y central.

2 ¿En qué huso horario se encuentra Denver? __huso horario de montaña__

🐻 **NORMAS DE CALIFORNIA HSS 4.1; CS 4**   *(sigue)*

SKILL PRACTICE

Nombre _____ Fecha _____

3 Nombra dos estados que se encuentren en más de un huso horario.

Acepte cualquier par de estados entre los siguientes: Florida, Indiana, Michigan, Kentucky, Tennessee, Texas, Kansas, Nebraska, South Dakota, North Dakota, Oregon, Idaho, Alaska

4 ¿Cuántas horas de diferencia hay entre el huso horario del Pacífico y el huso horario del Este? __Hay 3 horas de diferencia.__

5 Si son las 8 a.m. en New York, ¿qué hora es en Los Angeles? __5 a.m.__

6 Si son las 6 p.m. en Chicago, ¿qué hora es en Anchorage? __3 p.m.__

7 Si son las 3 p.m. en Honolulu, ¿qué hora es en San Francisco? __5 p.m.__

8 Si son las 10 a.m. en Anchorage, ¿qué hora es en New York? __2 p.m.__

9 ¿Que hora es en el lugar donde vives? De acuerdo a eso, calcula la hora en cada una de estas ciudades: New York, Denver, Chicago, Anchorage y Honolulu.

Los estudiantes deberán decir la hora actual. Para el huso horario del Pacífico: New York: +3 horas, Denver: +1 hora, Chicago: +2 horas, Anchorage: −1 hora, Honolulu: −2 horas

10 Imagina que vives en Detroit y tu abuela vive en Tucson. Quieres llamarla antes de que salga de su casa, a las 7 a.m. ¿Aproximadamente a qué hora deberías llamarla?

Respuesta posible: Debería llamarla a las 9 a.m. aproximadamente.

LESSON 4

Nombre _____ Fecha _____

Una potencia agrícola

INSTRUCCIONES En el espacio en blanco, escribe la palabra o la expresión correcta para completar la oración. Usa los términos del recuadro de abajo.

refrigerados	canal	agricultores arrendatarios	granjas comerciales	dique
Riverside	trigo	distrito de irrigación	Mussel Slough	valle Central

1 Una vía fluvial cavada en la tierra es un __canal__.

2 Los desacuerdos entre los agricultores y las compañías de ferrocarril condujeron al conflicto en __Mussel Slough__.

3 La granja de John Bidwell estaba ubicada en el __valle Central__.

4 Las __granjas comerciales__ son granjas donde se cultiva con el objetivo de vender las cosechas.

5 En 1870 se plantaron naranjales en el área que pronto se conocería como __Riverside__.

6 La Ley Wright permitía a grupos de agricultores formar un __distrito de irrigación__.

7 Un __dique__ es un muro alto que ayuda a evitar que las tierras se inunden.

8 Hacia 1873, California se había convertido en el principal productor de __trigo__ del país.

9 A fines del siglo XIX, los agricultores comenzaron a usar vagones __refrigerados__ para transportar las cosechas al Este.

10 Los __agricultores arrendatarios__ pagaban una renta por la tierra con el dinero que obtenían de la venta de sus cultivos.

🐻 **NORMAS DE CALIFORNIA HSS 4.4, 4.4.2, 4.4.7**   *(sigue)*

Nombre _____ Fecha _____

INSTRUCCIONES Responde las siguientes preguntas acerca del conflicto entre los ferrocarriles y los agricultores.

1 ¿Aproximadamente cuánta tierra poseían en California las compañías de ferrocarril en la década de 1870?

Las compañías de ferrocarril poseían aproximadamente un octavo de las tierras de California.

2 ¿Qué pensaban muchos agricultores acerca de las compañías de ferrocarril?

Consideraban que las compañías de ferrocarril controlaban demasiadas tierras y cobraban demasiado por transportar los cultivos.

3 ¿Por qué estaban enojados los agricultores de Mussel Slough?

La compañía de ferrocarril Southern Pacific primero ofreció tierras a colonos por solo 2.50 dólares el acre. La compañía invitó a los colonos a que comenzaran a trabajar la tierra antes de concretar la venta. Cuando los colonos habían comenzado a cultivar la tierra, la compañía aumentó el precio final de la tierra, fijando un valor de entre 17 y 40 dólares el acre.

4 Recuerda la actividad "Resolver conflictos" del capítulo anterior. ¿De qué manera los agricultores de Mussel Slough podrían haber llegado a un acuerdo con la compañía de ferrocarril?

Respuesta posible: Los agricultores podrían haber intentado acordar un nuevo precio, por ejemplo, 10 dólares el acre, o podrían haber ofrecido abandonar las tierras si la compañía de ferrocarril les devolvía el dinero que habían invertido en semillas e irrigación.

Capítulo **7**

Nombre _____ Fecha _____

Guía de estudio

INSTRUCCIONES Martin se inscribió en un concurso de discursos. Su tema fue "Conexiones históricas con el Este: Transporte y comunicación". Martin escribió su discurso para practicar y prepararse. Escribe las palabras o expresiones que faltan para completar su discurso. Puedes usar algunas palabras dos veces.

Lección 1	Lección 2	Lección 3	Lección 4
comunicación	ferrocarril	competencia	granjas comerciales
diligencia	transcontinental	Los Angeles	agricultores
telégrafo	invertir	"el pulpo"	arrendatarios
Pony Express	Central Pacific	ferrocarriles	distritos de irrigación
	Union Pacific		canales
	transporte		diques

Lección 1   En la década de 1850, la ____comunicación____ entre California y el este de Estados Unidos no era fácil. Las cartas tardaban meses en llegar de una costa a la otra. El 10 de octubre de 1858, llegó a San Francisco la primera ____diligencia____ de la Overland Mail Company con noticias del Este. Aunque la entrega de correo en diligencia era veloz, el ____Pony Express____ era más rápido todavía. El ____Pony Express____ duró menos de 18 meses, pero transportó casi 35,000 cartas en ese corto tiempo. Luego, el ____telégrafo____ reemplazó al Pony Express, porque podía enviar mensajes de un extremo al otro de Estados Unidos en pocos minutos.

🐻 **NORMAS DE CALIFORNIA HSS 4.4, 4.4.1, 4.4.3, 4.4.4, 4.4.7**

(sigue)

Nombre _____ Fecha _____

Lección 2   Las personas también deseaban un mejor ____transporte____ entre las costas este y oeste. Theodore Judah consiguió personas dipuestas a ____invertir____ su dinero en un ____ferrocarril transcontinental____. Él y otros cuatro hombres fundaron la compañía de ferrocarril Central Pacific. Comenzaron a tender vías hacia el este desde Sacramento. Mientras tanto, el Union Pacific estaba construyendo un ferrocarril hacia el oeste desde Council Bluffs, Iowa. Ambas compañías contrataron muchos trabajadores inmigrantes para construir el ferrocarril. El ____Union Pacific____ contrató muchos trabajadores de Irlanda, y el ____Central Pacific____ contrató muchos trabajadores de origen chino. El 10 de mayo de 1869, las dos vías se encontraron en Promontory, Utah.

Lección 3   Con el tiempo, los propietarios del Central Pacific construyeron más ____ferrocarriles____ en California. Estos se extendían en tantas direcciones que los llamaban ____"el pulpo"____. Uno de ellos era el Southern Pacific, que iba de Stockton a ____Los Angeles____. Esos ferrocarriles tenían poca ____competencia____.

Lección 4   Gracias a las mejoras en el transporte, la agricultura de California se convirtió en una industria importante. Las ____granjas comerciales____ satisfacían la creciente demanda de alimentos ya que cultivaban con el objetivo de vender. En algunas áreas de California faltaba agua. Los agricultores tenían derecho a formar ____distritos de irrigación____ y construir ____canales____ para llevar agua a sus granjas. Como en otras áreas había demasiada agua, se construyeron ____diques____ para protegerse de las inundaciones. A causa de los ferrocarriles, algunos agricultores tuvieron que rentar la tierra que cultivaban, convirtiéndose en ____agricultores arrendatarios____.

Nombre _____ Fecha _____

LA LECTURA EN LOS ESTUDIOS SOCIALES: SACAR CONCLUSIONES

 El transporte y las comunicaciones

INSTRUCCIONES Completa los organizadores gráficos para mostrar que comprendes la importancia de los vínculos cada vez más estrechos que había entre California y el resto de Estados Unidos a fines del siglo XIX. Usa la evidencia y el conocimiento para sacar una conclusión.

Evidencia
En 1861 se terminó de construir una línea de telégrafo que unía California con la costa este.

Conocimiento
Las mejoras en la comunicación facilitan el intercambio de ideas.

Conclusión
Respuesta posible: La línea de telégrafo facilitó el contacto entre los californianos y el resto de Estados Unidos.

Evidencia
El 10 de mayo de 1869 se terminó la construcción del ferrocarril transcontinental.

Conocimiento
Las mejoras en el transporte facilitan el traslado de pasajeros y de productos.

Conclusión
Respuesta posible: El ferrocarril transcontinental contribuyó a la economía de California, ya que creó nuevas oportunidades de comercio y trajo nuevos colonos al estado.

🐻 **NORMAS DE CALIFORNIA HSS 4.4, 4.4.1, 4.4.3, 4.4.4**

CHAPTER TEST

7 Prueba

NORMAS DE CALIFORNIA HSS 4.4

SELECCIÓN MÚLTIPLE (5 puntos cada una)

INSTRUCCIONES Elige la letra de la respuesta correcta.

1 Antes de la década de 1860, ¿cómo se comunicaban los californianos con el Este?
A por tren
B por telégrafo
(C) por cartas llevadas en barcos
D por diligencias [HSS 4.4.1, CS 5, HI 1]

2 ¿Cómo ayudó John Butterfield al crecimiento de California como estado?
(A) Fundó una compañía que transportaba el correo en diligencia.
B Fundó la primera granja comercial de California.
C Invirtió en el ferrocarril transcontinental.
D Construyó un canal para irrigar el valle Imperial. [HSS 4.4.1, HI 1]

3 ¿Quiénes eran los "Big Four"?
A un grupo que invirtió en el primer telégrafo de California
B un grupo de propietarios del Pony Express
(C) un grupo de propietarios de la compañía de ferrocarril Central Pacific
D un grupo que financió íntegramente el ferrocarril transcontinental [HSS 4.4.1, HI 1]

4 ¿Por qué las compañías tuvieron problemas para hallar trabajadores para el ferrocarril transcontinental?
A No tenían el dinero.
B No se permitía la entrada de trabajadores chinos al país.
C La población del Este no tenía interés en mudarse al Oeste.
(D) Muchos americanos estaban peleando en la Guerra Civil. [HSS 4.4.1, HI 1, 3]

5 ¿Cómo afectó, al principio, la terminación del ferrocarril transcontinental a la economía de California?
A Las empresas de California crecieron.
(B) Los productos traídos de afuera eran más baratos, lo que perjudicó a las empresas locales.
C Llegaron más productos de México.
D Las empresas no podían satisfacer la demanda. [HSS 4.4.1, HI 3]

6 ¿Qué permitió al ferrocarril Southern Pacific ganar más de 11 millones de acres de tierra en California?
(A) La Ley de Ferrocarriles del Pacífico otorgaba tierras a las compañías de ferrocarril por cada milla de rieles que tendían.
B La compañía compró esos acres a los rancheros.
C La compañía les quitó las tierras a los indios de California.
D Los nuevos pueblos vendieron tierras a la compañía. [HSS 4.4, HI 3] *(sigue)*

CHAPTER TEST

Usa la información del recuadro para responder la pregunta 7.

> Los agricultores de California comenzaron a exportar trigo a Francia e Italia.

7 ¿Qué significa la palabra <u>exportar</u>?
A comprar a otros países
B competir con
C anunciar un producto
(D) vender a otros países [HSS 4.4.6]

8 ¿Por qué se produjeron enfrentamientos en Mussel Slough?
A Una compañía de ferrocarril no pagó a sus trabajadores.
(B) Los agricultores y una compañía de ferrocarril tuvieron un desacuerdo por el precio de la tierra.
C Los vecinos no estaban de acuerdo sobre quién tenía derechos sobre el agua.
D Algunos rancheros se negaron a dejar las tierras que, decían, les pertenecían. [HSS 4.4, 4.4.6, HI 1]

9 ¿Qué permitió que las personas establecieran granjas en el valle Imperial a principios del siglo XX?
A Algunos inmigrantes plantaron una variedad nueva y mejor de naranjo.
B Los trabajadores chinos construyeron diques para prevenir inundaciones.
(C) Los trabajadores construyeron un canal desde el río Colorado para irrigar la tierra.
D Algunos productores hicieron anuncios para crear nuevos mercados. [HSS 4.4.6, HI 1]

Usa el mapa para responder la pregunta 10.

10 El terremoto de 1906 sacudió San Francisco poco después de las 5:00 a.m. ¿Qué hora era en ese momento en la ciudad de New York?
A poco después de las 2:00 a.m.
B poco antes de las 5:00 a.m.
(C) poco después de las 8:00 a.m.
D poco antes de las 11:00 a.m. [HSS 4.4, CS 4]

(sigue)

CHAPTER TEST

EMPAREJAR (5 puntos cada una)

INSTRUCCIONES Relaciona cada persona de la derecha con la descripción correcta de la izquierda. Escribe la letra de la respuesta que corresponda en el espacio en blanco.

11 __D__ un científico que trabajó para desarrollar nuevas y mejores variedades de plantas [HSS 4.4.6]

12 __B__ un exitoso agricultor de trigo del valle Central [HSS 4.4.6]

13 __E__ uno de los "Big Four" [HSS 4.4.1]

14 __C__ un ingeniero que planificó la construcción de un ferrocarril transcontinental [HSS 4.4.1]

15 __A__ un herbolario que llegó a California para buscar oro [HSS 4.4.3]

A. Yee Fung Cheung
B. John Bidwell
C. Theodore Judah
D. Luther Burbank
E. Leland Stanford

RESPUESTA BREVE (5 puntos cada una)

INSTRUCCIONES Responde cada pregunta en el espacio en blanco.

16 ¿Qué cambios se produjeron en la velocidad de comunicación entre California y los estados del Este durante la década de 1850 y comienzos de la década de 1860? [HSS 4.4.1, CS 1, HI 1]

Respuesta posible: En 1858, la Overland Mail Company tardó 24 días en transportar el correo en diligencia desde Missouri hasta California. Luego, en 1860, los jinetes del Pony Express consiguieron transportar el correo a caballo en solo 10 días. Finalmente, en 1861, se instaló la primera línea de telégrafo que comunicaba California con el Este. El telégrafo podía enviar mensajes de un extremo al otro del país en unos pocos minutos.

17 ¿Cómo se financió el ferrocarril transcontinental? [HSS 4.4.1, HI 1]

Respuesta posible: Theodore Judah pidió a Leland Stanford, Collis P. Huntington, Mark Hopkins y Charles Crocker, conocidos como los "Big Four", que invirtieran en el ferrocarril. Después, fue a Washington, D. C., y logró que el Congreso otorgara dinero y tierras para que el ferrocarril Central Pacific, de los "Big Four", tendiera vías hacia el este desde Sacramento.

(sigue)

CHAPTER TEST

18 ¿Quiénes fueron los trabajadores que construyeron el ferrocarril transcontinental y qué desafíos enfrentaron? [HSS 4.4.1, 4.4.3]

Respuesta posible: Para tender las vías desde el este, la Union Pacific contrató muchos inmigrantes de Irlanda y, más tarde, soldados de la Guerra Civil. La Central Pacific contrató muchos inmigrantes chinos para tender las vías desde el oeste. Ambos grupos debieron trabajar con rapidez. Los trabajadores chinos de la Central Pacific enfrentaron condiciones más peligrosas, ya que tuvieron que abrir túneles y tender vías a través de la sierra Nevada.

19 ¿Se habrían desarrollado las granjas comerciales en California sin la fiebre del oro? Explica tu respuesta. [HSS 4.4, 4.4.2, 4.4.6, HI 3]

Acepte todas las respuestas razonables. Respuesta posible: Debido al suelo fértil y a la larga temporada de cultivo de California, las granjas comerciales se habrían desarrollado aun sin la fiebre del oro. La fiebre del oro ayudó a acelerar el proceso.

INSTRUCCIONES Los agricultores de California hallaron soluciones a muchos de los problemas que enfrentaban. Escribe la solución a cada problema en el espacio en blanco de la tabla de abajo. (5 puntos en total) [HSS 4.4, 4.4.6]

20

Problema	Solución
La mayor parte de la tierra del valle Imperial era demasiado seca para la agricultura.	Se construyeron canales para irrigar la tierra.
Las naranjas cultivadas en California eran ácidas y tenían muchas semillas.	Los productores de naranjas comenzaron a cultivar mejores variedades de naranja, como la naranja Washington de ombligo y la Valencia.
Las áreas cercanas al río Sacramento se inundaban a menudo.	Se construyeron diques para controlar las inundaciones.

Destrezas de estudio

Relacionar ideas

OBJETIVOS

- Analizar el propósito y la estructura de los organizadores en forma de red.
- Organizar la información histórica en una red.

RECURSOS

Transparencia de destrezas de estudio 7; Colección de audiotextos en CD de la Unidad 4

1 Presentar

Establecer el propósito Explique a los estudiantes que el uso de un organizador en forma de red les ayudará a relacionar los temas, las ideas principales y los detalles de lo que leen.

2 Enseñar

1 Explique a los estudiantes que el organizador en forma de red que aparece aquí se refiere al Capítulo 7.

- Los temas van en los óvalos del centro del organizador gráfico.
- Las ideas principales relacionadas con los temas van en los óvalos pequeños.
- Los datos y los detalles relacionados con las ideas principales van en los círculos pequeños.

3 Concluir

Aplica la destreza mientras lees

2 Aliente a los estudiantes a agregar información en sus organizadores mientras leen cada lección. Recuérdeles que pueden usar sus redes para repasar y memorizar la información.

Study Skills

Connect Ideas

OBJECTIVES

- Analyze the purpose and structure of web organizers.
- Organize historical information in a web.

RESOURCES

Study Skills Transparency 7, TimeLinks: Interactive Time Line; Unit 4 Audiotext CD Collection

1 Introduce

Set the Purpose Explain that using a web organizer is one way for students to connect the themes, main ideas, and details they read about.

2 Teach

1 Explain to students that the web organizer here relates to Chapter 7.

- Themes go in the ovals at the web's center.
- Main ideas connected to the themes go in the smaller ovals.
- Facts and details connected to the main ideas go in small bubbles.

3 Close

Apply As You Read

2 As students read each lesson, encourage them to add to their webs. Remind them that they can use their webs to review and remember information.

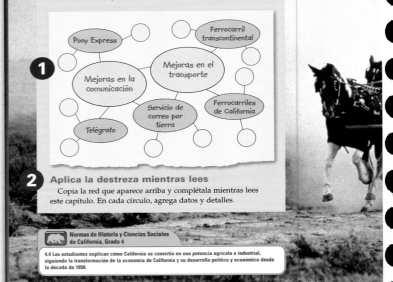

Destrezas de estudio

RELACIONAR IDEAS

Puedes usar un organizador en forma de red para mostrar cómo se relacionan la información y las diferentes ideas.

➤ Haz una lista de los temas importantes en los óvalos del centro de la red.

➤ Agrega óvalos que muestren ideas principales que apoyen cada tema.

➤ Añade círculos para los detalles que apoyen cada idea principal.

1

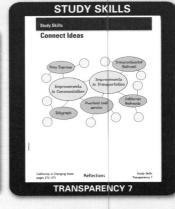

2 Aplica la destreza mientras lees

Copia la red que aparece arriba y complétala mientras lees este capítulo. En cada círculo, agrega datos y detalles.

Normas de Historia y Ciencias Sociales de California, Grado 4

4.4 Los estudiantes explican cómo California se convirtió en una potencia agrícola e industrial, siguiendo la transformación de la economía de California y su desarrollo político y económico desde la década de 1850.

272 ■ Unidad 4

Practice and Extend

REACH ALL LEARNERS

Leveled Practice Have students use a web to connect ideas in a previous chapter or lesson.

Basic Ask students to name the main themes.

Proficient Have students discuss the themes and then add main ideas around them.

Advanced Have students discuss the themes and main ideas and then add details to each main idea.

STUDY SKILLS

Study Skills
Connect Ideas

California: A Changing State
pages 272–275   Reflections   Study Skills
Transparency 7

TRANSPARENCY 7

Practicar y ampliar

DESTREZAS DE ESTUDIO

Destrezas de estudio
Relacionar ideas

California: Un estudio cambiante
páginas 272–275   Reflexiones   Destrezas de estudio
Transparencia 7

TRANSPARENCIA 7

El transporte y las comunicaciones

CAPÍTULO 7

En una época, las diligencias transportaban pasajeros y correo hasta California y desde allí.

Capítulo 7 ■ 273

 CALIFORNIA STANDARDS HSS 4.4 Students explain how California became an agricultural and industrial power, tracing the transformation of the California economy and its political and cultural development since the 1850s. Research, Evidence, and Point of View 2.

BACKGROUND

Stagecoaches In the 1700s and early 1800s in the United States, stagecoaches were a main means of transportation between cities for both passengers and mail. Despite the widespread use of stagecoaches, however, riding on them was not always pleasant. Samuel Clemens (also known as Mark Twain) humorously described one part of a stagecoach trip to the West in this way: "...our party inside got mixed somewhat. First we would all be down in a pile at the forward end of the stage, nearly in a sitting posture, and in a second we would shoot to the other end, and stand on our heads...."

Source: Mark Twain. *Roughing It, 1872 ed.* Oxford University Press, 1996.

Chapter 7 Preview

PAGE 273

Access Prior Knowledge

Tell students that this chapter is about improvements in communication and transportation, which strengthened California's connections to the rest of the United States.

Discuss the ways in which people and information travel across and around the country today. Encourage students to speculate about how these methods might be different from those of California's past.

❸ Visual Literacy: Photograph

Research/Evidence Explain that stagecoaches like the one in the photograph used to carry mail and passengers across the country to California. Have students examine the photograph and ask relevant questions, such as the one below.

Q What might have made stagecoach travel difficult or slow? HSS 4.4.1, HR 2

A Possible responses: poor roads; rugged terrain; wide rivers; the need to rest the horses

TimeLinks: Interactive Time Line

Remind students to add people and events for each lesson in this chapter to the TimeLinks: Interactive Time Line.

CHAPTER 7 ■ 273

Presentación del Capítulo 7

PÁGINA 273

Despertar conocimientos previos

Diga a los estudiantes que este capítulo trata sobre las mejoras en el transporte y la comunicación que fortalecieron las relaciones de California con el resto de Estados Unidos.

Converse con los estudiantes sobre los distintos medios que existen hoy en día para que las personas y la información recorran el país. Aliéntelos a que piensen en las diferencias entre estos medios modernos y los que se usaban antes en California.

❸ Aprendizaje visual: Fotografía

Investigación/Evidencia Explique que las diligencias, como la que aparece en la fotografía, transportaban pasajeros y correo de todo el país a California. Pida a los estudiantes que observen la fotografía y que formulen preguntas relevantes, como la de abajo.

P ¿Cuáles pueden haber sido las causas por las que los viajes en diligencia eran difíciles o lentos? HSS 4.4.1, HR 2

R Respuesta posible: caminos en mal estado; terreno accidentado; ríos anchos; la necesidad de hacer descansar a los caballos

---

ANTECEDENTES

La diligencia En el siglo XVIII y a principios del siglo XIX, la diligencia era un importante medio de transporte de correo y de pasajeros entre las ciudades de Estados Unidos. Sin embargo, a pesar de su uso difundido, viajar en diligencia no siempre resultaba placentero. Samuel Clemens (conocido también como Mark Twain) describió con humor un viaje en diligencia al oeste: "...los pasajeros terminábamos siempre mezclados. Primero, caíamos apilados en la parte delantera del coche, casi en posición de sentados, y en un segundo salíamos disparados hacia el otro extremo del coche y patas para arriba..."

Fuente: Mark Twain. *Roughing It,* 1872 ed. Oxford University Press, 1996.

Comienza con un cuento

OBJETIVOS

- Explicar cómo operaba el Pony Express.
- Describir el trabajo de un jinete del Pony Express.

RECURSOS

Colección de audiotextos en CD de la Unidad 4

Resumen

Jimmy Spoon y el Pony Express, de Kristiana Gregory, relata las aventuras de Jimmy Spoon, un muchacho de 17 años que deja a su familia en Salt Lake City para convertirse en jinete del Pony Express. En este fragmento del cuento, Jimmy releva a un jinete del Pony Express que llega a su estación en la madrugada.

Fuente: *Jimmy Spoon y el Pony Express* por Kristiana Gregory. Scholastic, Inc., 1997.

Antes de la lectura

Establecer el propósito Explique que algunos cuentos usan personajes de ficción para describir períodos específicos de la historia. Diga a los estudiantes que el cuento que leerán está ambientado a principios de la década de 1860, durante la época del Pony Express. Explíqueles que aunque los personajes no son reales, el cuento contiene muchos detalles correctos desde el punto de vista histórico sobre la vida de los jinetes del Pony Express.

Mientras los estudiantes leen, propóngales pensar sobre cómo puede haber sido la vida de un jinete. Haga hincapié en lo difícil y, al mismo tiempo, emocionante que era el trabajo de un jinete del Pony Express.

Start with a Story

OBJECTIVES

- Explain how the Pony Express operated.
- Describe the job of a Pony Express rider.

RESOURCES

Unit 4 Audiotext CD Collection

Quick Summary

Jimmy Spoon and the Pony Express, by Kristiana Gregory, tells about the adventures of 17-year-old Jimmy Spoon, who leaves his family in Salt Lake City to become a rider for the Pony Express. In the following excerpt, Jimmy relieves a Pony Express rider who arrives at his post in the middle of the night.

Source: *Jimmy Spoon and the Pony Express* by Kristiana Gregory. Scholastic, Inc., 1997.

Before Reading

Set the Purpose Explain that some stories use fictional characters to describe specific periods in history. Tell students the story they will read is set in the early 1860s, during the time of the Pony Express. Inform students that although its characters are made up, the story contains many historically accurate details about the lives of Pony Express riders.

As students read, have them think about what the life of a rider might have been like. Encourage students to consider just how challenging, and yet adventurous the job of a Pony Express rider really was.

Comienza con un cuento

Jimmy Spoon y el Pony Express

por Kristiana Gregory
ilustrado por Ron Mazellan

En 1860, la compañía de Russell, Majors y Waddell estableció el Pony Express. El Pony Express prometía llevar el correo entre St. Joseph, Missouri, y Sacramento, California, en 10 días. Solo los caballos más veloces y los jinetes más hábiles podían formar parte de esta compañía. Jimmy Spoon fue uno de esos jinetes. Lee acerca del primer viaje que realizó para el Pony Express.

274 ■ Unidad 4

Practice and Extend

BACKGROUND

Pony Express Riders During the 18 months the Pony Express was in operation, 183 individuals worked as riders. Most were young, lightweight, expert riders; they rode day and night, often braving extreme weather and attacks from Indians, to deliver mail between Missouri and California. The riders normally traveled about 75 miles each trip and were paid about $100 a month.

INTEGRATE THE CURRICULUM

PHYSICAL EDUCATION Review with students how mail was carried by the Pony Express. Then divide the class into two teams, and have them compete in a relay race of their own, by passing on a backpack filled with books instead of a *mochila.* After the race, discuss why a rider had to switch to a fresh horse every 10 to 12 miles. **Compete in a Relay Race**

Practicar y ampliar

ANTECEDENTES

Los jinetes del Pony Express Durante los 18 meses en que el Pony Express operó, 183 individuos trabajaron como jinetes. La mayoría eran jinetes expertos, jóvenes y livianos. Para repartir el correo entre Missouri y California, cabalgaban noche y día, enfrentando a menudo condiciones climáticas extremas y ataques de los indios. Los jinetes recorrían aproximadamente 75 millas por viaje y se les pagaba alrededor de 100 dólares al mes.

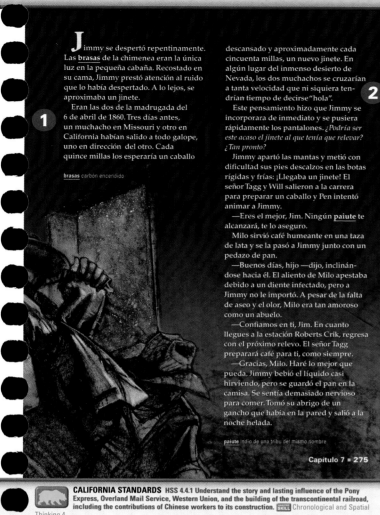

Jimmy se despertó repentinamente. Las **brasas** de la chimenea eran la única luz en la pequeña cabaña. Recostado en su cama, Jimmy prestó atención al ruido que lo había despertado. A lo lejos, se aproximaba un jinete.

Eran las dos de la madrugada del 6 de abril de 1860. Tres días antes, un muchacho en Missouri y otro en California habían salido a todo galope, uno en dirección del otro. Cada quince millas los esperaría un caballo

brasas carbón encendido

descansado y aproximadamente cada cincuenta millas, un nuevo jinete. En algún lugar del inmenso desierto de Nevada, los dos muchachos se cruzarían a tanta velocidad que ni siquiera tendrían tiempo de decirse "hola".

Este pensamiento hizo que Jimmy se incorporara de inmediato y se pusiera rápidamente los pantalones. *¿Podría ser este acaso el jinete al que tenía que relevar? ¿Tan pronto?*

Jimmy apartó las mantas y metió con dificultad sus pies descalzos en las botas rígidas y frías: ¡Llegaba un jinete! El señor Tagg y Will salieron a la carrera para preparar un caballo y Pen intentó animar a Jimmy.

—Eres el mejor, Jim. Ningún **paiute** te alcanzará, te lo aseguro.

Milo sirvió café humeante en una taza de lata y se la pasó a Jimmy junto con un pedazo de pan.

—Buenos días, hijo —dijo, inclinándose hacia él. El aliento de Milo apestaba debido a un diente infectado, pero a Jimmy no le importó. A pesar de la falta de aseo y el olor, Milo era tan amoroso como un abuelo.

—Confiamos en ti, Jim. En cuanto llegues a la estación Roberts Crik, regresa con el próximo relevo. El señor Tagg preparará café para ti, como siempre.

—Gracias, Milo. Haré lo mejor que pueda. Jimmy bebió el líquido casi hirviendo, pero se guardó el pan en la camisa. Se sentía demasiado nervioso para comer. Tomó su abrigo de un gancho que había en la pared y salió a la noche helada.

paiute indio de una tribu del mismo nombre

Capítulo 7 ▪ 275

![bear] **CALIFORNIA STANDARDS** HSS 4.4.1 Understand the story and lasting influence of the Pony Express, Overland Mail Service, Western Union, and the building of the transcontinental railroad, including the contributions of Chinese workers to its construction. [SKILL] Chronological and Spatial Thinking 4.

INTEGRATE THE CURRICULUM

ENGLISH LANGUAGE ARTS Have students write a paragraph that compares the method used to transport mail by the Pony Express with the methods used today by the United States Postal Service. Students can share their paragraphs with a partner. **Write a Comparison Paragraph** [ELA] ELA WRITING 2.2

VOCABULARY POWER

Categorize Vocabulary Write the word *horse* on the board. Tell students that some words in the story are related to horses. Have students write down these words as they come across them in the selection. Then invite them to look up the meaning of each word in a dictionary. [ELA] ELA READING 1.0

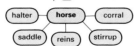

halter — **horse** — corral
saddle — reins — stirrup

During Reading

❶ Visual Literacy: Map

[ANALYSIS SKILL] **Spatial Thinking** Have students locate St. Joseph, Missouri, and Sacramento, California, on the map on pages 278–279. Discuss with students the difficulties riders might have encountered while traveling along the Pony Express route. [HSS] HSS 4.4.1, CS 4

❷ Understand the Story

Have students find words and phrases in the story related to speed and time, such as *suddenly, two o'clock in the morning, galloping full speed, swiftly,* and *hurriedly*. Discuss with students some of the things Jimmy must do to prepare for his ride.

Q Why must Jimmy worry about speed and time? [ELA] ELA READING 3.3

A He must work quickly to ensure that the mail will arrive on time.

Q Why does Pen try to boost Jimmy's courage? What danger might Jimmy face on his trip? [ELA] ELA READING 3.2

A Possible response: It is Jimmy's first ride for the Pony Express; he may face attacks by Indians on his journey.

Durante la lectura

❶ Aprendizaje visual: Mapa

[DESTREZA DE ANÁLISIS] **Pensamiento espacial** Pida a los estudiantes que ubiquen St. Joseph, en Missouri y Sacramento, en California, en el mapa de las páginas 278–279. Converse con los estudiantes sobre las dificultades que los jinetes pueden haber enfrentado mientras viajaban por la ruta del Pony Express. [HSS] HSS 4.4.1, CS 4

❷ Entender el cuento

Pida a los estudiantes que busquen en el cuento palabras y frases relacionadas con el tiempo y la velocidad, como *las dos de la madrugada, a todo galope, rápidamente* y *apuró el paso*. Converse con los estudiantes sobre algunas de las cosas que Jimmy debe hacer para prepararse para su cabalgata.

P ¿Por qué debe Jimmy preocuparse por el tiempo y la velocidad? [ELA] ELA READING 3.3

R Debe trabajar con rapidez para que el correo llegue a tiempo.

P ¿Por qué intenta Pen animar a Jimmy? ¿Qué peligro podría enfrentar Jimmy en su viaje? [ELA] ELA READING 3.2

R Respuesta posible: Es el primer viaje de Jimmy para el Pony Express; podría ser atacado por los indios en el camino.

③ Entender el cuento Analice con los estudiantes los detalles del cuento que indican que Jimmy está nervioso por su primera cabalgata.

P **Jimmy es un buen jinete. ¿Por qué creen que está nervioso?** ⊞ ELA READING 3.3

R Respuesta posible: Nunca ha hecho este trabajo. No sabe con qué se encontrará en su cabalgata a la estación Roberts Crik.

④ Historia Explique que, según el libro *La leyenda de Jimmy Spoon,* Washakie es el jefe de una tribu shoshón con la que Jimmy vivió durante dos años. Converse con los estudiantes sobre por qué creen que algunos grupos de indios pueden no haber estado de acuerdo con el Pony Express. ⊞ HSS 4.4.1

⑤ Entender el cuento Explique que una mochila sirve para transportar el correo. Pida a los estudiantes que describan el diseño de una mochila. Luego, pídales que mencionen algunas de las ventajas de usar una mochila para llevar el correo. Analice con ellos el significado de la frase "¡El camino está despejado!". Pídales que piensen por qué esta frase puede haber sido un mensaje importante para los jinetes del Pony Express en el momento en que se relevaban unos a otros.
⊞ HSS 4.4.1, ELA READING 2.4

⑥ Entender el cuento Converse con los estudiantes acerca del motivo por el que Jimmy se detiene en la cabaña. Asegúrese de que los estudiantes comprendan la importancia de cambiar de caballo.

P **¿Por qué creen que es importante para Jimmy cambiar de caballo?** ⊞ ELA READING 2.0

R Respuesta posible: Cambiar por un caballo descansado le permitirá a Jimmy ir más rápido. Además, el caballo cansado podrá descansar y estar listo para otro jinete.

---

③ Understand the Story Discuss with students details in the story that show Jimmy is nervous about his first ride.

Q **Jimmy is a good rider. Why do you think he feels nervous?** ⊞ ELA READING 3.3

A Possible response: He has never done this job before. He is not sure what to expect on his ride to Roberts Creek Station.

④ History Explain that according to the book, *The Legend of Jimmy Spoon,* Washakie is the chief of a Shoshoni tribe that Jimmy lived with for two years. Discuss with students why some Indian groups might not have approved of the Pony Express. ⊞ HSS 4.4.1

⑤ Understand the Story Point out that the purpose of a *mochila* is to carry mail. Ask students to describe the design of a *mochila*. Then have them name some of the advantages of using a *mochila* to carry mail. Discuss with students the meaning of the phrase "Trail's clear!" Have students discuss why this might have been an important message for Pony Express riders to relay to one another. ⊞ HSS 4.4.1, ELA READING 2.4

⑥ Understand the Story Discuss with students Jimmy's purpose for stopping at the hut. Make sure students understand what it means to "change mounts."

Q **Why do you think it is important for Jimmy to change horses?** ⊞ ELA READING 2.0

A Possible response: Changing to a fresh horse will allow Jimmy to go faster. It will also give the tired horse a chance to rest and be ready for a later rider.

Recortada contra el horizonte estrellado se veía una pequeña silueta en movimiento. Subía y bajaba, subía y bajaba. El tenue ruido que Jimmy había oído ahora se escuchaba claramente. Era el sonido de los cascos de un caballo. Se le hizo un nudo en el estómago, una mezcla de temor y emoción. Rogó que Washakie entendiera que tenía un trabajo que cumplir.

Jimmy estaba agradecido por la luna llena que salía en el este, ya que **iluminaba** el camino que se veía como si fuera una cinta de plata. ¿Acaso el Sr. Majors lo había planeado así, para que los primeros jinetes se guiaran por la luz de la luna?

recortada delimitada
iluminaba alumbraba

Antes de que pudiera pensar algo más, el jinete, un muchacho llamado Charlie Cliff, bajaba de un salto del caballo sudado, frente a la cabaña. Charlie quitó la mochila de la montura y se la arrojó al señor Tagg. La mochila era un cuadrado de cuero con cuatro bolsillos.

—¡El camino está despejado! —gritó Charlie. Esto quería decir que no había indios persiguiéndolo.

276 ■ Unidad 4

Practice and Extend

INTEGRATE THE CURRICULUM

MATHEMATICS Have students calculate how many miles riders carried mail per day, if they went 2,000 miles in 10 days. Then ask them to find a rider's average speed in miles per hour. 2,000 miles ÷ 10 days = 200 miles per day; 200 miles per day ÷ 24 hours = about 8 miles per hour **Multiply and Divide to Solve Problems** ⊞ NUMBER SENSE 3.0

BACKGROUND

Mochilas *Mochila* is a Spanish word that means "rucksack" or "backpack." Leather *mochilas* were used by the Pony Express to carry mail. They came with four pockets called *cantinas* that could hold up to 20 pounds of mail. The type of *mochila* used by the Pony Express was designed to fit easily over a rider's saddle and was held in place by a rider's weight.

Practicar y ampliar

ANTECEDENTES

Mochilas El servicio del Pony Express usaba mochilas de cuero para llevar el correo. Las mochilas tenían cuatro bolsillos llamados *cantinas* que podían llevar hasta 20 libras de correspondencia. El diseño de la mochila que se usaba en el Pony Express le permitía adecuarse fácilmente a la montura y mantenerse en su lugar por el peso del jinete.

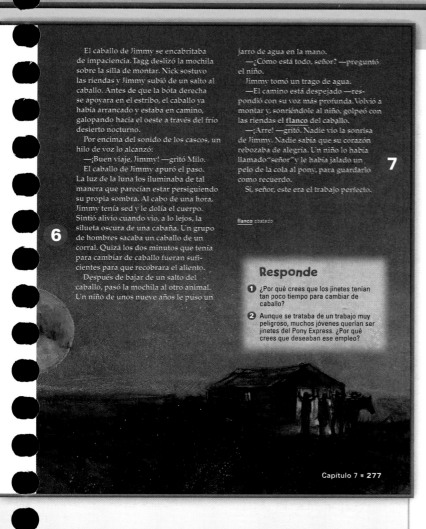

El caballo de Jimmy se encabritaba de impaciencia. Tagg deslizó la mochila sobre la silla de montar. Nick sostuvo las riendas y Jimmy subió de un salto al caballo. Antes de que la bota derecha se apoyara en el estribo, el caballo ya había arrancado y estaba en camino, galopando hacia el oeste a través del frío desierto nocturno.

Por encima del sonido de los cascos, un hilo de voz lo alcanzó:

—¡Buen viaje, Jimmy! —gritó Milo.

El caballo de Jimmy apuró el paso. La luz de la luna los iluminaba de tal manera que parecían estar persiguiendo su propia sombra. Al cabo de una hora, Jimmy tenía sed y le dolía el cuerpo. Sintió alivio cuando vio, a lo lejos, la silueta oscura de una cabaña. Un grupo de hombres sacaba un caballo de un corral. Quizá los dos minutos que tenía para cambiar de caballo fueran suficientes para que recobrara el aliento.

Después de bajar de un salto del caballo, pasó la mochila al otro animal. Un niño de unos nueve años le puso un jarro de agua en la mano.

—¿Cómo está todo, señor? —preguntó el niño.

Jimmy tomó un trago de agua.

—El camino está despejado —respondió con su voz más profunda. Volvió a montar y, sonriéndole al niño, golpeó con las riendas el **flanco** del caballo.

—¡Arre! —gritó. Nadie vio la sonrisa de Jimmy. Nadie sabía que su corazón rebozaba de alegría. Un niño lo había llamado "señor" y le había jalado un pelo de la cola al pony, para guardarlo como recuerdo.

Sí, señor, este era el trabajo perfecto.

flanco costado

Responde

1 ¿Por qué crees que los jinetes tenían tan poco tiempo para cambiar de caballo?

2 Aunque se trataba de un trabajo muy peligroso, muchos jóvenes querían ser jinetes del Pony Express. ¿Por qué crees que deseaban ese empleo?

Capítulo 7 ■ 277

---

7 Understand the Story Have students discuss why they think Jimmy is pleased to be called "Mister."

Q What do you think Jimmy likes about his job as a rider? ELA READING 2.0

A Possible response: the respect he gets

After Reading

Response Corner—Answers

1. Possible response: There was no time to spare. Riders had to deliver the mail from one place to another as quickly as possible. HSS 4.4.1

2. Possible response: Many young men wanted the adventure as well as the honor and respect of riding for the Pony Express. HSS 4.4.1, ELA READING 2.0

✎ Write a Response

Have students list some positive and negative aspects of working as a Pony Express rider. Then invite students to write a paragraph explaining why they would or would not want to be a rider for the Pony Express. Encourage them to support their answers with specific details from the story. ELA WRITING 2.2

For a writing response rubric, see Assessment Program, p. xv.

READ A BOOK

Students may enjoy reading these books independently. Additional books are listed on page 265F of this Teacher Edition.

Railroads edited by David Weitzman. California Chronicles, 1999. A collection of factual articles showing how railroads changed California and shaped its rural and urban development.

The Iron Dragon Never Sleeps by Stephen Krensky. Yearling Books, 1995. A fictional story about conflicts between Chinese and American workers building the Sierra Nevada section of the transcontinental railroad.

The Balloon Boy of San Francisco by Dorothy Kupcha Leland. Tomato Enterprises, 2005. The fictional adventures of a newspaper boy show connections developing between California and the rest of the world.

For information about ordering these trade books, visit **www.harcourtschool.com/hss/trader**

CHAPTER 7 ■ 277

---

7 Entender el cuento Pida a los estudiantes que conversen sobre por qué creen que a Jimmy le agradó que lo llamaran "señor".

P ¿Qué creen que le gusta a Jimmy de su trabajo como jinete? ELA READING 2.0

R Respuesta posible: el respeto que le tienen

Después de la lectura

Responde—Respuestas

1. Respuesta posible: No había tiempo que perder. Los jinetes tenían que repartir el correo tan rápido como fuera posible. HSS 4.4.1

2. Respuesta posible: Muchos jóvenes buscaban la aventura al igual que el honor y el respeto que obtenían al cabalgar para el Pony Express. HSS 4.4.1, ELA READING 2.0

✎ Escribir una respuesta

Pida a los estudiantes que hagan una lista de algunos aspectos positivos y negativos del trabajo de jinete en el Pony Express. Luego, invítelos a escribir un párrafo que explique por qué les gustaría, o no, trabajar como jinetes del Pony Express. Anímelos a apoyar sus respuestas con detalles específicos del cuento. ELA WRITING 2.2

Para calificar la respuesta escrita, vea el Programa de evaluación, pág. xv.

Lección 1

OBJETIVOS

- **Describir cómo el servicio de correo por tierra, el Pony Express y el telégrafo conectaron a California con el resto de Estados Unidos.**

- **Identificar las señales que aún perduran de la influencia que las nuevas conexiones tuvieron en California.**

VOCABULARIO

comunicación pág. 279
diligencia pág. 280
telégrafo pág. 282

SACAR CONCLUSIONES

págs. 270–271, 279, 283

RECURSOS

Tarea y práctica, pág. 71; Transparencia de destrezas clave 4; Colección de audiotextos en CD de la Unidad 4; Recursos en Internet

1 Presentar

Reflexiona Explique que los desiertos y las montañas dificultaban el transporte de correo desde California y hacia allí. Pida a los estudiantes que piensen en cómo creen que los californianos enfrentaron este problema.

Piensa en los antecedentes Pida a los estudiantes que recuerden cuándo y cómo California se convirtió en estado. Recuérdeles que la fiebre del oro atrajo a mucha gente del Este.

 Converse con los estudiantes sobre cómo sería recibir noticias de un evento semanas después de que ocurrió.

Lesson 1

OBJECTIVES

- **Describe how the Overland Mail Service, the Pony Express, and the telegraph linked California to the rest of the United States.**

- **Identify the lasting influence of the new links to California.**

VOCABULARY

communication p. 279
stagecoach p. 280
telegraph p. 282

 DRAW CONCLUSIONS

pp. 270–271, 279, 283

RESOURCES

Homework and Practice Book, p. 71; Reading Support and Intervention, pp. 98–101; Success for English Learners, pp. 101-104; Vocabulary Transparency 4-7-1; Vocabulary Power, p. 93; Focus Skills Transparency 4; Unit 4 Audiotext CD Collection; Internet Resources

1 Introduce

What to Know Point out that deserts and mountains made it difficult to get people and mail into and out of California. Ask students to speculate about how Californians addressed this problem.

Build Background Ask students to recall when and how California became a state. Remind them how the gold rush brought many people from the East.

 Discuss what it would be like to receive news of an event weeks after it took place.

278 ■ **UNIT 4**

Lección 1

Tiempos

1855 — 1885 — 1915

1857 El Congreso aprueba la Ley de Servicio Postal

1860 Comienza el servicio del Pony Express

1861 Las líneas de telégrafo conectan a California con el Este

REFLEXIONA
¿Qué cambios mejoraron la comunicación entre California y el resto de Estados Unidos?

✓ Describe cómo el servicio de correo por tierra, el Pony Express, y el telégrafo conectan a California con el resto de Estados Unidos.

✓ Identifica las señales que aún perduran de la influencia que las nuevas conexiones tuvieron en California.

VOCABULARIO
comunicación, pág. 279
diligencia, pág. 280
telégrafo, pág. 282

PERSONAS
John Butterfield
Samuel F. B. Morse
Stephen J. Field

LUGARES
Tipton, Missouri
St. Joseph, Missouri

SACAR CONCLUSIONES

Normas de California
HSS 4.4., 4.4.1

278 = **Unidad 4**

Conexiones con el Este

IMAGÍNATE ALLÍ Es el mes de noviembre de 1860. Estás en tu casa en Sacramento, cenando con tu familia. Tu padre dice: "El correo debe llegar mañana. Tal vez nos enteremos de quién fue elegido presidente". Tú también estás ansioso por recibir noticias de la lejana Washington, D.C. El correo del Este ahora llega en menos de dos semanas. Has oído decir que, en un futuro no muy lejano, las noticias del Este podrán llegar ¡en menos de cinco minutos!

CALIFORNIA STANDARDS HSS 4.4 Students explain how California became an agricultural and industrial power, tracing the transformation of the California economy and its political and cultural development since the 1850s.

When Minutes Count

Have students examine the map on pages 278–279. Use the illustration to discuss how the Overland Mail Act, the Pony Express, and the telegraph improved communication between California and the East.

Quick Summary

New methods of communication, including the Overland Mail Service, the Pony Express, and the telegraph, helped California build stronger ties with the rest of the United States.

Cuando el tiempo apremia

Pida a los estudiantes que observen con atención el mapa de las páginas 278–279. Use la ilustración para conversar sobre cómo la Ley de Servicio Postal, el Pony Express y el telégrafo mejoraron la comunicación entre California y el Este.

Resumen

Nuevas formas de comunicación, entre ellas el servicio de correo por tierra, el Pony Express y el telégrafo, ayudaron a que California estableciera vínculos más fuertes con el resto de Estados Unidos.

California y el Este

En la década de 1850, a los californianos les era difícil mantenerse al tanto de los eventos que ocurrían en el Este. A diferencia de hoy en día, no había teléfonos ni existía el correo electrónico. Ni siquiera había un servicio de correo regular a California. La mayor parte del correo procedente de los estados del Este se llevaba en barco hasta el istmo de Panamá, se cruzaba por tierra y luego se volvía a embarcar hasta California. Podían pasar meses hasta que las noticias llegaran de un extremo del país al otro.

Muchos californianos querían mantenerse en contacto con sus amigos y familiares del Este y ahora que California

formaba parte de Estados Unidos, sus ciudadanos querían recibir noticias sobre el gobierno nacional. Los habitantes de California también querían mejores formas de comunicación para contactarse con el resto del país. Se llama **comunicación** al envío y recepción de información. Para tener una mejor comunicación era necesario, entre otras cosas, mejorar el servicio de correo.

REPASO DE LA LECTURA ⊙ SACAR CONCLUSIONES

¿Cómo mejoraría la vida de los californianos el hecho de contar con un servicio de correo más rápido? Podrían recibir noticias importantes más rápido.

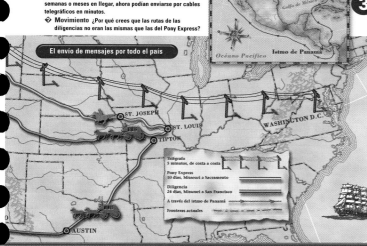

Analizar mapas Los mensajes que antes tardaban semanas o meses en llegar, ahora podían enviarse por cables telegráficos en minutos.

◈ **Movimiento** ¿Por qué crees que las rutas de las diligencias no eran las mismas que las del Pony Express?

El envío de mensajes por todo el país

Telégrafo
5 minutos, de costa a costa

Pony Express
10 días, Missouri a Sacramento

Diligencia
24 días, Missouri a San Francisco

A través del istmo de Panamá

Fronteras actuales

4.4.1 Understand the story and lasting influence of the Pony Express, Overland Mail Service, Western Union, and the building of the transcontinental railroad, including the contributions of Chinese workers to its construction. **SKILL** Chronological and Spatial Thinking 3, 4, 5. Research, Evidence, and Point of View 2, 3. Historical Interpretation 1.

California and the East

Content Focus Californians wanted faster means of sending and receiving news from the rest of the country.

❶ Correct Misconceptions Remind students that the Panama Canal did not exist in the 1800s. Point out that before the canal was built, mail had to be carried by land across Panama. HSS 4.4

❷ Historical Interpretation Have students summarize the communication and transportation links that existed in California during the 1850s. Discuss the larger historical contexts of California's location and the desire of people to improve links between the eastern and western United States at the time. HSS 4.4, HI 1

❸ Visual Literacy: Maps

Spatial Thinking Have students examine the maps on pages 278–279. Discuss why California's location made communication with other parts of the United States difficult. HSS 4.4.1, CS 5

CAPTION ANSWER: Possible response: Pony Express riders could travel through rougher terrain.

California y el Este

Contenido clave Los californianos querían medios de comunicación más rápidos para mantenerse en contacto con el resto del país.

❶ Corregir conceptos equivocados Recuerde a los estudiantes que el canal de Panamá no existía en el siglo XIX. Señale que antes de su construcción, el correo tenía que transportarse por tierra a través de Panamá. HSS 4.4

❷ Interpretación histórica Pida a los estudiantes que hagan un resumen sobre los sistemas de transporte y comunicación que existían en California en la década de 1850. Converse con ellos sobre los contextos históricos más amplios de la ubicación de California y el deseo de la población de mejorar las conexiones entre el este y el oeste de Estados Unidos en aquella época. HSS 4.4, HI 1

❸ Aprendizaje visual: Mapas

Pensamiento espacial Pida a los estudiantes que observen con atención los mapas de las páginas 278–279. Analice con ellos los motivos por los que la ubicación de California dificultaba la comunicación con otras partes de Estados Unidos. HSS 4.4.1, CS 5

RESPUESTA: Respuesta posible: Los jinetes del Pony Express podían viajar por terrenos accidentados.

El servicio de correo por tierra

Contenido clave En 1857, el Congreso de Estados Unidos aprobó la Ley de Servicio Postal para ayudar a mantener el servicio de correo a California. Las diligencias que transportaban el correo entre Missouri y San Francisco tardaban 24 días en completar el recorrido.

4 Historia Explique que, a pesar de que en aquella época ningún ferrocarril conectaba California con los demás estados, había un ferrocarril que unía distintos destinos dentro de California. En 1856, el primer ferrocarril de California unió Sacramento con un distrito minero cercano.

5 DESTREZA DE ANÁLISIS Interpretación histórica Pida a los estudiantes que resuman los eventos que llevaron a la creación de la Overland Mail Company. Describa cómo la mejora en el servicio de correo fomentó los asentamientos e impulsó el crecimiento del nuevo estado.

P ¿Por qué creen que ayudó el Congreso a pagar por un mejor servicio de correo a California? HSS 4.4.1, HI 1

R Respuestas posibles: para unificar el país; para favorecer el crecimiento de los negocios; para ayudar a poblar el Oeste

P ¿Fue la ruta del servicio de correo por tierra una mejora con relación a la ruta por Panamá? Expliquen sus respuestas. HSS 4.4.1

R Sí; antes el correo tardaba entre 60 y 90 días en llegar a California. Las diligencias transportaban el correo en 24 días.

Overland Mail Service

Content Focus Congress passed the Overland Mail Act in 1857 to help pay for mail service to California. Stagecoaches carrying mail traveled between Missouri and San Francisco took 24 days.

4 History Clarify that although no railroad connected California to other states at this time, a railroad connected destinations within California. California's first railroad linked Sacramento and a nearby mining district in 1856.

5 ANALYSIS SKILL Historical Interpretation Have students summarize the events that led to the forming of the Overland Mail Company. Describe how improved mail service might encourage settlement and growth in the new state.

Q Why do you think Congress helped pay for better mail service to and from California? HSS 4.4.1, HI 1

A Possible responses: to unify the country; to help businesses grow; to help settle the West

Q Was the overland mail route an improvement over the route through Panama? Explain. HSS 4.4.1

A Yes; beforehand the mail took 60–90 days to reach California. Stagecoaches brought the mail in 24 days.

El servicio de correo por tierra

CUÁNDO 1857
DÓNDE Washington, D.C.

En 1857, el Congreso de Estados Unidos aprobó la Ley de Servicio Postal. Esta ley ayudó a brindar un servicio de correo por tierra entre el río Mississippi y San Francisco. En aquel entonces, los ferrocarriles todavía no llegaban hasta California.

4 La Ley de Servicio Postal establecía que el correo tenía que ser transportado en **diligencia**, un carruaje cerrado jalado por caballos. El plan era que salieran diligencias hacia California dos veces por semana.

5 Para llevar a cabo este plan, **John Butterfield** estableció una línea de diligencias llamada Overland Mail Company. La compañía de Butterfield fabricó nuevas diligencias y construyó 200 estaciones, o paradas, donde los conductores podían cambiar los caballos, hacer reparaciones y comer.

Además del correo, las diligencias podían transportar pasajeros, pero el viaje no era muy placentero. El clima era muy cálido en verano y extremadamente frío en invierno.

El 10 de octubre de 1858 llegó a San Francisco la primera diligencia de la Overland Mail Company. Llevaba correo y noticias del Este. Una multitud la recibió con una ovación. La diligencia había recorrido más de 2,800 millas desde **Tipton, Missouri**, en solo 24 días.

REPASO DE LA LECTURA CAUSA Y EFECTO ¿Qué llevó a John Butterfield a fundar la **Overland Mail Company?** la Ley de Servicio Postal

DESTREZA Analizar mapas Había 15 estaciones del Pony Express en California.

◆ **Movimiento** ¿Cómo llegaba el correo desde Sacramento hasta San Francisco?

Las primeras rutas de correo en California

280 ■ Unidad 4

Practice and Extend

Mail Service Funding In 1847, the government began providing subsidies for mail brought to California through Panama, but pressure for faster mail service grew. Congress approved funding for an overland route in 1857, and the postmaster general, a Southerner, chose a route through the South, known as the Ox-Bow route, which wound through Texas and avoided the northern mountain ranges.

In Your Community Organize the class into groups, and ask students to list the different means of communication that people use today. Then ask them to discuss how different groups of people, including businesses and families, benefit from fast and convenient means of communication.

Practicar y ampliar

El financiamiento del servicio de correo En 1847, el gobierno otorgó subsidios al correo que se traía a California a través de Panamá, pero las presiones por un servicio más rápido aumentaron. En 1857, el Congreso aprobó financiar una ruta por tierra. El director general de correo, un sureño, eligió una ruta a través del Sur, conocida como la ruta Ox-Bow, que pasaba por Texas y evitaba las cadenas montañosas del norte.

En su comunidad Organice la clase en grupos y pida a los estudiantes que hagan una lista de los diferentes medios de comunicación que se usan hoy en día. Luego, pídales que conversen sobre cómo diferentes grupos de personas, incluyendo empresas y familias, se benefician de los medios de comunicación rápidos y convenientes.

El Pony Express

CUÁNDO 13 de abril de 1860
DÓNDE Sacramento

El 13 de abril de 1860, Johnny Fry montó de un salto a un caballo en **St. Joseph, Missouri**, llevando consigo una bolsa con correspondencia. Se dirigía hacia el oeste. Unas horas después, en Sacramento, Billy Hamilton partió hacia el este con otra bolsa de correspondencia. Fueron los primeros jinetes del Pony Express. El Pony Express se había propuesto llevar el correo entre Missouri y California en 10 días, menos de la mitad del tiempo que le tomaba a una diligencia. ¡El viaje se hizo en 9 días y 23 horas! **6**

El Pony Express funcionaba prácticamente igual que una carrera de relevos. Cada jinete recorría alrededor de 75 millas antes de entregar el correo al próximo jinete. Los jinetes cambiaban de caballo cada 10 o 12 millas. **7**

Viajaban día y noche bajo el calor del desierto, la nieve de las montañas y las lluvias torrenciales. Como dijo George Stiers, uno de los jinetes: "Nuestras órdenes eran no detenernos… Yo llevaba un refrigerio y una cantimplora con agua, y comía o bebía arriba del caballo mientras galopaba".*

El servicio del Pony Express duró poco menos de 18 meses. Terminó el 24 de octubre de 1861. Pero en ese breve período, sus jinetes entregaron casi 35,000 cartas.

REPASO DE LA LECTURA **RESUMIR**
¿Cómo lograba el Pony Express llevar el correo a California más rápido que los servicios anteriores?

George S. Stiers. De una entrevista con Sheldon Gauthier, 1937.

El lema de los jinetes del Pony Express era "El correo debe llegar".

Los caballos que jalaban las diligencias podían alcanzar una velocidad de 10 millas por hora.

Mediante un sistema de relevos; sus jinetes viajaban día y noche.

8

The Pony Express

Content Focus Pony Express riders brought mail from Missouri to California in only 10 days.

6 **ANALYSIS SKILL** **Research/Evidence** Discuss how the Pony Express system worked. Then have students distinguish fact from fiction by comparing the descriptions of events and people in this lesson with those presented in the fictionalized account of the Pony Express on pages 274–277. **HSS 4.4.1**, HR 3

Inform students that some of the riders were as young as 11 years old. Ask students to consider what it would have been like to be a rider that young.

Q **How often did riders change horses?**
HSS 4.4.1, HR 3
A every 10 to 12 miles

7 **Geography** Remind students that even though the Pony Express was the fastest cross-country mail delivery system during the time, it still took ten days for important information to travel across the country. **HSS 4.4.1**

8 **Visual Literacy: Map**

ANALYSIS SKILL **Spatial Thinking** Ask students to look at the map on pages 280–281 and compare the routes of the Pony Express and the Overland Mail stagecoaches.

Q **Which route went through southern California?** **HSS 4.4.1**, CS 4
A Butterfield Overland Mail

CAPTION ANSWER: by boat on the Sacramento River

El Pony Express

Contenido clave Los jinetes del Pony Express traían el correo de Missouri a California en tan solo 10 días.

6 **DESTREZA DE ANÁLISIS** **Investigación/Evidencia** Converse con los estudiantes sobre cómo operaba el sistema del Pony Express. Luego, pídales que distingan hechos de ficción comparando los eventos y las personas que se describen en esta lección con los del relato de ficción sobre el Pony Express de las páginas 274–277.
HSS 4.4.1, HR 3

Diga a los estudiantes que algunos jinetes tenían apenas 11 años. Pídales que piensen cómo puede haber sido ser un jinete tan joven.

P **¿Con qué frecuencia cambiaban los jinetes de caballo?** **HSS 4.4.1**, HR 3
R cada 10 o 12 millas

7 **Geografía** Recuerde a los estudiantes que, a pesar de que el Pony Express era el servicio de correo más rápido de la época, la información importante tardaba diez días en ir de un extremo a otro del país.
HSS 4.4.1

8 **Aprendizaje visual: Mapa**

DESTREZA DE ANÁLISIS **Pensamiento espacial** Pida a los estudiantes que observen el mapa de las páginas 280–281 y que comparen las rutas del Pony Express y las de las diligencias del servicio de correo por tierra.

P **¿Qué ruta atravesaba el sur de California?** **HSS 4.4.1**, CS 4
R la del correo terrestre Butterfield

RESPUESTA: en barco por el río Sacramento

El telégrafo

Contenido clave En 1861 se terminó de construir la primera línea de telégrafo que comunicaba California con el Este. El telégrafo ayudó a California a establecer vínculos más fuertes con el resto del país.

9 Historia Invite a los estudiantes a reflexionar sobre la importancia del telégrafo.

P ¿Qué hizo la compañía Western Union para mejorar los medios de comunicación de los californianos? HSS 4.4.1

R La compañía Western Union construyó el primer telégrafo, permitiendo comunicaciones más rápidas entre California y el Este.

10 Relacionar geografía e historia Explique a los estudiantes que el telégrafo solo podía enviar y recibir mensajes cortos. Por eso, la mayor parte del correo seguía enviándose por tierra o por mar.

P ¿Qué determinaba que un área pudiera recibir mensajes telegráficos? HSS 4.4.1

R Para enviar y recibir mensajes, se necesitaban líneas de telégrafo, operadores de telégrafo y telégrafos.

11 Fuente primaria: Cita

DESTREZA DE ANÁLISIS Punto de vista Pida a los estudiantes que interpreten la cita de Stephen J. Field de la página 283. Señale que su mensaje tenía especial importancia puesto que el Norte y el Sur estaban divididos por la Guerra Civil. Pida a los estudiantes que formulen preguntas sobre la cita, como la de abajo.

P Según la cita, ¿cuál creen que era la posición de Field con relación a la Guerra Civil? HSS 4.4.1, HR 2

R Probablemente apoyaba a Estados Unidos, puesto que menciona los vínculos del Este y el Oeste con la Unión.

Fuente: Stephen J. Field. De un artículo en *The Sacrament Dispatch*, 29 de octubre de 1861.

The Telegraph

Content Focus In 1861, the first telegraph line connecting California with the East was completed. The telegraph helped California achieve stronger ties with the rest of the country.

9 History Lead students in a discussion about the importance of the telegraph.

Q How did the Western Union Telegraph Company improve Californians' means of communication? HSS 4.4.1

A Western Union built the first telegraph making communication faster between California and the East.

10 Link Geography and History Explain to students that the telegraph could only send and receive short messages. Because of this, most mail still traveled by land or by sea.

Q What determined if an area could receive telegraph messages? HSS 4.4.1

A Telegraph lines, telegraph operators, and telegraphs were needed to send and receive messages.

11 Primary Source: Quotation

ANALYSIS SKILL Point of View Ask students to interpret Stephen J. Field's quote on page 283. Explain that his message had particular significance, given that the North and the South were being divided by the Civil War. Have students pose questions they have about the quote, such as the one modeled below.

Q Based on the quote, what do you think Field's position was on the Civil War? HSS 4.4.1, HR 2

A He probably supported the United States as he mentions the binding of the East and West to the Union.

Source: Stephen J. Field: *Sacramento Dispatch* article dated October 29, 1861

El telégrafo

CUÁNDO 24 de octubre de 1861
DÓNDE Sacramento

9 El Pony Express fue desplazado por otra forma de comunicación aún más rápida: el telégrafo. El **telégrafo** era un aparato que usaba electricidad para enviar mensajes a través de cables. Con él, los mensajes podían enviarse de un extremo a otro del país ¡en tan solo minutos! Por primera vez, las noticias podían viajar más rápido que las personas.

Los operadores de telégrafo enviaban mensajes en código Morse, un código creado por el inventor del telégrafo, **Samuel F. B. Morse.** Este código usa grupos de "puntos" y "guiones", o señales cortas y largas, para representar las letras del alfabeto. Un operador deletreaba las palabras apretando un pulsador. El operador del otro extremo escuchaba las señales y las convertía en letras y números.

Durante las décadas de 1840 y 1850, las líneas de telégrafo se extendieron por todo el este de Estados Unidos. Hacia 1860, las líneas comunicaban San Francisco con Los Angeles.

En 1861, la compañía de telégrafo Western Union terminó la primera línea de telégrafo que comunicaba California con el Este. El 24 de octubre, **Stephen J. Field,**

10

▶ Samuel F. B. Morse muestra cómo funciona el telégrafo (izquierda). Una vez que se tendieron cables de telégrafo en todo el país (abajo), los servicios del Pony Express dejaron de ser necesarios.

Practice and Extend

REACH ALL LEARNERS

Leveled Practice Explain to students that the Pony Express recruited riders through advertisements. Have students work in groups to design an advertisement.

Basic Have students discuss a strategy for persuading people to become riders. Then have them draw a picture and create a headline for their ad.

Proficient Have students include persuasive sentences in their ad, emphasizing the rewards of the job.

Advanced Have students write a paragraph, describing the requirements of the job as well as its rewards. Students use persuasive language.

un juez de California, envió un mensaje al presidente Lincoln en Washington, D.C. El mensaje decía: "El Pacífico saluda al Atlántico". Poco después, Field afirmó lo siguiente acerca del telégrafo:

11 ❝Los habitantes de California . . . creen que será el medio de fortalecer los vínculos del Este y el Oeste con la Unión [Estados Unidos] . . .❞*

Los californianos ya no tenían que esperar semanas para enterarse de lo que ocurría en el Este. Los vínculos de California con el resto de Estados Unidos se fortalecían cada vez más.

REPASO DE LA LECTURA Ŏ SACAR CONCLUSIONES
¿Qué efecto duradero esperaba Field que tuviera el telégrafo en el Este y el Oeste?

* Stephen J. Field. De un artículo en *The Sacramento Dispatch* 29 de octubre de 1861.
Esperaba que uniera al país.

El código Morse original **12**

a ·—	h ····	o ———	v ···—
b —···	i ··	p ·——·	w ·——
c —·—·	j ·———	q ——·—	x —··—
d —··	k —·—	r ·—·	y —·——
e ·	l ·—··	s ···	z ——··
f ··—·	m ——	t —	
g ——·	n —·	u ··—	

Analizar tablas
◈ ¿Cómo escribirías tu nombre en código Morse?

Resumen

Los medios de comunicación más veloces, como la Overland Mail Company, el Pony Express y el telégrafo, ayudaron a que los californianos pudieran mantenerse en contacto con el resto de Estados Unidos.

REPASO

1. 🔦 ¿Qué cambios mejoraron la comunicación entre California y el resto de Estados Unidos?

2. Usa los términos **diligencia** y **telégrafo** para explicar cómo cambió la **comunicación** en las décadas de 1850 y 1860.

3. ¿Por qué el Pony Express operó solamente durante 18 meses?

RAZONAMIENTO CRÍTICO

4. **DESTREZA DE ANÁLISIS** **Aplícalo** ¿Cuáles son algunas formas de comunicación actuales? ¿Cómo influyeron los primeros medios de comunicación en los medios de comunicación actuales?

5. ✍ **Haz una entrevista** Escribe algunas preguntas que le harías a un conductor de la Overland Mail Company, a un jinete del Pony Express o a un operador de telégrafo. Pide a un compañero que escriba las respuestas que podría dar esa persona.

6. **Destreza clave** SACAR CONCLUSIONES
En una hoja de papel, copia y completa el organizador gráfico de abajo.

Evidencia → Conocimiento

Conclusión

Las personas se comunican con otros más a menudo si pueden hacerlo más fácilmente.

Capítulo 7 ■ 283

---

12 Visual Literacy: Chart Explain how the chart shows letters translated into Morse code. 🔳 HSS 4.4.1

CAPTION ANSWER: Answers will vary depending on students' names.

3 Close

Summary

Have students review the summary and restate the lesson's key content.

• Communication between California and the rest of the United States improved quickly with the Overland Mail Company, the Pony Express, and the telegraph.

• California's ties to the rest of the country grew stronger.

Assess
REVIEW—Answers

1. 🔦 stagecoach service, the Pony Express, and the telegraph 🔳 HSS 4.4.1

2. **Vocabulary** Mail delivered by **stagecoach** and messages sent by **telegraph** made **communication** between California and the East easier. 🔳 HSS 4.4.1

3. **History** It was replaced by the telegraph. 🔳 HSS 4.4.1

Critical Thinking

4. **ANALYSIS SKILL** **Make It Relevant** Students may mention mail, e-mail, telephone, and videoconferencing as contemporary forms of communication. Accept reasonable responses that draw analogies between methods of communication. 🔳 HSS 4.4.1, CS 3

5. ✍ **Conduct an Interview—Assessment Guidelines** See Writing Rubric. This activity can be used with the unit project. 🔳 HSS 4.4, ELA WRITING 2.3

6. **Focus Skill** **Draw Conclusions** EVIDENCE: Overland Mail stagecoaches, the Pony Express, and the telegraph were developed in the 1850s and 1860s; KNOWLEDGE: New methods of communication are usually faster and easier than earlier methods of communication 🔳 ELA WRITING 2.0

CHAPTER 7 ■ 283

---

continued

6. **Destreza clave** **Sacar conclusiones** EVIDENCIA: Las diligencias del servicio de correo por tierra, el Pony Express y el telégrafo se inventaron a mediados de las décadas de 1850 y 1860; CONOCIMIENTO: Los nuevos medios de comunicación son, por lo general, más rápidos y sencillos que los primeros medios de comunicación. 🔳 ELA WRITING 2.0

---

11 Aprendizaje visual: Tabla Explique la tabla que muestra cómo traducir letras al código Morse. 🔳 HSS 4.4.1

RESPUESTA: Las respuestas variarán según el nombre de cada estudiante.

3 Concluir

Resumen

Pida a los estudiantes que repasen el resumen y que expresen con sus palabras el contenido clave de la lección.

• La comunicación entre California y el resto de Estados Unidos mejoró rápidamente con la Overland Mail Company, el Pony Express y el telégrafo.

• Se fortalecieron los vínculos de California con el resto del país.

Evaluar

REPASO—Respuestas

1. 🔦 el servicio de diligencias, el Pony Express y el telégrafo 🔳 HSS 4.4.1

2. **Vocabulario** El correo repartido en **diligencia** y los mensajes enviados a través del **telégrafo** facilitaron la **comunicación** entre California y el Este. 🔳 HSS 4.4.1

3. **Historia** Fue reemplazado por el telégrafo. 🔳 HSS 4.4.1

Razonamiento crítico

4. **DESTREZA DE ANÁLISIS** **Aplícalo** Los estudiantes pueden mencionar el correo postal, el correo electrónico, el teléfono y la videoconferencia como medios de comunicación actuales. Acepte respuestas razonables que establezcan analogías entre los medios de comunicación. 🔳 HSS 4.4.1, CS 3

5. ✍ **Haz una entrevista—Pautas para la evaluación** Vea Writing Rubric. Esta actividad puede usarse con el proyecto de la unidad. 🔳 HSS 4.4, ELA WRITING 2.3

◀ *continued to the left*

Fuentes primarias

OBJETIVOS

- Describir cómo se enviaban mensajes a través del telégrafo.
- Analizar diferentes perspectivas sobre la importancia del telégrafo.

RECURSOS

Colección de audiotextos en CD de la Unidad 4; Recursos en Internet

1 Presentar

Establecer el propósito Explique que los historiadores estudian los objetos del pasado para saber cómo vivía la gente. Pida a los estudiantes que comenten sus ideas sobre qué pueden aprender al estudiar el telégrafo.

Piensa en los antecedentes Aliente a los estudiantes a comentar lo que saben sobre el telégrafo.

2 Enseñar

Aprendizaje visual: Objetos del pasado

DESTREZA DE ANÁLISIS Investigación/Evidencia Pida a los estudiantes que observen las fotografías de las páginas 284–285. Pida a voluntarios que expliquen cómo funcionaba el telégrafo y que hagan preguntas relevantes sobre los objetos del pasado. A modo de ejemplo, hágales la siguiente pregunta:

P ¿Cómo funcionaba el telégrafo?
HSS 4.4.1, HR 2

R al presionar el pulsador del telégrafo, se enviaba una señal eléctrica

---

Primary Sources

OBJECTIVES

- Describe how the telegraph sent messages.
- Analyze different perspectives on the importance of the telegraph.

RESOURCES

Unit 4 Audiotext CD Collection; Internet Resources

1 Introduce

Set the Purpose Explain that historians study artifacts to learn about how people lived in the past. Ask students to share their ideas about what can be learned from studying the telegraph.

Build Background Encourage students to share what they already know about the telegraph.

2 Teach

Visual Literacy: Artifacts

ANALYSIS SKILL Research/Evidence Have students examine the pictures on pages 284–285. Ask volunteers to explain how the telegraph worked and to pose relevant questions about the artifacts. Model this for students by posing the question below.

Q How did the telegraph work?
HSS 4.4.1, HR 2

A an electrical signal was sent when the knob of the telegraph was pressed

---

FUENTES PRIMARIAS

El telégrafo

Durante la década de 1830, Samuel F. B. Morse experimentó con el uso de electricidad para enviar mensajes a través de cables de hierro. La primera línea de telégrafo iba de Baltimore, Maryland, a Washington, D.C. Hacia la década de 1860, había oficinas de telégrafos en todas las ciudades importantes de Estados Unidos. En la actualidad, existen muchas maneras de enviar rápidamente mensajes a través de largas distancias, pero el código Morse aún se sigue usando en muchas partes del mundo.

❶ Para enviar un mensaje por telégrafo, se presionaba este pulsador. Si se quería enviar un "punto", se presionaba durante poco tiempo. Si se quería enviar un "guión", se mantenía presionado por más tiempo.

❷ Cuando se presionaba el pulsador, se enviaba una señal a través del circuito eléctrico.

❸ Esta cinta metálica funcionaba como un resorte que permitía volver a abrir el circuito.

Practice and Extend

BACKGROUND

More About the Inventor
Samuel Morse was born in 1791 in Massachusetts. Before inventing the telegraph, he was a painter. Morse painted portraits to make a living but wanted someday to be able to paint for artistic, and not financial, reasons. He turned to scientific invention in the hopes of becoming financially independent.

REACH ALL LEARNERS

Special Needs Work with students to help them understand how a telegraph sends short and long signals. Use a flashlight or whistle to illustrate the approximate difference between a "dot" and "dash" by turning the flashlight on or sounding the whistle for varying lengths of time. Have students use the chart on 283 to decipher the signals transmitted.

Practicar y ampliar

ANTECEDENTES

Más datos sobre el inventor Samuel Morse nació en Massachusetts en 1791. Antes de inventar el telégrafo, se dedicaba a la pintura. Morse pintaba retratos para ganarse la vida, pero deseaba poder pintar por motivos artísticos y no económicos. Se dedicó a las invenciones científicas con la esperanza de independizarse económicamente.

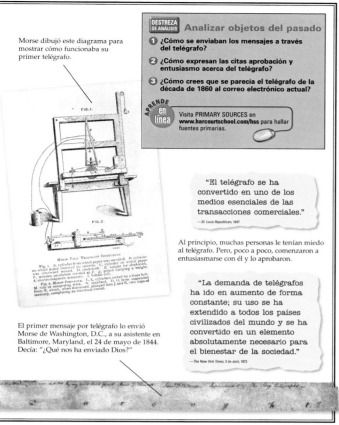

Morse dibujó este diagrama para mostrar cómo funcionaba su primer telégrafo.

"El telégrafo se ha convertido en uno de los medios esenciales de las transacciones comerciales."
—St. Louis Republican, 1847

Al principio, muchas personas le tenían miedo al telégrafo. Pero, poco a poco, comenzaron a entusiasmarse con él y lo aprobaron.

"La demanda de telégrafos ha ido en aumento de forma constante; su uso se ha extendido a todos los países civilizados del mundo y se ha convertido en un elemento absolutamente necesario para el bienestar de la sociedad."
—The New York Times, 3 de abril, 1872

El primer mensaje por telégrafo lo envió Morse de Washington, D.C., a su asistente en Baltimore, Maryland, el 24 de mayo de 1844. Decía: "¿Qué nos ha enviado Dios?"

Capítulo 7 ■ 285

CALIFORNIA STANDARDS HSS 4.4.1 Understand the story and lasting influence of the Pony Express, Overland Mail Service, Western Union, and the building of the transcontinental railroad, including the contributions of Chinese workers to its construction. SKILL Research, Evidence, and Point of View 1, 2.

INTEGRATE THE CURRICULUM

SCIENCE Explain that for an electrical current to flow, a circuit must be in place—a continuous path along which electrons can move. The spring of the telegraph breaks the circuit and stops the flow of electricity. Pushing down on the knob reconnects the circuit. Ask students to draw a simple diagram of an electrical circuit. **Diagram a Circuit**
PHYSICAL SCIENCES 1.a

Primary Source: Quotations

Have students read the quotations aloud. Discuss any unfamiliar words and the positions of the speakers toward the telegraph.

Q According to the first newspaper quotation, how had the telegraph become essential? HSS 4.4.1

A It was used in business in the process of buying and selling goods.

3 Close

Analyze Artifacts— Answers

ANALYSIS SKILL **Research/Evidence** HSS 4.4.1, HR 1, 2

1. Short and long signals were sent through an electrical circuit.
2. They both say that the telegraph was a necessary tool for communication.
3. Possible response: Both e-mail and telegraph messages are generally short and are received soon after they are sent.

Activity

Make a List Have students make a list of the ways that the telegraph might have helped people. Ask them to speculate about how it was used by family members living far from each other, by businesses, and by the government.

Research

Students will find a variety of artifacts from California's history on the web at **www.harcourtschool.com/hss** under PRIMARY SOURCES.

Ask students to select several artifacts and discuss with a partner what the artifacts indicate about the past.

GO ONLINE **INTERNET RESOURCES**
Visit PRIMARY SOURCES at **www.harcourtschool.com/hss** to view other primary sources.

CHAPTER 7 ■ 285

APRENDE en línea **RECURSOS EN INTERNET**
Visite PRIMARY SOURCES en **www.harcourtschool.com/hss** para hallar fuentes primarias.

Fuente primaria: Citas

Pida a los estudiantes que lean las citas en voz alta. Analice con ellos las palabras desconocidas y las opiniones que las citas expresan con relación al telégrafo.

P De acuerdo con la cita del primer periódico, ¿en qué sentido se había vuelto esencial el telégrafo? HSS 4.4.1

R Se usaba en el comercio en el proceso de compra y venta de productos.

3 Concluir

Analizar objetos del pasado— Respuestas

DESTREZA DE ANÁLISIS **Investigación/Evidencia** HSS 4.4.1, HR 1, 2

1. Se enviaban señales cortas y largas a través de un circuito eléctrico.
2. Ambas dicen que el telégrafo era una herramienta necesaria para la comunicación.
3. Respuesta posible: Tanto los mensajes por correo electrónico como los que se envían por telégrafo son por lo general breves y se reciben poco después de haber sido enviados.

Actividad

Haz una lista Pida a los estudiantes que hagan una lista de las maneras en las que el telégrafo puede haber ayudado a la gente. Pídales que piensen en cómo los miembros de las familias que vivían lejos unos de otros, las empresas y el gobierno usaban el telégrafo.

Investigación

Los estudiantes pueden hallar una variedad de objetos del pasado relacionados con la historia de California en PRIMARY SOURCES en **www.harcourtschool.com/hss.**

Pida a los estudiantes que elijan uno o más objetos del pasado y que conversen con un compañero acerca de lo que esos objetos indican sobre el pasado.

Lección 2

PÁGINAS 286–292

OBJETIVOS

- Describir cómo se construyó el ferrocarril transcontinental.

- Describir cómo contribuyeron los trabajadores chinos y otros grupos de inmigrantes a la construcción del ferrocarril transcontinental.

VOCABULARIO

ferrocarril transcontinental pág. 287

invertir pág. 288

SACAR CONCLUSIONES

págs. 270–271, 287, 289, 292

RECURSOS

Tarea y práctica, págs. 72–73; Transparencia de destrezas clave 4; Colección de audiotextos en CD de la Unidad 4; Recursos en Internet

1 Presentar

Reflexiona Explique a los estudiantes que a comienzos de la década de 1860 había planes de construir un ferrocarril que cruzara Estados Unidos. Pregunte a los estudiantes qué cambios pudo haber traído el ferrocarril a California.

Piensa en los antecedentes Pida a los estudiantes que comenten lo que saben sobre el transporte de personas y productos desde California y hacia allí a mediados del siglo XIX.

 Pregunte a los estudiantes cómo creen que los trabajadores construyeron el ferrocarril a través de la sierra Nevada.

Lesson 2

PAGES 286–292

OBJECTIVES

- Describe how the transcontinental railroad was built.

- Describe the contribution of Chinese workers and other immigrant groups to the building of the transcontinental railroad.

VOCABULARY

transcontinental railroad p. 287

invest p. 288

DRAW CONCLUSIONS

pp. 270–271, 287, 289, 292

RESOURCES

Homework and Practice Book, pp. 72–73; Reading Support and Intervention, pp. 102–105; Success for English Learners, pp. 105–108; Vocabulary Transparency 4-7-2; Vocabulary Power, p. 93; Focus Skills Transparency 4; TimeLinks: Interactive Time Line; Unit 4 Audiotext CD Collection; Internet Resources

1 Introduce

What to Know Explain that plans were underway by the early 1860s to build a railroad across the United States. Ask students what changes a railroad might have brought to California.

Build Background Invite students to share what they know about how people and goods traveled to and from California in the mid-1800s.

You ARE There Ask students how workers might have built the railroad through the Sierra Nevada.

286 ■ UNIT 4

Tiempos

1855   1885   1915

- **1861** Comienza la Guerra Civil
- **1862** El Congreso aprueba la Ley del Ferrocarril del Pacífico
- **1869** Se termina la construcción del ferrocarril transcontinental

Lección 2

La construcción del ferrocarril transcontinental

 Han sido seis largos años de trabajo agotador, pero por fin ha llegado el día que tanto has esperado. Los trabajadores en **Promontory, Utah,** están a punto de unir dos pares de vías de ferrocarril. Una se extiende hacia el este desde Sacramento y la otra se extiende hacia el oeste desde Council Bluffs, Iowa. Cuando el último clavo se hunde en el suelo, la multitud festeja entusiasmada.

REFLEXIONA
¿Por qué era necesario un ferrocarril transcontinental? ¿Cómo se construyó?

✓ Describe cómo se construyó el ferrocarril transcontinental.

✓ Describe cómo contribuyeron los trabajadores chinos y otros grupos de inmigrantes a la construcción del ferrocarril transcontinental.

VOCABULARIO
ferrocarril transcontinental, pág. 287
invertir, pág. 288

PERSONAS
Theodore Judah
Leland Stanford
Collis P. Huntington
Mark Hopkins
Charles Crocker

LUGARES
Promontory, Utah

SACAR CONCLUSIONES

Normas de California
HSS 4.4, 4.4.1, 4.4.3

286 ■ Unidad 4

CALIFORNIA STANDARDS HSS 4.4 Students explain how California became an agricultural and industrial power, tracing the transformation of the California economy and its political and cultural development since the 1850s. 4.4.1 Understand the story and lasting influence of the Pony Express, Overland Mail Service, Western Union, and the building of the transcontinental railroad, including the contributions of Chinese workers to its construction.

When Minutes Count

Have students work in pairs to skim the sections of the lesson to find answers to each section review question as well as the review questions at the end of the lesson.

Quick Summary

Congress provided funding for a transcontinental railroad, and construction on it began in 1863. Labor shortages led to the recruitment of Chinese and Irish workers, who made significant contributions. The railroad was completed in 1869.

Cuando el tiempo apremia

Pida a los estudiantes que trabajen en parejas para ojear las secciones de la lección y hallar las respuestas a la pregunta de repaso de cada sección y a las que aparecen al final de la lección.

Resumen

El Congreso proporcionó los fondos para la construcción de un ferrocarril transcontinental. La obra comenzó en 1863. La falta de trabajadores llevó a reclutar a inmigrantes chinos e irlandeses, que hicieron importantes aportaciones. El ferrocarril se terminó en 1869.

Mejoraría los viajes y el comercio entre el Este y el Oeste.

Esperando el ferrocarril

Con tantas mejoras en la comunicación, muy pronto se comenzó a pensar en cómo se podía mejorar el transporte entre el Este y el Oeste. La gente creía que un **ferrocarril transcontinental**, que cruzara el continente desde el Atlántico hasta el Pacífico, ayudaría a unir el país.

Muchos apoyaban la idea del ferrocarril transcontinental. Además de mejorar los viajes, pensaban que un ferrocarril transcontinental aumentaría el comercio. Los productos de California y los productos de Asia que llegaban a California podrían transportarse en tren hasta la costa este.

Un joven llamado **Theodore Judah** se interesó especialmente en la idea. Judah era ingeniero, es decir, una persona que planifica y construye ferrocarriles y otras estructuras. Sabía que la parte más difícil de la construcción de un ferrocarril a California era el cruce de la sierra Nevada. Fue allí 23 veces antes de encontrar una ruta posible. En 1857, dio su opinión sobre un ferrocarril de esas características. Y escribió:

> 66 Es el proyecto más grandioso jamás concebido [pensado]. 99·

REPASO DE LA LECTURA ⊙ SACAR CONCLUSIONES
¿Cómo podría un ferrocarril ayudar a unir el país?

Theodore Judah. A Practical Plan for Building the Pacific Railroad. H. Polkinhorn. 1857.

Los ferrocarriles Central Pacific y Union Pacific se unieron en Promontory, Utah, el 10 de mayo de 1869, marcando la terminación del segundo ferrocarril que comunicaba el océano Atlántico con el Pacífico. El primero se había terminado en Panamá en 1855 y su recorrido era de solo 48 millas.

4.4.3 Discuss immigration and migration to California between 1850 and 1900, including the diverse composition of those who came; the countries of origin and their relative locations; and conflicts and accords among the diverse groups (e.g., the 1882 Chinese Exclusion Act). Chronological and Spatial Thinking 1, 4. Research, Evidence, and Point of View 2. Historical Interpretation 1, 3.

VOCABULARY POWER

Context Clues Have students identify the familiar words that explain what *transcontinental* means in the selection below.

People believed that a <u>transcontinental</u> railroad, one that <u>crossed the continent</u> from the Atlantic to the Pacific, might help pull the country together.

ELA READING 1.0

For teaching lesson vocabulary, see **VOCABULARY TRANSPARENCY 4-7-2.**

READING SUPPORT

For alternate teaching strategies, use pages 102–105 of the Reading Support and Intervention book to

- reinforce **vocabulary**
- build **text comprehension**
- build **fluency**

Reading Support ▶ **and Intervention** — Reflections

ELL ENGLISH LANGUAGE LEARNERS

For English Language Learners strategies to support this lesson, see Success for English Learners book pages 105–108.

- English-language development activities
- background and concepts
- vocabulary extension

Success for ▶ **English Learners** — Reflections

2 Teach

Hoping for a Railroad

Content Focus Support grew for a transcontinental railroad, which would make it easier for goods and people to travel to and from California.

1 ANALYSIS SKILL Historical Interpretation
Guide students to summarize the reasons people wanted a railroad linking California and the rest of the country. Discuss the larger contexts of communication and travel during the 1850's. Remind students that even though methods of communication and travel were constantly improving during this time, they were still limited compared to the methods in use today.

Q Why did people want a transcontinental railroad? HSS 4.4.1, HI 1
A Possible response: people wanted improved transportation for travel and trade.

Q Why do you think Theodore Judah termed the railroad a "magnificent project"? HSS 4.4.1
A Possible response: He thought that it would have a great effect on people throughout the country.

Source: Theodore Judah. *A Practical Plan for Building the Pacific Railroad.* H. Polkinhorn. 1857.

2 Enseñar

Esperando el ferrocarril

Contenido clave Creció el apoyo a favor de un ferrocarril transcontinental que facilitara el transporte de productos y pasajeros desde California y hacia allí.

1 DESTREZA DE ANÁLISIS Interpretación histórica Guíe a los estudiantes para que resuman los motivos por los que la gente quería un ferrocarril que uniera California con el resto del país. Analice con ellos los contextos más amplios de los viajes y la comunicación en la década de 1850. Recuérdeles que, a pesar de que los medios de transporte y comunicación mejoraban constantemente, eran aún limitados con relación a los que se usan hoy en día.

P ¿Por qué quería la gente un ferrocarril transcontinental? HSS 4.4.1, HI 1
R Respuesta posible: la gente quería que mejorara el transporte para viajar y comerciar.

P ¿Por qué creen que Theodore Judah llamó al ferrocarril el "proyecto más grandioso"? HSS 4.4.1
R Respuesta posible: Pensaba que tendría un gran efecto en la población del país.

Fuente: Theodore Judah. *A Practical Plan for Building the Pacific Railroad.* H. Polkinhorn. 1857.

La construcción del ferrocarril

Contenido clave La construcción del ferrocarril transcontinental comenzó en 1863. La falta de trabajadores llevó a reclutar a inmigrantes chinos e irlandeses.

②Aprendizaje visual: Línea cronológica

DESTREZA DE ANÁLISIS Pensamiento cronológico Guíe a los estudiantes en la lectura de la línea cronológica.

P ¿Cuál comenzó primero a tender vías, la compañía Central Pacific o la Union Pacific? HSS 4.4.1, CS 1

R la compañía Central Pacific

RESPUESTA: aproximadamente 6 años

③Relacionar historia y economía Converse con los estudiantes sobre cómo Judah consiguió los fondos para la construcción del ferrocarril transcontinental.

P ¿Qué papel desempeñaron los "Big Four" en la construcción del ferrocarril? HSS 4.4.1

R Invirtieron dinero para formar la compañía de ferrocarril Central Pacific.

④Historia Repase con los estudiantes el plan para construir el ferrocarril.

P ¿Qué compañías participaron en la construcción del ferrocarril? ¿Dónde comenzó cada una a tender vías? HSS 4.4.1

R La compañía de ferrocarril Central Pacific comenzó a tender vías en Sacramento; la compañía de ferrocarril Union Pacific comenzó en Council Bluffs, Iowa.

Building the Railroad

Content Focus Construction on the transcontinental railroad began in 1863. Labor shortages led to the recruitment of Chinese and Irish workers.

②Visual Literacy: Time Line

ANALYSIS SKILL Chronological Thinking Guide students through the information shown on the time line.

Q Did the Central Pacific or the Union Pacific railroad lay track first? HSS 4.4.1, CS 1

A the Central Pacific

CAPTION ANSWER: about 6 years

TIMELINKS: Interactive Time Line

Have students use blank event cards to add events in this unit to the time line.

③Link Economics and History Discuss with students how Judah found funding for the transcontinental railroad.

Q What role did the Big Four play in the building of the railroad? HSS 4.4.1

A They invested money used to form the Central Pacific Railroad Company.

④History Review with students the plan for building the railroad.

Q Which companies were involved in building the railroad? Where did each start laying track? HSS 4.4.1

A The Central Pacific Railroad Company started laying track in Sacramento; the Union Pacific Railroad Company started laying track in Council Bluffs, Iowa.

288 ■ UNIT 4

---

② El ferrocarril transcontinental

1860	1865	1870

28 de junio de 1861 Judah y los "Big Four" forman la compañía de ferrocarril Central Pacific

27 de octubre de 1863 El ferrocarril Central Pacific tiende vías desde Sacramento hacia el este

Julio de 1865 El ferrocarril Union Pacific tiende vías desde Council Bluffs, Iowa, hacia el oeste

10 de mayo de 1869 Se clava el "último clavo" en una ceremonia, en Promontory, Utah

Analizar líneas cronológicas

❖ ¿Cuántos años fueron necesarios para tender las vías del ferrocarril Central Pacific?

La construcción del ferrocarril

La construcción del ferrocarril transcontinental costaría millones de dólares. Judah comenzó a buscar personas dispuestas a invertir en el ferrocarril. **Invertir** significa comprar algo, como una acción o una parte de una empresa, con la esperanza de que su valor aumente en el futuro. Judah encontró a cuatro hombres dispuestos a invertir: **Leland Stanford, Collis P. Huntington, Mark Hopkins** y **Charles Crocker.** Más tarde se conocieron como los "Big Four" o "cuatro grandes".

En 1861, Judah y los "Big Four" formaron la compañía de ferrocarril Central Pacific. Ese año estalló la guerra civil en Estados Unidos. Una guerra civil es una guerra que se libra entre personas de un mismo país. A pesar de la guerra, Judah fue a Washington, D.C., para hablar sobre el ferrocarril con los integrantes del Congreso.

En 1862, el Congreso aprobó la Ley del Ferrocarril del Pacífico. Estados Unidos daría dinero y tierras a la compañía Central Pacific para construir un ferrocarril que partiría hacia el este desde Sacramento. Otra compañía de ferrocarril, la Union Pacific, tendería vías desde Council Bluffs, Iowa, hacia el oeste. Las dos líneas de ferrocarril se encontrarían a mitad de camino.

288 ■ Unidad 4

Practice and Extend

BACKGROUND

Conflict and the Railroad Plans for a transcontinental railroad were delayed throughout the 1850s because of mounting tension between the North and the South. At issue were the new states that would come into existence as a result of the railroad. Would they be free states or slaveholding states? The route of the new railroad would determine the answer to this question, and both Southerners and Northerners refused to approve the route favored by the other side. In the end, a central route was chosen, but only after southern senators and representatives had left the government in 1861 as the Civil War began.

Practicar y ampliar

ANTECEDENTES

El conflicto y el ferrocarril Los planes para la construcción de un ferrocarril transcontinental se demoraron durante toda la década de 1850 debido a la creciente tensión entre el Norte y el Sur. Estaba en discusión la condición de los nuevos estados que surgirían como consecuencia del ferrocarril. ¿Serían estados libres o esclavistas? La ruta del nuevo ferrocarril determinaría la respuesta a esta pregunta, y tanto los estados sureños como los norteños se negaban a aprobar la ruta que favorecía a la otra parte. Finalmente, se eligió una ruta central, pero solo después de que los senadores y representantes sureños dejaron el gobierno al comienzo de la Guerra Civil, en 1861.

288 ■ UNIT 4

Las primeras vías se tendieron en 1863. Las compañías de ferrocarril enfrentaron inmediatamente un serio problema. Como muchas personas estaban peleando en la Guerra Civil, había pocos trabajadores para construir el ferrocarril. Sin embargo, cuando terminó la Guerra Civil en 1865, muchos antiguos combatientes comenzaron a trabajar para la Union Pacific. La compañía Union Pacific también contrató a muchos trabajadores inmigrantes de Irlanda. Al mismo tiempo, la compañía Central Pacific contrató a muchos trabajadores de origen chino.

Los trabajadores chinos resultaron ser tan buenos que la Central Pacific comenzó a traer trabajadores de China. En tan solo un año, más de 12,000 inmigrantes chinos estaban trabajando en el tendido de vías. Hacia el final del proyecto, alrededor de tres cuartos de los trabajadores de la Central Pacific eran chinos. Considerando el trabajo pesado que hacían, los trabajadores chinos ganaban muy poco dinero. Su salario era de entre 25 y 35 dólares al mes. Aunque los trabajadores irlandeses también ganaban poco dinero, a los chinos se les pagaba menos que a los irlandeses y que a otros trabajadores.

REPASO DE LA LECTURA ◔ **CAUSA Y EFECTO**
¿Cómo influyó la Guerra Civil en la construcción del ferrocarril transcontinental? La construcción se retrasó porque había pocos trabajadores.

Analizar mapas
El ferrocarril Central Pacific tendió 690 millas de vías. El ferrocarril Union Pacific tendió 1,086 millas de vías.
◈ Interacción entre los seres humanos y el ambiente ¿Por qué crees que la compañía Union Pacific tendió más millas de vías que la Central Pacific?

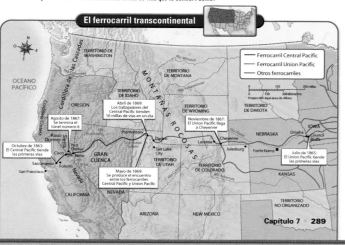

El ferrocarril transcontinental

Ferrocarril Central Pacific
Ferrocarril Union Pacific
Otros ferrocarriles

Capítulo 7 289

READING SOCIAL STUDIES

Draw Conclusions Discuss the experiences of Chinese railroad workers. Ask students to draw a conclusion about how the railroad companies treated the Chinese men who worked for them. ELA READING 2.4

READING TRANSPARENCY

Use FOCUS SKILLS TRANSPARENCY 4.

---

5 Historical Interpretation Emphasize that railroad companies had difficulty finding workers and that there were multiple causes for this including the Civil War and the dangerous and strenuous nature of railroad work. One effect of the worker shortage was that companies recruited workers from China. Many of these workers were eager to come to the United States because of widespread poverty and civil war in their own country.

Q What caused companies to hire workers from China? HSS 4.4.1, 4.4.3, HI 3
A It was hard to find workers in the United States because of the Civil War and because of the nature of the work.

6 Economics Lead a discussion about why Chinese workers were paid less than other workers.

Q Why do you think Chinese workers were paid less than other workers? HSS 4.4.1
A Possible responses: because the Chinese workers did not have any say in how much they would be paid and because companies discriminated against them

7 Visual Literacy: Map

Spatial Thinking Encourage students to trace with their fingers the two tracks, from Sacramento and Omaha, and have their fingers meet at Promontory, Utah.

Q What river in Nevada did the Central Pacific Railroad roughly follow? HSS 4.4.1, CS 4
A the Humboldt River

CAPTION ANSWER: The Central Pacific had to cross more difficult terrain, including the Sierra Nevada.

LA LECTURA EN LOS ESTUDIOS SOCIALES

Sacar conclusiones Converse con los estudiantes sobre las experiencias de los trabajadores chinos de ferrocarril. Pídales que saquen una conclusión sobre la forma en que las compañías de ferrocarril trataban a los chinos que trabajaban para ellos.

TRANSPARENCIA DE LECTURA

Use la TRANSPARENCIA DE DESTREZAS CLAVE 4.

---

5 Interpretación histórica Enfatice el hecho de que las compañías de ferrocarril tenían dificultades para conseguir trabajadores y que esto se debía a múltiples causas, entre ellas, la Guerra Civil y el carácter peligroso y extenuante del trabajo en el ferrocarril. Como consecuencia de la falta de trabajadores, fue necesario reclutar a inmigrantes chinos. Muchos de estos trabajadores querían llegar a Estados Unidos debido a la pobreza generalizada y a la guerra civil que se desarrollaba en su propio país.

P ¿Qué llevó a las compañías a contratar trabajadores chinos? HSS 4.4.1, 4.4.3, HI 3
R Era difícil conseguir trabajadores en Estados Unidos debido a la Guerra Civil y al tipo de trabajo que había que hacer.

6 Economía Invite a los estudiantes a reflexionar sobre por qué se les pagaba menos a los trabajadores chinos.

P ¿Por qué creen que se les pagaba menos a los trabajadores chinos que a los demás trabajadores? HSS 4.4.1
R Respuestas posibles: porque la opinión de los trabajadores chinos sobre cuánto se les pagaba no contaba y porque las compañías los discriminaban.

7 Aprendizaje visual: Mapa

Pensamiento espacial Aliente a los estudiantes a que sigan con dos dedos las rutas de los dos ferrocarriles, empezando con un dedo en Sacramento y con el otro en Omaha, hasta encontrarse en Promontory, Utah.

P ¿Qué río de Nevada seguía aproximadamente el ferrocarril Central Pacific? HSS 4.4.1, CS 4
R el río Humboldt

RESPUESTA: el ferrocarril Central Pacific tenía que cruzar terrenos más difíciles, entre ellos, la sierra Nevada.

Míralo en detalle

La construcción del ferrocarril

8 Dirija la atención de los estudiantes al diagrama para que conozcan más detalles acerca de los métodos que usaban las cuadrillas para construir el ferrocarril a través de la sierra Nevada. Explíqueles que se usaba un motor de vapor para sacar del túnel los pedazos de roca que quedaban después de una explosión.

P **¿Cómo rompían las cuadrillas del ferrocarril la roca sólida de la sierra Nevada?** ⬛ HSS 4.4.1

R Usaban explosivos para hacer túneles en la roca.

P **¿Qué tarea creen que era la más peligrosa?** ⬛ HSS 4.4.1

R Respuesta posible: la tarea de descender en la cesta para colocar explosivos.

RESPUESTA: para que pudiesen hacer realmente bien algunas tareas específicas y acelerar así todo el proceso

 A Closer **LOOK**

Building the Railroad

8 Direct students to study the diagram to learn more about the methods used by crews to build the railroad through the Sierra Nevada. Explain to students that a steam engine was used to cart blasted rock out of the tunnel.

Q **How did railroad crews cut through the solid rock of the Sierra Nevada?** ⬛ HSS 4.4.1

A They used explosives to cut tunnels through the rock.

Q **Which job do you think was the most dangerous?** ⬛ HSS 4.4.1

A Possible response: the job of being lowered down in a basket to light the explosives

CAPTION ANSWER: so that workers could get really good at particular tasks to make the whole process go faster

Míralo en detalle

La construcción del ferrocarril

Los trabajadores del ferrocarril Central Pacific abrieron 15 túneles en la roca sólida de la sierra Nevada.

1 A veces, se bajaba a los trabajadores por las paredes de las montañas para que colocaran los explosivos.

2 Los trabajadores retiraban la roca del área de trabajo.

3 Se necesitaba una cuadrilla de trabajadores para el tendido de vías. Cada miembro de la cuadrilla realizaba una tarea diferente. Había quienes apisonaban la grava y las rocas que se usaban para sostener los durmientes en su lugar. Los herreros colocaban los rieles sobre los durmientes.

◇ ¿Por qué crees que los trabajadores estaban organizados en cuadrillas?

DATOS BREVES
Un periodista calculó que los trabajadores del ferrocarril transcontinental dieron 21 millones de golpes de martillo para colocar todos los clavos en su lugar.

Practice and Extend

INTEGRATE THE CURRICULUM

VISUAL ARTS Ask students to design a monument commemorating the contributions of the Chinese immigrants who worked on the railroad. Students should draw a picture of a statue or structure that symbolizes the contribution of Chinese workers and write a few sentences to accompany it.
Design a Monument
⬛ VISUAL ARTS 5.3

REACH ALL LEARNERS

Special Needs Ask students to review the key to the illustration on pages 290–291. Have them explain in their own words how work crews cut through the solid rock of the Sierra Nevada.

La terminación del ferrocarril

CUÁNDO 10 de mayo de 1869
DÓNDE Promontory, Utah

La construcción de ferrocarriles era un trabajo muy difícil. Los trabajadores chinos debían realizar algunas de las tareas más peligrosas. A veces, tenían que trabajar con explosivos, y muchos trabajadores resultaban heridos o morían.

En algunas partes de la sierra Nevada, los trabajadores avanzaban apenas unas pulgadas por día. Para apurar el trabajo, el gobierno de Estados Unidos acordó dar a cada compañía miles de acres de tierra y prestarles dinero según la cantidad de rieles que cada una tendiera.

Las dos compañías comenzaron a trabajar como si estuvieran en una competencia. Primero, los trabajadores de la compañía Union Pacific tendieron 6 millas de vías en un día. Luego, los trabajadores de la Central Pacific tendieron 7 millas de vías en un día. En esta compe-tencia un equipo de trabajadores chinos e irlandeses de la compañía Central Pacific, tendió 10 millas de vías, ¡en tan solo 12 horas!

Al cabo de seis años, el ferrocarril estaba terminado. El 10 de mayo de 1869, las dos líneas se unieron en Promontory, Utah. El último clavo, que unía las dos líneas, era de oro sólido. También tenía grabado un mensaje:

« Que Dios continúe la unidad de nuestro país del mismo modo que este ferrocarril une los dos grandes océanos del mundo. » *

Cuando el ferrocarril transcontinental quedó terminado, el viaje de una costa a otra duraba aproximadamente una semana. Por 100 dólares, los pasajeros adinerados podían viajar cómodamente en elegantes vagones. También se podía viajar por 40 dólares, pero en duros asientos de madera. Esto equivale aproximadamente a 536 dólares en la actualidad.

*Central Pacific Railroad Photographic History Museum. http://cprr.org

Capítulo 7 ■ 291

REACH ALL LEARNERS

Leveled Practice Ask students to write a newspaper story reporting on the completion of the transcontinental railroad. Have students include information about the challenges and benefits of completing the railroad.

(Basic) Have students write a headline and make a list of information that should be included in the story.

(Proficient) Have students write a headline and a brief article reporting on the completion of the railroad.

(Advanced) Have students write a headline and an article that announce the railroad's completion and describe its significance for people in the West and elsewhere in the United States.

Completing the Railroad

Content Focus The government offered incentives to speed up work on the railroad, and the two railroad companies quickened their pace. In 1869, the railroad was completed, reducing travel time between the coasts to about one week.

9 Link Geography and History Discuss the geographic challenges the companies faced while building a railroad.

Q Which section of the railroad was the most difficult to build? HSS 4.4.1

A the section that crossed the Sierra Nevada

10 History Inform students that competition between the railroad companies motivated workers to complete the railroad seven years ahead of schedule.

Q How did the government encourage the railroad companies to speed up work? HSS 4.4.1

A The government promised to give the railroad companies land and lend them money based on how much track they completed.

11 Primary Source: Quotation

ANALYSIS SKILL Point of View Ask a student to read aloud the message on page 291, which was engraved on the final spike. Discuss its meaning, and invite students to pose questions about the significance of the spike and the intent of the inscription. HSS 4.4.1, HR 2

Source: Central Pacific Railroad Photographic History Museum. http://cprr.org

CHAPTER 7 ■ 291

La terminación del ferrocarril

Contenido clave El gobierno ofreció incentivos para apresurar la construcción del ferrocarril, y las dos compañías aceleraron su ritmo. En 1869, se terminó la construcción del ferrocarril y el tiempo de viaje entre una costa y otra se redujo a una semana aproximadamente.

9 Relacionar geografía e historia Converse con los estudiantes sobre las dificultades geográficas que enfrentaron las compañías mientras construían el ferrocarril.

P ¿Qué tramo del ferrocarril fue el más difícil de construir? HSS 4.4.1

R el tramo que cruzaba la sierra Nevada

10 Historia Informe a los estudiantes que la competencia entre las compañías de ferrocarril motivó a los trabajadores a terminar la obra siete años antes de lo previsto.

P ¿Cómo alentó el gobierno a las compañías de ferrocarril para que apuraran el trabajo? HSS 4.4.1

R El gobierno prometió entregar tierras y prestar dinero a las compañías de ferrocarril según la cantidad de rieles que cada una tendiera.

11 Fuente primaria: Cita

DESTREZA DE ANÁLISIS Punto de vista Pida a los estudiantes que lean en voz alta el mensaje grabado en el último clavo, que aparece en la página 291. Hablen sobre su significado e invite a los estudiantes a formular preguntas acerca de la importancia del clavo y el propósito de la inscripción. HSS 4.4.1, HR 2

Fuente: Photographic History Museum Central Pacific Railroad. http://cprr.org

El ferrocarril transcontinental

12 **DESTREZA DE ANÁLISIS** **Investigación/Evidencia**

Pida a los estudiantes que observen la caricatura de la página 292 y conversen sobre los detalles del dibujo. ⬛ HSS 4.4, HR 1

RESPUESTA: que el vínculo entre el Este y el Oeste era amistoso

3 Concluir

Resumen

Pida a los estudiantes que repasen el resumen y que expresen con sus palabras el contenido clave de la lección.

- La construcción del ferrocarril transcontinental comenzó en 1863.
- Inmigrantes y otros trabajadores terminaron de construir el ferrocarril en 1869.

Evaluar

REPASO—Respuestas

1. 💡 para mejorar el transporte entre el Este y el Oeste; trabajadores inmigrantes tendieron las vías ⬛ HSS 4.4.1

2. **Vocabulario** Los "Big Four" querían **invertir** en el ferrocarril transcontinental. ⬛ HSS 4.4.1

3. **Historia** Los trabajadores chinos e irlandeses tendieron la mayor parte de las vías. ⬛ HSS 4.4.1

Razonamiento crítico

4. **DESTREZA DE ANÁLISIS** Interpretación histórica No, porque la mayoría de los trabajadores americanos estaban ocupados peleando en la Guerra Civil. ⬛ HSS 4.4.1, HI 1

5. Respuesta posible: Judah los convenció de que ganarían dinero. ⬛ HSS 4.4.1

6. ✎ Escribe un discurso—**Pautas para la evaluación** Vea Writing Rubric. Esta actividad puede usarse con el proyecto de la unidad.
⬛ HSS 4.4.1, ELA WRITING 2.4

continued to the right ▶

292 ▪ **UNIT 4**

PRIMARY SOURCES

The Transcontinental Railroad

12 **ANALYSIS SKILL** **Research/Evidence** Direct students to examine the cartoon on page 292 and discuss the details in the drawing. ⬛ HSS 4.4, HR 1

CAPTION ANSWER: that the link between the East and the West was friendly

3 Close

Summary

Have students review the summary and restate the lesson's key content.

- Construction on the transcontinental railroad began in 1863.
- Immigrant workers and others completed the railroad in 1869.

Assess

REVIEW—Answers

1. 💡 To improve transportation between the East and the West; immigrant workers laid track. ⬛ HSS 4.4.1

2. **Vocabulary** The Big Four wanted to **invest** in the transcontinental railroad. ⬛ HSS 4.4.1

3. **History** Chinese and Irish workers laid much of the track. ⬛ HSS 4.4.1

Critical Thinking

4. **ANALYSIS SKILL** Historical Interpretation No because most American workers were busy fighting the Civil War. ⬛ HSS 4.4.1, HI 1

5. Possible response: Judah convinced them that they would make money. ⬛ HSS 4.4.1

6. ✎ Write a Speech— **Assessment Guidelines** See Writing Rubric. This activity can be used with the unit project. ⬛ HSS 4.4.1, ELA WRITING 2.4

7. **Focus Skill** Draw Conclusions KNOWLEDGE: Investors research their investments; CONCLUSION: The railroad appeared to be a good investment. ⬛ HSS 4.4, ELA READING 2.0

292 ▪ **UNIT 4**

---

continued

7. ⭐ **Destreza clave** **SACAR CONCLUSIONES** CONOCIMIENTO: Los inversionistas investigaron para realizar sus inversiones; CONCLUSIÓN: El ferrocarril parecía ser una buena inversión. ⬛ HSS 4.4, ELA READING 2.0

FUENTES PRIMARIAS

12 El ferrocarril transcontinental

Analizar dibujos
Esta caricatura muestra la terminación del primer ferrocarril transcontinental.

1 La multitud saluda entusiasmada

2 Un tren de New York y otro de San Francisco

❖ ¿Qué significa el apretón de manos entre ambos trenes?

El ferrocarril también facilitaba el transporte de bienes entre California y el resto del país. Por lo tanto, esos bienes costaban menos de lo que habían costado hasta entonces.

REPASO DE LA LECTURA ⊙ SACAR CONCLUSIONES ¿Qué significado crees que tiene el mensaje del último clavo? El ferrocarril transcontinental unía al país.

Resumen

El Congreso decidió que era necesario construir un ferrocarril transcontinental. Muchos inmigrantes chinos e irlandeses trabajaron para terminar el ferrocarril. En 1869, los ferrocarriles Central Pacific y Union Pacific se unieron.

REPASO

1. 💡 ¿Por qué era necesario un ferrocarril transcontinental? ¿Cómo se construyó?

2. Usa el término **invertir** para escribir una oración sobre los "Big Four".

3. ¿Cómo contribuyeron los trabajadores inmigrantes a la construcción del ferrocarril transcontinental?

RAZONAMIENTO CRÍTICO

4. ⬛ ¿Crees que hubiese sido posible construir el ferrocarril transcontinental sin la ayuda de los trabajadores inmigrantes? ¿Por qué?

5. ¿Cómo crees que Theodore Judah convenció a otros de que invirtieran en su proyecto?

6. ✎ Escribe un discurso Escribe un discurso acerca de la importancia del ferrocarril transcontinental y de lo que aportaron los trabajadores que lo construyeron.

7. ⭐ SACAR CONCLUSIONES
En una hoja de papel, copia y completa el organizador gráfico de abajo.

Evidencia	Conocimiento
Los "Big Four" invirtieron dinero en el ferrocarril.	

Conclusión

292 ▪ **Unidad 4**

Practice and Extend

WRITING RUBRIC

Score 4
- clearly covers main ideas
- includes many relevant details
- has no errors or very few errors

Score 3
- adequately covers main ideas
- includes several relevant details
- has a few errors

Score 2
- partially covers main ideas
- includes some relevant details
- has several errors

Score 1
- does not cover main ideas
- includes few, if any, relevant details
- has many errors

HOMEWORK AND PRACTICE

Building the Transcontinental Railroad

Imagine you are a Chinese worker on the transcontinental railroad. You are getting ready to write a letter home. Use the questions below to help organize your thoughts.

1. Which railroad company do you work for?
I work for the Central Pacific Railroad Company.

2. What kind of work do you do? Is it dangerous?
Trabajo para la compañía de ferrocarril Central Pacific

3. Are there a lot of Chinese workers? About how many workers are there?
Possible response: Yes, there are a lot of Chinese workers. In one year there were over 12,000 Chinese workers.

4. How much do you earn? Is it a good wage?
Possible response: $25 per month. This is not a good wage. Chinese workers are paid between $25 and $35 per month, which is less than others who worked the railroad are paid.

5. What is the most track that you and the other Chinese workers laid in one day?
Possible response: One time Chinese workers laid a record of 10 miles of track in 12 hours.

pages 72–73

Practicar y ampliar

TAREA Y PRÁCTICA

La construcción del ferrocarril transcontinental

Imagina que eres un inmigrante chino que trabaja en la construcción del ferrocarril transcontinental. Estás por escribir una carta a casa. Usa las preguntas de abajo para ayudarte a organizar tus ideas.

1. ¿Para qué compañía de ferrocarril trabajas?
Trabajo para la compañía de ferrocarril Central Pacific

2. ¿Qué tipo de trabajo haces? ¿Es peligroso?
Respuesta posible: Ayudo a abrir túneles. Es peligroso. A veces, los trabajadores chinos tienen que colocar explosivos.

3. ¿Hay muchos trabajadores chinos? ¿Aproximadamente cuántos hay?
Respuesta posible: Sí, hay muchos trabajadores chinos. En un año hubo más de 12,000 trabajadores chinos.

4. ¿Cuánto dinero ganas? ¿Es un buen salario?
Respuesta posible: 25 dólares al mes. Ese no es un buen salario. A los trabajadores chinos les pagan entre 25 y 35 dólares al mes, menos de lo que les pagan a otros trabajadores del ferrocarril.

5. ¿Cuál es la mayor cantidad de vías que tú y otros trabajadores chinos han tendido en un día?
Respuesta posible: Una vez, los trabajadores chinos batieron el récord al tender 10 millas de vías en 12 horas.

páginas 72–73

Yee Fung Cheung

"Solo necesitaban una dosis de su sonrisa."*

En 1850, Yee Fung Cheung llegó a California desde China. Era un experto herbolario, es decir, una persona que usaba hierbas para curar enfermedades.

Llegó a California durante la fiebre del oro con la esperanza de hacerse rico. En lugar de eso, en 1851, abandonó la búsqueda de oro y abrió una herbolaria, o sea una tienda donde se venden hierbas medicinales.

Interior de la herbolaria de Yee Fung Cheung en Fiddletown

La tienda de Yee Fung Cheung estaba en Fiddletown, en el corazón de la zona donde había oro en la sierra Nevada. A medida que su empresa creció, abrió tiendas en Sacramento y en Virginia City, Nevada.

Su clienta más célebre fue Jane Stanford, la esposa del gobernador de California, Leland Stanford. En 1862, Jane Stanford padecía una enfermedad pulmonar que los médicos no podían curar. Yee Fung Cheung preparó un remedio con hierbas que ayudó a salvarle la vida.

* *Del artículo "Chinese Transformed Gold Mountain" por Stephen Magagnini. The Sacramento Bee, 18 de enero de 1998.*

Biografía

Integridad

Respeto
Responsabilidad
Equidad
Bondad
Patriotismo

La importancia del carácter

❖ ¿Cómo puedes reconocer la integridad del herbolario Yee Fung Cheung?

Biografía breve

1825?			1907
Nace			Muere
1850 Llega a California de China	**1851** Abre una herbolaria en Fiddletown	**1904** Se retira de la práctica y regresa a China	

 Visita MULTIMEDIA BIOGRAPHIES en www.harcourtschool.com/hss para hallar biografías multimedia.

293

CALIFORNIA STANDARDS HSS 4.4.3 Discuss immigration and migration to California between 1850 and 1900, including the diverse composition of those who came; the countries of origin and their relative locations; and conflicts and accords among the diverse groups (e.g., the 1882 Chinese Exclusion Act). SKILL Research, Evidence, and Point of View 2.

Biography

PAGE 293

OBJECTIVES

■ Examine the life and values of Yee Fung Cheung.

RESOURCES

Unit 4 Audiotext CD Collection; Internet Resources

1 Introduce

Set the Purpose Invite volunteers to share stories about the importance of trustworthiness. Explain to students that the illustration of Yee Fung Cheung is an artist's interpretation of what he may have looked like; no actual images of him exist.

2 Teach

Primary Source: Quotation

SKILL **Research/Evidence** Read the quotation aloud. Have students pose relevant questions about the quotation, such as the question below.

Q What does the quote say about Yee Fung Cheung? HSS 4.4.3, HR 2

A Possible response: He was kind and generous.

Source: From the article "Chinese Transformed Gold Mountain" by Stephen Magagnini. *The Sacramento Bee,* January 18, 1998.

3 Close

Why Character Counts

You can tell he was trusted because he served many people. HSS 4.4.3

INTERNET RESOURCES

GO ONLINE Visit MULTIMEDIA BIOGRAPHIES at **www.harcourtschool.com/hss**

CHAPTER 7 ■ **293**

Biografía

PÁGINA 293

OBJETIVOS

■ Analizar la vida y los valores de Yee Fung Cheung.

RECURSOS

Colección de audiotextos en CD de la Unidad 4; Recursos en Internet

1 Presentar

Establecer el propósito Invite a voluntarios a compartir historias sobre la importancia de la integridad. Explíqueles que la ilustración de Yee Fung Cheung es la interpretación de un artista de su posible aspecto, ya que no hay pinturas que lo representen.

2 Enseñar

Fuente primaria: Cita

DESTREZA DE ANÁLISIS **Investigación/Evidencia** Lea la cita en voz alta. Pida a los estudiantes que hagan preguntas relevantes sobre ella, como la de abajo.

P ¿Qué dice la cita acerca de Yee Fung Cheung? HSS 4.4.3, HR 2

R Respuesta posible: Era amable y generoso.

Fuente: Del artículo "Chinese Transformed Gold Mountain" por Stephen Magagnini. *The Sacramento Bee,* 18 de enero de 1998.

3 Concluir

La importancia del carácter

Puede decir a los estudiantes que confiaban en él porque ayudaba a mucha gente. HSS 4.4.3

Lección 3

OBJETIVOS

■ **Describir cómo influyeron los ferrocarriles en las ciudades y empresas de California.**

■ **Identificar la influencia perdurable del ferrocarril transcontinental en la vida de California.**

VOCABULARIO

competencia pág. 296

SACAR CONCLUSIONES

págs. 270–271, 295, 297

RECURSOS

Tarea y práctica, págs. 74–75; Transparencia de destrezas clave 4; Colección de audiotextos en CD de la Unidad 4; Recursos en Internet

1 Presentar

Reflexiona Pida a los estudiantes que anticipen qué cambios trajo el ferrocarril transcontinental a California. Recuérdeles que deben buscar la respuesta a la pregunta mientras leen la lección.

Piensa en los antecedentes Invite a los estudiantes a conversar sobre lo que saben acerca de los "Big Four." Invite a voluntarios a explicar el papel que desempeñaron los "Big Four" en la construcción del ferrocarril transcontinental.

 Pida a los estudiantes que digan lo que piensan sobre por qué puede haber sido interesante viajar a California una vez terminado el ferrocarril transcontinental.

Lesson 3

OBJECTIVES

■ **Describe how railroads in California affected cities and businesses.**

■ **Identify the lasting influence of the transcontinental railroad on life in California.**

VOCABULARY

competition p. 296

DRAW CONCLUSIONS

pp. 270–271, 295, 297

RESOURCES

Homework and Practice Book, pp. 74–75; Reading Support and Intervention, pp. 106–109; Success for English Learners, pp. 109–112; Vocabulary Transparency 4-7-3; Vocabulary Power, p. 93; Focus Skills Transparency 4; Unit 4 Audiotext CD Collection; Internet Resources

1 Introduce

What to Know Ask students to predict what changes the transcontinental railroad brought to California. Remind students to look for the answer to the question as they read the lesson.

Build Background Invite students to share what they already know about the Big Four. Ask volunteers to explain the Big Four's role in the building of the transcontinental railroad.

YOU ARE THERE Have students share their thoughts about why people might have been interested in traveling to California once the transcontinental railroad was completed.

Lección 3

Tiempos
1855 | 1885 | 1915

| 1862 | 1869 | 1876 |
| Se aprueba la Ley del Ferrocarril del Pacífico | Se termina la construcción del ferrocarril transcontinental | El ferrocarril Southern Pacific llega a Los Angeles |

Las vías cruzan California

REFLEXIONA
¿Cómo ayudaron los ferrocarriles a transformar la economía de California a fines del siglo XIX?

✓ Describe cómo influyeron los ferrocarriles en las ciudades y empresas de California.

✓ Identifica la influencia perdurable del ferrocarril transcontinental en la vida de California.

VOCABULARIO
competencia, pág. 296

LUGARES
Stockton
Los Angeles

SACAR CONCLUSIONES

Normas de California
HSS 4.4, 4.4.1, 4.4.4.

Es 1870 y vives en la ciudad de New York.
Tu tío tiene una empresa en San Francisco. Desde el año pasado, un nuevo ferrocarril comunica California con la costa este y ahora estás ansioso por tomar un tren para visitar a tu tío. El problema es que el pasaje de ida a San Francisco cuesta alrededor de 100 dólares. ¡Eso es más de lo que tu familia gana en un mes! De todas maneras, el ferrocarril es la manera más rápida para llegar a California.

➤ Este tren se detuvo en Nevada en su trayecto a Sacramento.

294 ■ Unidad 4

CALIFORNIA STANDARDS HSS 4.4 Students explain how California became an agricultural and industrial power, tracing the transformation of the California economy and its political and cultural development since the 1850s. 4.4.1 Understand the story and lasting influence of the Pony Express, Overland Mail Service, Western Union, and the building of the transcontinental railroad, including the contributions of Chinese workers to its construction.

⏱ When Minutes Count

Have students scan the lesson to find answers to the following questions:
• How did new railroad lines affect towns and businesses in California?
• Why were railroad tickets so expensive?

Quick Summary

California faced hard economic times during the early 1870s despite the completion of the railroad. The Big Four continued to build railroad lines through much of California, leading to the growth of many towns. The Big Four's railroad companies faced little competition, and so ticket fares remained high.

⏱ Cuando el tiempo apremia

Pida a los estudiantes que ojeen la lección para responder las siguientes preguntas:
• ¿Cómo influyeron las nuevas líneas de ferrocarril en las ciudades y empresas de California?
• ¿Por qué eran tan caros los pasajes en ferrocarril?

Resumen

California enfrentó tiempos económicos difíciles a comienzos de la década de 1870. Los "Big Four" continuaron construyendo líneas de ferrocarril en casi todo California, lo que llevó al crecimiento de muchos pueblos. Los ferrocarriles de los "Big Four" tenían poca competencia, por eso el precio de los pasajes se mantenía alto.

> Este detalle de una pintura de William Hahn muestra la estación de trenes de Sacramento en 1874.

Los efectos del ferrocarril

 Cuando terminó la construcción del ferrocarril transcontinental, los californianos estaban encantados. La gente de Sacramento estaba convencida de que el ferrocarril ayudaría al crecimiento de la ciudad. En San Francisco, los empresarios estaban ansiosos por enviar productos asiáticos por tren a la costa este.

Efectivamente, el ferrocarril llevó al crecimiento. Sin embargo, también causó problemas. Algunos de los nuevos productos que el ferrocarril traía costaban menos que los que se hacían y vendían en California. Muchas empresas se vieron perjudicadas y cerraron.

Además, a comienzos de la década de 1870, el estado tuvo que enfrentar tiempos difíciles para la economía. Por esto, Sacramento no creció tanto como se esperaba. En 1869, del otro lado del mundo, en Egipto, la inauguración del canal de Suez ofreció otra manera de enviar productos asiáticos a la costa este. Los empresarios de San Francisco no ganaron lo que esperaban con el envío de productos asiáticos al este. La economía de otras ciudades de California también se vio afectada.

REPASO DE LA LECTURA Ô SACAR CONCLUSIONES
¿Por qué crees que la gente pensaba que el ferrocarril ayudaría al crecimiento de Sacramento?
porque el ferrocarril transportaba personas y bienes de costa a costa

Capítulo 7 ▪ 295

---

2 Teach

Effects of the Railroad

Content Focus California faced hard economic times during the early 1870s despite the completion of the transcontinental railroad.

1 Economics Ask students to explain why people thought the railroad would improve California's economy. Then discuss the reasons that California's economy did not grow as expected.

Q Why were some California businesses hurt by cheap goods brought in by rail from the rest of the country? ▩ HSS 4.4

A Goods that were brought in often cost less than those made in California.

Q Why did businesses in San Francisco have trouble making money by sending Asian goods east? ▩ HSS 4.4

A Asian goods could be shipped to the eastern United States using the Suez Canal.

2 ANALYZE SKILL Historical Interpretation Have students research the economic reasons that caused people to build the Suez Canal. Remind students that people also looked for faster and less expensive routes to Asia during the fifteenth and sixteenth centuries. ▩ HSS 4.4, HI 3

4.4.4 Describe rapid American immigration, internal migration, settlement, and the growth of towns and cities (e.g., Los Angeles). SKILL Chronological and Spatial Thinking 3, 5. Historical Interpretation 3.

✦ VOCABULARY POWER

Roots Write the word *competition* on the board. Explain that this word is derived from the Latin roots *com*, which means "with," and *petere*, which means "to seek." Discuss the meaning of other words with the same roots. ▩ ELA READING 1.3

LATIN ROOTS
com + petere

compete   competition   competitor

For teaching lesson vocabulary, see VOCABULARY TRANSPARENCY 4-7-3.

📖 READING SUPPORT

For alternate teaching strategies, use pages 106–109 of the Reading Support and Intervention book to

▪ reinforce **vocabulary**
▪ build **text comprehension**
▪ build **fluency**

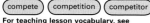

Reading Support ▶ and Intervention   Reflections

ELL ENGLISH LANGUAGE LEARNERS

For English Language Learners strategies to support this lesson, see Success for English Learners book pages 109–112.

▪ English-language development activities
▪ background and concepts
▪ vocabulary extension

Success for ▶ English Learners   Reflections

CHAPTER 7 ▪ 295

---

2 Enseñar

Los efectos del ferrocarril

Contenido clave A comienzos de la década de 1870, California tuvo que enfrentar tiempos económicos difíciles pese a que el ferrocarril transcontinental ya estaba terminado.

1 Economía Pida a los estudiantes que expliquen por qué se pensaba que el ferrocarril mejoraría la economía de California. Luego, conversen sobre las razones por las que la economía no creció como se esperaba.

P ¿Por qué se vieron perjudicadas algunas empresas de California por los productos que traía el ferrocarril de otros lugares del país? ▩ HSS 4.4

R Los productos que traía el ferrocarril costaban menos que los productos que se hacían en California.

P ¿Por qué no pudieron las empresas de San Francisco ganar el dinero que esperaban con el envío de productos asiáticos al este? ▩ HSS 4.4

R Los productos asiáticos podían enviarse al este de Estados Unidos a través del canal de Suez.

2 DESTREZA DE ANÁLISIS Interpretación histórica Pida a los estudiantes que investiguen las razones económicas que llevaron a la construcción del canal de Suez. Recuérdeles que durante los siglos XV y XVI también se buscaron rutas a Asia más rápidas y menos costosas. ▩ HSS 4.4, HI 3

Más ferrocarriles

Contenido clave La influencia de los "Big Four" en California crecía a medida que construían más líneas de ferrocarril y adquirían más tierras. Al tener poca competencia, sus compañías de ferrocarril cobraban precios altos.

❸ Relacionar historia y economía Destaque el hecho de que el gobierno de Estados Unidos otorgaba a las compañías grandes extensiones de tierra a cambio de la construcción de ferrocarriles. Las compañías compraban o comenzaban la construcción de nuevos ferrocarriles para obtener más tierras.

P ¿Por qué podían los "Big Four" cobrar precios tan altos? HSS 4.4.1

R porque tenían poca competencia.

❹ Aprendizaje visual: Mapa

DESTREZA DE ANÁLISIS Pensamiento espacial Pida a los estudiantes que observen el mapa de la página 296. Pídales que identifiquen los ferrocarriles más importantes y piensen en qué cambios pueden haber traído a los pueblos de California.

P ¿Cómo pueden haber cambiado los pueblos a causa de los ferrocarriles? HSS 4.4.1, CS 5

R Los ferrocarriles traían más gente y más productos a muchos pueblos.

RESPUESTA: la línea Central Pacific

More Railroads

Content Focus The influence of the Big Four in California grew as they built more rail lines and acquired more land. Faced with little competition, their railroad companies charged high prices.

❸ Link Economics and History Emphasize that the United States government gave companies large amounts of land in exchange for building railroads. The companies bought or started new railroads to gain more land.

Q Why were the Big Four able to charge such high prices for railroad tickets? HSS 4.4.1

A because they faced little competition

❹ Visual Literacy: Map

ANALYSIS SKILL Spatial Thinking Ask students to examine the map on page 296. Have students identify the major railroads shown and consider how they may have changed towns in California.

Q How might towns have been changed by railroads? HSS 4.4.1, CS 5

A Railroads brought more people and goods to many towns.

CAPTION ANSWER: the Central Pacific Railroad

Más ferrocarriles

Antes de terminar el ferrocarril transcontinental, los "Big Four" ya habían comenzado a construir otros ferrocarriles en California. Uno de ellos era el ferrocarril Southern Pacific. Parte de este ferrocarril atravesaba el valle Central desde **Stockton** hasta **Los Angeles**. Los pueblos que se encontraban junto a la ruta del ferrocarril, como Bakersfield, Modesto, Fresno y Merced, crecieron rápidamente.

A cambio del tendido de vías, la compañía Southern Pacific había ganado más de 11 millones de acres de tierra. Esto fue consecuencia de la Ley del Ferrocarril del Pacífico de 1862. Esta ley otorgaba a las compañías de ferrocarril las grandes superficies de tierra aledañas a las vías que tendían.

Los "Big Four" ganaban cada vez más tierras con cada nueva vía de ferrocarril que tendían en California. A medida que se enriquecían, compraban o comenzaban la construcción de otros ferrocarriles,

incluyendo los ferrocarriles Western Pacific y California Southern. Los ferrocarriles de los "Big Four" se extendían en tantas direcciones que se les llamaba "el pulpo".

Durante casi 20 años, sus ferrocarriles tenían poca competencia en California. En los negocios, se llama **competencia** a la rivalidad entre dos o más empresas que tratan de conseguir la mayor cantidad de clientes o vender la mayor cantidad de productos. Como los ferrocarriles de los "Big Four" tenían poca competencia, podían cobrar tarifas

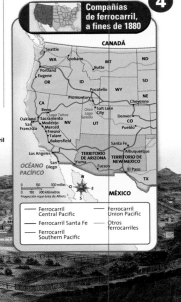

Compañías de ferrocarril, a fines de 1880

- Ferrocarril Central Pacific
- Ferrocarril Santa Fe
- Ferrocarril Southern Pacific
- Ferrocarril Union Pacific
- Otros ferrocarriles

DESTREZA DE ANÁLISIS Analizar mapas
❖ Movimiento Según el mapa, ¿qué línea de ferrocarril unía San Francisco (abajo) con Sacramento?

296 ▪ Unidad 4

Practice and Extend

REACH ALL LEARNERS

Leveled Practice Have students explain how the new transcontinental railroad affected California businesses and citizens.

(Basic) Have students orally express the effects of the transcontinental railroad on California businesses and citizens.

(Proficient) Have students write a few sentences explaining the effects of the transcontinental railroad on California businesses and citizens.

(Advanced) Have students write a paragraph explaining the effects of the transcontinental railroad on California businesses and citizens.

altas por los boletos de tren. Un boleto de ida y vuelta del Este a California llegó a costar más de 200 dólares. Esto equivale aproximadamente a 3,578 dólares en la actualidad.

REPASO DE LA LECTURA ☼ SACAR CONCLUSIONES
¿Por qué los ferrocarriles de los "Big Four" recibieron el apodo de "el pulpo"? Porque se extendían en muchas direcciones.

Resumen

Los ferrocarriles que atravesaban Estados Unidos permitían a las empresas de California enviar productos a la costa este. Sin embargo, los ferrocarriles también trajeron productos más baratos al estado. Esto perjudicó a algunas empresas de California. Los propietarios de los ferrocarriles tenían poca competencia y cobraban precios altos.

▶ Una caricatura de 1882 muestra las compañías de ferrocarril como un pulpo monstruoso.

REPASO

1. 💡 ¿Cómo ayudaron los ferrocarriles a transformar la economía de California a fines del siglo XIX?

2. Usa el término **competencia** para describir los ferrocarriles de California a fines del siglo XIX.

3. ¿Por qué los nuevos productos que se traían en tren a California perjudicaron a algunas empresas del estado?

RAZONAMIENTO CRÍTICO

4. ¿Qué habría sucedido con el precio de los billetes de tren si hubiera habido más competencia entre las compañías de ferrocarril de California a fines del siglo XIX?

5. 🔎 **Aplícalo** ¿Crees que es importante actualmente que una ciudad esté cerca de una línea de ferrocarril? ¿Por qué?

6. ✏️ **Dibuja una caricatura** Observa la caricatura política que aparece en esta página. Fíjate cómo el artista usó ilustraciones para representar ideas. Elige otra idea importante de la lección y dibuja tu propia caricatura política.

7. ⭐ SACAR CONCLUSIONES
En una hoja de papel, copia y completa el organizador gráfico de abajo.

Evidencia | Conocimiento

Conclusión
Los "Big Four" tendían vías de ferrocarril para obtener más tierras.

Capítulo 7 ▪ **297**

---

⑤ Visual Literacy: Illustration

Ask students to examine the cartoon on page 297 and discuss the message it conveys.

Q Why are the railroads shown as a monster octopus? 🔲 HSS 4.4.1

A The artist wanted to show the railroads as a monster controlling many things

3 Close

Summary

Have students review the summary and restate the lesson's key content.

• California faced hard economic times during the 1870s despite the completion of the transcontinental railroad.

• The power of the Big Four grew as they built rail lines and gained land.

Assess
REVIEW—Answers

1. 💡 At first, the railroad caused some California businesses to close. Later, it helped towns grow rapidly. 🔲 HSS 4.4.1, 4.4.4

2. **Vocabulary** The railroads of the Big Four had almost no **competition**. 🔲 HSS 4.4.1

3. **Economics** These products sometimes cost less. 🔲 HSS 4.4.1

Critical Thinking

4. They would probably have become less expensive. 🔲 HSS 4.4.1

5. **Make It Relevant** Students will probably say *no* because there are other ways to ship goods and to travel today.
🔲 HSS 4.4.1, CS 3, 5

6. ✏️ Draw a Cartoon—
Assessment Guidelines
See Writing Rubric. This activity can be used with the unit project.
🔲 HSS 4.4, ELA WRITING 2.0

7. ⭐ Draw Conclusions
EVIDENCE: The Big Four laid lots of new track; KNOWLEDGE: Land is very valuable. 🔲 HSS 4.4.1, ELA READING 2.0

CHAPTER 7 ▪ 297

continued

7. ⭐ **Sacar conclusiones** EVIDENCIA: Los "Big Four" tendieron muchas vías nuevas; CONOCIMIENTO: La tierra es muy valiosa. 🔲 HSS 4.4.1, ELA READING 2.0

---

⑤ Aprendizaje visual: Ilustración

Pida a los estudiantes que observen con atención la caricatura de la página 297 y conversen sobre el mensaje que transmite.

P ¿Por qué aparecen los ferrocarriles como un pulpo monstruoso? 🔲 HSS 4.4.1

R El artista quiso presentarlos como un monstruo que controla muchas cosas.

3 Concluir

Resumen

Pida a los estudiantes que repasen el resumen y que expresen con sus palabras el contenido clave de la lección.

• Durante la década de 1870, y a pesar de que ya existía el ferrocarril transcontinental, California enfrentó tiempos económicos difíciles.

• El poder de los "Big Four" crecía a medida que construían más líneas de ferrocarril y obtenían más tierras.

Evaluar
REPASO—Respuestas

1. 💡 En un principio, el ferrocarril causó el cierre de algunas empresas de California. Después, ayudó a los pueblos a crecer rápidamente. 🔲 HSS 4.4.1, 4.4.4

2. **Vocabulario** Los ferrocarriles de los "Big Four" prácticamente no tenían **competencia**. 🔲 HSS 4.4.1

3. **Economía** A veces, estos productos costaban menos. 🔲 HSS 4.4.1

Razonamiento crítico

4. Probablemente, habrían sido menos costosos. 🔲 HSS 4.4.1

5. **Aplícalo** Los estudiantes probablemente digan que no, porque hoy en día existen otras formas de enviar productos y de viajar. 🔲 HSS 4.4.1, CS 3, 5

6. ✏️ **Dibuja una caricatura—Pautas para la evaluación** Vea Writing Rubric. Esta actividad puede usarse con el proyecto de la unidad.
🔲 HSS 4.4, ELA WRITING 2.0

◀ *continued to the left*

Destrezas con mapas y globos terráqueos

OBJETIVOS

- **Describir cómo se lee un mapa de husos horarios.**

- **Usar un mapa de husos horarios para determinar la hora en diversas localidades.**

VOCABULARIO

huso horario pág. 298

RECURSOS

Tarea y práctica, págs. 76–77; Transparencia de destrezas de Estudios Sociales 4-1; GeoSkills en CD-ROM; Colección de audiotextos en CD de la Unidad 4

1 Presentar

Por qué es importante

Un mapa de husos horarios nos ayuda a determinar la hora en diferentes lugares del país y del mundo.

2 Enseñar

Lo que necesitas saber

Ayude a los estudiantes a comprender el término *huso horario* y la relación que existe entre los husos horarios y el desarrollo de los ferrocarriles. Luego, pídales que lean el párrafo de "Lo que necesitas saber". Trabaje con ellos para preparar una lista de los pasos que hay que seguir para determinar la hora correcta en un lugar fuera de su ciudad.

1 DESTREZA DE ANÁLISIS Pensamiento cronológico y espacial Pida a los estudiantes que consulten el mapa de husos horarios de la página 299. El mapa puede ayudarlos a usar el término *huso horario* en una oración que compare la hora de Omaha con la de Los Angeles. CS 4

Map and Globe Skills

OBJECTIVES

- **Describe how to read a time zone map.**

- **Use a time zone map to determine the time in various locations.**

VOCABULARY

time zone p. 298

RESOURCES

Homework and Practice Book, pp. 76–77; Social Studies Skills Transparency 4-1; GeoSkills CD-Rom; Unit 4 Audiotext CD Collection

1 Introduce

Why It Matters

A time zone map helps us determine the time in different places throughout the country and around the world.

2 Teach

What You Need to Know

Help students understand the vocabulary term *time zone* and the connection between time zones and the growth of railroads. Then ask students to read carefully the paragraph under What You Need to Know. Work together to create a list of steps for determining the correct time in a place outside your city.

1 ANALYSIS SKILL Chronological and Spatial Thinking Have students use the time zone map on page 299 to help them use the term *time zone* in a sentence comparing the time in Omaha to that in Los Angeles. CS 4

298 ■ **UNIT 4**

Destrezas con mapas y globos terráqueos

Leer un mapa de husos horarios

▶ POR QUÉ ES IMPORTANTE

El ferrocarril transcontinental y otros ferrocarriles similares en otras partes del mundo hicieron que cambiara el concepto del tiempo que las personas tenían. Los pueblos por los que pasaban tenían diferentes horas locales. Por lo tanto, los operadores de ferrocarril tenían dificultades para fijar horarios claros.

Personas de todo el mundo se dieron cuenta de la necesidad de establecer un sistema estándar de horarios. Se decidió dividir la Tierra en 24 husos horarios, uno por cada hora del día. Un **huso horario** es una región en la cual se usa la misma hora. Para calcular la hora en cualquier lugar del mundo, puedes usar un mapa de husos horarios como el que aparece en la página 299.

▶ LO QUE NECESITAS SABER

Estados Unidos tiene seis husos horarios. Para leer un mapa de husos horarios, primero halla el reloj que corresponde a cada huso horario. Todos los lugares de un huso horario tienen la misma hora. En el mapa de la página 299, el reloj que corresponde al huso horario del Pacífico indica las 7 a.m. El reloj del huso horario de montaña, al este del huso horario del Pacífico, marca las 8 a.m., una hora más. Al oeste, el reloj del huso horario de Alaska, indica las 6 a.m., una hora menos. Entonces, para hallar la hora al este del huso horario del Pacífico, debes sumar el número correcto de horas a la hora del Pacífico. Para hallar la hora al oeste, debes restar el número correcto de horas.

▶ ¿Sabías que cuando vas a la escuela por la mañana en otras partes del mundo es de noche?

298 ■ Unidad 4

Practice and Extend

SOCIAL STUDIES SKILLS

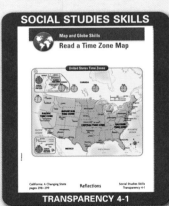

TRANSPARENCY 4-1

HOMEWORK AND PRACTICE

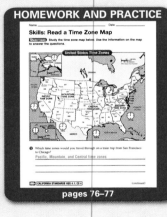

pages 76–77

Practicar y ampliar

DESTREZAS DE ESTUDIOS SOCIALES

TRANSPARENCIA 4-1

TAREA Y PRÁCTICA

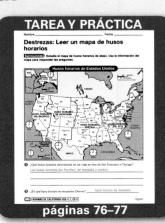

páginas 76–77

Husos horarios de Estados Unidos

Destrezas con mapas y globos terráqueos

▶ PRACTICA LA DESTREZA

Usa la información que aparece en el mapa de husos horarios para responder estas preguntas.

❶ ¿Es más temprano, es más tarde o es la misma hora en Sacramento que en Salt Lake City?

❷ Si son las 4:00 p.m. en Omaha, ¿qué hora es en El Paso? ¿Y en Detroit?

❸ ¿Cuántas horas está adelantado el huso horario del Este en relación con el huso horario del Pacífico?

▶ APLICA LO QUE APRENDISTE

Aplícalo ¿Qué hora es en el huso horario en el que vives? De acuerdo con eso, calcula la hora en cada una de estas ciudades.

Denver, Colorado
New York City, New York
Honolulu, Hawaii
Portland, Oregon
Kansas City, Kansas
Anchorage, Alaska

 Practica tus destrezas con mapas y globos terráqueos con el **CD-ROM GeoSkills**.

Capítulo 7 ■ 299

CALIFORNIA STANDARDS HSS 4.4.1 Understand the story and lasting influence of the Pony Express, Overland Mail Service, Western Union, and the building of the transcontinental railroad, including the contributions of Chinese workers to its construction. Chronological and Spatial Thinking 4.

REACH ALL LEARNERS

Leveled Practice Have students determine the arrival time for a plane that leaves Los Angeles at 11:00 A.M. on a nonstop, five-hour flight to New York.

Basic Guide students to determine what time it would be in Los Angeles when the plane lands after a five-hour flight. Then have them use the map to determine what the time would be in New York.

Proficient Ask students to solve the problem independently.

Advanced Ask students to solve the problem independently. Then ask them to create another, similar problem involving different cities, exchange problems with a partner, and solve.

---

❷ Visual Literacy: Map

Chronological and Spatial Thinking Ask students questions to help them interpret the time zone map.

Q **Is it earlier or later in the day in California compared to Hawaii?** HSS 4.4.1, CS 4

A It is later in California than in Hawaii.

Q **What time is it now in Chicago?** HSS 4.4.1, CS 4

A Answers will vary, depending on the current time. Chicago is in the Central time zone, which is two hours ahead of the time in California.

Practice the Skill— Answers

Chronological and Spatial Thinking HSS 4.4.1, CS 4

1. earlier
2. 3:00 P.M.; 5:00 P.M.
3. 3 hours

3 Close

Apply What You Learned

Chronological and Spatial Thinking

Answers will vary depending what time it is in your classroom. Denver time is one hour ahead of California time, New York City is three hours ahead, Honolulu is two hours behind, Portland is the same time, Kansas City is two hours ahead, and Anchorage is one hour behind. CS 4

┌─────────── CD-ROM ───────────┐
│ Explore GEOSKILLS CD-ROM to learn │
│ more about using time zone maps. │
└───────────────────────────────┘

---

❷ Aprendizaje visual: Mapa

Pensamiento cronológico y espacial Formule preguntas a los estudiantes para ayudarlos a interpretar el mapa de husos horarios.

P **¿Es más tarde o más temprano en California que en Hawaii?** HSS 4.4.1, CS 4

R Es más tarde en California que en Hawaii.

P **¿Qué hora es en este momento en Chicago?** HSS 4.4.1, CS 4

R Las respuestas variarán, según la hora. Chicago está en el huso horario central, que está adelantado dos horas con relación a la hora de California.

Practica la destreza— Respuestas

Pensamiento cronológico y espacial
HSS 4.4.1, CS 4

1. es más temprano
2. 3:00 p.m.; 5:00 p.m.
3. 3 horas

3 Concluir

Aplica lo que aprendiste

Pensamiento cronológico y espacial

Las respuestas variarán según la hora que sea en la clase. Denver está una hora adelantada con relación a California; la ciudad de New York está tres horas adelantada; Honolulu está dos horas atrasada, en Portland es la misma hora que en California; Kansas City está dos horas adelantada y Anchorage, una hora atrasada. CS 4

┌─────────── CD-ROM ───────────┐
│ Explore GEOSKILLS en CD–ROM   │
│ para aprender más sobre el uso │
│ de mapas de husos horarios.   │
└───────────────────────────────┘

Lección 4

OBJETIVOS

- **Identificar los motivos de los desacuerdos entre los agricultores y las compañías de ferrocarril.**
- **Comparar la agricultura en California antes y después del desarrollo de los sistemas de irrigación.**

VOCABULARIO

granja comercial pág. 301

exportar pág. 301

agricultor arrendatario pág. 302

canal pág. 305

dique pág. 305

Destreza clave

SACAR CONCLUSIONES

págs. 270–271, 301, 302, 306

RECURSOS

Tarea y práctica, págs. 78–79; Transparencia de destrezas clave 4; Colección de audiotextos en CD de la Unidad 4; Recursos en Internet

1 Presentar

Reflexiona Explique que, a fines del siglo XIX, California se convirtió en una importante potencia agrícola. Invite a los estudiantes a pensar en qué avances pueden haber hecho esto posible.

Piensa en los antecedentes Pida a los estudiantes que comenten sobre lo que saben de las regiones naturales de California. Pídales que describan las ventajas y desventajas de la agricultura en California.

IMAGÍNATE ALLÍ Explique que los visitantes a la exposición probablemente se hayan sorprendido al ver que un productor de California ganaba la medalla de oro. Pregúnteles por qué.

Lesson 4

OBJECTIVES

- **Identify the reasons for disagreements between farmers and the railroads.**
- **Compare farming in California before and after the development of irrigation systems.**

VOCABULARY

commercial farm p. 301   **canal** p. 305

export p. 301   **levee** p. 305

tenant farmer p. 302

Focus Skill **DRAW CONCLUSIONS**

pp. 270–271, 301, 302, 306

RESOURCES

Homework and Practice Book, pp. 78–79; Reading Support and Intervention, pp. 110–113; Success for English Learners, pp. 113–116; Vocabulary Transparency 4-7-4; Vocabulary Power, p. 93; Focus Skills Transparency 4; Unit 4 Audiotext CD Collection; Internet Resources

1 Introduce

What to Know Explain that California became an important agricultural power in the late 1800s. Invite students to think about what developments might have made this possible.

Build Background Have students share what they know about the natural regions in California. Have them describe the advantages and disadvantages of farming there.

YOU ARE THERE Point out that people at the exhibition must have been surprised when a California farmer won the gold medal. Ask them why.

Cuando el tiempo apremia

Lea en voz alta la pregunta de "Reflexiona" que está al comienzo de la lección. Luego, pida a los estudiantes que observen con atención las fotografías y las leyendas que las acompañan e identifiquen cómo se relaciona cada una con la pregunta.

Lección 4

Tiempos

1855 · 1885 · 1915

- **1870** California produce 20 millones de bushels de trigo
- **1873** Se plantan en California los primeros árboles de naranja de ombligo
- **1880** Se producen enfrentamientos en Mussel Slough

REFLEXIONA
¿Cómo pudo California llegar a convertirse en una potencia agrícola?

- ✓ Identifica los motivos de los desacuerdos entre los agricultores y las compañías de ferrocarril.
- ✓ Compara la agricultura en California antes y después del desarrollo de los sistemas de irrigación.

VOCABULARIO
granja comercial, pág. 301
exportar, pág. 301
agricultor arrendatario, pág. 302
canal, pág. 305
dique, pág. 305

PERSONAS
Eliza y Luther Calvin Tibbets
Luther Burbank
George Shima

LUGARES
Mussel Slough
Riverside

SACAR CONCLUSIONES

Normas de California
HSS 4.4, 4.4.2, 4.4.3, 4.4.6, 4.4.7

Una potencia agrícola

IMAGÍNATE ALLÍ Estás en la Exposición Internacional de París de 1878. Te abres paso lentamente entre la multitud. Ves productos de todo el mundo. Pronto los jueces anunciarán al productor de trigo ganador de la medalla de oro. ¿De qué país será el ganador? ¿De Francia? ¿De Rusia? Finalmente, se otorga la medalla de oro ¡a un agricultor de California! John Bidwell, un agricultor del valle Central, ha cultivado el mejor trigo del mundo.

▶ John Bidwell

300 ■ Unidad 4

CALIFORNIA STANDARDS HSS 4.4 Students explain how California became an agricultural and industrial power, tracing the transformation of the California economy and its political and cultural development since the 1850s. 4.4.2 Explain how the Gold Rush transformed the economy of California, including the types of products produced and consumed, changes in towns (e.g., Sacramento, San Francisco), and economic conflicts between diverse groups of people.

When Minutes Count

Read aloud the What to Know question at the beginning of the lesson. Then ask students to examine the photographs and captions in the lesson and identify how each one relates to the question.

Quick Summary

California became an important agricultural power during the late 1800s. Farmers used new farming methods, new crops, and faster means of transportation to compete in the national and international markets.

Resumen

A fines del siglo XIX, California se convirtió en una importante potencia agrícola. Los agricultores usaban métodos nuevos para cultivar la tierra, nuevos cultivos y medios de transporte más rápidos para competir en los mercados nacionales e internacionales.

Trigo para el mundo

Hacia 1878, John Bidwell había estado cultivando en el valle Central por casi 40 años. Había llegado a California con la primera caravana de carromatos que cruzó la sierra Nevada, en 1841.

Bidwell consideraba que el valle Central era una zona ideal para el cultivo, pero otros no compartían su idea. Luego, afirmaría: "Para algunos, el valle Central es la huerta del mundo; para otros, el lugar más desolado [desierto] de la creación [de la Tierra]".*

Bidwell era uno de los pocos agricultores del valle Central a principios de la fiebre del oro cuando, de repente, hubo una lejanía de productos agrícolas mayor de la que los agricultores de California podían satisfacer. Se comenzaron a pagar precios altos por los alimentos y algunos de los agricultores se hicieron ricos.

John Bidwell, De Addresses, Reminiscences, etc., of General John Bidwell, compilado por C. C. Royce, 1907.

Analizar gráficas Hacia 1890, California cultivaba más trigo que cualquier otro estado excepto Minnesota.

❖ **¿Durante qué década aumentó más la producción de trigo en California?**

Para satisfacer la demanda de alimento, en la década de 1850 se establecieron nuevas granjas en el valle Central. Además, los agricultores comenzaron a cultivar en otros valles. En lugar de cultivar para ellos mismos, muchos cultivaban con el único objetivo de vender sus cosechas. Sus granjas fueron las primeras **granjas comerciales** de California.

Los valles fértiles de California y la larga temporada de cultivo eran perfectos para el trigo. Hacia 1873, California se había convertido en el principal productor de trigo del país. Gracias al ferrocarril, California podía suministrar trigo a las ciudades del este. También exportaba trigo a Francia, Italia y a otros lugares lejanos. **Exportar** bienes significa enviar bienes a otros países para venderlos.

REPASO DE LA LECTURA ⊙ **SACAR CONCLUSIONES**
¿Cómo influyó la fiebre del oro en la agricultura de California? Aumentó la cantidad de agricultores en el valle Central; los agricultores empezaron a cosechar solo para vender.

Producción de trigo en California 1850–1890

Cantidad de bushels

40,000,000
35,000,000
30,000,000
25,000,000
20,000,000
15,000,000
10,000,000
5,000,000
0

1850 1860 1870 1880 1890
Año

FUENTES: U.S. Department of Agriculture, California Agricultural Statistics Service

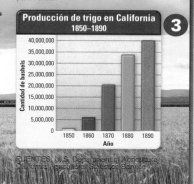

4.4.3 Discuss immigration and migration to California between 1850 and 1900, including the diverse composition of those who came; the countries of origin and their relative locations; and conflicts and accords among the diverse groups (e.g., the 1882 Chinese Exclusion Act).

---

2 Teach

Wheat for the World

Content Focus Increased demand for food gave rise to California's first commercial farms.

① Primary Source: Quotation

Read aloud John Bidwell's quotation on page 301. Discuss with students why some people saw the Central Valley as a garden and others as a desolate place. It had fertile soil, but there were few towns and few people.

Source: John Bidwell "Addresses, Reminiscences, etc., of General John Bidwell," compiled by C. C. Royce. 1907.

HSS 4.1.3, 4.4

② Economics Explain how the gold rush led to the development of California's first commercial farms by creating a huge demand for food.

HSS 4.4.2

③ Visual Literacy: Graph Ask students to analyze the graph.

Q How did the gold rush affect wheat production in California? HSS 4.4.2

A It rose from under 5 million bushels in 1850 to 40 million bushels in 1890.

CAPTION ANSWER: 1860–1870

---

2 Enseñar

Trigo para el mundo

Contenido clave La mayor demanda de alimentos dio origen a las primeras granjas comerciales de California.

① Fuente primaria: Cita

Lea en voz alta la cita de John Bidwell de la página 301. Analice con los estudiantes por qué algunos consideraban que el valle Central era una huerta y otros pensaban que era un lugar desolado. Tenía suelo fértil pero había pocos pueblos y habitantes.

Fuente: John Bidwell. De *"Addresses, Reminiscences, etc., of General John Bidwell",* compilado por C. C. Royce. 1907.
HSS 4.1.3, 4.4

② Economía Explique cómo la fiebre del oro generó una gran demanda de alimentos que, a su vez, impulsó el desarrollo de las primeras granjas comerciales de California. HSS 4.4.2

③ Aprendizaje visual: Gráfica Pida a los estudiantes que analicen la gráfica.

P ¿Cómo afectó la fiebre del oro la producción de trigo en California?
HSS 4.4.2

R Aumentó de menos de 5 millones de bushels en 1850 a 40 millones de bushels en 1890.

RESPUESTA: 1860–1870

Conflictos con los ferrocarriles

Contenido clave Surgieron conflictos entre las compañías de ferrocarril y los agricultores por la posesión de las tierras y el costo del transporte.

④ DESTREZA DE ANÁLISIS Interpretación histórica Recuerde a los estudiantes que el gobierno otorgaba a las compañías de ferrocarril grandes extensiones de tierra a cambio del tendido de vías.

P ¿Por qué se enojaron los agricultores de Mussel Slough? HSS 4.4.2, HI 3

R Los agricultores mejoraron las tierras pensando que el ferrocarril iba a vendérselas a determinado precio. Luego, la compañía de ferrocarril elevó tanto el precio que los agricultores no pudieron comprarlas.

⑤ Relacionar historia y economía Ayude a los estudiantes a comprender cómo los altos costos de transporte podían dañar la economía de un agricultor.

P ¿Cómo afectaron los costos de transporte a algunos agricultores? HSS 4.4

R Algunos no podían costear los precios altos que cobraban los ferrocarriles por el transporte y tuvieron que vender sus granjas o convertirse en agricultores arrendatarios.

P ¿Por qué creen que puede haber sido difícil ser agricultor arrendatario? HSS 4.4

R Respuesta posible: Cuando los agricultores arrendatarios mejoraban la propiedad que cultivaban y su valor aumentaba, ellos no se beneficiaban.

Conflicts with the Railroads

Content Focus Conflict arose between railroad companies and farmers over land ownership and the cost of transporting crops.

④ ANALYSIS SKILL Historical Interpretation Remind students that the government gave railroad companies large amounts of land in return for building railroads.

Q What caused the farmers at Mussel Slough to become angry? HSS 4.4.2, HI 3

A Farmers improved the land, thinking the railroad had agreed to sell them the land at a certain price. Then the railroad company raised the price so high that the farmers could not afford to buy it.

⑤ Link Economics and History Help students understand how high shipping costs could damage a farmer's business.

Q How did shipping costs affect some farmers? HSS 4.4

A Some could not afford the high prices railroads charged to ship goods and had to sell their farms or became tenant farmers.

Q Why do you think it might have been difficult to be a tenant farmer? HSS 4.4

A Possible response: Tenant farmers didn't benefit from increased property value when they improved the land they farmed.

Conflictos con los ferrocarriles

④ En esa época, las compañías de ferrocarril poseían alrededor de un octavo de las tierras de California. Muchos agricultores no querían que los ferrocarriles controlaran tantas tierras. También consideraban que los ferrocarriles cobraban demasiado por transportar los cultivos.

Los desacuerdos entre los agricultores y las compañías de ferrocarril condujeron a conflictos. Uno de ellos tuvo lugar en **Mussel Slough**, una parte del valle de San Joaquín. La compañía de ferrocarril Southern Pacific ofreció tierras a los colonos por solo 2.50 dólares el acre. La compañía invitó a los colonos a que comenzaran a trabajar la tierra antes de concretar la venta.

Sintiéndose dueños de la tierra, los agricultores construyeron sistemas de irrigación, araron la tierra y la cultivaron.

> Los desacuerdos entre los agricultores y las compañías de ferrocarril terminaron en un derramamiento de sangre en Mussel Slough.

302 ■ Unidad 4

Y entonces, la compañía de ferrocarril decidió aumentar el precio de la tierra. Fijó los precios entre 17 y 40 dólares el acre.

La mayoría de los agricultores se rehusó a pagar precios más altos. Algunos se negaron incluso a dejar las tierras. El 11 de mayo de 1880, cuando personal del ferrocarril intentó desalojarlos, se produjeron enfrentamientos. Siete personas murieron y el ferrocarril se quedó con las tierras.

Los agricultores de otras partes del estado también enfrentaron momentos difíciles. No podían pagar los altos precios que los ferrocarriles cobraban por el transporte de bienes. Muchos tuvieron que vender sus tierras. Algunos permanecieron en ellas, pero ahora tenían que pagar renta con el dinero que obtenían de la venta de los cultivos. A estas personas se les llamaba **agricultores arrendatarios**.

⑤

REPASO DE LA LECTURA ○ SACAR CONCLUSIONES ¿Por qué crees que la compañía de ferrocarril cambió el precio de la tierra?
Al elevar el precio de las tierras, los colonos no pudieron comprarlas; de esta manera, las compañías de ferrocarril mejoraron sus tierras sin gastar un centavo, gracias al trabajo que habían hecho los colonos.

🌐 **4.4.6** Describe the development and locations of new industries since the nineteenth century, such as the aerospace industry, electronics industry, large-scale commercial agriculture and irrigation projects, the oil and automobile industries, communications and defense industries, and important trade links with the Pacific Basin. **4.4.7** Trace the evolution of California's water system into a network of dams, aqueducts, and reservoirs. SKILL Chronological and Spatial Thinking 3, 5. Historical Interpretation 1, 3.

BACKGROUND

Freight Rates Railroad companies charged different freight rates for the same service, favoring some farmers over others. This system gave railroad companies immense power and angered farmers. A commission was created to regulate freight rates, but the commission proved ineffective, and farmers continued to operate at the mercy of the railroads.

ELL ENGLISH LANGUAGE LEARNERS

Have students describe the events at Mussel Slough.

Beginning Have students point to the illustration of Mussel Slough and name the two groups involved in the conflict.

Intermediate Have students describe the conflict, using their own words.

Advanced Have students write a few sentences to describe the conflict.

Practicar y ampliar

ANTECEDENTES

Las tarifas de los fletes Las compañías de ferrocarril cobraban diferentes tarifas de fletes por el mismo servicio, favoreciendo a algunos agricultores más que a otros. Este sistema daba a las compañías de ferrocarril un inmenso poder, y esto molestaba a los agricultores. Se creó una comisión para regular las tarifas de los fletes, pero la comisión resultó ineficaz y los agricultores siguieron a merced de los ferrocarriles.

> Las naranjas eran recogidas y empacadas en cajones para su transporte. Estos cajones tenían a menudo etiquetas coloridas (recuadro).

El cítrico es el rey

Desde la época de las misiones, se habían cultivado naranjas cerca de la costa, pero eran ácidas y tenían muchas semillas. En 1870, un grupo de productores se mudó al área que pronto se llamó **Riverside**. Descubrieron que en el terreno montañoso y el clima cálido de la zona podían producir mejor fruta que en las áreas costeras.

En 1873, dos integrantes del grupo, **Eliza y Luther Calvin Tibbets**, recibieron un par de naranjos del Brasil. Los plantaron y descubrieron que la fruta era muy jugosa y no tenía semillas. Las naranjas, a las que se les dio el nombre de naranjas

Eliza Tibbets

Washington de ombligo, maduraban en invierno. El grupo de Riverside también comenzó a cultivar una variedad dulce que provenía de España, llamada Valencia.

Las naranjas Valencia maduraban en verano. Así, los productores de Riverside producían naranjas todo el año.

Los naranjales pronto se extendieron por todo el sur de California. También se plantaron allí limones, toronjas y otros cítricos. Hacia la década de 1890, California se había convertido en el principal productor de cítricos del país.

REPASO DE LA LECTURA RESUMIR
¿Cómo se desarrolló la industria de los cítricos en California?
Un grupo de productores comenzó a cultivar naranjas de ombligo Washington y naranjas Valencia. Pronto los agricultores comenzaron a cultivar otros cítricos y los naranjales se extendieron por todo el sur de California. **Capítulo 7 = 303**

Citrus Is King

Content Focus Farmers introduced new varieties of orange trees to California in the early 1870s. By the 1890s, California had become one of the nation's main producers of citrus fruits.

6 Link Economics and Geography
Discuss how California came to be a large producer of citrus fruits.

Q Why did Riverside prove to be a good place to farm oranges? ▦ HSS 4.4

A The hilly land, rich soil, and the warm climate produced good fruit.

Q How did Riverside farmers succeed in producing oranges year-round? ▦ HSS 4.4

A They planted one type of orange that ripened in the winter (Riverside, or Washington, navels) and one type that ripened in the summer (Valencia oranges).

7 History Explain that California farmers started growing many other crops as well during this time, including grapes, olives, cherries, almonds, and apricots. Many of these plants were first brought to California by immigrants who had grown them in their home countries. ▦ HSS 4.4.3

El cítrico es el rey

Contenido clave A comienzos de la década de 1870, los agricultores introdujeron nuevas variedades de naranjas en California. Hacia la década de 1890, California se había convertido en uno de los principales productores de cítricos del país.

6 Relacionar economía y geografía
Converse con los estudiantes acerca de cómo California llegó a ser un importante productor de cítricos.

P ¿Por qué resultó Riverside un buen lugar para cultivar naranjas? ▦ HSS 4.4

R El terreno montañoso, el suelo fértil y el clima cálido producían buena fruta.

P ¿Cómo lograron los agricultores de Riverside producir naranjas todo el año? ▦ HSS 4.4

R Plantaron un tipo de naranja que maduraba en invierno (la variedad Riverside, o Washington, de ombligo) y otro tipo que maduraba en verano (la naranja Valencia).

7 Historia Explique que, en esa misma época, los agricultores de California comenzaron a sembrar otros cultivos como uvas, olivos, cerezas, almendras y albaricoques. Muchas de estas plantas fueron traídas a California por los inmigrantes que las habían cultivado en su país de origen. ▦ HSS 4.4.3

BACKGROUND

Orange Cooperatives Despite success in growing popular varieties of oranges, farmers struggled to sell the oranges in faraway markets. In particular, farmers found it hard to determine the going price of an orange in a market 2,000 to 3,000 miles away, a process made more challenging by the interference of speculators. In response, orange farmers formed cooperatives to protect their interests.

Orange Varieties There are three main types of oranges—navel, common, and blood. Navels are the largest and are seedless and are a favorite for eating. Common oranges are preferred for juicing. All three of these orange varieties grow well in California's climate.

ANTECEDENTES

Cooperativas de productores de naranjas A pesar del éxito que habían tenido en el cultivo de algunas variedades de naranjas muy aceptadas, los agricultores tenían dificultades para vender sus productos en mercados lejanos. A los agricultores les resultaba difícil determinar el precio de sus naranjas en mercados situados de 2,000 a 3,000 millas de distancia, proceso que se hacía aun más difícil por la interferencia de los especuladores. En respuesta, los productores de naranjas formaron cooperativas con el fin de proteger sus intereses.

Variedades de naranjas Estos son los tres tipos principales de naranjas: de ombligo, común y sanguina. Las naranjas de ombligo que son las más grandes y no tienen semillas, son las preferidas para comer. Las comunes se usan generalmente para jugo. Estas tres variedades de naranjas crecen bien en el clima de California.

Nuevos métodos, nuevos mercados

Contenido clave Los californianos buscaban distintas maneras de crear nuevos mercados para sus cultivos y de mejorar los métodos para cultivar la tierra.

8 Relacionar historia y economía Repase con los estudiantes cómo los agricultores de California usaron nuevos métodos y abrieron nuevos mercados. Converse con ellos acerca de la forma en que los agricultores dieron a conocer y vendieron sus naranjas en otros mercados.

P **¿Qué hicieron los agricultores de California para mejorar su negocio?** 🔳 HSS 4.4

R Respuesta posible: Usaron nuevos métodos de almacenamiento de agua para riego, vagones refrigerados para transportar los cultivos y publicidad para crear nuevos mercados.

P **¿Qué nuevo invento evitaba que los cultivos se echaran a perder en los viajes largos en tren?** 🔳 HSS 4.4

R los vagones refrigerados

P **¿Qué hacían los agricultores de California para intentar persuadir a la gente de que comprara naranjas?** 🔳 HSS 4.4

R Presentaban las naranjas como un producto muy saludable.

Fuente: California Historical Society.
www.californiahistory.net

New Methods, New Markets

Content Focus Californians looked for ways to create new markets for their crops and to improve farming methods.

8 Link History and Economics
Review with students the ways that California farmers used new methods and opened new markets. Discuss how California farmers advertised and sold their oranges to new markets.

Q What are some ways that California farmers sought to improve their business? 🔳 HSS 4.4

A Possible response: They used new ways of storing water to irrigate; they used refrigerated cars to ship crops; they used advertisements to create new markets.

Q What new invention prevented crops from spoiling on long train trips? 🔳 HSS 4.4

A refrigerated cars

Q How did California farmers try to persuade people to buy oranges? 🔳 HSS 4.4

A by presenting them as healthy
Source: California Historical Society.
www.californiahistory.net

Nuevos métodos, nuevos mercados

8 A fines del siglo XIX, los californianos buscaban distintas maneras de crear nuevos mercados para sus cultivos y de mejorar los métodos para cultivar la tierra. Una productora de nueces llamada Harriet Russell Strong desarrolló nuevos métodos de almacenamiento de agua para irrigar las zonas secas. Mezclando semillas de diferentes plantas, el científico **Luther Burbank** creó nuevas y mejores variedades de plantas.

Los nuevos métodos de transporte de alimentos también favorecieron a los agricultores de California. Los ferrocarriles comenzaron a usar hielo para refrigerar, o enfriar, algunos vagones. Estos vagones permitían enviar cultivos a los mercados del Este. Antes, la mayor parte de las frutas y verduras se echaba a perder en el camino.

Aun con estas mejoras, los costos de transporte y venta de los cultivos eran altos. Sin embargo, los productores creían que podrían ganar más si más personas del Este compraban los cultivos de California.

Para aumentar la demanda, los productores difundieron la importancia de comer alimentos como naranjas. Trenes especiales cargados con fruta se decoraron con publicidad que decía: "Con naranjas, sanos nos mantenemos y en California nos enriquecemos".*

▶ Para refrigerar los vagones, se colocaba hielo en cámaras en el techo.

*California Historical Society, californiahistory.net

REPASO DE LA LECTURA COMPARAR Y CONTRASTAR ¿Cómo cambió la industria agrícola de California después de la invención del vagón refrigerado?

Los productos que se echaban a perder fácilmente podían ser transportados en vagones refrigerados a los mercados del Este.

▶ El valle Imperial en 1913 (abajo) y en la actualidad (recuadro).

Practice and Extend

REACH ALL LEARNERS

Special Needs Ask students to reread the slogan placed on special fruit trains, "Oranges for Health—California for Wealth." Guide them to understand its meaning. You may also wish to discuss the use of sound devices, such as rhyme, in advertisements.

INTEGRATE THE CURRICULUM

🍎 **HEALTH** Explain to students that people need nine essential vitamins to stay healthy. Ask students to look in an encyclopedia for a chart of information about these nine vitamins and the foods that contain them. Have them make a chart of their favorite foods that contain any of the nine essential vitamins. **Chart Sources of Essential Vitamins** 🔳 EXPECTATION 1

Agua en todas partes

Gracias a su geografía, California goza de un suelo rico y de abundante luz solar. Sin embargo, durante la temporada de cultivo no siempre llueve lo suficiente. Las primeras granjas estaban generalmente ubicadas junto a ríos o arroyos.

Durante mucho tiempo, las leyes de California establecían que solo los agricultores que poseían tierras junto a los ríos tenían derecho a usar el agua para la irrigación. Luego, en 1887, se aprobó la Ley Wright. Esta nueva ley permitía a grupos de agricultores de una zona formar un distrito de irrigación. Los agricultores del distrito tenían derecho a tomar agua de los ríos y construir canales para llevarla hasta sus granjas. Un **canal** es un conducto para agua que se hace en la tierra. Se construyeron grandes redes de canales, lo que permitió contar con miles de acres de tierra para cultivo.

Otros lugares sufrían porque tenían demasiada agua. Las áreas cerca del río Sacramento, por ejemplo, se inundaban a menudo. A partir de la década de 1850, los agricultores del lugar construyeron diques para proteger las tierras de cultivo de las inundaciones. Un **dique**

GEOGRAFÍA

El valle Imperial

El valle Imperial está en el caluroso y seco desierto de Colorado. A fines del siglo XIX, el desierto de Colorado no parecía ser un buen lugar para el cultivo. Sin embargo, en el siglo XX, George Chaffey dirigió la construcción de un canal desde el río Colorado, que convertía la tierra desértica en apta para cultivo. Para atraer nuevos colonos, Chaffey dio un nuevo nombre a la zona irrigada. La llamó valle Imperial. Allí se comenzaron a cultivar tomates, uvas, lechugas y melones. Hoy en día se cultivan una gran variedad de frutas y verduras. A veces, se dice que la zona es la huerta de invierno del mundo, ya que allí es posible cultivar durante todo el año.

Canal
Área bajo el nivel del mar

VALLE IMPERIAL

0   10   20 millas
0   10   20 kilómetros

MÉXICO

Capítulo 7 ■ 305

Water Everywhere

Content Focus Californians used irrigation systems and levees to control the presence of water in farmlands.

9 [ANALYSIS SKILL] **Spatial Thinking** Lead a discussion about the advantages and disadvantages of the land in California for farming and how they changed over time as irrigation systems were introduced. Remind students that as in the past, the state continues to rely on a network of dams, aqueducts, and reservoirs for water. Although technological advances have led to better conservation and improved water delivery systems, limited supplies of fresh water remains a challenge to farmers in many areas of California today. ▦ HSS 4.4.7, CS 3, 5

10 [ANALYSIS SKILL] **Historical Interpretation** Help students understand the historical significance of the Wright Act and how it opened up vast areas of farmland.

Q How did the Wright Act benefit farmers? ▦ HSS 4.4, HI 1

A It allowed farmers to form an irrigation district and build canals to bring water to land that was not next to a river.

GEOGRAPHY

The Imperial Valley

11 Make sure students understand that farming would be very difficult in the Colorado Desert without effective irrigation systems.

Q Why is the Imperial Valley sometimes called the Winter Garden of the World? ▦ HSS 4.4

A Farmers can grow crops year-round there.

Agua en todas partes

Contenido clave Los californianos usaban sistemas de irrigación y diques para controlar la presencia de agua en las tierras cultivadas.

9 [DESTREZA DE ANÁLISIS] **Pensamiento espacial** Guíe una conversación sobre las ventajas y desventajas que tienen las tierras de California para el cultivo, y sobre los cambios que trajeron los sistemas de irrigación. Recuerde a los estudiantes que el estado continúa dependiendo de una red de diques, acueductos y embalses para obtener agua. A pesar de los avances tecnológicos, que mejoraron los sistemas de distribución y conservación del agua, la escasez de agua potable continúa siendo un problema en muchas áreas de California. ▦ HSS 4.4.7, CS 3, 5

10 [DESTREZA DE ANÁLISIS] **Interpretación histórica** Ayude a los estudiantes a comprender el significado histórico de la Ley Wright y cómo permitió aprovechar extensas áreas para el cultivo.

P ¿Cómo benefició la Ley Wright a los agricultores? ▦ HSS 4.4, HI 1

R Permitía a los agricultores formar un distrito de irrigación y construir canales para llevar agua a las tierras que no estaban junto a un río.

GEOGRAFÍA

El valle Imperial

11 Asegúrese de que los estudiantes comprendan que la agricultura habría sido muy difícil en el desierto de Colorado sin sistemas de irrigación eficaces.

P ¿Por qué al valle Imperial a veces se le llama la huerta de invierno del mundo? ▦ HSS 4.4

R Allí, los agricultores pueden cosechar sus cultivos durante todo el año.

11 Relacionar geografía e historia

11 Relacionar geografía e historia Explique que los diques se han usado para controlar el agua durante miles de años. Los diques, las presas, los acueductos y los embalses son una parte importante del sistema hídrico de California. 🔲 HSS 4.4.7

3 Concluir

Resumen

Pida a los estudiantes que repasen el resumen y que expresen con sus palabras el contenido clave de la lección.

- La demanda creciente de alimentos durante la fiebre del oro llevó a la creación de las primeras granjas comerciales.
- Hacia 1870, California se había convertido en una importante potencia agrícola.

Evaluar

REPASO—Respuestas

1. 🔅 Los agricultores comenzaron a sembrar cultivos comerciales durante la fiebre del oro; California se convirtió en productor de cítricos y los vagones refrigerados permitieron a los agricultores enviar los cultivos al este; gracias a los sistemas de irrigación, los agricultores pudieron utilizar nuevas tierras para el cultivo. 🔲 HSS 4.4, 4.4.2, 4.4.6

2. **Vocabulario** Los **diques** controlaban las inundaciones y los **canales** llevaban agua para la irrigación. 🔲 HSS 4.4.7

3. **Geografía** el clima templado, el terreno de colinas, nuevos tipos de naranjales. 🔲 HSS 4.4, 4.4.6

Razonamiento crítico

4. **DESTREZA DE ANÁLISIS** Interpretación histórica Los agricultores consideraban que los ferrocarriles cobraban demasiado. Los ferrocarriles elevaron el precio de la tierra después de que los colonos habían comenzado a cultivarla. 🔲 HSS 4.4.2, HI 3

5. Los estudiantes podrían decir que sí, ya que los agricultores sabían que obtendrían más ganancias si podían vender sus productos en el este. 🔲 HSS 4.4, 4.4.6

continued to the right ▶

---

12 Link Geography and History
Explain that levees have been used to control water for thousands of years. Levees, dams, aqueducts, and reservoirs are important parts of California's water system. 🔲 HSS 4.4.7

3 Close

Summary

Have students review the summary and restate the lesson's key content.

- Increased demand for food during the gold rush led to California's first commercial farms.
- By 1870, California had become an important agricultural power.

Assess

REVIEW—Answers

1. 🔅 Farmers began to grow commercial crops during the gold rush; California became a citrus-producer and refrigerated cars allowed farmers to ship crops east; farmers used irrigation systems to open farmland. 🔲 HSS 4.4, 4.4.2, 4.4.6

2. **Vocabulary Levees** controlled flooding, and **canals** brought water for irrigation. 🔲 HSS 4.4.7

3. **Geography** warm climate, hilly land, new types of orange trees 🔲 HSS 4.4, 4.4.6

Critical Thinking

4. **ANALYSIS SKILL** Historical Interpretation Farmers felt the railroads charged too much. The railroads increased the price of land after settlers had begun farming. 🔲 HSS 4.4.2, HI 3

5. Students might say *yes*, because farmers knew that they would make higher profits once more people in the East were buying their goods. 🔲 HSS 4.4, 4.4.6

6. ✎ Make an Advertisement—
Activity Guidelines
See Writing Rubric. This activity can be used with the unit project. 🔲 HSS 4.4, ELA WRITING 2.0

7. 🔅 **Draw Conclusions** EVIDENCE: California farmers advertised their crops. CONCLUSION: California farmers increased sales. 🔲 HSS 4.4, ELA READING 2.0

306 ▪ UNIT 4

continued

6. ✎ Haz un anuncio—**Pautas para la evaluación** Vea Evaluación de redacción. Esta actividad puede usarse con el proyecto de la unidad.
🔲 HSS 4.4, ELA WRITING 2.0

7. ⭐ **Destreza clave** Sacar conclusiones EVIDENCIA: Los agricultores de California anunciaban sus productos. CONCLUSIÓN: Los agricultores de California aumentaron sus ventas. 🔲 HSS 4.4, ELA READING 2.0

es un muro alto de tierra. Muchos inmigrantes chinos que habían trabajado en el ferrocarril transcontinental también ayudaron a construir diques. Un agricultor japonés llamado **George Shima** continuó esta obra. Shima y sus trabajadores recuperaron muchos acres de tierra inundada en el delta del río San Joaquín. Shima usó esta tierra para cultivar papas y se convirtió en un productor exitoso.

REPASO DE LA LECTURA 🔅 SACAR CONCLUSIONES
¿Por qué son importantes los diques para los agricultores de California? Ayudan a controlar el agua para que no inunde los campos de cultivo.

Resumen

En menos de 50 años, California dejó de ser una zona con pocas granjas y se convirtió en una importante zona agrícola. Los conflictos por el uso del agua y la tierra se resolvieron. Como consecuencia, la agricultura y la economía del estado crecieron.

▶ Hoy en día, aún se construyen diques para contener el agua de las crecidas del río Sacramento.

REPASO

1. 🔅 ¿Cómo pudo California llegar a convertirse en una potencia agrícola?

2. Explica cómo los **diques** y **canales** ayudaron a que más tierras de California fueran aptas para cultivo.

3. ¿Por qué los naranjales de Riverside producían mejor fruta que los naranjales de las zonas costeras?

RAZONAMIENTO CRÍTICO

4. 🔲 ¿Cuáles fueron algunas de las causas de los problemas en Mussel Slough?

5. ¿Crees que era una buena idea enviar cultivos al este, a pesar de los altos costos? Explica tu respuesta.

6. ✋ **Haz un anuncio** Imagina que eres un agricultor y vendes trigo o naranjas. Haz un cartel o un anuncio para un periódico que intente persuadir a los lectores de comprar tus productos. Muestra el anuncio a tus compañeros de clase.

7. 🔅 SACAR CONCLUSIONES
En una hoja de papel, copia y completa el organizador gráfico de abajo.

Evidencia		Conocimiento
		Los anuncios se usan para vender productos.
Conclusión		

306 ▪ Unidad 4

Practice and Extend

WRITING RUBRIC

Score 4
- ad/billboard is very persuasive
- includes very effective images
- very well organized

Score 3
- ad/billboard is somewhat persuasive
- includes effective images
- adequately organized

Score 2
- ad/billboard is marginally persuasive
- includes mildly effective images
- somewhat organized

Score 1
- ad/billboard is not persuasive
- does not include effective images
- not organized

HOMEWORK AND PRACTICE

An Agricultural Power

pages 78–79

Practicar y ampliar

TAREA Y PRÁCTICA

Una potencia agrícola

páginas 78–79

306 ▪ **UNIT 4**

George Shima

*"Para derramar la luz de la verdad."**

George Shima nació en Japón en 1865. Se mudó a Estados Unidos en 1888, sin saber que un día sería conocido como el "rey de la papa" de California.

En un principio, Shima cultivaba papas en tierras que alquilaba en el condado San Joaquin. Los primeros años no fueron buenos debido al mal tiempo, pero Shima trabajó mucho. Contrató cientos de inmigrantes japoneses para que trabajaran para él. Cuando se retiró en 1917, administraba 25,000 acres de tierra y cultivaba la mayor parte de las papas que se cultivaban en California.

George Shima nunca se hizo ciudadano de Estados Unidos. Sin embargo, era un miembro respetado de la comunidad y se le consideraba un hombre de negocios íntegro. Se decía que pese a que Shima nunca hacía contratos por escrito, siempre mantenía su palabra. Un día, en 1926, el emperador de Japón lo nombró miembro de la Orden del Sol Naciente. Shima falleció ese mismo día a los 63 años.

*De la misión y los objetivos de la Orden del Sol Naciente.

George Shima arando sus tierras cerca de Stockton

Biografía breve

1865 Nace				1926 Muere
1888 Deja Japón	1891 Siembra sus primeras papas	1900 Trae a su prometida japonesa a Estados Unidos	1908 Es elegido presidente de la Asociación Japonesa de Estados Unidos	

APRENDE en línea Visita MULTIMEDIA BIOGRAPHIES en www.harcourtschool.com/hss para hallar biografías multimedia.

Capítulo 7 ■ 307

CALIFORNIA STANDARDS HSS 4.4.6 Describe the development and locations of new industries since the nineteenth century, such as the aerospace industry, electronics industry, large-scale commercial agriculture and irrigation projects, the oil and automobile industries, communications and defense industries, and important trade links with the Pacific Basin.

BACKGROUND

George Shima Born Kinji Ushijima, Shima moved to California after failing to gain entrance to college in Japan. With the help of many workers, Shima reclaimed 100,000 acres of land in the Sacramento and San Joaquin Delta. The Order of the Rising Sun, which honored him in 1926, is a group of honorable people in Japan.

REACH ALL LEARNERS

Advanced Ask students to research the history of Japanese Americans in California. Then ask them to select a Japanese American who exemplifies the character trait of trustworthiness. Have volunteers share with the rest of the class why the individual demonstrates this trait.

ANTECEDENTES

George Shima Shima, cuyo nombre al nacer era Kinji Ushijima, se mudó a California después de no poder ingresar en la universidad en Japón. Con la ayuda de muchos trabajadores, Shima ganó al mar 100,000 acres de tierra en el delta del Sacramento y del San Joaquin. La Orden del Sol Naciente, que lo honró en 1926, es un grupo de personas honorables de Japón.

Biography

PAGE 307

OBJECTIVES

- Discover how George Shima became the largest grower of potatoes in California.

RESOURCES

Unit 4 Audiotext CD Collection; Internet Resources

1 Introduce

Set the Purpose Discuss the concept of trustworthiness. Then ask students to search the text for information about George Shima's trustworthiness as a businessperson.

2 Teach

History Lead a discussion about how George Shima became a successful farmer.

Q Why did Shima become known as the "potato king"? HSS 4.4.6

A because by 1917 his farms grew most of the potatoes in California

Source: From the mission and goals of the Order of the Rising Sun.

3 Close

Why Character Counts

Shima demonstrated trustworthiness by always being true to his word as a businessperson.

INTERNET RESOURCES

GO ONLINE Visit MULTIMEDIA BIOGRAPHIES at www.harcourtschool.com/hss

CHAPTER 7 ■ 307

Biografía

PÁGINA 307

OBJETIVOS

- Descubrir cómo George Shima se convirtió en el productor de papas más importante de California.

RECURSOS

Colección de audiotextos en CD de la Unidad 4; Recursos en Internet

1 Presentar

Establecer el propósito Converse con los estudiantes acerca del concepto de integridad. Luego, pídales que busquen en el texto información que demuestre la integridad de George Shima como hombre de negocios.

2 Enseñar

Historia Guíe una conversación sobre cómo George Shima se convirtió en un exitoso agricultor.

P ¿Por qué Shima comenzó a ser conocido como el "rey de la papa"? HSS 4.4.6

R porque hacia 1917 sus granjas producían la mayor parte de la cosecha de papas en California

Fuente: De la misión y los objetivos de la Orden del Sol Naciente.

3 Concluir

La importancia del carácter

Shima demostró integridad como hombre de negocios manteniendo siempre su palabra.

RECURSOS EN INTERNET

APRENDE en línea Visite MULTIMEDIA BIOGRAPHIES en **www.harcourtschool.com/hss** para hallar biografías multimedia.

Repaso del Capítulo 7

La lectura en los Estudios Sociales

SACAR CONCLUSIONES
Destreza clave

Los estudiantes pueden usar el organizador gráfico de la página 82 del cuaderno de Tarea y práctica. Las respuestas aparecen en la Edición del maestro del cuaderno de Tarea y práctica.

 Pautas de redacción de California

Escribe un resumen Los anuncios deben describir, con precisión y en su totalidad, las tareas a desempeñar y las destrezas y las cualidades de un buen jinete del Pony Express. Los estudiantes podrían hacer una lista de requisitos: destrezas de equitación, poder cabalgar 75 millas lo más rápido posible sin detenerse; valentía; resolución. ▦ HSS 4.4.1, ELA WRITING 2.4

Para calificar la redacción, vea el Programa de evaluación, pág. xiii.

Escribe un reporte Los artículos deben relatar el conflicto de Mussel Slough y los eventos que llevaron a la confrontación. Los datos podrían incluir:

- **¿Quién?** los agricultores y los funcionarios del ferrocarril Southern Pacific
- **¿Qué?** Los funcionarios del ferrocarril intentaron expulsar a los agricultores de las tierras que estos últimos se negaban a pagar debido al precio elevado.
- **¿Cuándo?** el 11 de mayo de 1880
- **¿Dónde?** en Mussel Slough, en el valle de San Joaquín
- **¿Por qué?** Los funcionarios ofrecieron vender las tierras. Los agricultores comenzaron a trabajar la tierra, pero los funcionarios elevaron el precio antes de concretar la venta. ▦ HSS 4.4.3, ELA WRITING 2.3

Para calificar la redacción, vea el Programa de evaluación, pág. xii.

Chapter 7 Review

Reading Social Studies

 Focus Skill **DRAW CONCLUSIONS**

Students may use the graphic organizer that appears on page 82 of the Homework and Practice Book. Answers appear in the Homework and Practice Book, Teacher Edition.

✏ California Writing Prompts

Write a Summary Students' advertisements should accurately and completely describe the tasks, skills, and qualities required of a successful Pony Express rider. Students might list the following requirements: riding skills, including the ability to ride 75 miles as fast as possible without stopping; bravery; determination. ▦ HSS 4.4.1, ELA WRITING 2.4

For a writing rubric, see Assessment Program, p. xiii.

Write a Report Students' news articles should accurately recount the confrontation at Mussel Slough as well as the events that led up to the conflict. The facts might include those listed below.

- **Who?** farmers and Southern Pacific Railroad officials
- **What?** Railroad officials tried to force farmers off land that farmers refused to pay higher prices for.
- **When?** May 11, 1880
- **Where?** Mussel Slough, in the San Joaquin Valley
- **Why?** Railroad officials offered to sell farmers land. Farmers began to work the land, but railroad officials raised the price before the sale became final. ▦ HSS 4.4.3, ELA WRITING 2.3

For a writing rubric, see Assessment Program, p. xii.

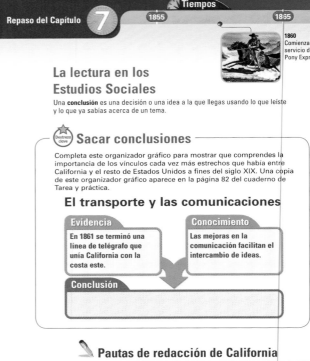

Reproduction of student page:

Repaso del Capítulo 7 — **Tiempos** — 1855 ... 1855 — 1860 Comienza el servicio del Pony Express

La lectura en los Estudios Sociales

Una **conclusión** es una decisión o una idea a la que llegas usando lo que leíste y lo que ya sabías acerca de un tema.

Sacar conclusiones (Destreza clave)

Completa este organizador gráfico para mostrar que comprendes la importancia de los vínculos cada vez más estrechos que había entre California y el resto de Estados Unidos a fines del siglo XIX. Una copia de este organizador gráfico aparece en la página 82 del cuaderno de Tarea y práctica.

El transporte y las comunicaciones

Evidencia
En 1861 se terminó una línea de telégrafo que unía California con la costa este.

Conocimiento
Las mejoras en la comunicación facilitan el intercambio de ideas.

Conclusión

Pautas de redacción de California

Escribe un resumen Imagina que debes contratar nuevos jinetes para el Pony Express. Escribe un anuncio que resuma las tareas que hay que desempeñar y las destrezas y cualidades personales que debe poseer un buen jinete.

Escribe un reporte Imagina que eres reportero de un periódico y estás cubriendo el conflicto de Mussel Slough entre los agricultores y la compañía de ferrocarril. Escribe un artículo acerca de lo que sucedió y explica las razones del conflicto.

308 ■ Unidad 4

CALIFORNIA STANDARDS HSS 4.4 Students explain how California became an agricultural and industrial power, tracing the transformation of the California economy and its political and cultural development since the 1850s. ▦ Chronological and Spatial Thinking 1, 3, 4. Historical Interpretation 3.

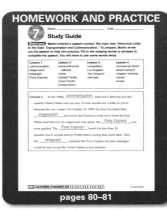

HOMEWORK AND PRACTICE
Study Guide
pages 80–81

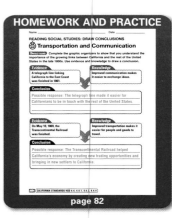

HOMEWORK AND PRACTICE
READING SOCIAL STUDIES: DRAW CONCLUSIONS
Transportation and Communication
page 82

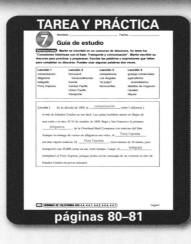

TAREA Y PRÁCTICA
Guía de estudio
páginas 80–81

TAREA Y PRÁCTICA
LA LECTURA EN LOS ESTUDIOS SOCIALES: SACAR CONCLUSIONES
El transporte y las comunicaciones
página 82

1875 — 1885 — 1895

1869
Se termina la construcción del ferrocarril transcontinental

1880
Se producen enfrentamientos en Mussel Slough

Usa el vocabulario

Identifica el término que corresponda a cada definición.

telégrafo, pág. 282
competencia, pág. 296
exportar, pág. 301
canal, pág. 305

1. rivalidad entre dos o más empresas
2. aparato que usaba electricidad para enviar mensajes a través de cables
3. conducto para agua que se hace en la tierra
4. enviar bienes a otros países para venderlos

Usa la línea cronológica

DESTREZA DE ANÁLISIS Usa la línea cronológica de arriba para responder la pregunta.

5. ¿Cuántos años después de la construcción del ferrocarril transcontinental se produjeron los enfrentamientos en Mussel Slough?

Aplica las destrezas

DESTREZA DE ANÁLISIS Leer un mapa de husos horarios
Usa el mapa de husos horarios de la página 299 para responder estas preguntas.

6. ¿En qué huso horario está San Francisco?
7. Si es mediodía en Philadelphia, Pennsylvania, ¿qué hora es en Seattle, Washington?
8. En el huso horario central, ¿es una hora más temprano o más tarde que en el de montaña?

Recuerda los datos

Responde estas preguntas.

9. ¿Cómo afectó al servicio del Pony Express la compañía de telégrafos Western Union?
10. ¿Qué papel desempeñó Theodore Judah en la construcción del ferrocarril transcontinental?
11. ¿Quiénes eran los "Big Four"? ¿Cómo contribuyeron al crecimiento de California?

Escribe la letra que corresponda a la respuesta correcta.

12. ¿Quién era John Bidwell?
    A un agricultor exitoso
    B un ingeniero famoso
    C un trabajador del ferrocarril de origen irlandés
    D un jinete del Pony Express
13. ¿Qué nuevo cultivo comenzó a producirse en Riverside, California, en 1873?
    A trigo
    B cebada
    C naranjas de ombligo
    D espárragos

Piensa críticamente

14. **DESTREZA DE ANÁLISIS** ¿Qué efecto tuvo el ferrocarril transcontinental en la economía de California?
15. **DESTREZA DE ANÁLISIS** ¿Cómo han cambiado el transporte y la comunicación en California desde fines del siglo XIX? ¿Qué aspectos han permanecido iguales?

Capítulo 7 ■ 309

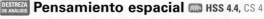

Use Vocabulary 🔲 HSS 4.4

1. competition (p. 296)
2. telegraph (p. 282)
3. canal (p. 305)
4. export (p. 301)

Use the Time Line
ANALYSIS SKILL Chronological Thinking
🔲 HSS 4.4.1, 4.4.3, CS 1

5. 11 years

Apply Skills
Read a Time Zone Map
ANALYSIS SKILL Spatial Thinking 🔲 HSS 4.4, CS 4

6. Pacific Time Zone
7. 9 A.M.
8. one hour later

Recall Facts

9. It put the Pony Express out of business. (pp. 282-283) 🔲 HSS 4.4.1
10. He found investors to help fund its construction, and discussed the plan with Congress. (pp. 287-288) 🔲 HSS 4.4.1
11. Leland Stanford, Collis P. Huntington, Mark Hopkins, and Charles Crocker; they were the original investors in the transcontinental railroad. (p. 288) 🔲 HSS 4.4.1, 4.4.4
12. A (p. 301) 🔲 HSS 4.4.6
13. C (p. 303) 🔲 HSS 4.4.6

Think Critically
14. **ANALYSIS SKILL** Historical Interpretation
Possible response: It led to economic growth in California by making it easier to send goods to and from California. However, some California businesses suffered and closed because the railroad brought new products and cheaper products into the state. 🔲 HSS 4.4.1, HI 3
15. **ANALYSIS SKILL** Chronological Thinking
similar–communication continues to be important; different–methods of communication are faster and more reliable 🔲 HSS 4.4, CS 3

CHAPTER 7 ■ **309**

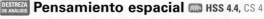

Usa el vocabulario 🔲 HSS 4.4

1. competencia (pág. 296)
2. telégrafo (pág. 282)
3. canal (pág. 305)
4. exportar (pág. 301)

Usa la línea cronológica

DESTREZA DE ANÁLISIS Pensamiento cronológico
🔲 HSS 4.4.1, 4.4.3, CS 1

5. 11 años

Aplica las destrezas

Leer un mapa de husos horarios

DESTREZA DE ANÁLISIS Pensamiento espacial 🔲 HSS 4.4, CS 4

6. huso horario del Pacífico
7. 9 a.m.
8. una hora más tarde

Recuerda los datos

9. Lo desplazó. El Pony Express se vio obligado a terminar su servicio. (págs. 282-283) 🔲 HSS 4.4.1
10. Buscó inversionistas para financiar su construcción y analizó el plan con el Congreso. (págs. 287-288) 🔲 HSS 4.4.1
11. Leland Stanford, Collis P. Huntington, Mark Hopkins y Charles Crocker; fueron los primeros inversionistas del ferrocarril transcontinental. (pág. 288) 🔲 HSS 4.4.1, 4.4.4
12. A (pág. 301) 🔲 HSS 4.4.6
13. C (pág. 303) 🔲 HSS 4.4.6

Piensa críticamente

14. **DESTREZA DE ANÁLISIS** Interpretación histórica
Respuesta posible: Llevó al crecimiento económico de California facilitando el envío de productos desde California y hacia allí. Sin embargo, algunas empresas de California se vieron obligadas a cerrar porque el ferrocarril traía productos nuevos y a menor costo.
🔲 HSS 4.4.1, HI 3
15. **DESTREZA DE ANÁLISIS** Pensamiento cronológico igual: la comunicación continúa siendo importante; diferente: los medios de comunicación son más rápidos y más confiables
🔲 HSS 4.4, CS 3

Plan del Capítulo 8

Una economía en crecimiento

La gran idea

INNOVACIONES Después de que California obtuvo el rango de estado comenzó una época de grandes cambios tanto para California como para Estados Unidos.

LESSON	PACING	🐻 TESTED STANDARDS
Introducción del capítulo Destrezas de estudio: Usar una guía de anticipación pág. 310 Presentación del Capítulo 8 pág. 311	**1** DAY	**4.4 Students explain how California became an agricultural and industrial power, tracing the transformation of the California economy and its political and cultural development since the 1850s.**
Comienza con un cuento *Fuego en el valle* págs. 312–313	**1** DAY	**4.4.7.** Trace the evolution of California's water system into a network of dams, aqueducts, and reservoirs.
Inmigración y migración págs. 314–320 💡 **REFLEXIONA** ¿Cómo afectaron a California la inmigración y la migración?	**2** DAYS	**4.4 Students explain how California became an agricultural and industrial power, tracing the transformation of the California economy and its political and cultural development since the 1850s.** **4.4.3.** Discuss immigration and migration to California between 1850 and 1900, including the diverse composition of those who came; the countries of origin and their relative locations; and conflicts and accords among the diverse groups (e.g., the 1882 Chinese Exclusion Act). **4.4.4.** Describe rapid American immigration, internal migration, settlement, and the growth of towns and cities (e.g., Los Angeles).
BIOGRAFÍA **Allen Allensworth** pág. 321	**1** DAY	**4.4.3.** Discuss immigration and migration to California between 1850 and 1900, including the diverse composition of those who came; the countries of origin and their relative locations; and conflicts and accords among the diverse groups (e.g., the 1882 Chinese Exclusion Act). **4.4.4.** Describe rapid American immigration, internal migration, settlement, and the growth of towns and cities (e.g., Los Angeles).

3 WEEKS	WEEK 1		WEEK 2	WEEK 3	
	Introduce the Chapter	Lesson 1	Lesson 2	Lesson 3	Chapter Review

OBJECTIVES	READING SUPPORT/ VOCABULARY	REACH ALL LEARNERS	RESOURCES
■ Analyze the purpose and structure of an anticipation guide. ■ Use an anticipation guide to make and confirm predictions about a selection. ■ Explain the importance of water to communities in California. ■ Examine reasons behind conflicts over the Los Angeles Aqueduct.	**(Focus Skill) Reading Social Studies** **Draw Conclusions, Review the Unit 4 Reading Social Studies Focus Skill,** pp. 270–271	**Leveled Practice,** p. 310, 312	Social Studies in Action: Resources for the Classroom Primary Source Collection ⊙ Music CD 🎲 Interactive Map Transparencies Interactive Desk Maps Atlas TimeLinks: Interactive Time Line 🎲 Study Skills Transparency 8 💻 Internet Resources ⊙ Unit 4 Audiotext CD Collection
■ Describe the makeup of migrants and immigrants to California in the late 1800s and early 1900s. ■ Examine conflcts and accords, or agreements, among different groups in California. ■ Examine the life and values of Colonel Allen Allensworth.	**(Focus Skill) Reading Social Studies** **Draw Conclusions,** pp. 315, 316, 319, 320 **Vocabulary Power:** Prefixes, p. 315 **inmigración** pág. 315 **migración** pág. 315 **prejuicio** pág. 318 **reserva** pág. 319	**ENGLISH LANGUAGE LEARNERS,** p. 315 **Leveled Practice,** p. 319 **Reading Support,** p. 315	Homework and Practice Book pp. 83–84 Reading Support and Intervention, pp. 114–117 Success for English Learners, pp. 117–120 Vocabulary Power, pp. 97–100 🎲 Vocabulary Transparency 4-8-1 🎲 Focus Skills Transparency 4 ⊙ Unit 4 Audiotext CD Collecion 💻 Internet Resources

Plan del Capítulo 8

LESSON	PACING	🐻 TESTED STANDARDS
② El sur de California crece págs. 322–327 💡 **REFLEXIONA** ¿Qué llevó al crecimiento de pueblos y ciudades en el sur de California a fines del siglo XIX y comienzos del siglo XX?	**2** DAYS	**4.4** Students explain how California became an agricultural and industrial power, tracing the transformation of the California economy and its political and cultural development since the 1850s. **4.4.4.** Describe rapid American immigration, internal migration, settlement, and the growth of towns and cities (e.g., Los Angeles). **4.4.6.** Describe the development and locations of new industries since the nineteenth century, such as the aerospace industry, electronics industry, large-scale commercial agriculture and irrigation projects, the oil and automobile industries, communications and defense industries, and important trade links with the Pacific Basin. **4.4.7.** Trace the evolution of California's water system into a network of dams, aqueducts, and reservoirs.
PUNTOS DE VISTA **¿De quién es el agua?** págs. 328–329	**1** DAY	**4.4.7.** Trace the evolution of California's water system into a network of dams, aqueducts, and reservoirs.
③ Cambios en el norte de California págs. 330–335 💡 **REFLEXIONA** ¿Qué llevó al crecimiento de pueblos y ciudades en el norte de California a comienzos del siglo XX?	**2** DAYS	**4.4** Students explain how California became an agricultural and industrial power, tracing the transformation of the California economy and its political and cultural development since the 1850s. **4.4.4.** Describe rapid American immigration, internal migration, settlement, and the growth of towns and cities (e.g., Los Angeles). **4.4.7.** Trace the evolution of California's water system into a network of dams, aqueducts, and reservoirs.
DESTREZAS CON TABLAS Y GRÁFICAS **Leer una gráfica de barras dobles** págs. 336–337	**1** DAY	**4.4.4.** Describe rapid American immigration, internal migration, settlement, and the growth of towns and cities (e.g., Los Angeles).
Repaso del Capítulo 8 págs. 338–339	**1** DAY	**4.4** Students explain how California became an agricultural and industrial power, tracing the transformation of the California economy and its political and cultural development since the 1850s.

OBJECTIVES	READING SUPPORT/ VOCABULARY	REACH ALL LEARNERS	RESOURCES
■ Trace the evolution of southern California's water system. ■ Identify the network of dams, aqueducts, and reservoirs that supplied water to southern California. ■ Explore primary source material to identify and compare points of view. ■ Build knowledge about California's water projects, including conflicts that arose from their development.	(Focus Skill) **Reading Social Studies** **Draw Conclusions,** pp. 323, 325, 327 **Vocabulary Power:** Multiple-Meaning Words p. 323 Root Words p. 325 **petróleo** pág. 324 **auge** pág. 324 **torre de perforación** pág. 324 **embalse** pág. 325 **acueducto** pág. 325 **energía hidroeléctrica** pág. 325	**ENGLISH LANGUAGE LEARNERS,** p. 323 **Leveled Practice,** p. 326, 329 **Reading Support,** p. 323	Homework and Practice Book, pp. 85–86 Reading Support and Intervention, pp. 118–121 Success for English Learners, pp. 121–124 Vocbulary Power, pp. 97–100 Vocabulary Transparency 4-8-2 Focus Skills Transparency 4 ⊙ Unit 4 Audiotext CD Collection Internet Resources
■ Trace the evolution of northern California's water system. ■ Identify the network of dams, aqueducts, and reservoirs that suppplied water to northern California. ■ Determine when a double-bar graph is appropriate for displaying information. ■ Use a double-bar graph to compare two sets of numbers.	(Focus Skill) **Reading Social Studies** **Draw Conclusions,** pp. 331, 333, 335 **Vocabulary Power:** Suffixes, p. 331 **naturalista** pág. 335 **gráfica de barras dobles** pág. 336	**ENGLISH LANGUAGE LEARNERS,** p. 331 **Leveled Practice,** pp. 334, 337 **Reading Support,** p. 331	Homework and Practice Book, pp. 87, 88–89 Reading Support and Intervention, pp. 122–125 Success for English Learners, pp. 125–128 Vocabulary Power, pp. 97–100 Vocabulary Transparency 4-8-3 Focus Skills Transparency 4 ⊙ Unit 4 Audiotext CD Collection Internet Resources
	(Focus Skill) **Reading Social Studies** **Draw Conclusions,** p. 338		Homework and Practice Book, pp. 90–92 Assessment Program, Chapter 8 Test, pp. 73–76

Homework and Practice Book

LESSON 1

Nombre _____ Fecha _____

Inmigración y migración

INSTRUCCIONES Lee las siguientes oraciones sobre la inmigración y la migración a California. Decide si cada oración es verdadera *(V)* o falsa *(F)*.

① __V__ Muchos de los inmigrantes que llegaron a California querían vivir entre personas de su mismo país natal.

② __V__ Hacia 1900, vivían en California más de un millón de personas.

③ __F__ Durante la década de 1870, los inmigrantes chinos podían tener cualquier empleo que quisieran.

④ __F__ Los indios de California que se fueron a vivir a las reservas generalmente tenían buenas tierras y podían cultivar suficiente alimento.

⑤ __V__ En 1878, Kate Douglas Wiggin fundó el primer jardín de niños gratuito de San Francisco.

⑥ __F__ Los inmigrantes que entraban a Estados Unidos por la costa del Pacífico eran retenidos en la isla Ellis.

⑦ __F__ Los afroamericanos construyeron su propio pueblo, llamado Anaheim.

⑧ __V__ Un prejuicio es el sentimiento injusto de odio o rechazo hacia los miembros de un grupo, raza o religión.

⑨ __V__ Muchos inmigrantes alemanes, franceses e italianos plantaron viñedos.

⑩ __V__ A finales del siglo XIX y comienzos del siglo XX, muchos habitantes de otros estados del país llegaron a California para comenzar una nueva vida.

NORMAS DE CALIFORNIA HSS 4.4, 4.4.3, 4.4.4

(sigue)

LESSON 1

Nombre _____ Fecha _____

INSTRUCCIONES Ian acaba de regresar de unas vacaciones en San Francisco. Presentó en la escuela un reporte sobre uno de los lugares que visitó, el Jardín japonés del té, en el Parque Golden Gate. Lee su reporte y usa la información para responder las preguntas de abajo.

Un hermoso ejemplo de la cultura japonesa en California es el Jardín japonés del té. Está ubicado en el Parque Golden Gate de San Francisco. La idea del jardín surgió a partir de la Exposición Internacional de 1894. Makoto Hagiwara, un inmigrante japonés, quería mostrar su cultura en su nuevo país. El Jardín del té fue el primer jardín japonés de Estados Unidos. Se convirtió en parte permanente del Parque Golden Gate.

En la cultura japonesa, el jardín se considera una de las formas de arte más elevadas. El Jardín del té incluye muchas plantas de origen japonés. Otra de sus principales atracciones es el Farol de la Paz, de 9,000 libras. Los niños de Japón contribuyeron con dinero para comprar el farol y donarlo al jardín.

① ¿En qué parque está el Jardín japonés del té?
El Jardín japonés del té está en el Parque Golden Gate.

② ¿Para qué se construyó el Jardín del té?
El Jardín japonés del té se construyó para mostrar la cultura japonesa.

③ ¿Por qué los jardines se consideran importantes en Japón?
En Japón, los jardines se consideran una de las formas de arte más elevadas.

④ ¿Qué tipo de plantas hay en el jardín?
En el jardín hay plantas de origen japonés.

⑤ ¿Quiénes ayudaron a comprar el Farol de la Paz?
Los niños de Japón ayudaron a comprar el Farol de la Paz.

LESSON 2

Nombre _____ Fecha _____

El sur de California crece

INSTRUCCIONES Lee el artículo periodístico de ficción acerca de los últimos años de la década de 1880. Usa los términos de abajo para completar las palabras que faltan en el artículo.

nubes de polvo	puerto
petróleo	embalses
clima	valle del Owens
ganadería	torres de perforación
población	acueducto

¡Auge de población en el sur de California!

Los Angeles— ¡Miles de personas vienen a California! La __población__ local ha aumentado de aproximadamente 11,000 habitantes en 1880 a más de 300,000 en 1910. Las bajas tarifas de los boletos de tren están atrayendo a muchas personas al oeste. Algunos confían en que el __clima__ templado de California los hará más saludables. Para ayudar a abastecer a los nuevos habitantes, se construyó un __puerto__ en la bahía de San Pedro. El puerto ayudará a llevar provisiones a Los Angeles.

Bahía de San Pedro

NORMAS DE CALIFORNIA HSS 4.4, 4.4.4, 4.4.7

(sigue)

LESSON 2

Nombre _____ Fecha _____

Otra razón de este auge de la población es el descubrimiento de __petróleo__. Cuando las compañías de ferrocarril se dieron cuenta de que el petróleo era más barato y se quemaba más limpiamente que el carbón, se generó una gran demanda de ese combustible. Incluso, algunas personas trataron de buscar petróleo en sus jardines. ¡Esas personas tienen __torres de perforación__ en su jardín!

Todo este crecimiento ha dificultado el suministro de agua del sur de California. El agua del río Los Angeles y de los __embalses__, o lagos creados por el hombre, no ha sido suficiente. Para resolver el problema del agua, un gran sistema de tuberías

El acueducto de Los Angeles

y canales, llamado __acueducto__, está llevando agua desde el río Owens al sur de California.

La necesidad de agua de Los Angeles ha enojado a los habitantes del __valle del Owens__. Ellos no sabían que Los Angeles había comprado la mayor parte de las tierras a ambos lados del río Owens. Como Los Angeles controla el suministro, es posible que el agua no alcance para los cultivos y los animales de los habitantes del valle. Algunas personas están tratando de defenderse. Un grupo usó dinamita para perforar un acueducto. Pero los daños se repararon y el agua sigue fluyendo hacia Los Angeles.

Tal vez algún día las tuberías llevarán el agua de regreso al valle. Si se devuelve agua al lecho del lago seco, se reducirán las __nubes de polvo__ y finalmente habrá suficiente agua para la agricultura y la __ganadería__ en esa zona. Tal vez, en el futuro, los habitantes de Los Angeles y los del valle compartirán el agua que ambos necesitan.

Nombre _____ Fecha _____

Cambios en el norte de California

INSTRUCCIONES Haz un círculo alrededor de la palabra o expresión que hace correcta cada oración.

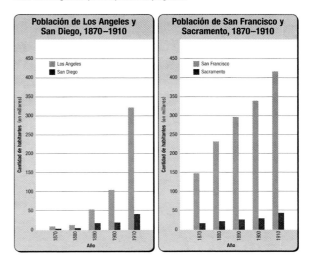

❶ Un terrible terremoto sacudió San Francisco en (1906) / 1908.

❷ Los daños de ese terremoto alcanzaron la suma de casi 100 millones de dólares / (casi 500 millones de dólares).

❸ Después del terremoto, Amadeo Pietro Giannini ayudó a la gente con préstamos de (dinero) / alimentos.

❹ Después del terremoto, San Francisco se reconstruyó en menos de cinco / (diez) años.

❺ La población de Oakland aumentó más del (doble) / triple entre 1900 y 1910.

❻ Muchos inmigrantes japoneses llegaron a Sacramento para trabajar en las plantaciones de vegetales / (frutas).

❼ La comunidad japonesa Florin se hizo conocida como la Capital de la Frambuesa / (Capital de la Fresa) de California.

❽ En 1909, el gobierno de California construyó (un sistema de carreteras) / un sistema de trenes que facilitaba el movimiento de personas de una ciudad a otra.

❾ En 1914, los líderes de San Francisco querían construir un puente / (una presa) en el río Tuolumne para evitar la escasez de agua.

❿ John Muir luchó para proteger el valle Hetch Hetchy de ser quemado / (inundado).

🐻 NORMAS DE CALIFORNIA HSS 4.4, 4.4.4, 4.4.7

Nombre _____ Fecha _____

Destrezas: Leer una gráfica de barras dobles

INSTRUCCIONES Estudia las gráficas de barras dobles que muestran los cambios en la población de Los Angeles y San Diego, y de San Francisco y Sacramento entre 1870 y 1910. Usa las gráficas para responder las preguntas.

Población de Los Angeles y San Diego, 1870–1910

Los Angeles / San Diego

Población de San Francisco y Sacramento, 1870–1910

San Francisco / Sacramento

🐻 NORMAS DE CALIFORNIA HSS 4.4, 4.4.4   *(sigue)*

Nombre _____ Fecha _____

❶ ¿Qué ciudad tenía mayor población en 1870, Los Angeles o San Diego?

Los Angeles tenía mayor población en 1870.

❷ ¿Aproximadamente cuántas personas más vivían en San Francisco que en Sacramento en 1900?

En 1900, en San Francisco vivían aproximadamente 310,000

personas más que en Sacramento.

❸ Compara las poblaciones de Los Angeles y San Diego. ¿La población de qué ciudad creció más entre 1880 y 1890?

Los Angeles creció más que San Diego entre 1880 y 1890.

❹ ¿En qué años las cuatro ciudades tuvieron el mayor aumento de población?

Las cuatro ciudades tuvieron el mayor aumento de población

de 1900 a 1910.

❺ Estudia los datos de población de cada ciudad entre 1870 y 1910. En general, ¿tuvieron las ciudades del norte o las ciudades del sur la mayor población total?

En general, las ciudades del norte tuvieron la mayor

población total.

❻ Estudia los datos de población entre 1870 y 1910. Observa la rapidez del aumento de la población en las ciudades a lo largo de los años. En general, ¿mostraron un mayor crecimiento de la población las ciudades del norte o las ciudades del sur?

En general, las ciudades del sur mostraron el mayor

crecimiento de la población.

Capítulo **8**   Nombre _____ Fecha _____

Guía de estudio

INSTRUCCIONES Paul presentó en la escuela un cuento sobre las personas que se mudan a California. Su historia habla de cómo el aumento de la población produjo cambios en el estado. Completa las palabras que faltan en el cuento de Paul. Usa los términos de abajo.

Lección 1	Lección 2	Lección 3
inmigración	petróleo	río Tuolumne
migración	auge	naturalista
prejuicio	torre de perforación	Florin
reserva	acueducto	valle Hetch Hetchy
clima	energía hidroeléctrica	carreteras

Lección 1   En 1872, una familia se mudó de China a San Francisco. Los miembros de la familia querían tener una vida mejor. No estaban solos. A finales del siglo XIX y comienzos del siglo XX, la _____inmigración_____ a Estados Unidos aumentó de manera considerable. Personas de países como Alemania, Japón, Armenia y Dinamarca se establecieron a lo largo y ancho de California. Al mismo tiempo, también aumentó la _____migración_____ , porque muchas personas que vivían en Estados Unidos se mudaron a California. Muchos creían que el _____clima_____ templado los ayudaría a mejorar la salud. Lamentablemente, la nueva familia llegada de China no recibió un trato justo. Enfrentó la discriminación que surgía del _____prejuicio_____ . Los afroamericanos y los indios tampoco eran tratados bien. El gobierno incluso intentó obligar a los indios a trasladarse a un territorio apartado, llamado _____reserva_____

🐻 NORMAS DE CALIFORNIA HSS 4.4, 4.4.3, 4.4.4, 4.4.7   *(sigue)*

STUDY GUIDE

Nombre ____________ Fecha ____________

Lección 2 Una familia de Texas también se mudó a California. Esa familia vivía cerca de Los Angeles. El padre consiguió empleo haciendo perforaciones para buscar ___petróleo___. Trabajaba en una ___torre de perforación___ que sostenía una máquina excavadora. El descubrimiento de petróleo generó un período de rápido crecimiento económico, es decir, un ___auge___, en el sur de California. Poco después de la mudanza de la familia, otros familiares también se mudaron a California para buscar empleo. Un tío consiguió trabajo en el desierto de Mojave. Ayudó a construir un ___acueducto___ que llevaría agua a Los Angeles. La fuerza del agua se usaba para producir electricidad. La electricidad generada por una corriente de agua se llama ___energía hidroeléctrica___.

Lección 3 En 1905, una familia de Japón se estableció cerca del río Sacramento. La familia vivía en una comunidad japonesa llamada ___Florin___, donde cultivaban fresas. En 1909, la familia viajó a San Francisco para visitar amigos. El viaje fue muy fácil porque el gobierno acababa de construir un sistema de ___carreteras___. En 1914, el hijo conoció a John Muir, un famoso ___naturalista___. Muir trabajó para impedir la construcción de una presa en el ___río Tuolumne___ que causaría la inundación de una parte del Parque Nacional Yosemite, llamada ___valle Hetch Hetchy___. A pesar de las protestas, la presa fue construida. San Francisco tuvo agua, pero el plan enfureció a muchas personas.

CHAPTER 8 REVIEW

Nombre ____________ Fecha ____________

LA LECTURA EN LOS ESTUDIOS SOCIALES: SACAR CONCLUSIONES

Destreza clave

Una economía en crecimiento

INSTRUCCIONES **Completa los organizadores gráficos para mostrar que comprendes cómo usar la evidencia y el conocimiento para sacar conclusiones acerca del crecimiento de la economía de California.**

Evidencia
Muchos inmigrantes consideraban que California era una tierra de oportunidades.

Conocimiento
Las personas de diferentes culturas pueden aprender entre sí de sus costumbres y sus tradiciones.

Conclusión
Respuesta posible: La inmigración y la migración ayudaron a que la economía de California creciera y contribuyeron a hacer más diversa la población del estado.

Evidencia
A finales del siglo XIX se descubrió petróleo en California.

Conocimiento
La demanda de petróleo aumentó porque se usaba como combustible para automóviles y locomotoras de ferrocarril.

Conclusión
Respuesta posible: La industria del petróleo se convirtió en parte importante de la economía de California.

NORMAS DE CALIFORNIA HSS 4.4, 4.4.3, 4.4.6

STATE AND COMMUNITY RESOURCES

CHAPTER TEST

Nombre _____ Fecha _____

8 Prueba   NORMAS DE CALIFORNIA HSS 4.4

SELECCIÓN MÚLTIPLE (5 puntos cada una)

INSTRUCCIONES Elige la letra de la respuesta correcta.

1 ¿Cuál fue el impacto de los agricultores inmigrantes en la economía agrícola de California?
- **A** Introdujeron muchos cultivos nuevos en California.
- **B** Les quitaron gran parte de las ganancias a los agricultores nacidos en California.
- **C** Usaron técnicas de cultivo que dañaban la tierra.
- **D** Usaron más agua de la que les correspondía. HSS 4.4.3, 4.4.6, HI 1

2 ¿Quién era Mamie Tape?
- **A** un granjero que desarrolló nuevos métodos para almacenar agua
- **B** un productor japonés de papas
- **C** uno de los fundadores de Allensworth
- **D** una niña china que quería asistir a la escuela HSS 4.4, 4.4.3

3 ¿Por qué algunas personas querían impedir que siguieran llegando inmigrantes a California en la década de 1870?
- **A** Pensaban que los inmigrantes no se quedarían en California.
- **B** Temían que los inmigrantes compraran todas las tierras buenas.
- **C** Pensaban que los inmigrantes estaban quitándoles sus trabajos.
- **D** Temían que los inmigrantes estuvieran planeando una rebelión. HSS 4.4.3, CS 1, HI 1

Usa la información del recuadro para responder la pregunta 4.

"Pretendemos . . . alentar a nuestra gente que desarrolle lo mejor que hay en ellos . . ."
—Coronel Allen Allensworth

4 ¿Qué hizo el coronel Allensworth para lograr su objetivo?
- **A** Trató de poner fin a la discriminación en las grandes ciudades de California.
- **B** Desarrolló una nueva tecnología para que las granjas fueran más productivas.
- **C** Fundó una universidad para estudiantes afroamericanos.
- **D** Fundó un pueblo afroamericano llamado Allensworth, en el valle de San Joaquín. HSS 4.4.4, HI 1

5 ¿Cómo afectó el descubrimiento de petróleo a Los Angeles?
- **A** La noticia del descubrimiento hizo que muchas personas vendieran sus empresas y se mudaran.
- **B** El descubrimiento dio comienzo a un auge en la ciudad.
- **C** Al aumentar las perforaciones para buscar petróleo, se arruinó la mayoría de las tierras.
- **D** El descubrimiento hizo que los ferrocarriles dejaran de prestar servicio en el área de Los Angeles. HSS 4.4.4 *(sigue)*

Capítulo 8 ■ Prueba   Programa de evaluación ■ **73**

CHAPTER TEST

Nombre _____ Fecha _____

Usa la gráfica para responder la pregunta 6.

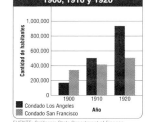

Población del condado Los Angeles y del condado San Francisco en 1900, 1910 y 1920

Cantidad de habitantes: 1,000,000 / 800,000 / 600,000 / 400,000 / 200,000 / 0
Año: 1900, 1910, 1920

■ Condado Los Angeles
■ Condado San Francisco

FUENTE: California State Department of Finance

6 ¿Qué declaración compara correctamente los cambios en la población?
- **A** De 1900 a 1910, creció más el condado Los Angeles.
- **B** De 1900 a 1910, creció más el condado San Francisco.
- **C** En 1900, el condado Los Angeles tenía más población.
- **D** En 1900, el condado San Francisco tenía menos población. HSS 4.4.4, CS 2

7 ¿Por qué los ferrocarriles pasaron del carbón al petróleo?
- **A** El carbón debía importarse.
- **B** Las reservas de carbón se agotaron.
- **C** El petróleo era más barato y se quemaba más limpiamente.
- **D** El carbón hacía falta para calentar las casas. HSS 4.4, HI 3

8 ¿Qué pasó con los habitantes del valle del Owens cuando se construyó el acueducto de Los Angeles?
- **A** Se inundaron sus campos y se arruinaron sus cultivos.
- **B** No había agua suficiente para sus animales y cultivos.
- **C** Perdieron sus tierras y tuvieron que dejarlas.
- **D** Se mudaron a Los Angeles. HSS 4.4.4, 4.4.7, HI 3

9 ¿Cómo colaboró Amadeo Pietro Giannini en la recuperación de San Francisco luego del terremoto y el incendio de 1906?
- **A** Retiró los escombros de los edificios caídos.
- **B** Reparó las tuberías de gas y de agua.
- **C** Prestó dinero a las personas para reconstruir sus hogares y negocios.
- **D** Trajo alimentos frescos de las granjas del valle Central. HSS 4.4

10 ¿Qué hizo el estado de California a comienzos del siglo XX para aportar al desarrollo del norte de California?
- **A** construyó un sistema estatal de carreteras para conectar las ciudades y los pueblos de la región
- **B** lanzó un programa para construir edificios antisísmicos en la región
- **C** compró todas las cosechas de la región para ayudar a los agricultores
- **D** creó nuevos bancos e industrias HSS 4.4, 4.4.4

(sigue)

74 ■ Programa de evaluación   Capítulo 8 ■ Prueba

CHAPTER TEST

Nombre _____ Fecha _____

EMPAREJAR (5 puntos cada una)

INSTRUCCIONES Relaciona cada lugar de la derecha con la descripción correcta de la izquierda. Escribe la letra de la respuesta que corresponda en el espacio en blanco.

11 __C__ comunidad agrícola fundada por inmigrantes de Dinamarca HSS 4.4, 4.4.3

12 __B__ área que fue inundada para que San Francisco pudiera construir un embalse y un acueducto HSS 4.4.4, 4.4.7

13 __E__ comunidad agrícola fundada por inmigrantes de Japón, célebre por sus fresas HSS 4.4, 4.4.3

14 __A__ comunidad agrícola fundada por inmigrantes de Alemania donde se estableció uno de los primeros grandes viñedos HSS 4.4.3, 4.4.6

15 __D__ lugar donde se retenía a los inmigrantes de Asia antes de permitirles ingresar a California HSS 4.4.3

- **A.** Anaheim
- **B.** valle Hetch Hetchy
- **C.** Solvang
- **D.** isla Angel
- **E.** Florin

RESPUESTA BREVE (5 puntos cada una)

INSTRUCCIONES Responde cada pregunta en el espacio en blanco.

16 ¿Por qué llegaron a California tantas personas de otros países y de otras partes de Estados Unidos a finales del siglo XIX? HSS 4.4.3, 4.4.4

Respuestas posibles: Las personas de otros países querían escapar del trato injusto en sus países de origen, tener libertad para practicar su religión y la oportunidad de poseer sus propias tierras. Los granjeros del Medio Oeste esperaban hallar una vida mejor y disfrutar del clima templado. Los afroamericanos que habían sido liberados buscaban una vida mejor.

17 ¿Qué era la Ley de Exclusión de los Chinos? HSS 4.4.3

Respuesta posible: Era una ley que impedía el ingreso a Estados Unidos de nuevos inmigrantes chinos, a menos que tuvieran familiares en el país.

(sigue)

Capítulo 8 ■ Prueba   Programa de evaluación ■ **75**

CHAPTER TEST

Nombre _____ Fecha _____

18 ¿Qué sucedió con los indios de California cuando la población del estado comenzó a aumentar rápidamente? HSS 4.4.3, 4.4.4

Respuesta posible: Algunos inmigrantes y migrantes ocuparon las tierras de los indios y muchos indios murieron a causa de los conflictos entre indios y colonos. El gobierno de Estados Unidos intentó obligar a los indios a vivir en reservas, pero allí las tierras eran poco fértiles y los indios no podían hallar o cultivar el alimento necesario para subsistir. Cuando algunos indios trataron de abandonar las reservas y regresar a sus tierras, el ejército los obligó a volver a las reservas.

19 ¿De qué manera la competencia entre los ferrocarriles permitió que más personas se trasladaran al sur de California? HSS 4.4.3, 4.4.4

Respuesta posible: La competencia entre el ferrocarril Southern Pacific y el ferrocarril Santa Fe hizo que el costo del boleto desde Missouri bajara de 125 dólares a 1 dólar. Para atraer pasajeros, ambos ferrocarriles hicieron publicidad del clima cálido y saludable del sur de California.

20 ¿Cuáles fueron algunas causas y efectos del rápido crecimiento de Los Angeles? HSS 4.4.4, HI 3

Respuestas posibles: Las bajas tarifas de ferrocarril atrajeron personas a Los Angeles. Los Angeles construyó un nuevo puerto en la bahía de San Pedro para obtener provisiones para sus nuevos habitantes. El descubrimiento de petróleo en Los Angeles provocó un auge económico en la zona. La agricultura y otras industrias también ayudaron al crecimiento de Los Angeles. Para abastecer de agua a la población en constante aumento, Los Angeles construyó un acueducto para transportar agua y generar energía hidroeléctrica para la ciudad y sus alrededores.

76 ■ Programa de evaluación   Capítulo 8 ■ Prueba

Destrezas de estudio

Usar una guía de anticipación

OBJETIVOS

- Analizar el propósito y la estructura de una guía de anticipación.
- Usar una guía de anticipación para hacer y confirmar predicciones.

RECURSOS

Transparencia de destrezas de estudio 8; Colección de audiotextos en CD de la Unidad 4

1 Presentar

Establecer el propósito Explique que usar una guía de anticipación es una manera de anticipar, o predecir, la información.

2 Enseñar

❶ Señale que la parte de la guía de anticipación que aparece aquí se refiere a la Lección 1 del Capítulo 8.

- El título principal de cada parte corresponde al título de una sección.
- Las preguntas del "Repaso de la lectura" aparecen en la primera columna.
- Las respuestas (predicciones) a las preguntas están en la segunda columna.

3 Concluir

Aplica la destreza mientras lees

❷ Pida a los estudiantes que usen los títulos de las secciones de cada lección y las preguntas del "Repaso de la lectura" para elaborar una guía de anticipación del Capítulo 8. Guíelos para que predigan las respuestas a cada pregunta, y luego comprueben si las predicciones eran correctas.

Study Skills

Use an Anticipation Guide

OBJECTIVES

- Analyze the purpose and structure of an anticipation guide.
- Use an anticipation guide to make and confirm predictions.

RESOURCES

Study Skills Transparency 8, TimeLinks: Interactive Time Line; Unit 4 Audiotext CD Collection

1 Introduce

Set the Purpose Explain that using an anticipation guide is one way to anticipate, or predict, information.

2 Teach

❶ Point out that the part of an anticipation guide shown here relates to Lesson 1 of Chapter 8.

- The main heading of each part is the title of a section.
- Reading Check questions are in the first column.
- Predicted answers to the Reading Check questions are in the second column.

3 Close

Apply As You Read

❷ Have students use each lesson's section titles and Reading Check questions to begin an anticipation guide for Chapter 8. Direct them to predict answers to each question and then read to confirm.

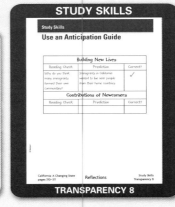

Destrezas de estudio

USAR UNA GUÍA DE ANTICIPACIÓN

Una guía de anticipación te ayudará a anticipar, o predecir, lo que aprenderás en tu lectura.

▶ Busca pistas en los títulos de las lecciones y de las secciones.
▶ Anticipa las preguntas del Repaso de la lectura. Usa lo que sabes sobre el tema de cada sección para predecir las respuestas.
▶ Lee para comprobar si tus predicciones fueron correctas.

Construyendo una nueva vida		
Repaso de la lectura	Predicción	¿Es correcta?
¿Por qué crees que muchos inmigrantes formaron sus propias comunidades?	Los inmigrantes de California querían vivir cerca de personas provenientes de sus países natales.	✓

Aportaciones de los recién llegados		
Repaso de la lectura	Predicción	¿Es correcta?

Aplica la destreza mientras lees

Usa las preguntas del Repaso de la lectura para hacer una guía de anticipación para cada lección. Luego predice una respuesta para cada pregunta. Después de la lectura, verifica si tus predicciones fueron correctas.

Normas de Historia y Ciencias Sociales de California, Grado 4

4.4 Los estudiantes explican cómo California se convirtió en una potencia agrícola e industrial, siguiendo la transformación de la economía de California y su desarrollo político y económico desde la década de 1850.

310 ■ Unidad 4

Practice and Extend

REACH ALL LEARNERS

Leveled Practice Ask students to complete an anticipation guide.

Basic Have students read aloud the title and question and record these in the guide. Have them dictate predictions.

Proficient Students complete the guide and read on their own.

Advanced Students complete the guide and then discuss whether or not their predictions were correct and why.

STUDY SKILLS

Study Skills

Use an Anticipation Guide

Building New Lives		
Reading Check	Prediction	Correct?
Why do you think many immigrants formed their own communities?	Immigrants in California wanted to live near people from their home countries.	✓

Contributions of Newcomers		
Reading Check	Prediction	Correct?

California: A Changing State pages 310–311 | Reflections | Study Skills Transparency 8

TRANSPARENCY 8

Practicar y ampliar

DESTREZAS DE ESTUDIO

Destrezas de estudio

Usar una guía de anticipación

Construyendo una nueva vida		
Repaso de la lectura	Predicción	¿Es correcta?
¿Por qué crees que muchos inmigrantes formaron sus propias comunidades?	Los inmigrantes de California querían vivir cerca de personas provenientes de sus países natales.	✓

Aportaciones de los recién llegados		
Repaso de la lectura	Predicción	¿Es correcta?

California: Un estado cambiante páginas 310–311 | Reflexiones | Destrezas de estudio Transparencia 8

TRANSPARENCIA 8

Una economía en crecimiento

CAPÍTULO 8

En California, el cultivo de cítricos se convirtió en una importante industria a comienzos del siglo XX.

Capítulo 8 ■ 311

CALIFORNIA STANDARDS HSS 4.4 Students explain how California became an agricultural and industrial power, tracing the transformation of the California economy and its political and cultural development since the 1850s. **SKILL** Research, Evidence, and Point of View 2.

Access Prior Knowledge

Tell students that in this chapter, they will read about rapid economic development in California in the late 1800s and early 1900s, and they will learn how it affected Californians. Engage students in a discussion about the changes that can happen when a group quickly grows in size.

❸ Visual Literacy: Photograph

SKILL Research/Evidence Remind students that citrus farming was one of many industries that expanded in California during the late 1800s and early 1900s. HSS 4.4, HR 2

Q What does the photo tell about orange harvesting in the early years of the citrus industry?

A The oranges were picked by hand by people on ladders and then packed in wooden crates.

TIMELINKS: Interactive Time Line

Remind students to add people and events for each lesson in this chapter to the TimeLinks: Interactive Time Line.

BACKGROUND

Navel Oranges The two navel orange trees that Eliza and Luther Tibbets planted in Riverside in 1873 were from the Bahia province of Brazil. They were given to the Tibbetses by an official from the U.S. Department of Agriculture, who hoped that the trees would thrive in the area—and they did. The oranges, which later were called Washington navels, attracted interest from other farmers because they were seedless. Soon the Tibbetses were selling buds from the trees. In a relatively short time, Riverside became a center for orange growing. One of the two trees died in 1921, but the other continues to bloom and produce fruit.

CHAPTER 8 ■ 311

Despertar conocimientos previos

Diga a los estudiantes que en este capítulo leerán sobre el rápido crecimiento económico que experimentó California a fines del siglo XIX y comienzos del siglo XX, y cómo afectó esto a los californianos. Invite a los estudiantes a reflexionar sobre los cambios que pueden darse cuando un grupo crece rápidamente.

❸ Aprendizaje visual: Fotografía

DESTREZA DE ANÁLISIS Investigación/Evidencia Recuerde a los estudiantes que el cultivo de cítricos fue una de las numerosas industrias que se expandieron en California a fines del siglo XIX y comienzos del siglo XX. HSS 4.4, HR 2

P ¿Qué indica la fotografía con respecto a la cosecha de naranjas durante los primeros años de la industria de los cítricos?

R Las naranjas se recogían a mano, con escaleras; luego, se empacaban en cajas de madera.

ANTECEDENTES

Las naranjas de ombligo Los dos árboles de naranjas de ombligo que Eliza y Luther Tibbets plantaron en Riverside en 1873 provenían de la provincia de Bahía, en Brasil. Un funcionario del Departamento de Agricultura de Estados Unidos se los entregó a los Tibbets con la esperanza de que estos naranjales sobrevivieran en el área, y así fue. Las naranjas, que luego se conocieron como naranjas de ombligo de Washington, atrajeron el interés de otros agricultores porque no tenían semillas. Muy pronto los Tibbets comenzaron a vender brotes de los árboles. Poco después, Riverside se convirtió en un importante centro de producción de naranjas. Uno de los dos árboles originales murió en 1921, pero el otro aun sigue en pie, florece y da frutos.

Comienza con un cuento

OBJETIVOS

- **Explicar la importancia del agua para las comunidades de California.**
- **Examinar las causas de los conflictos por el acueducto de Los Angeles.**

RECURSOS

Colección de audiotextos en CD de la Unidad 4

Resumen

Fuego en el valle, por Tracey West, relata la vida de Sarah Jefferson y su familia en el valle del Owens a comienzos del siglo XX. En este fragmento se habla de un proyecto para llevar agua desde el río Owens hasta Los Angeles.

Fuente: *Fuego en el valle,* por Tracey West. Silver Moon Press, 1993.

Antes de la lectura

Establecer el propósito Explique que el relato transcurre a comienzos del siglo XX, en una época en la que la población de California crecía rápidamente. Los Angeles y otras ciudades muy pobladas, situadas en áreas relativamente secas, sufrían la escasez de agua. Se idearon entonces varios proyectos hídricos. Pida a los estudiantes que, mientras leen el cuento, piensen en los efectos de los proyectos hídricos en las diversas comunidades de California.

Durante la lectura

① Entender el cuento Pida a los estudiantes que expliquen la importancia del agua para la gente y las comunidades. Analice con ellos qué ofrecía el proyecto del Servicio de Recuperación a los agricultores del valle del Owens.

📷 **HSS 4.4.7,** ELA READING 2.0

Start with a Story

OBJECTIVES

- Explain the importance of water to communities in California.
- Examine reasons behind conflicts over the Los Angeles Aqueduct.

RESOURCES

Unit 4 Audiotext CD Collection

Quick Summary

Fire in the Valley, by Tracey West, tells the story of Sarah Jefferson and her family and their life in the Owens Valley in the early 1900s. The following excerpt tells about plans for a water project that would carry water from the Owens River to Los Angeles.

Source: *Fire in the Valley* by Tracey West. Silver Moon Press, 1993.

Before Reading

Set the Purpose Explain that the story is set in the early 1900s, during a time when the population of California was rapidly growing. Los Angeles and other growing cities in relatively dry areas experienced water shortages, which led to plans for water projects. As students read, have them consider the effects of the water projects on various communities in California.

During Reading

① Understand the Story Ask students to explain how water is important to people and communities. Discuss with students what the Reclamation Service project planned to bring to farmers in the Owens Valley.

📷 **HSS 4.4.7,** ELA READING 2.0

Fuego en el valle

por Tracey West
ilustrado por Craig Spearing

A comienzos del siglo XX, conseguir el agua necesaria para la creciente población de California era un desafío y un motivo de conflictos. En esta historia Sarah Jefferson, de once años, y su familia están entusiasmados porque han oído que hay planes de traer más agua a su pueblo en el valle del Owens. Lee para saber cómo su alegría se transforma repentinamente en desilusión.

① **S**arah había oído hablar del proyecto del Servicio de Recuperación durante todo el año anterior. Sabía que el gobierno federal tenía un plan especial para irrigar todo el valle del Owens. Aunque había suficiente agua en el río Owens, no todos los habitantes del valle tenían el dinero o los medios para llevar el agua hasta las granjas. El proyecto del Servicio de Recuperación se aseguraría de que los granjeros del valle tuvieran toda el agua necesaria para sus cultivos.

—¿Realmente crees que ocurrirá pronto? —preguntó Sarah entusiasmada. Si el tren llegaba al pueblo, Independence se convertiría en un lugar casi tan animado como Los Angeles. Vendrían a vivir al valle todo tipo de personas y se abrirían tiendas y otros negocios.

—Parece que sí —dijo el tío Will, mientras señalaba el rancho ganadero Richardson—. Oí que la semana pasada Joe Richardson vendió parte de sus tierras a Fred Eaton. Todos saben que Eaton representa al proyecto del Servicio de Recuperación. Si compró las tierras, algo debe estar pasando.

—Eso sería maravilloso, ¿no es cierto, mamá? —Sarah sentía ganas de cantar.

Su mamá se permitió sonreír.

—Sí, lo sería. Todos hemos trabajado muy duro…

Por lo general el pueblo era tranquilo, pero ese día Sarah vio que una multitud se había reunido frente a la oficina de correos. Un granjero enfurruñado los pasó a todo galope. Cuando el carromato en el que iba Sarah se acercó a la multitud, la niña pudo escuchar el murmullo de la gente enojada.

—¿Qué pasa? —preguntó el tío Will, bajándose de Rusty, su caballo.

irrigar regar el suelo, por lo general los cultivos

enfurruñado con gesto enojado

312 ▪ Unidad 4

Practice and Extend

BACKGROUND

Independence Independence, the county seat of Inyo County, is a town in the Owens Valley in east-central California, on the eastern side of the Sierra Nevada. It is about 5 miles north of the Manzanar National Historic Site and approximately 190 miles from Los Angeles.

REACH ALL LEARNERS

Leveled Practice Water from melted snow in the Sierra Nevada supplies the Owens River with water.

Basic Have students draw how the Owens River gets its water.

Proficient Have students draw and label a picture showing the water source for the Owens River.

Advanced Have students write to explain how the Owens River gets its water supply.

Practicar y ampliar

ANTECEDENTES

Independence Independence, sede del gobierno del condado Inyo, es una ciudad situada en el valle del Owens, en el centro-este de California, al este de la sierra Nevada. Está unas 5 millas al norte del Sitio Histórico Nacional Manzanar y a aproximadamente 190 millas de Los Angeles.

James Aguilar, un granjero de las afueras del pueblo, sostenía un periódico. —Esto acaba de llegar de Los Angeles.

Sarah iba a saltar del carromato, pero su mamá la detuvo. Se podía leer el titular del periódico desde donde estaba, porque estaba escrito en letras muy grandes. Decía: "TITÁNICO PROYECTO PARA DAR UN RÍO A LA CIUDAD". El periódico tenía fecha

del 29 de julio de 1905, solo unos pocos días antes.

—¿Qué significa esto? —preguntó el tío Will, tomando el periódico.

—La compañía de agua de Los Angeles planea construir un acueducto desde aquí hasta la ciudad —respondió James—. ¡Nos están robando el agua!

titánico enorme **acueducto** gran conducto o canal que lleva agua

Responde

1. ¿Por qué un proyecto de irrigación en el valle del Owens haría que llegara el tren a esa zona?

2. ¿Por qué crees que los habitantes de Independence estaban molestos por el acueducto a Los Angeles?

Capítulo 8 • 313

CALIFORNIA STANDARDS HSS 4.4.7 Trace the evolution of California's water system into a network of dams, aqueducts, and reservoirs. **SKILL** Chronological and Spatial Thinking 4, 5. Historical Interpretation 3.

2 Geography

SKILL Spatial Thinking Have students use the legend on the map on page 326 to interpret the information in the map. Have students locate the Owens River and the Greater Los Angeles area and judge the significance of the relative location of Los Angeles to the Owens River. Have students discuss what effects they think the aqueduct had on people in the Owens Valley and in Los Angeles.

 HSS 4.4.7, HI 3, CS 4, 5, ELA READING 3.2

After Reading

Response Corner—Answers

1. Possible responses: A railroad might be needed to transport supplies and workers for the irrigation project; with more water available, more people might want to travel or move to the area. ELA READING 2.0

2. Possible response: They were worried that Los Angeles would take away too much water. ELA READING 3.3

Write a Response

Have students find the distance between the Owens River and Los Angeles. Then invite them to write a brief paragraph explaining why they think city officials in Los Angeles decided to go so far away for more water. ELA WRITING 2.2

For a writing response scoring rubric, see Assessment Program, p. xv.

2 Geografía

DESTREZA DE ANÁLISIS Pensamiento espacial Pida a los estudiantes que usen la leyenda del mapa de la página 326 para interpretar el mapa. Pídales que ubiquen el río Owens y el área metropolitana de Los Angeles y que juzguen la importancia de la ubicación relativa de Los Angeles con relación al río Owens. Pida a los estudiantes que conversen sobre los efectos que el acueducto tuvo en los habitantes del valle del Owens y en los residentes de Los Angeles.

HSS 4.4.7, HI 3, CS 4, 5, ELA READING 3.2

Después de la lectura

Responde—Respuestas

1. Respuestas posibles: El tren sería necesario para transportar provisiones y trabajadores para el proyecto de irrigación; al haber más agua, probablemente más personas desearían viajar o establecerse en el área. ELA READING 2.0

2. Respuesta posible: Estaban preocupados porque temían que Los Angeles se llevara demasiada cantidad de agua. ELA READING 3.3

Escribir una respuesta

Pida a los estudiantes que hallen la distancia entre el río Owens y Los Angeles. Luego, invítelos a escribir un párrafo breve explicando por qué piensan que los funcionarios de la ciudad de Los Angeles decidieron ir tan lejos en busca de agua. ELA WRITING 2.2

Para calificar la respuesta escrita, vea el Programa de evaluación, pág. xv.

Lección 1

OBJETIVOS

- Describir de qué lugares provenían los migrantes e inmigrantes a California a fines del siglo XIX y comienzos del siglo XX.
- Examinar los conflictos y acuerdos entre los diferentes grupos de California.

VOCABULARIO

inmigración pág. 315

migración pág. 315

prejuicio pág. 318

reserva pág. 319

Destreza clave

SACAR CONCLUSIONES

págs. 270–271, 315, 316, 319, 320

RECURSOS

Tarea y práctica, págs. 83–84; Transparencia de destrezas clave 4; Colección de audiotextos en CD de la Unidad 4; Recursos en Internet

1 Presentar

Reflexiona Ayude a los estudiantes a hacer una lista de cosas que podrían ocurrir cuando se juntan personas con diferentes tradiciones, idiomas, religiones y experiencias.

Piensa en los antecedentes Pida a los estudiantes que recuerden los diferentes grupos de inmigrantes que llegaron a California cuando aún no tenía el rango de estado.

IMAGÍNATE ALLÍ Converse con los estudiantes acerca de cómo los funcionarios del centro de procesamiento de la isla Angel podían cambiar el destino de una persona. Comente que a veces las familias eran separadas.

Lesson 1

OBJECTIVES

- Describe the makeup of migrants and immigrants to California in the late 1800s and early 1900s.
- Examine conflicts and accords, or agreements, among different groups in California.

VOCABULARY

immigration p. 315 **prejudice** p. 318

migration p. 315 **reservation** p. 319

Focus Skill

DRAW CONCLUSIONS

pp. 270–271, 315, 316, 319, 320

RESOURCES

Homework and Practice Book, pp. 83–84; Reading Support and Intervention, pp. 114–117; Success for English Learners, pp. 117–120; Vocabulary Transparency 4-8-1; Vocabulary Power, p. 97; Focus Skills Transparency 4; Unit 4 Audiotext CD Collection; Internet Resources

1 Introduce

What to Know Help students brainstorm a list of things that could happen when people with different traditions, languages, religions, and experiences come together.

Build Background Ask students to recall the different groups of immigrants who came to California prior to statehood.

You ARE THERE Discuss how officials at the Angel Island immigrant processing center could change the course of a person's life. Point out that sometimes families were broken up.

Lección 1

Tiempos
1855 — 1885 — 1915

- **1873** Última batalla en California entre los indios y el ejército de Estados Unidos
- **1882** El Congreso aprueba una ley para detener la mayor parte de la nueva inmigración china
- **1900** California celebra sus cincuenta años como estado

REFLEXIONA ¿Cómo afectaron a California la inmigración y la migración?

✓ Describe de qué lugares provenían los migrantes e inmigrantes a California a fines del siglo XIX y comienzos del siglo XX.

✓ Examina los conflictos y acuerdos entre los diferentes grupos de California.

Inmigración y migración

IMAGÍNATE ALLÍ Después de un largo viaje a través del océano Pacífico, llegas a la **isla Angel**. Allí, tendrás que responder algunas preguntas para poder entrar a Estados Unidos. A la mayoría de los inmigrantes como tú, se les retiene en la isla durante algunas semanas. ¡Pero otros deben quedarse allí hasta dos años!

VOCABULARIO
inmigración pág. 315
migración pág. 315
prejuicio pág. 318
reserva pág. 319

PERSONAS
Kyutaro Abiko
coronel Allen Allensworth
jefe Kientepoos

LUGARES
isla Angel
colonia Yamato
Solvang
Allensworth

SACAR CONCLUSIONES

Normas de California
HSS 4.4, 4.4.3, 4.4.4

314 ■ Unidad 4

CALIFORNIA STANDARDS 4.4 Students explain how California became an agricultural and industrial power, tracing the transformation of the California economy and its political and cultural development since the 1850s. 4.4.3 Discuss immigration and migration to California between 1850 and 1900, including the diverse composition of those who came; the countries of origin and their relative locations; and conflicts and accords among the diverse groups (e.g., the 1882 Chinese Exclusion Act).

When Minutes Count

Have students work in pairs. Ask partners to change each section heading into a question and then scan the text to find the answer. When students have finished this task, they can share and discuss their questions and answers as a class.

Quick Summary

In the late 1800s and early 1900s, people flocked to California. This influx brought benefits and problems. The newcomers brought their skills, cultures, and labor to the state, but some faced prejudice. California Indians lost more land, and the United States government moved many of them to reservations.

Cuando el tiempo apremia

Pida a los estudiantes que trabajen en parejas para dar forma de pregunta a los títulos de cada sección. Luego, dígales que ojeen el texto para hallar la respuesta. Una vez que los estudiantes terminen esta tarea, podrán analizar sus preguntas y respuestas con el resto de la clase.

Resumen

A fines del siglo XIX y comienzos del siglo XX, mucha gente emigró a California. Esto trajo beneficios y problemas. Los recién llegados trajeron destrezas, culturas y mano de obra, pero enfrentaron prejuicios. Los indios de California perdieron más tierras y el gobierno de Estados Unidos los trasladó a reservas.

Construyendo una nueva vida

1 A fines del siglo XIX y comienzos del siglo XX, la **inmigración** a Estados Unidos aumentó de manera considerable. Millones de personas llegaron a los puertos de las costas del Atlántico y del Pacífico. Algunos de estos inmigrantes escapaban del trato injusto en sus países de origen. Otros querían la libertad de practicar su religión. Y otros buscaban la oportunidad de tener sus propias tierras.

Llegaron muchísimos inmigrantes a California. La mayoría provenía de países de Europa, Asia, América Central y América del Sur. Muchos de los inmigrantes querían vivir cerca de personas de sus países de origen. En 1904, **Kyutaro Abiko** fundó la **colonia Yamato**,

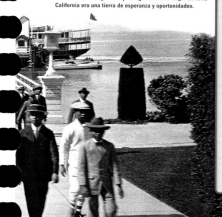

▶ Para estos inmigrantes que llegan a la isla Angel en 1910, California era una tierra de esperanza y oportunidades.

una comunidad agrícola japonesa en el valle Central. En 1910, inmigrantes de Dinamarca formaron una comunidad llamada **Solvang** en el valle de Santa Ynez.

Pero los inmigrantes no eran los únicos que llegaban a California. También se produjo una **migración**, o movimiento de personas, desde otros estados del país hacia California. Llegaron granjeros del Medio Oeste que esperaban disfrutar del clima templado de California y de una vida mejor. Muchos afroamericanos, liberados de la esclavitud después de la Guerra Civil, también buscaban allí una vida mejor.

REPASO DE LA LECTURA ⊘ **SACAR CONCLUSIONES**
¿Por qué crees que muchos inmigrantes formaron sus propias comunidades? Preferían vivir con vecinos que hablaran la misma lengua y tuvieran las mismas costumbres.

GEOGRAFÍA
La isla Angel **2**

A comienzos del siglo XX, los inmigrantes que entraban a Estados Unidos por la costa del Pacífico eran retenidos en la isla Angel, en la bahía de San Francisco. Estos inmigrantes tenían que esperar en un centro de procesamiento mientras el gobierno decidía si podían o no ingresar al país. Hoy en día, la isla Angel es un parque estatal.

🐻 4.4.4 Describe rapid American immigration, internal migration, settlement, and the growth of towns and cities (e.g., Los Angeles). **SKILL** Chronological and Spatial Thinking 3, 5. Historical Interpretation 1, 2, 3.

---

2 Teach

Building New Lives

Content Focus At the turn of the last century, hundreds of thousands of people came to California from other places.

1 🟦**SKILL Historical Interpretation**
Tell students that immigrants often came to the United States to escape adverse conditions in their home countries. Have students use this information and what they already know to discuss immigration and migration to California between 1850 and 1900 and to provide some of the historical context behind it. 🐻 HSS 4.4.3, HI 1

GEOGRAPHY

Angel Island

2 Have students examine the map to locate Angel Island. Tell students that immigrants who entered the United States on the Atlantic coast were held at Ellis Island, in New York Harbor. 🐻 HSS 4.4

---

2 Enseñar

Construyendo una nueva vida

Contenido clave A comienzos del siglo XX, cientos de miles de personas llegaron a California.

1 🟦**DESTREZA DE ANÁLISIS Interpretación histórica** Comente a los estudiantes que los inmigrantes, por lo general, llegaban a Estados Unidos para escapar de condiciones adversas en sus países natales. Pídales que usen esta información y lo que saben para reflexionar sobre la inmigración y la migración a California entre 1850 y 1900. Pídales que describan, además, algo del contexto histórico. 🐻 HSS 4.4.3, HI 1

GEOGRAFÍA

La isla Angel

2 Pida a los estudiantes que observen el mapa y que ubiquen la isla Angel. Coménteles que los inmigrantes que ingresaban en Estados Unidos por la costa Atlántica eran retenidos en la isla Ellis, en el puerto de New York. 🐻 HSS 4.4

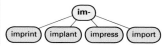

Aportaciones de los recién llegados

Contenido clave Los inmigrantes hicieron importantes aportaciones a la economía y la cultura de California.

③  **Interpretación histórica**

Aprendizaje visual: Fotografía Pida a los estudiantes que comenten algunas de las maneras en las que los inmigrantes de California trajeron consigo nuevas ideas y nuevos modos de vida. Invítelos a identificar cómo estas características humanas forman el rasgo distintivo de los lugares de California.

P **¿Cómo muestra la fotografía la influencia de la cultura china en San Francisco?**
HSS 4.4.3, HI 2

R Los edificios son de un estilo que refleja las construcciones tradicionales de China.

④ **Aprendizaje visual: Gráfica** Pida a los estudiantes que analicen la composición diversa de los inmigrantes que llegaron a California. Explique que el gobierno de Estados Unidos impuso restricciones a la inmigración de algunos grupos, como los chinos, lo que provocó que el número de inmigrantes de esos grupos se redujera.
HSS 4.4.3

RESPUESTA: Alemania

Contributions of Newcomers

Content Focus Immigrants to California added to the state's economy and culture.

③ **Historical Interpretation**

Visual Literacy: Photograph Have students share their ideas about some of the ways in which immigrants to California brought with them new ideas and new ways of life. Challenge students to identify how such human characteristics form the unique character of places in California.

Q How does the photograph show the influence of Chinese culture in San Francisco? HSS 4.4.3, HI 2
A The buildings have a style that reflects traditional buildings in China.

④ Visual Literacy: Graph Have students discuss the diverse composition of those who came to California. Explain that restrictions to immigration were placed on some groups, such as the Chinese, by the United States government, which resulted in fewer immigrants from these groups. HSS 4.4.3

CAPTION ANSWER: Germany

DATOS BREVES

Hoy en día, San Francisco tiene una de las poblaciones chinas más grandes del mundo fuera de China.

Aportaciones de los recién llegados

Hacia 1900, vivían en California más de un millón de personas. Los inmigrantes y migrantes que llegaron a California tuvieron un papel importante en el crecimiento del estado. Además de acrecentar la población, trajeron nuevas ideas y costumbres.

Los recién llegados usaron su talento y sus habilidades como obreros, agricultores, pescadores, empresarios, artistas, escritores y maestros. Después de trabajar en los ferrocarriles, muchos chinos se mudaron al delta del Sacramento y pasaron años

FUENTE: U.S. Census Bureau

Analizar gráficas **Los inmigrantes provenientes de China construyeron un barrio chino en San Francisco.**
❖ **¿De qué país llegaron más inmigrantes en 1900?**

Inmigrantes en California, 1900
Número de personas — Países de origen: Alemania, Irlanda, China, Inglaterra, Canadá

316 ▪ Unidad 4

Practice and Extend

BACKGROUND

Chinese Immigration Before World War II, almost all Chinese immigrants came from a very small area of China about the size of Rhode Island. This area is in the Guangdong province in southern China, near the city of Guangzhou (also called Canton). As a result, many Chinese in the United States spoke Cantonese instead of the most common form of Chinese, Mandarin.

READING SOCIAL STUDIES

Draw Conclusions Have students read the text on page 317 describing the crops that immigrant groups grew in California. Then ask them to draw a conclusion about why immigrants tended to grow crops that grew in their home countries. ELA READING 2.2

READING TRANSPARENCY

Use FOCUS SKILLS TRANSPARENCY 4.

Practicar y ampliar

ANTECEDENTES

La inmigración china Antes de la Segunda Guerra Mundial, casi todos los inmigrantes chinos procedían de un área muy pequeña de China, de una superficie similar a la de Rhode Island. Esta área está en la provincia Guangdong en el sur de China, cerca de la ciudad de Guangzhou (también llamada Cantón). Esto explica por qué muchos chinos en Estados Unidos hablaban cantonés en lugar del idioma chino más común, el mandarín.

LA LECTURA EN LOS ESTUDIOS SOCIALES

Sacar conclusiones Pida a los estudiantes que lean el texto de la página 317 sobre los cultivos de los inmigrantes en California. Luego, pídales que saquen una conclusión acerca de por qué los inmigrantes cultivaban lo mismo que en sus países de origen. ELA READING 2.2

TRANSPARENCIA DE LECTURA

Use la TRANSPARENCIA DE DESTREZAS CLAVE 4.

construyendo diques que transformaron las tierras pantanosas en tierras de cultivo.

En California, muchos inmigrantes japoneses se convirtieron en prósperos agricultores. Cultivaban uvas, fresas y otras frutas. Algunos trajeron semillas de arroz de Japón y demostraron que el arroz podía cultivarse con éxito en California.

Muchas personas de Armenia, en Asia occidental, se establecieron en el valle Central. La geografía y el clima de esta zona les recordaba su país natal. Los agricultores armenios se dedicaron a cultivos típicos de su país, como higos, uvas, melones y pistachos.

Los inmigrantes europeos también ayudaron a desarrollar la industria agrícola de California. En un principio, muchos inmigrantes italianos habían llegado en busca de oro. Con el tiempo, se convirtieron en agricultores y también se dedicaron a cultivos de su país de origen, como uvas y aceitunas.

En 1857, inmigrantes alemanes establecieron un asentamiento en el valle de Santa Ana y dieron a su comunidad el nombre de Anaheim: *Ana* por el valle y *heim* por la palabra alemana que significa "hogar". En Anaheim, estos colonos establecieron uno de los primeros grandes viñedos de California. Luego, inmigrantes franceses e italianos plantaron más viñedos en los valles de Napa, Sonoma, San Joaquin y Sacramento.

También llegaron a California muchos artistas europeos. El alemán Charles Christian Nahl se hizo famoso por sus pinturas de la vida en los campos mineros de California. El artista escocés William Keith pintó en sus cuadros las misiones de California y el valle de Yosemite.

Patrimonio cultural

El año nuevo chino ⑥

Todos los inviernos, durante el año nuevo chino, la comunidad china de San Francisco comparte sus tradiciones con el resto de la ciudad. Durante esta celebración de 15 días, todos los americanos de origen chino se saludan diciendo "¡Gung Hay Fat Choy!", que significa "Feliz año nuevo". Por las calles del barrio chino se realiza un gran desfile que incluye carrozas y coloridos trajes.

Las personas que migraron a California también hicieron importantes contribuciones. Kate Douglas Wiggin fundó el primer jardín de niños gratuito de San Francisco en 1878. La escritora Mary Austin se mudó de Illinois a California en 1888. Sus escritos celebran la belleza del valle del Owens, en California.

REPASO DE LA LECTURA GENERALIZAR
¿Cómo lograron los inmigrantes producir en California los mismos cultivos que en su tierra natal?
La geografía y el clima de California eran similares a los de su país de origen.

Capítulo 8 ■ 317

---

⑤ **SKILL** **Spatial Thinking** Provide students with a world map, and help them find the countries of origin of the immigrant groups mentioned and the relative locations of those countries. Then have students judge the significance of California's relative location to Asia.

Q Why do you think more Chinese and Japanese immigrants settled in California and other western states than in states in the East? HSS 4.4.3, CS 5

A California and other western states were closer and easier to get to from Asia.

Cultural Heritage

Chinese New Year

⑥ Draw attention to the fact that not all people celebrate the New Year on January 1. For example, the New Year begins in January or February in China and for many people from Southwest Asia, the New Year begins in March. Ask students what holidays from other countries have become widely known in California. Discuss the popularity among people from all backgrounds of Cinco de Mayo celebrations, Chinese New Year festivals, St. Patrick's Day parades, Kwanzaa festivities, and other cultural events. HSS 4.4.3

CHAPTER 8 ■ 317

---

⑤ **DESTREZA DE ANÁLISIS** **Pensamiento espacial** Facilite a los estudiantes un planisferio y ayúdelos a buscar el país de origen de los grupos de inmigrantes mencionados y la ubicación relativa de cada uno de esos países. Luego, pídales que den su opinión sobre la importancia de la ubicación relativa de California con relación a Asia.

P ¿Por qué creen que los inmigrantes chinos y japoneses se establecieron más en California y en otros estados del oeste que en los estados del este? HSS 4.4.3, CS 5

R California y otros estados del oeste estaban más cerca de Asia y podían llegar con más facilidad.

Patrimonio cultural

El año nuevo chino

⑥ Explique que no todas las personas celebran el Año Nuevo el 1° de enero. Por ejemplo, en China el año nuevo comienza en enero o febrero y para muchos pueblos del suroeste de Asia, comienza en marzo. Pregunte a los estudiantes qué días feriados de otros países se han difundido en California. Converse sobre la popularidad de los festejos del Cinco de Mayo, los festivales del año nuevo chino, los desfiles del Día de San Patricio, el festival de Kwanzaa y otros eventos culturales. HSS 4.4.3

INTEGRATE THE CURRICULUM

VISUAL ARTS Help students use the library or the Internet to view William Keith's landscapes. Then have groups choose a painting to analyze. As a group have them determine the subject of the painting, its art elements (color, shapes, textures), and the mood the painting creates. Students can either present their analysis to the class orally or write a report. **Present Information** VISUAL ARTS 1.3, 1.5

MAKE IT RELEVANT

In Your Community Have students work in pairs to list things described in this section that immigrants brought to California. Have each student then go through the list and put a checkmark next to the things he or she uses or comes in contact with in his or her daily life.

APLÍCALO

En su comunidad Pida a los estudiantes que trabajen en parejas para hacer una lista de cosas descritas en esta sección que los inmigrantes trajeron a California. Pida luego a cada estudiante que repase la lista y que ponga una marca junto a las cosas que usa o con las que tiene contacto en su vida diaria.

Enfrentando la discriminación

Contenido clave Algunos recién llegados, especialmente asiáticos y afroamericanos, tuvieron que enfrentar prejuicios y discriminación en California.

Los niños EN LA HISTORIA
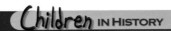

Mamie Tape

7 Explique a los estudiantes que personas como los miembros de la familia Tape han luchado a lo largo de la historia de Estados Unidos por recibir igual trato que los demás.
HSS 4.4.3

Fuente: Mary Tape. De una carta al consejo escolar de San Francisco, 8 de abril de 1885.

Aplícalo Respuesta posible: Las escuelas públicas se financian con el dinero de los impuestos que se cobran a todos los ciudadanos, y su función es servir a todos los ciudadanos.

8 **Historia** Diga a los estudiantes que, a comienzos del siglo XX, se encontraban en vigencia varias leyes discriminatorias, además de la Ley de Exclusión de los Chinos. El Gentleman's Agreement, o Acuerdo de Caballeros, suprimió la inmigración japonesa en 1908. La Alien Land Law, o Ley de Tierras para los Extranjeros, de 1913 prohibía la posesión de tierras a quienes no eran ciudadanos.

P **¿Por qué creen que el Congreso creó una ley que establecía que solo los chinos que tenían familiares en Estados Unidos podían ingresar en el país?**
HSS 4.4.3

R Los familiares mantendrían a los inmigrantes en caso de que estos no pudiesen encontrar empleo; limitaba el número de inmigrantes chinos.

Converse con los estudiantes sobre otros conflictos y acuerdos entre los diversos grupos de personas que llegaron a California. **HSS 4.4.3**

Facing Discrimination

Content Focus Some newcomers, especially Asians and African Americans, faced prejudice and discrimination in California.

Children IN HISTORY

Mamie Tape

7 Explain to students that throughout United States history, people such as the Tape family have fought for equal treatment.
HSS 4.4.3

Source: Mary Tape. From a letter to the San Francisco school board. April 18, 1885.

Make It Relevant Possible response: Public schools are paid for with tax money collected from all citizens and are meant to serve all citizens.

8 **History** Tell students that several discriminatory laws besides the Chinese Exclusion Act were in effect at the turn of the last century. The so-called Gentleman's Agreement cut off most immigration from Japan in 1908. The Alien Land Law of 1913 prohibited non-citizens from owning land.

Q **Why do you think Congress made a law that only Chinese who had family in the United States could enter the country?** **HSS 4.4.3**

A Family members would support the immigrants if they were unable to find jobs; it limited the number of Chinese allowed to enter.

Discuss other conflicts and accords among the diverse groups of people who came to California. **HSS 4.4.3**

318 ■ **UNIT 4**

Los niños EN LA HISTORIA

7

Mamie Tape

En 1885, una niña china llamada Mamie Tape intentó asistir a una escuela pública de San Francisco. Cuando la escuela se negó a aceptar a Mamie como estudiante, su madre, llamada Mary, decidió luchar por los derechos de su hija. En una carta, Mary Tape preguntaba: "¿Es una vergüenza [haber nacido] chino?"* Bajo presión, el consejo escolar estableció una escuela separada a la que podían concurrir los niños chinos. Años más tarde, se determinó que estas escuelas eran inconstitucionales y se reformó la ley.
Aplícalo ¿Por qué es importante que las escuelas públicas de hoy acepten a todos los estudiantes? Explica tu respuesta.

*Mary Tape. De una carta al consejo escolar de San Francisco, 8 de abril de 1885.

▶ Mamie Tape (en el centro) y su familia en 1884.

Enfrentando la discriminación

8

La década de 1870 fue una época de dificultades económicas en Estados Unidos. Numerosos trabajadores perdieron sus empleos. En California, muchos culpaban a los inmigrantes por estos problemas. Antes se les había necesitado para construir el ferrocarril transcontinental. Pero ahora muchos californianos sentían que los inmigrantes estaban quitándoles sus trabajos.

Los inmigrantes, especialmente los chinos, tuvieron que enfrentar la discriminación. La discriminación contra los chinos y otros grupos se originó a causa de los prejuicios. Un **prejuicio** es el sentimiento injusto de odio o rechazo hacia los miembros de un grupo o de una raza o religión. A los inmigrantes chinos no se les permitía tener determinados empleos. Tampoco se les permitía vivir fuera de sus comunidades. Aun así, muchos hogares y negocios chinos sufrieron ataques.

En 1882, el Congreso aprobó una ley llamada Ley de Exclusión de los Chinos. Esta ley impedía el ingreso a Estados Unidos de nuevos inmigrantes chinos, a menos que tuvieran familiares que vivieran en el país. Por primera vez no se permitía que personas de un determinado país entraran a Estados Unidos.

Los afroamericanos también debieron enfrentar los prejuicios y la discriminación en California. Muchos tuvieron dificultades para obtener buenos empleos. En ciertos lugares, no se permitía a los

318 ■ Unidad 4

Practice and Extend

BACKGROUND

Railroad Workers Many Chinese immigrants had traveled to California to work on the railroads. When Chinese immigration was restricted, the railroads needed a new source of labor. In 1894 the Southern Pacific Railroad brought Mexican workers to Santa Barbara to take the place of Chinese workers. Six years later the Southern Pacific had almost 5,000 Mexican workers building railroad lines in California.

INTEGRATE THE CURRICULUM

✏ **ENGLISH LANGUAGE ARTS** Have students research some of the ways people in the United States have worked for equal rights. Then ask them to write a paragraph about what they learned. **Write a Paragraph**
ELA WRITING 1.1

Practicar y ampliar

ANTECEDENTES

Los trabajadores del ferrocarril Muchos inmigrantes chinos habían viajado a California para trabajar en los ferrocarriles. Cuando se pusieron restricciones a la inmigración china, los ferrocarriles necesitaron otra fuente de mano de obra. En 1894, la compañía Southern Pacific trajo a trabajadores mexicanos a Santa Barbara para que tomaran el lugar de los trabajadores chinos. Seis años después, la Southern Pacific tenía casi 5,000 trabajadores mexicanos construyendo líneas de ferrocarril en California.

niños afroamericanos asistir a ciertas escuelas públicas.

En 1908, un grupo de afroamericanos decidió que la mejor manera de resolver el problema de la discriminación era construir su propio pueblo. El **coronel Allen Allensworth,** un antiguo esclavo, era el líder. El grupo construyó su pueblo en el valle de San Joaquín y lo llamó **Allensworth.**

El pueblo tenía su propio gobierno, su propia escuela, biblioteca, oficina de correos e iglesia. Los afroamericanos abrieron tiendas y otros negocios, pero la mayoría eran agricultores. En 1920, el pozo del pueblo comenzó a secarse y los agricultores ya no podían obtener suficiente agua. Por esta razón, los habitantes de Allensworth comenzaron a marcharse.

REPASO DE LA LECTURA Ö SACAR CONCLUSIONES
¿Por qué el Congreso aprobó la Ley de Exclusión de los Chinos en 1882? porque quería impedir la entrada de tantos chinos al país

Más problemas para los indios de California 🔟

El gran número de personas que inmigró y migró a California provocó más problemas para los indios de California. Al igual que durante la fiebre del oro, los colonos a menudo ocupaban tierras de los indios y muchos indios murieron en conflictos.

El gobierno de Estados Unidos intentó trasladarlos a **reservas,** o territorios apartados para ellos. Sin embargo, muchas de las tierras de las reservas eran poco fértiles y los indios a menudo no podían hallar o cultivar el alimento suficiente para subsistir.

Muchos grupos indios lucharon por mantener sus tierras. En 1864, los modoc fueron trasladados a una reserva en Oregon. Pero dos veces se regresaron a sus tierras en el norte de California.

▶ Allensworth es hoy en día un parque histórico estatal. Esta fotografía del coronel Allensworth, con un dibujo del pueblo, está cerca de una de las casas abandonadas del parque.

UBÍCALO

CALIFORNIA

Parque Histórico Estatal Colonel Allensworth

Capítulo 8   319

9 History Discuss how Colonel Allen Allensworth and Mary Tape represent two approaches to dealing with discrimination. Lead students to understand that Mary Tape worked to change laws within an existing group, while Colonel Allensworth likely believed that it was more effective for a group suffering discrimination to become autonomous. ✏ HSS 4.4.3

More Problems for California Indians

Content Focus The influx of people to California resulted in the loss of land, of independence, and even of life for many California Indians.

🔟 ANALYSIS SKILL Historical Interpretation Tell students that there may have been about 150,000 Indians in California before the gold rush but only 30,000 in 1870. Explain that many died of diseases brought to California by newcomers.

Q In addition to illness, what caused the Indian population to drop? ✏ HSS 4.4.3, HI 3

A conflicts with settlers

Have students identify some additional effects of immigration and migration on California Indians, such as the establishment of reservations. Lead students to understand that much of the reservation land was poor, which made survival there difficult. ✏ HSS 4.4.3

9 Historia Analice con los estudiantes cómo el coronel Allen Allensworth y Mary Tape representan dos maneras diferentes de tratar la discriminación. Guíelos para que comprendan que Mary Tape intentó cambiar las leyes dentro de un grupo existente, mientras que el coronel Allensworth probablemente pensaba que la autonomía era una solución más eficaz para un grupo que sufría la discriminación. ✏ HSS 4.4.3

Más problemas para los indios de California

Contenido clave El gran número de personas que llegó a California trajo como consecuencia la pérdida de tierras, de independencia y hasta de la vida para muchos indios de California.

🔟 DESTREZA DE ANÁLISIS Interpretación histórica Diga a los estudiantes que había, posiblemente, unos 150,000 indios en California antes de la fiebre del oro, pero solo 30,000 en 1870. Explique que muchos murieron a causa de enfermedades traídas por los recién llegados.

P Además de las enfermedades, ¿qué otra causa llevó a la gran disminución de la población india? ✏ HSS 4.4.3, HI 3

R los conflictos con los colonos

Pida a los estudiantes que identifiquen otros efectos de la inmigración y migración en los indios de California como, por ejemplo, la creación de reservas. Guíelos para que comprendan que gran parte de la tierra destinada a las reservas era poco fértil, por lo que resultaba muy difícil subsistir allí. ✏ HSS 4.4.3

11 Historia Después de su derrota, los modoc fueron separados en dos grupos. Uno fue enviado a Oregon y el otro, a Oklahoma. HSS 4.4

3 Concluir

Resumen

Pida a los estudiantes que repasen el resumen y que expresen con sus palabras el contenido clave de la lección.

- Mucha gente se estableció en California a fines del siglo XIX y comienzos del siglo XX.
- Los migrantes y los inmigrantes hicieron importantes aportaciones, aun cuando algunos tuvieron que enfrentar la discriminación.
- El aumento de la población causó problemas a los indios de California.

Evaluar

REPASO—Respuestas

1. Aumentaron enormemente la población del estado. Los inmigrantes y los migrantes también trajeron nuevas ideas y nuevos modos de vida. HSS 4.4, 4.4.3, 4.4.4

2. **Vocabulario Inmigración** significa llegar de otro país. **Migración** significa trasladarse de un lugar a otro del mismo país. HSS 4.4.3

3. **Historia** Algunos californianos pensaban que los inmigrantes les quitaban sus trabajos. HSS 4.4.3

Razonamiento crítico

4. Su cultura era asiática, y los americanos, mayormente de origen europeo, no se identificaban con ella. HSS 4.4.3

5. **DESTREZA DE ANÁLISIS Aplícalo** Los estudiantes pueden mencionar festivales, música o restaurantes étnicos de su comunidad. HSS 4.4.3, 4.4.4, CS 3

6. **Escribe un artículo—Pautas para la evaluación** Vea Writing Rubric. Esta actividad puede usarse con el proyecto de la unidad. HSS 4.4, ELA WRITING 2.3

continued to the right ▶

320 ▪ UNIT 4

---

11 History After the Modoc were defeated, they were split into two groups. One group was sent to Oregon. The other was sent to Oklahoma. HSS 4.4

3 Close

Summary

Have students review the summary and restate the lesson's key content.

- Many people moved to California in the late 1800s and early 1900s.
- Migrants and immigrants made important contributions, even though some faced discrimination.
- The growing population created problems for California Indians.

Assess

REVIEW—Answers

1. They greatly increased the state's population. Immigrants and migrants also brought new ideas and new ways of life. HSS 4.4, 4.4.3, 4.4.4

2. **Vocabulary Immigration** is coming from another country. **Migration** is moving from a different part of the same country. HSS 4.4.3

3. **History** Some people felt immigrant groups were taking away jobs. HSS 4.4.3

Critical Thinking

4. Their culture was Asian, rather than European, the cultural background most Americans identified with. HSS 4.4.3

5. **Make It Relevant** Students may mention ethnic restaurants, festivals, or music in their community. HSS 4.4.3, 4.4.4, CS 3

6. **Write an Article— Assessment Guidelines** See Writing Rubric. This activity can be used with the unit project. HSS 4.4, ELA WRITING 2.3

7. **Draw Conclusions** EVIDENCE: Examples—The state's population rose to more than one million. Immigrants grew crops from their homelands. KNOWLEDGE: Accept all reasonable answers. HSS 4.4.3, 4.4.4, ELA READING 2.0

320 ▪ UNIT 4

Entonces, se envió al ejército de Estados Unidos para obligarlos a volver a la reserva. Los modoc, liderados por el **jefe Kientepoos,** lucharon durante más de tres años, pero fueron derrotados en 1873. Este fue el último enfrentamiento entre los indios y el ejército en California.

REPASO DE LA LECTURA CAUSA Y EFECTO
¿Cómo afectaron la inmigración y la migración a los indios de California?

> El jefe Kientepoos también era conocido como capitán Jack.

Resumen

A fines del siglo XIX y comienzos del siglo XX, llegó un gran número de personas a vivir y trabajar en California. Trajeron cambios culturales y económicos al estado, pero algunos grupos debieron enfrentar la discriminación. El constante aumento de la población en California también provocó problemas con los indios. Muchos indios murieron en conflictos con los colonos o el ejército. Otros murieron porque se les forzó a vivir en reservas y allí a menudo no podían hallar o cultivar suficiente alimento para subsistir.

REPASO

1.  ¿Cómo afectaron a California la inmigración y la migración?

2. ¿En qué se diferencian la **inmigración** y la **migración**?

3. ¿Por qué algunos grupos de inmigrantes tuvieron que enfrentar la discriminación en California?

RAZONAMIENTO CRÍTICO

4. ¿Por qué crees que se discriminaban a los inmigrantes chinos más que a otros?

5. **Aplícalo** ¿Puedes ver hoy en día evidencia de culturas inmigrantes en tu comunidad? Explica tu respuesta.

6. Escribe un artículo Elige un evento de esta lección. Luego, escribe un artículo periodístico sobre ese evento que responda estas preguntas: ¿quién? ¿qué? ¿cuándo? ¿dónde?

7. SACAR CONCLUSIONES

En una hoja de papel, copia y completa el organizador gráfico de abajo.

Evidencia	Conocimiento

Conclusión
Los inmigrantes y migrantes acrecentaron la población de California y trajeron nuevas ideas al estado.

320 ▪ Unidad 4

Practice and Extend

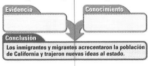

WRITING RUBRIC

Score 4
- answers all "w's"
- writing clear and concise
- has no errors or very few errors

Score 3
- answers several of the "w's"
- writing mostly clear and concise
- has a few errors

Score 2
- answers some of the "w's"
- writing somewhat clear
- has several errors

Score 1
- does not answer the "w's"
- writing unclear
- has many errors

HOMEWORK AND PRACTICE

Immigration and Migration

pages 83–84

continued

7. **Sacar conclusiones** EVIDENCIA: Ejemplos: La población del estado ascendió a más de un millón de habitantes. Los inmigrantes sembraron cultivos de su tierra natal. CONOCIMIENTO: Acepte todas las respuestas razonables. HSS 4.4.3, 4.4.4, ELA READING 2.0

Practicar y ampliar

TAREA Y PRÁCTICA

Inmigración y migración

páginas 83–84

Allen Allensworth

Biografía

Integridad
Respeto
Responsabilidad
Equidad
Bondad
Patriotismo

"Pretendemos . . . alentar a nuestra gente a que desarrollen lo mejor que hay en ellos . . ."*

El coronel Allen Allensworth nació siendo esclavo en 1842, en Kentucky. Después de escapar de la esclavitud, se unió al ejército de Estados Unidos y luchó en la Guerra Civil. Al retirarse, era el afroamericano que había obtenido el grado más alto en el ejército de Estados Unidos hasta ese momento.

Allensworth alentó a otros afroamericanos a cumplir sus sueños. Creía que un lugar que apoyara la "libertad intelectual e industrial" los ayudaría a hacerlo. En 1908, Allensworth y otras tres personas fundaron un pueblo para afroamericanos en el valle de San Joaquin. El pueblo, que recibió el nombre de Allensworth en su honor, aspiraba ser un lugar libre de prejuicios y discriminación. Allensworth lideró el pueblo hasta su muerte, en 1914.

Todos los años, durante la 'Conmemoración de los viejos tiempos de Allensworth', los descendientes de los primeros colonos del pueblo recuerdan y honran a Allen Allensworth.

*Coronel Allen Allensworth. De una carta a Booker T. Washington, The Booker T. Washington Papers, Vol. 13, University of Illinois Press, 1972–1989.

La importancia del carácter

◆ ¿Cómo demostró Allen Allensworth su preocupación porque los afroamericanos fueran tratados con equidad?

Biografía breve

1842 Nace		1914 Muere
1863 Se une al ejército de Estados Unidos durante la Guerra Civil	**1886** Se le designa capellán de los regimientos afroamericanos del ejército	**1908** Funda un pueblo para afroamericanos

APRENDE en línea Visita MULTIMEDIA BIOGRAPHIES en www.harcourtschool.com/hss para hallar biografías multimedia.

CALIFORNIA STANDARDS HSS 4.4.3 Discuss immigration and migration to California between 1850 and 1900, including the diverse composition of those who came; the countries of origin and their relative locations; and conflicts and accords among the diverse groups (e.g., the 1882 Chinese Exclusion Act). 4.4.4 Describe rapid American immigration, internal migration, settlement, and the growth of towns and cities (e.g., Los Angeles). **SKILL** Research, Evidence, and Point of View 2.

BACKGROUND

Booker T. Washington Colonel Allensworth was a supporter of Booker T. Washington, a well-known African American educator. Washington believed that African Americans could get fair treatment only by becoming skilled workers. He led an effort to provide African Americans with more opportunities for education and training. In 1881 he helped found Tuskegee Institute, a trade school in Alabama for African Americans.

MAKE IT RELEVANT

In Your State Help students find Allensworth on a map of California. Tell them that visitors today can see old Allensworth in the Colonel Allensworth State Historic Park. The park gets about 70,000 visitors each year. Nearby, the town of Allensworth has about 300 residents.

Biography

PAGE 321

OBJECTIVES

- Examine the life and values of Colonel Allen Allensworth.

RESOURCES

Unit 4 Audiotext CD Collection, Internet Resources

1 Introduce

Set the Purpose Ask students to think about the Why Character Counts question as they read.

2 Teach

SKILL Research/Evidence Draw attention to the quote in the second paragraph in the biography.

Source: Colonel Allen Allensworth. From a letter to Booker T. Washington, *The Booker T. Washington Papers*, Vol. 13. University of Illinois Press, 1972–1989.

Q How would a place that was free from prejudice and discrimination help support "intellectual and industrial freedom"? HSS 4.4.3, 4.4.4, HR 2

A Possible response: by allowing people to attend schools and start businesses without fear of unfair treatment

3 Close

Why Character Counts

by working to create a place where African Americans would not face prejudice or discrimination

GO ONLINE INTERNET RESOURCES

Visit MULTIMEDIA BIOGRAPHIES at **www.harcourtschool.com/hss**

CHAPTER 8 ■ 321

Biografía

PÁGINA 321

OBJETIVOS

- Examinar la vida y los valores del coronel Allen Allensworth.

RECURSOS

Colección de audiotextos en CD de la Unidad 4; Recursos en Internet

1 Presentar

Establecer el propósito Pida a los estudiantes que, mientras leen, piensen en la pregunta de "La importancia del carácter".

2 Enseñar

DESTREZA DE ANÁLISIS Investigación/Evidencia Pida a los estudiantes que presten atención a la cita del segundo párrafo de la biografía.

Fuente: Coronel Allen Allensworth. De una carta a Booker T. Washington, *The Booker T. Washington Papers*, Vol. 13, University of Illinois Press, 1972–1989.

P ¿Cómo creen que un lugar libre de prejuicios y discriminación podría ayudar a apoyar la libertad "intelectual e industrial"? HSS 4.4.3, 4.4.4, HR 2

R Respuesta posible: permitiéndole a la gente ir a la escuela y formar empresas sin temor a recibir un trato injusto

3 Concluir

La importancia del carácter

trabajando para crear un lugar donde los afroamericanos no tuvieran que enfrentar prejuicios ni discriminación

APRENDE en línea RECURSOS EN INTERNET

Visite MULTIMEDIA BIOGRAPHIES en **www.harcourtschool.com/hss** para hallar biografías multimedia.

ANTECEDENTES

Booker T. Washington El coronel Allensworth era admirador de Booker T. Washington, un conocido educador afroamericano. Washington sostenía que los afroamericanos solo recibirían un trato justo si se convertían en trabajadores especializados. Guió los esfuerzos por dar a los afroamericanos más oportunidades de educación y capacitación. En 1881, ayudó a fundar el Instituto Tuskegee, una escuela de comercio en Alabama para la comunidad afroamericana.

APLÍCALO

En su estado Ayude a los estudiantes a que ubiquen Allensworth en un mapa de California. Dígales que los visitantes pueden ver cómo era antiguamente Allensworth en el Parque Histórico Estatal Coronel Allensworth. El parque recibe alrededor de 70,000 visitantes al año. Cerca de allí, la localidad de Allensworth tiene aproximadamente 300 residentes.

Lección 2

PÁGINAS 322–327

OBJETIVOS

■ Examinar la evolución del sistema hídrico del sur de California.

■ Identificar la red de presas, acueductos y embalses que proveían agua al sur de California.

VOCABULARIO

petróleo pág. 324   **embalse** pág. 325

auge pág. 324   **acueducto** pág. 325

torre de perforación pág. 324   **energía hidroeléctrica** pág. 325

Destreza clave

SACAR CONCLUSIONES

págs. 270–271, 323, 325, 327

RECURSOS

Tarea y práctica, págs. 85–86; Transparencia de destrezas clave 4; Colección de audiotextos en CD de la Unidad 4; Recursos en Internet

---

1 Presentar

Reflexiona Pida a los estudiantes que piensen por qué el sur de California puede haber crecido rápidamente a comienzos del siglo pasado.

Piensa en los antecedentes Repase las causas de la inmigración y la migración a California a partir de fines del siglo XIX.

IMAGÍNATE ALLÍ Recuerde a los estudiantes que antes de la aparición del avión y el automóvil, el medio más rápido era el tren. Explique que la cercanía a una estación de ferrocarril era importante si una ciudad tenía la esperanza de recibir gente y productos.

Lesson 2

PAGES 322–327

OBJECTIVES

■ Trace the evolution of southern California's water system.

■ Identify the network of dams, aqueducts, and reservoirs that supplied water to southern California.

VOCABULARY

petroleum p. 324   **reservoir** p. 325

boom p. 324   **aqueduct** p. 325

derrick p. 324   **hydroelectric power** p. 325

Focus Skill

DRAW CONCLUSIONS

pp. 270–271, 323, 325, 327

RESOURCES

Homework and Practice Book, pp. 85–86; Reading Support and Intervention, pp. 118–121; Success for English Learners, pp. 121–124; Vocabulary Transparency 4-8-2; Vocabulary Power, p. 97; Focus Skills Transparency 4; Unit 4 Audiotext CD Collection; Internet Resources

---

1 Introduce

What to Know Ask students to speculate why southern California might have grown quickly at the turn of the last century.

Build Background Review the causes of immigration and migration to California starting in the late 1800s.

 YOU ARE THERE Remind students that before cars and airplanes, trains were the fastest way to travel. Explain that having a train station nearby was important if a city hoped to bring in people and goods.

322 ■ UNIT 4

Lección 2

Tiempos

1855	1885	1915

1887 El ferrocarril Santa Fe llega a Los Angeles

1892 Edward Doheny descubre petróleo en Los Angeles

1913 Se inaugura el acueducto de Los Angeles

El sur de California crece

REFLEXIONA ¿Qué llevó al crecimiento de pueblos y ciudades en el sur de California a fines del siglo XIX y comienzos del siglo XX?

✓ Examina la evolución del sistema hídrico del sur de California.

✓ Identifica la red de represas, acueductos y embalses que proveían agua al sur de California.

VOCABULARIO
petróleo pág. 324
auge pág. 324
torre de perforación pág. 324
embalse pág. 325
acueducto pág. 325
energía hidroeléctrica pág. 325

PERSONAS
Edward Doheny
William Mulholland

LUGARES
bahía de San Pedro
valle del Owens

SACAR CONCLUSIONES

Normas de California
HSS 4.4, 4.4.4, 4.4.6, 4.4.7

IMAGÍNATE ALLÍ Estás de pie junto a las vías cuando el tren, resoplando lentamente, se detiene en la estación de Los Angeles. Mientras una multitud de pasajeros desciende de los vagones, intentas encontrar a tu abuela. Ahora que Los Angeles está conectada con el Este por medio de dos ferrocarriles, tu abuela ha decidido venir de visita. A juzgar por la muchedumbre, parece que muchas otras personas también han decidido venir al sur de California.

322 ■ Unidad 4

CALIFORNIA STANDARDS HSS 4.4 Students explain how California became an agricultural and industrial power, tracing the transformation of the California economy and its political and cultural development since the 1850s. 4.4.4 Describe rapid American immigration, internal migration, settlement, and the growth of towns and cities (e.g., Los Angeles).

When Minutes Count

Organize the class into four groups. Assign each group a section of Lesson 2. Have students work together to study the section. Then ask a volunteer from each group to share what they learned with the rest of the class.

Quick Summary

In the late 1800s, southern California grew quickly as many people moved to the area. The discovery of oil boosted its economy. Leaders built water projects to meet the needs of the region's growing population, but these projects often caused hardship for people in the areas from where the water was taken.

 ### Cuando el tiempo apremia

Divida la clase en cuatro grupos y asigne a cada grupo una sección de la Lección 2. Pida a los estudiantes que estudien juntos la sección que les tocó. Luego, pida a un voluntario de cada grupo que exponga lo que aprendieron al resto de la clase.

Resumen

El sur de California creció debido al gran número de personas que se estableció en el área. El descubrimiento de petróleo impulsó su economía. Se construyeron proyectos hídricos para satisfacer las necesidades de la población, pero a menudo causaban dificultades a quienes vivían en esas áreas.

Crecimiento hacia el sur

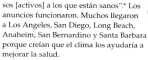

El ferrocarril Santa Fe llegó a Los Angeles en 1887 y comenzó a competir con el ferrocarril Southern Pacific. Ambas líneas de ferrocarril buscaban conseguir más clientes. Como resultado, los ferrocarriles bajaron las tarifas para el transporte de bienes y pasajeros. ¡El costo de un boleto desde Kansas City, Missouri, hasta Los Angeles bajó de 125 dólares a solo 1 dólar! El bajo costo de los boletos de ferrocarril atrajo a miles de personas del Este al sur de California.

Para atraer pasajeros, los ferrocarriles publicaron anuncios que elogiaban el clima cálido del sur de California. Decían que Los Angeles tenía "un clima que mejora a los enfermos y hace más vigoro-

sos [activos] a los que están sanos".* Los anuncios funcionaron. Muchos llegaron a Los Angeles, San Diego, Long Beach, Anaheim, San Bernardino y Santa Barbara porque creían que el clima los ayudaría a mejorar la salud.

En Los Angeles pronto comenzó a ser necesario un puerto que ayudara a la ciudad a obtener provisiones para sus nuevos habitantes. En 1899 comenzó a excavarse la **bahía de San Pedro**. El puerto se terminó en 1914, y Los Angeles se convirtió rápidamente en uno de los puertos con mayor actividad de la costa del Pacífico.

REPASO DE LA LECTURA ⊘ SACAR CONCLUSIONES
¿Qué efecto tuvieron los ferrocarriles en el sur de California a fines del siglo XIX?

*Eslogan publicitario de fines del siglo XIX. *The Golden Book of California* por Irwin Shapiro. Golden Press, 1961.*

Las bajas tarifas del tren y los anuncios atrajeron a muchas personas al sur de California.

≫ La población de Los Angeles creció de cerca de 11,000 habitantes en 1880 a más de 300,000 en 1910. Con tantos recién llegados, el precio de la tierra se duplicó una y otra vez.

Capítulo 8 ■ 323

4.4.6 Describe the development and locations of new industries since the turn of the century, such as the aerospace industry, electronics industry, large-scale commercial agriculture and irrigation projects, the oil and automobile industries, communications and defense industries, and important trade links with the Pacific Basin. 4.4.7 Trace the evolution of California's water system into a network of dams, aqueducts, and reservoirs.
SKILL Chronological and Spatial Thinking 4, 5. Research, Evidence, and Point of View 2. Historical Interpretation 2, 3.

---

2 Teach

Growth to the South

Content Focus Inexpensive rail prices, advertising, and construction brought many people to Los Angeles and southern California in the late 1800s.

1 Economics Explain how competition between railroad companies helped fuel growth in southern California. ⬛ HSS 4.4.4

2 Primary Sources: Quotation Discuss how advertising helped create a positive image of California. ⬛ HSS 4.4.4

Source: Advertising slogan from the late 1800s. The Golden Book of California by Irwin Shapiro. Golden Press, 1961.

3 SKILL Link Culture and History Discuss with students how the harbor not only served the residents of Los Angeles, but also encouraged further rapid immigration from places outside California. The harbor also fostered internal migration from other parts of the state. ⬛ HSS 4.4.4

CHAPTER 8 ■ 323

---

2 Enseñar

Crecimiento hacia el sur

Contenido clave A fines del siglo XIX, el bajo costo de las tarifas de los ferrocarriles, la publicidad y la construcción atrajeron a gran cantidad de personas a Los Angeles y al sur de California.

1 Economía Explique cómo la competencia entre las compañías de ferrocarril ayudó a impulsar el crecimiento del sur de California. ⬛ HSS 4.4.4

2 Fuente primaria: Cita Reflexione con los estudiantes sobre cómo la publicidad ayudó a crear una imagen positiva de California. ⬛ HSS 4.4.4

Fuente: Eslogan publicitario de fines del siglo XIX. *The Golden Book of California* por Irwin Shapiro. Golden Press, 1961.

3 DESTREZA DE ANÁLISIS Relacionar cultura e historia Analice con los estudiantes cómo el puerto no solo sirvió a los residentes de Los Angeles sino también fomentó la rápida llegada de inmigrantes. El puerto también fomentó la migración interna de otras partes de California. ⬛ HSS 4.4.4

¡Petróleo!

Contenido clave A fines del siglo XIX, el descubrimiento de petróleo en el sur de California dio comienzo a un auge del petróleo.

❹ Corregir conceptos equivocados Para ayudar a los estudiantes a situar el descubrimiento de Edward Doheny en el contexto histórico, explique que, a veces, un "descubrimiento" no significa en realidad la primera vez que se encuentra algo. En el caso del petróleo en el sur de California, recuerde a los estudiantes que los indios de la costa usaban depósitos de brea natural para impermeabilizar sus piraguas. 🔲 HSS 4.2.1, 4.4.6

❺ Relacionar historia y economía Recuerde a los estudiantes la relación económica entre oferta y demanda. Coménteles que el auge del petróleo en el sur de California atrajo a mucha gente. Esto contribuyó, a su vez, al crecimiento de pueblos y ciudades, entre ellos, Los Angeles. 🔲 HSS 4.4, 4.4.4

P ¿Qué hizo aumentar la demanda de petróleo en la década de 1890? 🔲 HSS 4.4.6

R Las compañías de ferrocarril reemplazaron el carbón por petróleo, un combustible más barato y limpio al quemarse.

❻ Aprendizaje visual: Fotografía

DESTREZA DE ANÁLISIS Investigación/Evidencia Aliente a los estudiantes a que repasen la definición de *torre de perforación*. Luego, pídales que observen la fotografía con atención. Propóngales que formulen preguntas sobre las torres de perforación y la extracción de petróleo.

P ¿Qué pueden saber al ver la fotografía de la torre de perforación que no podrían saber a través del texto? 🔲 HSS 4.4.6, HR 2

R Respuesta posible: se necesitaban estructuras elevadas para sostener las máquinas excavadoras.

Oil!

Content Focus In the late 1800s, the discovery of oil in southern California set off an oil boom.

❹ Correct Misconceptions To help students put Edward Doheny's discovery of oil in Los Angeles into historical context, point out that sometimes, a "discovery" is not actually the first time something is found. In the case of oil in southern California, remind students that the Indians along the coast in this area used natural tar deposits to waterproof their canoes. 🔲 HSS 4.2.1, 4.4.6

❺ Link Economics and History Remind students of the economic relationship between supply and demand. Inform students that the oil booms in southern California attracted many people to settle in the area. This in turn contributed to the further growth of towns and cities there including Los Angeles. 🔲 HSS 4.4, 4.4.4

Q What caused the demand for petroleum to increase in the 1890s? 🔲 HSS 4.4.6

A Railroad companies switched from coal to oil as a cheaper and cleaner-burning fuel for their locomotives.

❻ Visual Literacy: Photograph

ANALYSIS SKILL Research–Evidence Encourage students to review the definition of the word *derrick*. Then have them examine the photo. Ask them to share any questions they have about derricks and oil drilling.

Q What can you learn from the photo of the derrick that you would not learn from the text? 🔲 HSS 4.4.6, HR 2

A Possible response: tall structures were necessary to hold the drilling machines

---

¡Petróleo!

❹ A fines del siglo XIX, el descubrimiento de **petróleo** en el sur de California provocó más cambios en la región. Los primeros descubrimientos importantes se produjeron cerca del pueblo de Ventura en las décadas de 1860 y 1870. Más tarde, en 1892, **Edward Doheny** descubrió grandes cantidades en Los Angeles.

Estos descubrimientos dieron comienzo a un **auge** del petróleo, es decir, una época de rápido crecimiento económico. Comenzó a extraerse petróleo en todas las zonas de Los Angeles. En solo cinco años se perforaron 2,300 pozos. Algunas personas incluso cortaban las palmeras de sus jardines para poner altas torres de perforación. Una **torre de perforación** es una torre que se construye sobre un pozo de petróleo para sostener los equipos de perforación. En 1895, Los Angeles produjo más de 700,000 barriles.

Hasta ese momento, la demanda no era alta. Luego, en la década de 1890, las compañías de ferrocarril se dieron cuenta de que el petróleo era un combustible más barato que el carbón. Además, se quemaba más limpiamente. Los ferrocarriles comenzaron a usarlo, creando así una mayor demanda de ese combustible. **❺**

Más tarde, cuando los automóviles se hicieron populares, la demanda de petróleo creció aun más. La demanda de gasolina desencadenó un segundo auge del petróleo en California. Se descubrieron enormes yacimientos al oeste de Bakersfield. La industria petrolera se convirtió en una parte importante de la economía de California.

REPASO DE LA LECTURA ● RESUMIR
¿Qué ocurrió con la economía de Los Angeles cuando se descubrió petróleo en la región?

Comenzó una época de rápido crecimiento económico.

➤ A comienzos del siglo XX se elevaban numerosas torres de perforación de petróleo en algunas partes de Los Angeles.

324 ■ Unidad 4

Practice and Extend

BACKGROUND

From Oil to Gasoline When crude oil (petroleum) is processed at an oil refinery, it is changed into several different products. Gasoline is one of them. As gasoline-powered cars became more common, the demand for refined oil products grew even more than it had when railroads first began to use oil as fuel.

MAKE IT RELEVANT

In Your State Help students conduct research to find answers to these questions:

■ Does California still produce oil? If so, where does it come from, and how much is produced?

■ How much oil do Californians use?

■ Where does California get the oil it doesn't produce?

Practicar y ampliar

ANTECEDENTES

Del petróleo a la gasolina Cuando el petróleo crudo se procesa en una refinería, se convierte en varios productos diferentes. La gasolina es uno de ellos. Cuando los automóviles de gasolina se hicieron populares, la demanda de productos derivados del petróleo refinado creció aun más de lo que había crecido cuando los ferrocarriles usaron por primera vez petróleo como combustible.

APLÍCALO

En su estado Ayude a los estudiantes a realizar una investigación para hallar las respuestas a estas preguntas:

● ¿California produce petróleo en la actualidad? De ser así, ¿de dónde proviene y en qué cantidad se produce?

● ¿Cuánto petróleo usan los californianos?

● ¿De dónde obtiene California el petróleo que no produce?

> Una multitud observa el primer torrente de agua que baja desde el río Owens por el acueducto de Los Angeles, diseñado por William Mulholland.

Agua para Los Angeles

CUANDO 1913
DÓNDE Los Angeles

A comienzos del siglo XX, la agricultura, el petróleo y otras nuevas industrias atraían a miles de personas a Los Angeles. Pero el agua del río Los Angeles y de los **embalses**, o lagos creados por el hombre, ya no alcanzaba para abastecer a los habitantes de la región.

Un hombre tuvo una idea para resolver este problema. **William Mulholland** quería que la ciudad tomara agua del río Owens, ubicado a más de 200 millas de distancia, y planeó la construcción de un acueducto para transportarla. Un **acueducto** es un gran conducto o canal que lleva agua de un lugar a otro.

El trabajo para la construcción de este acueducto comenzó en 1908. Los trabajadores abrieron túneles en la sierra Nevada y despejaron senderos a través del desierto de Mojave. Se construyeron nuevos embalses cerca de Los Angeles para almacenar el agua.

El acueducto de Los Angeles finalmente se inauguró en 1913 y logró llevar millones de galones de agua por día a la zona de Los Angeles. Además, las rápidas corrientes servían para generar **energía hidroeléctrica**, es decir, electricidad que se produce usando la fuerza del agua.

REPASO DE LA LECTURA ⊘ SACAR CONCLUSIONES
¿Por qué crees que llevó tanto tiempo construir el acueducto? Tenía 200 millas de longitud y debía atravesar la sierra Nevada y el desierto de Mojave.

Capítulo 8 ■ 325

Water for Los Angeles

Content Focus With its population growing, Los Angeles needed more water. The Los Angeles Aqueduct was built to meet this need.

7 **ANALYSIS SKILL** **Historical Interpretation**
Remind students that the growth of Los Angeles was once limited by its physical characteristics—its lack of a harbor and an ample water supply.

Q How did people change the physical characteristics of southern California to help Los Angeles become a large, prosperous city? HSS 4.4.4, 4.4.7, HI 2

A They built a harbor and the Los Angeles Aqueduct.

8 **Civics and Government** Point out that William Mulholland was the head of the Los Angeles water department when he proposed his solution, and he became the project's chief engineer.

Q Do you think Mulholland's solution was a good one? Explain. HSS 4.4.7

A Possible responses: yes, his solution met the needs of the growing population; no, his solution took water away from people living in another part of California

9 **History** Tell students that since the Los Angeles Aqueduct was completed, a vast network of dams, reservoirs, and aqueducts has been built to distribute water across the state. Have students use the map on page 348 to identify some of the major features of California's water systems. HSS 4.4.6, 4.4.7

VOCABULARY POWER

Root Words Help students use word parts to better understand the meanings of words. Split *aqueduct* into *aque* and *duct*. Point out that *aque* comes from the Latin word for water, *aqua*, which is also the root for *aquarium* and *aquatic*. Explain *duct* is Latin for the act of leading.
ELA READING 1.4

INTEGRATE THE CURRICULUM

SCIENCE Ask students to work in small groups to research how water power is used to make electricity. Have them create a simple diagram of a hydroelectric power plant, showing how that process is used to make electricity.
Research Electricity
PHYSICAL SCIENCES 1

CHAPTER 8 ■ 325

Agua para Los Angeles

Contenido clave Debido al constante crecimiento de su población, Los Angeles necesitaba más agua. El acueducto de Los Angeles se construyó para satisfacer esta necesidad.

7 **DESTREZA DE ANÁLISIS** **Interpretación histórica** Recuerde a los estudiantes que el crecimiento de Los Angeles se vio alguna vez limitado por sus características físicas: la falta de un puerto y de una buena provisión de agua.

P ¿Cómo modificaron sus habitantes las características físicas del sur de California para ayudar a Los Angeles a convertirse en una ciudad grande y próspera? HSS 4.4.4, 4.4.7, HI 2

R Construyeron un puerto y el acueducto de Los Angeles.

8 **Civismo y gobierno** Señale que William Mulholland era el jefe del departamento de provisión de agua de Los Angeles cuando propuso su solución y se convirtió en el ingeniero principal del proyecto.

P ¿Creen que la solución de Mulholland era buena? Expliquen sus respuestas. HSS 4.4.7

R Respuestas posibles: sí, su solución satisfacía las necesidades de la creciente población; no, su solución les quitaba el agua a otras personas que vivían en otros lugares de California

9 **Historia** Diga a los estudiantes que desde que se terminó el acueducto de Los Angeles, se ha construido una amplia red de presas, embalses y acueductos para distribuir agua por todo el estado. Pida a los estudiantes que usen el mapa de la página 348 para identificar algunas de las características más importantes de los sistemas hídricos de California.
HSS 4.4.6, 4.4.7

Conflictos por el agua

Contenido clave La construcción del acueducto de Los Angeles generó un conflicto con los residentes del valle del Owens.

10 🔲 **Interpretación histórica**
Recuerde a los estudiantes que los hechos históricos tienen a menudo causas y efectos múltiples. Guíelos para que comprendan que el efecto de un mismo evento puede ser positivo para algunos y, al mismo tiempo, negativo para otros.

P **¿Por qué creen que muchas personas estaban a favor de la construcción del acueducto de Los Angeles?** 🐻 HSS 4.4.7, HI 3

R Respuesta posible: Los Angeles, por tener mayor población, tenía más necesidad de agua que el valle del Owens.

11 **Civismo y gobierno** Explique que las decisiones acerca de quién posee los derechos sobre los recursos naturales, como el agua, pueden ser muy difíciles de tomar. Cada tanto, se les pide a los tribunales que decidan sobre esta cuestión. En 1952, por ejemplo, cuando Arizona y California no se ponían de acuerdo sobre cuánta agua del río Colorado debía obtener cada uno, se pidió a la Corte Suprema de Justicia de Estados Unidos que decidiera sobre el tema.

12 **Aprendizaje visual: Mapa**

🔲 **Pensamiento espacial** Pida a los estudiantes que usen la escala del mapa para calcular la longitud del acueducto de Los Angeles. Destaque el hecho de que los constructores debieron cubrir una gran distancia a través de un terreno difícil.
🐻 HSS 4.4.7, CS 4

RESPUESTA: el embalse Fairmont y el embalse Bouquet

Conflicts over Water

Content Focus Building the Los Angeles Aqueduct created a conflict with residents of the Owens Valley.

10 🔲 **Historical Interpretation**
Remind students that historical events often have multiple causes and effects. Guide them to understand that a single event can have a positive effect for some people, while at the same time having a negative effect for others.

Q **Why do you think many people supported the building of the Los Angeles aqueduct?** 🐻 HSS 4.4.7, HI 3

A Possible response: Los Angeles, with its larger population, had a greater need for the water than the Owens Valley.

11 **Civics and Government** Explain that decisions regarding who owns the rights to natural resources, such as water, can be very difficult. At times, the courts are asked to decide. For example, in 1952, when Arizona and California could not agree on how much water from the Colorado River each of them should get, the United States Supreme Court was called upon to decide.

12 **Visual Literacy: Map**

🔲 **Spatial Thinking** Have students use the map scale to measure the length of the Los Angeles Aqueduct. Emphasize the distance and difficult terrain that builders had to cover.
🐻 HSS 4.4.7, CS 4

CAPTION ANSWER: Fairmont Reservoir and Bouquet Reservoir

Basic Have students talk about what each side wanted and believed.

Conflictos por el agua

10
11
El acueducto de Los Angeles perjudicó a los habitantes del **valle del Owens.** El acueducto les quitó tanta agua que los agricultores y rancheros del valle no tenían agua suficiente para sus propios cultivos y animales.

Los habitantes del valle del Owens se enojaron, pero no pudieron hacer mucho. Para obtener el agua que necesitaba, Los Angeles había comprado en secreto la mayor parte de las tierras a ambos lados del río Owens. Al adueñarse de las tierras, la ciudad también controlaba el agua.

Algunos habitantes del valle del Owens estaban tan furiosos que intentaron detener el flujo de agua. Incluso llegaron a usar dinamita y perforaron el acueducto. Pero los daños se repararon y el agua siguió fluyendo hacia fuera del valle.

Aún hoy, el valle del Owens enfrenta problemas a causa del acueducto. El lago Owens, que recibía agua del río Owens, se secó. Por esta razón, se formaron nubes de polvo sobre el lecho del lago seco que provocaron problemas de salud a los

12
🔲 Analizar mapas En 1913, el acueducto de Los Angeles tenía 233 millas de largo. En 1940, su extensión había alcanzado las 338 millas.
❖ Interacciones entre los seres humanos y el ambiente ¿Cuáles son los dos embalses que están entre las ciudades de Mojave y Los Angeles?

Acueducto de Los Angeles

— Acueducto de Los Angeles

326 ▪ Unidad 4

Practice and Extend

REACH ALL LEARNERS

Leveled Practice Have students demonstrate their understanding of the conflict between Los Angeles leaders and the Owens Valley residents over the Los Angeles Aqueduct.
Basic Have students talk about what each side wanted and believed.

Proficient Have students summarize the conflict between the two sides and discuss who won and why.
Advanced Have students choose a side in the conflict and write a persuasive article or make a speech arguing for their point of view.

habitantes de la región. En 2001, los ingenieros instalaron tuberías para volver a llevar agua a ciertas partes del lago y de esa manera reducir el polvo. Ahora, las áreas del bajo río Owens tendrán suficiente agua para la agricultura y la ganadería.

REPASO DE LA LECTURA CAUSA Y EFECTO
¿Cómo ha afectado el acueducto de Los Angeles a los habitantes del valle del Owens? No han tenido suficiente agua para sus cultivos y animales; las nubes de polvo han provocado problemas de salud entre los habitantes.

Resumen

La población del sur de California creció rápidamente. Nuevos ferrocarriles y el descubrimiento de petróleo en la región llevaron a un crecimiento acelerado. Se construyeron un puerto y un acueducto para Los Angeles. A medida que la población crecía, se produjeron conflictos por el agua.

▶ En 1928, la presa St. Francis, una de las presas construidas cerca de Los Angeles, se resquebrajó. Un torrente de alrededor de 12 millardos de galones inundó el valle de Santa Clara, provocando la muerte de casi 450 personas.

REPASO

1.  ¿Cuál fue la causa del crecimiento de pueblos y ciudades en el sur de California a fines del siglo XIX y comienzos del siglo XX?

2. Explica la diferencia entre **acueducto** y **embalse**.

3. ¿Cómo obtuvo Los Angeles el derecho a extraer agua del valle del Owens?

RAZONAMIENTO CRÍTICO

4. DESTREZA ¿Cómo influyó la ubicación de Los Angeles en su rápido crecimiento? ¿Tenía alguna desventaja su ubicación?

5. ¿Qué crees que habría ocurrido en Los Angeles si el acueducto de Los Angeles no se hubiera construido?

6. **Organiza un debate** Con tus compañeros, busca más información sobre la construcción del acueducto de Los Angeles. Luego elige un punto de vista, a favor o en contra del proyecto. Halla otro grupo con el punto de vista opuesto y realiza un debate.

7. **SACAR CONCLUSIONES**
En una hoja de papel, copia y completa el organizador gráfico de abajo.

Evidencia		Conocimiento
Más personas se mudaron a Los Angeles.		Las personas necesitan agua para subsistir.

Conclusión

Capítulo 8 ▪ 327

PERFORMANCE RUBRIC

Score 4
• presents all major ideas and details
• argues points persuasively
• has no errors or very few errors

Score 3
• presents most major ideas and details
• argues points adequately
• has a few errors

Score 2
• presents some major ideas and details
• argues points slightly
• has several errors

Score 1
• omits major ideas and details
• does not argue points
• has many errors

---

3 Close

Summary

Have students review the summary and restate the lesson's key content.

• In the late 1800s and early 1900s, many people moved to Los Angeles. Railroads and oil were important in attracting these new residents.

• As Los Angeles grew, it built a harbor and an aqueduct. The city's need for water caused conflicts with others.

Assess

REVIEW—Answers

1. new railroad lines, lowered travel rates, new industries, effective advertising HSS 4.4, 4.4.4

2. **Vocabulary** An **aqueduct** is a canal used to carry water from one place to another. A **reservoir** is a human-made lake that is used to store water. HSS 4.4.7

3. **History** The city secretly bought most of the land on either side of the Owens River. HSS 4.4.7

Critical Thinking

4. ANALYSIS SKILL **Spatial Thinking** The city is located along railroad lines and near important industries. Yes, it did not have a sufficient water supply. HSS 4.4.4, CS 5

5. **Possible responses:** The city would have found water elsewhere, or the city would not have been able to grow as much. HSS 4.4.4, 4.4.7

6. Hold a Debate—**Assessment Guidelines** See Performance Rubric. HSS 4.4.7, ELA LISTENING AND SPEAKING 1.6, 1.7, 1.9

7. **Draw Conclusions** CONCLUSION: Los Angeles needed to get more water. HSS 4.4.4, 4.4.7, ELA READING 2.0

---

3 Concluir

Resumen

Pida a los estudiantes que repasen el resumen y que expresen con sus palabras el contenido clave de la lección.

• A fines del siglo XIX y comienzos del XX, muchas personas se mudaron a Los Angeles. Los ferrocarriles y el petróleo desempeñaron un papel importante para atraer a estos nuevos residentes.

• El crecimiento de Los Angeles llevó a la construcción de un puerto y de un acueducto. La necesidad de agua que tenía la ciudad causó conflictos con otros lugares del estado.

Evaluar

REPASO—Respuestas

1. nuevas líneas de ferrocarril, tarifas de transporte más bajas, nuevas industrias, publicidad eficaz HSS 4.4, 4.4.4

2. **Vocabulario** Un **acueducto** es un canal que se usa para llevar agua de un lugar a otro. Un **embalse** es un lago creado por el hombre que se usa para almacenar agua. HSS 4.4.7

3. **Historia** La ciudad fue comprando en secreto la mayor parte de las tierras a ambos lados del río Owens. HSS 4.4.7

Razonamiento crítico

4. DESTREZA DE ANÁLISIS **Pensamiento espacial** La ciudad está situada junto a las líneas de ferrocarril y cerca de importantes industrias. Sí, no tenía suficiente provisión de agua. HSS 4.4.4, CS 5

5. Respuestas posibles: la ciudad habría buscado agua en otro lugar o, de lo contrario, no habría podido crecer tanto. HSS 4.4.4, 4.4.7

6. 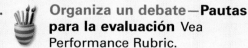 Organiza un debate—**Pautas para la evaluación** Vea Performance Rubric. HSS 4.4.7, ELA LISTENING AND SPEAKING 1.6, 1.7, 1.9

7. **Sacar conclusiones** Destreza clave CONCLUSIÓN: Los Angeles necesitaba conseguir más agua. HSS 4.4.4, 4.4.7, ELA READING 2.0

OBJETIVOS

- Explorar fuentes primarias para identificar y comparar puntos de vista.

- Conocer los proyectos hídricos de California, incluyendo los conflictos que surgieron a partir de su desarrollo.

1 Presentar

Establecer el propósito Pida a los estudiantes que piensen en cuánta agua usa su familia todos los días para cepillarse los dientes, bañarse, cocinar, lavar los trastos y la ropa, y regar las plantas.

Piensa en los antecedentes Repase con los estudiantes que muchas ciudades importantes de California necesitan grandes cantidades de agua para la población y las industrias; las granjas del estado también necesitan agua para los cultivos y los animales. Señale que determinar un equilibrio entre estas necesidades por lo general ha causado conflictos en California. Recuerde a los estudiantes el serio conflicto por el agua que se generó durante la construcción del acueducto de Los Angeles. Las comunidades de granjas y ranchos del valle del Owens y la ciudad de Los Angeles necesitaban y querían agua del río Owens.

Points of View

OBJECTIVES

- Explore primary source material to identify and compare points of view.

- Build knowledge about California's water projects, including conflicts that arose from their development.

1 Introduce

Set the Purpose Ask students to think about how much water their families use every day when they brush their teeth, bathe, cook, wash dishes and clothes, and water plants.

Build Background Review with students how many of California's large cities need large amounts of water for people and businesses; the state's farms also need water for crops and animals. Point out that determining how to balance these needs has often caused conflicts in California. Remind students that a serious conflict over water arose during the construction of the Los Angeles Aqueduct. The farming and ranching communities of the Owens Valley and the city of Los Angeles both needed and wanted water from the Owens River.

Puntos de vista

¿De quién es el agua?

Desde comienzos del siglo XX se produjeron muchos conflictos sobre quién debía usar el agua del río Owens. Los funcionarios de Los Angeles creían que el río era una fuente de agua ideal para la creciente población de la ciudad. Planeaban construir un acueducto que llevara agua a Los Angeles. Sin embargo, muchos habitantes del valle del Owens estaban preocupados por el daño que este proyecto podía ocasionar. Aquí se presentan tres puntos de vista sobre el tema de los derechos sobre el agua del valle del Owens.

▶ Construcción del acueducto de Los Angeles, 1908

328 ▪ Unidad 4

Practice and Extend

BACKGROUND

Will Rogers Will Rogers was born in 1879 in Oklahoma. As a young man, he became a cowboy known for his skill with a lasso. He began performing in wild west shows, but audiences came as much for his wisdom as for his rope tricks. He went on to star in 71 films, perform on many radio programs, write six books, and become one of the United States' most beloved humorists.

MAKE IT RELEVANT

In Your Community Ask students if they know where the water they use comes from. Help students research where the water in your area originates and if there are different points of view about how the water source should be used.

328 ▪ UNIT 4

Practicar y ampliar

ANTECEDENTES

Will Rogers Rogers nació en Oklahoma en 1879. De joven, se convirtió en un vaquero famoso por su destreza con el lazo. Trabajó en espectáculos del Lejano Oeste, pero el público iba a verlo no solo por sus trucos con la soga sino por su sabiduría. Protagonizó 71 películas y participó en numerosos programas de radio, escribió seis libros y fue uno de los humoristas más queridos de Estados Unidos.

APLÍCALO

En su comunidad Pregunte a los estudiantes si saben de dónde proviene el agua que usan. Ayúdelos a investigar dónde se origina el agua de su zona y si existen distintos puntos de vista sobre cómo debe usarse esa fuente de agua.

En sus propias palabras

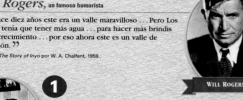

Will Rogers, un famoso humorista

WILL ROGERS

"Hace diez años este era un valle maravilloso... Pero Los Angeles tenía que tener más agua... para hacer más brindis por su crecimiento... por eso ahora este es un valle de desolación."

—De *The Story of Inyo* por W. A. Chalfant, 1959.

❶ Residentes del valle del Owens, liderados por Wilfred y Mark Watterson

WILFRED Y MARK WATTERSON

"Los funcionarios de Los Angeles están forzando a los habitantes del valle a vender sus tierras. Nuestra gente no quiere deshacerse de [dejar] sus hogares; quiere que la dejen en paz."

—De *The Water Trail* por Don Kinser. Departamento de Agua y Energía. Ciudad de Los Angeles, 1928.

❷ Theodore Roosevelt, vigésimo sexto presidente de Estados Unidos

"[El agua del valle del Owens] es cientos o miles de veces más importante para el estado y más valiosa para todos sus habitantes si la usa la ciudad que si la usan solo los habitantes del valle del Owens."

—De una carta del 25 de junio de 1906, aprobando la construcción del acueducto de Los Angeles. Ciudad de Los Angeles, Departamento de Agua y Energía.

THEODORE ROOSEVELT

Es tu turno

Analizar puntos de vista Explica por qué tenían puntos de vista diferentes los habitantes del valle del Owens y quienes estaban a favor del acueducto de Los Angeles.

Aplícalo La demanda de agua continúa creciendo en California. ¿Cómo crees que se deberían compartir los recursos de agua de California en la actualidad?

Capítulo 8 ▪ 329

 CALIFORNIA STANDARDS HSS 4.4.7 Trace the evolution of California's water system into a network of dams, aqueducts, and reservoirs. **SKILL** Research, Evidence, and Point of View 2.

REACH ALL LEARNERS

Leveled Practice Have students interpret the quotations in the lesson.

Basic Tell students that the quotations show points of view on the building of the Los Angeles Aqueduct. Have students make a two-column chart to show who was for and who was against the aqueduct.

Proficient Have students create a three-column chart with the col-umn heads Person, For or Against, and Reason, and then fill in the information. Have them give their completed chart an appropriate title that reflects the nature of the conflict.

Advanced Have students each take a position for or against the building of the aqueduct. Then have them write a paragraph supporting the position, using the appropriate quotations as evidence.

---

2 Teach

❶ Primary Sources: Quotations

SKILL Point of View Focus attention on the quotations.

Q What did the Owens Valley residents believe would be the result for them if Los Angeles took water from the Owens Valley? HSS 4.4.7, HR 2

A They would have to sell their lands and move away.

Source: From *The Story of Inyo* by W.A. Chalfant, 1959.

Source: *The Water Trail* by Don Kinsey. The Department of Water and Power, City of Los Angeles, 1928.

Source: From a letter written on June 25, 1906, agreeing with the building of the Los Angeles Aqueduct. City of Los Angeles, Department of Water and Power.

❷ History
Inform students that although President Theodore Roosevelt received letters of protest, he endorsed the bill giving Los Angeles right of way for the Aqueduct through Inyo, Kern, and Los Angeles counties. Controversy about the ethics of the plan and whose interests were benefited continues to this day.

3 Close

It's Your Turn

SKILL Point of View People living in the Owens Valley needed the water for their communities to survive. People favoring the Los Angeles Aqueduct felt that the water was needed more to meet the needs of the area's growing population. HSS 4.4.7, HR 2

Make It Relevant Possible response: Water resources should be shared in a way that serves the needs of the larg-est number of people.

CHAPTER 8 ▪ 329

---

2 Enseñar

❶ Fuentes primarias: Citas

DESTREZA DE ANÁLISIS Punto de vista Enfoque la atención de los alumnos en las citas.

P ¿Qué consecuencias creían los residen-tes del valle del Owens que sufrirían si Los Angeles tomaba agua del valle? HSS 4.4.7, HR 2

R Tendrían que vender sus tierras y mar-charse.

Fuente: De *The Story of Inyo* por W. A. Chalfant, 1959.

Fuente: De *The Water Trail* por Don Kinsey, Departamento de Agua y Energía. Ciudad de Los Angeles, 1928.

Fuente: De una carta del 25 de junio de 1906, aprobando la construcción del acueducto de Los Angeles. Ciudad de Los Angeles, Departamento de Agua y Energía.

❷ Historia
Informe a los estudiantes que, a pesar de las cartas de protesta que recibió, el presidente Theodore Roosevelt aprobó el proyecto de ley que daba a Los Angeles el derecho de atravesar con el acueducto los condados de Indo, Kern y Los Angeles. Las controversias sobre la ética del plan y sobre los intereses de quienes se beneficiaron continúa hasta nuestros días.

3 Concluir

Es tu turno

DESTREZA DE ANÁLISIS Punto de vista Los residentes del valle del Owens necesitaban el agua para la subsistencia de sus comunidades. Las personas que estaban a favor del acue-ducto de Los Angeles pensaban que el agua era más necesaria para satisfacer las necesidades de la creciente población de la zona. HSS 4.4.7, HR 2

Aplícalo Respuesta posible: Los recursos hídricos deberían compartirse para satisfa-cer las necesidades de la mayor cantidad de personas posible.

OBJETIVOS

- Examinar la evolución del sistema hídrico del norte de California.
- Identificar la red de presas, acueductos y embalses que proveían agua al norte de California.

VOCABULARIO

naturalista págs. 333, 335

SACAR CONCLUSIONES

págs. 270–271, 331

RECURSOS

Tarea y práctica, pág. 87; Transparencia de destrezas clave 4; Colección de audiotextos en CD de la Unidad 4; Recursos en Internet

1 Presentar

Reflexiona Pida a los estudiantes que piensen en los factores que pueden haber causado el crecimiento de pueblos y ciudades en el norte de California. Recuérdeles que deben buscar respuestas a la pregunta mientras leen la sección.

Piensa en los antecedentes Repase con los estudiantes las causas y los efectos del rápido crecimiento en el sur de California.

 Pregunte a los estudiantes si alguna vez presenciaron un terremoto. De ser así, pídales que describan lo que sintieron.

Lesson 3

PAGES 330–335

OBJECTIVES

- Trace the evolution of northern California's water system.
- Identify the network of dams, aqueducts, and reservoirs that supplied water to northern California.

VOCABULARY

naturalist pp. 333, 335

DRAW CONCLUSIONS

pp. 270–271, 331, 333, 335

RESOURCES

Homework and Practice Book, p. 87; Reading Support and Intervention, pp. 122–125; Success for English Learners, pp. 125–128; Vocabulary Transparency 4-8-3; Vocabulary Power, p. 97; Focus Skills Transparency 4; TimeLinks: Interactive Time Line; Unit 4 Audiotext CD Collection; Internet Resources

1 Introduce

What to Know Ask students to speculate about what factors might have caused towns and cities in northern California to grow. Remind students to look for answers to the question as they read the section.

Build Background Review with students the causes and effects of rapid growth in southern California.

 Ask students whether they have experienced an earthquake. If so, have them describe what they felt.

330 ▪ UNIT 4

Lección 3

Tiempos		
1855	1885	1915

- **1906** Un terremoto y un incendio destruyen gran parte de San Francisco
- **1909** California gasta 18 millones de dólares para construir un sistema estatal de carreteras
- **1914** Comienza la construcción del acueducto Hetch Hetchy

Cambios en el norte de California

REFLEXIONA ¿Qué llevó al crecimiento de pueblos y ciudades en el norte de California a comienzos del siglo XX?

✓ Examina la evolución del sistema hídrico del norte de California.

✓ Identifica la red de presas, acueductos y embalses que proveían agua al norte de California.

VOCABULARIO naturalista pág. 335

PERSONAS Amadeo Pietro Giannini, John Muir

LUGARES San Francisco, Florin, valle Hetch Hetchy

SACAR CONCLUSIONES

Normas de California HSS 4.4, 4.4.4, 4.4.7

IMAGÍNATE ALLÍ Estás durmiendo en tu casa en **San Francisco**. Han pasado unos minutos de las 5:00 a.m. del miércoles 18 de abril de 1906. De repente, un ruido te despierta. Al comienzo es suave y bajo, pero pronto se hace cada vez más fuerte. Tu habitación se sacude violentamente. Te levantas de la cama tropezándote y a tu alrededor las cosas caen al suelo. El piso tiembla tanto que apenas puedes mantenerte en pie. ¡Es un terremoto!

➤ Antes del terremoto de 1906, San Francisco era una ciudad en crecimiento y llena de actividad. Después del terremoto, gran parte de la ciudad quedó en ruinas.

Después

330 ▪ Unidad 4

CALIFORNIA STANDARDS HSS 4.4 Students explain how California became an agricultural and industrial power, tracing the transformation of the California economy and its political and cultural development since the 1850s. 4.4.4 Describe rapid American immigration, internal migration, settlement, and the growth of towns and cities (e.g., Los Angeles).

When Minutes Count

Ask students to review the section heads, the photographs, and the captions in this lesson. Then have them write a brief summary that describes the historical events that are the focus of the lesson.

Quick Summary

Big changes came to northern California in the early 1900s. The area's biggest city, San Francisco, was partially destroyed by an earthquake and fire in 1906, and then quickly rebuilt. Many nearby towns began to grow, and the population needed more resources.

Cuando el tiempo apremia

Pida a los estudiantes que repasen los títulos de la sección y las fotografías de esta lección, junto con las leyendas que las acompañan. Luego, pídales que escriban un resumen que describa los principales eventos históricos de esta lección.

Resumen

A comienzos del siglo XIX se produjeron grandes cambios en el norte de California. San Francisco fue parcialmente destruida por un terremoto y un incendio en 1906, y luego se reconstruyó rápidamente. Muchos pueblos cercanos comenzaron a crecer y la población necesitó más recursos.

Un gran terremoto

CUANDO 18 de abril de 1906
DÓNDE San Francisco

La mayoría de los habitantes de San Francisco estaba durmiendo cuando, en la madrugada del 18 de abril de 1906, un terremoto sacudió la ciudad. Un ciudadano, Ernest H. Adams, escribió más tarde:

❝Salí despedido de la cama y, en un abrir y cerrar de ojos, el costado de nuestra casa se estrelló contra el suelo . . . Me caí y me arrastré por las escaleras entre pedazos de vidrio, madera y yeso que volaban por todos lados.❞*

En las calles, las aceras se agrietaban y se rompían en pedazos. Las ventanas de vidrio se destrozaban contra el suelo. Las lámparas se movían ferozmente. El violento temblor duró menos de un minuto,

*Ernest H. Adams. De una carta a sus empleadores, Reed and Barton Taunton, Massachussets. 23 de abril de 1906.

pero fue lo suficientemente largo como para destruir muchos edificios.

Para empeorar la situación, se produjo un enorme incendio inmediatamente después del terremoto. El gas que escapaba de los tubos rotos alimentaba las llamas. Y los bomberos que intentaron apagarlo descubrieron que no había agua, porque el terremoto había destrozado muchas de las tuberías de la ciudad.

REPASO DE LA LECTURA ○ SACAR CONCLUSIONES
¿Cómo crees que el terremoto de 1906 afectó el crecimiento de San Francisco? El crecimiento se hizo más lento o se detuvo.

Antes

Capítulo 8 ■ 331

---

2 Teach

A Great Earthquake

Content Focus On April 18, 1906, an earthquake and fire destroyed much of San Francisco.

❶ Primary Sources

ANALYSIS SKILL **Research/Evidence** Have students examine the photographs and quotation as primary and secondary sources about the fire and earthquake's effects.

Source: Ernest H. Adams. From a letter to his employers, Reed and Barton of Taunton, Massachusetts. April 23, 1906.

Q Why are these primary sources? HSS 4.4.4, HR 1

A Both were produced by people who witnessed the earthquake and its immediate aftereffects.

❷ History Explain that although the 1906 earthquake destroyed many buildings, the resulting fires did the most damage to the city. Almost five square miles of the city's downtown and nearby residential areas were burned, leaving about 225,000 people homeless. HSS 4.4.4

---

2 Enseñar

Un gran terremoto

Contenido clave El 18 de abril de 1906, un terremoto y un incendio destruyeron gran parte de San Francisco.

❶ Fuentes primarias

DESTREZA DE ANÁLISIS **Investigación/Evidencia** Pida a los estudiantes que examinen las fotografías y la cita como fuentes primarias y secundarias de los efectos del incendio y el terremoto.

Fuente: Ernest H. Adams. De una carta a sus empleadores, Reed and Barton of Taunton, Massachusetts. 23 de abril de 1906.

P ¿Por qué son la fotografía y la cita fuentes primarias? HSS 4.4.4, HR 1

R Ambas fueron hechas por personas que presenciaron el terremoto y sus efectos posteriores.

❷ Historia Explique que a pesar de que el terremoto de 1906 destruyó muchos edificios, los incendios que se desataron inmediatamente después causaron la mayor parte del daño que sufrió la ciudad. Prácticamente cinco millas cuadradas del centro y áreas residenciales cercanas se incendiaron, dejando sin hogar a unas 225,000 personas. HSS 4.4.4

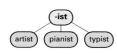 4.4.7 Trace the evolution of California's water system into a network of dams, aqueducts, and reservoirs.
SKILL Chronological and Spatial Thinking 4, 5. Research, Evidence, and Point of View 1. Historical Interpretation 1, 2, 3.

✺ VOCABULARY POWER

Suffixes Write the word *naturalist* on the board. Discuss the meaning of *naturalist* as a person that studies nature. Have students list other words with the same suffix and discuss their meanings. ELA READING 1.4

-ist
artist pianist typist

For teaching lesson vocabulary, see VOCABULARY TRANSPARENCY 4-8-3.

READING SUPPORT

For alternate teaching strategies, use pages 122–125 of the Reading Support and Intervention book to

■ reinforce **vocabulary**
■ build **text comprehension**
■ build **fluency**

Reading Support
and Intervention

Reading Support ▶
and Intervention   Reflections

ELL ENGLISH LANGUAGE LEARNERS

For English Language Learners strategies to support this lesson, see Success for English Learners book pages 125–128.

■ English-language development activities
■ background and concepts
■ vocabulary extension

Success for
English
Learners

Success for ▶
English Learners   Reflections

Se reconstruye San Francisco

Contenido clave Después del terremoto de 1906, los residentes de San Francisco cooperaron en la reconstrucción de la ciudad.

3 **DESTREZA DE ANÁLISIS** **Interpretación histórica** Una de las reconstrucciones que se hicieron fue la del famoso sistema de tranvías de la ciudad. Proponga a los estudiantes que reflexionen sobre el aspecto que podría tener San Francisco hoy, de no haber sido por el terremoto y el incendio de 1906. Guíelos para que lleguen a la conclusión de que no habría tantos vecindarios que reflejaran la arquitectura de comienzos del siglo XX, cuando se reconstruyó la ciudad.
HSS 4.1.5, 4.4.4, HI 2

4 **Fuente primaria: Cita**
Lea la cita con los estudiantes.

P **¿Qué evidencia da esta cita sobre el entusiasmo de los residentes de San Francisco por reconstruir su ciudad?**
HSS 4.4.4

R Dice que los habitantes tienen "confianza y esperanza en el futuro".

Fuente: Victor H. Metcalf. De una carta al presidente Theodore Roosevelt, 26 de abril de 1906.

5 **DESTREZA DE ANÁLISIS** **Pensamiento espacial** Pida a los estudiantes que describan la ubicación de San Francisco en la entrada de la bahía de San Francisco, en el océano Pacífico.

P **¿Qué importancia tiene la ubicación relativa de San Francisco para que haya valido la pena reconstruir la ciudad después del terremoto? ¿Cuál sería una desventaja de reconstruir la ciudad en la misma ubicación?** HSS 4.1, 4.4, 4.4.4, CS 5

R Valió la pena reconstruir la ciudad porque yace sobre un puerto natural en la costa, lo que la convierte en un centro importante para los viajes y el comercio. Una desventaja de reconstruir la ciudad en la misma ubicación sería el riesgo de ser destruida por otro terremoto.

San Francisco Rebuilds

Content Focus After the 1906 earthquake, San Francisco's people cooperated to rebuild the city.

3 **ANALYSIS SKILL** **Historical Interpretation**
One of San Francisco's landmarks that the people rebuilt was the city's famous cable-car system. Engage students in a discussion focusing on how San Francisco might look different today if it had not been for the 1906 earthquake and fire. Lead them to the conclusion that the city would not have so many neighborhoods that reflect the architecture of the early 1900s, when the city was rebuilt.
HSS 4.1.5, 4.4.4, HI 2

4 **Primary Source: Quotation**
Read the quotation with students.

Q How does this quote give evidence that San Franciscans were eager to rebuild their city? HSS 4.4.4

A It says that the people were "confident and hopeful for the future."
Source: Victor H. Metcalf. From a Letter to President Theodore Roosevelt, April 26, 1906.

5 **ANALYSIS SKILL** **Spatial Thinking** Have students describe San Francisco's location on the Pacific Ocean, at the mouth of San Francisco Bay.

Q What is significant about San Francisco's relative location that made it worthwhile to rebuild the city after the earthquake? What would be a disadvantage to rebuilding the city in the same location? HSS 4.1, 4.4, 4.4.4, CS 5

A It was worthwhile to rebuild the city because it lies on a natural harbor on the coast, making it an important hub for travel and trade. One disadvantage to rebuilding the city in the same location is that it would still be at risk of being destroyed by earthquakes.

332 ■ UNIT 4

≫ Poco después del terremoto, los trabajadores comenzaron a reconstruir los edificios dañados de San Francisco.

Se reconstruye San Francisco

3 El terremoto y el incendio dejaron a San Francisco en ruinas. La mayoría de los edificios estaban destruidos, incluyendo el ayuntamiento, las iglesias y los bancos. El costo de los daños a la ciudad fue de casi 500 millones de dólares. Después de examinar los daños ocasionados por el terremoto, el secretario de trabajo de Estados Unidos, Victor H. Metcalf, informó:

4 66 Es casi imposible describir la ruina perpetrada [causada] por el terremoto . . . Sin embargo, los habitantes tienen confianza y esperanza en el futuro y no han perdido de ningún modo el valor. 99*

5 San Francisco era una importante ciudad portuaria y sus habitantes estaban decididos a reconstruirla. Un banquero ítalo americano llamado **Amadeo Pietro Giannini** fue uno de los primeros en colaborar. Incluso antes de que se apagaran los incendios, Giannini comenzó a dar préstamos de dinero. Sus préstamos ayudaron a la gente a reconstruir sus hogares y negocios.

*Victor H. Metcalf. De una carta al presidente Theodore Roosevelt, 26 de abril de 1906.

≫ Los habitantes de San Francisco estaban decididos a reconstruir su ciudad para que fuera más grande y mejor que antes del terremoto.

332 ■ Unidad 4

Practice and Extend

BACKGROUND

A.P. Giannini Amadeo Pietro Giannini was born in San Jose in 1870. He entered the produce business at age 14 and became a success. Later, he founded a bank in San Francisco, one that would lend money to working people, not only to the rich. At the time of his death in 1949, Giannini owned Bank of America—the largest bank in the United States at that time, and the second largest today.

INTEGRATE THE CURRICULUM

SCIENCE Discuss how scientists are constantly studying earthquakes and their effects on the land in order to guide the construction of sturdier buildings. You may want to guide students to learn more about the 1906 earthquake and how earthquakes affect California by visiting a geological website. **Learn About Earthquakes**

EARTH SCIENCES 5.a

Practicar y ampliar

ANTECEDENTES

A. P. Giannini Amadeo Pietro Giannini nació en San Jose en 1870. A los 14 años, comenzó a trabajar en una empresa de productos agrícolas, donde se destacó por su capacidad y su trabajo. Después, fundó un banco en San Francisco que prestaba dinero a los trabajadores, no solo a los ricos. Cuando murió en 1949, Giannini era dueño del Bank of America, el banco más importante de Estados Unidos en aquel entonces y que hoy en día ocupa el segundo lugar.

▶ Agricultores japoneses recogen fresas cerca de Sacramento en 1910.

Llegaron dinero, comida y provisiones de todas las regiones del país. En menos de diez años, una nueva ciudad se levantó de las ruinas. Hacia 1915 se decía que San Francisco era una ciudad más grande y mejor de lo que había sido antes del terremoto.

REPASO DE LA LECTURA ⏿ SACAR CONCLUSIONES
¿Por qué crees que los habitantes de San Francisco estaban dispuestos a reconstruir una ciudad tan dañada? porque San Francisco era una importante ciudad portuaria

Crecimiento en el norte de California

San Francisco no fue la única ciudad del norte de California que creció. Muchos habitantes de San Francisco se mudaron a Oakland, al otro lado de la bahía. La población de Oakland aumentó más del doble entre 1900 y 1910. San Jose también creció.

Además, la población del norte de California se hizo más diversa. En Sacramento vivían menos de 30 americanos de origen japonés, pero pronto se vio invadida por inmigrantes japoneses que llegaban para trabajar en las plantaciones frutales.

En el condado Sacramento se desarrolló una comunidad japonesa americana llamada **Florin**. Florin llegó a conocerse como la capital de la fresa de California, ya que allí se cultivaban tantas fresas como para llenar ¡120 vagones de ferrocarril con una sola cosecha!

También se llevaron a cabo mejoras que transformaron las ciudades del norte de California. En 1909, el gobierno de California gastó 18 millones de dólares para construir un sistema estatal de carreteras. Poco después, una red de carreteras pavimentadas facilitaba el movimiento de personas de una ciudad a otra.

REPASO DE LA LECTURA RESUMIR
¿Por qué muchos japoneses se mudaron al condado Sacramento? para trabajar en las plantaciones frutales

Capítulo 8 ■ 333

Growth Throughout Northern California

Content Focus During the early 20th century, many towns and cities in northern California experienced growth.

6 History Remind students that, as they learned in Lesson 1, many people went to northern California during the late 1800s and early 1900s.

Q What are some large cities in northern California that grew and became more diverse in this period? ⬚ HSS 4.4.4
A San Francisco, Oakland, Sacramento, San Jose

7 ANALYSIS SKILL Historical Interpretation Point out that automobiles and trucks were becoming more important forms of transportation in the early 1900s. Challenge students to identify some of the causes behind the construction of a state highway system.

Q How do you think a network of paved highways affected northern California? ⬚ HSS 4.4.4, HI 3
A it made it easier to use cars and trucks to move people and goods throughout the area and encouraged growth.

CHAPTER 8 ■ 333

Crecimiento en el norte de California

Contenido clave A comienzos del siglo XX, muchos pueblos y ciudades del norte de California tuvieron un importante crecimiento.

6 Historia Recuerde a los estudiantes que, como aprendieron en la Lección 1, mucha gente se estableció en el norte de California a fines del siglo XIX y comienzos del siglo XX.

P ¿Cuáles son algunas de las grandes ciudades del norte de California que crecieron y tuvieron una población más diversa? ⬚ HSS 4.4.4
R San Francisco, Oakland, Sacramento, San Jose

7 DESTREZA DE ANÁLISIS Interpretación histórica Señale que el camión y el automóvil adquirieron mayor importancia como medios de transporte a comienzos del siglo XX. Proponga a los estudiantes que identifiquen algunas de las causas por las que se construyó un sistema estatal de carreteras.

P ¿Qué efectos creen que tuvo en el norte de California una red de carreteras pavimentadas? ⬚ HSS 4.4.4, HI 3
R Facilitó el uso de automóviles y camiones para transportar productos y pasajeros, y estimuló el crecimiento

---

San Francisco consigue más agua

Contenido clave A medida que San Francisco crecía, necesitaba más agua. Para satisfacer esta necesidad, la ciudad construyó un embalse en el valle Hetch Hetchy, a pesar de la protesta de los naturalistas.

8 Interpretación histórica Repase la controversia que generó el acueducto de Los Angeles acerca de la cual los estudiantes leyeron en la Lección 2. Luego, pídales que lean la cita de John Muir de la página 334. Indíqueles que resuman el contexto histórico de los eventos que instalaron la discusión por la presa que inundaría el valle Hetch Hetchy.

P ¿En qué se parecía la controversia sobre el valle Hetch Hetchy a la controversia por el acueducto de Los Angeles? ¿En qué se diferenciaba? HSS 4.4.7, HI 1

R Era semejante porque en ambos casos una ciudad grande y en crecimiento quería construir un acueducto y un embalse para abastecerse de agua. Se diferenciaba en que los habitantes del valle del Owens querían el agua para satisfacer sus necesidades, mientras que los naturalistas querían evitar que se inundara el valle Hetch Hetchy, situado dentro de un parque natural.

Fuente: John Muir. De un memorando enviado a J. Horace McFarland, presidente de la Sociedad Civil Americana. 14 de mayo de 1908.

9 Aprendizaje visual: Mapa

DESTREZA DE ANÁLISIS Pensamiento espacial Pida a los estudiantes que sigan la ruta del acueducto y que identifiquen la ubicación de las presas que indica el mapa. HSS 4.4.7, CS 4

RESPUESTA: los ríos Tuolumne y San Joaquin

San Francisco Gets More Water

Content Focus As San Francisco grew, it needed more water. To meet this need, the city built a reservoir in the Hetch Hetchy Valley despite protests from naturalists.

8 Historical Interpretation Review the controversy over the Los Angeles Aqueduct that students read about in Lesson 2. Then have students read the quotation by John Muir on page 334. Direct students to summarize the historical context of the events that led to the discussion to dam the Hetch Hetchy Valley.

Q How was the controversy about Hetch Hetchy Valley similar to the controversy about the Los Angeles Aqueduct? How was it different? HSS 4.4.7, HI 1

A It was similar because in both cases a large and growing city wanted to build an aqueduct and reservoir to bring in water. It was different because the people in the Owens Valley wanted the water for their own needs, while naturalists wanted to prevent the Hetch Hetchy Valley, which was located in a natural park, from being flooded.

Source: John Muir. From a memorandum sent to J. Horace McFarland, president of the American Civic Association. May 14, 1908.

9 Visual Literacy: Map

ANALYSIS SKILL Spatial Thinking Have students trace the route of the aqueduct and identify the locations of the dams shown on the map. HSS 4.4.7, CS 4

CAPTION ANSWER: the Tuolumne and San Joaquin Rivers

San Francisco consigue más agua

CUÁNDO 1914
DÓNDE San Francisco

A causa de su creciente población, San Francisco pronto comenzó a enfrentar la escasez de agua. Los líderes de la ciudad consultaron al gobierno de Estados Unidos sobre la posibilidad de construir una presa en el río Tuolumne. Esta presa formaría un gran embalse para San Francisco y un acueducto llevaría el agua desde el embalse hasta la ciudad.

El plan resolvería los problemas de falta de agua en San Francisco, pero también crearía nuevos problemas. El agua de la presa inundaría el **valle Hetch Hetchy**, una parte del Parque Nacional Yosemite. El plan provocó acaloradas discusiones. Quienes estaban a favor de la presa sentían que era la única manera de obtener el agua que se necesitaba. **John Muir**, un conocido naturalista, lideró la lucha contra el proyecto. Un **naturalista**

▶ John Muir creía que inundar el valle Hetch Hetchy era un "precio tremendo que la nación pagaría por el agua de San Francisco."*

*John Muir. De un memorando enviado a J. Horace McFarland, presidente de la Sociedad Civil Americana. 14 de mayo de 1908.

UBÍCALO
CALIFORNIA
Embalse Hetch Hetchy

Practice and Extend

REACH ALL LEARNERS

Leveled Practice Guide students to interpret the information in the map of the Hetch Hetchy Aqueduct.

Basic Have students name three landforms that the Hetch Hetchy Aqueduct passes through before reaching the San Francisco Bay area.

Proficient Have students list each landform the aqueduct passes through on its path from the reservoir to the San Francisco Bay area.

Advanced Have students write a paragraph describing the course the Hetch Hetchy Aqueduct takes from the reservoir to the San Francisco Bay area.

Acueducto Hetch Hetchy

OCÉANO
PACÍFICO

NEVADA

San Francisco
Berkeley · Oakland · Stockton
Fremont
San José

Valle Central

Sierra Nevada

Cordillera Costera

✓ Presa
— Acueducto
Hetch Hetchy

0   25   50 millas
0   25   50 kilómetros
Proyección equi-área de Albers

9

Analizar mapas
Actualmente, San Francisco obtiene más de las tres cuartas partes del agua que necesita del embalse Hetch Hetchy.

◆ Interacciones entre los seres humanos y el ambiente ¿Qué ríos en este mapa cruzan el acueducto Hetch Hetchy?

es una persona que estudia la naturaleza y trabaja para protegerla. Muir y sus seguidores no querían que se inundara ni siquiera una parte del parque nacional.

A pesar de las protestas, en 1914 San Francisco comenzó la construcción de la presa y el acueducto Hetch Hetchy. Sin embargo, los californianos siguieron manifestándose contra el plan durante años.

REPASO DE LA LECTURA RESUMIR
¿Cómo solucionó el norte de California su creciente necesidad de agua a comienzos del siglo XX? Construyó una presa en el río Tuolumne y el acueducto Hetch Hetchy.

Resumen

En 1906, un terremoto y un incendio destruyeron gran parte de San Francisco. Sin embargo, la ciudad fue reconstruida y siguió creciendo. Otras zonas del norte de California también crecieron rápidamente. Se construyó el embalse Hetch Hetchy para satisfacer la creciente necesidad de agua en el norte de California.

REPASO

1. 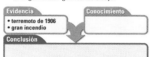 ¿Qué llevó al crecimiento de pueblos y ciudades en el norte de California a comienzos del siglo XX?

2. Usa el término **naturalista** para describir el conflicto por el valle Hetch Hetchy.

3. ¿Quiénes fundaron Florin? ¿Por qué llegaron al condado Sacramento?

RAZONAMIENTO CRÍTICO

4. ¿Por qué crees que había opiniones diferentes sobre la construcción de una represa en el río Tuolumne?

5. ✎ **Escribe un editorial** Escribe un editorial a favor o en contra de la inundación del valle Hetch Hetchy.

6. **SACAR CONCLUSIONES**
En una hoja de papel, copia y completa el organizador gráfico de abajo.

Evidencia | Conocimiento
• terremoto de 1906
• gran incendio

Conclusión

Capítulo 8 ■ 335

---

3 Close

Summary

Have students review the summary and restate the lesson's key content.

• An earthquake and fire destroyed much of San Francisco in 1906, but the city was quickly rebuilt.

• The growing population in and around San Francisco needed more water, which it got when the Hetch Hetchy Reservoir was built.

Assess
REVIEW—Answers

1. the rebuilding of San Francisco, the movement of people to Oakland, the movement of Japanese farmers to Sacramento, the state highway system HSS 4.4, 4.4.4

2. **Vocabulary Naturalists** such as John Muir worked to protect the Hetch Hetchy Valley from being flooded. HSS 4.4.7

3. **History** Japanese Americans; to work on fruit farms HSS 4.4.4

Critical Thinking

4. **Historical Interpretation** Some people thought it was more important to protect nature. Others thought it was more important to bring water to San Francisco. HSS 4.4.7, HI 1

5. ✎ **Write an Editorial—Assessment Guidelines**
See Writing Rubric. This activity can be used with the unit project. HSS 4.4.7, ELA WRITING 2.0

6. **Draw Conclusions** KNOWLEDGE: When an area is faced with destruction by natural disasters, people from outside the area often come to help the victims. CONCLUSION: People came from outside of San Francisco to help the victims of the earthquake and fire. HSS 4.4, ELA READING 2.0

CHAPTER 8 ■ 335

---

3 Concluir

Resumen

Pida a los estudiantes que repasen el resumen y que expresen con sus palabras el contenido clave de la lección.

• Un terremoto y un incendio destruyeron gran parte de San Francisco en 1906, pero la ciudad se reconstruyó rápidamente.

• La creciente población de San Francisco y sus alrededores necesitaba más agua, y la obtuvo cuando se construyó el embalse Hetch Hetchy.

Evaluar
REPASO—Respuestas

1. la reconstrucción de San Francisco, el movimiento de personas a Oakland y de agricultores japoneses a Sacramento, el sistema estatal de carreteras HSS 4.4, 4.4.4

2. **Vocabulario** Los **naturalistas** como John Muir trabajaban para evitar que se inundara el valle Hetch Hetchy. HSS 4.4.7

3. **Historia** los americanos de origen japonés; para trabajar en las plantaciones frutales HSS 4.4.4

Razonamiento crítico

4. **Interpretación histórica** Algunos pensaban que era más importante proteger la naturaleza. Otros, en cambio, pensaban que era más importante llevar agua a San Francisco. HSS 4.4.7, HI 1

5. ✎ **Escribe un editorial—Pautas para la evaluación** Vea Writing Rubric. Esta actividad puede usarse con el proyecto de la unidad. HSS 4.4.7, ELA WRITING 2.0

6. **Sacar conclusiones** CONOCIMIENTO: Cuando un área es destruida por desastres naturales, la población de otras áreas a menudo acude a ayudar a las víctimas. CONCLUSIÓN: Llegaron personas de fuera de San Francisco para ayudar a las víctimas del terremoto y del incendio. HSS 4.4, ELA READING 2.0

Destrezas con tablas y gráficas

OBJETIVOS

- **Determinar cuándo es apropiado usar una gráfica de barras dobles para presentar información.**

- **Usar una gráfica de barras dobles para comparar dos conjuntos de números.**

VOCABULARIO

gráfica de barras dobles pág. 336

RECURSOS

Tarea y práctica, págs. 88–89; Transparencia de destrezas de Estudios Sociales 4-2; Colección de audiotextos en CD de la Unidad 4

1 Presentar

Repase los diferentes tipos de gráficas que conocen los estudiantes como, por ejemplo, pictogramas o gráficas de barras simples.

Por qué es importante

Señale que las gráficas presentan información importante de manera rápida y permiten al lector hacer comparaciones fácilmente.

2 Enseñar

Lo que necesitas saber

1 Explique que las gráficas de barras dobles permiten comparar dos conjuntos de números más fácilmente, presentándolos uno al lado del otro.

Chart and Graph Skills

OBJECTIVES

- **Determine when a double-bar graph is appropriate for displaying information.**

- **Use a double-bar graph to compare two sets of numbers.**

VOCABULARY

double-bar graph p. 336

RESOURCES

Homework and Practice Book, pp. 88–89; Social Studies Skills Transparency 4-2; Unit 4 Audiotext CD Collection

1 Introduce

Review different types of graphs with which students are familiar, such as picture graphs or single-bar graphs.

Why It Matters

Point out that graphs present important information quickly and help the reader make quick comparisons.

2 Teach

What You Need to Know

1 Explain that double-bar graphs make comparing two sets of numbers easier by presenting two different sets of data side by side.

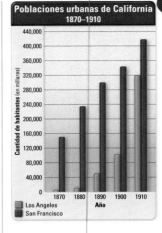

Destrezas con tablas y gráficas

Leer una gráfica de barras dobles

Fuente: U.S. Department of Commerce, U.S. Census Bureau

▶ POR QUÉ ES IMPORTANTE

Como has leído, la población de California creció rápidamente a fines del siglo XIX y comienzos del siglo XX. Imagina que quieres comparar cómo cambió la población de dos ciudades de California durante este período. Las gráficas facilitan la comparación de números. Una **gráfica de barras dobles** permite comparar dos grupos de números más fácilmente.

▶ LO QUE NECESITAS SABER

La gráfica de barras dobles de esta página muestra los cambios en las poblaciones de San Francisco y Los Angeles entre 1870 y 1910.

Paso 1 Lee el título, los rótulos y la información de la clave. La cantidad de habitantes aparece a la izquierda de la gráfica. Los años aparecen en la parte inferior. Cada barra de color morado muestra la población de San Francisco durante un año determinado. Las barras de color verde muestran la población de Los Angeles.

Paso 2 Lee la gráfica de barras dobles siguiendo con tu dedo cada barra, de abajo hacia arriba, hasta la parte superior de la barra, y luego hacia la izquierda hasta la cantidad de habitantes.

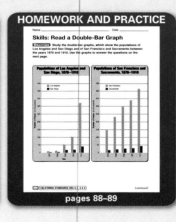

Paso 3 Para comparar la cantidad de habitantes en un año determinado, observa la altura de cada barra. Una barra más alta representa una mayor población. La diferencia de altura entre dos barras muestra la diferencia entre las dos poblaciones.

336 ■ Unidad 4

Practice and Extend

SOCIAL STUDIES SKILLS

TRANSPARENCY 4-2

HOMEWORK AND PRACTICE

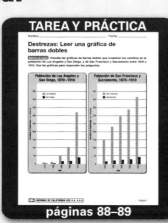

pages 88–89

Practicar y ampliar

DESTREZAS DE ESTUDIOS SOCIALES

TRANSPARENCIA 4-2

TAREA Y PRÁCTICA

páginas 88–89

▶ PRACTICA LA DESTREZA

Usa la gráfica de barras dobles de la página 336 para responder estas preguntas.

① Compara las poblaciones de San Francisco y Los Angeles en 1890. ¿Qué ciudad tenía mayor población? ¿Aproximadamente cuántas personas más vivían en esa ciudad?

② ¿Cuál era la población de San Francisco en 1900? ¿Y en 1910? ¿Cuál era la población de Los Angeles en esos años? ¿En qué ciudad creció más la población entre 1900 y 1910?

③ ¿En qué ciudad creció más la población entre 1870 y 1910?

▶ APLICA LO QUE APRENDISTE

Haz una gráfica de barras dobles para mostrar el crecimiento de Sacramento y San Diego entre 1870 y 1910. Usa las cantidades de población que aparecen en la tabla de abajo. Luego, escribe un párrafo comparando el crecimiento de población de las dos ciudades durante ese período.

Año	Sacramento	San Diego
1870	16,283	2,300
1880	21,420	2,637
1890	26,386	16,159
1900	29,282	17,700
1910	44,696	39,578

Destrezas con tablas y gráficas

③ ▶ A medida que la población de San Francisco crecía a fines del siglo XIX y comienzos del siglo XX se construyeron nuevos vecindarios. Muchas de las casas de esos vecindarios reflejan la arquitectura de la época.

🐻 **CALIFORNIA STANDARDS** 4.4.4 Describe rapid American immigration, internal migration, settlement, and the growth of towns and cities (e.g., Los Angeles). 📊 Historical Interpretation 2.

REACH ALL LEARNERS

Leveled Practice Help students respond to the Practice the Skill questions.

Basic Make sure students know what information they will need to find in the graphs.

Proficient Verify that students can set up equations to find differences between populations.

Advanced Encourage students to ask and answer additional questions based on the graph.

BACKGROUND

Populations Today After students have completed the Practice questions, tell them that Los Angeles's population has continued to grow more quickly than San Francisco's. Today, San Francisco has about 750,000 people, while Los Angeles has 3.5 million. Part of the reason is that while San Francisco is confined to the tip of a peninsula, Los Angeles extends across much of a large basin.

ANTECEDENTES

Poblaciones actuales Una vez que los estudiantes hayan completado las preguntas de "Practica la destreza", dígales que la población de Los Angeles continúa creciendo más rápidamente que la de San Francisco. Hoy en día, San Francisco tiene alrededor de 750,000 habitantes, mientras que Los Angeles tiene 3.5 millones de habitantes. Esto se debe, en parte, a que San Francisco está confinada al extremo de una península, mientras que Los Angeles se extiende a lo largo y a lo ancho de una gran cuenca.

---

② Point out that the double-bar graph on page 336 shows how the populations of San Francisco and Los Angeles changed over time. Review with students the steps for reading the double-bar graph.

Q **How does a double-bar graph make comparing two sets of numbers easier?**

A The side-by-side bars put the numbers for each year right next to each other.

③ **Visual Literacy: Photograph**

📊 **Historical Interpretation** Point out the Victorian architecture in the photograph. Explain that many buildings in San Francisco reflect the architecture of the early 1900s, when new neighborhoods were built to meet the housing needs of the booming population. 🔵 HSS 4.1.5, 4.4.4, HI 2

Practice the Skill—Answers 🔵 HSS 4.4.4

1. San Francisco; about 250,000 more
2. about 340,000; about 415,000; about 100,000; about 320,000; Los Angeles
3. Los Angeles

③ Close

Apply What You Learned

Students should create an appropriate and accurate double-bar graph. In their paragraphs, they might focus on information such as the following:

- Between 1870 and 1910, Sacramento always had more people than San Diego.
- San Diego grew more quickly between 1880 and 1910 than Sacramento did.

Accept all answers that are supported by the data in the graph. 🔵 HSS 4.4.4

CHAPTER 8 ▪ 337

---

② Señale que la gráfica de barras dobles de la página 336 muestra los cambios en las poblaciones de San Francisco y Los Angeles a través del tiempo. Repase con los estudiantes los pasos para leer la gráfica de barras dobles.

P **¿Cómo facilita la gráfica de barras dobles la comparación de dos conjuntos de números?**

R Las barras, que están una al lado de la otra, muestran uno al lado del otro los números correspondientes a cada año.

③ **Aprendizaje visual: Fotografía**

📊 **Interpretación histórica** Señale la arquitectura victoriana en la fotografía. Explique que muchos edificios de San Francisco reflejan la arquitectura de comienzos del siglo XX, cuando se construyeron nuevos vecindarios para satisfacer las necesidades de vivienda de la población en crecimiento. 🔵 HSS 4.1.5, 4.4.4, HI 2

Practica la destreza—Respuestas 🔵 HSS 4.4.4

1. San Francisco; 250,000 personas más, aproximadamente
2. 340,000 aproximadamente; 415,000 aproximadamente; 100,000 aproximadamente; 320,000 aproximadamente; Los Angeles
3. Los Angeles

③ Concluir

Aplica lo que aprendiste

Las gráficas de los estudiantes deben ser apropiadas y precisas. En sus párrafos, podrían enfocarse en información como la siguiente:

- Entre 1870 y 1910, Sacramento siempre tuvo más habitantes que San Diego.
- Entre 1880 y 1910, San Diego creció más rápido que Sacramento.

Acepte todas las respuestas que puedan apoyarse en los datos de la gráfica. 🔵 HSS 4.4.4

Repaso del Capítulo 8

PÁGINAS 338–339

La lectura en los Estudios Sociales

SACAR CONCLUSIONES
Destreza clave

Los estudiantes pueden usar el organizador gráfico que aparece en la página 92 del cuaderno de Tarea y práctica. Las respuestas aparecen en la Edición del maestro del cuaderno de Tarea y práctica.

Pautas de redacción de California

Escribe una narración Los relatos de los estudiantes deben describir los argumentos clave que puede haber presentado William Mulholland para convencer a los funcionarios de la ciudad de que apoyaran el proyecto del acueducto de Los Angeles. Estos argumentos podrían incluir las necesidades de la creciente población, la falta de una fuente de agua local, la disponibilidad de agua en el valle del Owens y los beneficios adicionales de la energía hidroeléctrica que podría generar. Las narraciones deben dar contexto al discurso e ideas sobre la importancia del acueducto. **HSS 4.4.7**, ELA WRITING 2.1

Para calificar la redacción, vea el Programa de evaluación, pág. xi.

Escribe un resumen Los resúmenes de los estudiantes deben identificar la amplia variedad de aportaciones hechas por los colonos y los inmigrantes de California, incluyendo el establecimiento de nuevas comunidades; su labor como trabajadores, agricultores, pescadores, empresarios, artistas, escritores y maestros; y las tradiciones culturales que trajeron a California y que hoy en día se siguen celebrando. Los estudiantes deben presentar ideas principales claras y detalles importantes en sus resúmenes. **HSS 4.4.3, 4.4.4**, ELA WRITING 2.4

Para calificar la redacción, vea el Programa de evaluación, pág. xii.

Chapter 8 Review

PAGES 338–339

Reading Social Studies

 Focus Skill **DRAW CONCLUSIONS**

Students may use the graphic organizer that appears on page 92 of the Homework and Practice Book. Answers appear in the Homework and Practice Book, Teacher Edition.

California Writing Prompts

Write a Narrative Students' stories should describe the key arguments William Mulholland might have made to convince city officials to support the Los Angeles Aqueduct project. These arguments might include the needs of the city's growing population, the lack of a local water supply, the availability of water in the Owens Valley, and the added benefits of the hydroelectric power that would be created. The narratives should provide context for the speech as well as insights into the aqueduct's importance. **HSS 4.4.7**, ELA WRITING 2.1

For a writing rubric, see Assessment Program, p. xi.

Write a Summary Students' summaries should identify the wide range of contributions made by settlers and immigrants to California, including how they established new communities; their work as laborers, farmers, fishers, entrepreneurs, artists, writers, and teachers; and the cultural customs they brought to California that continue to be celebrated today. Students should present clear main ideas and significant details in their summaries. **HSS 4.4.3, 4.4.4**, ELA WRITING 2.4

For a writing rubric, see Assessment Program, p. xii.

338 ■ UNIT 4

Tiempos

1875		1885

Repaso del Capítulo 8

1882 El Congreso aprueba la Ley de Exclusión de los Chinos

1892 Se descubre petróleo en Los Angeles

La lectura en los Estudios Sociales

Una **conclusión** es una decisión o una idea a la que llegas usando lo que leíste y lo que ya sabías sobre un tema.

Destreza clave **Sacar conclusiones**

Completa este organizador gráfico para mostrar que comprendes cómo creció y cambió la población de California a fines del siglo XIX y comienzos del siglo XX. Una copia de este organizador gráfico aparece en la página 92 del cuaderno de Tarea y práctica.

Una economía en crecimiento

Evidencia	Conocimiento
Muchos inmigrantes consideraban que California era una tierra de oportunidades.	Las personas de diferentes culturas pueden aprender entre sí de sus costumbres y sus tradiciones.

Conclusión

Pautas de redacción de California

Escribe una narración Imagina que estás escuchando un discurso de William Mulholland. Describe qué podría haber dicho para convencer a los funcionarios de la ciudad de que apoyaran el plan de llevar más agua a Los Angeles.

Escribe un resumen Repasa las aportaciones hechas por los recién llegados a California. Resume cómo los inmigrantes y los colonos ayudaron al crecimiento de California a fines del siglo XIX y comienzos del siglo XX.

338 ■ Unidad 4

 CALIFORNIA STANDARDS HSS 4.4 Students explain how California became an agricultural and industrial power, tracing the transformation of the California economy and its political and cultural development since the 1850s. Chronological and Spatial Thinking 1, 3. Historical Interpretation 2.

pages 90–91

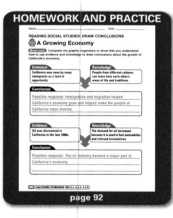
page 92

páginas 90–91

página 92

338 ■ **UNIT 4**

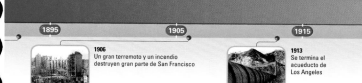

1906
Un gran terremoto y un incendio destruyen gran parte de San Francisco

1913
Se termina el acueducto de Los Angeles

Usa el vocabulario

Identifica el término que corresponda a cada definición.

migración, pág. 315
reservas, pág. 319
torres de perforación, pág. 324
acueducto, pág. 325

1. Un nuevo _____ en el sur de California llevó más agua a Los Angeles.
2. Esclavos liberados formaron parte de una gran _____ a California a fines del siglo XIX.
3. Después del descubrimiento de petróleo en Los Angeles, algunas personas levantaron _____ en sus jardines.
4. El gobierno de Estados Unidos trasladó a muchos indios americanos a _____.

Usa la línea cronológica

DESTREZA DE ANÁLISIS Usa la línea cronológica de arriba para responder la pregunta.

5. ¿En qué año aprobó el Congreso la Ley de Exclusión de los Chinos?

Aplica las destrezas

DESTREZA DE ANÁLISIS Leer una gráfica de barras dobles

6. Observa la gráfica de la página 336. ¿En qué década la diferencia entre las poblaciones de San Francisco y Los Angeles se redujo a menos de 100,000 habitantes?

Recuerda los datos

Responde estas preguntas.

7. ¿Cómo intentó resolver Allen Allensworth el problema de la discriminación?
8. ¿Qué efecto tuvo el descubrimiento de petróleo en Los Angeles?
9. ¿Por qué ciertas partes de California necesitaban más agua?

Escribe la letra que corresponda a la respuesta correcta.

10. ¿Cuál de estas ciudades fue fundada por americanos de origen danés?
    A Solvang
    B colonia Yamato
    C Florin
    D Anaheim
11. ¿De dónde provenía la mayor parte del agua que transportaba el acueducto de Los Angeles?
    A del río Owens
    B del río Tuolumne
    C del embalse Hetch Hetchy
    D del mar de Salton

Piensa críticamente

12. **DESTREZA DE ANÁLISIS** ¿En qué se parecen los problemas de abastecimiento de agua de comienzos del siglo XIX a los problemas de hoy? ¿En qué se diferencian?
13. **DESTREZA DE ANÁLISIS** ¿Cómo contribuyeron los migrantes y los inmigrantes al carácter único de California?

Capítulo 8 ▪ 339

Use Vocabulary [HSS 4.4]

1. aqueduct (p. 325)
2. migration (p. 315)
3. derricks (p. 324)
4. reservations (p. 319)

Use the Time Line

ANALYSIS SKILL Chronological Thinking [HSS 4.4.3, CS 1]

5. 1882

Apply Skills

Read a Double-Bar Graph [HSS 4.4.4]

6. 1900-1910

Recall Facts

7. by helping found a town where African Americans could be free of discrimination and work to achieve their dreams (pp. 319, 321) [HSS 4.4.3]
8. It caused a time of rapid economic growth. (p. 324) [HSS 4.4.4, 4.4.6]
9. because the water supplies in some areas could not meet the needs of their rapid growth and development (pp. 325, 334) [HSS 4.4.4, 4.4.7]
10. A (p. 315) [HSS 4.4.3]
11. A (pp. 325–326) [HSS 4.4.7]

Think Critically

12. **ANALYSIS SKILL** Chronological Thinking Possible response: Similar—in some areas the water supplies are still not sufficient, and additional water must be supplied from other areas; California today suffers from droughts; Different—Many California rivers already have dams and reservoirs; water is now sent from wetter areas in the north to drier areas in the south. [HSS 4.4.4, 4.4.7, CS 3]

13. **ANALYSIS SKILL** Historical Interpretation Migrants and immigrants have started communities within the state; they have brought their cultural traditions and celebrations to the state; they have made contributions in the arts. [HSS 4.4.3, 4.4.4, HI 2]

CHAPTER 8 ▪ **339**

Usa el vocabulario [HSS 4.4]

1. acueducto (pág. 325)
2. migración (pág. 315)
3. torres de perforación (pág. 324)
4. reservas (pág. 319)

Usa la línea cronológica

DESTREZA DE ANÁLISIS Pensamiento cronológico [HSS 4.4.3, CS 1]

5. 1882

Aplica las destrezas

Leer una gráfica de barras dobles [HSS 4.4.4]

6. 1900-1910

Recuerda los datos

7. ayudando a fundar un pueblo donde los afroamericanos pudieran vivir libres de discriminación y donde pudieran trabajar para lograr sus sueños (págs. 319, 321) [HSS 4.4.3]
8. Generó una época de rápido crecimiento económico. (pág. 324) [HSS 4.4.4, 4.4.6]
9. porque la provisión de agua en algunas áreas no satisfacía las necesidades de su rápido crecimiento y desarrollo (págs. 325, 334) [HSS 4.4.4, 4.4.7]
10. A (pág. 315) [HSS 4.4.3]
11. A (págs. 325–326) [HSS 4.4.7]

Piensa críticamente

12. **DESTREZA DE ANÁLISIS** Pensamiento cronológico Respuesta posible: Semejante: en algunas áreas la provisión de agua aún no es suficiente y es necesario obtener el agua de otras áreas; California padece sequías hoy en día; Diferente: Muchos ríos de California ya tienen presas y embalses; el agua ahora se envía desde las áreas más húmedas del norte a las áreas más secas del sur. [HSS 4.4.4, 4.4.7, CS 3]

13. **DESTREZA DE ANÁLISIS** Interpretación histórica Los migrantes e inmigrantes han creado comunidades dentro del estado; han traído sus tradiciones culturales y celebraciones al estado; han hecho sus aportaciones a las artes. [HSS 4.4.3, 4.4.4, HI 2]

CHAPTER 8 ▪ **339**

Excursión

PÁGINAS 340–341

OBJETIVOS

- Examinar el desarrollo del sistema de tranvías de San Francisco.
- Analizar el papel que desempeñó el sistema de tranvías en San Francisco desde sus comienzos hasta la actualidad.

RECURSOS

Colección de audiotextos en CD de la Unidad 4; Recursos en Internet

Resumen

El Museo del Tranvía de San Francisco cuenta la historia de la invención, operación e influencia perdurable del tranvía.

1 Presentar

Prepárate

Explique que el Museo del Tranvía se encuentra en San Francisco, en un edificio que provee la electricidad a los cables que impulsan los tranvías por toda la ciudad.

2 Enseñar

Observa

Invite a los estudiantes a observar con atención las fotografías y los objetos del pasado de las páginas 340 y 341. Luego, hágales las siguientes preguntas:

- ¿Cuáles son algunas de las características importantes del sistema de tranvías? HSS 4.4
- ¿Cómo creen que contribuyó el tranvía al crecimiento y desarrollo de San Francisco a fines del siglo XIX? HSS 4.4
- ¿Por qué creen que San Francisco continúa operando un sistema de tranvías? HSS 4.4

Field Trip

PAGES 340–341

OBJECTIVES

- Examine the development of San Francisco's cable car system.
- Analyze the role of the cable car system in San Francisco from its beginnings to the present day.

RESOURCES

Unit 4 Audiotext CD Collection; Internet Resources

Quick Summary

The San Francisco Cable Car Museum traces the invention, operation, and lasting influence of the cable car.

1 Introduce

Get Ready

Explain that the Cable Car Museum is located in San Francisco, in a building which supplies the electricity for cables that power cable cars throughout the city.

2 Teach

What to See

Invite students to look carefully at the photographs and artifacts on pages 340 and 341. Then ask them the following questions:

- What are some of the important features of the cable car system? HSS 4.4
- How do you think the cable car contributed to the growth and development of San Francisco in the late 1800s? HSS 4.4
- Why do you think San Francisco continues to operate a cable car system? HSS 4.4

340 ■ UNIT 4

Excursión

El museo del TRANVÍA de San Francisco

PREPÁRATE

Al principio, las empinadas colinas de San Francisco fueron un problema para los habitantes de la ciudad. En la década de 1870, Andrew Hallidie inventó un sistema de cables subterráneos para impulsar los vagones de tranvías por las empinadas colinas de San Francisco. El Museo del Tranvía de San Francisco cuenta la historia de la invención del tranvía. Si visitas el museo, podrás recorrer la sala de los cables. Esta sala muestra el sistema subterráneo que mueve los cables y hace que los tranvías se trasladen a través de la ciudad. También verás fotografías, modelos y exposiciones que muestran cómo cambiaron los tranvías con el paso del tiempo. Mientras recorres el museo, verás cómo el tranvía ayudó a formar a San Francisco y cómo se convirtió en una parte importante de la ciudad.

OBSERVA

Los visitantes pueden ver antiguos tranvías, mapas de rutas, fichas y otros objetos del pasado que llevaron al desarrollo del actual sistema de tranvías.

UBÍCALO

San Francisco
CALIFORNIA

340 Unidad 4

Practice and Extend

BACKGROUND

Andrew Smith Hallidie Hallidie moved to California during the gold rush and began using a cable system to haul ore from mines. The cable cars he developed for San Francisco in the 1870s were quite successful, and roughly 53 miles of track were laid throughout the city. Later, an electric rail system that was faster and reached more parts of the city led to a decline in the popularity of the cable car.

MAKE IT RELEVANT

In Your Community Discuss the various modes of public transportation—buses, trains, and subways—in your community and throughout the state of California. Encourage students to compare and contrast the different types of transportation and the areas they serve.

Practicar y ampliar

ANTECEDENTES

Andrew Smith Hallidie Hallidie se mudó a California durante la fiebre del oro y comenzó a usar un sistema de cables para extraer el mineral de hierro de las minas. El tranvía que desarrolló para San Francisco en la década de 1870 tuvo bastante éxito y se tendieron alrededor de 53 millas de vías por la ciudad. Después, un sistema de tranvías eléctricos, que era más rápido, hizo que la popularidad del tranvía de cables disminuyera.

APLÍCALO

En su comunidad Analicen los diversos medios de transporte público —autobús, ferrocarriles y trenes subterráneos— de su comunidad y de todo el estado de California. Aliente a los estudiantes a comparar y contrastar los diferentes tipos de transporte y las áreas que cubren.

Ha habido muchos tipos de tranvías desde el diseño original de 1873. Este es uno de los tranvías de San Francisco de 1890.

El conductor es responsable de cobrar los boletos y controlar los frenos que reducen la velocidad del tranvía en las colinas empinadas.

Con la ayuda de una plataforma giratoria, los tranvías pueden cambiar de dirección al final del recorrido.

Puedes tomar un tranvía para ir al museo. Tanto los tranvías de la línea Powell-Hyde como los de la línea Powell-Mason van hasta el museo.

Desde la galería de observación, los visitantes ven los motores eléctricos que mantienen todos los cables en movimiento a una velocidad de nueve y media millas por hora.

UN PASEO VIRTUAL

APRENDE en línea Visita VIRTUAL TOURS en **www.harcourtschool.com/hss** para realizar un paseo virtual.

Unidad 4   341

---

3 Close

A Virtual Tour Depending on the availability of computers, have students work individually, in pairs, or in small groups to review the virtual tours. Remind them to use the information they learn on their virtual tours as background information for the Unit Project.

INTERNET RESOURCES

GO ONLINE Visit VIRTUAL TOURS at **www.harcourtschool.com/hss** for a listing of Internet sites focused on transportation.

3 Concluir

Un paseo virtual Dependiendo de la disponibilidad de computadoras, pida a los estudiantes que trabajen individualmente, con un compañero o en grupos pequeños para realizar los paseos virtuales. Recuérdeles que usen lo que aprendieron en sus paseos virtuales como información de referencia para el Proyecto de la unidad.

CALIFORNIA STANDARDS HSS 4.4 Students explain how California became an agricultural and industrial power, tracing the transformation of the California economy and its political and cultural development since the 1850s.

REACH ALL LEARNERS

Advanced Have students conduct research and then write brief reports with diagrams on the mechanics of the cable car system. Encourage them to focus on details such as how cable cars are supplied with power, how the cars move up steep hills, how they turn, and how they brake. You may want to ask volunteers to present their reports to the class.

INTEGRATE THE CURRICULUM

VISUAL ARTS Instruct students to carefully examine the images of cable cars that appear on pages 340 and 341. Ask them to use these images to create their own cable car design. You may also wish to have students pick a route for their car on the map of San Francisco that appears on page 340. **Design a Cable Car** VISUAL ARTS 2.0

Repaso de la Unidad 4

La gran idea

Pida a los estudiantes que vuelvan a leer "La gran idea" de la unidad:

Innovaciones Después de que California obtuvo el rango de estado comenzó una época de grandes cambios tanto para California como para Estados Unidos.

Resumen

Pida a los estudiantes que lean el resumen. Analice con ellos los cambios que ocurrieron en California y en Estados Unidos después de que California obtuvo el rango de estado. Anímelos a reflexionar acerca de los efectos que estos cambios tuvieron en los californianos y en otras personas de Estados Unidos.

Ideas principales y vocabulario

1. D ⬛ HSS 4.4.3
2. A ⬛ HSS 4.4.1
3. C ⬛ HSS 4.4.4, 4.4.6
4. B ⬛ HSS 4.4.7

Recuerda los datos

5. Al comienzo, el servicio de correo por tierra usaba diligencias para transportar el correo de manera más rápida. Luego, el Pony Express ofreció repartir el correo aun más rápido usando un sistema de relevos. Finalmente, el telégrafo reemplazó estos dos servicios, puesto que usaba electricidad para enviar instantáneamente mensajes por cables. (págs. 280–283) ⬛ HSS 4.4.1

6. la sierra Nevada (pág. 287) ⬛ HSS 4.4.1

7. Podían resultar heridos o perder la vida durante tareas peligrosas como la de usar explosivos para apartar las rocas. (pág. 291) ⬛ HSS 4.4.1

8. para detener la llegada de inmigrantes chinos a Estados Unidos (pág. 318) ⬛ HSS 4.4.3

Unit 4 Review

The Big Idea

Ask students to review the unit's Big Idea:

Innovations The years after statehood were a time of great change for California and the United States.

Summary

Have students read the summary. Discuss changes that occurred in California after statehood as well as changes that took place in the rest of the United States. Encourage students to think about the effects these changes had on Californians and other people in the United States.

Main Ideas and Vocabulary

1. D ⬛ HSS 4.4.3
2. A ⬛ HSS 4.4.1
3. C ⬛ HSS 4.4.4, 4.4.6
4. B ⬛ HSS 4.4.7

Recall Facts

5. First, the Overland Mail Service used stagecoaches to transport mail overland more rapidly. Then the Pony Express offered even faster mail delivery using a relay system. The telegraph eventually replaced them both as it used electricity to instantly send messages over wires. (pp. 280–283) ⬛ HSS 4.4.1

6. the Sierra Nevada (p. 287) ⬛ HSS 4.4.1

7. They could be injured or killed doing dangerous tasks, such as using explosives to remove rocks. (p. 291) ⬛ HSS 4.4.1

8. to stop Chinese immigrants from coming into the United States (p. 318) ⬛ HSS 4.4.3

Unidad 4 Repaso

🔆 LA GRAN IDEA

Innovaciones Después de que California obtuvo el rango de estado comenzó una época de grandes cambios tanto para California como para Estados Unidos.

Resumen

Un estado en crecimiento

A fines del siglo XIX y comienzos del siglo XX, California se desarrolló rápidamente. La diligencia, el Pony Express y el telégrafo hicieron más rápidas las comunicaciones entre California y la costa este. Más tarde, en 1869, el ferrocarril transcontinental permitió el transporte de personas y bienes, tales como los cultivos de la creciente industria agrícola de California.

A fines del siglo XIX, decenas de miles de migrantes e inmigrantes llegaron a California. Muchos enfrentaron prejuicios. A algunos no se les permitía obtener ciertos empleos. Y los que conseguían trabajo, a menudo recibían salarios muy bajos. A ciertos grupos, como los chinos, se les obligaba a vivir en comunidades separadas.

En 1906, un terremoto destruyó San Francisco, pero luego la ciudad fue reconstruida. Unos pocos años después, el descubrimiento de petróleo en el sur de California provocó un auge del petróleo. Como la población del estado continuaba creciendo, las grandes ciudades desarrollaron proyectos hídricos para llevar más agua y electricidad a sus habitantes.

Ideas principales y vocabulario

Lee el resumen de arriba. Luego, responde las siguientes preguntas.

1. ¿Qué significa prejuicio?
   - A aceptación y trato justo
   - B personas del mismo país o cultura
   - C un conflicto entre personas o grupos
   - D sentimientos injustos de rechazo a miembros de cierto grupo, raza o religión

2. ¿Cómo afectó el ferrocarril transcontinental a California?
   - A conectó a California con el resto del país
   - B redujo los viajes al Este
   - C llevó agua y electricidad a California
   - D ayudó a los agricultores a mejorar sus cultivos

3. ¿Qué es un auge?
   - A una celebración
   - B un período de destrucción
   - C una época de rápido crecimiento económico
   - D un período de lento crecimiento de la población

4. ¿Cómo resolvieron los problemas de abastecimiento de agua que enfrentaban a principios del siglo XX las grandes ciudades, como Los Angeles y San Francisco?
   - A Cavaron más pozos.
   - B Construyeron embalses, presas y canales.
   - C Llevaron agua en vagones de tren.
   - D Pidieron a los ciudadanos que usaran menos agua.

342 ▪ Unidad 4

🐻 **CALIFORNIA STANDARDS** HSS 4.4 Students explain how California became an agricultural and industrial power, tracing the transformation of the California economy and its political and cultural development since the 1850s. ▪ Chronological and Spatial Thinking 4, Research, Evidence, and Point of View 2, Historical Interpretation 4.

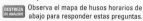

Recuerda los datos

Responde estas preguntas.

5. ¿Cómo se volvieron más rápidas y simples las comunicaciones en Estados Unidos a mediados del siglo XIX?

6. ¿Qué barrera geográfica tuvo que atravesar la compañía de ferrocarril Central Pacific cuando construyó el ferrocarril transcontinental?

7. ¿Qué peligros enfrentaron los trabajadores del ferrocarril transcontinental?

8. ¿Por qué el Congreso aprobó la Ley de Exclusión de los Chinos?

9. ¿Qué hizo posible que los ferrocarriles transportaran frutas y verduras frescas de California al Este?

10. ¿Por qué algunas personas se oponían a la construcción del acueducto Hetch Hetchy?

Escribe la letra que corresponda a la respuesta correcta.

11. ¿Cuál de estas personas era uno de los "Big Four"?
A Leland Stanford
B William Mulholland
C Eliza Tibbets
D John Muir

12. ¿Dónde se unieron las vías de las compañías de ferrocarril Central Pacific y Union Pacific?
A Promontory, Utah
B Omaha, Nebraska
C Los Angeles, California
D St. Joseph, Missouri

13. Las granjas comerciales
A están ubicadas solo en el valle Imperial.
B solo cultivan trigo.
C solo cultivan cítricos.
D solo producen cultivos para vender.

14. ¿Qué importante desastre natural azotó el norte de California en 1906?
A una inundación
B un huracán
C un terremoto
D un tornado

Piensa críticamente

15. DESTREZA DE ANÁLISIS Piensa en lo que aportaron los inmigrantes al ferrocarril transcontinental, en los sacrificios que hicieron y en la discriminación a la que se enfrentaron. Basándote en esto, ¿qué preguntas podrías hacer sobre la experiencia de esos inmigrantes?

16. DESTREZA DE ANÁLISIS ¿Crees que los beneficios de los proyectos hídricos de California compensan los costos? Explica tu respuesta.

Aplica las destrezas

Usar un mapa de husos horarios.

DESTREZA DE ANÁLISIS Observa el mapa de husos horarios de abajo para responder estas preguntas.

17. ¿Qué dos estados usan tanto el huso horario del Pacífico como el huso horario de montaña?

18. Si son las 9:30 a.m. en Sacramento, California, ¿qué hora es en Cheyenne, Wyoming? ¿Y en Portland, Oregon?

Husos horarios del Pacífico y de montaña

Unidad 4 ▪ 343

---

9. refrigerated railroad cars (p. 304)
HSS 4.4.6

10. Naturalists were unhappy that the dam would flood Hetch Hetchy Valley, a part of Yosemite National Park. (pp. 334–335) HSS 4.4.7

11. A (p. 288) HSS 4.4.1

12. A (p. 291) HSS 4.4.1

13. D (p. 301) HSS 4.4.6

14. C (p. 331) HSS 4.4

Think Critically

15. SKILL **Research/Evidence**
Check students' understanding of how to pose relevant questions about the experiences of immigrants to California.
HSS 4.4.1, 4.4.3, HR 2

16. SKILL **Historical Interpretation**
Possible benefit: an adequate water supply for California's growing urban centers; Possible costs: water taken away from other people; land modified to build water projects.
HSS 4.4.7, HI 4

Apply Skills

Use a Time Zone Map
SKILL **Spatial Thinking** HSS 4.4, CS 4

17. Oregon and Idaho

18. 10:30 A.M. in Cheyenne, Wyoming, 9:30 A.M. in Portland, Oregon

---

9. los vagones refrigerados (pág. 304)
HSS 4.4.6

10. Los naturalistas no querían que la presa inundara el valle Hetch Hetchy, que formaba parte del Parque Nacional Yosemite. (págs. 334–335)
HSS 4.4.7

11. A (pág. 288) HSS 4.4.1

12. A (pág. 291) HSS 4.4.1

13. D (pág. 301) HSS 4.4.6

14. C (pág. 331) HSS 4.4

Piensa críticamente

15. DESTREZA DE ANÁLISIS **Investigación/Evidencia** Verifique que los estudiantes sepan cómo formular preguntas relevantes sobre la experiencia de los inmigrantes en California. HSS 4.4.1, 4.4.3, HR 2

16. DESTREZA DE ANÁLISIS **Interpretación histórica** Posible beneficio: un adecuado abastecimiento de agua para los crecientes centros urbanos de California; Posibles costos: el agua que se les quita a otras personas; el terreno modificado para construir proyectos hídricos HSS 4.4.7, HI 4

Aplica las destrezas

Usar un mapa de husos horarios
DESTREZA DE ANÁLISIS **Pensamiento espacial** HSS 4.4, CS 4

17. Idaho y Oregon

18. 10:30 a.m. en Cheyenne, Wyoming; 9:30 a.m. en Portland, Oregon

---

TEST-TAKING STRATEGIES

Review these tips with students:
- Read the directions before reading the question.
- Read each question twice, focusing the second time on all the possible answers.
- Take the time to think about all the possible answers before deciding on an answer.
- Move past questions that give you trouble, and answer the ones you know. Then return to the difficult items.

ESTRATEGIAS PARA TOMAR LA PRUEBA

Repase estas sugerencias con los estudiantes:
- Lean las instrucciones antes de leer las preguntas.
- Lean cada pregunta dos veces, enfocándose la segunda vez en todas las respuestas posibles.
- Tómense el tiempo necesario para pensar todas las respuestas posibles antes de elegir una.
- Salteen las preguntas que les dan problemas y respondan las que sepan. Luego, vuelvan a las preguntas difíciles.

Actividades de la Unidad 4

Muestra lo que sabes

Actividad de redacción

Escribe una narración Pida a los estudiantes que recuerden a las personas que aparecen en la Unidad 4 antes de elegir al sujeto de la entrevista. Luego, pídales que repasen el texto y que tomen apuntes sobre el papel que esa persona desempeñó en la historia de California. Aliéntelos a consultar sus apuntes mientras escriben las preguntas que revelarán por qué la persona entrevistada es memorable. Luego, pídales que escriban las respuestas como si fuesen ellos los entrevistados. **HSS 4.4,** HR 2, ELA WRITING 2.1

Si lo desea, puede distribuir entre los estudiantes la página 83, Unidad 4 • Pautas de redacción, del Programa de evaluación.

Para calificar la redacción, vea la Edición del maestro, pág. 265M, o el Programa de evaluación, pág. 84.

Proyecto de la unidad

Publiquen un periódico de California Antes de que los estudiantes comiencen este proyecto, repase las páginas 265N–265O, Unit Project: Performance Assessment de esta Edición del maestro. Supervise a los estudiantes mientras proponen temas posibles y se reparten las tareas. Posiblemente, también quiera analizar con los estudiantes las diversas maneras de organizar la información. **HSS 4.4**

Si lo desea, puede distribuir entre los estudiantes la página 85, Unidad 4 • Pautas del proyecto, Programa de evaluación.

Para calificar el proyecto, vea la Edición del maestro, pág. 265M, o el Programa de evaluación, pág. 86.

LECTURAS A NIVEL

Use Time for Kids LECTURAS A NIVEL para la Unidad 4.

Unit 4 Activities

Show What You Know
Unit Writing Activity

Write a Narrative Have students review the people discussed in Unit 4 before they choose an interview subject for their narrative. Then ask them to review the text and take notes about the person's role in California history. Encourage students to refer to their notes as they write questions whose answers will reveal why their subject is memorable. Then have them write the answers to the questions as if they were their interview subjects. **HSS 4.4,** HR 2, ELA WRITING 2.1

You may wish to distribute the Unit 4 Writing Activity Guidelines on page 83 of the Assessment Program.

For a writing rubric, see this Teacher Edition, p. 265M, or the Assessment Program, p. 84.

Unit Project

Publish a California Newspaper Before students begin this project, review the Unit Project Performance Assessment on p. 265O of the Teacher Edition. Monitor students as they brainstorm possible topics and divide up the tasks. You might also discuss with students the various ways in which they could organize the information. **HSS 4.4**

You may wish to distribute the Unit 4 Project Guidelines on page 85 of the Assessment Program.

For a scoring rubric, see this Teacher Edition, p. 265M, or the Assessment Program, p. 86.

BOOKS FOR ALL LEARNERS

Use the Books for All Learners Teacher Guide.

LEVELED READERS

Use the Time for Kids LEVELED READERS for Unit 4.

Unidad 4 Actividades

Muestra lo que sabes

Actividad de redacción

Escribe una narración Imagina que escribes un artículo para un periódico de California. Elige a una de las personas que se mencionan en esta unidad para una entrevista y haz una lista de las preguntas que le harías. Basándote en la información de la unidad, escribe las respuestas que habría dado esa persona. Usa tu entrevista como ayuda para escribir sobre la persona que elegiste.

Proyecto de la unidad

Publiquen un periódico de California Hagan un periódico que cuente sobre algunos de los eventos importantes ocurridos en California en los años posteriores a que obtuviera el rango de estado. Elijan personas y eventos y escriban artículos, editoriales y caricaturas sobre ellos. Ilustren su periódico con dibujos y también incluyan avisos publicitarios de la época.

APRENDE en línea Visita ACTIVITIES en www.harcourtshool.com/hss para hallar otras actividades.

Lecturas adicionales
- ■ El Pony Express por Renee Skelton
- ■ El clavo de oro por Renee Skelton
- ■ Los inmigrantes chinos llegan a California por Susan Kim

344 Unidad 4

Read More

After students' study of California's growth and development through the late 1800s and early 1900s, encourage additional reading with these books or books of your choice. Additional books are listed on page 265F of this Teacher Edition.

Basic *The Pony Express,* by Renee Skelton. Students will read about the legendary mail delivery system known as the Pony Express.

Proficient *The Golden Spike,* by Renee Skelton. Students will read about difficulties encountered during the race to finish construction of the first transcontinental railroad.

Advanced *Coming to California: Chinese Immigrants,* by Susan Kim. Students will read about the contributions of Chinese immigrants to the development of California, before and after it became a state.

Lecturas adicionales

Después de que hayan estudiado el crecimiento y desarrollo de California a fines del siglo XIX y comienzos del siglo XX, anime a los estudiantes a realizar lecturas adicionales de estos libros u otros libros que usted elija.

Fácil *El Pony Express,* por Renee Skelton. Los estudiantes leerán sobre el legendario sistema de correo conocido como el Pony Express.

A nivel *El clavo de oro,* por Renee Skelton. Los estudiantes leerán sobre las dificultades en la construcción del primer ferrocarril transcontinental.

Avanzado *Los inmigrantes chinos llegan a California,* por Susan Kim. Los estudiantes leerán sobre las aportaciones de los inmigrantes chinos al desarrollo de California, antes y después de la obtención del rango de estado.

Unit 5   Progress as a State

4.4   Students explain how California became an agricultural and industrial power, tracing the transformation of the California economy and its political and cultural development since the 1850s.

4.4.4 Describe rapid American immigration, internal migration, settlement, and the growth of towns and cities (e.g., Los Angeles).

4.4.5 Discuss the effects of the Great Depression, the Dust Bowl, and World War II on California.

4.4.6 Describe the development and locations of new industries since the turn of the century, such as the aerospace industry, electronics industry, large-scale commercial agriculture and irrigation projects, the oil and automobile industries, communications and defense industries, and important trade links with the Pacific Basin.

4.4.8 Describe the history and development of California's public education system, including universities and community colleges.

4.4.9 Analyze the impact of twentieth-century Californians on the nation's artistic and cultural development, including the rise of the entertainment industry (e.g., Louis B. Meyer, Walt Disney, John Steinbeck, Ansel Adams, Dorothea Lange, John Wayne).

INTEGRATE OTHER CALIFORNIA STANDARDS

English Language Arts   **Reading**   1.0 Students understand the basic features of reading. They select letter patterns and know how to translate them into spoken language by using phonics, syllabication, and word parts. They apply this knowledge to achieve fluent oral and silent reading. 1.2 Apply knowledge of word origins, derivations, synonyms, antonyms, and idioms to determine the meaning of words and phrases. 1.4 Know common roots and affixes derived from Greek and Latin and use this knowledge to analyze the meaning of complex words. 1.5 Use a thesaurus to determine related words and concepts. 1.6 Distinguish and interpret words with multiple meanings. 2.0 Students read and understand grade-level-appropriate material. They draw upon a variety of comprehension strategies as needed. 2.1 Identify structural patterns found in informational text to strengthen comprehension. 2.4 Evaluate new information and hypotheses by testing them against known information and ideas. 2.5 Compare and contrast information on the same topic after reading several passages or articles. 2.6 Distinguish between cause and effect and between fact and opinion in expository text. 3.0 Students read and respond to a wide variety of significant works of childrenís literature. They distinguish between the structural features of the text and literary terms or elements. 3.2 Identify the main events of the plot, their causes, and the influence of each event on future actions. 3.3 Use knowledge of the situation and setting and of a character's traits and motivations to determine the causes for that character's actions.   **Writing**   1.0 Students write clear and coherent sentences and paragraphs that develop a central idea. Their writing shows they consider the audience and purpose. Students progress through the stages of the writing process. 1.1 Select a focus, an organizational structure, and a point of view based upon purpose, audience, length, and format requirements. 1.5 Quote or paraphrase information sources, citing them appropriately. 1.6 Locate information in reference texts by using organizational features. 1.7 Use various reference materials as an aid to writing. 2.0 Students write compositions that describe and explain familiar objects, events, and experiences. Student writing demonstrates a command of standard American English and the drafting, research, and organizational strategies outlined in Writing Standard 1.0. 2.1 Write narratives: a. Relate ideas, observations, or recollections of an event or experience. b. Provide a context to enable the reader to imagine the world of the event or experience. c. Use concrete sensory details. d. Provide insight into why the selected event or experience is memorable. 2.2 Write responses to literature: a. Demonstrate an understanding of the literary work. b. Support judgments through references to both the text and prior knowledge. 2.3 Write personal and formal letters, thank-you notes, and invitations: a. Frame a central question about an issue or situation. b. Include facts and details for focus. c. Draw from more than one source of information (e.g., speakers, books, newspapers, other media sources). 2.4 Write summaries that contain the main ideas of the reading selection and the most significant details.   **Written and Oral English Language Conventions**   1.0 Students write and speak with a command of standard English conventions appropriate to this grade level.   **Listening and Speaking** 1.6 Use traditional structures for conveying information. 2.1 Make narrative presentations: a. Relate ideas, observations, or recollections about an event or experience. b. Provide a context that enables the listener to imagine the circumstances of the event or experience. c. Provide insight into why the selected event or experience is memorable. 2.4 Recite brief poems, soliloquies, or dramatic dialogues, using clear diction, tempo, volume, and phrasing.

Health   **Expectation 2**   Students will understand and demonstrate behaviors that prevent disease and speed recovery from illness.

Mathematics   **Number Sense**   1.1 Read and write whole numbers in the millions. 1.4 Decide when a rounded solution is called for and explain why such a solution may be appropriate. 2.1 Estimate and compute the sum or difference of whole numbers and positive decimals to two places. 3.1 Demonstrate an understanding of, and the ability to use, standard algorithms for the addition and subtraction of multidigit numbers. 3.3 Solve problems involving multiplication of multidigit numbers by two-digit numbers.

Science   **Physical Sciences**   1.g. Students know electrical energy can be converted to heat, light, and motion. **Investigation and Experimentation**   6.d Conduct multiple trials to test a prediction and draw conclusions about the relationships between predictions and results.

Dance   2.1 Create, develop, and memorize set movement patterns and sequences. 2.4 Create a dance study that has a beginning, a middle, and an end. Review, revise, and refine. 2.7 Demonstrate additional partner and group skills.

Music   3.3 Sing and play music from diverse cultures and time periods.

Theatre   4.2 Compare and contrast the impact on the audience of theatre, film, television, radio, and other media.

Visual Arts   2.0 Students apply artistic processes and skills, using a variety of media to communicate meaning and intent in original works of art. Construct diagrams, maps, graphs, timelines, and illustrations to communicate ideas or tell a story about a historical event. 5.3 Construct diagrams, maps, graphs, timelines, and illustrations to communicate ideas or tell a story about a historical event.

El estado progresa

 COMIENZA CON LAS NORMAS

Normas de Historia y Ciencias Sociales de California

4.4 Los estudiantes explican cómo California se convirtió en una potencia agrícola e industrial, siguiendo la transformación de la economía de California y su desarrollo político y económico desde la década de 1850.

La gran idea

CRECIMIENTO Y CAMBIO

Durante el siglo veinte, las acciones humanas y los fenómenos naturales cambiaron California, Estados Unidos y el mundo.

Reflexiona

✓ ¿Cómo afectaron las guerras mundiales y la depresión económica a los californianos?

✓ ¿Cómo cambiaron la agricultura y la industria de California?

✓ ¿Cómo creció el sistema de agua de California?

Muestra lo que sabes

★ Prueba de la Unidad 5

✎ Redacción: Un resumen

Proyecto de la unidad: Álbum de recortes de California

Introduce the Unit

 START WITH THE STANDARDS

Read the standards with students, and explain that the focus of these standards is on events that changed California in the 20th century. Remind students that in Unit 4 they learned about political, economic, and cultural developments in California between 1850 and World War I.

The Big Idea Have students read the Big Idea. Explain that this year they have already studied the concepts of growth and change, and they will continue to do so in History-Social Science. In this unit, they will focus on how human and natural events changed California in the 20th century. Remind students to refer back to the Big Idea periodically as they complete this unit.

What to Know Have students read "What to Know." Explain that these three essential questions will help them focus on the Big Idea.

Show What You Know Share with students that throughout this unit they will be asked to show evidence of their understandings of the Big Idea. See Assessment Options on page 345J of this Teacher Edition.

Introducción de la unidad

COMIENZA CON LAS NORMAS

Lea las normas con los estudiantes y explíqueles que estas normas se enfocan en los eventos que cambiaron California en el siglo XX. Recuérdeles que en la Unidad 4 aprendieron acerca del desarrollo político, económico y cultural de California entre 1850 y la Primera Guerra Mundial.

La gran idea Pida a los estudiantes que lean "La gran idea". Explique que crecimiento y cambio son conceptos que han estudiado este año y que continuarán estudiando en Historia y Ciencias Sociales. En esta unidad, los estudiantes se enfocarán en cómo, durante el siglo XX, las acciones humanas y los fenómenos naturales cambiaron California. Recuerde a los estudiantes que repasen periódicamente "La gran idea" mientras completan esta unidad.

Reflexiona Pida a los estudiantes que lean la sección "Reflexiona". Explique que estas tres preguntas esenciales les ayudarán a enfocarse en "La gran idea".

Muestra lo que sabes Comente a los estudiantes que a lo largo de la unidad se les pedirá que demuestren que han comprendido "La gran idea". Vea Assessment Options en la página 345J de esta Edición del maestro.

Instructional Design

Standards-based instructional planning always begins with the standards. The flowchart below shows briefly how instruction was planned for Unit 5.

START WITH THE STANDARDS	UNLOCK THE STANDARDS	PLAN ASSESSMENT	PLAN INSTRUCTION
HSS 4.4	The Big Idea What to Know	Assessment Options • Option 1: Unit 5 Test • Option 2: Writing • Option 3: Unit Project	Unit 5 Teacher Edition • materials • instructional strategies • activities

UNIT 5 ■ 345A

Lexical Variations

Encourage students to share other familiar terms with their classmates.

WORD	STUDENT PAGE	VARIATIONS
pastel (cake)	356	tarta, torta
lavadora de ropa (washing machine)	362	máquina de lavar, lavarropas
emparedado (sandwich)	368	sándwich, bocadillo, torta
gasolina (gasoline)	392	nafta, bencina
refrigerador (refrigerator)	394	heladera, nevera, frigorífico

Plan de la Unidad 5

El estado progresa

INTRODUCCIÓN	CONTENT	PACING
pp. 345–351	**Introduce the Unit** Preview: Time, pp. 345P–345 Preview: People, pp. 346–347 Preview: Place, pp. 348–349 Reading Social Studies: Cause and Effect, pp. 350–351	**2** DAYS

CAPÍTULO 9

Crecimiento y cambio, págs. 352–387 sobornar reformar enmienda sufragio bien de consumo aviación acción depresión desempleo trabajador migratorio consecuencia pertrechos escasez bracero reciclar campo de reasentamiento	**Introduce the Chapter** Study Skills: Preview and Question, p. 352 Chapter 9 Preview, p. 353 Start with a Story: *So Far from the Sea*, pp. 354–357 **Lesson 1 Into a New Century,** pp. 358–364 Biography: Louis B. Mayer, p. 365 Primary Sources: Making Movies in California, pp. 366–367 **Lesson 2 Hard Times for Californians,** pp. 368–374 Biography: Dorothea Lange, p. 375 Critical Thinking Skills: Make a Thoughtful Decision, pp. 376–377 **Lesson 3 California and World War II,** pp. 378–383 Points of View: Relocation of Japanese Americans, pp. 384–385 **Chapter Review,** pp. 386–387	**12** DAYS

CAPÍTULO 10

Hacia los tiempos modernos, págs. 388–411
 	
economía diversificada   aeroespacial
tecnología   segregación
autopista   derechos civiles
viajar al trabajo   sindicato laboral
expansión urbana   huelga
   boicot
tecnología avanzada   multicultural
   grupo étnico
chip de silicio   patrimonio cultural
	Introduce the Chapter
	Study Skills: Write to Learn, p. 388
	Chapter 10 Preview, p. 389
	Start with a Story: *Amelia's Road*, pp. 390–391
	Lesson 1 Changes After World War II, pp. 392–397
	Map and Globe Skills: Read a Road Map, pp. 398–399
	Lesson 2 Rights for All Californians, pp. 400–404
	Biography: Cesar Chavez, p. 405
	Lesson 3 A Diverse State, pp. 406–409
	Chapter Review, pp. 410–411
		14 DAYS

CONCLUSIÓN

págs. 412–416	**Unit 5 Field Trip: Petersen Automotive Museum,** pp. 412–413 **Unit 5 Review and Activities,** pp. 414–416	**2** DAYS

TIME MANAGEMENT

6 WEEKS	WEEK 1	WEEK 2	WEEK 3	WEEK 4	WEEK 5	WEEK 6
	Introduce the Unit	CHAPTER 9		CHAPTER 10		Wrap Up the Unit

 TESTED STANDARDS

REACH ALL LEARNERS

UNIT RESOURCES

4.4 Students explain how California became an agricultural and industrial power, tracing the transformation of the California economy and its political and cultural development since the 1850s.

ENGLISH LANGUAGE LEARNERS, p. 345I, 345

Special Needs, p. 345I

Advanced, p. 345I

Leveled Practice, p. 351

4.4 Students explain how California became an agricultural and industrial power, tracing the transformation of the California economy and its political and cultural development since the 1850s.

4.4.4. Describe rapid American immigration, internal migration, settlement, and the growth of towns and cities (e.g., Los Angeles).
4.4.5. Discuss the effects of the Great Depression, the Dust Bowl, and World War II on California.
4.4.6. Describe the development and locations of new industries since the nineteenth century, such as the aerospace industry, electronics industry, large-scale commercial agriculture and irrigation projects, the oil and automobile industries, communications and defense industries, and important trade links with the Pacific Basin.
4.4.9. Analyze the impact of twentieth-century Californians on the nation's artistic and cultural development, including the rise of the entertainment industry (e.g., Louis B. Mayer, Walt Disney, John Steinbeck, Ansel Adams, Dorothea Lange, John Wayne).

ENGLISH LANGUAGE LEARNERS, pp. 359, 362, 369, 371, 375, 379, 384

Advanced, p. 360

Special Needs, pp. 355, 371, 381

Leveled Practice, pp. 352, 363, 373, 377, 382, 385

Reading Support, pp. 359, 369, 379

4.4 Students explain how California became an agricultural and industrial power, tracing the transformation of the California economy and its political and cultural development since the 1850s.

4.4.4. Describe rapid American immigration, internal migration, settlement, and the growth of towns and cities (e.g., Los Angeles).
4.4.5. Discuss the effects of the Great Depression, the Dust Bowl, and World War II on California.
4.4.6. Describe the development and locations of new industries since the nineteenth century, such as the aerospace industry, electronics industry, large-scale commercial agriculture and irrigation projects, the oil and automobile industries, communications and defense industries, and important trade links with the Pacific Basin.
4.4.8. Describe the history and development of California's public education system, including universities and community colleges.

ENGLISH LANGUAGE LEARNERS, pp. 393, 401, 407

Leveled Practice, pp. 388, 390, 396, 399, 403, 405, 408

Reading Support, pp. 393, 401, 407

Leveled Support

 Time for Kids Readers

 Time for Kids Readers Teacher Guide

Homework and Practice Book, pp. 93–114

Social Studies Skills Transparencies 5-1—5-2

Study Skills Transparencies 9–10

Unit 5 School-to-Home Newsletter, pp. S11–S12

Success for English Learners, pp. 129–153

Social Studies in Action: Resources for the Classroom

Primary Source Collection

Music CD

Interactive Map Transparencies

Interactive Desk Maps

Atlas

Reading Support

Reading Support and Intervention, pp. 126–149

Unit 5 Audiotext CD Collection

Focus Skills Transparency 5

Vocabulary Power, pp. 101–108

Vocabulary Transparencies 5-9-1—5-10-3

TimeLinks: Interactive Time Line

Technology Support

The Social Studies Website: Virtual Tours and Primary Sources

GeoSkills CD-ROM

Internet Resources

Assessment

 Assessment Program,
Tests, pp. 87–102
Unit 5 Writing Activity, p. 103
Unit 5 Project, p. 105

TIME For Kids Readers
Lesson Plan Summaries

BASIC

TOPIC
Progress as a State

Summary *On the Home Front,* by Madeline Boskey. Students will read about the struggles of Californians and others in the United States during World War II.
HSS 4.4.5

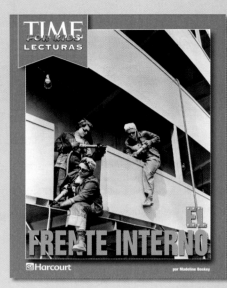

BEFORE READING

Vocabulary Power Have students define the following words. Help them find at least two words in a thesaurus to learn related words and concepts. ELA READING 1.5

Aliados   bonos   industrias   patriotismo   racionar

DURING READING

Cause and Effect Have students complete the graphic organizer to show that they understand the causes and effects of California's progress as a state as described in the Reader.

Cause	Effect
There were few jobs due to the Great Depression.	People moved to California to work in war-related industries.

Cause	Effect
Millions of men fought overseas during World War II.	Millions of women worked outside the home.

AFTER READING

Critical Thinking Lead students in a discussion about life during World War II. Have them explain how their lives today are different from the lives of people during that time in history.

Write a Tall Tale Have students write a tall tale about a female character who works in California during World War II. Remind them that exaggeration and humor are important elements in tall tales. ELA WRITING 2.1

PROFICIENT

TOPIC
Progress as a State

Summary *The Golden Gate Bridge,* by Belinda Hulin. Students will read about the building of the world-famous San Francisco suspension bridge.
HSS 4.1.4, 4.1.5, 4.4.7

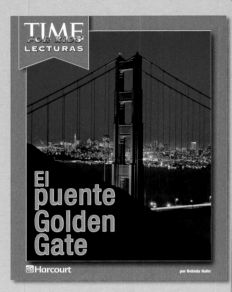

BEFORE READING

Vocabulary Power Have students define the following words. Help them find at least two words in a thesaurus to learn related words and concepts. ELA READING 1.5

bono   ingeniero   promocionar   estrecho   colgante

DURING READING

Cause and Effect Have students complete the graphic organizer to show that they understand the causes and effects of California's progress as a state as described in the Reader.

Cause	Effect
The Golden Gate Strait was crowded with boats.	Engineers proposed possible designs for bridges.

Cause	Effect
The Golden Gate Bridge costs millions of dollars to maintain.	Tolls are charged for crossing the Golden Gate Bridge.

AFTER READING

Critical Thinking Discuss with students great engineering feats that humans have achieved, such as the Great Wall of China, the Eiffel Tower, the pyramids, and the Golden Gate Bridge.

Write a Journal Entry Have students review the working conditions during the building of the Golden Gate Bridge and write a journal entry from the point of view of one of the workers. ELA WRITING 2.2

Teacher Guide

TIME FOR KIDS LECTURAS

CALIFORNIA: UN ESTADO CAMBIANTE

Guía del maestro

Includes Complete Lesson Plan for Each Leveled Reader

Harcourt SCHOOL PUBLISHERS

The *TIME For Kids Teacher Guide* has three lessons that provide background, reading tips, fast facts, answer keys, and copying masters to broaden students' understanding of California's progress as a state.

Students will

- design a poster persuading women to go to work during World War II

- make a time line for the building of the Golden Gate Bridge

- research the evolution of California's water system

- interpret a chart and a map about California's varied climates

- write a help-wanted ad for a growing California industry at the turn of the century

The *TIME For Kids Readers* may be used for small-group reading, shared reading, buddy reading, literature circles, or reading at home.

INTERNET RESOURCES

GO ONLINE Visit the Social Studies website at **www.harcourtschool.com/hss**

ADVANCED

TOPIC
Progress as a State

TIME FOR KIDS LECTURAS

César Chávez "Sí, podemos"

Harcourt   por Josh Daniel

Summary *Cesar Chavez: "Yes We Can!"*, by Josh Daniel. Students will read about the labor leader who devoted his life to helping farm workers achieve better working conditions. HSS 4.4.6

BEFORE READING

Vocabulary Power Have students define the following words. Help them find at least two words in a thesaurus to learn related words and concepts. ELA READING 1.5

boicotear   condiciones   organización
sindicato de trabajadores migratorios

DURING READING

Focus Skill **Cause and Effect** Have students complete the graphic organizer to show that they understand the causes and effects of California's progress as a state as described in the Reader.

Cause	Effect
Migrant workers were paid less than minimum wage.	They could not support their families.

Cause	Effect
Cesar Chavez wanted to help migrant workers.	Chavez started a labor union.

AFTER READING

Critical Thinking Lead students in a discussion of appropriate ways they can honor Cesar Chavez on the Cesar Chavez Day of Service.

Write a Poem Have students write a poem that tells about Cesar Chavez and what he did for migrant workers. ELA WRITING 2.2

Independent Reading

BASIC

Brown, Don. *Alice Ramsey's Grand Adventure.* Houghton Mifflin, 1997. A story based on the first auto trip across America by a woman, in 1909. Shows the status of American transportation at that time.

Bunting, Eve. *A Day's Work.* Houghton Mifflin, 1997. A fictional picture book about how a boy tries to help his newly arrived Mexican grandfather find work in California.

Turner, Ann. *Dust for Dinner.* HarperTrophy, 1995. A fictional easy-to-read book about a family forced to leave their farm and move to California during the 1930s Dust Bowl.

PROFICIENT

Weitzman, David (ed.). *California in World War II.* California Chronicles, 1999. A collection of factual articles about the changes World War II brought to California.

Krull, Kathleen. *Harvesting Hope: The Story of Cesar Chavez.* Harcourt, 2003. A picture book biography of Cesar Chavez, the champion of migrant farmworkers.

Chorlton, Windsor. *The Invention of the Silicon Chip.* Heinemann, 2002. A factual look at the development of the silicon chip and how it has changed the world.

ADVANCED

Cooper, Michael L. *Dust to Eat: Drought and Depression in the 1930s.* Houghton Mifflin, 2004. A chronicle of the Great Depression and the Dust Bowl.

Uchida, Yoshiko. *Journey Home.* Aladdin, 1992. A memoir of a young girl who returns home to California after being released from a Japanese internment camp.

Ryan, Pam Muñoz. *Esperanza Rising.* Scholastic, 2000. A novel about Esperanza, who must adapt to life as a migrant farmworker.

Additional books are also recommended at the point of use throughout the unit. Note that information, while correct at the time of publication, is subject to change.

For information about ordering these tradebooks, visit www.harcourtschool.com/hss/trader

CALIFORNIA STATE AND COMMUNITY RESOURCES

The California Department of Education provides a number of resources related to the study of History-Social Science. **www.cde.ca.gov/ci**

Resources include the California **History-Social Science Course Models.** The Course Models provide lesson plans to help you implement the California History-Social Science Standards. **www.history.ctaponline.org**

Resources include **Pages of the Past**, which aligns numerous children's literature titles to the History-Social Science Standards. **score.rims.k12.ca.us/literature/k6**

Schools of California Online Resources (SCORE) provides web resources searchable by topic or grade level. It supports academic standards with lesson activities, projects, and field trips, for example. **score.rims.k12.ca.us**

For **Primary Sources** the following sites may be useful.

CONFERENCE of California Historical Societies (including links to museums, libraries, and other history-oriented groups and individuals) **www.californiahistorian.com**

California State Library **www.library.ca.gov**

Oakland Museum of California **www.museumca.org**

Additional sites are available at www.harcourtschool.com/hss/resourcesca

Harcourt's The Learning Site offers a Social Studies Website at www.harcourtschool.com/hss that provides a wide variety of activities, Internet links, and online references.

THE LEARNING SITE

GO ONLINE INTERNET RESOURCES

Primary Sources

- Artwork
- Clothing
- Diaries
- Government Documents
- Historical Documents
- Maps
- Tools

and more!

UFW Poster

Visit PRIMARY SOURCES at www.harcourtschool.com/hss

Find all this at www.harcourtschool.com/hss

- Activities and Games
- California Resources
- Current Events
- Free and Inexpensive Materials
- Interactive Multimedia Biographies
- Online Atlas
- Primary Sources
- Virtual Tours

and more!

Virtual Tours

- Capitols and Government Buildings
- Cities
- Countries
- Historical Sites
- Museums
- Parks and Scenic Areas

and more!

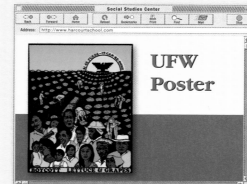

Golden Gate Bridge

Visit VIRTUAL TOURS at www.harcourtschool.com/hss

Free and Inexpensive Materials

Free and inexpensive materials are listed on the Social Studies Website at www.harcourtschool.com/hss/free

- **Addresses to write for free and inexpensive products**
- **Links to unit-related materials**
- **Internet maps**
- **Internet references**

Interactive Multimedia Biographies

- A thorough biography for each famous figure
- Links to additional information and further reading
- Special features that include photographs, video clips, audio, and additional text

Visit MULTIMEDIA BIOGRAPHIES at www.harcourtschool.com/hss

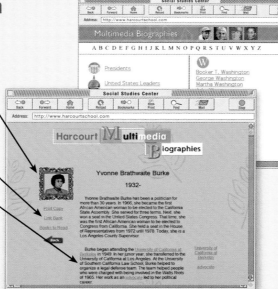

Suggestions for Additional Technology Support

- **Computer Software**
- **Videos and DVDs**

Suggestions for computer software, videos, and DVDs to extend and enrich student learning are listed on the Social Studies website at www.harcourtschool.com/hss/resourcesca

 PBS Videos and DVDs

PBS videos available at www.harcourtschool.com/hss/resourcesca

Integrate the Curriculum

Use these topics to help you integrate social studies into your daily planning. See the page numbers indicated for more information about each topic.

VISUAL ARTS

Design Your Own Car, p. 413

MUSIC

Learn Song Lyrics, p. 361

THEATRE

Discuss Films, p. 365

HEALTH

Create a Fact Sheet, p. 356

Social Studies

ENGLISH LANGUAGE ARTS

Practice Paraphrasing, p. 347

Recognize Cause and Effect in Literature, p. 350

Find Synonyms, p. 384

DANCE

Perform a Dance, p. 367

SCIENCE

Design and Test Bridges, p. 372

Describe a Car Engine, p. 413

TECHNOLOGY

GoOnline, pp. 347, 365, 367, 375, 405, 413

GeoSkills CD-ROM, p. 399

MATHEMATICS

Multiply to Solve a Problem, p. 381

Subtract to Solve Problems, p. 396

Subtract Decimals, p. 402

TIMELINKS: INTERACTIVE TIME LINE

Have students use the TimeLinks: Interactive Time Line to place events from other curriculum areas.

Science British scientists James Watson and Francis Crick publish their theories on the structure of DNA in 1953.

Theater Hattie McDaniel became the first African-American to win an Academy Award in 1940.

Music Led by trumpet player Dizzy Gillespie and saxophonist Charlie Parker, bebop begins to gain popularity as a form of jazz music in 1945.

TimeLinks
Interactive Time Line
Intermediate Level

Reach All Learners

Use these activities to help differentiate instruction. Each activity has been developed to address a different level or type of learner.

ENGLISH LANGUAGE LEARNERS

 45 minutes

Materials
- textbook
- paper
- pens and markers
- encyclopedia, magazines

CREATE AN INDUSTRY GUIDE **Have students create illustrated information sheets on the industries that developed in California in the 20th century.**

- Have students make illustrated information sheets for each of the major industries discussed in Unit 5, such as the *film, aerospace, automotive, oil,* and *high-tech* industries.

- Invite students to draw a picture or make a collage of magazine images to illustrate each industry and the people, technology, and equipment associated with it.

- Direct students to label their illustrations and include a list of key facts about the industry to make an industry guide.
  HSS 4.4, VISUAL ARTS 2.0

Film Industry

ACTION!

- The movie industry boomed in the early 1900's.
- Louis B. Mayer started MGM in 1907.
- In 1927, the first full-length movie with sound was released.

SPECIAL NEEDS

 1 hour for 2 days

Materials
- textbook
- paper
- butcher paper or blackboard
- pencils and markers, or chalk

CREATE A CLASS WALL CHART **Work with the class to create a wall chart of the major events of the 20th century and their effects on California.**

- Guide students to create the wall chart. Label the first column "Major Events," and help students list the most significant events affecting California in the early 20th century. Then add columns labeled "Population," "Economy," and "Culture" in which to record effects on California.

- Have students work in small groups to reread textbook lessons and record the information on the wall chart.
  HSS 4.4, ELA WRITING 1.0

| Major Events | Effects on California | | |
	Population	Economy	Culture
World War I	People move to California to work for the war effort.		
The Dust Bowl	Farmers move to California after their crops are destroyed.		

ADVANCED

 1 hour

Materials
- textbook
- paper and pens or pencils
- encyclopedia and other reference sources

WRITE A REPORT **Have students write reports about the increased rights and contributions of women and ethnic minority groups in California in the 20th century.**

- Have students use the textbook, an encyclopedia, and other reference sources to research the changing status of women or an ethnic group in 20th-century California.

- Direct students to use questions such as the following to inform their research: *How did the group's role in the economy change? What obstacles stood in the way of their fight for equal rights? How did they gain civil rights?*

- Invite volunteers to share their reports with the class. HSS 4.4, ELA WRITING 2.0

Assessment Options

The Assessment Program gives all learners many opportunities to show what they know and can do. It also provides ongoing information about each student's understanding of social studies.

 Online Standards Assessment available at www.harcourtschool.com/hss/standardsassessment

 OPTION 1 — CHAPTER AND UNIT TESTS

- **Unit Pretest, Assessment Program,** pp. 87–88
- **Chapter Reviews,** pp. 386–387, 410–411
- **Chapter Tests, Assessment Program,** pp. 89–92, 93–96

- **Unit Review,** pp. 414–415
- **Unit Test, Assessment Program,** pp. 97–102

 OPTION 2 — WRITING

- **Show What You Know, Unit Writing Activity, Write a Summary,** p. 416
- **Chapter Review, California Writing Prompts,** pp. 345M, 386, 410

- **Lesson Review, Writing Activities,** at end of lessons

 OPTION 3 — UNIT PROJECT

- **Show What You Know, Unit Project, Design a Scrapbook,** p. 416
- **Unit Project: Performance Assessment,** pp. 345N–345O

- **Lesson Review, Performance Activities,** at ends of lessons

INFORMAL ASSESSMENT

- **Lesson Review,** at ends of lessons
- **Skills:**
  Practice the Skill, pp. 377, 398
  Apply What You Learned, pp. 377, 399
- **Reading Social Studies, Cause and Effect,** pp. 350–351

- **Literature Response Corner,** pp. 357, 391
- **Primary Sources, Analysis Skills,** pp. 366–367
- **Points of View, It's Your Turn,** pp. 384–385

STUDENT SELF-EVALUATION

- **Reading Check Questions,** within lessons
- **Study Skills:**
  Preview and Question, p. 352
  Write to Learn, p. 388
- **Biography, Why Character Counts,** pp. 365, 375, 405

- **Analyze Graphics questions,** within lessons
- **A Closer Look questions,** p. 373

OPTION 1 — UNIT PRETEST

Unidad 5 **Prueba preliminar**

Nombre _____ Fecha _____

NORMAS DE CALIFORNIA HSS 4.4

INSTRUCCIONES Lee cada oración. Decide si se aplica a líderes de empresa, trabajadores o personas del gobierno. Luego, elige la letra *E* para líderes de empresa, *G* para personas del gobierno o *T* para trabajadores. (7 puntos cada una)

❶ Hay tantos automóviles que es necesario usar una parte de los impuestos que hemos recaudado para construir un mejor sistema de carreteras. [HSS 4.4, 4.4.4] — E **(G)** T

❷ ¡Esta depresión es terrible! Los bancos de San Francisco están cerrando. Tal vez tenga que cerrar mi fábrica. [HSS 4.4.5] — **(E)** G T

❸ Hasta hace poco, cosechábamos lechugas en las granjas de California por un salario muy bajo. Ahora tenemos un sindicato para luchar por nuestros derechos. [HSS 4.4.6] — E G **(T)**

❹ He mudado mi estudio cinematográfico a California para poder hacer películas todo el año. ¡Las películas serán mejores que nunca! [HSS 4.4.6, 4.4.9] — **(E)** G T

❺ California necesita reformas. Vamos a aprobar enmiendas a la constitución para que el pueblo tenga más control. [HSS 4.4] — E **(G)** T

❻ Con tantas personas peleando en la Segunda Guerra Mundial, un nuevo programa nos permite venir de México para mantener en funcionamiento las granjas de California. [HSS 4.4.4, 4.4.5] — E G **(T)**

❼ Son tiempos difíciles, y toda la población de Estados Unidos pasa apuros económicos. Nuestros programas del Nuevo Trato ayudarán a los estadounidenses a ponerse nuevamente de pie. [HSS 4.4.5] — E **(G)** T

❽ ¡Este pequeño chip de computadora cambiará el mundo! La compañía que fundamos liderará la industria de la tecnología. [HSS 4.4.6] — **(E)** G T

❾ Con afroamericanos, latinos, asiáticos y mujeres en la Legislatura estatal, todas las voces estarán representadas. [HSS 4.4, 4.4.4] — E **(G)** T

❿ Vinimos a California escapando del Dust Bowl, y estamos dispuestos y preparados para ganarnos la vida. [HSS 4.4.4, 4.4.5] — E G **(T)**

(sigue)

OPTION 1 — UNIT PRETEST

Nombre _____ Fecha _____

INSTRUCCIONES En el espacio en blanco, escribe tus respuestas a las preguntas. (10 puntos cada una)

⓫ De acuerdo con lo que has leído acerca de las personas que atravesaban el istmo de Panamá durante la fiebre del oro, ¿qué desafíos crees que enfrentaron los constructores del canal de Panamá? [HSS 4.4, CS 5, HI 1]

Respuesta posible: Probablemente enfrentaron un clima severo, un terreno difícil y terribles enfermedades.

Usa la ilustración para responder la pregunta 12.

⓬ El puente Golden Gate se terminó de construir en 1937, mientras California, al igual que el resto de Estados Unidos, atravesaba la Gran Depresión. En esa época muchos ciudadanos eran pobres y no tenían empleo. ¿Qué crees que habrán sentido los californianos acerca de la construcción del puente? [HSS 4.4.5, HI 1]

Respuesta posible: Probablemente desearon los empleos que generó la construcción y se sintieron orgullosos de terminarlo. Además, su belleza y los desafíos que debieron superar durante la construcción demostraron que los californianos eran capaces de alcanzar grandes metas.

⓭ California se convirtió en un estado multicultural, o sea, un estado con personas de muchas culturas diferentes. ¿Por qué crees que ocurrió eso? [HSS 4.4, 4.4.4, CS 5]

Las respuestas variarán. Los estudiantes pueden sugerir que numerosas personas de otros lugares, tanto de Estados Unidos como de otras partes del mundo, vinieron a California por muchos motivos distintos: por la tierra, por el clima, para ser libres, para escapar de guerras, de la enfermedad y de la pobreza, y para comenzar una nueva vida.

OPTION 1 — UNIT TEST

Unidad 5 **Prueba**

Nombre _____ Fecha _____

NORMAS DE CALIFORNIA HSS 4.4

SELECCIÓN MÚLTIPLE (3 puntos cada una)

INSTRUCCIONES Elige la letra de la respuesta correcta.

❶ ¿Cuál de estos métodos usaron algunos grandes empresarios de California para obtener beneficios del gobierno?
A Redujeron los precios de los productos.
(B) Sobornaron a funcionarios.
C Organizaron reuniones para mostrar sus productos a los consumidores.
D Escribieron cartas a directores de periódicos. [HSS 4.4, HI 1]

❷ ¿Qué promesa, entre otras, hizo Hiram Johnson para que lo eligieran gobernador de California?
A llevar líneas de ferrocarril a todas las ciudades
B dar a las grandes empresas más poder sobre el gobierno estatal
(C) reformar el gobierno para dar más control a los ciudadanos
D dar tierras a quienes lo votaran [HSS 4.4, HI 1]

❸ ¿Por qué creció la economía de California durante la Primera Guerra Mundial?
(A) Las industrias de California se ampliaron para hacer productos de guerra.
B Los funcionarios del gobierno de California dejaron de aceptar sobornos.
C Las fábricas de California eran las únicas que producían automóviles.
D Los bancos de California tenían el control sobre el canal de Panamá. [HSS 4.4.6]

Usa la información del recuadro para responder la pregunta 4.

> Como las personas tenían poco dinero, compraban pocas cosas. Esto hizo que muchos negocios quebraran, dejando a sus empleados sin trabajo. Durante casi toda la década de 1930, el desempleo fue muy alto.

❹ ¿Qué significa la palabra desempleo?
A el número de trabajadores a los que no les gusta su trabajo
B la situación en la que a los trabajadores se les paga menos por hacer más
(C) el número de personas sin trabajo
D la situación en la que las personas gastan más de lo que ganan [HSS 4.4.5]

❺ ¿Qué era el Dust Bowl?
A un lugar cerca de la sierra Nevada donde el suelo era demasiado pobre para la agricultura
B un área del desierto de Mojave donde los fuertes vientos arrastraban polvo en todas direcciones
C un lugar del Medio Oeste, conocido por su suelo rico y fértil
(D) un área del Medio Oeste donde una sequía convirtió el suelo en polvo que volaba por el aire [HSS 4.4.5]

(sigue)

OPTION 1 — UNIT TEST

Nombre _____ Fecha _____

Usa la información del recuadro para responder la pregunta 6.

> "Ella . . . parecía saber que mis fotos podían ayudarla, entonces me ayudó a mí."
> —Dorothea Lange

❻ ¿Cómo ayudaron las fotografías de Dorothea Lange a las personas durante la Gran Depresión?
A Las personas de las fotos inspiraron películas, libros y obras de teatro.
B Las personas de las fotos las aprovecharon para obtener mejores empleos.
(C) Las fotos ayudaron a que el público tomara conciencia del sufrimiento de los pobres.
D Las fotos convencieron a las personas de que la Gran Depresión terminaría pronto. [HSS 4.4.5, 4.4.9]

❼ ¿Qué era Manzanar?
A un campamento, cerca de Fresno, para los trabajadores migratorios que llegaron en la década de 1930
(B) un campo, en el valle del Owens, donde los japoneses americanos fueron encerrados durante la Segunda Guerra Mundial
C una escuela, cerca de Bakersfield, construida por los hijos de los trabajadores migratorios
D una base militar, cerca de Los Angeles, donde los soldados se entrenaban para luchar en la Segunda Guerra Mundial [HSS 4.4.5, HI 2]

❽ ¿Cuál de estas declaraciones es verdadera acerca del cambio en la población de California durante la Segunda Guerra Mundial?
A Miles de asiáticos que escapaban de la guerra llegaron a California.
B Muchos miles de californianos se mudaron a Arizona y New Mexico.
C Unas 100,000 personas dejaron California y cruzaron el canal de Panamá para regresar al este.
(D) Más de 300,000 trabajadores afroamericanos llegaron a California. [HSS 4.4.5]

❾ ¿Qué era la GI Bill of Rights?
(A) una ley que otorgaba dinero a los soldados que volvían, para que pudieran ir a la universidad
B una ley que otorgaba tierras de cultivo a los soldados que volvían
C una ley que daba derechos iguales a los soldados japoneses americanos
D una ley que garantizaba el mismo salario para las mujeres y los hombres del ejército [HSS 4.4.5]

❿ ¿Por qué hubo un auge en la construcción de viviendas en California después de la Segunda Guerra Mundial?
A La mayoría de las viviendas habían sido destruidas en la guerra.
B Las nuevas leyes exigían nuevas viviendas.
C Los funcionarios corruptos aceptaron sobornos.
(D) Después de la guerra, la creciente población necesitaba viviendas. [HSS 4.4.5, 4.4.6, HI 3]

(sigue)

Unit 5 Assessment

UNIT TEST

Nombre _____ Fecha _____

11 ¿Cuál fue uno de los principales efectos del nuevo sistema de carreteras inaugurado en California en 1947?
- **A** Hizo que cerrara la mayoría de los restaurantes con servicio al carro.
- **B** Les quitó millones de acres de tierra a los ferrocarriles.
- **(C)** Las personas podían vivir más lejos de su trabajo.
- **D** Causó dificultades para que las personas pudieran ir y volver de su trabajo.

12 ¿Quién fue Jackie Robinson?
- **(A)** el primer afroamericano en jugar en las ligas mayores de béisbol
- **B** el primer afroamericano en ser elegido alcalde de Los Angeles
- **C** el primer líder latino de un sindicato de trabajadores agrícolas
- **D** el primer miembro sikh del Congreso `HSS 4.4.9, CS 1`

13 ¿Cuál fue uno de los efectos de las protestas por los derechos civiles en la década de 1960?
- **A** la economía de California tuvo un auge
- **(B)** se aprobaron más leyes de derechos civiles
- **C** a igual empleo, el salario de las mujeres era menor
- **D** los trabajadores agrícolas obtuvieron el derecho a huelga `HSS 4.4`

14 ¿Cuál fue uno de los resultados de la lucha de las mujeres por la igualdad de derechos?
- **A** Comenzaron a tener más tiempo para estar con la familia y los amigos.
- **B** Obtuvieron el derecho a trabajar en la industria electrónica.
- **C** Obligaron a los funcionarios del gobierno a hacer más seguras las autopistas.
- **(D)** Ganaron elecciones para cargos en los gobiernos local, estatal y nacional. `HSS 4.4`

Usa la información del recuadro para responder la pregunta 15.

> En Yuba City, el Festival Punjabi Americano difunde el patrimonio cultural de la región del Punjab, en India.

15 ¿Qué significa el término patrimonio cultural?
- **A** una posición de poder en el mundo actual
- **B** prácticas comerciales en un lugar determinado
- **(C)** tradiciones y creencias transmitidas dentro de una cultura
- **D** títulos universitarios obtenidos en otra parte del mundo `HSS 4.4`

(sigue)

UNIT TEST

Nombre _____ Fecha _____

EMPAREJAR

`INSTRUCCIONES` Relaciona cada persona con la descripción que le corresponde. Escribe la letra de la respuesta correcta en el espacio en blanco. (3 puntos cada una)

16 _D_ reformista laboral que ayudó a formar la Asociación Nacional de Trabajadores Agrícolas `HSS 4.4`

A. David Gonzales

B. Caroline Severance

17 _C_ ingeniero principal en la construcción del puente Golden Gate `HSS 4.4`

C. Joseph B. Strauss

D. Dolores Huerta

18 _A_ soldado que recibió la Medalla de Honor del Congreso por su servicio en la Segunda Guerra Mundial `HSS 4.4`

E. Louis B. Mayer

19 _E_ productor de cine que ayudó a fundar MGM, el estudio cinematográfico que hizo la película *Ben-Hur* `HSS 4.4.9`

20 _B_ líder del movimiento por el sufragio y primera mujer en registrarse para votar en California, en 1911 `HSS 4.4`

(sigue)

UNIT TEST

Nombre _____ Fecha _____

DIVERSIDAD DE POBLACIÓN EN CALIFORNIA, 2000	
Grupo étnico	**Cantidad de habitantes**
Blanco	👤👤👤👤👤👤👤👤👤👤👤👤👤👤👤👤👤👤👤👤👤👤👤
Hispano	👤👤👤👤👤👤👤👤👤👤👤👤👤👤👤👤👤👤👤👤👤
Asiático	👤👤👤👤👤👤
Afroamericano	👤👤👤👤👤
Otros	👤👤👤

👤 500,000 habitantes

Población total de California en 2000 = 33,871,648
FUENTE: U.S. Census Bureau, Census 2000

`INSTRUCCIONES` Usa la gráfica para responder las siguientes preguntas. (3 puntos cada una)

21 ¿Qué grupo tiene la segunda población más numerosa de California? `HSS 4.4.4`
americanos de origen hispano

22 ¿Qué grupo tiene la tercera población más numerosa de California? `HSS 4.4.4`
americanos de origen asiático

23 En 2000, había aproximadamente 10,974,400 americanos de origen hispano en California y cerca de 3,692,000 americanos de origen asiático. ¿Aproximadamente cuántos más americanos de origen hispano que de origen asiático había en California? `HSS 4.4.4`
Había aproximadamente 7,282,400 americanos de origen hispano más que de origen asiático.

24 De acuerdo a la gráfica y a lo que has leído, ¿cómo ha influido la inmigración en la población de California? `HSS 4.4.4`

Respuesta posible: Las numerosas personas que llegaron desde América Latina y Asia trajeron su cultura y su modo de vida. La inmigración ha hecho más diverso el estado.

25 ¿Qué conclusión puedes sacar, a partir de la gráfica, acerca de la conformación étnica general de la población de California? `HSS 4.4.4`

Respuesta posible: Aunque la población blanca constituye la mitad de la población total de California, muchos otros grupos étnicos hacen de California un estado diverso.

(sigue)

UNIT TEST

Nombre _____ Fecha _____

`INSTRUCCIONES` Responde cada pregunta en el espacio en blanco. (5 puntos cada una)

26 ¿Cómo cambió California después de la Primera Guerra Mundial? `HSS 4.4.4, HI 3`

Respuesta posible: Miles de personas llegaron a California. La economía se hizo más fuerte a medida que surgían nuevos bienes de consumo. También aumentó el uso de automóviles cuando las personas comenzaron a utilizarlos para ir al trabajo, para hacer compras o para viajar. Eso produjo una mayor demanda de combustible, y la industria del petróleo prosperó.

27 ¿Cómo fueron útiles los programas del Nuevo Trato para los californianos durante la Gran Depresión? Explica tu respuesta. `HSS 4.4.5, HI 3`

Respuesta posible: Los programas del Nuevo Trato crearon empleos para construir oficinas de correos, escuelas y carreteras. También para plantar árboles y proteger el ambiente; escribir libros, tomar fotografías y pintar murales; y en nuevos proyectos hídricos, como el Proyecto Valle Central.

28 ¿Qué cambios ocurrieron en California después de la Segunda Guerra Mundial? `HSS 4.4.5, CS 1, HI 1`
Respuesta posible: La población de California creció rápidamente porque muchas de las personas que habían llegado al estado durante la guerra decidieron quedarse. La economía creció y se diversificó. Surgieron nuevas industrias. Se construyeron oficinas y viviendas, y obras para proveer de agua y electricidad a la población.

29 Entre las décadas de 1940 y 1970, ¿qué logros alcanzaron los californianos en la lucha por los derechos civiles para toda la población? `HSS 4.4, HI 1`
Respuesta posible: Pusieron fin a la segregación en las escuelas, obtuvieron mejores salarios y condiciones de trabajo para los trabajadores agrícolas migratorios, permitieron que los asiáticos pudieran obtener la ciudadanía estadounidense y llamaron la atención sobre el Movimiento por los derechos civiles de los indios americanos. Las mujeres fueron elegidas para ocupar cargos en el gobierno.

30 ¿Por qué se arriesgan algunos inmigrantes a venir ilegalmente a Estados Unidos?
Respuesta posible: Algunos inmigrantes vienen de países `HSS 4.4, HI 4`
castigados por la guerra u otras situaciones que hacen difícil ganarse la vida. Se arriesgan a venir ilegalmente a Estados Unidos en busca de una vida mejor para ellos y sus familias.

OPTION 2 — WRITING

RUBRIC

Nombre _____ **Fecha** _____

Unidad 5 • Pautas de redacción

Escribir un resumen

Tema de redacción Elige una persona o un grupo de la unidad e imagina que te han elegido para escribir un discurso sobre esa persona o ese grupo. Tu discurso deberá resumir su contribución y dar detalles acerca de su influencia sobre otras personas. Asegúrate de incluir en tu discurso detalles importantes y de expresar las ideas principales.

PASO 1 Repasa la unidad para identificar a las personas o grupos que te parecen más interesantes. Elige una persona o grupo como sujeto de tu discurso.

PASO 2 Usa el libro de texto para hacer un esquema de información sobre la persona o grupo que elegiste. Incluye detalles que identifiquen al sujeto de tu discurso y explica por qué es importante para la historia de California. Podrías responder las siguientes preguntas:
- ¿Qué hizo la persona o el grupo?
- ¿Cómo contribuyeron esas acciones al crecimiento y al desarrollo de California?
- ¿Qué efecto tuvieron esas acciones en la vida de otras personas?
- ¿Con qué parte de la historia de California se relaciona esa persona o grupo?

PASO 3 Si es necesario, consulta otras fuentes de información para completar tu esquema.

PASO 4 Usa tu esquema para escribir un resumen de las acciones y los logros del sujeto de tu discurso. Expresa claramente por qué crees que esa persona o ese grupo fue importante, y señala cómo afectó la vida de otros. Respalda tu opinión con datos de tu investigación.

PASO 5 Repasa tu trabajo para hallar posibles errores de gramática, ortografía, puntuación y uso de mayúsculas.

PASO 6 Haz todos los cambios que consideres necesarios y prepara la versión final de tu discurso.

SCORE 4
- Effectively summarizes contributions of the person or group, including effects on others.
- Clearly expresses main ideas and significant details about the topic.
- Is very well organized and written.
- Has very few errors in spelling, grammar, punctuation, and capitalization.

SCORE 3
- Adequately summarizes contributions of the person or group, including effects on others.
- Satisfactorily expresses main ideas and significant details about the topic.
- Is well organized.
- Has few errors in spelling, grammar, punctuation, and capitalization.

SCORE 2
- Summarizes contributions of the person or group somewhat adequately or does not include effects of the person or group on others.
- Does not clearly express all main ideas and details.
- Is somewhat organized.
- Has some errors in spelling, grammar, punctuation, and capitalization.

SCORE 1
- Does not adequately summarize contributions of the person or group and does not include effects the person or group had on others.
- Does not clearly express main ideas and details.
- Is poorly organized.
- Has many errors in spelling, grammar, punctuation, and capitalization.

OPTION 3 — PROJECT

RUBRIC

Nombre _____ **Fecha** _____

Unidad 5 • Pautas del proyecto

Álbum de recortes de California

Diseña un álbum de recortes que honre a una persona, un evento o un logro importante de California en el siglo veinte. Escribe un breve párrafo que resuma los datos principales sobre esa persona, evento o logro. Incluye ilustraciones en tu álbum de recortes.

PASO 1 Ojea la unidad. Al hacerlo, piensa en las personas y en los eventos y logros que más te impresionaron. Elige una persona, un evento o un logro como tema de tu álbum de recortes.

PASO 2 Repasa la información sobre el tema que presenta la unidad. Toma apuntes y piensa por qué se debería honrar a esa persona, evento o logro. Pregúntate lo siguiente:
- ¿Cómo benefició la persona, el evento o el logro la vida de los californianos y otros estadounidenses?
- ¿Cómo influyó en la historia de California?

PASO 3 Busca más información sobre tu tema en una enciclopedia o en otras fuentes de referencia. Haz copias de fotografías, mapas y otras ilustraciones que muestren a la persona, el evento o el logro. Tal vez quieras incluir también dibujos propios.

PASO 4 Escribe un párrafo breve sobre tu tema, explicando por qué debe honrarse a la persona, el evento o el logro que elegiste.

PASO 5 Repasa tu párrafo para hallar posibles errores de gramática, ortografía, puntuación y uso de mayúsculas. Haz todos los cambios que consideres necesarios y prepara la versión final del párrafo.

PASO 6 Ordena tu párrafo, las fotos, mapas e ilustraciones que has reunido y organízalas en varias páginas para crear un álbum de recortes. Incluye una portada con un título que identifique claramente de quién o de qué se trata tu álbum de recortes. Luego, exhibe tu álbum de recortes junto con los de tus compañeros.

SCORE 4
- Clearly focuses on one notable person, event, or achievement.
- Includes a summary paragraph which clearly and effectively describes the person, event, or achievement.
- Contains effective illustrations that are clearly related to the subject.
- Has very few errors in grammar, spelling, and capitalization.

SCORE 3
- Adequately focuses on a notable person, event, or achievement.
- Includes a summary paragraph which adequately describes the person, event, or achievement.
- Contains illustrations that are related to the subject.
- Has few errors in grammar, spelling, and capitalization.

SCORE 2
- Partially focuses on one notable person, event, or achievement.
- Includes a summary paragraph which imperfectly describes the person, event, or achievement.
- Contains illustrations that are somewhat related to the subject.
- Has some errors in grammar, spelling, and capitalization.

SCORE 1
- Does not focus on a notable person, event, or achievement.
- Includes a poorly written summary paragraph on the person, event, or achievement, or does not include any summary.
- Contains few or no illustrations related to the subject.
- Has many errors in grammar, spelling, and capitalization.

RUBRICS Copying masters of a student *Writing Rubric* and *Project Rubric* appear in the Assessment Program, pp. 104, 106.

Design a Scrapbook

Getting Started

Distribute the Unit 5 Project Guidelines provided on page 105 of the Assessment Program.

Introduce the unit project to students as you begin Unit 5. Explain to students that scrapbooks are collections of materials arranged to commemorate, or remember and honor, a person or event. Tell students they will be making their own scrapbooks in honor of a person, event, or achievement in California during the 20th century. Have students use the Student Edition's Research Handbook and your school's media center as they work on their scrapbooks. Scrapbooks should include a summary paragraph and illustrations, and they should reflect the unit's Big Idea.

The Big Idea
Growth and Change Human and natural events changed California, the United States, and the world during the twentieth century.

During the Unit

As students read Unit 5, they can begin work on their scrapbooks. Scrapbooks can include:

- Lesson review activities
- Additional activities listed on page 345O
- Your own favorite activities
- Ideas students develop on their own

Materials: textbook, paper, pens, pencils, encyclopedia and other reference sources

Graphic Organizer: As students read each lesson and conduct research, have them take their own notes on information about their subject or complete the graphic organizer below. Either strategy will help them remember important details about their subject as they plan their scrapbooks.

ORGANIZER

Cesar Chavez

Biographical Information	Achievements/ Effects on California
• born 1927, died 1993	• founded United Farm Workers of America in 1962
• son of farmworkers in Arizona	
• served in WW II	• improved workers' rights

Project Management

- Have students complete their scrapbooks.
- Remind students that they can find reference resources in the media center and on the Internet. Direct students to the Research Handbook on pages R28–R37 of their textbooks.

Publishing the Scrapbook

Have students work to compile illustrations and summaries for their scrapbooks. Encourage students to think carefully about how they will display the materials, and how they will title their scrapbooks. Before displaying the final products, invite volunteers to present their scrapbooks to the class and to explain why they believe their subject should be honored.

Assessment

For a project rubric, see the Assessment Program, p. 106, or Teacher Edition, p. 345M.

What to Look For

- Scrapbook is well researched and includes accurate information from textbook and other reference sources.

- Summary paragraph clearly expresses main ideas and provides details on the chosen subject.

- Scrapbook contains several clearly labeled illustrations.

- Scrapbook is well planned and presents information effectively.

- Written materials have very few errors in spelling, grammar, punctuation, and capitalization.

Lesson Review Activities

Additional Activities

TimeLinks Have students use the TimeLinks: Interactive Time Line and cards to place people and events from this unit. They can use the completed time line to review the unit or to place their scrapbook's subject in its historical context. HSS 4.4, CS 1

Draw a Portrait of a person from the unit who contributed to the growth and development of California. HSS 4.4, VISUAL ARTS 2.0

Write a Letter in which you relate an event from the unit to a friend in another state as if you were an eyewitness to that event. HSS 4.4, ELA WRITING 2.0

Create a Souvenir from a civil rights rally in the 20th century, such as a leaflet, an admissions ticket, or a button or badge. Make sure that the souvenir indicates what cause the rally was supporting. HSS 4.4, VISUAL ARTS 2.0

Write a Journal Entry Imagine you are an inventor in California during the 20th century. Write a journal entry about the technology you are developing, the problems you have faced, and the obstacles you have overcome. HSS 4.4, VISUAL ARTS 2.0

Presentación de la Unidad 5: Tiempos

PÁGINAS 345P–345

Analizar la gran idea

Crecimiento y cambio **Durante el siglo veinte, las acciones humanas y los fenómenos naturales cambiaron California, Estados Unidos y el mundo.**

Explique a los estudiantes que en esta unidad aprenderán acerca de las personas y los eventos que cambiaron California y el resto del mundo durante el siglo veinte.

Aplícalo Comente las siguientes preguntas:

• ¿Qué eventos políticos y económicos importantes creen que afectaron California en el siglo XX? ¿Qué tipos de eventos sociales o culturales afectaron el estado?

Despertar conocimientos previos

Invite a los estudiantes a comentar lo que saben acerca de cómo era la vida en California a comienzos, mediados y fines del siglo XX.

• Pida a los estudiantes que propongan ideas para hacer una lista de eventos del siglo XX.

• Organice las ideas en una red de palabras.

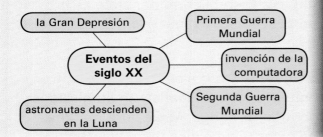

Analizar la fotografía

1 Explique que el edificio de la fotografía se encuentra en el Aeropuerto Internacional de Los Angeles.

P **¿Por qué creen que el diseño de este edificio es a menudo calificado como "de la era espacial" o "futurista"?** HSS 4.4

R Respuesta posible: porque se parece a una nave o a una estación espacial

---

Unit 5 Preview: Time

PAGES 345P-345

Discuss the Big Idea

Growth and Change **Human and natural events changed California, the United States, and the world during the 20th century.**

Explain that in this unit students will learn about the people and events that changed California and the rest of the world in the twentieth century.

Make It Relevant Discuss the following questions:

• What major political and economic events can you think of that affected California in the 1900s? What kinds of social or cultural events affected the state?

Access Prior Knowledge

Invite students to share what they know about what life was like in California in the early, middle, and late 20th century.

• Brainstorm a list of events that occurred in the 20th century.

• Record the ideas in a word web.

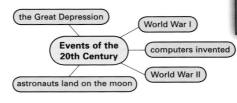

Analyze the Picture

1 Explain that the building in the photograph is at the Los Angeles International Airport.

Q **Why do you think that the design of this building is often described as "space-age" or "futuristic"?** HSS 4.4

A Possible response: because the building looks almost like a space ship or space station

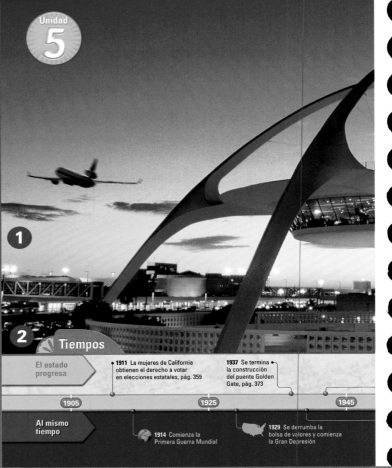

Practice and Extend

BACKGROUND

The Theme Building This building at the Los Angeles International Airport was constructed in 1960 as part of a $50 million "Los Angeles Jet Age Terminal Construction" project. In 1992, the Los Angeles City Council designated the Theme Building a City Cultural and Historical Monument.

Practicar y ampliar

ANTECEDENTES

El edificio Theme Este edificio, ubicado en el Aeropuerto Internacional de Los Angeles, fue construido en 1960 como parte de un proyecto de 50 millones de dólares conocido como *"Los Angeles Jet Age Terminal Construction"*. En 1992, el ayuntamiento de la ciudad de Los Angeles lo designó Monumento Histórico y Cultural de la ciudad.

El estado progresa

- **1942** Los japoneses americanos son enviados a campos de reasentamiento durante la Segunda Guerra Mundial, pág. 382
- **1962** Dolores Huerta y César Chávez fundan la Asociación Nacional de Trabajadores Agrícolas, pág. 402
- **1981** El primer transbordador espacial aterriza en la Base Edwards de la Fuerza Aérea, pág. 397

1965

1985

- **1939** Comienza la Segunda Guerra Mundial
- **1963** El presidente John F. Kennedy es asesinado
- **1975** Termina la guerra de Vietnam

Unidad 5 ■ 345

CALIFORNIA STANDARDS HSS 4.4 Students explain how California became an agricultural and industrial power, tracing the transformation of the California economy and its political and cultural development since the 1850s. SKILL Chronological and Spatial Thinking 1.

ELL ENGLISH LANGUAGE LEARNERS

Frontloading Language: Cause and Effect Point out that certain words and phrases are often used to show that one event causes or leads to another. Write some of these words and phrases on the board and then provide students with practice using them.

(Beginning) The Theme Building has windows all the way around it, so people can look out _____. (in any direction)

(Intermediate) Because the Theme Building has windows all the way around it, _____. (people can look out in any direction)

(Advanced) _____. As a result, people can look out in any direction. (The Theme Building has windows all the way around it.)

Q What might this building symbolize about California to visitors from other states and countries? HSS 4.4

A Possible response: It symbolizes how California reaches towards the future.

Discuss the Time Line

2 SKILL Chronological Thinking

Explain that the events on the top of the time line are associated with people and places in California. The events on the bottom of the time line took place elsewhere during the same time.

Progress as a State

Q How many years after Japanese Americans were moved to relocation camps did Dolores Huerta and Cesar Chavez form the United Farm Workers Association? HSS 4.4, CS 1

A 20 years

Q When did women in California gain the right to vote in state elections? HSS 4.4, CS 1

A 1911

At the Same Time

Q How many years after the stock market crash was the Golden Gate Bridge completed? HSS 4.4, CS 1

A 8 years

Have students work in pairs to ask additional questions about the time line.

TIMELINKS: Interactive Time Line

Have students use the TimeLinks: Interactive Time Line to track events in this unit. Provide event cards for students to place on the time line, as well as copies of blank event cards they can use to add other events described in the unit.

TimeLinks Interactive Time Line

UNIT 5 ■ 345

P ¿Qué aspectos de California podría simbolizar este edificio para los visitantes de otro estado o país? HSS 4.4

R Respuesta posible: Simboliza el avance de California hacia el futuro.

Analizar la línea cronológica

2 DESTREZA DE ANÁLISIS Pensamiento cronológico Señale que los eventos que aparecen en la parte superior de la línea cronológica se refieren a personas y lugares de California. Los eventos que aparecen en la parte inferior de la línea cronológica ocurrieron en otras partes del mundo durante la misma época.

El estado progresa

P ¿Cuántos años después de que los japoneses americanos fueran enviados a campos de reasentamiento fundaron Dolores Huerta y César Chávez la Asociación Nacional de Trabajadores Agrícolas? HSS 4.4, CS 1

R 20 años

P ¿En qué año obtuvieron las mujeres de California el derecho a votar en elecciones estatales? HSS 4.4, CS 1

R 1911

Al mismo tiempo

P ¿Cuántos años después del derrumbe de la bolsa de valores se terminó la construcción del puente Golden Gate? HSS 4.4, CS 1

R 8 años

Pida a los estudiantes que trabajen en parejas para formular y responder preguntas sobre los eventos de la línea cronológica.

Presentación de la Unidad 5: Personas

PÁGINAS 346–347

Analizar a las personas

Pida a los estudiantes que lean la información sobre las personas que aparecen en estas páginas.

1 **James Doolittle** obtuvo su medalla de honor por un audaz ataque aéreo sobre Japón en 1942. **HSS 4.4.5**

2 **Dalip Singh Saund** nació en India y llegó a Estados Unidos en 1920 para estudiar en la Universidad de California, en Berkeley.

P **¿Cómo ejerció Dalip Singh Saund su liderazgo para las comunidades de americanos de origen hindú y de origen asiático?**

R Ayudó a formar la Asociación Hindú de América y fue uno de los primeros americanos de origen asiático en ser elegido para el Congreso.

3 **John Steinbeck** nació en Salinas, California, y vivió la mayor parte de su vida en Monterey y sus alrededores.

P **¿Qué uso podría darse a los libros de John Steinbeck como fuente histórica?** **HSS 4.4.9**

R Respuesta posible: Pueden ofrecer una descripción de cómo era la vida en California durante la Gran Depresión.

4 **Jackie Robinson** preparó el camino de la práctica de deportes a nivel profesional a otros afroamericanos, y luchó por los derechos civiles toda su vida. **HSS 4.4.9**

5 **David M. Gonzales** logró que un parque de Pacoima, su pueblo natal, en el sur de California, llevara su nombre.

P **¿Por qué creen que los habitantes de Pacoima, el pueblo en el que nació David M. Gonzales, decidieron dar el nombre de David a un parque de la ciudad?** **HSS 4.4.5**

R Respuesta posible: Querían honrarlo como héroe de guerra y como miembro importante de su comunidad.

Unit 5 Preview: People

PAGES 346–347

Discuss the People

Have students read the information about the people highlighted.

1 **James Doolittle** won his medal of honor for a daring air raid over Japan in 1942. **HSS 4.4.5**

2 **Dalip Singh Saund** was born in India and came to the United States in 1920 to study at the University of California, Berkeley.

Q **In what ways was Dalip Singh Saund a leader for the Indian American and Asian American communities?**

A He helped form the India Association of America and was one of the first Asian American members of Congress.

3 **John Steinbeck** was born in Salinas, California, and spent most of his life in and around Monterey.

Q **How might John Steinbeck's books be used as a historical resource?** **HSS 4.4.9**

A Possible response: They can offer a description of what life was like in California during the Great Depression.

4 **Jackie Robinson** led the way for other African Americans to play professional sports, and he continued to fight for civil rights throughout his life. **HSS 4.4.9**

5 **David M. Gonzales** had a park named after him in his hometown of Pacoima, in southern California.

Q **Why do you think people in David M. Gonzales's hometown, Pacoima, decided to name a city park after him?** **HSS 4.4.5**

A Possible response: They wanted to honor him as a war hero and as an important member of their community.

Unidad 5 — Personas

James Doolittle 1
1896–1993
- Uno de los 13 soldados de California que obtuvieron la Medalla de Honor del Congreso durante la Segunda Guerra Mundial
- Primer piloto que sobrevoló Estados Unidos en menos de 24 horas

Dalip Singh Saund 2
1899–1973
- Contribuyó a formar la Asociación Hindú de América y fue su primer presidente
- Fue elegido juez en el condado Imperial, pero se le negó el derecho a ocupar el cargo porque no había cumplido un año como ciudadano
- Primer americano de origen hindú y uno de los primeros de origen asiático en ser elegido para el Congreso

1885 — 1915
1896 • James Doolittle
1899 • Dalip Singh Saund
1902 • John Steinbeck
1919 • Jackie Robinson
1923 • David M. Gonzales
1930 • Dolores Huerta
1932 •

David M. Gonzales 5
1923–1945
- Soldado de Pacoima que combatió durante la Segunda Guerra Mundial
- Obtuvo la Medalla del Congreso por rescatar a sus compañeros luego de que fueran heridos con armas de fuego

Dolores Huerta 6
1930–
- Cofundadora de la Asociación Nacional de Trabajadores Agrícolas, que luchó por obtener beneficios para los trabajadores agrícolas
- Trabajó para detener el uso de pesticidas peligrosos por los agricultores
- En 1993, fue incluida en el Salón Nacional de la Fama de las Mujeres

346 ▪ Unidad 5

Practice and Extend

BACKGROUND

Women's Rights Like other groups, women joined in the fight for equal rights in the 1960s. California became a center of the women's rights movement. In fact, the first women's studies department at a university was started at San Diego State University in 1971. One thing that women fought for was better pay. In 1979, women working full-time earned a little more than half of what men earned, on average. By 2000, women were earning about three-fourths of what men earned. In addition to better pay, women have gained better positions in business and government.

Practicar y ampliar

ANTECEDENTES

Los derechos de la mujer Al igual que otros grupos, las mujeres se sumaron a la lucha por la igualdad de derechos en la década de 1960. California se convirtió en un centro del movimiento por los derechos de la mujer. De hecho, el primer departamento de estudios universitarios de la mujer se creó en la Universidad Estatal de San Diego, en 1971. Las mujeres, entre otras cosas, luchaban por mejores salarios. En 1979, las mujeres que trabajaban jornada completa ganaban en promedio un poco más de la mitad de lo que ganaban los hombres. Hacia el año 2000, las mujeres ganaban alrededor de tres cuartos de lo que ganaban los hombres. Además de mejorar sus salarios, las mujeres comenzaron a conseguir mejores puestos en las compañías y en el gobierno.

John Steinbeck 3
1902–1968
- Nativo de California que escribió libros acerca de la Gran Depresión
- Ganó el Premio Pulitzer por *Las uvas de la ira* en 1939
- Ganó el Premio Nobel de Literatura en 1962

Jackie Robinson 4
1919–1972
- Atleta de la UCLA que en 1947 se convirtió en el primer afroamericano que jugó en las ligas mayores de béisbol
- Ingresó en el Salón Nacional de la Fama del Béisbol en 1962

1945   1975   PRESENTE
1993
1973   9
1968
1972
1945
Yvonne Brathwaite Burke
1951 • Sally Ride

Yvonne Brathwaite Burke 7
1932–
- Primera mujer afroamericana en participar en la asamblea estatal de California
- Primera mujer afroamericana de California en ser elegida al Congreso
- Actualmente ocupa el cargo de supervisora en el condado Los Angeles

Sally Ride 8
1951–
- Primera mujer estadounidense en el espacio
- Fue dos veces al espacio, en 1983 y 1984
- Actualmente es profesora en la Universidad de California

Unidad 5 ■ 347

CALIFORNIA STANDARDS HSS 4.4 Students explain how California became an agricultural and industrial power, tracing the transformation of the California economy and its political and cultural development since the 1850s. **SKILL** Chronological and Spatial Thinking 1.

INTEGRATE THE CURRICULUM

✎ **ENGLISH LANGUAGE ARTS** Have students draw on information presented on pages 346-347 to write one or more sentences summarizing the information about each person pictured. Tell them to be sure to use their own words. Have students compare each paraphrase with that of a partner to see how the same idea can be expressed in different ways. **Practice Paraphrasing** ELA WRITING 1.5

6 Dolores Huerta met with grape growers to negotiate a contract for striking farmworkers in 1966. This was the first time in United States history that a contract was negotiated between a union and an agricultural corporation.

7 Yvonne Brathwaite Burke was born in Los Angeles, California, attended UCLA, and earned a law degree from the University of Southern California (USC).

8 Sally Ride earned degrees in physics and English from Stanford University before being accepted as an astronaut candidate in 1978.

Discuss the Time Line

9 SKILL Chronological Thinking

Point out that the time line runs through the present day; three of the people featured are still alive.

Q Which of the people featured were alive in 1975? HSS 4.4.9, CS 1

A James Doolittle, Dolores Huerta, Sally Ride, and Yvonne Brathwaite Burke

INTERNET RESOURCES

GO ONLINE Visit Multimedia Biographies at www.harcourtschool.com/hss

6 Dolores Huerta se reunió con los productores de uva para negociar un contrato para los trabajadores agrícolas que estaban en huelga en 1966. Fue la primera vez que se negoció un contrato entre un sindicato y una corporación agrícola en la historia de Estados Unidos.

7 Yvonne Brathwaite Burke nació en Los Angeles, California, estudió en la UCLA y se graduó en derecho en la Universidad del Sur de California (USC).

8 Sally Ride se graduó en física e inglés en la Universidad de Stanford antes de ser aceptada como candidata a astronauta en 1978.

Analizar la línea cronológica

9 DESTREZA DE ANÁLISIS Pensamiento cronológico Señale que la línea cronológica llega hasta la actualidad; tres de las personas incluidas en la línea aún viven.

P ¿Qué personas incluidas en la línea cronológica estaban vivas en 1975? HSS 4.4.9, CS 1

R James Doolittle, Dolores Huerta, Sally Ride e Yvonne Brathwaite Burke

APRENDE en línea RECURSOS EN INTERNET

Visite MULTIMEDIA BIOGRAPHIES en www.harcourtschool.com/hss para hallar biografías multimedia.

Presentación de la Unidad 5: Lugares

PÁGINAS 348–349

Analizar el mapa

DESTREZA DE ANÁLISIS **Pensamiento espacial**

1 Pida a los estudiantes que examinen detenidamente el mapa de California y Estados Unidos en 1985. Explique que muestra el sistema de carreteras interestatales de Estados Unidos y también los principales proyectos hídricos de California. Use el mapa para examinar la evolución del sistema hídrico de California, que llegó a convertirse en una red de presas, acueductos y embalses.

P **¿Por qué es el agua tan importante para California?** HSS 4.4.7, CS 4

R Respuesta posible: La gran población de California crece rápidamente y necesita agua para beber, bañarse, lavar la ropa y para otros usos personales. Las industrias agrícolas y manufactureras también consumen grandes cantidades de agua.

Analizar las ilustraciones

Explique que las ilustraciones del mapa representan eventos y desarrollos del siglo veinte en distintos lugares del país.

2 **Tránsito rápido del área de la bahía (BART)** El concepto del sistema BART data de 1946, pero llevó muchos años planificar y recaudar dinero para implementarlo. Hacia 1975, los 450 trenes BART comunicaban los condados de toda el área de la bahía. HSS 4.1.5

Unit 5 Preview: Place

PAGES 348–349

Discuss the Map

ANALYSIS SKILL **Spatial Thinking**

1 Have students look closely at the map of California and the United States in 1985. Explain that it shows the interstate highway system across the United States and also major water projects in California. Use the map in tracing the evolution of California's water system into a network of dams, aqueducts, and reservoirs.

Q **Why is water so important to California?** HSS 4.4.7, CS 4

A Possible response: California has a large and rapidly growing population that needs water for drinking, bathing, washing clothes, and other personal uses. Also, farming and manufacturing industries use large amounts of water.

Discuss the Illustrations

Explain that the illustrations on the map represent events and developments of the twentieth century in places throughout the country.

2 **Bay Area Rapid Transit (BART)** The concept for the BART system dates back to 1946, but it took many years to plan and raise money for the system. By 1975, BART's 450 trains served counties throughout the Bay Area. HSS 4.1.5

Lugares — California en Estados Unidos, 1985

Un tren BART en el área de la bahía de San Francisco

César Chávez es el líder de los trabajadores agrícolas

348 ■ Unidad 5

Practice and Extend

BACKGROUND

NASA Field Centers The National Aeronautics and Space Administration (NASA) has field centers in several locations across the United States. Three of the most important centers are located in California. One of these is the Jet Propulsion Laboratory in Pasadena, which since 1958 has served as the primary NASA center for the unmanned exploration of the planets.

Another is the Hugh L. Dryden Flight Research Center at Edwards Air Force Base in southern California. The Dryden center is where many spacecraft are designed and tested. This location also serves as a backup landing site for the space shuttles launched from the Kennedy Space Center at Cape Canaveral.

The third NASA field center in California is the Ames Research Center in Moffet Field. It is the lead center on astrobiology.

Practicar y ampliar

ANTECEDENTES

Centros de investigación de la NASA La *National Aeronautics and Space Administration* (NASA) tiene centros de investigación en varios lugares de Estados Unidos. Tres de los centros más importantes están en California. Uno es el *Jet Propulsion Laboratory,* en Pasadena, que es el principal centro de la NASA dedicado a la exploración no tripulada de los planetas desde 1958. Otro es el Centro de Investigación de Vuelos Hugh

L. Dryden en la Base Edwards de la Fuerza Aérea, en el sur de California. En el Centro Dryden se diseñan y se ponen a prueba muchas naves espaciales. Sirve también como sitio auxiliar de aterrizaje para los transbordadores espaciales lanzados desde cabo Cañaveral.

El tercer centro de investigación es el Centro de Investigaciones Ames, en Moffet Field. Es el centro más importante de astrobiología.

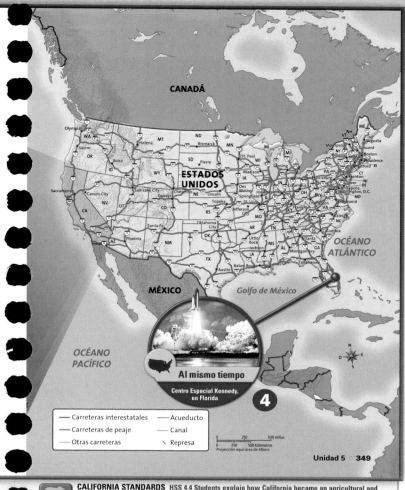

CANADÁ

ESTADOS
UNIDOS

MÉXICO

Golfo de México

OCÉANO
ATLÁNTICO

OCÉANO
PACÍFICO

Al mismo tiempo

Centro Espacial Kennedy,
en Florida

4

— Carreteras interestatales   — Acueducto
— Carreteras de peaje   — Canal
— Otras carreteras   ＼ Represa

0   250   500 millas
0   250   500 kilómetros
Proyección equi-área de Albers

Unidad 5 ◼ 349

3 United Farm Workers (UFW) The UFW was formed in 1966, when a labor organization under the leadership of Cesar Chavez merged with a larger Filipino American farm labor organization. With help from the AFL-CIO, the UFW was expanded to be a national trade union, the United Farm Workers of America, in 1971.

At the Same Time

Direct students' attention to the eastern part of the United States. Explain that many of the major changes that affected California in the twentieth century had effects on the eastern states as well.

4 Kennedy Space Center The Kennedy Space Center at Cape Canaveral, Florida, is the main launch site of the National Aeronautics and Space Administration (NASA). All United States space shuttle flights have been launched from this site.

3 Asociación Nacional de Trabajadores Agrícolas (UFW) La UFW se formó en 1966, cuando una organización laboral liderada por César Chávez se fusionó con una organización más grande de trabajadores agrícolas americanos de origen filipino. Con ayuda de la AFL-CIO, la UFW se expandió hasta convertirse en un sindicato nacional, el Sindicato de Trabajadores Agrícolas de América, en 1971.

Al mismo tiempo

Dirija la atención de los estudiantes a la parte este de Estados Unidos. Explique que muchos de los cambios importantes que afectaron a California en el siglo veinte influyeron también en los estados del este.

4 Centro Espacial Kennedy El Centro Espacial Kennedy, en cabo Cañaveral, Florida, es el principal sitio de lanzamiento de la *National Aeronautics and Space Administration* (NASA). Todos los vuelos de transbordadores espaciales de Estados Unidos se han lanzado desde este sitio.

CALIFORNIA STANDARDS HSS 4.4 Students explain how California became an agricultural and industrial power, tracing the transformation of the California economy and its political and cultural development since the 1850s. Chronological and Spatial Thinking 4.

GEO CHALLENGE

Have students study the map and answer the following questions:

1 Which interstate highway would a person use to travel between Sacramento and Salt Lake City?
Interstate 80

2 Which aqueduct takes water from Lake Havasu?
Colorado River Aqueduct

SCHOOL TO HOME

Use the Unit 5 SCHOOL-TO-HOME NEWSLETTER on pages S11–S12 to introduce the unit to family members of students and to suggest activities families can do at home.

UNIT 5 ◼ **349**

DESAFÍO DE GEOGRAFÍA

Pida a los estudiantes que observen el mapa y respondan las siguientes preguntas.

1 ¿Qué carretera interestatal habría que usar para viajar entre Sacramento y Salt Lake City?
la interestatal 80

2 ¿Qué acueducto toma agua del lago Havasu?
el acueducto del río Colorado

La lectura en los Estudios Sociales

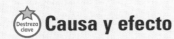

Causa y efecto

OBJETIVOS

■ **Interpretar las relaciones de causa y efecto en la historia de California.**

VOCABULARIO

causa pág. 350   **efecto** pág. 350

RECURSOS

Transparencia de destrezas clave 5; Colección de audiotextos en CD de la Unidad 5

1 Presentar

Por qué es importante

1 Comente con los estudiantes que, cuando estudian historia, es importante comprender no solo qué eventos ocurrie–ron sino también por qué ocurrieron. Analice con ellos el hecho de que identificar causas y efectos les ayudará a comprender mejor los eventos sobre los cuales leen.

Aprendizaje visual: Organizador gráfico
Pida a los estudiantes que lean las definiciones de *causa* y *efecto.* Use el organizador gráfico para ejemplificar cómo identificar el efecto de una determinada causa y la causa de un determinado efecto.

Explique que palabras y expresiones como *porque, ya que, entonces* y *como resultado* pueden ayudar a los estudiantes a reconocer las relaciones de causa y efecto.

Reading Social Studies

Cause and Effect

OBJECTIVES

■ **Interpret cause-and-effect relationships in California's history.**

VOCABULARY

cause p. 350   **effect** p. 350

RESOURCES

Focus Skills Transparency 5; Unit 5 Audiotext CD Collection

1 Introduce

Why It Matters

1 Discuss with students why, when studying history, it is important to understand not only what events happened but also why they happened. Discuss how being able to identify causes and effects will help the students better understand the events they read about.

Visual Literacy: Graphic Organizer
Have students read the definitions for *cause* and *effect.* Use the graphic organizer to model how to identify an effect for a given cause and how to identify a cause for a given effect.

Explain that certain signal words and phrases, such as *because, since, so,* and *as a result,* can help students recognize cause-and-effect relationships.

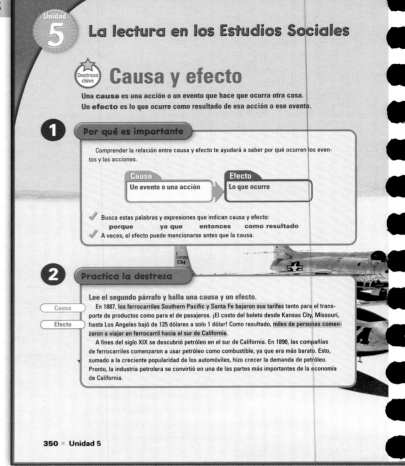

Unidad 5 — La lectura en los Estudios Sociales

Causa y efecto

Una **causa** es una acción o un evento que hace que ocurra otra cosa.
Un **efecto** es lo que ocurre como resultado de esa acción o ese evento.

1 Por qué es importante

Comprender la relación entre causa y efecto te ayudará a saber por qué ocurren los eventos y las acciones.

Causa	Efecto
Un evento o una acción	Lo que ocurre

✔ Busca estas palabras y expresiones que indican causa y efecto:
   porque   ya que   entonces   como resultado
✔ A veces, el efecto puede mencionarse antes que la causa.

2 Practica la destreza

Causa
Efecto

Lee el segundo párrafo y halla una causa y un efecto.
En 1887, los ferrocarriles Southern Pacific y Santa Fe bajaron sus tarifas tanto para el transporte de productos como para el de pasajeros. ¡El costo del boleto desde Kansas City, Missouri, hasta Los Angeles bajó de 125 dólares a solo 1 dólar! Como resultado, miles de personas comenzaron a viajar en ferrocarril hacia el sur de California.

A fines del siglo XIX se descubrió petróleo en el sur de California. En 1890, las compañías de ferrocarriles comenzaron a usar petróleo como combustible, ya que era más barato. Esto, sumado a la creciente popularidad de los automóviles, hizo crecer la demanda de petróleo. Pronto, la industria petrolera se convirtió en una de las partes más importantes de la economía de California.

350 ■ Unidad 5

Practice and Extend

INTEGRATE THE CURRICULUM

ENGLISH LANGUAGE ARTS Review with students the main events in a fiction story they have recently read. Then have students make cause-and-effect organizers for at least three of the events you discussed. **Recognize Cause and Effect in Literature**
ELA READING 2.6

FOCUS SKILLS

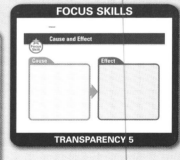

Cause and Effect

Cause	Effect

TRANSPARENCY 5

Practicar y ampliar

DESTREZAS CLAVE

La lectura en los Estudios Sociales
Causa y efecto

Causa	Efecto

California: Un estado cambiante
páginas 350–351   Reflexiones   Destrezas clave
Transparencia 5

TRANSPARENCIA 5

Aplica lo que aprendiste

Identificar causas y efectos Lee los párrafos y responde las preguntas.

La industria aeroespacial de California

Por su clima templado, California atrajo nuevas industrias durante comienzos del siglo XX. Granjeros, cineastas y constructores de aviones se mudaron al estado.

Cuando Estados Unidos entró en la Segunda Guerra Mundial, llegaron a California muchos científicos e ingenieros que se dedicaron a diseñar nuevos aviones, incluyendo aviones de combate. Como resultado, los empresarios construyeron fábricas en el sur del estado para producirlos. Por su parte, el gobierno estableció bases de entrenamiento militar en el desierto de Mojave para probar el funcionamiento de los nuevos aviones. Allí, el buen clima y los cielos despejados permitían que volaran casi todos los días del año.

Después de la guerra, muchos científicos se quedaron en California y siguieron investigando la forma de fabricar mejores aviones. También trabajaron en la construcción de misiles, cohetes y naves espaciales. Hacia la década de 1950, el sur de California se había convertido en el corazón de la industria aeroespacial.

En la década de 1960, la industria aeroespacial contribuyó a la creación del programa espacial de Estados Unidos, NASA. Desde su laboratorio en Pasadena, los ingenieros de la NASA dirigieron varios cohetes a la luna. También ayudaron a que los astronautas estadounidenses descendieran en la luna en 1969. Actualmente, la industria aeroespacial continúa siendo parte importante de la economía de California.

Causa y efecto

1. ¿Por qué los constructores de aviones y los pilotos llegaron al sur de California a principios del siglo XX?

2. ¿Qué efecto tuvo la Segunda Guerra Mundial sobre la industria de la aviación en el sur de California?

3. ¿Por qué el gobierno eligió el desierto de Mojave para probar nuevos aviones?

▶ Chuck Yeager voló algunos de los primeros jets supersónicos.

CALIFORNIA STANDARDS HSS 4.4. Students explain how California became an agricultural and industrial power, tracing the transformation of the California economy and its political and cultural development since the 1850s.

REACH ALL LEARNERS

Leveled Practice Ask students to identify cause-and-effect relationships in the passage. Remind students to look for words and phrases such as *because, so, since, as a result,* and *for this reason.*

(**Basic**) Have students write one cause and one effect of the development of the aerospace industry in southern California. Ask students to label the cause and the effect.

(**Proficient**) Have pairs of students read through the passage together and, for each event, take turns identifying a cause or an effect of that event.

(**Advanced**) Have students write a paragraph summarizing the events that led to the rise of the aerospace industry in southern California, using appropriate signal words identify cause-and-effect relationships.

2 Teach

Practice the Skill

2 Use the first example paragraph to help students learn how to identify cause-and-effect relationships. Then challenge students to find examples of cause-and-effect relationships in the second paragraph.

Apply What You Learned

3 This activity provides an opportunity for students to find cause-and-effect relationships in a multi-paragraph selection. You may want to offer students these guidelines as they read the passage:

Step 1: Look for an important fact or event.
Step 2: Look for another fact or event nearby.
Step 3: Think about how the two pieces of information are related. Did the first fact cause the second?

Cause and Effect—Answers

1. California's mild climate   HSS 4.1.3, 4.4
2. The need for war planes during World War II helped the airplane industry in California grow; factories were built to make new planes, and bases were set up to test them.   HSS 4.4
3. The good weather and the clear skies allowed pilots to fly nearly every day of the year.   HSS 4.1.3, 4.4

3 Close

Unit 5 provides many examples of cause-and-effect relationships. Have students look for these relationships as they read the lessons in this unit.

2 Enseñar

Practica la destreza

2 Use el primer párrafo de ejemplo para ayudar a los estudiantes a aprender cómo identificar relaciones de causa y efecto. Luego, aliente a los estudiantes a que busquen ejemplos de relaciones de causa y efecto en el segundo párrafo.

Aplica lo que aprendiste

3 Esta actividad brinda a los estudiantes la oportunidad de hallar relaciones de causa y efecto en una selección de párrafos múltiples. Mientras leen el texto, los estudiantes pueden seguir estas pautas:

Paso 1: Buscar un dato o un evento importantes.

Paso 2: Buscar otro dato o evento que aparezca cerca.

Paso 3: Pensar cómo se relacionan los dos datos entre sí. ¿Es el primer dato la causa del segundo?

Causa y efecto—Respuestas

1. por el clima templado de California   HSS 4.1.3, 4.4

2. La necesidad de aviones de combate durante la Segunda Guerra Mundial ayudó al crecimiento de la industria de la aviación; se construyeron nuevas fábricas de aviones y bases para probarlos.   HSS 4.4

3. El buen clima y los cielos despejados permitían volar casi todos los días del año.   HSS 4.1.3, 4.4

3 Concluir

En la Unidad 5 hay muchos ejemplos de relaciones de causa y efecto. Pida a los estudiantes que busquen estas relaciones mientras leen las lecciones de esta unidad.

Plan del Capítulo 9

Crecimiento y cambio

La gran idea

CRECIMIENTO Y CAMBIO **Durante el siglo veinte, las acciones humanas y los fenómenos naturales cambiaron California, Estados Unidos y el mundo.**

LESSON	PACING	TESTED STANDARDS
Introducción del capítulo Destrezas de estudio: Anticipar y preguntar pág. 352 Presentación del Capítulo 9 pág. 353	**1** DAY	**4.4** Students explain how California became an agricultural and industrial power, tracing the transformation of the California economy and its political and cultural development since the 1850s.
Comienza con un cuento *Tan lejos del mar* págs. 354–357	**1** DAY	**4.4** Students explain how California became an agricultural and industrial power, tracing the transformation of the California economy and its political and cultural development since the 1850s. **4.4.5.** Discuss the effects of the Great Depression, the Dust Bowl, and World War II on California.
Comienza un nuevo siglo págs. 358–364 **REFLEXIONA** ¿Qué cambios políticos, económicos y culturales se produjeron en California a principios del siglo XX?	**2** DAYS	**4.4** Students explain how California became an agricultural and industrial power, tracing the transformation of the California economy and its political and cultural development since the 1850s. **4.4.6.** Describe the development and locations of new industries since the nineteenth century, such as the aerospace industry, electronics industry, large-scale commercial agriculture and irrigation projects, the oil and automobile industries, communications and defense industries, and important trade links with the Pacific Basin. **4.4.9.** Analyze the impact of twentieth-century Californians on the nation's artistic and cultural development, including the rise of the entertainment industry (e.g., Louis B. Mayer, Walt Disney, John Steinbeck, Ansel Adams, Dorothea Lange, John Wayne).
BIOGRAFÍA **Louis B. Mayer** pág. 365	**1** DAY	**4.4.9.** Analyze the impact of twentieth-century Californians on the nation's artistic and cultural development, including the rise of the entertainment industry (e.g., Louis B. Mayer, Walt Disney, John Steinbeck, Ansel Adams, Dorothea Lange, John Wayne).
FUENTES PRIMARIAS **Filmar películas en California** págs. 366–367		**4.4.9.** Analyze the impact of twentieth-century Californians on the nation's artistic and cultural development, including the rise of the entertainment industry (e.g., Louis B. Mayer, Walt Disney, John Steinbeck, Ansel Adams, Dorothea Lange, John Wayne).

3 WEEKS	WEEK 1		WEEK 2	WEEK 3	
	Introduce the Chapter	Lesson 1	Lesson 2	Lesson 3	Chapter Review

OBJECTIVES	READING SUPPORT/ VOCABULARY	REACH ALL LEARNERS	RESOURCES
■ Tell how previewing a lesson can help readers find important information. ■ Preview and ask questions about a lesson. ■ Describe Japanese American relocation camps in California. ■ Study the effects of those camps on the lives of Japanese American families.	(Focus Skill) **Reading Social Studies** **Cause and Effect,** **Review the Unit 5** **Reading Social Studies** **Focus Skill,** pp. 350–351 **Vocabulary Power:** Figurative Language, p. 355	**Leveled Practice,** p. 352 **Special Needs,** p. 355	Social Studies in Action: Resources for the Classroom Primary Source Collection ⊙ Music CD 👝 Interactive Map Transparencies Interactive Desk Maps Atlas TimeLinks: Interactive Time Line 👝 Study Skills Transparency 9 💻 Internet Resources ⊙ Unit 5 Audiotext CD Collection
■ Explore the new industries that developed in California in the early 1900s. ■ Trace California's political development in the early 1900s. ■ Analyze the role of Louis B. Mayer in the entertainment industry. ■ Identify the purpose of items used in the film industry in the early 1900s, and compare those artifacts with items in use today. ■ Pose relevant questions about artifacts from the early days of the film industry.	(Focus Skill) **Reading Social Studies** **Cause and Effect,** pp. 359, 360, 361, 364 **Vocabulary Power:** Compound Words, p. 359 **sobornar** pág. 359 **reformar** pág. 359 **enmienda** pág. 359 **sufragio** pág. 359 **bien de consumo** pág. 362 **aviación** pág. 363	**ENGLISH LANGUAGE LEARNERS,** pp. 359, 362 **Leveled Practice,** p. 363 **Reading Support,** p. 359 **Advanced,** p. 360	Homework and Practice Book, pp. 93–94 Reading Support and Intervention, pp. 126–129 Success for English Learners, pp. 130–133 Vocabulary Power, pp. 101–104 👝 Vocabulary Transparency 5-9-1 👝 Focus Skills Transparency 5 TimeLinks: Interactive Time Line ⊙ Unit 5 Audiotext CD Collection 💻 Internet Resources

Plan del Capítulo 9

LESSON	PACING	🐻 TESTED STANDARDS
② Tiempos difíciles para los californianos págs. 368–374 💡 **REFLEXIONA** ¿Cómo afectaron la Gran Depresión y el Dust Bowl a los californianos? BIOGRAFÍA **Dorothea Lange** pág. 375 DESTREZAS DE RAZONAMIENTO CRÍTICO **Tomar una decisión bien pensada** págs. 376–377	**3** DAYS	**4.4 Students explain how California became an agricultural and industrial power, tracing the transformation of the California economy and its political and cultural development since the 1850s.** **4.4.5.** Discuss the effects of the Great Depression, the Dust Bowl, and World War II on California. **4.4.9.** Analyze the impact of twentieth-century Californians on the nation's artistic and cultural development, including the rise of the entertainment industry (e.g., Louis B. Mayer, Walt Disney, John Steinbeck, Ansel Adams, Dorothea Lange, John Wayne). **4.4.9.** Analyze the impact of twentieth-century Californians on the nation's artistic and cultural development, including the rise of the entertainment industry (e.g., Louis B. Mayer, Walt Disney, John Steinbeck, Ansel Adams, Dorothea Lange, John Wayne). **4.4 Students explain how California became an agricultural and industrial power, tracing the transformation of the California economy and its political and cultural development since the 1850s.** **4.4.4.** Describe rapid American immigration, internal migration, settlement, and the growth of towns and cities (e.g., Los Angeles). **4.4.5.** Discuss the effects of the Great Depression, the Dust Bowl, and World War II on California.
③ California y la Segunda Guerra Mundial págs. 378–383 💡 **REFLEXIONA** ¿Qué efectos tuvo la Segunda Guerra Mundial sobre California y sus habitantes? PUNTOS DE VISTA **Reasentamiento de los japoneses americanos** págs. 384–385	**2** DAYS **1** DAY	**4.4 Students explain how California became an agricultural and industrial power, tracing the transformation of the California economy and its political and cultural development since the 1850s.** **4.4.4.** Describe rapid American immigration, internal migration, settlement, and the growth of towns and cities (e.g., Los Angeles). **4.4.5.** Discuss the effects of the Great Depression, the Dust Bowl, and World War II on California. **4.4.6.** Describe the development and locations of new industries since the nineteenth century, such as the aerospace industry, electronics industry, large-scale commercial agriculture and irrigation projects, the oil and automobile industries, communications and defense industries, and important trade links with the Pacific Basin. **4.4.5.** Discuss the effects of the Great Depression, the Dust Bowl, and World War II on California.
Repaso del Capítulo 9 págs. 386–387	**1** DAY	**4.4 Students explain how California became an agricultural and industrial power, tracing the transformation of the California economy and its political and cultural development since the 1850s.**

OBJECTIVES	READING SUPPORT/ VOCABULARY	REACH ALL LEARNERS	RESOURCES
■ Explore events that led up to the Great Depression. ■ Describe the Dust Bowl. ■ Tell how government programs helped Californians during the Great Depression. ■ Analyze the impact of Dorothea Lange's work on the nation's artistic and cultural development. ■ Use steps to make a thoughtful decision. ■ Identify possible consequences of choices before making decisions.	(Focus Skill) **Reading Social Studies** **Cause and Effect,** pp. 369, 370, 371, 374 **Vocabulary Power:** Multiple-Meaning Words, p. 369 Related Words p. 370 **acción** pág. 369 **depresión** pág. 369 **desempleo** pág. 369 **trabajador migratorio** pág. 371 **consecuencia** pág. 376	**ENGLISH LANGUAGE LEARNERS,** pp. 369, 371, 375 **Special Needs,** p. 371 **Leveled Practice,** pp. 373, 377 **Reading Support,** p. 369	Homework and Practice Book, pp. 95–98 Reading Support and Intervention, pp. 130–133 Success for English Learners, pp. 134–137 Vocabulary Power, pp. 101–104 Vocabulary Transparency 5-9-2 Focus Skills Transparency 5 ⊙ Unit 5 Audiotext CD Collection Internet Resources
■ Explain how California changed as a result of World War II. ■ Discuss where and why new industries started in California during World War II. ■ Discuss the effects of World War II on Japanese Americans in California. ■ Compare and contrast multiple points of view on a historical topic.	(Focus Skill) **Reading Social Studies** **Cause and Effect,** pp. 379, 381, 383 **Vocabulary Power:** Prefixes, p. 379 **pertrechos** pág. 380 **escasez** pág. 380 **bracero** pág. 381 **reciclar** pág. 381 **campo de reasentamiento** pág. 382	**ENGLISH LANGUAGE LEARNERS,** pp. 379, 384 **Leveled Practice,** pp. 382, 385 **Reading Support,** p. 379 **Special Needs,** p. 381	Homework and Practice Book, pp. 99–100 Reading Support and Intervention, pp. 134–137 Success for English Learners, pp. 138–141 Vocabulary Power, pp. 101–104 Vocabulary Transparency 5-9-3 Focus Skills Transparency 5 TimeLinks: Interactive Time Line ⊙ Unit 5 Audiotext CD Collection Internet Resources
	(Focus Skill) **Reading Social Studies** **Cause and Effect,** p. 386		Homework and Practice Book, pp. 101–103 Assessment Program, pp. 89–92

LESSON 1

Nombre _____ Fecha _____

Comienza un nuevo siglo

INSTRUCCIONES En el espacio en blanco, escribe la palabra o la expresión correcta para completar la oración sobre California a principios del siglo XX. Usa los términos del recuadro.

algodón	películas	canal de Panamá
sobornar	bien de consumo	sufragio
habladas	Primera Guerra Mundial	fábrica de aviones
aviación	enmiendas	automóvil

❶ _____Sobornar_____ es prometer que se entregará dinero o algún regalo a alguien a cambio de que esa persona haga algo.

❷ Los cambios a una constitución se llaman _____enmiendas_____.

❸ En 1909, Glenn Martin construyó la primera _____fábrica de aviones_____

❹ En 1911 las mujeres de California obtuvieron el _____sufragio_____, o derecho al voto.

❺ A principios del siglo XX, muchos propietarios de teatros reemplazaron las actuaciones en vivo por _____películas_____

❻ En 1914 se inauguró el _____canal de Panamá_____, que contribuyó a aumentar el comercio entre California y el resto del mundo.

❼ En 1917, después del ataque de Alemania a barcos estadounidenses, Estados Unidos entró en la _____Primera Guerra Mundial_____

❽ Durante la Primera Guerra Mundial, California suministró _____algodón_____ para los uniformes.

❾ La construcción y el vuelo de aviones se llama _____aviación_____

❿ A fines de la década de 1920, a las películas sonoras se las llamaba _____habladas_____

⓫ Hacia 1925, en Los Angeles había un _____automóvil_____ cada tres personas.

⓬ A un producto fabricado para que las personas lo usen se le llama _____bien de consumo_____

NORMAS DE CALIFORNIA HSS 4.4, 4.4.6, 4.4.9, 4.5, 4.5.4

(sigue)

LESSON 1

Nombre _____ Fecha _____

INSTRUCCIONES Lee las declaraciones de abajo. Identifica a la persona que pudo haber dicho cada declaración. Escribe Glenn Martin, Caroline Severance, Hiram Johnson o Louis B. Mayer.

❶ "Fui productor de cine, entré en el negocio cuando compré una sala de cine en 1907. Soy _____Louis B. Mayer_____."

❷ "Fui la primera mujer de California en registrarse para votar. Soy _____Caroline Severance_____."

❸ "Fui pionero de la industria de la aviación de California. Soy _____Glenn Martin_____."

❹ "Ayudé a reformar el gobierno de California. Soy _____Hiram Johnson_____."

❺ "Construí una fábrica de aviones en Santa Ana. Soy _____Glenn Martin_____."

❻ "Fui uno de los primeros cineastas exitosos. Soy _____Louis B. Mayer_____."

❼ "Fui elegido gobernador de California. Soy _____Hiram Johnson_____."

❽ "Fui líder del movimiento por el sufragio. Soy _____Caroline Severance_____."

❾ "Fundé una compañía, sus iniciales son MGM. Soy _____Louis B. Mayer_____."

❿ "Bajo mi mandato, los californianos votaron a favor de 22 enmiendas a la constitución estatal. Soy _____Hiram Johnson_____."

LESSON 2

Nombre _____ Fecha _____

Tiempos difíciles para los californianos

INSTRUCCIONES Haz un círculo alrededor de la palabra o frase que haga correcta cada oración.

❶ La mayoría de los trabajadores migratorios recibían un salario alto / (bajo)

❷ Durante la Gran Depresión, las personas tenían poco dinero y el desempleo era bajo / (alto)

❸ Después de las tormentas de polvo, muchas personas del Dust Bowl se mudaron a (California) / New York, pero había pocos empleos permanentes.

❹ La zona de Estados Unidos afectada por inundaciones / (sequías) a principios de la década de 1930 se conoció como Dust Bowl.

❺ El proyecto del puente Golden Gate tardó (cuatro) / seis años en completarse.

❻ El derrumbe de la bolsa de valores llevó a la (Gran Depresión) / el Dust Bowl.

❼ El Proyecto valle Central ayudó a controlar las (inundaciones) / tormentas de polvo.

❽ El presidente Roosevelt prometió a los estadounidenses un ("nuevo trato") / "trato real".

❾ Las fotografías de Dorothea Lange (influyeron) / no influyeron en la decisión del gobierno de ayudar a los trabajadores agrícolas.

❿ El libro *Las uvas de la ira*, de John Steinbeck, narraba el trato injusto que se daba a los trabajadores migratorios en el (valle de San Joaquin) / Dust Bowl.

⓫ Proyectos como el del puente Golden Gate perjudicaron / (beneficiaron) a los trabajadores de California.

⓬ En octubre de 1929, el valor de las acciones bajó tanto que se habló de una caída libre / (un derrumbe)

NORMAS DE CALIFORNIA HSS 4.4, 4.4.5, 4.4.9

(sigue)

LESSON 2

Nombre _____ Fecha _____

INSTRUCCIONES Usa el párrafo de abajo para responder las preguntas sobre la vida del escritor John Steinbeck.

John Steinbeck nació en Salinas en 1902. En su adolescencia decidió convertirse en escritor. En 1919 ingresó a la Universidad de Stanford, donde estudió hasta 1925.

Los críticos opinan que Steinbeck escribió la mejor parte de su obra de ficción en la década de 1930. Durante ese período, a menudo trabajó en estrecha colaboración con trabajadores migratorios y comenzó a comprender sus problemas. Su libro más conocido, *Las uvas de la ira*, se centra en la vida y los problemas de los trabajadores migratorios. La novela ganó el Premio Pulitzer y el premio National Book.

Durante la Segunda Guerra Mundial, Steinbeck escribió literatura patriótica y trabajó como corresponsal de guerra. Después de la guerra continuó escribiendo. En 1962 obtuvo el Premio Nobel de Literatura. Murió seis años más tarde, en 1968.

John Steinbeck

❶ ¿Cuándo decidió John Steinbeck convertirse en escritor?
John Steinbeck decidió convertirse en escritor cuando era adolescente.

❷ ¿Cuándo escribió Steinbeck la mejor parte de su obra de ficción?
Steinbeck escribió la mejor parte de su obra de ficción en la década de 1930.

❸ ¿Cuál es el título del libro más conocido de Steinbeck?
El libro más conocido de Steinbeck es *Las uvas de la ira*.

❹ ¿Qué hizo Steinbeck durante la Segunda Guerra Mundial?
Steinbeck escribió literatura patriótica y trabajó como corresponsal de guerra.

❺ ¿Qué premio ganó Steinbeck en 1962?
Steinbeck ganó el Premio Nobel de Literatura en 1962.

Nombre _____ Fecha _____

Destrezas: Tomar una decisión bien pensada

INSTRUCCIONES Lee los pasos para tomar una decisión bien pensada. Los pasos están desordenados. Escríbelos en el orden correcto.

* Identifica las consecuencias posibles de cada opción. Decide qué opción tendrá mejores consecuencias.
* Haz una lista de opciones que puedan ayudarte a alcanzar tu meta.
* Pon en práctica tu decisión.
* Reúne la información que necesitarás para tomar una buena decisión.

1
Haz una lista de opciones que puedan ayudar a alcanzar tu meta.

↓

2
Reúne la información que necesitarás para tomar una buena decisión.

↓

3
Identifica las consecuencias posibles de cada opción. Decide qué opción tendrá mejores consecuencias.

↓

4
Pon en práctica tu decisión.

NORMAS DE CALIFORNIA HSS 4.4, 4.4.5

(sigue)

Nombre _____ Fecha _____

INSTRUCCIONES Repasa algunas decisiones que se tomaron durante la Gran Depresión. Luego, responde las preguntas.

1. El superintendente Leo Hart decidió construir la escuela Weedpatch. ¿Qué otras dos opciones pudo haber tenido?

   Respuesta posible: Podría haber dejado las cosas como estaban o pedir a las personas que donaran dinero para construir una nueva escuela.

2. ¿Cuáles fueron algunas consecuencias de la construcción de la escuela Weedpatch?

   Respuesta posible: Los estudiantes pudieron recibir una buena educación, y sentirse orgullosos por lo que habían creado.

3. El puente Golden Gate es el resultado visible de una decisión. ¿Qué objetivo perseguía la construcción del puente Golden Gate?

   Respuesta posible: El objetivo era unir San Francisco con el condado Marin y otras ciudades del norte.

4. El presidente Roosevelt y el Congreso crearon los programas del Nuevo Trato. ¿Cuál era el objetivo de esos programas?

   Respuesta posible: El objetivo de los programas del Nuevo Trato era crear empleos para terminar con la depresión económica.

5. ¿Qué otras dos opciones pudieron haber tenido el presidente y el Congreso al crear el Nuevo Trato y sus programas?

   Respuesta posible: Podrían haber decidido no crear programas para ayudar a las personas o crear solamente uno o dos programas.

Nombre _____ Fecha _____

California y la Segunda Guerra Mundial

INSTRUCCIONES Estudia el cartel de la Segunda Guerra Mundial. Luego, responde las preguntas.

Cuando Estados Unidos entró en la Segunda Guerra Mundial en 1941, una enorme cantidad de estadounidenses se unieron a las fuerzas armadas. Se necesitaban trabajadores para reemplazar a los que habían ido a la guerra. Muchas personas, sobre todo las mujeres, comenzaron a trabajar en fábricas, acerías, astilleros y oficinas para apoyar el esfuerzo de la guerra.

Los californianos que se quedaron también jugaron un papel importante durante la Segunda Guerra Mundial. En California se construyeron nuevas bases militares donde los soldados se entrenaban para el combate. La población comprendió que era necesario racionar la comida para que los miembros de las fuerzas armadas tuvieran alimentos suficientes. Los niños ayudaban recolectando metal, hule y papel para reciclar.

1. ¿A qué se refiere este cartel? Reconoce el trabajo de las mujeres que reemplazaron a los hombres que habían ido a pelear en la Segunda Guerra Mundial.

2. ¿Para qué se hacían carteles como este? Los carteles se hacían para elogiar a las mujeres que trabajaban para apoyar el esfuerzo de guerra y para alentar a otras mujeres a hacer lo mismo.

3. ¿Por qué era importante ese mensaje? Las fábricas debían seguir suministrando provisiones para el esfuerzo de la guerra, por eso necesitaban que las mujeres ocuparan los puestos de trabajo que los hombres habían dejado para ir a luchar.

4. ¿Qué detalles del cartel refuerzan el mensaje? Respuesta posible: los músculos y la evidente fuerza de la mujer, su mirada resuelta y las palabras "¡Nosotras podemos hacerlo!"

CALIFORNIA STANDARDS HSS 4.4, 4.4.5

(sigue)

Nombre _____ Fecha _____

INSTRUCCIONES Describe qué efecto tuvo la Segunda Guerra Mundial sobre cada grupo de californianos.

1. ¿Qué efecto tuvo la guerra sobre los japoneses americanos?

   Respuesta posible: Los japoneses americanos perdieron sus hogares y sus empleos. Muchos fueron enviados a campos de reasentamiento. Algunos japoneses americanos lucharon junto a Estados Unidos en la guerra.

Insignia de la Segunda Guerra Mundial del equipo de combate del Regimiento 442

2. ¿Qué efecto tuvo la guerra sobre los afroamericanos?

   Respuesta posible: Los afroamericanos consiguieron empleo. Durante la guerra, más de 300,000 afroamericanos llegaron a California para trabajar en astilleros y otras industrias.

3. ¿Qué efecto tuvo la guerra sobre los trabajadores agrícolas mexicanos?

   Respuesta posible: Se les llamó braceros. Realizaron muchas labores agrícolas en California durante la guerra y por muchos años más.

4. ¿Qué efecto tuvo la guerra sobre las mujeres?

   Respuesta posible: Muchas mujeres ingresaron por primera vez al mercado laboral. Trabajaron en fábricas, acerías, astilleros y oficinas. También administraron granjas y negocios familiares.

Capítulo 9 — Guía de estudio

Nombre _____ Fecha _____

INSTRUCCIONES Durante una reunión familiar, tu abuela cuenta historias sobre la vida en los tiempos de la Gran Depresión y la Segunda Guerra Mundial. Luego, decides conocer más acerca de esos eventos para incluirlos en un libro de la historia familiar. Usa las palabras de las listas de abajo para completar las oraciones.

Lección 1	Lección 2	Lección 3
sobornos	acciones	pertrechos
reformar	depresión	escasez
sufragio	desempleo	braceros
enmiendas	trabajadores migratorios	reciclar
aviación	Dust Bowl	campos de reasentamiento

Lección 1 A principios del siglo XX, California era un lugar emocionante. Bajo el mandato del gobernador Hiram Johnson, los californianos votaron a favor de 22 ___enmiendas___ a la constitución estatal. Esos cambios contribuyeron a ___reformar___ el gobierno estatal. Las grandes empresas ya no pudieron sacar ventajas ofreciendo ___sobornos___ a funcionarios. Las mujeres obtuvieron el ___sufragio___, o derecho al voto, en elecciones estatales. La inauguración del canal de Panamá acortó notablemente las rutas de navegación entre la costa este y California. Después de la Primera Guerra Mundial, la economía era fuerte. En California surgieron nuevas industrias, como la industria de los aviones, o ___aviación___. Además, comenzaron a fabricarse nuevos productos. Las personas podían comprar cosas como aspiradoras y automóviles. Las películas también comenzaron a hacerse populares. ¡Hollywood se convirtió en la capital mundial del cine!

NORMAS DE CALIFORNIA HSS 4.4, 4.4.4, 4.4.5, 4.4.6

(sigue)

Nombre _____ Fecha _____

Lección 2 La década de 1930 trajo una fuerte ___depresión___. Comenzó en 1929, cuando las participaciones en la propiedad de una compañía, o sea, las ___acciones___, perdieron valor. Como las personas tenían menos dinero, compraban menos cosas, y muchos negocios quebraron. Después, fuera de California, muchos estados del centro del país fueron afectados por una sequía. Esta zona recibió el nombre de ___Dust Bowl___. La sequía llevó a algunas familias a abandonar esos estados y mudarse a California. Sin embargo, como no lograron encontrar empleos permanentes en California, comenzaron a trasladarse de un lugar a otro para trabajar en las cosechas. Recibieron el nombre de ___trabajadores migratorios___. Muchos californianos querían impedir la entrada de esos trabajadores al estado porque el ___desempleo___ era alto y temían que les quitaran sus empleos.

Lección 3 Estados Unidos entró en la Segunda Guerra Mundial en 1941. Luego del ataque japonés a Pearl Harbor, la gente tenía miedo. Los japoneses americanos tuvieron que trasladarse a ___campos de reasentamiento___. Durante la guerra, las fábricas hacían suministros de guerra. Debido a la ___escasez___ de trabajadores locales, muchos vinieron a trabajar a California. Algunos consiguieron empleo en fábricas, haciendo armas y equipos militares, o ___pertrechos___. Los trabajadores agrícolas mexicanos, o ___braceros___, realizaron labores agrícolas. Muchas mujeres trabajaron en fábricas. Hasta los niños ayudaron, recolectando materiales que se podían ___reciclar___. Cuando la guerra terminó, en 1945, ¡la vida había cambiado mucho para los californianos!

Nombre _____ Fecha _____

LA LECTURA EN LOS ESTUDIOS SOCIALES: CAUSA Y EFECTO

 Crecimiento y cambio

INSTRUCCIONES Completa los organizadores gráficos de abajo para mostrar que comprendes las causas y los efectos del crecimiento y el cambio de California desde comienzos del siglo XX hasta la Segunda Guerra Mundial.

Causa
La bolsa de valores se derrumba el 29 de octubre de 1929.

Efecto
Respuesta posible: Comienza la Gran Depresión. Los bancos cierran. Los negocios quiebran. Las personas pierden todo su dinero y no pueden conseguir empleo.

Causa
Estados Unidos entra en la Segunda Guerra Mundial en 1941.

Efecto
Respuesta posible: La población y la economía de California crecen. Las mujeres ocupan posiciones más importantes. Llegan braceros a California. Los japoneses americanos son trasladados a campos de reasentamiento.

NORMAS DE CALIFORNIA HSS 4.4, 4.4.5; HI 3

CHAPTER TEST

Nombre _____ Fecha _____

9 Capítulo **Prueba** NORMAS DE CALIFORNIA HSS 4.4

SELECCIÓN MÚLTIPLE (5 puntos cada una)

INSTRUCCIONES Elige la letra de la respuesta correcta.

1 ¿Cuál de estos factores contribuyó a acortar las rutas comerciales entre California y la costa este de Estados Unidos?
A el ferrocarril Southern Pacific
B el canal de Panamá
C el Proyecto Valle Central
D el puente Golden Gate
HSS 4.4.6, CS 5

2 ¿Cuál fue una de las causas principales del aumento de la demanda de petróleo en California a principios del siglo XX?
A La industria cinematográfica necesitaba petróleo para hacer películas.
B Las personas que llegaban a California desde el Dust Bowl necesitaban petróleo para calentar sus hogares.
C Cada vez más californianos compraban y conducían carros.
D Las personas de todo el país compraban acciones de las compañías petroleras de California.
HSS 4.4.6, HI 3

3 ¿Cuál fue uno de los efectos de la Gran Depresión en California?
A el alto desempleo
B la Primera Guerra Mundial
C el Dust Bowl
D los campos de reasentamiento
HSS 4.4.5, HI 1

Usa la información del recuadro para responder la pregunta 4.

"Nuestra tarea primordial y máxima es poner a trabajar a la gente."
—Franklin D. Roosevelt

4 ¿Cómo planeaba Roosevelt completar la tarea de poner a la gente a trabajar?
A construyendo campamentos para trabajadores migratorios
B a través de los programas de gobierno del Nuevo Trato
C cerrando bancos en todo el país
D a través de enmiendas a la Constitución de Estados Unidos
HSS 4.4.5, HI 1

5 ¿Cuál de estas personas tomó fotografías que mostraban las dificultades que enfrentaron las víctimas del Dust Bowl y la Gran Depresión?
A John Steinbeck
B Louis B. Mayer
C Hiram Johnson
D Dorothea Lange
HSS 4.4.9

(sigue)

Capítulo 9 ▪ Prueba   Programa de evaluación ▪ 89

CHAPTER TEST

Nombre _____ Fecha _____

Usa el mapa para responder las preguntas 6 y 7.

Proyecto valle Central

6 ¿Qué dos ríos están conectados por el canal Friant-Kern?
A los ríos Owens y Kern
B los ríos Salinas y Santa Clara
C los ríos San Joaquín y Kern
D los ríos San Joaquín y Owens
HSS 4.4.7, CS 4

7 ¿Qué presa hay en el río American?
A presa Shasta
B presa Friant
C presa Folsom
D presa San Luis
HSS 4.4.7, CS 4

8 ¿En cuál de los siguientes lugares funcionaba uno de los mayores centros de entrenamiento militar de Estados Unidos durante la Segunda Guerra Mundial?
A campamento Weedpatch
B Richmond
C Manzanar
D Fuerte Ord
HSS 4.4.5

9 ¿Qué atrajo a más de 300,000 afro-americanos a California durante la Segunda Guerra Mundial?
A la industria relacionada con la guerra
B Fuerte Ord
C la escasez
D los campos de reasentamiento
HSS 4.4.5, 4.4.6, HI 3

10 ¿Cómo logró California mantener en funcionamiento las granjas mientras muchos agricultores del estado estaban peleando en la Segunda Guerra Mundial?
A Las mujeres manejaban las granjas y hacían todo el trabajo necesario.
B El Programa Bracero trajo trabajadores agrícolas mexicanos al norte de California.
C Un programa de trabajo estudiantil permitía que los estudiantes secundarios trabajaran en las granjas después de clases.
D Henry J. Kaiser trajo trabajadores del sur a las granjas de California.
HSS 4.4.5, 4.4.6

(sigue)

90 ▪ Programa de evaluación   Capítulo 9 ▪ Prueba

CHAPTER TEST

Nombre _____ Fecha _____

COMPLETAR LAS ORACIONES (5 puntos cada una)

INSTRUCCIONES Completa las oraciones con la palabra de la lista de abajo que corresponda.

sufragio   reformar   acciones   depresión   pertrechos

11 Hiram Johnson fue elegido gobernador de California en 1911, entre otras razones, porque prometió _____reformar_____ el gobierno estatal.
HSS 4.4

12 El derrumbe de la bolsa de valores y el cierre de muchos bancos en 1929 hicieron que la economía de California, junto con la del resto de Estados Unidos, cayera en una profunda _____depresión_____.
HSS 4.4.5, HI 1

13 Durante la Segunda Guerra Mundial, se construyeron fábricas de _____pertrechos_____ en California para contribuir con el esfuerzo de la guerra.
HSS 4.4.5, 4.4.6

14 En 1911, las mujeres obtuvieron el _____sufragio_____ en elecciones estatales.
HSS 4.4

15 A medida que las industrias de California crecían en la década de 1920, aumentaba el valor de sus _____acciones_____.
HSS 4.4.6

RESPUESTA BREVE (5 puntos cada una)

INSTRUCCIONES Responde cada pregunta en el espacio en blanco.

16 ¿Qué nuevas industrias se desarrollaron en California a principios del siglo XX? ¿Por qué se desarrollaron allí?
HSS 4.4.6, HI 3, 4

Respuestas posibles: la industria de la aviación, porque el clima permitía volar todo el año; la industria cinematográfica, porque el sur de California tenía diversidad de paisajes y el clima permitía filmar todo el año; la industria del petróleo, por el creciente uso de automóviles y el descubrimiento de nuevos yacimientos de petróleo; la construcción de barcos, por la ubicación de California en la costa del Pacífico.

17 ¿Cómo afectó el Dust Bowl a California durante la Gran Depresión?
HSS 4.4.5, HI 3

Respuestas posibles: Miles de personas llegaron a California en busca de empleo; muchos vivieron en campamentos de trabajadores migratorios y buscaron empleo en las granjas.

(sigue)

Capítulo 9 ▪ Prueba   Programa de evaluación ▪ 91

CHAPTER TEST

Nombre _____ Fecha _____

18 ¿Cómo afectó la Segunda Guerra Mundial a los japoneses americanos que vivían en California? Explica tu respuesta.
HSS 4.4.5, HI 1

Respuesta posible: Como Estados Unidos había sido atacado por Japón y estaba en guerra con ese país, algunos estadounidenses temían que los japoneses americanos fueran leales a Japón. Durante la guerra, la mayoría de los japoneses americanos fueron trasladados a campos de reasentamiento en áreas lejanas, como lago Tule y Manzanar. Tuvieron que abandonar sus hogares y sus empresas para irse a vivir a los campos, en condiciones muy duras.

Lee las dos citas que expresan puntos de vista sobre los campos de reasentamiento de la Segunda Guerra Mundial para japoneses americanos. Luego, responde las preguntas 19 y 20.

"Lo peor del campo era . . . no ser aceptado como ciudadano americano, como un igual, por los demás."*
—Towru Nagano, ex prisionero de un campo de reasentamiento, 2004

". . . Para mantener la seguridad de la costa del Pacífico aún se requiere excluir [mantener fuera] a los japoneses . . . Es mejor haber tenido esa protección y no haberla necesitado, que haberla necesitado y no haberla tenido . . ."**
—Teniente General J. L. DeWitt, 1943

* Towru Nagano. De un artículo publicado en el Honolulu Star-Bulletin, 25 de abril de 2004.

** Tte. Gen. J. L. DeWitt. De una carta al Jefe de Estado Mayor del ejército de Estados Unidos, 5 de junio de 1943.

19 ¿En qué se diferencia el punto de vista de DeWitt del de Nagano sobre los campos de reasentamiento?
HSS 4.4.5

Respuesta posible: DeWitt creía que los campos de reasentamiento eran necesarios para proteger a Estados Unidos. Nagano creía que los campos de reasentamiento eran perjudiciales porque los ciudadanos japoneses americanos se sentían rechazados por otros ciudadanos estadounidenses y los hacían sentir inferiores.

20 ¿Qué pregunta le harías a DeWitt acerca del tema de los campos de reasentamiento, si tuvieras la oportunidad de entrevistarlo? ¿Qué pregunta le harías a Nagano?
HSS 4.4.5, HR 2

Acepte respuestas razonables y meditadas. Respuesta posible: para DeWitt: ¿Qué otros planes podrían haberse desarrollado para tratar de manera más justa a los japoneses americanos? Para Nagano: ¿Qué otras dificultades debieron enfrentar mientras vivían en los campos de reasentamiento?

92 ▪ Programa de evaluación   Capítulo 9 ▪ Prueba

Destrezas de estudio

PÁGINA 352

Anticipar y preguntar

OBJETIVOS

- Comentar que anticipar el contenido de una lección puede ayudar al lector a encontrar información importante.
- Anticipar y formular preguntas acerca de una lección.

RECURSOS

Transparencia de destrezas de estudio 9; Colección de audiotextos en CD de la Unidad 5

1 Presentar

Establecer el propósito Explique a los estudiantes que anticipar un fragmento y formular preguntas acerca de él les ayudará a recordar la idea más importante.

2 Enseñar

❶ Dirija la atención de los estudiantes a la tabla de anticipar y preguntar del Capítulo 9.

- Anticipen la lección analizando los títulos, las ilustraciones y las leyendas que las acompañan.
- Formulen preguntas acerca del tema principal.
- Lean para hallar las respuestas. Digan en voz alta lo que aprendieron. Luego, repasen la información.

3 Concluir

Aplica la destreza mientras lees

❷ Antes de que los estudiantes lean cada lección, aliéntelos a escribir preguntas acerca de las ideas principales. Luego, pídales que repasen las respuestas a sus preguntas.

Study Skills

PAGE 352

Preview and Question

OBJECTIVES

- Tell how previewing a lesson can help readers find important information.
- Preview and ask questions about a lesson.

RESOURCES

Study Skills Transparency 9, TimeLinks: Interactive Time Line; Unit 5 Audiotext CD Collection

1 Introduce

Set the Purpose Emphasize that previewing a passage and asking questions about it will help students to recall the most important idea.

2 Teach

❶ Direct students to the Chapter 9 Preview and Question chart.

- Preview the lesson by examining titles, pictures, and captions.
- Pose questions about the topic.
- Read to find answers to your questions. Recite, or say aloud, what you learned. Then review the information.

3 Close

Apply As You Read

❷ Before students read each lesson, encourage them to write questions about its main ideas. Then have students review answers to their questions.

352 ■ **UNIT 5**

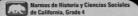

Destrezas de estudio

ANTICIPAR Y PREGUNTAR

Identificar las ideas principales y formular preguntas acerca de esas ideas te ayudará a hallar información importante.

▷ Para anticipar un fragmento, lee el título. Observa las ilustraciones y lee las leyendas que las acompañan. Trata de obtener la idea general del tema principal y piensa en preguntas que puedas hacer.

▷ Lee para hallar las respuestas a tus preguntas. Luego, di en voz alta las respuestas. Por último, repasa lo que has leído.

Crecimiento y cambio

Anticipar	Preguntas	Leer	Decir en voz alta	Repasar
Lección 1 Grandes eventos e ideas dieron forma a California a principios del siglo XX.	¿Qué aspecto del gobierno intentaron cambiar las personas? ¿Por qué?	✓	✓	✓
Lección 2				

Aplica la destreza mientras lees

En una tabla, identifica el tema acerca del cual leerás. Luego, anota tus preguntas acerca de ese tema. Lee, di en voz alta y repasa para comprobar que comprendes la información.

Normas de Historia y Ciencias Sociales de California, Grado 4

4.4 Los estudiantes explican cómo California se convirtió en una potencia agrícola e industrial, siguiendo la transformación de la economía de California y su desarrollo político y económico desde la década de 1850.

352 ■ **Unidad 5**

Practice and Extend

REACH ALL LEARNERS

Leveled Practice Have students complete a Preview and Question chart about a passage.

Basic Guide students to preview the passage and write questions before reading.

Proficient Have students preview and write questions. Then read, recite, and review.

Advanced Have students complete a preview and question chart for the passage.

STUDY SKILLS

Study Skills
Preview and Question

Growing and Changing

California: A Changing State pages 352-353   Reflections

TRANSPARENCY 9

Practicar y ampliar

DESTREZAS DE ESTUDIO

Destrezas de estudio
Anticipar y preguntar

Crecimiento y cambio

California: Un estado cambiante páginas 352-353   Reflexiones   Destrezas de estudio Transparencia 9

TRANSPARENCIA 9

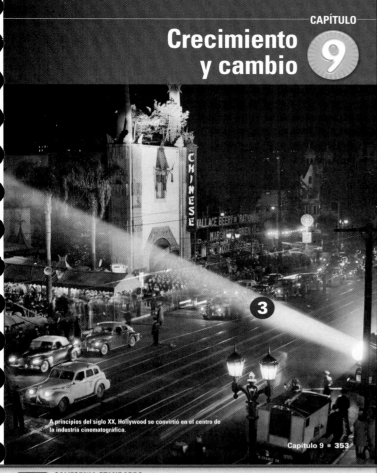

Crecimiento y cambio

CAPÍTULO 9

C H I N E S E

WALLACE BEERY in RATION

A principios del siglo XX, Hollywood se convirtió en el centro de la industria cinematográfica.

③

Capítulo 9 ■ 353

 CALIFORNIA STANDARDS HSS 4.4 Students explain how California became an agricultural and industrial power, tracing the transformation of the California economy and its political and cultural development since the 1850s. **SKILL** Research, Evidence, and Point of View 2.

BACKGROUND

Grauman's Chinese Theater
This photograph shows the 1943 Academy Awards, which were being held at Grauman's Chinese Theater in Hollywood. People line the sidewalks hoping to get a glimpse of their favorite stars as they enter through the theater's famous courtyard. Construction on Sid Grauman's Chinese Theater began on January 5, 1926. The theater opened the following year with

the premiere of Cecil B. Demille's *King of Kings*. Since its grand opening, Grauman's Chinese Theater has hosted thousands of movie premieres and special Hollywood events. Today, Grauman's Chinese Theater is one of the most recognizable landmarks in Hollywood. Its courtyard is also home to more than 240 hand and foot imprints left by some of Hollywood's most famous stars.

Chapter 9 Preview

PAGE 353

Access Prior Knowledge

Tell students that in this chapter they will learn about political, economic, and cultural developments that affected California in the first half of the twentieth century.

Inform students that California experienced both growth and hardships during this period. Invite volunteers to share what they already know about the two world wars, the Great Depression, and the Dust Bowl.

③ Visual Literacy: Photograph

SKILL **Research/Evidence** Tell students that the photograph shows the 1943 Academy Awards at Grauman's Chinese Theater in Hollywood. Have students examine the photograph and ask relevant questions, such as the one below.

Q **How does the photograph show the popularity of the Academy Awards?**
HSS 4.4, HR 2

A People are lined up and down the sidewalks on both sides of the theater entrance.

TIMELINKS: Interactive Time Line

Remind students to add people and events for each lesson in this chapter to the TimeLinks: Interactive Time Line.

TimeLinks
Interactive Time Line

CHAPTER 9 ■ **353**

Presentación del Capítulo 9

PÁGINA 353

Despertar conocimientos previos

Diga a los estudiantes que en este capítulo aprenderán sobre los cambios políticos, económicos y culturales que afectaron a California durante la primera mitad del siglo veinte.

Informe a los estudiantes que California creció durante este período, pero también tuvo que enfrentar dificultades. Invite a voluntarios a que comenten lo que saben sobre las dos guerras mundiales, la Gran Depresión y el Dust Bowl.

③ Aprendizaje visual: Fotografía

DESTREZA DE ANÁLISIS **Investigación/Evidencia** Diga a los estudiantes que la fotografía muestra la entrega de Premios de la Academia en 1943 en el *Grauman's Chinese Theater* en Hollywood. Pida a los estudiantes que observen la fotografía y que formulen preguntas relevantes, como la de abajo.

P **¿Cómo muestra la fotografía que la entrega de los Premios de la Academia era un acontecimiento popular?**
HSS 4.4, HR 2

R La gente forma fila en la acera y en la calle, a ambos lados de la entrada del teatro.

ANTECEDENTES

El *Grauman's Chinese Theater* Esta fotografía muestra la entrega de los Premios de la Academia de 1943, que se realizó en el *Grauman's Chinese Theater* en Hollywood. La gente llena las aceras con la esperanza de ver a sus estrellas favoritas cuando estas atraviesan el famoso patio del teatro. La construcción del teatro de Sid Grauman comenzó el 5 de enero de 1926. El teatro se inauguró al año siguiente con el estreno de

Rey de reyes de Cecil B. Demille. Desde su inauguración, el *Grauman's Chinese Theater* ha presentado miles de estrenos y eventos especiales de Hollywood. En la actualidad, este teatro es uno de los símbolos más reconocidos de Hollywood. Su patio también contiene más de 240 huellas de manos y pies que han dejado algunas de las estrellas más famosas de Hollywood.

OBJETIVOS

- Describir los campos de reasentamiento de los japoneses americanos en California.

- Estudiar los efectos de esos campos en la vida de las familias japonesas americanas.

RECURSOS

Colección de audiotextos en CD de la Unidad 5

Resumen

Tan lejos del mar, por Eve Bunting, describe la última visita de Laura Iwasaki, de siete años, junto a su familia, a la tumba de su abuelo en Manzanar, antes de mudarse de California a Massachusetts. Este fragmento explica por qué el padre y los abuelos de Laura fueron enviados a esta zona remota durante la Segunda Guerra Mundial. También describe los efectos que este traslado tuvo en el abuelo de Laura.

Fuente: *Tan lejos del mar,* por Eve Bunting. Ilustrado por Chris K. Soentpiet. Clarion Books, 1998.

Antes de la lectura

Establecer el propósito Explique que el cuento transcurre más de treinta años después del ataque japonés a Pearl Harbor durante la Segunda Guerra Mundial. Señale que durante la guerra, muchos japoneses americanos en Estados Unidos fueron obligados a abandonar sus hogares y fueron trasladados a campos de reasentamiento. Pida a los estudiantes que, mientras leen el cuento, analicen los motivos por los que el gobierno de Estados Unidos puede haber tomado estas medidas contra las personas con antepasados japoneses.

Start with a Story

PAGES 354–357

OBJECTIVES

- Describe Japanese American relocation camps in California.

- Study the effects of those camps on the lives of Japanese American families.

RESOURCES

Unit 5 Audiotext CD Collection

Quick Summary

So Far from the Sea, by Eve Bunting, describes the final visit of seven-year-old Laura Iwasaki and her family to her grandfather's grave at Manzanar before they move from California to Massachusetts. The following excerpt explains why Laura's father and grandparents were relocated to the remote area during World War II. It also describes the effects relocation had on Laura's grandfather.

Source: *So Far from the Sea* by Eve Bunting. Illustrated by Chris K. Soentpiet. Clarion Books, 1998.

Before Reading

Set the Purpose Explain that the story is set more than thirty years after the Japanese attack on Pearl Harbor during World War II. Point out that during the war, many Japanese Americans in the United States were forced to leave their homes and live in relocation camps. As students read, have them consider why the United States government might have taken such measures against people of Japanese ancestry.

Comienza con un cuento

Tan lejos del mar

por Eve Bunting
ilustrado por Chris K. Soentpiet

En este cuento, que tiene lugar en 1972, Laura Iwasaki y su familia visitan la tumba de su abuelo en el campo de reasentamiento Manzanar, en una desolada zona del este de California. Durante la Segunda Guerra Mundial, cuando el padre de Laura era niño, él y su familia fueron enviados a vivir allí. Lee para aprender sobre la visita de Laura.

1

—Sigamos adelante, amigo —dice papá, y Thomas parece desfallecer. A Thomas no le gusta tomar la mano de nadie, pero ahora se aferra a la mano de mamá. Él también debe sentir temor de este horrible lugar.

—¿Por qué te enviaron aquí con el abuelo y las tías y los tíos? —pregunta Thomas.

2 Papá esconde la cabeza en la capucha de su abrigo, como un caracol que se esconde en su concha.

—Porque Japón atacó a Estados Unidos —dice—. Fue una cosa terrible. De pronto estábamos en guerra. Y nosotros éramos japoneses que vivíamos en California. El gobierno pensó que haríamos algo para ayudar a Japón. Así que nos envió a estos campos.

Papá nos ha explicado esto cientos de veces, pero Thomas lo olvida porque es muy pequeño.

—No fue justo —digo—. Fue la cosa más cruel del mundo. Ustedes eran estadounidenses. Como yo. Como Thomas.

354 Unidad 5

Practice and Extend

BACKGROUND

Manzanar Manzanar is located in the Owens Valley, in eastern California. During World War II, it was the site of a Japanese American internment camp where more than 10,000 people of Japanese ancestry were held. Manzanar opened in 1942 and closed in 1945. It was the first of ten relocation centers established in the United States during World War II. Today it is a national historic site that is open to visitors.

MAKE IT RELEVANT

In Your State Tell students that a total of ten Japanese American internment camps were established in the United States during World War II. Two were located in California. Manzanar was one of these. Ask students to do research to learn the name and location of the other camp. Tule Lake, located in northern California.

Practicar y ampliar

ANTECEDENTES

Manzanar Manzanar está en el valle del Owens, en el este de California. Durante la Segunda Guerra Mundial, fue el sitio de un campo de reasentamiento de más de 10,000 personas con antepasados japoneses. Manzanar fue inaugurado en 1942 y funcionó hasta 1945. En la actualidad, es un sitio histórico nacional abierto al público.

APLÍCALO

En tu estado Diga a los estudiantes que durante la Segunda Guerra Mundial se establecieron diez campos de reasentamiento de japoneses americanos en Estados Unidos. Manzanar era uno de los dos campos que había en California. Pida a los estudiantes que investiguen el nombre y la ubicación del otro campo. Tule Lake, en el norte de California.

Papá encoge los hombros.

—Tampoco fue justo que Japón atacara este país. Eso también fue cruel. Fue una época de mucho odio y mucho temor. Pero fue hace más de treinta años, Laura. Debemos dejar esa época atrás y mirar hacia adelante.

Papá ve hacia las montañas.

—A menudo yo observaba esas montañas. Cambian en cada estación. En verano, al atardecer, eran rosadas y una sombra caía sobre ellas como una enorme águila. Yo deseaba poder montar esa águila y volar lejos . . . muy lejos.

Miré las montañas, intentando imaginar a mi papá en aquella época. Tenía entonces ocho años, un año más que yo, tres años más que Thomas . . .

Capítulo 9   355

During Reading

① Understand the Story Tell students that the Manzanar War Relocation Camp was in a desolate part of eastern California. 🔳 HSS 4.4.5

Q What details in the story tell you that Manzanar is not a welcoming place?
🔳 ELA READING 2.0

A Possible responses: Thomas holds his mother's hand as he walks through camp, even though he usually does not like to hold anyone's hand; Laura uses the words "scariness" and "awful" to describe the place.

② Understand the Story Discuss why Laura's father, his parents, and other Japanese Americans were put in camps such as Manzanar during World War II. 🔳 HSS 4.4.5

Q What kinds of things do you think Japanese Americans had to give up during the war? 🔳 HSS 4.4.5

A Possible response: They had to give up their freedom as well as their homes, friends, jobs, and businesses.

Q How does Laura feel about the way Japanese Americans were treated?
🔳 ELA READING 2.0

A Possible response: She feels they were treated unfairly.

Q What details in the story show that Laura's father did not want to live at Manzanar? 🔳 ELA READING 3.3

A As a boy, he would often gaze at the mountains and wish he could fly far away.

Durante la lectura

① Entender el cuento Comente a los estudiantes que el campo de reasentamiento Manzanar se encontraba en una parte desolada del este de California.
🔳 HSS 4.4.5

P ¿Qué detalles del cuento indican que Manzanar no era un lugar acogedor?
🔳 ELA READING 2.0

R Respuestas posibles: Thomas se aferra a la mano de su madre mientras caminan por el campo, a pesar de que a él no le gusta tomar la mano de nadie; Laura usa las palabras "temor" y "horrible" para describir el lugar.

② Entender el cuento Comente por qué el padre de Laura, sus padres y otros japoneses americanos fueron trasladados a campos como Manzanar durante la Segunda Guerra Mundial. 🔳 HSS 4.4.5

P ¿A qué debieron renunciar los japoneses americanos durante la guerra? 🔳 HSS 4.4.5

R Respuesta posible: Tuvieron que renunciar a su libertad al igual que a sus hogares, amigos, empleos y actividades.

P ¿Qué siente Laura acerca de la manera en la que fueron tratados los japoneses americanos? 🔳 ELA READING 2.0

R Respuesta posible: Siente que fueron tratados injustamente.

P ¿Qué detalles del cuento muestran que el padre de Laura no quería vivir en Manzanar? 🔳 ELA READING 3.3

R De niño, solía mirar las montañas y deseaba escaparse lejos, volando.

CALIFORNIA STANDARDS HSS 4.4 Students explain how California became an agricultural and industrial power, tracing the transformation of the California economy and its political and cultural development since the 1850s. 4.4.5. Discuss the effects of the Great Depression, the Dust Bowl, and World War II on California. 🔳 Chronological and Spatial Thinking 4. Historical Interpretation 1.

✳ VOCABULARY POWER

Figurative Language Explain that a simile is a comparison of two things linked by the word *like* or *as*. Point out the following sentences from the story: "Dad pulls his head far back in his hood, like a snail going into its shell. In summer, at sunset, they were pink and a shadow like a giant eagle would fall across them." Ask students to identify the two things being compared in each case.
🔳 ELA READING 1.2

REACH ALL LEARNERS

Special Needs Work with students to identify the story's setting and characters. Encourage students to draw pictures of the main characters showing what they are doing at the beginning of the excerpt. Then have students use their pictures to help them explain in their own words when and where the story takes place, who the main characters are, and why they think the characters have come to visit this place.

3 Relacionar cultura e historia Pida a los estudiantes que describan el monumento y digan para quién fue construido.

P ¿Qué elementos culturales pueden encontrarse junto al monumento?
HS 4.4, ELA READING 2.0

R ofrendas como pájaros de origami, un pastel de arroz, vidrios de colores, algunas monedas y una rama de cerezo

P ¿Por qué está el abuelo de Laura sepultado en Manzanar? ELA READING 2.0

R Murió en el campo.

4 Entender el cuento Analice con los estudiantes cómo afectó al abuelo de Laura el hecho de haber sido enviado a Manzanar.

P ¿Qué perdió el abuelo de Laura cuando fue llevado a Manzanar?
HSS 4.4.5, ELA READING 2.0

R Respuesta posible: Perdió su barco, su casa y su dignidad.

5 Entender el cuento Pida a los estudiantes que analicen por qué creen que el autor llamó *Tan lejos del mar* a este cuento. Pídales que usen detalles del cuento para describir al abuelo de Laura.

P ¿Qué tipo de cosas creen que le importaban? ¿Cómo lo saben?
ELA READING 2.0, 3.3

R Respuesta posible: Le importaba la pesca. Lo sabemos porque todos los días se fijaba si el día era bueno para ir de pesca.

---

3 Link Culture and History Have students describe the monument and tell for whom it was built.

Q What cultural items can be found at the monument? HS 4.4, ELA READING 2.0

A offerings such as origami birds, a rice cake, colored glass, some coins, and a cherry tree branch

Q Why is Laura's grandfather buried at Manzanar? ELA READING 2.0

A He died at the camp.

4 Understand the Story Discuss with students how being sent to Manzanar affected Laura's grandfather.

Q What did Laura's grandfather lose when he was taken to Manzanar?
HSS 4.4.5, ELA READING 2.0

A Possible response: He lost his boat, his house, and his dignity.

5 Understand the Story Have students discuss why they think the author gave this story the title *So Far from the Sea*. Ask students to use details from the story to describe Laura's grandfather.

Q What kinds of things did he care about? How do you know?
ELA READING 2.0, 3.3

A Possible response: He cared about fishing. I know this because every day at the camp he would check the weather to see whether it was a good day for fishing.

---

3 —¡Miren! ¡Miren! Allí está el monumento —dice Thomas, y sale corriendo.

El monumento es alto, delgado y blanco. Papá dice que es un obelisco. El obelisco se ve muy extraño, erguido en medio de la nada. Sobre uno de sus lados, en caracteres japoneses negros, pueden leerse las palabras MONUMENTO A LOS MUERTOS. El obelisco señala el cementerio que se extiende detrás de un alambrado.

Entramos por una abertura.

En el monumento hay ofrendas sostenidas con trozos de madera o piedras. Son pájaros de origami, con sus alas atrapadas bajo pequeñas piedras. En una taza rota quedan migajas de un pastel de arroz. Hay también pedacitos de vidrio de colores y algunas monedas. La rama desnuda de un cerezo está enterrada en una de las grietas de la base del monumento.

4 Volteo la cabeza y veo entre otras la tumba de mi abuelo, rodeada de piedras. Mi abuelo murió en este campo. Los doctores dijeron que fue a causa de una neumonía, pero mi padre asegura que el abuelo comenzó a morir el día en que los soldados fueron a buscarlos para traerlos aquí en camiones.

5 El abuelo era pescador de atún. Tenía su propio barco, el *Arigato*, que significa "gracias" en japonés. Estaba muy agradecido por su buena vida. Mi padre nunca supo después qué ocurrió con el barco o con la casa de mis abuelos. Dice que el gobierno se los quitó así como le quitó la dignidad al abuelo cuando lo trajo aquí, tan lejos del mar.

Papá me dijo que mientras estaba en el campo, el abuelo salía todas las mañanas a contemplar el cielo y las nubes, y apreciar el clima. "Un buen día para pescar", solía decir.

obelisco pilar que termina en punta
origami arte japonés de doblar papel

neumonía enfermedad pulmonar

356   Unidad 5

Practice and Extend

Origami Origami is the Japanese art of paper folding. Many objects, such as flowers and animals, can be made by folding a single square sheet of paper. Paper, and the practice of folding it into different objects, developed hundreds of years ago in China. Today, origami is practiced around the world, and the origami figure of a crane, a bird sacred to the Japanese, has become an international symbol of peace.

INTEGRATE THE CURRICULUM

HEALTH Tell students that pneumonia is a treatable lung disease that most people now recover from. Ask students to work in groups to find out more about this lung disease. Encourage students to research the causes, symptoms, and treatments. Then work with students to create a fact sheet about pneumonia. **Create a Fact Sheet**
EXPECTATION 2

Practicar y ampliar

ANTECEDENTES

Origami El origami es el arte japonés de plegar papel. Muchos objetos, como flores y animales, pueden hacerse plegando una simple hoja de papel cuadrada. El papel, y la práctica de plegarlo para formar diferentes objetos, se desarrolló hace cientos de años en China. Hoy en día, el origami se practica en todo el mundo, y la figura en origami de una grulla, pájaro sagrado para los japoneses, se ha convertido en símbolo internacional de la paz.

En lugar de lápida, la tumba de mi abuelo tiene una pequeña torre de piedras apiladas. Su nombre, Shiro Iwasaki, y la fecha, 1943, están escritos en la piedra más alta.

Mi padre saca un cardo seco que el viento ha metido dentro del círculo de piedras de la tumba. Mamá deja flores de seda en el sitio que ocupaba el cardo, y papá coloca una piedra sobre los tallos para que no se vuelen. Nos quedamos allí, observando las flores moradas, amarillas y escarlata sobre la tierra café. El viento mueve los pétalos.

Responde

❶ Describe los temores y las preocupaciones que hicieron que el gobierno de Estados Unidos trasladara a los japoneses americanos a campos de reasentamiento.

❷ ¿Qué crees que quiso decir el padre de Laura cuando afirmó que el abuelo había comenzado a morir el día en que los soldados lo llevaron al campo de reasentamiento?

Capítulo 9 357

❼ Historical Interpretation Help students summarize key events leading to the relocation of Japanese Americans and explain the larger historical context that existed in the United States and the world during this time. Explain to students that in 1990 President George H. W. Bush sent letters to Japanese Americans detained during World War II apologizing for the unjust way they had been treated. HSS 4.4.5, HI 1

After Reading

Response Corner—Answers

1. Possible response: During World War II, the United States government feared that Japanese Americans would try to help Japan. ELA READING 2.0

2. Possible response: He meant that the forced move to Manzanar destroyed his father's spirit even before pneumonia weakened his health. ELA READING 2.0

Write a Response

Have students review what Laura's father tells his children about Manzanar. Then ask students to write a letter Laura might have written to a friend in another country explaining why it is important to remember events such as the relocation of Japanese Americans.
HSS 4.4.5, ELA READING 3.0, ELA WRITING 2.2

For a writing response rubric, see Assessment Program, page xv

---

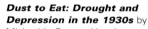

CHAPTER 9 ■ 357

❻ Interpretación histórica Ayude a los estudiantes a resumir los eventos clave que llevaron al traslado de los japoneses americanos a campos de reasentamiento y a explicar el contexto histórico en Estados Unidos y en el mundo durante esa época. Explíqueles que, en 1990, el presidente George H. W. Bush envió cartas a los japoneses americanos detenidos durante la Segunda Guerra Mundial, disculpándose por la manera injusta en la que habían sido tratados. HSS 4.4.5, HI 1

Después de la lectura

Responde—Respuestas

1. Respuesta posible: Durante la Segunda Guerra Mundial, el gobierno de Estados Unidos temía que los japoneses americanos ayudaran a Japón. ELA READING 2.0

2. Respuesta posible: Quiso decir que el traslado forzoso a Manzanar destruyó el espíritu de su padre aun antes de que la neumonía debilitara su salud.
ELA READING 2.0

Escribir una respuesta

Pida a los estudiantes que repasen lo que dice el padre de Laura a sus hijos acerca de Manzanar. Luego, pídales que escriban una carta que Laura podría haber escrito a una amiga de otro país explicando por qué es importante recordar eventos como el traslado de los japoneses americanos a campos de reasentamiento.
HSS 4.4.5, ELA READING 3.0, ELA WRITING 2.2

Para calificar la respuesta escrita, vea el Programa de evaluación, pág. xv.

OBJETIVOS

- Explorar las nuevas industrias que se desarrollaron en California a principios del siglo XX.
- Examinar el desarrollo político de California a principios del siglo XX.

VOCABULARIO

sobornar pág. 359

reformar pág. 359

enmienda pág. 359

sufragio pág. 359

bien de consumo pág. 362

aviación pág. 363

CAUSA Y EFECTO

págs. 350–351, 359, 360, 361, 364

RECURSOS

Tarea y práctica, págs. 93–94; Transparencia de destrezas clave 5; Colección de audiotextos en CD de la Unidad 5; Recursos en Internet

1 Presentar

Reflexiona Pida a los estudiantes que lean la pregunta, anticipen el contenido de la lección y predigan qué cambios se produjeron en California en ese período.

Piensa en los antecedentes Pida a los estudiantes que recuerden lo que saben acerca del poder que obtuvieron los ferrocarriles en California a fines del siglo XIX y que sugieran maneras de limitar ese poder.

 Invite a los estudiantes a explicar el significado de las palabras de Hiram Johnson.

Fuente: Hiram Johnson. De *California: A History* por Andrew Rolle. Harlan Davidson, 1998.

Lesson 1

PAGES 358–364

OBJECTIVES

- Explore the new industries that developed in California in the early 1900s.
- Trace California's political development in the early 1900s.

VOCABULARY

bribe p. 359	**consumer good**
reform p. 359	p. 362
amendment p. 359	**aviation** p. 363
suffrage p. 359	

CAUSE AND EFFECT

pp. 350–351, 359, 360, 361, 364

RESOURCES

Homework and Practice Book, pp. 93–94; Reading Support and Intervention, pp. 126–129; Success for English Learners, pp. 130–133; Vocabulary Transparency 5-9-1; Vocabulary Power, p. 101; Focus Skills Transparency 5; TimeLinks: Interactive Time Line; Unit 5 Audiotext CD Collection; Internet Resources

1 Introduce

What to Know Have students read the question, preview the lesson, and then predict what developments occurred in California during the period covered.

Build Background Have students recall what they know about the power gained by the railroads in California in the late 1800s and suggest ways that Californians might limit that power.

 Invite students to explain what Hiram Johnson's quoted words mean.

Source: Hiram Johnson. From *California: A History* by Andrew Rolle. Harlan Davidson, 1998.

When Minutes Count

Organize the class into five groups, and assign each group a lesson section. Have group members look for information to answer the section review question. Then have a volunteer from each group share a summary of what they learned. Have students then use this information to answer the What to Know question.

Quick Summary

In the early 1900s, Californians voted for reforms to gain a greater say in government. The opening of the Panama Canal and needs created by World War I helped fuel economic growth in the state. California's oil, aviation, and movie industries prospered in the postwar era.

Cuando el tiempo apremia

Organice la clase en cinco grupos y asigne a cada grupo una sección de la lección. Pida que busquen información para responder la pregunta de repaso. Luego, pida a un voluntario de cada grupo que haga un resumen para la clase. Pida que usen esta información para responder la pregunta de "Reflexiona".

Resumen

A comienzos del siglo XX, los californianos votaron por reformas para conseguir mayor participación en el gobierno. La inauguración del canal de Panamá y las necesidades de la Primera Guerra Mundial impulsaron el crecimiento económico. Las industrias del petróleo, la aviación y el cine prosperaron en la posguerra.

Lección 1

Tiempos 1905 · 1945 · 1985

- **1911** Las mujeres de California obtienen el derecho a votar en elecciones estatales
- **1917** Estados Unidos entra en la Primera Guerra Mundial
- **1927** Se estrena el primer largometraje sonoro

REFLEXIONA
¿Qué cambios políticos, económicos y culturales se produjeron en California a principios del siglo XX?

✓ Explora las nuevas industrias que se desarrollaron en California a principios del siglo XX.

✓ Examina el desarrollo político de California a principios del siglo XX.

VOCABULARIO
sobornar pág. 359
reformar pág. 359
enmienda pág. 359
sufragio pág. 359
bien de consumo pág. 362
aviación pág. 363

PERSONAS
Hiram Johnson
Caroline Severance
Louis B. Mayer

LUGARES
canal de Panamá
Hollywood

CAUSA Y EFECTO

Normas de California
HSS 4.4, 4.4.6, 4.4.9

358 ■ Unidad 5

Comienza un nuevo siglo

 A tu alrededor las personas están en silencio, pero la voz del gobernador resuena con confianza. Te encuentras en Sacramento, en 1910, escuchando un discurso de **Hiram Johnson**, el nuevo gobernador de California. Johnson promete que su gobierno será honesto. Dice que todos los californianos tendrán derecho a decir cómo quieren gobernar su estado. Sientes que se acercan buenos tiempos para California.

▶ Hiram Johnson prometió luchar por el pueblo de California. Se comprometió a "expulsar para siempre a la compañía del ferrocarril Southern Pacific de la política estatal".*

*Hiram Johnson. De *California: A History* por Andrew Rolle. Harlan Davidson, 1998.

CALIFORNIA STANDARDS HSS 4.4 Students explain how California became an agricultural and industrial power, tracing the transformation of the California economy and its political and cultural development since the 1850s. 4.4.6 Describe the development and locations of new industries since the nineteenth century, such as the aerospace industry, electronics industry, large-scale commercial agriculture and irrigation projects, the oil and automobile industries, communications and defense industries, and important

Reformas en el gobierno

A principios del siglo XX, la economía de California experimentó un auge. Sin embargo, muchos de los negocios que fortalecieron la economía también provocaron problemas. Las compañías petroleras y otras grandes empresas eran muy poderosas. El gobierno les permitía cobrar altos precios y esto les daba ventajas injustas.

Para obtener esas ventajas, los empresarios a menudo **sobornaban** a los funcionarios del gobierno. **Sobornar** es prometer que se entregará dinero o algún regalo a alguien a cambio de que esa persona haga algo.

Algunos habitantes de California deseaban **reformar** el gobierno estatal, es decir, cambiarlo para que mejorara. El primer paso fue elegir a Hiram Johnson como gobernador. Bajo su mandato, los californianos votaron a favor de 22 **enmiendas**, o cambios, a la constitución del estado. Las enmiendas dieron al pueblo más control sobre el gobierno estatal.

En 1911 se produjo otro cambio importante. Las mujeres de California obtuvieron el **sufragio**, o derecho al voto, en elecciones estatales. **Caroline Severance** fue la primera mujer en registrarse para votar. Fue una de las líderes del movimiento a favor del sufragio y ayudó a que California se convirtiera en el sexto estado en permitir el voto femenino. Las mujeres no tuvieron derecho a votar en elecciones nacionales hasta 1920.

REPASO DE LA LECTURA Ŏ CAUSA Y EFECTO
¿Cómo afectaron las reformas en el gobierno estatal a las mujeres de California? Las mujeres obtuvieron el derecho a votar en elecciones estatales.

Capítulo 9 ■ 359

---

trade links with the Pacific Basin. **4.4.9 Analyze the impact of twentieth-century Californians on the nation's artistic and cultural development, including the rise of the entertainment industry (e.g., Louis B. Mayer, Walt Disney, John Steinbeck, Ansel Adams, Dorothea Lange, John Wayne).** Chronological and Spatial Thinking 1, 3, 4. Research, Evidence, and Point of View 2. Historical Interpretation 2, 4.

CHAPTER 9 ■ 359

---

2 Teach

Reforming the Government

Content Focus Californians voted for reforms to correct the unfair practices of railroads, oil companies, and other big businesses. Women gained the right to vote.

CITIZENSHIP

Democratic Values

1 ANALYSIS SKILL **Chronological Thinking**
Have students use dates on this page to create a time line on which to trace the history of suffrage in California and the United States. Point out that American Indians were not granted citizenship by the United States until 1924, at which time all Indians gained the right to vote.

Q For how many years did women in California have the right to vote in state elections before they could vote in national elections? HSS 4.4, CS 1

A nine years

---

2 Enseñar

Reformas en el gobierno

Contenido clave Los californianos votaron por reformas para corregir las prácticas injustas de los ferrocarriles, de las compañías de petróleo y de otras grandes compañías. Las mujeres obtuvieron el derecho al voto.

CIVISMO

Valores democráticos

1 DESTREZA DE ANÁLISIS **Pensamiento cronológico**
Pida a los estudiantes que usen las fechas de esta página para hacer una línea cronológica en la que se trace la historia del sufragio en California y Estados Unidos. Señale que Estados Unidos no concedió la ciudadanía a los indios americanos hasta 1924, momento en el que todos los indios obtuvieron el derecho al voto.

P ¿Durante cuántos años tuvieron las mujeres de California el derecho al voto en elecciones estatales antes de poder votar en las elecciones nacionales? HSS 4.4, CS 1

R nueve años

El canal de Panamá

Contenido clave La inauguración del canal de Panamá en 1914 ayudó a aumentar el comercio en California.

2 DESTREZA DE ANÁLISIS **Pensamiento espacial** Pida a los estudiantes que vuelvan al mapa de la página 229. Dígales que el canal de Panamá atraviesa el istmo de Panamá, uniendo los océanos Atlántico y Pacífico. Pídales que examinen la ruta a través del canal de Panamá entre California y otros lugares del mundo, y que la comparen con las primeras rutas que iban a California.

P **¿De qué manera afectó la terminación del canal de Panamá a California?** HSS 4.4.6, CS 4

R Respuesta posible: Impulsó el crecimiento económico al facilitar y acortar los viajes en barco entre California y otros lugares en el océano Atlántico.

3 **Historia** Explique que la terminación del canal de Panamá fue motivo de grandes celebraciones en la costa oeste, como la Exposición Internacional Panamá-Pacífico en San Francisco y la Exposición Panamá-California en San Diego. Estas exposiciones fomentaron importantes proyectos de construcción y atrajeron a millones de visitantes. HSS 4.4.6

4 **Aprendizaje visual: Fotografías**

DESTREZA DE ANÁLISIS **Investigación/Evidencia** Pida a los estudiantes que describan las fotografías de la página 360.

P **¿Qué preguntas les surgen cuando observan las fotografías?** HSS 4.4, HR 2

R Preguntas posibles: ¿Cómo funcionan las esclusas del canal? ¿Cuánto tarda un barco en cruzar el canal de Panamá?

The Panama Canal

Content Focus The opening of the Panama Canal in 1914 helped increase trade to and from California.

2 ANALYSIS SKILL **Spatial Thinking** Refer students back to the map on page 229. Tell students that the Panama Canal cuts across the Isthmus of Panama, connecting the Atlantic and Pacific Oceans. Have students trace the route through the Panama Canal between California and other parts of the world. Ask them to compare this route with earlier routes to California.

Q **In what ways did the completion of the Panama Canal affect California?** HSS 4.4.6, CS 4

A Possible response: It sparked economic growth by making ship travel easier and faster between California and places on the Atlantic Ocean.

3 **History** Explain that the completion of the Panama Canal was cause for large, organized celebrations on the West coast, such as the Panama-Pacific International Exposition in San Francisco and the Panama-California Exposition in San Diego. Each of those expositions spurred major construction projects and attracted millions of visitors. HSS 4.4.6

4 **Visual Literacy: Photographs**

ANALYSIS SKILL **Research/Evidence** Have students describe what is shown in the photographs on page 360.

Q **What questions come to mind as you look at the photographs?** HSS 4.4, HR 2

A Possible questions: How do canal locks work? How long does it take a ship to cross through the Panama Canal?

El canal de Panamá

Durante largo tiempo, muchas personas habían soñado con tener un canal que uniera a través del istmo de Panamá. Francia intentó construir ese canal a finales del siglo XIX, pero fracasó.

En 1903, Panamá, un país que se había formado recientemente, dio a Estados Unidos el derecho a construir un canal de 51 millas de largo. Los trabajos comenzaron en 1904, pero la construcción del canal fue muy difícil. Los trabajadores tuvieron que remover toneladas de roca y tierra, despejar extensos bosques tropicales y enfrentar enfermedades. El **canal de Panamá** no se inauguró hasta 1914.

Tal como había sucedido con el ferrocarril transcontinental, el canal de Panamá incrementó el comercio entre California y el resto del mundo. Ahora, los barcos ya no debían navegar alrededor de América del Sur para llegar desde el océano Atlántico hasta el océano Pacífico.

Los californianos se entusiasmaron con el canal de Panamá. Gracias a él, la ruta entre California y la costa este de Estados Unidos se acortó en más de 7,000 millas, y el tiempo de viaje entre ambas costas se redujo a solo un mes. Además, los habitantes de Los Angeles estaban contentos porque el canal llevaría más barcos al nuevo puerto de la ciudad.

REPASO DE LA LECTURA GENERALIZAR
¿Cómo ayudó el canal de Panamá a que Estados Unidos mantuviera sus lazos comerciales con la cuenca del Pacífico? Los barcos ya no tenían que navegar alrededor de América del Sur para ir del océano Pacífico al océano Atlántico.

▶ El buque de guerra *Ohio* cruza el canal de Panamá en 1915. Para navegar entre los océanos Pacífico y Atlántico, los barcos pasaban a través de esclusas, como la esclusa Gatun (recuadro).

360 ■ Unidad 5

Practice and Extend

READING SOCIAL STUDIES

Focus Skill **Cause and Effect** Direct students to work in pairs to determine

- three effects of World War I on California.
- two causes of a stronger economy in California by 1918. ELA READING 2.1

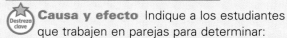
■ READING TRANSPARENCY

Use FOCUS SKILLS TRANSPARENCY 5.

REACH ALL LEARNERS

Advanced Direct students to research how canal locks work. Then have them make diagrams and maps to illustrate and explain how a boat moves through the Panama Canal. If the appropriate equipment is available, students may wish to create animations showing the process. When they have finished, invite students to present their work.

Practicar y ampliar

LA LECTURA EN LOS ESTUDIOS SOCIALES

Destreza clave **Causa y efecto** Indique a los estudiantes que trabajen en parejas para determinar:

- tres efectos de la Primera Guerra Mundial en California.
- dos causas del fortalecimiento de la economía de California hacia 1918. ELA READING 2.1

■ TRANSPARENCIA DE LECTURA

Use la TRANSPARENCIA DE DESTREZAS CLAVE 5.

> Una trabajadora ensambla máscaras de oxígeno (izquierda). Los marinos se entrenan en San Diego (derecha) para luchar en buques de guerra como los que se construían en el astillero de la isla Mare (centro).

Una guerra mundial

La inauguración del canal de Panamá transformó las rutas marítimas del mundo. Sin embargo, muy pronto la atención del mundo se concentraría en otra cosa: la guerra en Europa. Esta guerra, que más tarde se conoció con el nombre de Primera Guerra Mundial, comenzó en 1914. Estados Unidos no participó en ella hasta 1917, después de que Alemania atacara barcos estadounidenses.

Una famosa canción llamaba a los estadounidenses a unirse a la batalla con estas palabras:

> 66Escucha que nos llaman,
> a ti y a mí,
> a todos los hijos de la
> libertad, date prisa
> no te tardes, ve hoy . . .99•

*"De "Over There", canción por George M. Cohan. 1917. www.loc.gov.

Los californianos fueron algunos de los muchos americanos que respondieron al llamado. Los soldados dejaron a sus familias para luchar en los campos de batalla europeos.

Los que no cruzaron el océano se quedaron trabajando en granjas y fábricas. California suministró barcos, comida, algodón para los uniformes y petróleo para combustible. Algunas mujeres se unieron a la fuerza de trabajo y tomaron los empleos que los hombres habían dejado al partir.

A medida que la demanda de productos crecía, se necesitaban más trabajadores. Miles de personas se mudaron a California para trabajar. Cuando la guerra terminó, en 1918, la economía de California era más fuerte que nunca.

REPASO DE LA LECTURA Ŏ CAUSA Y EFECTO
¿Qué efecto tuvo la Primera Guerra Mundial sobre la economía de California?
La guerra fortaleció la economía de California.

Capítulo 9 ■ 361

A World War

Content Focus Many Californians went to fight in World War I. The war caused an increase in demand for many California goods, such as food, cotton, oil, and ships. The state's population and economy grew.

5 Link/Geography and History
Using a world map, direct students to trace the route from California to European countries in which battles were fought during World War I.

Q **During World War I, what do you think was the significance of the Panama Canal for California?** HSS 4.4, 4.4.6

A Possible response: Ships, supplies, and troops from California could be sent through the canal to Europe, which aided the state's economic growth.

6 Primary Source: Quotation Have students read or listen to a recording of the words to the song "Over There."
Source: From "Over There," a song by George M. Cohan. 1917. www.firstworldwar.com/audio/overthere.htm.

Q **What feelings do you think George M. Cohan meant to inspire in listeners?** HSS 4.4

A Possible responses: feelings of patriotism; a willingness to go to fight in World War I

7 History Explain that an armistice, or cease-fire, took place on November 11, 1918. Point out that November 11 became a national holiday called Armistice Day. Since 1954 it has been called Veterans Day—a day honoring all who have served in the United States armed forces. HSS 4.4

CHAPTER 9 ■ 361

Una guerra mundial

Contenido clave Muchos californianos lucharon en la Primera Guerra Mundial. La guerra aumentó la demanda de productos de California, como alimentos, algodón, petróleo y barcos. La población y la economía del estado crecieron.

5 Relacionar geografía e historia
Usando un mapamundi, dirija a los estudiantes para que sigan la ruta de California a los países europeos en los que se libraron batallas de la Primera Guerra Mundial.

P **Durante la Primera Guerra Mundial, ¿qué importancia creen que tuvo el canal de Panamá para California?** HSS 4.4, 4.4.6

R Respuesta posible: A través del canal podían enviarse barcos, provisiones y tropas de California a Europa, lo que ayudó al crecimiento económico del estado.

6 Fuente primaria: Cita Pida a los estudiantes que lean o escuchen una grabación de la canción "Over There".
Fuente: De "Over There", canción escrita por George M. Cohan, 1917. www.firstworldwar.com/audio/overthere.htm.

P **¿Qué sentimientos creen que George M. Cohan quiso despertar en los oyentes?** HSS 4.4

R Respuestas posibles: sentimientos de patriotismo; la voluntad de ir a luchar en la Primera Guerra Mundial

7 Historia Explique que un armisticio, o cese de fuego, tuvo lugar el 11 de noviembre de 1918 y que que el 11 de noviembre fue decretado día de fiesta nacional y se le llamó Día del Armisticio. Desde 1954, se le llama Día de los Veteranos en honor a las personas que sirvieron en las fuerzas armadas de Estados Unidos. HSS 4.4

Tiempos de cambio

Contenido clave La vida en California cambió después de la Primera Guerra Mundial, a medida que la gente comenzó a comprar y usar nuevos bienes de consumo, entre ellos, el automóvil. Durante este período, la industria petrolera y la industria de la aviación crecieron.

⑧ Aprendizaje visual: Línea cronológica

DESTREZA DE ANÁLISIS **Pensamiento cronológico** Guíe una conversación sobre los acontecimientos importantes enumerados en la ilustración y sobre cómo cada uno puede haber afectado la vida en California. Además, analice con los estudiantes cómo los eventos del pasado y las innovaciones han afectado el modo de vida de la actualidad.
HSS 4.4.6 CS 1, 3

⑨ Relacionar cultura y economía Explique que Henry Ford comenzó a usar la cadena de montaje móvil para fabricar automóviles en 1913 y que este método permitió fabricar automóviles más rápido y a menor costo. Señale que esta mayor eficacia permitió a Ford reducir el precio y seguir ganando dinero. Ayude a los estudiantes a reconocer la relación que existe entre precios más bajos y aumento de las ventas. **HSS 4.4.6**

P ¿Por qué eligió tanta gente en California tener un automóvil?

R Los automóviles se habían vuelto más accesibles.

Changing Times

Content Focus Life in California changed after World War I as people bought and used new consumer goods, including cars. The state's oil and aviation industries grew in this period.

⑧ Visual Literacy: Time Line

ANALYZE SKILL **Chronological Thinking** Lead a discussion of the milestones listed in the illustration and how each might have affected life in California. Also discuss how past events and innovations have affected ways of life today.
HSS 4.4.6, CS 1, 3

TIMELINKS: Interactive Time Line

Have students use blank event cards to add events in this unit to the time line.

TimeLinks
Interactive Time Line

---

⑨ Link Culture and Economics
Explain that Henry Ford began using the moving assembly line to build cars in 1913 and that this method made it possible to build cars more quickly and at a lower cost. Point out that this increase in efficiency enabled Ford to reduce the price and still make money. Help students recognize the relationship between lower prices and increased sales. **HSS 4.4.6**

Q Why did so many people in California choose to become automobile owners?

A Cars had become more affordable.

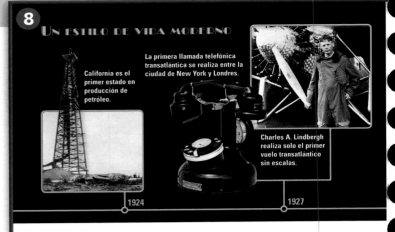

⑧ UN ESTILO DE VIDA MODERNO

California es el primer estado en producción de petróleo.

La primera llamada telefónica transatlántica se realiza entre la ciudad de New York y Londres.

Charles A. Lindbergh realiza solo el primer vuelo transatlántico sin escalas.

1924   1927

Tiempos de cambio

En los años que siguieron a la Primera Guerra Mundial hubo muchos cambios en el modo de vida de los habitantes de California. Los nuevos bienes de consumo transformaron la vida en los hogares. Un **bien de consumo** es un producto que se fabrica para que las personas lo usen. Los habitantes de California y del resto de Estados Unidos comenzaron a usar nuevos productos, como aspiradoras, lavadoras de ropa y radios.

⑨ Otro cambio importante en la vida de las personas fue la creciente popularidad del automóvil. Los primeros automóviles de gasolina recorrieron las calles de California a principios del siglo XX. A medida que se hacían más accesibles, todos querían tener uno. Hacia 1920, había ya cerca de 600,000 automóviles en California.

Los californianos estaban entre los principales consumidores. ¡Hacia 1925 había en Los Angeles un automóvil por cada tres personas! El automóvil cambió el modo de vida de los habitantes de California. Las personas los usaban para ir al trabajo, para hacer las compras y para ir casi a todas partes. Se realizaban largos viajes familiares en automóvil. Pronto, el gobierno construyó un sistema de carreteras estatales.

A medida que más estadounidenses compraban y conducían automóviles, la demanda de petróleo también aumentaba. A principios del siglo XX, los californianos descubrieron enormes yacimientos de petróleo en el sur del estado. Durante la década de 1920, la industria petrolera de California se convirtió en la más grande de la nación.

362 ■ Unidad 5

Practice and Extend

BACKGROUND

Automobile Assembly Line
In 1912, it took Henry Ford's workers 12 1/2 hours to make one car. By 1914, it took them only 1 1/2 hours.

Los Angeles Air Show The 1910 Los Angeles International Air Meet was the first international air show to take place in the United States. The air show lasted ten days.

ELL ENGLISH LANGUAGE LEARNERS

Have students work in pairs to review the pictures in the lesson.

Beginning Have students point to, name, and write labels for objects in the photos.

Intermediate Have students explain each picture in a few words and create photo labels.

Advanced Have students write captions for each picture and explain how each shows how California developed.

Practicar y ampliar

ANTECEDENTES

Cadena de montaje de automóviles En 1912, los trabajadores de Henry Ford tardaban 12½ horas en fabricar un automóvil. Hacia 1914, solo 1½ hora.

Espectáculo Aéreo de Los Angeles El Encuentro Aéreo Internacional de Los Angeles de 1910 fue el primer espectáculo aéreo internacional que tuvo lugar en Estados Unidos. Duró diez días.

Los californianos tienen más de 800,000 automóviles.

A fines de la década de 1920, las películas ya eran "habladas". Los cines fueron uno de los primeros lugares de California que tuvieron aire acondicionado.

Un informe de la Comisión Federal de Radio afirma que existen en Estados Unidos más de 612 estaciones de radio con licencia.

fines de la década de 1920   1930   1931

10 A principios del siglo XX, otra nueva industria también comenzó a transformar la vida en el sur de California: la aviación. La **aviación** es la industria que se dedica a la construcción y el vuelo de aviones.

Gracias a su clima templado, el sur de California resulta un lugar apropiado para construir y probar aviones. Los pilotos podían realizar vuelos de prueba durante la mayor parte del año. En 1909, en Santa Ana, Glenn Martin construyó la primera fábrica de aviones de California. En la década de 1920, otros cuatro constructores de aviones ya tenían fábricas cerca de Los Angeles. En 1943, la industria de la aviación tenía en California más de 280,000 empleados.

REPASO DE LA LECTURA **GENERALIZAR**
¿Cómo ayudó el clima del sur de California al desarrollo de la industria de la aviación?
El clima templado del sur de California permitía fabricar y probar aviones durante todo el año.

Las películas son un éxito

11 La industria cinematográfica pronto trajo aun más cambios al sur de California. A principios del siglo XX, las cámaras cinematográficas no eran muy apropiadas para filmar en interiores. Las filmaciones al aire libre eran de mejor calidad y en California era posible filmar en exteriores durante todo el año. El sur de California también ofrecía casi todos los tipos de paisaje que se necesitaban en las películas: montañas, valles, desiertos y playas.

El negocio del cine creció rápidamente a principios del siglo XX. Muchos propietarios de teatros decidieron reemplazar las actuaciones en vivo por películas, que eran más baratas. Sin embargo, las primeras películas no tenían sonido.

Capítulo 9 ▪ 363

10 Link Economics and History
Explain that the first airplane was flown in 1903 by Orville and Wilbur Wright. Point out that Charles Lindbergh's flight changed the way people thought about airplanes and air travel, and soon many more commercial flights were carrying passengers and goods.

Q Do you think automobiles and commercial airplanes affected how people and goods moved into and out of California? Explain. ▨ HSS 4.4

A Possible response: Yes, these newer forms of transportation provided more options for people to travel and for businesses to move goods; planes are faster than either ships or trains, and cars can go to more places.

Movies Are a Hit

Content Focus Southern California began to emerge as a center of the entertainment industry.

11 **ANALYSIS SKILL** **Historical Interpretation** Discuss how southern California became the center of the entertainment industry. Examine how the filmmaking industry has shaped the characteristics of southern California and has helped form the identity of the area.

Q What made California a good location for the movie industry? ▨ HSS 4.4.9, HI 2

A good weather year-round and a wide variety of landscapes

Q Why do you think films were less expensive than theater performances with live actors? ▨ HSS 4.4.9, HI 4

A Possible response: because for a film you pay the actors once, while for a theater performance you pay the actors for each time they perform

10 Relacionar economía e historia
Explique que Orville y Wilbur Wright fueron los primeros en volar un avión, en 1903. Señale, además, que el vuelo de Charles Lindbergh cambió la manera de pensar acerca de los aviones y los viajes aéreos, y que pronto había muchos más vuelos comerciales que transportaban pasajeros y productos.

P **¿Creen que el automóvil y los vuelos comerciales cambiaron la manera de trasladar personas y productos desde y California y hacia allí? Expliquen su respuesta.** ▨ HSS 4.4

R Respuesta posible: Sí, nuevos medios de transporte ofrecían al público más opciones para viajar y, a los empresarios, para trasladar productos; el avión es más rápido que el barco o el tren, y el automóvil puede llegar a más lugares.

Las películas son un éxito

Contenido clave El sur de California comenzó a emerger como un centro de la industria del entretenimiento.

11 **DESTREZA DE ANÁLISIS** **Interpretación histórica** Analice con los estudiantes cómo el sur de California se convirtió en el centro de la industria del entretenimiento. Examine con ellos la forma en que la industria cinematográfica ayudó a conformar las características del sur de California y a forjar la identidad del lugar.

P **¿Por qué California era un buen lugar para la industria cinematográfica?** ▨ HSS 4.4.9,

R por el buen clima durante todo el año y una amplia variedad de paisajes

P **¿Por qué creen que las películas eran más baratas que las actuaciones teatrales en vivo?** ▨ HSS 4.4.9, HI 4

R Respuesta posible: porque en una película se paga a los actores una sola vez, mientras que en las actuaciones teatrales se les paga por cada actuación

Economía Explique que cada estudio cinematográfico de Hollywood contaba con sus propias compañías de producción y de distribución, y salas de cine también propias. Tenían además sus "estrellas" exclusivas. 🔲 HSS 4.4

3 Concluir

Resumen

Pida a los estudiantes que repasen el resumen y que expresen con sus palabras el contenido clave de la lección.

- Las reformas políticas dieron el control a los ciudadanos de California.
- El canal de Panamá y la Primera Guerra Mundial impulsaron el crecimiento de la economía del estado.
- Las industrias en crecimiento ayudaron a atraer aun más habitantes a California.

Evaluar

REPASO—Respuestas

1. el sufragio femenino; la reforma política; el canal de Panamá; la Primera Guerra Mundial; los nuevos bienes de consumo; las películas 🔲 HSS 4.4

2. **Vocabulario** Los legisladores pueden redactar **enmiendas** a la constitución del estado para hacer una **reforma** del gobierno. 🔲 HSS 4.4

3. **Historia** La industria de la aviación y la industria cinematográfica podían operar durante todo el año en California. 🔲 HSS 4.4.6

Razonamiento crítico

4. **Aplícalo** Los estudiantes pueden mencionar la aspiradora, la lavadora de ropa, el automóvil y la radio. 🔲 HSS 4.4.6, CS 3

5. ✏️ **Escribe un guión—Pautas para la evaluación** Vea Writing Rubric. Esta actividad puede usarse con el proyecto de la unidad.
🔲 HSS 4.4, ELA WRITING 2.1, ELA WRITTEN AND ORAL ENGLISH LANGUAGE CONVENTIONS 1.0, ELA LISTENING AND SPEAKING 2.1

continued to the right ▶

 **Economics** Explain the early Hollywood studio system, which meant that each studio owned its own movie production company, distribution company, and theaters. Each studio also had its own exclusive "stars." 🔲 HSS 4.4.9

3 Close

Summary

Have students review the summary and restate the lesson's key content.
- Political reforms gave control to citizens in California.
- The Panama Canal and World War I caused the state's economy to grow.
- Growing industries helped attract even more people to California.

Assess

REVIEW—Answers

1. 💡 Women suffrage; political reform; the Panama Canal; World War I; new consumer goods; motion pictures. 🔲 HSS 4.4

2. Lawmakers can **reform** the government by writing **amendments** to the state constitution. 🔲 HSS 4.4

3. The aviation and movie industries could operate year-round in California. 🔲 HSS 4.4.6

Critical Thinking

4. **Make It Relevant** Students might mention vacuum cleaners, washing machines, automobiles, and radios.
🔲 HSS 4.4.6, CS 3

5. ✏️ **Write a Script—Assessment Guidelines** See Writing Rubric. This activity can be used with the unit project.
🔲 HSS 4.4, ELA WRITING 2.1, ELA WRITTEN AND ORAL ENGLISH LANGUAGE CONVENTIONS 1.0, ELA LISTENING AND SPEAKING 2.1

6. 🌟 **Cause and Effect** CAUSE: Americans bought and drove cars. EFFECT: California's oil industry became the biggest in the nation during the 1920s.
🔲 HSS 4.4, ELA READING 2.1

continued

6. 🌟 **Causa y efecto** CAUSA: Los estadounidenses compraban y conducían automóviles. EFECTO: En la década de 1920, la industria petrolera de California se convirtió en la más importante de la nación. 🔲 HSS 4.4, ELA READING 2.1

Louis B. Mayer fue un exitoso productor de cine. Comenzó su carrera con una sala de cine en 1907 y más tarde dirigió uno de los estudios cinematográficos más importantes, llamado Metro-Goldwyn-Mayer, o MGM.

En 1927, las películas sonoras, o habladas, aumentaron la popularidad del cine. Muy pronto, se convirtió en la industria más importante del estado. Hoy, **Hollywood** es la capital mundial del cine.

REPASO DE LA LECTURA SACAR CONCLUSIONES
¿Por qué crees que los cineastas preferían filmar donde podían encontrar paisajes diferentes?
Porque así no tenían que viajar largas distancias para filmar paisajes diferentes

Resumen

A principios del siglo XX, los californianos reformaron su gobierno estatal. El canal de Panamá se inauguró en 1914. Durante la Primera Guerra Mundial, la demanda de productos impulsó la economía. Después de la guerra, se desarrollaron nuevas industrias en el sur de California.

> Este director da instrucciones en voz alta a su equipo durante una filmación en el sur de California en 1920.

REPASO

1. 💡 ¿Qué cambios políticos, económicos y culturales se produjeron en California a principios del siglo XX?

2. ¿Cómo se relacionan los términos **reforma** y **enmienda**?

3. ¿Cómo influyó el clima de California en el desarrollo de nuevas industrias?

RAZONAMIENTO CRÍTICO

4. **Aplícalo** ¿Qué cambios tecnológicos de principios del siglo XX continúan formando parte de la vida de las personas actualmente?

5. ✏️ **Escribe un guión** En grupo, escribe un guión acerca de algún evento que haya ocurrido en California a principios del siglo XX. Lee el guión a la clase.

6. 🌟 **CAUSA Y EFECTO**
En una hoja de papel, copia y completa el organizador gráfico de abajo.

Causa		Efecto
	➡	Se construyeron más carreteras.
Creció la demanda de petróleo.	➡	

364 ■ **Unidad 5**

Practice and Extend

WRITING RUBRIC

Score 4
- portrayal is accurate
- provides all key details
- excellent delivery

Score 3
- portrayal is mostly accurate
- provides most key details
- good delivery

Score 2
- portrayal is somewhat accurate
- provides some key details
- acceptable delivery

Score 1
- portrayal is inaccurate
- does not provide key details
- poor delivery

HOMEWORK AND PRACTICE

pages 93–94

Practicar y ampliar

TAREA Y PRÁCTICA

páginas 93–94

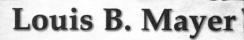

Louis B. Mayer

Biografía

Integridad
Respeto
Responsabilidad
Equidad
Bondad
Patriotismo

"*Sólo haré películas que no me avergüence que vean mis hijos.*"*

Louis B. Mayer nació en Rusia en 1885. Cuando tenía tres años, se mudó con sus padres a Canadá. En 1904, Mayer se fue a vivir a Massachusetts y allí entró al negocio del cine. En 1907, Mayer compró una pequeña sala de cine y comenzó a exhibir películas. En pocos años se convirtió en el dueño de una cadena de cines en New England.

Mayer se mudó a California y fundó la compañía Louis B. Mayer Pictures en 1917. Más tarde, esta compañía cinematográfica pasó a formar parte de Metro-Goldwyn-Mayer (MGM). En la MGM, Mayer realizó algunas de las películas

Louis B. Mayer (derecha) con la estrella de Gone With the Wind, Clark Gable (izquierda).

más famosas de todos los tiempos, incluyendo *Ben-Hur* y *Grand Hotel*. Este tipo de películas ofrecían a los estadounidenses una oportunidad de viajar a un mundo de aventuras, música y alegría. Ir al cine se convirtió en el pasatiempo favorito de muchas personas.

*Louis B. Mayer. De Hollywood Rajah: The Life and Times of Louis B. Mayer por Bosley Crowther. Holt, Rinehart, and Winston, 1960.

La importancia del carácter

❖ ¿Cómo muestra la cita que Mayer era un cineasta responsable?

Biografía breve

1885 Nace

1907 Compra una pequeña sala de cine en Haverhill, Massachusetts

1917 Funda la compañía Louis B. Mayer Pictures en Hollywood, California

1924 La compañía Louis B. Mayer Pictures se une a las compañías Metro Pictures y Goldwyn Pictures para formar MGM

1957 Muere

Visita MULTIMEDIA BIOGRAPHIES en www.harcourtschool.com/hss para hallar biografías multimedia.

365

CALIFORNIA STANDARDS HSS 4.4.9 Analyze the impact of twentieth-century Californians on the nation's artistic and cultural development, including the rise of the entertainment industry (e.g., Louis B. Mayer, Walt Disney, John Steinbeck, Ansel Adams, Dorothea Lange, John Wayne). **SKILL** Research, Evidence, and Point of View 2.

BACKGROUND

Louis B. Mayer Under Mayer's leadership, MGM (Metro-Goldwyn-Mayer) studios became Hollywood's top film company in the 1930s. The "roaring lion" MGM logo is still one of the most well known in the film industry. In 1927, Mayer helped found the Academy of Motion Picture Arts and Sciences, which presents the annual Academy Awards. He always preferred producing wholesome family films.

INTEGRATE THE CURRICULUM

THEATRE Review with students forms of entertainment before motion pictures, such as live shows and radio broadcasts. Discuss key developments in the motion picture industry during the early 1900s.
Discuss Films
THEATRE 3.2

ANTECEDENTES

Louis B. Mayer Durante la década de 1930, bajo la dirección de Mayer, los estudios MGM (Metro-Goldwyn-Mayer) se convirtieron en la compañía cinematográfica más importante de Hollywood. El logo de la MGM del "león rugiente" es aún uno de los más conocidos de la industria del cine. En 1927, Mayer ayudó a fundar la Academia de las Artes y las Ciencias Cinematográficas que otorga, anualmente, los Premios de la Academia. Siempre prefirió producir películas aptas para toda la familia.

APRENDE en línea RECURSOS EN INTERNET
Visite MULTIMEDIA BIOGRAPHIES en **www.harcourtschool.com/hss** para hallar biografías multimedia.

Biography

PAGE 365

OBJECTIVES

■ **Analyze the role of Louis B. Mayer in the entertainment industry.**

RESOURCES

Unit 5 Audiotext CD Collection; Internet Resources

1 Introduce

Set the Purpose Ask students to speculate about how a filmmaker can act in a way that is responsible.

2 Teach

Primary Source: Quotation

ANALYSIS SKILL **Point of View** Have students read the quotation and pose relevant questions about it such as the one below.
Source: Louis B. Mayer. From *Hollywood Rajah: The Life and Times of Louis B. Mayer* by Bosley Crowther. Holt, Rinehart, and Winston, 1960.

Q Based on the quotation, what qualities do you think Mayer thought a film should have? HSS 4.4.9, HR 2

A He may have thought that films should be nonviolent and show stories of people with good character.

3 Close

Why Character Counts

Mayer's words show he felt a responsibility to create movies showing subjects that would not be harmful to children. HSS 4.4.9

GO ONLINE **INTERNET RESOURCES**
Visit MULTIMEDIA BIOGRAPHIES at **www.harcourtschool.com/hss**

CHAPTER 9 ■ 365

Biografía

PÁGINA 365

OBJETIVOS

■ **Analizar el papel de Louis B. Mayer en la industria del entretenimiento.**

RECURSOS

Colección de audiotextos en CD de la Unidad 5; Recursos en Internet

1 Presentar

Establecer el propósito Pida a los estudiantes que piensen cómo un productor de cine puede actuar con responsabilidad.

2 Enseñar

Fuente primaria: Cita

DESTREZA DE ANÁLISIS **Punto de vista** Pida a los estudiantes que lean la cita y formulen preguntas relevantes como la de abajo.
Fuente: Louis B. Mayer. De *Hollywood Rajah: The Life and Times of Louis B. Mayer* por Bosley Crowther. Holt, Rinehart, and Winston, 1960.

P Según la cita, ¿qué cualidades pensaba Mayer que debía tener una película? HSS 4.4.9, HR 2

R Pensaba que las películas no debían ser violentas y debían mostrar historias de personas de buen carácter.

3 Concluir

La importancia del carácter

Las palabras de Mayer muestran que él sentía la responsabilidad de crear películas que no fueran dañinas para los niños. HSS 4.4.9

Fuentes primarias

OBJETIVOS

- Identificar el propósito de objetos usados en la industria del cine a principios del siglo XX y compararlos con los que se usan hoy.

- Formular preguntas relevantes sobre objetos del pasado de los primeros años de la industria cinematográfica.

RECURSOS

Colección de audiotextos en CD de la Unidad 5; Recursos en Internet

1 Presentar

Establecer el propósito Diga a los estudiantes que pueden comparar objetos del pasado de los primeros años de la industria del cine con los que se usan en la actualidad y así comprender cómo ha cambiado la producción cinematográfica.

Piensa en los antecedentes Pida a los estudiantes que identifiquen el megáfono y la cámara en la fotografía del director que aparece en la página 364. Invítelos a comentar lo que saben acerca de cómo se hacen las películas.

2 Enseñar

Aprendizaje visual: Objetos del pasado

DESTREZA DE ANÁLISIS **Investigación/Evidencia** Pida a los estudiantes que observen los objetos que se usaban en la industria del cine a comienzos del siglo XX y que reflexionen sobre ellos. Pregúnteles qué ideas y preguntas les vienen a la mente cuando observan cada fuente primaria. Aliéntelos a explicar por qué estos objetos del pasado se consideran fuentes primarias y no fuentes secundarias. **HSS 4.4.9**, HR 1, 2

Los hacían o usaban las personas que hacían las películas.

Primary Sources

OBJECTIVES

- Identify the purpose of items used in the film industry in the early 1900s, and compare those artifacts with items in use today.

- Pose relevant questions about artifacts from the early days of the film industry.

RESOURCES

Unit 5 Audiotext CD Collection; Internet Resources

1 Introduce

Set the Purpose Tell students that by examining artifacts from the early days of the film industry, they can compare the items with those in use today to understand how filmmaking has changed.

Build Background Have students look back at the photo of a director on page 364 and identify the megaphone and the camera. Invite students to share what they know about how movies are made.

2 Teach

Visual Literacy: Artifacts

ANALYZE SKILL **Research/Evidence** Have students look at and discuss the items from the film industry in the early 20th century. Ask them what ideas and questions come to mind as they look at each primary source. Challenge students to explain why these artifacts are considered primary sources instead of secondary sources. **HSS 4.4.9**, HR 1, 2

They were made or used by people making movies.

FUENTES PRIMARIAS

Filmar películas en California

Al principio, la mayoría de las películas de Estados Unidos se filmaban en la ciudad de New York o en New Jersey. Luego, durante los primeros años del siglo XX, algunos cineastas se dieron cuenta de que el sur de California era un lugar mucho mejor para hacer sus películas. Allí, la variedad de paisajes y el clima cálido permitían a los cineastas filmar durante todo el año.

Los directores de cine usaban megáfonos para amplificar, o hacer más fuertes, sus voces.

Un cartel publicitario de la película *Swing Time*, estrenada en 1936.

366 ■ Unidad 5

Practice and Extend

BACKGROUND

More About the Artifacts

- Megaphone: Today, directors use electronic megaphones with loudspeakers to amplify voices.
- Clapper: Other names for this essential device are *clapboard*, *scene slate*, *clakker*, *slateboard*, or *clapsticks*. The "clapping" of the two hinged sticks helped editors synchronize the sound track to each segment of film. Date, scene, and "take" numbers help the production crew keep track of numerous film segments.
- "Hollywoodland" Sign: Each letter in the sign is four stories high and about 30 feet wide. The sign fell into disrepair after a slump in the real estate market during the 1930s. In 1949, wind knocked the "H" down, and the Hollywood Chamber of Commerce repaired the sign and removed the last four letters.

Practicar y ampliar

ANTECEDENTES

Más acerca de los objetos del pasado

- El megáfono: Hoy en día, los directores usan megáfonos electrónicos.
- Claqueta: El choque de las dos planchas de madera unidas por una bisagra ayudaba a sincronizar el sonido y la película. Los números de la fecha, la escena y la "toma" ayudan al equipo de producción a llevar registro de los segmentos de la película.
- El cartel "Hollywoodland": Cada letra del cartel mide cuatro pisos de alto y alrededor de 30 pies de ancho. Durante la década de 1930, después de la crisis del mercado de bienes raíces, el cartel se deterioró. En 1949, el viento derribó la "H" y la Cámara de Comercio de Hollywood reparó el cartel y le quitó las últimas cuatro letras.

Las claquetas como esta sirven para identificar las diferentes escenas de una película para poder agregarles el sonido durante la edición.

Cámara filmadora antigua

HOLLYWOODLAND

Este famoso símbolo se erigió en 1923 como publicidad para una compañía de bienes raíces. Más tarde se le quitó la palabra *land*.

Capítulo 9 ■ 367

1 ¿Por qué crees que los directores necesitaban megáfonos?

2 ¿En qué se parece la cámara filmadora antigua a las cámaras de vídeo de hoy? ¿En qué se diferencia?

3 ¿Quiénes eran las estrellas de *Swing Time*?

APRENDE en línea Visita PRIMARY SOURCES en www.harcourtschool.com/hss para hallar fuentes primarias.

CALIFORNIA STANDARDS HSS 4.4.9 Analyze the impact of twentieth-century Californians on the nation's artistic and cultural development, including the rise of the entertainment industry (e.g., Louis B. Mayer, Walt Disney, John Steinbeck, Ansel Adams, Dorothea Lange, John Wayne). Research, Evidence, and Point of View 1, 2.

BACKGROUND

More About the Time Soon after sound became a part of films, musicals—comedies that featured music, dance, and song—became very popular. Fred Astaire and Ginger Rogers—considered by many as the greatest dance duo in film history—starred as dance partners in nine musicals in the 1930s. They blended several dance styles and set a level of excellence that defined new standards for the art form.

INTEGRATE THE CURRICULUM

DANCE Have groups of students create skits about a film crew during the filming of a dance sequence for a musical in which the director decides that the dance needs more than one "take" to get right. Students can choose music and choreograph steps for the dance. Students can also fashion simple props for the skit, such as a cardboard "camera." **Perform a Dance**
DANCE 2.1, 2.4, 2.7

ANTECEDENTES

Más acerca de la época Poco después de que el sonido comenzara a formar parte de las películas, los musicales, comedias donde hay música, baile y canto, se hicieron muy populares. Fred Astaire y Ginger Rogers, considerados por muchos el mejor dúo de baile de la historia del cine, protagonizaron nueve musicales como pareja de baile en la década de 1930. Combinaban varios estilos y establecieron un nivel de excelencia que definió los nuevos estándares para esa forma artística.

---

3 Close

Analyze Artifacts— Answers

ANALYZE SKILL **Research/Evidence** HSS 4.4.9, HR 2

1. to be heard outdoors over a distance and over the sounds of people and machinery at work
2. similar—has eyepiece, lens, knobs for focusing, tripod for steadying and panning, uses film; different—today's video cameras are often smaller and use small cassettes instead of large reels of film; some video cameras now capture images digitally
3. Fred Astaire and Ginger Rogers

Activity

Compare and Contrast Have small groups investigate artifacts related to radio broadcasting in the early 1900s. Each group can report its results to the class and point out how radio broadcasting artifacts compare to those of filmmaking.
ELA WRITING 1.6, 1.7, ELA LISTENING AND SPEAKING 1.6

Research

Students will find a variety of artifacts at www.harcourtschool.com/hss under PRIMARY SOURCES.

Ask students to select one or more artifacts and write a brief description of each, telling what it is and how and why it was used.
ELA READING 2.1, ELA WRITING 1.7

INTERNET RESOURCES

GO ONLINE Visit PRIMARY SOURCES at www.harcourtschool.com/hss to view other primary sources.

---

3 Concluir

Analizar objetos del pasado— Respuestas

DESTREZA DE ANÁLISIS **Investigación/Evidencia** HSS 4.4.9, HR 2

1. para que se les oyera a la distancia y por encima del ruido que producían la gente y la maquinaria mientras trabajaban al aire libre
2. semejanzas: tiene ocular, objetivo, botones para enfocar, trípode para hacer tomas fijas y panorámicas, usa una película; diferencias: las cámaras de vídeo de hoy son, por lo general, más pequeñas y usan pequeños casetes en lugar de grandes rollos de película; algunas cámaras de vídeo actuales capturan imágenes en formato digital
3. Fred Astaire y Ginger Rogers

Actividad

Comparar y contrastar Organice la clase en grupos pequeños y pídales que investiguen objetos del pasado relacionados con la radiodifusión a comienzos del siglo XX. Cada grupo podrá informar sus resultados a la clase y señalar cómo se comparan los objetos del pasado utilizados en la radiodifusión con los objetos que se usaban en la producción cinematográfica.
ELA WRITING 1.6, 1.7, ELA LISTENING AND SPEAKING 1.6

Investigación

Los estudiantes pueden hallar una variedad de objetos del pasado en PRIMARY SOURCES en www.harcourtschool.com/hss.

Pida a los estudiantes que elijan uno o más objetos del pasado y que escriban una breve descripción de cada uno indicando qué es, y cómo y para qué se usaba.
ELA READING 2.1, ELA WRITING 1.7

APRENDE en línea **RECURSOS EN INTERNET**

Visite PRIMARY SOURCES en www.harcourtschool.com/hss para hallar fuentes primarias.

Lección 2

PÁGINAS 368–374

OBJETIVOS

- **Explorar los eventos que provocaron la Gran Depresión.**

- **Describir el Dust Bowl.**

- **Explicar cómo los programas de gobierno ayudaron a los californianos durante la Gran Depresión.**

VOCABULARIO

acción pág. 369

depresión pág. 369

desempleo pág. 369

trabajador migratorio pág. 371

CAUSA Y EFECTO

págs. 350–351, 369, 370, 371, 374

RECURSOS

Tarea y práctica, págs. 95–96; Transparencia de destrezas clave 5; Colección de audiotextos en CD de la Unidad 5; Recursos en Internet

1 Presentar

Reflexiona Explique que una sequía en una parte de los estados del centro del país trajo una nueva oleada de migrantes a California. Pida a los estudiantes que especulen acerca de si estos migrantes pudieron conseguir empleo en California.

Piensa en los antecedentes Pida a los estudiantes que recuerden cómo el crecimiento de las nuevas industrias afectó a California a comienzos del siglo XX.

 Invite a los estudiantes a que comenten sus ideas acerca de qué es un derrumbe de la bolsa de valores.

Lesson 2

PAGES 368–374

OBJECTIVES

- **Explore events that led up to the Great Depression.**

- **Describe the Dust Bowl.**

- **Tell how government programs helped Californians during the Great Depression.**

VOCABULARY

stock p. 369

depression p. 369

unemployment p. 369

migrant worker p. 371

 CAUSE AND EFFECT

pp. 350–351, 369, 370, 371, 374

RESOURCES

Homework and Practice Book, pp. 95–96; Reading Support and Intervention, pp. 130–133; Success for English Learners, pp. 134–137; Vocabulary Transparency 5-9-2; Vocabulary Power, p. 101; Focus Skills Transparency 5; Unit 5 Audiotext CD Collection; Internet Resources

1 Introduce

What to Know Explain that a drought in a part of the central states brought a new wave of migrants to California. Have students speculate about whether these migrants were able to find work in California.

Build Background Ask students to recall how the growth that took place in new industries affected California during the early 1900s.

 Have students share their ideas of what a stock market crash is.

Lección 2

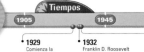

Tiempos		
1905	1945	1985

- **1929** Comienza la Gran Depresión
- **1932** Franklin D. Roosevelt es elegido presidente
- **1933** Comienzan los trabajos de construcción del puente Golden Gate

Tiempos difíciles para los californianos

REFLEXIONA
¿Cómo afectaron la Gran Depresión y el Dust Bowl a los californianos?

✓ Explora los eventos que provocaron la Gran Depresión.

✓ Describe el Dust Bowl.

✓ Explica cómo los programas de gobierno ayudaron a los californianos durante la Gran Depresión.

VOCABULARIO
acción pág. 369
depresión pág. 369
desempleo pág. 369
trabajador migratorio pág. 371

PERSONAS
John Steinbeck
Joseph B. Strauss
Franklin D. Roosevelt
Dorothea Lange

LUGARES
Dust Bowl
Golden Gate

CAUSA Y EFECTO

Normas de California
HSS 4.4, 4.4.4, 4.4.5, 4.4.9

IMAGÍNATE ALLÍ Es una fría mañana de 1930 en Los Angeles. Tú cuentas las personas en la fila del comedor de beneficencia en donde trabajas como voluntario y notas que son al menos 150. La fila es tan larga que da vuelta a la esquina. Observas tu pila de emparedados y te preguntas si habrá suficiente para todas las personas que perdieron sus empleos y sus casas desde que la bolsa de valores se derrumbó, el año pasado.

368 ▪ Unidad 5

CALIFORNIA STANDARDS HSS 4.4 Students explain how California became an agricultural and industrial power, tracing the transformation of the California economy and its political and cultural development since the 1850s. 4.4.5 Discuss the effects of the Great Depression, the Dust Bowl, and World War II on California.

When Minutes Count

Model for students how to turn headings into questions.

- **Heading:** The Great Depression
- **Question:** What was the Great Depression, and how did it affect California?

Then have pairs of students work together to write questions and answer them. Remind students to make use of the pictures and captions as they look for answers.

Quick Summary

The Great Depression was a difficult time for Californians, especially newcomers from the Dust Bowl. Roosevelt's New Deal programs helped put Californians to work building bridges, roads, and schools.

Cuando el tiempo apremia

Muestre a los estudiantes cómo convertir títulos en preguntas.

- **Título:** La Gran Depresión
- **Pregunta:** ¿Qué fue la Gran Depresión y cómo afectó a California?

Luego, pídales que escriban y respondan preguntas en parejas. Recuérdeles que pueden usar las fotografías y las leyendas.

Resumen

La Gran Depresión fue una época difícil para los californianos, en especial, para los recién llegados del Dust Bowl. Los programas del Nuevo Trato implementados por Roosevelt dieron empleo a los californianos en la construcción de puentes, carreteras y escuelas.

La Gran Depresión

1 En California y en todo Estados Unidos la década de 1920 fue una buena época para la mayoría de las personas. Las ciudades y los negocios crecieron, y también creció el valor de las acciones. Una **acción** es un título que representa la participación en la propiedad de una empresa.

Para comprar tantas acciones como era posible, muchas personas pidieron dinero prestado a los bancos. Luego, en octubre de 1929, el valor de las acciones comenzó a bajar. Miles de personas en todo el país se apresuraron a vender sus acciones antes de que el valor descendiera aun más. El 29 de octubre, el precio bajó tanto que comenzó a hablarse de un derrumbe de la bolsa. Casi todas las personas que tenían acciones perdieron dinero.

El derrumbe de la bolsa de valores de 1929 llevó a una **depresión** económica, es decir, una época en la que hay muy poco empleo y las personas tienen muy poco dinero. La depresión que comenzó en 1929 fue tan dura que se conoce como la Gran Depresión.

2 Mientras tanto, los bancos habían estado prestando mucho dinero. Como resultado, muchos se quedaron sin dinero y tuvieron que cerrar. Cuando los bancos cerraron, las personas perdieron sus ahorros. Como las personas tenían menos dinero, compraban pocas cosas. Esto causó la ruina de muchos negocios y dejó a sus empleados sin trabajo. Durante casi toda la década de 1930, el **desempleo**, o sea el número de personas sin trabajo, fue muy alto. En 1934, uno de cada cinco trabajadores de California estaba desempleado.

REPASO DE LA LECTURA Ó CAUSA Y EFECTO
¿Cuáles fueron algunos de los efectos de la Gran Depresión? Las personas perdieron sus ahorros, los negocios se arruinaron y aumentó el desempleo.

➤ Personas desempleadas reciben su ración de comida en la iglesia Los Angeles Plaza durante la Gran Depresión. ¿Qué otra clase de ayuda habrían necesitado?

DATOS BREVES
Al comienzo de la Gran Depresión, 1 millón de estadounidenses estaban desempleados. Hacia 1932, ese número había aumentado a 12 millones.

Capítulo 9 ■ 369

4.4.9 Analyze the impact of twentieth-century Californians on the nation's artistic and cultural development, including the rise of the entertainment industry (e.g., Louis B. Mayer, Walt Disney, John Steinbeck, Ansel Adams, Dorothea Lange, John Wayne). **SKILL** Chronological and Spatial Thinking 4. Research, Evidence, and Point of View 2. Historical Interpretation 1, 3.

⭐ VOCABULARY POWER

Multiple-Meaning Words
Write the word *stock* on the board. Have students write a sentence for each meaning of the word.

Word	Meaning	Sentence
stock	a share of ownership in a company	
	cattle or livestock	
	a store or supply of something	

ELA READING 1.6
For teaching lesson vocabulary, see VOCABULARY TRANSPARENCY 5-9-2.

📖 READING SUPPORT

For alternate teaching strategies, use pages 130–133 of the Reading Support and Intervention book to
■ reinforce **vocabulary**
■ build **text comprehension**
■ build **fluency**

Reading Support ► and Intervention — Reflections

ELL ENGLISH LANGUAGE LEARNERS

For English Language Learners strategies to support this lesson, see Success for English Learners book pages 134–137.
■ English-language development activities
■ background and concepts
■ vocabulary extension

Success for ► English Learners — Reflections

---

2 Teach

The Great Depression

Content Focus The stock market crash of 1929 caused a chain of events that led to a severe economic depression in the 1930s.

1 **Economics** Discuss the differences between a healthy economy, such as that of the 1920s, and a depression.

Q What are some signs of a healthy economy? HSS 4.4.5
A businesses growing; number of jobs increasing; people making, spending, and saving money

2 **History** Make sure students understand why many banks ran out of money. Point out that today government laws protect people's deposits by requiring banks to hold cash reserves.

3 **Visual Literacy: Photograph**

SKILL Research/Evidence Have students share any questions they have about the photograph. HSS 4.4.5, HR 2

CAPTION ANSWER: housing, medical care, jobs, clothing

---

2 Enseñar

La Gran Depresión

Contenido clave El derrumbe de la bolsa de valores de 1929 causó una serie de hechos que llevaron a una gran depresión económica durante la década de 1930.

1 **Economía** Analice con los estudiantes las diferencias entre una economía saludable, como la de la década de 1920, y una depresión.

P ¿Cuáles son algunos signos de una economía saludable? HSS 4.4.5
R el crecimiento de las compañías; el aumento del número de empleos; la gente que gana, gasta y ahorra dinero

2 **Historia** Asegúrese de que los estudiantes comprendan por qué muchos bancos se quedaron sin dinero. Señale que, hoy en día, las leyes protegen los depósitos de los ahorristas exigiéndoles a los bancos que mantengan reservas de efectivo.

3 **Aprendizaje visual: Fotografía**

DESTREZA DE ANÁLISIS Investigación/Evidencia Pida a los estudiantes que comenten cualquier pregunta que tengan sobre la fotografía. HSS 4.4.5, HR 2

RESPUESTA: vivienda, asistencia médica, empleo, ropa

El Dust Bowl

Contenido clave Una sequía en algunos estados agrícolas del centro del país convirtió el suelo en polvo. Los fuertes vientos causaron enormes tormentas de polvo. Muchas familias abandonaron sus tierras y fueron a California en busca de empleo.

4 **DESTREZA DE ANÁLISIS** **Interpretación histórica**
Comente cómo el Dust Bowl hizo que los efectos de la Gran Depresión fueran aun más graves para muchos americanos.

P **¿Qué provocó el Dust Bowl?**

R una sequía en algunos estados agrícolas del centro **HSS 4.4,** HI 3

5 **Aprendizaje visual: Mapas**

DESTREZA DE ANÁLISIS **Pensamiento espacial** Pida a los estudiantes que observen el mapa para identificar la ubicación de los estados del Dust Bowl en relación con California.

P **¿Qué dirección siguieron los migrantes del Dust Bowl para llegar a California?**

R oeste **HSS 4.4,** CS 4

P **Además de los estados más afectados por el Dust Bowl, ¿qué otros estados sufrieron daños por tormentas de polvo?** **HSS 4.4,** CS 4

R Montana, North Dakota, South Dakota, Wyoming, Nebraska, Iowa y Missouri

RESPUESTA: Texas, Oklahoma, New Mexico, Kansas y Colorado

6 **Economía** Analice con los estudiantes por qué la gente de la década de 1930 puede haber estado dispuesta a empacar todas sus pertenencias y dejar sus hogares para mudarse a California.

P **¿Por qué motivos, entre otros, pensaban los habitantes de la región del Dust Bowl que California sería un buen lugar para mudarse?** **HSS 4.4.5**

R Respuesta posible: las imágenes positivas de las películas; los relatos de otras personas sobre una economía fuerte

---

The Dust Bowl

Content Focus A drought in some of the central farming states caused the soil to turn to dust and blow away creating huge dust storms. Many families left their failed farmlands and traveled to California looking for work.

4 **ANALYSIS SKILL** **Historical Interpretation**
Discuss how the Dust Bowl made the effects of the Great Depression worse for many Americans.

Q **What created the Dust Bowl?**

A a drought in some of the central farming states **HSS 4.4,** HI 3

5 **Visual Literacy: Maps**

ANALYSIS SKILL **Spatial Thinking** Ask students to examine the map to identify where the Dust Bowl states were in relation to California.

Q **Which direction did Dust Bowl migrants travel to reach California?**

A west **HSS 4.4,** CS 4

Q **What states other than the main Dust Bowl states were damaged by dust storms?** **HSS 4.4,** CS 4

A Montana, North Dakota, South Dakota, Wyoming, Nebraska, Iowa, and Missouri

CAPTION ANSWER: Texas, Oklahoma, New Mexico, Kansas, and Colorado

6 **Economics** Discuss with students why people in the 1930s might have been willing to pack up all of their belongings and leave their homes to move to California.

Q **What are some reasons people from the Dust Bowl thought California would be a good place to move to?** **HSS 4.4.5**

A Possible response: positive images in movies; other people's reports of a strong economy

370 ■ **UNIT 5**

Región del Dust Bowl

Analizar mapas Cerca de 350,000 familias, incluyendo a la familia que aparece a la izquierda, fueron a California para escapar del Dust Bowl. **5**

◆ **Regiones** ¿Partes de qué estados se encontraban en la región del Dust Bowl?

El Dust Bowl

La Gran Depresión también afectó a los granjeros, pero las cosas estaban por empeorar aun más. A principios de la década de 1930, muchos estados agrícolas del centro del país fueron afectados por una sequía. Las zonas que sufrieron la peor sequía se encontraban en Oklahoma, Texas, Kansas, Colorado y New Mexico. En algunos sitios, el suelo se secó tanto que la tierra se convirtió en polvo. Fuertes vientos causaron enormes tormentas de polvo en algunas áreas. Estas zonas se conocieron como el **Dust Bowl**, que significa "tazón de polvo".

Una de las peores tormentas de polvo se desató en abril de 1935. La enorme cantidad de polvo que volaba oscureció el cielo y sepultó los cultivos de las granjas. También invadió las casas,

filtrándose por las rendijas de puertas y ventanas.

Muchas de las personas que vivían en el Dust Bowl querían marcharse. Habían perdido sus hogares y granjas, y California parecía un buen lugar para mudarse. Las películas mostraban que **6**

▸ Un campamento de trabajadores migratorios en California.

370 ■ Unidad 5

Practice and Extend

READING SOCIAL STUDIES

Focus Skill **Cause and Effect** Assign students to work together to list multiple causes and effects of the hard times in 1930s California:

■ several causes of the Great Depression

■ several effects of the depression in California **ELA READING 2.1**

READING TRANSPARENCY

Use FOCUS SKILLS TRANSPARENCY 5.

VOCABULARY POWER

Related Words Display the term *migrant worker* and discuss its meaning. Work with students to create a web of related terms, and discuss their meanings. Encourage students to look up each term in a dictionary and explain how it is related in meaning and spelling to *migrant*.
- *immigrant*   • *emigrant*
- *migration*   • *immigration*

ELA READING 1.0

Practicar y ampliar

LA LECTURA EN LOS ESTUDIOS SOCIALES

Destreza clave **Causa y efecto** Indique a los estudiantes que trabajen juntos para enumerar causas y efectos múltiples de los tiempos difíciles que vivió California en la década de 1930:

■ varias causas de la Gran Depresión

■ varios efectos de la depresión en California **ELA READING 2.1**

TRANSPARENCIA DE LECTURA

Use la TRANSPARENCIA DE DESTREZAS CLAVE 5.

el estado tenía tierras fértiles y playas cálidas y soleadas. Y también se decía que había allí muchos empleos.

A mediados y finales de la década de 1930, llegaron a California más de 100,000 personas por año. Para muchos de los recién llegados, la vida allí no resultó tan buena como esperaban. Algunos californianos no los miraban con buenos ojos. Los trabajadores de California temían que los recién llegados les quitaran sus empleos. Como muchos venían de Oklahoma, se les dio el sobrenombre de "okies". Algunos californianos pidieron a sus líderes que aprobaran leyes para mantener a los "okies" fuera del estado.

La mayoría de los recién llegados habían sido granjeros y esperaban conseguir empleo en áreas agrícolas como el valle Central, pero había pocos empleos permanentes. Muchos hombres, mujeres y niños se convirtieron entonces en **trabajadores migratorios**, o sea que viajaban de un lugar a otro para trabajar en las cosechas.

A los trabajadores migratorios se les pagaba muy poco: solo alrededor de 4 dólares por 16 horas de trabajo diario, 7 días a la semana. Como el dinero que ganaban no les alcanzaba para pagar renta, muchos vivían en tiendas de campaña. Otros vivían en sus automóviles o camionetas, o en chozas construidas con cualquier material que encontraban. No tenían agua corriente y la comida era escasa. Las condiciones insalubres de vida causaron que muchos se enfermaran.

John Steinbeck escribió acerca de esas terribles condiciones en su libro *Las uvas de la ira*, publicado en 1939. El libro narraba el trato injusto que se daba a los trabajadores migratorios en el valle de San Joaquín.

Los niños EN LA HISTORIA

7 La escuela Weedpatch

Observa tu escuela. ¿La podrían haber construido tú y tus compañeros sin ayuda? Eso fue lo que hicieron los niños y las niñas del campamento Weedpatch, cerca de Bakersfield, en 1940. El gobierno de Estados Unidos había establecido el campamento Weedpatch para las familias migratorias, pero el campamento no tenía escuela. El superintendente de escuelas y los niños del campamento construyeron una escuela con materiales que les habían donado. La escuela Weedpatch tenía salones de clases, laboratorio, huerta y una alberca.

Aplícalo ¿Qué cosas podrían hacer los estudiantes para ayudar en tu escuela?

➤ Los niños y las niñas del campamento Weedpatch hicieron sus pupitres y sillas con recortes de madera y cajones de naranjas.

REPASO DE LA LECTURA ⚙ CAUSA Y EFECTO
¿Cuál fue la causa de que muchos granjeros se mudaran a California en la década de 1930?
la sequía y las tormentas de polvo en muchos de los estados agrícolas

Capítulo 9 ▪ 371

Children IN HISTORY

Weedpatch School

7 Invite students to share personal responses to the work of the children at Weedpatch School.

Q What characteristic made Weedpatch School a unique place? HSS 4.4.5

A The children built their own school.

Make It Relevant Students may mention cleaning up litter, planting a garden, or keeping the classroom and other areas clean.

Los niños EN LA HISTORIA

La escuela Weedpatch

7 Invite a los estudiantes a que comenten sus reacciones con respecto al trabajo de los niños en el campamento Weedpatch.

P ¿Qué características hacían del campamento Weedpatch un lugar especial? HSS 4.4.5

R Los niños construyeron su propia escuela.

Aplícalo Los estudiantes pueden mencionar la recolección de basura, el trabajo en la huerta o la limpieza en el salón de clases y en otras áreas.

BACKGROUND

Deportation of Mexican Workers Before the Great Depression, hundreds of thousands of Mexicans and Mexican-American workers held jobs in California. Many worked in the fields, accepting lower wages than average. When the massive job shortages of the 1930s took place, at least 400,000 Mexican workers, including their Mexican-American family members, were deported to Mexico.

ELL ENGLISH LANGUAGE LEARNERS

Have students work together to construct time lines of events mentioned in the lesson.

Beginning Have students locate dates in the lesson and write simple labels.

Intermediate Have students add a sentence to explain each event.

Advanced Have students write longer explanations, adding details about the events.

REACH ALL LEARNERS

Special Needs Assign each pair of students a section of the lesson. Have partners review the section and practice retelling the events to each other in their own words. Then ask students to work together to make a storyboard of several drawings that portray the events described. Invite student pairs to present their drawings and explain the historic events they show.

CHAPTER 9 ▪ 371

ANTECEDENTES

La deportación de trabajadores mexicanos Antes de la Gran Depresión, cientos de miles de trabajadores mexicanos y mexicanos americanos tenían empleo en California. Muchos trabajaban en los campos, aceptando salarios más bajos que lo normal. Cuando se produjo la escasez masiva de empleo en la década de 1930, al menos 400,000 trabajadores mexicanos, incluyendo sus familiares mexicanos americanos, fueron deportados a México.

El puente Golden Gate

Contenido clave La construcción del puente Golden Gate generó empleo e hizo que los californianos se sintieran orgullosos.

❽ Relacionar economía y geografía
Use un mapa para comentar cómo la construcción del puente no solo creó nuevos empleos sino que también abrió una ruta más corta para el traslado de personas y bienes entre el condado Marin y San Francisco. Luego, pida a los estudiantes que sugieran los motivos por los que el puente se construyó en ese lugar.
🐻 HSS 4.4

Míralo en detalle

El puente Golden Gate

❾ Pida a los estudiantes que observen el diagrama y que lean los datos sobre el puente. Explique que se usó más de un millón de toneladas de concreto para construir las bases de las torres del puente. Diga a los estudiantes que los puentes colgantes por lo general se construyen en lugares donde se necesita cubrir grandes distancias, o en lugares donde es muy difícil o costoso construir muchos soportes. Pida a los estudiantes que comenten sus observaciones sobre el puente y que lo comparen con otros puentes que hayan visto.

P ¿Qué les indica el dato de que 2,000 millardos de carros y otros vehículos han cruzado el puente Golden Gate desde 1937? 🐻 HSS 4.4

R Es un importante enlace para el transporte en el norte de California.

RESPUESTA: El diseño es mejor porque es fuerte y puede cubrir una gran distancia.

The Golden Gate Bridge

Content Focus The building of the Golden Gate Bridge was a project that created jobs and gave Californians a symbol of pride.

❽ Link Economics and Geography
Use a map to discuss how building the bridge not only created jobs, but also opened a shorter route for workers and goods to travel between Marin County and San Francisco. Then have students suggest reasons why the bridge was built where it was. 🐻 HSS 4.4

A Closer LOOK

The Golden Gate Bridge

❾ Have students examine the diagram and read the facts about the bridge. Explain that more than 1 million tons of concrete were used to build the bases for the bridge's towers. Tell students that suspension bridges are often built in places where great distances need to be covered, or in places where it is too difficult or expensive to build many bridge supports. Have students share their observations about the bridge and compare it to other bridges they have seen.

Q What does the fact that 2 billion cars and other vehicles have crossed the Golden Gate Bridge since 1937 tell you about the bridge? 🐻 HSS 4.4

A It is an important transportation link in northern California.

CAPTION ANSWER: The design is best because it is strong and can cover a great distance.

El puente Golden Gate

Durante la Gran Depresión, un nuevo proyecto haría que los californianos se sintieran orgullosos. Por años, los transbordadores habían cruzado la bahía de San Francisco llevando personas y bienes hacia el condado Marin. Ahora, muchas personas querían que un puente uniera San Francisco con las crecientes ciudades del norte de la bahía. El proyecto crearía muchos empleos para los californianos.
El puente debía extenderse a través

Practice and Extend

BACKGROUND

New Deal Projects Boulder Dam (now called Hoover Dam), Parker Dam, and Imperial Dam were New Deal water projects built along the lower Colorado River between Nevada and Arizona, along with canals and aqueducts to deliver water to southern California cities and farms. Hoover and Parker Dams also provide hydroelectric power.

INTEGRATE THE CURRICULUM

SCIENCE Have students work in small groups to design and build their own bridges, using materials available in the classroom. Ask them to make predictions about the strength of various designs and then conduct multiple tests to check their predictions. Afterward, have a volunteer from each group present its findings. **Design and Test Bridges**
🔬 INVESTIGATION AND EXPERIMENTATION 6.d

Practicar y ampliar

ANTECEDENTES

Los programas del Nuevo Trato La presa Boulder (actualmente se llama presa Hoover), la presa Parker y la presa Imperial fueron proyectos hídricos del Nuevo Trato que se construyeron a lo largo del bajo río Colorado entre Nevada y Arizona, junto con canales y acueductos que llevaban agua a ciudades y granjas del sur de California. Las presas Hoover y Parker también generaban energía hidroeléctrica.

del **Golden Gate**, una angosta masa de agua que conecta la bahía de San Francisco con el océano Pacífico. El ingeniero principal **Joseph B. Strauss** y su equipo de trabajadores tardaron cuatro años en completar el proyecto.

La construcción del puente era un trabajo peligroso. A cientos de pies sobre el agua, los trabajadores debían enfrentar el viento, la lluvia y la niebla. De hecho, 19 trabajadores cayeron al vacío y salvaron sus vidas gracias a una red de seguridad que se había colgado debajo del puente.

El 27 de mayo de 1937, un enorme desfile celebró la inauguración del puente Golden Gate. El puente medía aproximadamente dos millas de longitud y era el más largo del mundo en aquella época. Ese día, una enorme multitud cruzó el puente a pie. Al día siguiente, el puente se abrió para los automóviles. Desde 1937, cerca de 2 millardos de automóviles y otros vehículos han cruzado el puente Golden Gate.

REPASO DE LA LECTURA SACAR CONCLUSIONES
¿Cómo ayudó el puente Golden Gate a los californianos durante la Gran Depresión?
Creó puestos de trabajo y les dio un motivo de orgullo.

9 **Míralo** *en detalle*

El puente Golden Gate

Como todos los puentes colgantes, el puente Golden Gate tiene una carretera suspendida, o colgada, de enormes cables. Estos cables pasan sobre unas torres altas y están anclados a tierra en cada extremo del puente.

1 Si se pudieran extender los cables del puente, ¡darían tres vueltas alrededor de la Tierra!
2 Las torres miden 746 pies de altura y sostienen casi todo el peso de la carretera.
3 El puente mide 8,981 pies de longitud. El tramo más largo mide 4,200 pies.
4 Cualquier puente de la envergadura del Golden Gate tendría que soportar fuertes mareas y vientos. ¿Por qué crees que los constructores consideraron que un puente colgante sería el más adecuado para cruzar el Golden Gate?

Capítulo 9 ■ 373

Ayuda para los californianos

Además del Golden Gate, otros proyectos del gobierno de Estados Unidos ayudaron a los trabajadores de California. En 1933, en su primer discurso como presidente, **Franklin D. Roosevelt** dijo a los estadounidenses:

10

66 Solo debemos temer al temor mismo . . . Nuestra tarea primordial y máxima es poner a trabajar a la gente. **99***

El presidente Roosevelt había prometido un "nuevo trato" para los estadounidenses. Se llamó Nuevo Trato a los programas que el gobierno implementó para ayudar a terminar con la Gran Depresión. Estos programas crearon empleos en la construcción de oficinas de correos, escuelas y carreteras. Uno de los programas contrataba personas para plantar árboles y realizar otros proyectos en beneficio del ambiente.

*Franklin D. Roosevelt. Discurso inaugural. 4 de marzo de 1933. www.archives.gov

11

CHAPTER 9 ■ 373

Help for Californians

Content Focus Under President Franklin D. Roosevelt's New Deal programs, the national government set up projects to create jobs in California.

10 Primary Source: Quotation

Research/Evidence Have students read the quotation aloud. Remind them that in 1933, many people were fearful about the future because they were out of work and poor. Have students pose relevant questions about the quotation. You may wish to model a question for students, such as the one below

Source: Franklin D. Roosevelt. Inaugural Address. March 4, 1933. www.archives.gov

Q **What do you think the President meant by "the only thing we have to fear is fear itself"?** HSS 4.4.5, HR 2

A Possible responses: Do not be afraid; losing hope is the worst thing that can happen.

11 History
Help students understand that the New Deal was a group of government programs designed to help people and the country's economy recover from the Great Depression.

Q **What were some of the jobs created by New Deal programs in California?** HSS 4.4.5

A building post offices, planting trees, writing books, painting murals

---

Ayuda para los californianos

Contenido clave Bajo los programas del Nuevo Trato implementados por el presidente Franklin D. Roosevelt, el gobierno nacional puso en marcha proyectos para la creación de empleos en California.

10 Fuente primaria: Cita

DESTREZA DE ANÁLISIS **Investigación/Evidencia** Pida a los estudiantes que lean la cita en voz alta. Recuérdeles que, en 1933, muchas personas sentían temor por el futuro porque no tenían trabajo y eran pobres. Pida a los estudiantes que formulen preguntas relevantes sobre la cita. Quizás usted quiera formular una pregunta como ejemplo, como la que aparece abajo.

Fuente: Franklin D. Roosevelt. Discurso inaugural. 4 de marzo de 1933. www.archives.gov

P **¿Qué creen que quiso decir el presidente con "solo debemos temer al temor mismo"?** HSS 4.4.5, HR 2

R Respuestas posibles: No tengan miedo; perder la esperanza es lo peor que puede ocurrir.

11 Historia
Ayude a los estudiantes a que comprendan que el Nuevo Trato era un conjunto de programas del gobierno destinados a ayudar a la gente y a la economía del país a recuperarse de la Gran Depresión.

P **¿Qué empleos se crearon a través de los programas del Nuevo Trato en California?** HSS 4.4.5

R se contrataba gente para construir oficinas de correos, plantar árboles, escribir libros, pintar murales

12 Cultura Comente a los estudiantes que las fotografías de Lange captaron las dificultades que enfrentaba la gente durante la Gran Depresión y que esas imágenes influyeron en las acciones del gobierno. ⬤ HSS 4.4.9

3 Concluir

Resumen

Pida a los estudiantes que repasen el resumen y que expresen con sus palabras el contenido clave de la lección.

- La Gran Depresión trajo desempleo y momentos difíciles para todo el país.
- Los migrantes del Dust Bowl se mudaron a California en busca de empleo.
- Los programas del Nuevo Trato implementados por el presidente Roosevelt ayudaron a crear empleos.

Evaluar

REPASO—Respuestas

1. Muchas personas quedaron sin empleo y perdieron sus ahorros. Muchos dejaron los estados del Dust Bowl y comenzaron a mudarse a California. ⬤ HSS 4.4, 4.4.5

2. **Vocabulario** En una **depresión,** pocas personas tienen trabajo y hay mucho **desempleo.** ⬤ HSS 4.4.5

3. **Historia** haciendo que la gente volviera a trabajar ⬤ HSS 4.4.5, 4.4.9

Razonamiento crítico

4. **DESTREZA DE ANÁLISIS** Interpretación histórica Cuando los bancos cerraron, las personas perdieron sus ahorros. Como la gente tenía menos dinero, muchas compañías cerraron y los trabajadores perdieron sus empleos. ⬤ HSS 4.4.5, HI 1

5. Escribe un artículo periodístico—**Pautas para la evaluación** Vea Writing Rubric. Esta actividad puede usarse con el proyecto de la unidad.
⬤ HSS 4.4.5, ELA WRITING 2.1, ELA WRITTEN AND ORAL ENGLISH LANGUAGE CONVENTIONS 1.0

6. **Destreza clave** Causa y efecto EFECTO: Los bancos se quedaron sin dinero y cerraron. CAUSA: Los bancos cerraron y la bolsa de valores se derrumbó.
⬤ HSS 4.4, ELA READING 2.1

374 ▪ **UNIT 5**

---

12 Culture Tell students that Lange's photographs captured the hardships faced by people during the Great Depression and influenced government's actions. ⬤ HSS 4.4.9

3 Close

Summary

Have students review the summary and restate the lesson's key content.

- The Great Depression brought widespread unemployment and hard times across the country.
- Migrants from the Dust Bowl states moved to California to seek work.
- President Roosevelt's New Deal programs helped provide jobs.

Assess

REVIEW—Answers

1. Many people became unemployed and lost their savings. Many people began to move to California from Dust Bowl states. ⬤ HSS 4.4, 4.4.5

2. **Vocabulary** In a **depression**, few people have jobs, and there is much **unemployment**. ⬤ HSS 4.4.5

3. **History** by putting people back to work ⬤ HSS 4.4.5, 4.4.9

Critical Thinking

4. **ANALYSIS SKILL** Historical Interpretation When banks closed, people lost their savings. Because people had less money to spend on goods, many businesses closed, and workers lost their jobs. ⬤ HSS 4.4.5, HI 1

5. Write a Newspaper Article—**Assessment Guidelines** See Writing Rubric. This activity can be used with the unit project.
⬤ HSS 4.4.5, ELA WRITING 2.1, ELA WRITTEN AND ORAL ENGLISH LANGUAGE CONVENTIONS 1.0

6. **Focus Skill** Cause and Effect EFFECT: Banks ran out of money and had to close. CAUSE: Banks closed and the stock market crashed.
⬤ HSS 4.4, ELA READING 2.1

374 ▪ **UNIT 5**

---

12 Otro de los programas contrataba a autores para que escribieran libros y a artistas para que pintaran murales. **Dorothea Lange** tomó fotografías de las familias que escapaban del Dust Bowl. Las fotografías de Lange influyeron para que el gobierno decidiera ayudar a los trabajadores agrícolas.

En el marco del Nuevo Trato, muchas personas fueron a trabajar en nuevos proyectos hídricos. En California se llevó a cabo el Proyecto Valle Central, o PVC. Este proyecto hídrico controlaba las inundaciones del río Sacramento y desviaba las aguas hacia el valle de San Joaquín.

REPASO DE LA LECTURA RESUMIR
Explica cómo los programas del Nuevo Trato ayudaron a California durante la Gran Depresión. Dieron trabajo a las personas en la construcción de cosas que el estado necesitaba.

▶ **El canal Friant-Kern formó parte del Proyecto Valle Central.**

374 ▪ **Unidad 5**

Resumen

Durante la década de 1930, la Gran Depresión afectó la vida de los habitantes de California y del resto de Estados Unidos. Muchas personas abandonaron el Dust Bowl y se dirigieron a California en busca de trabajo. Los programas del gobierno ayudaron a crear empleos.

REPASO

1. ¿Cómo afectaron la Gran Depresión y el Dust Bowl a los californianos?

2. Usa el término **desempleo** para describir los efectos de una **depresión**.

3. ¿Cómo creía el presidente Roosevelt que los programas del Nuevo Trato podrían ayudar a terminar con la Gran Depresión?

RAZONAMIENTO CRÍTICO

4. ¿Cuál fue la relación entre el cierre de los bancos durante la Gran Depresión y el hecho de que las personas perdieran sus empleos?

5. Escribe un artículo periodístico Imagina que eres periodista de un periódico del valle Central. Acabas de conocer a un trabajador migratorio. Escribe un artículo acerca del viaje de esa persona y de sus esperanzas de una nueva vida.

6. **CAUSA Y EFECTO**
En una hoja de papel, copia y completa el organizador gráfico de abajo.

Causa	Efecto
Los bancos prestaron demasiado dinero.	

Causa	Efecto
	Las personas perdieron sus ahorros.

Practicar y ampliar

TAREA Y PRÁCTICA

Tiempos difíciles para los californianos

páginas 95–96

Dorothea Lange

*"Ella . . . parecía saber que mis fotos podían ayudarla, entonces me ayudó a mí."**

Cuando era chica, a Dorothea Lange le gustaba observar a las personas. Este interés la llevó a tener una exitosa carrera como fotógrafa. Cuando Lange tenía 19 años, Arnold Genthe, un famoso fotógrafo, le regaló su primera cámara. Poco tiempo después, Lange comenzó a trabajar para fotógrafos de la ciudad de New York. Luego se mudó a San Francisco y abrió un estudio fotográfico.

En 1935, el gobierno de Estados Unidos la contrató para fotografiar a las víctimas del Dust Bowl y de la Gran Depresión. Sus fotografías, publicadas en periódicos y revistas, mostraban el sufrimiento de los pobres al resto de los estadounidenses. Pronto, el gobierno comenzó a implementar programas para ayudar a los trabajadores migratorios y a otras personas necesitadas.

*Dorothea Lange. Citada en Popular Photography. Febrero 1960.

Madre migratoria es una de las fotografías más famosas de Dorothea Lange.

Biografía

Integridad
Respeto
Responsabilidad
Equidad
Bondad
Patriotismo

La importancia del carácter

◆ ¿Cómo demostraba Dorothea Lange su bondad hacia las víctimas del Dust Bowl?

Biografía breve

1895 Nace			1965 Muere
1919 Abre un estudio fotográfico	1935 Comienza a fotografiar campesinos estadounidenses por encargo del gobierno	Década de 1940 Toma fotografías de las familias japonesas americanas en los campos de reasentamiento	

APRENDE en línea Visita MULTIMEDIA BIOGRAPHIES en www.harcourtschool.com/hss para hallar biografías multimedia.

375

CALIFORNIA STANDARDS HSS 4.4.9 Analyze the impact of twentieth-century Californians on the nation's artistic and cultural development, including the rise of the entertainment industry (e.g., Louis B. Mayer, Walt Disney, John Steinbeck, Ansel Adams, Dorothea Lange, John Wayne). Research, Evidence, and Point of View 2.

BACKGROUND

Dorothea Lange When still a child, Dorothea Lange came down with polio. For the rest of her life, she walked with a limp. Her experiences with the disease may have made her more aware of others' suffering. *Migrant Mother* has become one of the nation's most recognizable symbols of the Great Depression. Lange did not think of her photography as an art form, yet much of her work is now featured in museums.

ELL ENGLISH LANGUAGE LEARNERS

Read the biography aloud. Then have students respond in the following ways.

Beginning Have students answer *Who? What? When? Where?* and *How?* questions.

Intermediate Have students ask each other questions based on the text and give oral answers.

Advanced Students write a summary of the information in the biography.

ANTECEDENTES

Dorothea Lange Cuando aún era niña, Dorothea Lange contrajo polio y quedó coja por el resto de su vida. Sus vivencias con la enfermedad pueden haberla predispuesto a una mayor conciencia del sufrimiento de los demás. *Madre migratoria* se ha convertido en uno de los símbolos de la Gran Depresión más reconocidos del país. Lange no pensaba en su fotografía como expresión artística y, sin embargo, gran parte de su obra se exhibe hoy en museos.

Biography

OBJECTIVES

- Analyze the impact of Dorothea Lange's work on the nation's artistic and cultural development.

RESOURCES

Unit 5 Audiotext CD Collection; Internet Resources

1 Introduce

Set the Purpose Brainstorm with students a list of ways in which people show that they care about the well-being of others.

2 Teach

Primary Source: Quotation

ANALYSIS SKILL **Research/Evidence** Invite students to interpret the quote by Dorothea Lange and to ask any relevant questions about the Great Depression that come to mind after reading it. HSS 4.4.9, HR 2

Source: Dorothea Lange. Quoted in *Popular Photography*, February 1960.

3 Close

Why Character Counts

Lange used her talent in photography to call attention to people who needed help; her work inspired people in the government and other Americans to find ways to help the poor during the Great Depression. HSS 4.4.9

GO ONLINE INTERNET RESOURCES

Visit MULTIMEDIA BIOGRAPHIES at www.harcourtschool.com/hss

Biografía

OBJETIVOS

- Analizar el impacto de la obra de Dorothea Lange en el desarrollo artístico y cultural de la nación.

RECURSOS

Colección de audiotextos en CD de la Unidad 5; Recursos en Internet

1 Presentar

Establecer el propósito Pida a los estudiantes que sugieran ideas para hacer una lista de las distintas maneras en que una persona puede demostrar bondad.

2 Enseñar

Fuente primaria: Cita

DESTREZA DE ANÁLISIS **Investigación/Evidencia** Pida a los estudiantes que lean la cita de Dorothea Lange. Luego, invítelos a que den su propia interpretación y a formular cualquier pregunta que la cita les provoque sobre la Gran Depresión. HSS 4.4.9, HR 2

Fuente: Dorothea Lange. Citada en *Popular Photography*. Febrero de 1960.

3 Concluir

La importancia del carácter

Lange usó su talento en la fotografía para llamar la atención sobre las personas que necesitaban ayuda; su obra inspiró a personas del gobierno y a otros estadounidenses a buscar maneras de ayudar a los pobres durante la Gran Depresión. HSS 4.4.9

APRENDE en línea RECURSOS EN INTERNET

Visite MULTIMEDIA BIOGRAPHIES en **www.harcourtschool.com/hss** para hallar biografías multimedia.

Destrezas de razonamiento crítico

OBJETIVOS

- Usar los pasos para tomar una decisión bien pensada.
- Identificar las posibles consecuencias de las opciones antes de tomar una decisión.

VOCABULARIO

consecuencia pág. 376

RECURSOS

Tarea y práctica, págs. 97–98; Transparencia de destrezas de Estudios Sociales 5-1

1 Presentar

Por qué es importante

Comente que todas las personas deben tomar decisiones. Esto implica aprender a predecir los efectos o las consecuencias de cada opción para luego tomar la decisión basándose en esa información.

2 Enseñar

Lo que necesitas saber

Destaque la importancia de evaluar las consecuencias antes de elegir una opción y actuar.

1 **Pensamiento cronológico** Pida a los estudiantes que piensen en lo que saben acerca de la historia de California a partir de 1850 y que describan un evento histórico que tenga hoy consecuencias en California o en sus vidas. Comente que los cambios en el clima aún afectan a la población y cómo las nuevas tecnologías y técnicas meteorológicas han reducido la amenaza de algunos de estos cambios.
HSS 4.4, CS 3

Critical Thinking Skills

OBJECTIVES

- Use steps to make a thoughtful decision.
- Identify possible consequences of choices before making decisions.

VOCABULARY

consequence p. 376

RESOURCES

Homework and Practice Book, pp. 97–98; Social Studies Skills Transparency 5-1

1 Introduce

Why It Matters

Tell students that all people have to make decisions during their lives. Decision-making involves learning to predict the effects or consequences of each choice and then making a decision based on that information.

2 Teach

What You Need to Know

Emphasize the importance of weighing consequences before making a choice and taking action.

1 **SKILL Chronological Thinking** Ask students to think back over what they know of California history since 1850 and describe a historic event that has consequences today in California or in their lives. Discuss how changes in climate still affect people today and how changing technologies and forecasting techniques have lessened the threat of some of these changes.
HSS 4.4, CS 3

376 ▪ UNIT 5

Destrezas de razonamiento crítico

Tomar una decisión bien pensada

▷ **POR QUÉ ES IMPORTANTE**

Todos los días, las personas toman decisiones. Algunas son más importantes que otras y deben pensarse más cuidadosamente. Por ejemplo, tal vez no tardes mucho en decidir lo que quieres desayunar. Sin embargo, puede que te tome mucho tiempo decidir qué carrera quieres estudiar cuando crezcas. Las decisiones difíciles tienen que pensarse más cuidadosamente porque sus resultados tendrán consecuencias a largo plazo. Una **consecuencia** es lo que ocurre a causa de una acción. Muchas de las decisiones que han tomado las personas a lo largo de la historia tienen consecuencias en tu vida actual.

▷ **LO QUE NECESITAS SABER**

Tomar decisiones acertadas te ayudará a alcanzar tus metas. Para tomar una decisión bien pensada, sigue estos pasos.

Paso 1 Haz una lista de opciones que puedan ayudarte a alcanzar tu meta.

Paso 2 Reúne la información que necesitarás para tomar una buena decisión.

Paso 3 Identifica las posibles consecuencias de cada opción. Decide qué opción tendrá mejores consecuencias.

Paso 4 Pon en práctica tu decisión.

▷ Las terribles tormentas de polvo de la década de 1930 llevaron a muchos granjeros a tomar la decisión de mudarse a California.

376 ▪ Unidad 5

Practice and Extend

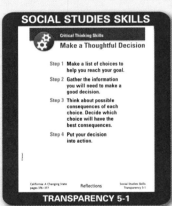

SOCIAL STUDIES SKILLS

Critical Thinking Skills
Make a Thoughtful Decision

Step 1 Make a list of choices to help you reach your goal.

Step 2 Gather the information you will need to make a good decision.

Step 3 Think about possible consequences of each choice. Decide which choice will have the best consequences.

Step 4 Put your decision into action.

California: A Changing State
pages 376–377   Reflections   Social Studies Skills Transparency 5-1

TRANSPARENCY 5-1

HOMEWORK AND PRACTICE

Name ____ Date ____
Skills: Make a Thoughtful Decision

Directions: Read the steps for making a thoughtful decision. The steps are out of order. Write the steps in their correct order.

- Identify the consequences possible of each choice. Decide which choice will have the best consequences.
- Make a list of choices to help you reach your goal.
- Put your decision into action.
- Gather the information you will need to make a good decision.

1
Make a list of choices to help you reach your goal.

2
Gather the information you will need to make a good decision.

3
Think about possible consequences of each choice. Decide which choice will have the best consequences.

4
Put your decision into action.

CALIFORNIA STANDARD HSS 4.4, 4.4.5

pages 97–98

Practicar y ampliar

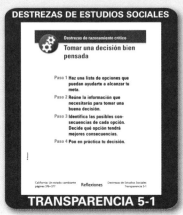

DESTREZAS DE ESTUDIOS SOCIALES

Destrezas de razonamiento crítico
Tomar una decisión bien pensada

Paso 1 Haz una lista de opciones que puedan ayudarte a alcanzar tu meta.

Paso 2 Reúne la información que necesitarás para tomar una buena decisión.

Paso 3 Identifica las posibles consecuencias de cada opción. Decide qué opción tendrá mejores consecuencias.

Paso 4 Pon en práctica tu decisión.

California: Un estado cambiante
páginas 376–377   Reflexiones   Destrezas de Estudios Sociales Transparencia 5-1

TRANSPARENCIA 5-1

TAREA Y PRÁCTICA

Nombre ____ Fecha ____
Destrezas: Tomar una decisión bien pensada

Instrucciones: Lee los pasos para tomar una decisión bien pensada. Los pasos están desordenados. Escríbelos en el orden correcto.

- Identifica las consecuencias posibles de cada opción. Decide qué opción tendrá mejores consecuencias.
- Haz una lista de opciones que puedan ayudarte a alcanzar tu meta.
- Pon en práctica tu decisión.
- Reúne la información que necesitarás para tomar una buena decisión.

1
Haz una lista de opciones que puedan ayudarte a alcanzar tu meta.

2
Reúne la información que necesitarás para tomar una buena decisión.

3
Identifica las consecuencias posibles de cada opción. Decide qué opción tendrá mejores consecuencias.

4
Pon en práctica tu decisión.

NORMAS DE CALIFORNIA HSS 4.4, 4.4.5

páginas 97–98

▶ Para muchas personas, tener que vivir en campamentos migratorios fue una consecuencia de mudarse a California.

▶ PRACTICA LA DESTREZA

Has leído que una terrible sequía afectó algunos estados agrícolas durante la Gran Depresión. La sequía creó el Dust Bowl, donde las enormes tormentas de polvo destruyeron las granjas. Recuerda lo que decidieron hacer muchos granjeros de la región del Dust Bowl. Piensa acerca de los desafíos que tuvieron que enfrentar como resultado de su decisión. Luego, responde las siguientes preguntas.

❶ ¿Qué problemas tuvieron que enfrentar las personas que vivían en la región del Dust Bowl?

❷ ¿Por qué muchas de esas personas decidieron mudarse a California? ¿Qué otras opciones tenían?

❸ ¿Cuáles eran las ventajas y desventajas de mudarse a California? ¿Crees que las ventajas fueron mayores que las desventajas? ¿Por qué?

▶ APLICA LO QUE APRENDISTE

Aplícalo Recuerda alguna decisión importante que hayas tomado en la escuela recientemente. Piensa acerca de cómo tomaste esa decisión. Identifica tus metas, la información que reuniste, las opciones que tenías y las consecuencias de cada opción. Si piensas en lo que hiciste, ¿crees que tomaste una decisión acertada? Puedes hablar acerca del tema con un compañero.

Capítulo 9 ■ 377

CALIFORNIA STANDARDS HSS 4.4 Students explain how California became an agricultural and industrial power, tracing the transformation of the California economy and its political and cultural development since the 1850s. 4.4.4 Describe rapid American immigration, internal migration, settlement, and the growth of towns and cities (e.g., Los Angeles). 4.4.5 Discuss the effects of the Great Depression, the Dust Bowl, and World War II on California. SKILL Chronological and Spatial Thinking 3. Historical Interpretation 3, 4.

REACH ALL LEARNERS

Leveled Practice Have students brainstorm possible improvements in a school or classroom procedure or rule and use the steps listed to make a thoughtful decision about what, if any, actions should be taken.

Basic Have students list on the board each step to be followed and share opinions about the suggestion.

Proficient Have students identify a list of advantages and disadvantages of making the suggested change. Direct them to compare and weigh the advantages and disadvantages and make a decision.

Advanced Have students analyze the advantages and disadvantages and interview or poll other students for additional input. Then have them write a formal analysis and action plan.

---

❷ Visual Literacy: Photographs
Use the photos and captions to discuss the causes, consequences, advantages, and disadvantages of migrants' choices to move to California in the 1930s.

Q What was a consequence of moving to California for many migrants?
HSS 4.4.4, 4.4.5

A Possible response: having to live in migrant camps

Practice the Skill—Answers

SKILL Historical Interpretation
HSS 4.4.4, 4.4.5, HI 3, 4

1. poverty and homelessness from loss of farms; starvation

2. Reasons—appeal of good climate and farmlands, rumors of available work; Other choices—stay put, move to other parts of the country

3. Advantages—mild climate, possible work, possible availability of good farmland; Disadvantages—far from their current homes. Students' conclusions will vary and should include reasons. Example: The advantages were greater because even if times were hard at first in California, at least families would have a chance to earn a living.

❸ Close

Apply What You Learned

Make It Relevant Have students make a two-column chart to help list and weigh choices and consequences. At the bottom, they can write their decisions.

CHAPTER 9 ■ 377

---

❷ DESTREZA DE ANÁLISIS Aprendizaje visual:
Fotografías Use las fotografías y las leyendas que las acompañan para analizar las causas, consecuencias, ventajas y desventajas de las opciones que tenían los migrantes para mudarse a California en la década de 1930.

P ¿Cuál fue una de las consecuencias que enfrentaron muchos de los migrantes que se mudaron a California? HSS 4.4.4, 4.4.5

R Respuesta posible: tener que vivir en campamentos migratorios

Practica la destreza—Respuestas

DESTREZA DE ANÁLISIS Interpretación histórica
HSS 4.4.4, 4.4.5, HI 3, 4

1. pobreza y falta de vivienda por la pérdida de granjas; hambre

2. Motivos: el atractivo del buen clima y de buenas tierras de cultivo, los rumores de la disponibilidad de empleo; Otras opciones: quedarse, mudarse a otras partes del país

3. Ventajas: clima templado, posibilidades de empleo y de obtener buenas tierras para el cultivo; Desventajas: estar lejos de sus hogares. Los estudiantes deberán incluir los motivos de sus conclusiones. Ejemplo: Las ventajas eran mayores porque aunque al comienzo los tiempos fueran difíciles, al menos tendrían una oportunidad de ganarse la vida.

❸ Concluir

Aplica lo que aprendiste

Aplícalo Pida a los estudiantes que hagan una tabla de dos columnas que les ayude a evaluar las opciones y las consecuencias. Abajo, pueden escribir sus decisiones.

OBJETIVOS

■ Explicar cómo cambió California como resultado de la Segunda Guerra Mundial.

■ Descubrir dónde y por qué surgieron nuevas industrias en California durante la Segunda Guerra Mundial.

VOCABULARIO

pertrechos pág. 380

escasez pág. 380

bracero pág. 381

reciclar pág. 381

campo de reasentamiento pág. 382

Destreza clave

CAUSA Y EFECTO

págs. 350–351, 379, 381, 383

RECURSOS

Tarea y práctica, págs. 99–100; Transparencia de destrezas clave 5; Colección de audiotextos en CD de la Unidad 5; Recursos en Internet

1 Presentar

Reflexiona Pida a los estudiantes que conversen sobre lo que saben acerca de la Segunda Guerra Mundial. Explique que aunque la guerra comenzó en 1939, Estados Unidos no entró en el conflicto sino hasta 1941.

Piensa en los antecedentes Recuerde con los estudiantes las industrias que crecieron en California durante la Primera Guerra Mundial: producción de petróleo, construcción de barcos, aviación y agricultura.

Pida a los estudiantes que consideren las acciones que Estados Unidos tomó en respuesta al bombardeo japonés sobre Pearl Harbor.

OBJECTIVES

■ Explain how California changed as a result of World War II.

■ Discover where and why new industries started in California during World War II.

VOCABULARY

munitions p. 380   **recycle** p. 381

shortage p. 380   **relocation camp**

bracero p. 381   p. 382

Focus Skill

CAUSE AND EFFECT

pp. 350–351, 379, 381, 383

RESOURCES

Homework and Practice Book, pp. 99–100; Reading Support and Intervention, pp. 134–137; Success for English Learners, pp. 138–141; Vocabulary Transparency 5-9-3; Vocabulary Power, p. 101; Focus Skills Transparency 5; TimeLinks: Interactive Time Line; Unit 5 Audiotext CD Collection; Internet Resources

1 Introduce

What to Know Ask students to share what they know about World War II. Explain that although the war began in 1939, the United States did not enter the conflict until 1941.

Build Background Recall with students the industries that grew in California during World War I, such as oil production, shipbuilding, aviation, and agriculture.

You ARE THERE
Ask students to speculate on what actions the United States took in response to the Japanese bombing of Pearl Harbor.

378 ■ UNIT 5

Lección **3**

Tiempos
1905   1945   1985

• **1941** Estados Unidos entra en la Segunda Guerra Mundial
• **1942** Se envía a japoneses americanos a campos de reasentamiento
• **1945** Termina la Segunda Guerra Mundial

REFLEXIONA
¿Qué efectos tuvo la Segunda Guerra Mundial sobre California y sus habitantes?

✓ Explica cómo cambió California como resultado de la Segunda Guerra Mundial.

✓ Descubre dónde y por qué surgieron nuevas industrias en California durante la Segunda Guerra Mundial.

VOCABULARIO
pertrechos pág. 380
escasez pág. 380
bracero pág. 381
reciclar pág. 381
campo de reasentamiento pág. 382

PERSONAS
Henry J. Kaiser
David Gonzales
James Doolittle

LUGARES
Pearl Harbor
Fuerte Ord
Richmond
lago Tule
Manzanar

CAUSA Y EFECTO

Normas de California
HSS 4.4, 4.4.4, 4.4.5, 4.4.6

California y la Segunda Guerra Mundial

IMAGÍNATE ALLÍ
Es una fría mañana a principios de diciembre de 1941, en Oahu, Hawaii. Mientras contemplas las tranquilas aguas de **Pearl Harbor**, escuchas el sonido de unos aviones que se acercan. Una línea de aviones zumba a poca altura. Observas los círculos rojos en sus alas y te das cuenta de que se trata de aviones japoneses. ¡Están atacando Pearl Harbor!

► Pearl Harbor, Hawaii, 7 de diciembre de 1941.

378 ■ Unidad 5

CALIFORNIA STANDARDS HSS 4.4 Students explain how California became an agricultural and industrial power, tracing the transformation of the California economy and its political and cultural development since the 1850s. 4.4.4 Describe rapid American immigration, internal migration, settlement, and the growth of towns and cities (e.g., Los Angeles). 4.4.5 Discuss the effects of the Great Depression, the Dust Bowl, and World War II on California.

When Minutes Count

Have students examine the photographs and captions in this lesson. Then ask them to use what they have learned from these to write a brief summary of the lesson's main ideas. When they have finished, guide them to use their summaries to answer the What to Know question.

Quick Summary

During World War II California became the location for many military training facilities. Californians at home also supported the war effort. Women, African Americans from the South, and braceros went to work to fill wartime labor needs. Japanese Americans were forced to move to relocation camps.

Cuando el tiempo apremia

Pida a los estudiantes que observen las fotografías de esta lección y las leyendas que las acompañan. Luego, pídales que usen lo que aprendan de esta observación para escribir un breve resumen de las ideas principales de la lección. Cuando hayan terminado, guíelos para que respondan la pregunta de la sección "Reflexiona" usando sus resúmenes.

Resumen

Durante la Segunda Guerra Mundial, en California se establecieron muchas bases de entrenamiento militar. Las mujeres, los afroamericanos del sur y los braceros trabajaron para satisfacer las necesidades laborales durante la guerra. Los japoneses americanos fueron trasladados a campos de reasentamiento.

> Soldados de todo el país recibieron entrenamiento en el Fuerte Ord y otras bases militares de California.

UBÍCALO

CALIFORNIA

Fuerte Ord

Los californianos y la Segunda Guerra Mundial

Desde 1939, muchos países combatían en la Segunda Guerra Mundial. De un lado estaban los aliados, integrados por Gran Bretaña, Francia y más tarde la Unión Soviética. Del otro lado, las Potencias del Eje, conformadas por Alemania, Italia y Japón.

Estados Unidos se había mantenido alejado del conflicto hasta 1941, cuando los japoneses atacaron Pearl Harbor. Durante ese ataque sorpresa, las bombas japonesas mataron a unos 2,400 estadounidenses y averiaron o destruyeron 21 barcos y 347 aviones. Al día siguiente, Estados Unidos declaró la guerra a Japón y entró en la Segunda Guerra Mundial.

Durante la Segunda Guerra Mundial, cerca de 750,000 hombres y mujeres de California se unieron a las fuerzas armadas. Miles partieron a luchar al Pacífico Sur. Muchos otros lucharon en África del Norte y en Europa.

Muchos soldados se entrenaron en las bases militares de California. Antes de la guerra, existían solo unas pocas bases militares en California. Cuando terminó la guerra, había docenas. El Fuerte Ord, cerca de Monterey, fue uno de los mayores centros de entrenamiento militar de Estados Unidos.

REPASO DE LA LECTURA Ŏ CAUSA Y EFECTO ¿Cuál fue uno de los efectos que tuvo la Segunda Guerra Mundial sobre California? Los californianos fueron a la guerra. Los soldados fueron enviados a California para su entrenamiento.

> California envió tropas a combatir en la guerra.

Capítulo 9 ■ 379

4.4.6 Describe the development and locations of new industries since the nineteenth century, such as the aerospace industry, electronics industry, large-scale commercial agriculture and irrigation projects, the oil and automobile industries, communications and defense industries, and important trade links with the Pacific Basin. **SKILL** Chronological and Spatial Thinking 1, 3, 5. Research, Evidence, and Point of View 2. Historical Interpretation 3.

✺ VOCABULARY POWER

Prefixes Write the word *recycle* on the board. Point out the root word *cycle*, the prefix *re-*, which means "again or back." Then have students determine the meaning of the word *recycle*. List and discuss the meanings of other words with the same prefix.

re-

relocation   retell   rebuild

ELA READING 1.4
For teaching lesson vocabulary, see **VOCABULARY TRANSPARENCY 5-9-3.**

📖 READING SUPPORT

For alternate teaching strategies, use pages 134–137 of the Reading Support and Intervention book to

■ reinforce **vocabulary**

■ build **text comprehension**

■ build **fluency**

Reading Support ▶
and Intervention

Reading Support and Intervention

Reflections

ELL ENGLISH LANGUAGE LEARNERS

For English Language Learners strategies to support this lesson, see Success for English Learners book pages 138–141.

■ English-language development activities

■ background and concepts

■ vocabulary extension

Success for ▶
English Learners

Success for English Learners

Reflections

CHAPTER 9 ■ **379**

---

2 ⏵ Teach

World War II and Californians

Content Focus As the United States entered the war after the attack on Pearl Harbor, dozens of military training bases opened in California, and many thousands of Californians joined the armed forces.

1 History Point out that before the Japanese attack on Pearl Harbor, the United States had tried to stay out of direct participation in the war. ▨ HSS 4.4.5

2 Link Geography and History Explain that the war was fought in two major "theaters"— Europe and the Pacific—and that Japan had conquered many lands and islands in the Pacific region. ▨ HSS 4.4

---

2 ⏵ Enseñar

Los californianos y la Segunda Guerra Mundial

Contenido clave Cuando Estados Unidos ingresó en la guerra después del ataque a Pearl Harbor, se abrieron docenas de bases de entrenamiento militar en California, y miles de californianos se unieron a las fuerzas armadas.

1 Historia Señale que antes del ataque japonés a Pearl Harbor, Estados Unidos había intentado mantenerse al margen de la participación directa en la guerra. ▨ HSS 4.4.5

2 Relacionar geografía e historia Explique que la guerra se libró en dos "teatros" principales –Europa y el Pacífico– y que Japón había conquistado muchas tierras e islas de la región del Pacífico. ▨ HSS 4.4

El esfuerzo de la guerra, en casa

Contenido clave Las compañías de California comenzaron a trabajar al máximo de su capacidad para satisfacer las necesidades de la guerra del país. Mujeres, trabajadores mexicanos y afroamericanos del sur ayudaron a compensar la escasez de trabajadores locales.

❸ Relacionar historia y economía Pida a los estudiantes que comenten sus ideas sobre cómo las industrias de California contribuyeron al esfuerzo de la guerra.

P ¿Cuáles eran algunos de los productos, artículos y materiales que producían las compañías de California para el esfuerzo de la guerra? 🖾 HSS 4.4.5

R pertrechos, combustible, aviones, barcos, alimentos

❹ DESTREZA DE ANÁLISIS Interpretación histórica Pida a los estudiantes que piensen acerca de los factores que contribuyeron a la escasez de empleo en California. Comente con los estudiantes cómo esta escasez afectó a los californianos.

P ¿Por qué, en un principio, escaseaban los trabajadores en la industria de la construcción de barcos y en la de la aviación? 🖾 HSS 4.4.5, HI 3

R Muchos hombres de California se habían ido a luchar al mismo tiempo que estas industrias relacionadas con la guerra crecían.

The War Effort at Home

Content Focus California companies went into full production to meet the country's wartime needs. Women, Mexican workers, and African Americans from the South helped make up for a shortage of local workers.

❸ Link History and Economics Have students share their ideas about the ways in which California industries contributed to the war effort.

Q What were some items, materials, and products that California companies produced for the war effort? 🖾 HSS 4.4.5

A munitions, fuel, planes, ships, food

❹ ANALYSIS SKILL Historical Interpretation Ask students to think about the factors that contributed to the labor shortage in California. Discuss how the shortage affected Californians.

Q Why were workers in the ship-building and aviation industries initially in short supply? 🖾 HSS 4.4.5, HI 3

A Many men from California had gone off to fight in the war at the same time that these war-related industries were growing.

El esfuerzo de la guerra, en casa

❸ Mientras los soldados, marinos y pilotos californianos se encontraban lejos, combatiendo en la guerra, los californianos que se quedaron también contribuyeron a los esfuerzos de la guerra. Estados Unidos necesitaba barcos y aviones, y fábricas para hacer **pertrechos**, es decir, suministros militares y armas. También se requería combustible para aviones, barcos y tanques y se necesitaban alimentos.

California ayudó a satisfacer estas necesidades. Las compañías petroleras comenzaron a trabajar al máximo de su capacidad. Las compañías de aviación del sur de California ampliaron sus fábricas antiguas y construyeron fábricas nuevas en Burbank, Santa Mónica, Long Beach y San Diego.

La construcción de barcos se convirtió en una gran industria en California. Durante la Segunda Guerra Mundial, uno de cada cuatro barcos se construía en California. Muchos barcos se construyeron en **Richmond**, en la fábrica de **Henry J. Kaiser**. Kaiser había ayudado a construir la presa Shasta, pero durante la guerra se concentró en la construcción de barcos.

❹ Se produjo una **escasez**, o falta, de trabajadores locales para construir los barcos que se requerían para la guerra. Entonces, Kaiser hizo correr la voz por todo el país de que se necesitaban trabajadores. Llegaron miles de personas. Muchos de los trabajadores recién llegados a California eran afroamericanos del Sur. Durante la guerra, llegaron más de 300,000 afroamericanos para trabajar en los astilleros y otras industrias de California.

➤ En fábricas de aviones, astilleros y acerías, las mujeres ocuparon muchos de los puestos que los hombres habían dejado para ir a la guerra.

Practice and Extend

Bracero Program The word *bracero* comes from the Spanish word *brazo*, meaning "arm"; the term is similar to "hired hand." The World War II Bracero Program began in 1942 and ended in 1947; it issued temporary work permits to Mexican workers. Another bracero program ran from 1951 to 1964. Almost 5 million skilled Mexican farm workers worked in the United States under the two programs.

Rationing In addition to recycling, Americans all over the country were affected by rationing, or limits on the use of items needed for the war effort. Coupons were required for items such as shoes, sugar, and coffee. Also, each person could buy only 28 ounces of meat and 4 ounces of cheese each week.

Practicar y ampliar

ANTECEDENTES

El Programa Bracero La palabra *bracero* deriva de la palabra *brazo* y significa "mano de obra". El Programa Bracero comenzó en 1942 y terminó en 1947. Luego, se implementó otro programa bracero desde 1951 hasta 1964. Casi 5 millones de trabajadores agrícolas especializados de origen mexicano trabajaron en Estados Unidos bajo estos dos programas.

Racionamiento Además de reciclar, los estadounidenses de todo el país se vieron afectados por el racionamiento, o la limitación al uso de artículos que se necesitaban para el esfuerzo de la guerra. Se necesitaban cupones para conseguir artículos como calzado, azúcar y café. Además, cada persona podía comprar solo 28 onzas de carne y 4 onzas de queso por semana.

La Segunda Guerra Mundial

| 1939 | 1941 | 1943 | 1945 |

1939 Alemania invade Polonia, dando comienzo a la Segunda Guerra Mundial.

1941 Estados Unidos entra en la Segunda Guerra Mundial.

1944 Para los aliados, la invasión a Francia en el Día D es un momento decisivo de la guerra.

1945 Japón se rinde y la Segunda Guerra Mundial llega a su fin.

Analizar líneas cronológicas

❖ ¿Cuántos años duró la participación de Estados Unidos en la Segunda Guerra Mundial?

Miles de personas llegaron a California para trabajar en la industria de la aviación. Para satisfacer la necesidad de aviones de guerra, las compañías de aviación contrataron a más de 200,000 trabajadores. Tal como ocurría en otras industrias, un gran número de trabajadores de la industria de la aviación eran mujeres. Durante la guerra, muchas mujeres trabajaron por primera vez fuera de sus hogares. Trabajaron en fábricas, acerías, astilleros y oficinas. También se ocupaban de administrar granjas y negocios familiares.

En 1942, Estados Unidos y México crearon el Programa Bracero. Este programa trajo a trabajadores mexicanos, también llamados **braceros**, a California. Ellos realizaron muchas de las labores agrícolas en California durante y después de la guerra.

Los niños también contribuyeron con el esfuerzo de la guerra. Recolectaban metal, hule, papel y otros artículos que los militares podían **reciclar**, o volver a usar.

La población de California creció rápidamente gracias a los trabajadores que llegaron al estado para contribuir con los esfuerzos de la guerra. Durante los años de guerra, la población de California aumentó en más de 2 millones de habitantes. Algunas ciudades, como Los Angeles, estaban superpobladas y no se construían suficientes viviendas. Como los materiales para la construcción se necesitaban para la guerra, resultaba difícil que estuvieran disponibles para quienes estaban en el país.

REPASO DE LA LECTURA Ó CAUSA Y EFECTO
¿Cómo afectó la Segunda Guerra Mundial a la **población de California?** Muchas personas, incluyendo un gran número de afroamericanos, llegaron a California en busca de empleo y para colaborar con los esfuerzos de la guerra.

Capítulo 9 ■ 381

INTEGRATE THE CURRICULUM

MATHEMATICS Tell students that from 1954 to 1964, an average of 450,000 Mexican braceros per year entered the United States. Have students calculate how many braceros participated in the program during that period. 10 years x 450,000 or about 4.5 million
Multiply to Solve a Problem
NUMBER SENSE 1.1, 1.4, 3.3

REACH ALL LEARNERS

Special Needs Have pairs of students read aloud a section of the lesson, one paragraph at a time. Ask partners to retell the main idea of each paragraph in their own words. Then have them ask each other questions to identify details related to the main idea. Finally, have partners work together to answer the Reading Check question.

---

5 Visual Literacy: Time Line

Chronological Thinking Have students interpret the time line and discuss the events shown. HSS 4.4, CS 1

CAPTION ANSWER: four years

TIMELINKS: Interactive Time Line

Have students use blank event cards to add events in this unit to the time line.

6 History Be sure students understand that braceros were not immigrants but Mexican citizens who had a permit to work in the United States. Remind students that during the 1930s, braceros had been sent back to Mexico to make room for Dust Bowl migrants and other Americans seeking jobs as farm workers.

Q What effect did World War II have on American viewpoints of braceros, and why? HSS 4.4.5, CS 3

A During the war Americans welcomed the braceros, because the United States needed the braceros to make up for a shortage of farm workers.

7 History Engage students in a discussion of some of the ways in which recycled goods, such as rubber, paper, and metal, might have been converted to military uses. HSS 4.4.5, 4.4.6

8 Historical Interpretation Make sure students understand the reason for the housing shortage—construction materials went to construct military bases, factories, and military equipment.
HSS 4.4.4, 4.4.5, HI 3, ELA READING 2.1

CHAPTER 9 ■ 381

---

5 Aprendizaje visual: Línea cronológica

DESTREZA DE ANÁLISIS Pensamiento cronológico Pida a los estudiantes que interpreten la línea cronológica y que comenten los eventos que allí aparecen. HSS 4.4, CS 1

RESPUESTA: cuatro años

6 Historia Asegúrese de que los estudiantes comprendan que los braceros no eran inmigrantes sino ciudadanos mexicanos que tenían un permiso para trabajar en Estados Unidos. Recuérdeles que durante la década de 1930, los braceros habían sido enviados de regreso a México para dar lugar a los migrantes del Dust Bowl y a otros estadounidenses que buscaban empleo como trabajadores agrícolas.

P ¿Qué efecto tuvo la Segunda Guerra Mundial en los puntos de vista de los estadounidenses acerca de los braceros, y por qué? HSS 4.4.5, CS 3

R Durante la guerra, los estadounidenses recibieron con entusiasmo a los braceros, porque Estados Unidos les necesitaba para compensar la escasez de trabajadores agrícolas.

7 Historia Aliente a los estudiantes a hablar acerca de algunas de las maneras en las que los productos reciclados, como el hule, el papel y el metal, pueden haber sido transformados para uso militar.
HSS 4.4.5, 4.4.6

8 DESTREZA DE ANÁLISIS Interpretación histórica Asegúrese de que los estudiantes comprendan que los materiales para la construcción se destinaban a la construcción de bases, fábricas y equipos militares y que ese fue el motivo de la escasez de viviendas.
HSS 4.4.4, 4.4.5, HI 3, ELA READING 2.1

Los japoneses americanos y la guerra

Contenido clave Durante la Segunda Guerra Mundial, los japoneses americanos fueron obligados a trasladarse a campos de reasentamiento.

⑨ Historia Señale que los campos quedaban en lugares muy alejados en los cuales los veranos eran muy calurosos y los inviernos, muy fríos. Explique que 16,000 personas fueron trasladadas al campo del lago Tule y otras 10,000, a Manzanar.
HSS 4.4.5

La guerra llega a su fin

Contenido clave La Segunda Guerra Mundial terminó en 1945 y tuvo efectos duraderos para la mayoría de los californianos.

⑩ Historia Explique que muchos años después, el presidente Ronald Reagan firmó la Ley de las Libertades Civiles de 1988, otorgando a los que habían sido internados en compos de reasentamiento y que aún vivían, una carta presidencial de disculpa y un pago de 20,000 dólares.
HSS 4.4.5

⑪ Aprendizaje visual: Fotografía

Investigación/Evidencia Analice con los estudiantes las emociones que se ven en la fotografía, así como también los motivos posibles de esas emociones.

P Si pudieran preguntar algo a los soldados que regresaban acerca de sus experiencias en la guerra, ¿qué les preguntarían? HSS 4.4.5, HR 2

R adónde los enviaron y qué hicieron allí

Japanese Americans and the War

Content Focus Japanese Americans were forced to move to relocation camps during World War II.

⑨ History Point out that the camp locations were very remote and were in areas that have very hot summers and cold winters. Explain that 16,000 persons were relocated to Tule Lake and 10,000 were relocated to Manzanar. HSS 4.4.5

The War Ends

Content Focus World War II ended in 1945, and had lasting effects for most Californians.

⑩ History Explain that many years later, President Ronald Reagan signed the Civil Liberties Act of 1988 granting the relocation camp internees still alive a presidential letter of apology and payment of $20,000. HSS 4.4.5

⑪ Visual Literacy: Photograph

Research/Evidence Discuss the emotions visible in the photo as well as the reasons behind them.

Q If you could ask the returning soldiers any questions about their war experiences, what would you ask?
HSS 4.4.5, HR 2

A where the soldiers were sent and what they did there

Muchos estadounidenses temían que los japoneses americanos fueran leales a Japón.

Los japoneses americanos y la guerra

Cuando se produjo el ataque a Pearl Harbor, vivían en Estados Unidos cerca de 125,000 personas de antepasados japoneses. La mayoría de los japoneses americanos vivían en California. Muchos de ellos habían nacido en este país y eran ciudadanos de Estados Unidos. El ataque a Pearl Harbor hizo que quisieran defender a Estados Unidos. De hecho, los japoneses americanos del equipo de combate del Regimiento 442 recibieron más medallas al valor que cualquier otro grupo del ejército.

Sin embargo, mucha gente en Estados Unidos temía que los japoneses americanos fueran leales a Japón. En febrero de 1942, el gobierno ordenó que cerca de 110,000 japoneses americanos fueran trasladados a campos de reasentamiento.

Cada **campo de reasentamiento** era como una prisión.

En California había dos campos de reasentamiento, uno en **lago Tule** y el otro en **Manzanar**, en el valle del Owens. Los campos se habían construido apresuradamente y no contaban con calefacción ni aire acondicionado. Las familias compartían las áreas de lavandería y los servicios sanitarios. Los campos estaban cercados con cercos y alambre de púas.

A pesar de esas condiciones, los japoneses americanos intentaron por todos los medios que los campos se parecieran a sus hogares. Hicieron muebles con recortes de madera y metal, fundaron escuelas y equipos deportivos.

REPASO DE LA LECTURA GENERALIZAR
¿Por qué el gobierno de Estados Unidos envió a los japoneses americanos a vivir en campos de reasentamiento?

❯ Aunque la vida en los campos de reasentamiento era difícil, los internados trataban de que su estancia allí fuera lo mejor posible. En los campos, los niños se divertían jugando al béisbol.

382 • Unidad 5

Practice and Extend

REACH ALL LEARNERS

Leveled Practice Have students work together to write newspaper articles about events in the lesson.

Basic Have students write newspaper headlines about some of the major events in the lesson.

Proficient Have students write newspaper headlines and short descriptions of major events in the lesson. You may wish to have students model their descriptions, using newspapers or magazines.

Advanced Have students create longer reports and create additional reports covering different aspects of the same event. You may wish to have students create editorial pages expressing varying points of view about an event.

porque habían perdido sus hogares y empleos

La guerra llega a su fin

Cuando terminó la guerra, en 1945, habían muerto millones de personas. De los cerca de 400,000 estadounidenses que perdieron la vida, más de 17,000 eran de California. **David Gonzales** y **James Doolittle** estaban entre los 13 soldados californianos que recibieron la Medalla de Honor del Congreso, la distinción militar más importante de Estados Unidos.

La vida de los japoneses americanos continuó siendo difícil después de la guerra. Luego de ser enviados a los campos de reasentamiento, muchos de ellos se quedaron sin hogares y sin empleos. En 1990, quienes habían estado internados en campos de reasentamiento y aún vivían, recibieron una disculpa oficial del gobierno de Estados Unidos.

▶ Un soldado abraza a su madre cuando regresa a su casa en Los Angeles después de la guerra. **11**

Resumen

Muchos californianos lucharon en la Segunda Guerra Mundial. Los bienes que se producían en California ayudaron a los esfuerzos de la guerra. Durante ella, muchos japoneses americanos fueron encerrados en campos de reasentamiento.

10

REPASO DE LA LECTURA SACAR CONCLUSIONES
¿Por qué la vida de los japoneses americanos siguió siendo difícil después del fin de la guerra?

REPASO

1. ¿Qué efectos tuvo la Segunda Guerra Mundial sobre California y sus habitantes?

2. Usa el término **reciclar** para explicar cómo ayudaron los niños a los esfuerzos de la Segunda Guerra Mundial.

3. ¿Cómo afectó la Segunda Guerra Mundial a los trabajadores de California?

4. ¿Por qué error del pasado pidió disculpas el gobierno de Estados Unidos en 1990?

RAZONAMIENTO CRÍTICO

5. ¿Por qué crees que California fue un lugar adecuado para las bases militares durante la Segunda Guerra Mundial?

6. **Haz un anuncio** Durante la Segunda Guerra Mundial, los anuncios del gobierno animaban a la población a unirse al esfuerzo de la guerra. Haz un anuncio que anime a realizar una tarea importante para ayudar en la guerra.

7. **CAUSA Y EFECTO**
En una hoja de papel, copia y completa el organizador gráfico de abajo.

Causa		Efecto
No había suficientes hombres para trabajar en el país.	→	

Causa		Efecto
	→	Durante la guerra, la población de California creció.

Capítulo 9 ▪ 383

HOMEWORK AND PRACTICE

California and World War II

Study the poster from World War II. Then answer the questions.

CALIFORNIA STANDARDS HSS 4.4, 4.4.5

pages 99–100

WRITING RUBRIC

Score 4
• purpose of ad is clear
• excellent use of persuasive techniques
• no errors or very few errors

Score 3
• purpose of ad is mostly clear
• adequate use of persuasive techniques
• a few errors

Score 2
• purpose of ad is somewhat clear
• marginal use of persuasive techniques
• some errors

Score 1
• purpose of ad is unclear
• no use of persuasive techniques
• many errors

TAREA Y PRÁCTICA

California y la Segunda Guerra Mundial

CALIFORNIA PÁGINA STANDARDS HSS 4.4, 4.4.5

páginas 99–100

---

3 Close

Summary

Have students review the summary and restate the lesson's key content.

• Californians fought in World War II and worked in war industries.

• California's population grew as the need for workers expanded.

• Japanese Americans were forced to move to relocation camps.

Assess

REVIEW—Answers

1. Many Californians joined the military; new military bases opened; new industries opened to make items for the war; the state's population grew as people moved there to fill jobs; shortages created difficulties; Japanese Americans were held in relocation camps. **HSS 4.4, 4.4.4, 4.4.5, 4.4.6**

2. **Vocabulary** Children collected rubber, metal, paper, and other things so that they could be **recycled**. **HSS 4.4.5**

3. **Economics** Many workers were women, and a shortage of workers also brought many African Americans and Mexican braceros to the state. **HSS 4.4.5**

4. **History** placing Japanese Americans in relocation camps **HSS 4.4.5**

Critical Thinking

5. **ANALYSIS SKILL** **Spatial Thinking** Students might say that California's location on the Pacific Ocean made it a good place and that California's climate allowed soldiers to be trained year-round. **HSS 4.4.5**, CS 5

6. **Create an Advertisement—Assessment Guidelines** See Writing Rubric. This activity can be used with the unit project. **ELA WRITING 2.0, ELA WRITTEN AND ORAL ENGLISH LANGUAGE CONVENTIONS 1.0**

7. **Cause and Effect** EFFECT: Women, African Americans, and braceros filled the shortage of workers. CAUSE: During World War II, war-related industries grew, creating a need for more workers. **HSS 4.4, ELA READING 2.1**

---

continued

7. **Causa y efecto** EFECTO: Mujeres, afroamericanos y braceros cubrieron la escasez de trabajadores. CAUSA: Durante la Segunda Guerra Mundial, crecieron las industrias de la guerra, lo que generó la necesidad de más trabajadores. **HSS 4.4, ELA READING 2.1**

---

3 Concluir

Resumen

Pida a los estudiantes que repasen el resumen y que expresen con sus palabras el contenido clave de la lección.

• Los californianos lucharon en la Segunda Guerra Mundial y trabajaron en industrias de guerra.

• La población de California creció al aumentar la necesidad de trabajadores.

• Los japoneses americanos fueron trasladados a campos de reasentamiento.

Evaluar

REPASO—Respuestas

1. 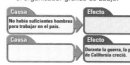 Muchos californianos se unieron a las fuerzas armadas; se abrieron nuevas bases militares y nuevas industrias para la fabricación de productos de guerra; la población del estado aumentó a medida que llegaba gente a cubrir los empleos; la escasez de algunos bienes creó dificultades; los japoneses americanos fueron detenidos en campos de reasentamiento. **HSS 4.4, 4.4.4, 4.4.5, 4.4.6**

2. **Vocabulario** Los niños recolectaban hule, metal, papel y otras cosas que podían ser **recicladas**. **HSS 4.4.5**

3. **Economía** Muchos trabajadores eran mujeres, y la escasez de trabajadores también trajo al estado a muchos afroamericanos y braceros mexicanos. **HSS 4.4.5**

4. **Historia** por colocar a los japoneses americanos en campos de reasentamiento **HSS 4.4.5**

Razonamiento crítico

5. **DESTREZA DE ANÁLISIS** **Pensamiento espacial** Los estudiantes pueden decir que la ubicación de California junto al océano Pacífico la hacía un buen lugar y que el clima de California permitía a los soldados entrenarse durante todo el año. **HSS 4.4.5**, CS 5

6. **Haz un anuncio—Pautas para la evaluación** Vea Writing Rubric. Esta actividad puede usarse con el proyecto de la unidad. **ELA WRITING 2.0, ELA WRITTEN AND ORAL ENGLISH LANGUAGE CONVENTIONS 1.0**

◀ continued to the left

OBJETIVOS

- Analizar los efectos de la Segunda Guerra Mundial sobre los japoneses americanos de California.
- Comparar y contrastar distintos puntos de vista sobre un tema histórico.

1 Presentar

Establecer el propósito Haga una encuesta rápida en la clase acerca de cuál es, en opinión de la mayoría, el mejor lugar de California para vivir. Pida a los estudiantes que expliquen las razones de sus opiniones. Explique que muchas opiniones son posibles sobre un mismo tema, incluyendo cuestiones históricas. Analice cómo el punto de vista de las personas puede verse afectado por sus antecedentes y experiencias.

Piensa en los antecedentes Pida a los estudiantes que recuerden lo que aprendieron en la Lección 3 acerca de los japoneses americanos durante la Segunda Guerra Mundial.

2 Enseñar

❶ Fuentes primarias: Citas

Pida a los estudiantes que lean las citas en voz alta. Señale que las opiniones sobre un evento pueden cambiar con el tiempo. Pídales que identifiquen semejanzas y diferencias entre las declaraciones.

HSS 4.4.5, ELA READING 2.5

Fuentes: De una declaración de la Asociación Japonesa Central en 1941. *Encyclopedia of Japanese American History: An A-to-Z Reference from 1868 to the Present* por Brian Niiya. Facts on File, 2000; Norman Mineta, de *USA Today,* vol. 112, no. 2468, mayo de 1984; John Rankin, de *Congressional Record,* 15 de diciembre de 1941; de un editorial del periódico *San Francisco News,* 6 de marzo de 1942; de una carta pidiendo disculpas a los japoneses americanos, 1990

Points of View

OBJECTIVES

- Discuss the effects of World War II on Japanese-Americans in California.
- Compare and contrast multiple points of view on a historical topic.

1 Introduce

Set the Purpose Take a quick class poll asking students to state their opinion as to the best place to live in California and to give their reasons. Explain that many opinions are possible about any subject, including issues in history. Discuss how people's points of view can be influenced by their background and experiences.

Build Background Have students recall what they learned in Lesson 3 about Japanese Americans during World War II.

2 Teach

❶ Primary Sources: Quotations

Have students read aloud the quotations. Point out that opinions about an event may change over time. Have students identify similarities and differences between the statements.

HSS 4.4.5, ELA READING 2.5

Sources: from a statement by the Central Japanese Association, 1941. *Encyclopedia of Japanese American History: An A-to-Z Reference from 1868 to the Present.* Brian Niiya. Facts on File, 2000; Norman Mineta, from *USA Today,* vol. 112, no. 2468, May 1984; John Rankin, from the *Congressional Record,* December 15, 1941; from an editorial in the *San Francisco News,* March 6, 1942; from a letter of apology to Japanese Americans, 1990

Puntos de vista

Reasentamiento de los japoneses americanos

La población de Estados Unidos estaba dividida con respecto al trato que recibieron los japoneses americanos durante la Segunda Guerra Mundial. Muchas personas opinaban que los campos de reasentamiento constituían una garantía de seguridad ante ataques enemigos. Otros pensaban que el reasentamiento era un tratamiento injusto para esos compatriotas. A continuación, se presentan algunos puntos de vista sobre el reasentamiento de los japoneses americanos durante la Segunda Guerra Mundial.

En sus propias palabras ❶

Asociación Japonesa Central ❷

❝Queremos vivir aquí [en Estados Unidos] en paz y armonía. Nuestra gente es 100% leal a América.❞

—De una declaración de la Asociación Japonesa Central en 1941. *Encyclopedia of Japanese American History: An A-to-Z Reference from 1868 to the Present* por Brian Niiya. Facts on File, 2000.

384 ▪ Unidad 5

Practice and Extend

INTEGRATE THE CURRICULUM

✏ ENGLISH LANGUAGE ARTS

Have students use a dictionary and a thesaurus to define and find synonyms for these terms used in the quotations: *[in] harm's way* (idiom), *injustices, insure, loyal,* and *searchlights.* Then ask students to work together to paraphrase each quote in writing. **Find Synonyms**

ELA READING 1.5, ELA WRITING 1.5

ELL ENGLISH LANGUAGE LEARNERS

Have students work together to ask and answer questions based on the quotations.

Beginning Read each quote and have students point to the person or group that is its source.

Intermediate Have students work in pairs to ask and answer questions in simple sentences.

Advanced Have students summarize the point of view represented in each quotation.

③ Norman Mineta, secretario de Transporte y ex detenido de un campo de reasentamiento

❝ Esos campos estaban cercados con alambre de púas, tenían torres de vigilancia y reflectores. Eran campos de concentración [prisiones terribles]. No hay duda de ello. ❞

—de *USA Today*, vol. 112, no. 2468, mayo de 1984

NORMAN MINETA

John Rankin, ex miembro del Congreso

❝ Estoy a favor de capturar a cada japonés en América, Alaska y Hawaii para encerrarlos en campos de concentración . . . ❞

—del *Congressional Record*, 15 de diciembre de 1941

JOHN RANKIN

San Francisco News

❝ Si se quedan en zona de guerra, los japoneses estarán verdaderamente en peligro . . . La mejor manera de asegurarnos de que no les pase nada es trasladarlos a un lugar donde no puedan resultar heridos. ❞

—de un editorial del periódico *San Francisco News*, 6 de marzo de 1942

George Bush, ex presidente de Estados Unidos

❝ Nunca podremos reparar por completo los errores del pasado. Pero podemos . . . reconocer que se cometieron graves injusticias contra los japoneses americanos durante la Segunda Guerra Mundial. ❞

—de una carta pidiendo disculpas a los japoneses americanos, 1990

GEORGE BUSH

Es tu turno

Analizar puntos de vista
Habla acerca de por qué cada persona o grupo tenía el punto de vista que tenía acerca del reasentamiento de los japoneses americanos.

Aplícalo Como ciudadano de Estados Unidos, ¿cómo crees que te sentirías si te obligaran a vivir en un campo de reasentamiento?

CALIFORNIA STANDARDS HSS 4.4.5 Discuss the effects of the Great Depression, the Dust Bowl, and World War II on California. Chronological and Spatial Thinking 1. Research, Evidence, and Point of View 2.

② Chronological Thinking
Direct students to identify word clues in each quotation that help them know whether the quotation was written or spoken during World War II, or later. They can then use the source information to confirm their ideas.

Q Which statements were made at the time of the events, and which were made later? HSS 4.4.5, CS 1

A Mineta's and Bush's statements were made later; the other three were made during World War II.

③ Point of View Discuss the point of view presented in each quote. Then have students pose any questions they have about the quotes, such as the one modeled below. HSS 4.4.5, HR 2

Q Which quotations represent Japanese American points of view?

A the Central Japanese Association's and Norman Mineta's quotations

③ Close

It's Your Turn

Points of View Possible response: Central Japanese Association—Japanese Americans wanted to convince other Americans of their loyalty. Rankin—suspicious of Japanese Americans; Mineta—convinced that wrongdoing took place; wanted wrongs to be acknowledged; news article—supported the plan by focusing on possible positive aspects; President Bush—felt a responsibility to address a wrong by the government that caused harm to a large group of people. HSS 4.4.5, HR 2

Make It Relevant Students may say that they would feel they were being punished unfairly.

CHAPTER 9 ■ **385**

② Pensamiento cronológico Dirija a los estudiantes para que identifiquen en cada cita palabras clave que los ayuden a determinar si la cita fue oral o escrita, y si corresponde a la época de la Segunda Guerra Mundial o a una época posterior. Luego, pueden usar la información de las fuentes para confirmar sus ideas.

P ¿Qué declaraciones fueron hechas en el momento de los eventos y cuáles se hicieron después? HSS 4.4.5, CS 1

R Las declaraciones de Mineta y las de Bush fueron hechas después; las otras tres se hicieron durante la Segunda Guerra Mundial.

③ Punto de vista Analice con los estudiantes el punto de vista de cada cita. Luego, pídales que formulen cualquier pregunta que tengan acerca de las citas, como la que aparece abajo. HSS 4.4.5, HR 2

P ¿Qué citas representan el punto de vista de los japoneses americanos?

R la cita de la Asociación Japonesa Central y la de Norman Mineta

③ Concluir

Es tu turno

Puntos de vista Respuesta posible: Asociación Japonesa Central: los japoneses americanos querían convencer a los otros americanos de su lealtad. Rankin: desconfía de los japoneses americanos; Mineta: convencido de que se actuó mal; quería que se reconocieran los errores; artículo periodístico: apoyaba el plan enfocándose en los posibles aspectos positivos; el presidente Bush: sintió la responsabilidad de reparar un error cometido por el gobierno que causó daño a un gran número de personas. HSS 4.4.5, HR 2

Aplícalo Los estudiantes pueden hablar acerca de qué sentirían si fueran castigados injustamente.

Repaso del Capítulo 9

PÁGINAS 386–387

Destreza clave: CAUSA Y EFECTO

Los estudiantes pueden usar el organizador gráfico que aparece en la página 103 del cuaderno de Tarea y práctica. Las respuestas aparecen en la Edición del maestro del cuaderno de Tarea y práctica.

Pautas de redacción de California

Escribe una narración Las narraciones de los estudiantes deben describir con precisión los trabajos que se ofrecían a través de los programas del Nuevo Trato. También deben incluir detalles importantes acerca de cómo era la vida en California en la década de 1930. Las narraciones tienen que estar escritas en primera persona. HSS 4.4.5, ELA WRITING 2.1

Para calificar la redacción, vea el Programa de evaluación, pág. xi.

Escribe un resumen Los guiones de los estudiantes deben enfocarse en las distintas maneras en las que los californianos colaboraron con los esfuerzos de la guerra durante la Segunda Guerra Mundial. Los guiones deben incluir solo ideas principales y detalles clave, y deben estar escritos con palabras de los estudiantes. HSS 4.4.5, ELA WRITING 2.1

Para calificar la redacción, vea el Programa de evaluación, pág. xii.

Usa el vocabulario HSS 4.4

1. Una de las maneras en las que el pueblo de California puede hacer una **reforma** en el gobierno, o mejorarlo, es aprobando una **enmienda** a la constitución del estado. (pág. 359)

2. Durante una **depresión** económica, hay un alto porcentaje de **desempleo** y el pueblo tiene poco dinero. (pág. 369)

3. Un **trabajador migratorio** viaja de un lugar a otro trabajando en la cosecha. Un **bracero** es un trabajador agrícola capacitado de origen mexicano que vino a trabajar a California durante y después de la Segunda Guerra Mundial. (págs. 371, 381)

Chapter 9 Review

PAGES 386–387

Focus Skill: CAUSE AND EFFECT

Students may use the graphic organizer that appears on page 103 of the Homework and Practice Book. Answers appear in the Homework and Practice Book, Teacher Edition.

California Writing Prompts

Write a Narrative Students' narratives should accurately describe jobs acquired through New Deal programs. The narratives should also present relevant details about life in California in the 1930s, and should be written in the first person. HSS 4.4.5, ELA WRITING 2.1

For a writing rubric, see Assessment Program, p. xi.

Write a Summary Students' scripts should focus on the different ways Californians contributed to the war effort during World War II. The scripts should include only main ideas and key details, and they should be written in students' own words. HSS 4.4.5, ELA WRITING 2.1

For a writing rubric, see Assessment Program, p. xii.

Use Vocabulary HSS 4.4

1. One way that people in California can **reform** government, or make it better, is to pass an **amendment** to the state constitution. (p. 359)

2. During an economic **depression,** there is high **unemployment** and people have little money. (p. 369)

3. A **migrant worker** travels from place to place harvesting crops. A **bracero** is a skilled farmworker from Mexico who came to California to work during and after World War II. (pp. 371, 381)

386 ■ UNIT 5

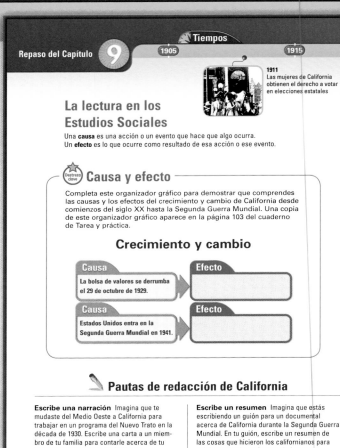

386 ■ Unidad 5

CALIFORNIA STANDARDS HSS 4.4 Students explain how California became an agricultural and industrial power, tracing the transformation of the California economy and its political and cultural development since the 1850s. SKILL Chronological and Spatial Thinking 1. Historical Interpretation 1.

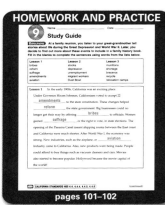

pages 101–102

page 103

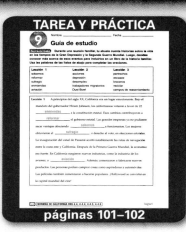

páginas 101–102

página 103

1925 **1935** **1945**

1929
Comienza la
Gran Depresión

1941
Estados Unidos
entra en la Segunda
Guerra Mundial

1942
Los japoneses
americanos son
enviados a campos
de reasentamiento

Usa el vocabulario

Escribe una o dos oraciones que expliquen cómo se relaciona cada par de términos.

1. reforma (pág. 359), enmienda (pág. 359)
2. depresión (pág. 369), desempleo (pág. 369)
3. trabajador migratorio (pág. 371), bracero (pág. 381)
4. escasez (pág. 380), reciclar (pág. 381)

Usa la línea cronológica

DESTREZA DE ANÁLISIS Usa la línea cronológica de arriba para responder estas preguntas.

5. ¿En qué año obtuvieron las mujeres el derecho al voto en California?
6. ¿Cuántos años después de la Gran Depresión entró Estados Unidos en la Segunda Guerra Mundial?

Aplica las destrezas

Tomar una decisión bien pensada

7. Algunos californianos pidieron a sus líderes que aprobaron leyes para expulsar del estado a los "okies". Imagina que eres uno de esos líderes. ¿Qué tendrías en cuenta antes de tomar esa decisión?
8. Imagina que te han invitado a California para trabajar en una industria relacionada con los esfuerzos de la guerra. ¿Qué decidirías? ¿Cómo y por qué tomarías esa decisión?

Recuerda los datos

Responde estas preguntas.

9. ¿Benefició o perjudicó la inauguración del canal de Panamá a la economía de California?
10. ¿Cómo era la vida en California durante la Gran Depresión?
11. ¿Cómo trataban en California a la mayoría de las familias que llegaban del Dust Bowl?

Escribe la letra que corresponda a la respuesta correcta.

12. ¿Qué atrajo a los cineastas al sur de California?
   A las reformas del gobierno
   B automóviles más baratos
   C el puente Golden Gate
   D el clima templado
13. ¿Qué evento llevó a que Estados Unidos entrara en la Segunda Guerra Mundial?
   A la Gran Depresión
   B el descubrimiento de petróleo en California
   C el ataque de los japoneses a Pearl Harbor
   D el derrumbe de la bolsa de valores

Piensa críticamente

14. **DESTREZA DE ANÁLISIS** ¿Por qué los californianos sentían que era importante reformar el gobierno a principios del siglo XX?
15. **DESTREZA DE ANÁLISIS** ¿Cuál es la diferencia entre el punto de vista de muchos japoneses americanos acerca del trato que les dio el gobierno de Estados Unidos durante la Segunda Guerra Mundial y el punto de vista de muchos otros estadounidenses?

Capítulo 9 ■ 387

---

4. When there is a **shortage** of a resource, **recycling** goods made from it can help. (pp. 380–381)

Use the Time Line

SKILL Chronological Thinking HSS 4.4, CS 1

5. 1911
6. 12 years

Apply Skills

Make a Thoughtful Decision

7. Possible responses: the availability of jobs, the housing and services migrants will need, and what government aid is available HSS 4.4.5
8. Students responses should reflect an understanding of the pros and cons of leaving their homes to work in war-related industry in California. HSS 4.4.5

Recall Facts

9. It helped the economy by increasing trade between California and the rest of the world. (p. 360) HSS 4.4.6
10. People lost their savings, and unemployment was high. Many people came to California and became migrant workers. The New Deal created jobs. (pp. 369-374) HSS 4.4.5
11. They were not welcomed because Californians feared the newcomers would take their jobs. (p. 371) HSS 4.4.5
12. D (p. 363) HSS 4.4.6
13. C (p. 379) HSS 4.4

Think Critically

14. **ANALYSIS SKILL Historical Interpretation** because big businesses were getting unfair advantages by bribing officials HSS 4.4, HI 1
15. **ANALYSIS SKILL Historical Interpretation** They might feel that their treatment was unfair, while others might feel it was justified. HSS 4.4.5, HI 1

CHAPTER 9 ■ 387

---

4. Cuando hay **escasez** de un recurso, **reciclar** productos derivados de ese recurso puede ayudar. (págs. 380–381)

Usa la línea cronológica

DESTREZA DE ANÁLISIS Pensamiento cronológico HSS 4.4, CS 1

5. 1911
6. 12 años

Aplica las destrezas

Tomar una decisión bien pensada

7. Repuestas posibles: la disponibilidad de empleos, de vivienda y de servicios que necesitarán los migrantes, y el tipo de ayuda que el gobierno puede darles HSS 4.4.5
8. Las respuestas de los estudiantes deben reflejar que comprendieron los pros y contras de dejar sus hogares para ir a trabajar a California en industrias relacionadas con la guerra. HSS 4.4.5

Recuerda los datos

9. Ayudó a la economía aumentando el comercio entre California y el resto del mundo. (pág. 360) HSS 4.4.6
10. La gente perdió sus ahorros y el desempleo era alto. Muchos llegaron a California y se convirtieron en trabajadores migratorios. El Nuevo Trato creó empleos. (págs. 369–374) HSS 4.4.5
11. No eran bien recibidas porque los californianos temían que los recién llegados les quitaran sus empleos. (pág. 371) HSS 4.4.5
12. D (pág. 363) HSS 4.4.6
13. C (pág. 379) HSS 4.4

Piensa críticamente

14. **DESTREZA DE ANÁLISIS Interpretación histórica** porque las grandes compañías obtenían ventajas injustas sobornando a los funcionarios HSS 4.4, HI 1
15. **DESTREZA DE ANÁLISIS Interpretación histórica** Quizás pensaban que el trato que recibían era injusto, mientras que otros podían pensar que estaba justificado. HSS 4.4.5, HI 1

Plan del Capítulo 10

Hacia los tiempos modernos

La gran idea

CRECIMIENTO Y CAMBIO **Durante el siglo veinte, las acciones humanas y los fenómenos naturales cambiaron California, Estados Unidos y el mundo.**

LESSON	PACING	TESTED STANDARDS
Introducción del capítulo Destrezas de estudio: Escribir para aprender pág. 388 Presentación del Capítulo 10 pág. 389	**1** DAY	**4.4** Students explain how California became an agricultural and industrial power, tracing the transformation of the California economy and its political and cultural development since the 1850s.
Comienza con un cuento *El camino de Amelia* págs. 390–391	**1** DAY	**4.4.6.** Describe the development and locations of new industries since the nineteenth century, such as the aerospace industry, electronics industry, large-scale commercial agriculture and irrigation projects, the oil and automobile industries, communications and defense industries, and important trade links with the Pacific Basin.
Cambios después de la Segunda Guerra Mundial págs. 392–397 🔆 **REFLEXIONA** ¿Cómo creció y cambió California después de la Segunda Guerra Mundial?	**3** DAYS	**4.4** Students explain how California became an agricultural and industrial power, tracing the transformation of the California economy and its political and cultural development since the 1850s. **4.4.4.** Describe rapid American immigration, internal migration, settlement, and the growth of towns and cities (e.g., Los Angeles). **4.4.5.** Discuss the effects of the Great Depression, the Dust Bowl, and World War II on California. **4.4.6.** Describe the development and locations of new industries since the nineteenth century, such as the aerospace industry, electronics industry, large-scale commercial agriculture and irrigation projects, the oil and automobile industries, communications and defense industries, and important trade links with the Pacific Basin.
DESTREZAS CON MAPAS Y GLOBOS TERRÁQUEOS **Leer un mapa de carreteras** págs. 398–399	**1** DAY	**4.4** Students explain how California became an agricultural and industrial power, tracing the transformation of the California economy and its political and cultural development since the 1850s.

3 WEEKS	WEEK 1		WEEK 2	WEEK 3	
	Introduce the Chapter	Lesson 1	Lesson 2	Lesson 3	Chapter Review

OBJECTIVES	READING SUPPORT/ VOCABULARY	REACH ALL LEARNERS	RESOURCES
■ Explain how writing can help readers understand and remember more of what they read. ■ Use a learning log to write responses to new information. ■ Analyze the contributions of migrant farmworkers to California's agricultural industry. ■ Explain the lives of migrant farmworkers.	(Focus Skill) **Reading Social Studies** **Cause and Effect,** **Review the Unit 5 Reading Social Studies Focus Skill,** pp. 350–351	**Leveled Practice,** pp. 388, 390	Social Studies in Action: Resources for the Classroom Primary Source Collection ⊙ Music CD ■ Interactive Map Transparencies Interactive Desk Maps Atlas TimeLinks: Interactive Time Line ■ Study Skills Transparency 10 ▢ Internet Resources ⊙ Unit 5 Audiotext CD Collection
■ Identify the reasons for the growth of California's population after World War II. ■ Explain where and why some industries developed in California after the war. ■ Describe how to read a road map. ■ Use a road map to identify a route between two places.	(Focus Skill) **Reading Social Studies** **Cause and Effect,** pp. 393, 394, 395, 397 **Vocabulary Power:** Word Origins, p. 393 **economía diversificada** pág. 394 **tecnología** pág. 394 **autopista** pág. 395 **viajar al trabajo** pág. 395 **expansión urbana** pág. 395 **tecnología avanzada** pág. 396 **chip de silicio** pág. 396 **aeroespacial** pág. 396	**ENGLISH LANGUAGE LEARNERS,** p. 393 **Leveled Practice,** pp. 396, 399 **Reading Support,** p. 393	Homework and Practice Book, pp. 104–107 Reading Support and Intervention, pp. 138–141 Success for English Learners, pp. 142–145 Vocabulary Power, pp. 105–108 ■ Vocabulary Transparency 5-10-1A—5-10-1B ■ Focus Skills Transparency 5 ⊙ Unit 5 Audiotext CD Collection ▢ Internet Resources TimeLinks: Interactive Time Line ⊙ GeoSkills CD-Rom

Plan del Capítulo 10

LESSON	PACING	🐻 TESTED STANDARDS
② **Derechos para todos los californianos** págs. 400–404 💡 **REFLEXIONA** ¿Cómo cambió California con la labor de grupos que buscaban la igualdad de derechos?	**3** **DAYS**	**4.4** Students explain how California became an agricultural and industrial power, tracing the transformation of the California economy and its political and cultural development since the 1850s. **4.4.6.** Describe the development and locations of new industries since the nineteenth century, such as the aerospace industry, electronics industry, large-scale commercial agriculture and irrigation projects, the oil and automobile industries, communications and defense industries, and important trade links with the Pacific Basin. **4.4.8.** Describe the history and development of California's public education system, including universities and community colleges.
BIOGRAFÍA **César Chávez** pág. 405	**1** **DAY**	**4.4.6.** Describe the development and locations of new industries since the nineteenth century, such as the aerospace industry, electronics industry, large-scale commercial agriculture and irrigation projects, the oil and automobile industries, communications and defense industries, and important trade links with the Pacific Basin.
③ **Un estado diverso** págs. 406–409 💡 **REFLEXIONA** ¿Qué cambios produjeron en California la inmigración y la migración?	**3** **DAYS**	**4.4** Students explain how California became an agricultural and industrial power, tracing the transformation of the California economy and its political and cultural development since the 1850s. **4.4.4.** Describe rapid American immigration, internal migration, settlement, and the growth of towns and cities (e.g., Los Angeles).
Repaso del capítulo págs. 410–411	**1** **DAY**	**4.4** Students explain how California became an agricultural and industrial power, tracing the transformation of the California economy and its political and cultural development since the 1850s.

OBJECTIVES	READING SUPPORT/ VOCABULARY	REACH ALL LEARNERS	RESOURCES
■ Describe the struggle for equal rights. ■ Analyze the effects of the Civil Rights movement in California. ■ Explain how Cesar Chavez fought for the rights of migrant farmworkers.	**Reading Social Studies** **Cause and Effect,** pp. 401, 403, 404 **Vocabulary Power:** Multiple-Meaning Words, p. 401 **segregación** pág. 401 **derechos civiles** pág. 401 **sindicato laboral** pág. 402 **huelga** pág. 403 **boicot** pág. 403	**ENGLISH LANGUAGE LEARNERS,** p. 401 **Reading Support,** p. 401 **Leveled Practice,** pp. 403, 405	Homework and Practice Book, pp. 108–109 Reading Support and Intervention, pp. 142–145 Success for English Learners, pp. 146–149 Vocabulary Power, pp. 105–108 Vocabulary Transparency 5-10-2 Focus Skills Transparency 5 Unit 5 Audiotext CD Collection Internet Resources
■ Describe how immigration has affected the population of California. ■ Explain how people throughout California honor and celebrate culture.	**Reading Social Studies** **Cause and Effect,** pp. 407, 409 **Vocabulary Power:** Context Clues, p. 407 **multicultural** pág. 407 **grupo étnico** pág. 408 **patrimonio cultural** pág. 408	**ENGLISH LANGUAGE LEARNERS,** p. 407 **Leveled Practice,** p. 408 **Reading Support,** p. 407	Homework and Practice Book, pp. 110–111 Reading Support and Intervention, pp. 146–149 Success for English Learners, pp. 150–153 Vocabulary Power, pp. 105–108 Vocabulary Transparency 5-10-3 Focus Skills Transparency 5 Unit 5 Audiotext CD Collection Internet Resources
	Reading Social Studies **Cause and Effect,** p. 410		Homework and Practice Book, pp. 112–114 Assessment Program, pp. 93–96

Homework and Practice Book

Nombre _____ Fecha _____

Cambios después de la Segunda Guerra Mundial

INSTRUCCIONES Después de la Segunda Guerra Mundial, muchas industrias se volvieron importantes para la economía de California. Piensa acerca de las industrias de California mencionadas en los recuadros de abajo. Escribe una X en el espacio en blanco junto a cada efecto causado por la industria.

Industria automotriz

1 __X__ Aumentó el tráfico en las carreteras.

2 ____ La mayoría de las personas se mudaron más cerca de su trabajo.

3 __X__ Se construyeron autopistas.

4 __X__ Surgieron suburbios.

5 ____ A los trabajadores se les hizo imposible viajar al trabajo.

Industria de la computación

6 ____ Se abrieron menos compañías electrónicas de tecnología avanzada.

7 __X__ Se inventó el chip de silicio.

8 __X__ Las computadoras se volvieron menos costosas.

9 ____ Se hicieron posibles los viajes espaciales.

10 __X__ Las computadoras se volvieron más pequeñas y más rápidas.

NORMAS DE CALIFORNIA HSS 4.4, 4.4.5, 4.4.6; HI 3

(sigue)

Nombre _____ Fecha _____

Industria aeroespacial

11 __X__ Ayudó a desarrollar mejores motores de cohete.

12 ____ Ayudó a reducir el tráfico en las autopistas.

13 ____ Instaló motores a chorro en la mayor parte de los automóviles.

14 __X__ Mejoró los viajes aéreos.

15 __X__ Ayudó a los estadounidenses a descender en la luna.

INSTRUCCIONES Elige un empleo en alguna de las industrias. Redacta un breve anuncio de empleo con cuatro oraciones que describan por qué es emocionante realizar ese trabajo en California.

¡Se busca empleado!

Título del anuncio: _____

¡Trabaje en la industria _____ !

Motivo 1: Los estudiantes deberán dar cuatro motivos que respalden su elección de la industria. Pueden usar los motivos que se mencionan en esta actividad.

Motivo 2: _____

Motivo 3: _____

Motivo 4: _____

¡Trabajar en California es estupendo!

Nombre _____ Fecha _____

Destrezas: Leer un mapa de carreteras

INSTRUCCIONES Observa el mapa del área de la bahía de San Francisco que se muestra abajo. Usa el mapa para responder las preguntas de la página siguiente.

Carreteras del área de la bahía de San Francisco

NORMAS DE CALIFORNIA CS 4

(sigue)

Nombre _____ Fecha _____

1 ¿Qué carretera pasa por el Aeropuerto Internacional de San Francisco?

La Carretera Nacional 101 pasa por el Aeropuerto Internacional de San Francisco.

2 ¿Qué carretera está más cerca del Aeropuerto Internacional de Oakland?

La Carretera Estatal 61 está más cerca del Aeropuerto Internacional de Oakland.

3 ¿Aproximadamente cuántas millas hay desde Daly City hasta Belmont por la Carretera Interestatal 280?

Hay 15 millas, aproximadamente, desde Daly City hasta Belmont, por la Carretera Interestatal 280.

4 ¿En qué carretera interestatal está el puente Bay?

El puente Bay está en la Carretera Interestatal 80.

5 ¿Qué carretera tomarías para ir desde Belmont hasta Hayward?

Tomaría la Carretera Estatal 92 para ir desde Belmont hasta Hayward.

6 Si viajaras al este por la Carretera Estatal 85, ¿qué carreteras tomarías para ir desde el área de San Jose hasta el área de San Leandro?

Respuesta posible: Tomaría la Carretera Estatal 85 hasta la Carretera Estatal 87 y luego la Interestatal 880.

7 ¿Cómo viajarías desde Emeryville hasta la bahía de Half Moon?

Repuesta posible: Tomaría la Interestatal 80, luego la Interestatal 280 y finalmente la Carretera Estatal 1.

8 ¿Cómo viajarías desde la bahía de Half Moon hasta San Jose?

Respuesta posible: Tomaría la Carretera Estatal 92, luego la Interestatal 280 y finalmente la Carretera Estatal 85.

Nombre _____ Fecha _____

Derechos para todos los californianos

INSTRUCCIONES Lee la siguiente información sobre el caso *Mendez vs. Westminster* y su efecto en las escuelas. Luego, organiza la información en la línea cronológica de la página siguiente.

En 1896, la Corte Suprema de Estados Unidos falló a favor de una ley que permitía la segregación en los espacios públicos, siempre y cuando las instalaciones respetaran la idea de "separado pero igual". El fallo afirmaba que era correcto que los trenes tuvieran vagones separados para los afroamericanos, con la condición de que los vagones fueran iguales a los de la gente blanca. Esa idea de "separado pero igual" se aplicó entonces a todos los aspectos de la vida, incluyendo las escuelas. Los afroamericanos no eran el único grupo al que ese fallo afectó. Los mexicanos americanos y otros grupos también padecieron la idea de "separado pero igual". Para muchas personas, esa segregación era una forma de discriminación.

Gonzalo Mendez y otros cuatro padres de familia mexicanos americanos decidieron luchar contra ese fallo. Consideraban que los niños de origen latino no debían verse obligados a asistir a una escuela separada. En marzo de 1945, presentaron una demanda en el tribunal federal de Los Angeles. El caso se conoció como *Mendez vs. Westminster*.

En febrero de 1946, el juez Paul J. McCormick dictaminó que Mendez y los otros padres tenían razón. En junio de 1947, el gobernador de California Earl Warren firmó una nueva ley que había sido aprobada por la legislatura estatal. La nueva ley decía que el fallo "separado pero igual" ya no podía aplicarse en las escuelas de California.

Mendez vs. Westminster también afectó a los afroamericanos. En febrero de 1951, los padres de 20 estudiantes afroamericanos de Topeka, en Kansas, presentaron una demanda para poner fin a la segregación en las escuelas de la zona. Este caso se llamó *Brown vs. Consejo de Educación de Topeka*. Finalmente, la demanda llegó a la Corte Suprema. Los padres argumentaban que las escuelas separadas hacían que los niños se sintieran diferentes de sus compañeros. Ese era el mismo argumento de *Mendez vs. Westminster*. En mayo de 1954, todos los magistrados de la Corte Suprema decidieron que los padres tenían razón. La corte dijo que la idea de "separado pero igual" violaba la Decimocuarta Enmienda a la Constitución, que establece que todos los ciudadanos deben recibir el mismo trato. La corte dijo que la segregación en las escuelas debía terminar. Pronto, otros estados se sumaron a California al sostener que la idea "separado pero igual" era ilegal en las escuelas.

NORMAS DE CALIFORNIA HSS 4.4, 4.4.8; CS 1

(sigue)

Nombre _____ Fecha _____

- El gobernador de California Earl Warren firma una ley que dice que la regla de "separado pero igual" ya no puede aplicarse en las escuelas de California.
- La Corte Suprema dictamina que las escuelas "separadas pero iguales" son contrarias a la Decimocuarta Enmienda.
- El caso *Brown vs. Consejo de Educación de Topeka* es llevado a las cortes.
- Gonzalo Mendez y otros cuatro padres de familia mexicanos americanos presentan una demanda en el caso *Mendez v. Westminster*.
- El juez Paul J. McCormick dictamina que Mendez y los otros padres tienen razón.

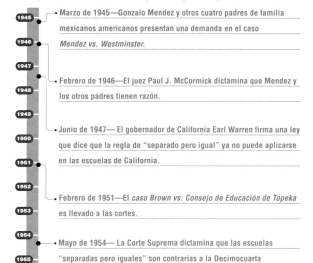

1945 — Marzo de 1945—Gonzalo Mendez y otros cuatro padres de familia mexicanos americanos presentan una demanda en el caso *Mendez vs. Westminster.*

1946

1947 — Febrero de 1946—El juez Paul J. McCormick dictamina que Mendez y los otros padres tienen razón.

1948

1949 — Junio de 1947— El gobernador de California Earl Warren firma una ley que dice que la regla de "separado pero igual" ya no puede aplicarse en las escuelas de California.

1950

1951 — Febrero de 1951—El *caso Brown vs. Consejo de Educación de Topeka* es llevado a las cortes.

1952

1953

1954 — Mayo de 1954— La Corte Suprema dictamina que las escuelas "separadas pero iguales" son contrarias a la Decimocuarta Enmienda.

1955

Nombre _____ Fecha _____

Un estado diverso

INSTRUCCIONES Haz un círculo alrededor de la palabra o frase que haga correcta cada oración.

1. Todas las personas nacidas en Estados Unidos son (ciudadanos) / inmigrantes de Estados Unidos.

2. Las diversas culturas de los inmigrantes han transformado a California en un estado (multicultural) / unicultural.

3. La cultura incluye el idioma, las comidas y las (creencias religiosas) / clases que uno toma en la escuela.

4. El Festival Punjabi Americano celebra el patrimonio cultural del pueblo de Camboya / (India).

5. Muchos punjabíes pertenecen a la religión judía / (sikh).

6. El festival Cinco de Mayo celebra el patrimonio cultural (mexicano) / vietnamita.

7. La Celebración Celta honra el patrimonio cultural de personas de Escocia, Gales e (Irlanda) / Laos.

8. En Los Angeles, el Día del Violín / (Tambor) de las Torres Watts se enfoca en un solo instrumento musical.

9. El Día de la Ciudadanía se celebra el 4 de julio / (17 de septiembre.)

10. El gobierno aprobó leyes que hacen (más difícil) / más fácil que los inmigrantes ilegales permanezcan en Estados Unidos.

NORMAS DE CALIFORNIA HSS 4.4, 4.4.4

(sigue)

Nombre _____ Fecha _____

INSTRUCCIONES Usa la información de abajo para completar las oraciones o responder las preguntas.

Cuando los inmigrantes chinos llegaron a California durante la fiebre del oro trajeron consigo muchas de sus tradiciones. Una de esas tradiciones es el Festival de Mediados de Otoño, o Festival de la Luna. El festival tiene más de 1,000 años de antigüedad y es celebrado por las comunidades asiáticas de todo el mundo. Aunque la fecha del festival cambia cada año, siempre se realiza en otoño, durante una luna llena. En la cultura china, la luna llena es un símbolo de reunión.

Pasteles de la luna

El Festival de Mediados de Otoño celebra la temporada de cosecha y es una oportunidad para que las familias se reúnan. Durante el festival, las familias vuelven a la casa de sus padres para compartir una gran comida. Durante esa celebración, se come un platillo especial llamado pastel de la luna. Los pasteles de la luna son pequeñas masas redondas con una costra hojaldrada dorada. Se hacen al horno y se rellenan con dulce de nueces, puré de frijoles rojos, pasta de semilla de loto o dátiles chinos. Los pasteles de la luna se ofrecen como regalos.

Las personas que no pueden volver a casa también pueden celebrar el Festival de Mediados de Otoño. Pueden salir al aire libre, mirar la luna llena y recordar a su familia.

1. El Festival de Mediados de Otoño también es llamado _Festival de la Luna_.

2. El Festival de Mediados de Otoño tiene más de ___1,000___ años de antigüedad.

3. ¿Qué son los pasteles de la luna?
   Respuesta posible: Los pasteles de la luna son un platillo especial que se come y se regala durante el festival.

4. ¿Qué pueden hacer las personas para celebrar el festival si no están con sus familias?
   Respuesta posible: Pueden salir al aire libre, mirar la luna llena y recordar a su familia.

5. ¿En qué se parecen el Festival de Mediados de Otoño y el Día de Acción de Gracias?
   Respuesta posible: Ambos celebran la cosecha y las familias se reúnen para compartir una gran comida.

Capítulo 10

Nombre _____ Fecha _____

Guía de estudio

INSTRUCCIONES Usa las palabras y los términos de abajo para completar el reporte de Janelle sobre el Día de la Ciudadanía.

Lección 1	Lección 2	Lección 3
tecnología	chip de silicio	boicot	multicultural
autopista	aeroespacial	segregación	grupo étnico
viajar al trabajo	diversificada	derechos civiles	patrimonio cultural
expansión urbana	Fremont	sindicato laboral	cultura
tecnología avanzada	Pasadena	huelga	festivales

Lección 1 Después de la Segunda Guerra Mundial, como la automotriz y la electrónica crecieron. ¡Una fábrica de automóviles de **Fremont** construyó 5 millones de vehículos! Las nuevas industrias llevaron a la construcción de comunidades enteras ubicadas lejos de los centros urbanos, lo que causó una **expansión urbana**. Los trabajadores podían **viajar al trabajo** por una carretera de varios carriles, llamada **autopista**. El rápido crecimiento de las nuevas industrias hizo que la economía de California se volviera más **diversificada**. Solo en el área de San Francisco se abrieron más de 200 compañías electrónicas de **tecnología avanzada** que apoyaban a las nuevas industrias de computación y de aviación. La **tecnología** de computación ayudó a que los estadounidenses descendieran en la luna. El Laboratorio de Propulsión a Chorro de **Pasadena** se convirtió en líder de la industria **aeroespacial**. La invención del **chip de silicio** ayudó a la industria de la computación.

NORMAS DE CALIFORNIA HSS 4.4, 4.4.4, 4.4.5, 4.4.6, 4.4.8   *(sigue)*

Nombre _____ Fecha _____

Lección 2 Californianos de diversos orígenes han trabajado mucho para proteger lo que la Constitución de Estados Unidos garantiza: los **derechos civiles** de los ciudadanos. A los padres de Sylvia Mendez les molestaba que su hija tuviera que ir a una escuela separada. Entablaron una demanda y ganaron el caso contra la **segregación** escolar. César Chávez y Dolores Huerta querían ayudar a los trabajadores agrícolas migratorios. Organizaron un **sindicato laboral** de trabajadores agrícolas. Chávez alentó a los trabajadores a dejar de trabajar si el empleador era injusto. Encabezó una **huelga** de los recolectores de uva. Además, organizó un **boicot** al consumo de uvas hasta que se solucionara el problema. Otras personas han continuado la lucha por la igualdad.

Lección 3 Los californianos provienen de todas partes del mundo. Los miembros de cada **grupo étnico** trajeron los modos de vida de su antiguo hogar para compartirlos en su nuevo país. Esos modos de vida, que incluyen idioma, comidas y creencias religiosas que tienen en común, conforman la **cultura** del grupo. Cuando los modos de vida se transmiten de generación en generación, constituyen el **patrimonio cultural** de un grupo. Los inmigrantes contribuyen a hacer de California un estado **multicultural**. Cada año, en muchas ciudades de California hay **festivales**, o celebraciones culturales. Estos festivales contribuyen a que California sea un lugar especial para vivir.

CHAPTER 10 REVIEW

Nombre _____ Fecha _____

LA LECTURA EN LOS ESTUDIOS SOCIALES: CAUSA Y EFECTO

Hacia los tiempos modernos

INSTRUCCIONES Completa el organizador gráfico de abajo para mostrar que comprendes las causas y los efectos de los eventos clave que dieron forma a California durante la segunda mitad del siglo, después de la Segunda Guerra Mundial.

Causa
Los trabajadores que llegan a California durante la guerra deciden quedarse.

Efecto
Respuesta posible: Se desarrollan las industrias de tecnología avanzada y aeroespacial. La industria de la construcción experimenta un auge. Se produce la expansión urbana.

Causa
Algunos grupos de California enfrentan la discriminación.

Efecto
Respuesta posible: La familia Mendez lucha para poner fin a la segregación escolar. César Chávez y Dolores Huerta forman un sindicato laboral para ayudar a los trabajadores agrícolas. Dalip Singh Saund trabaja por los derechos de los asiáticos.

NORMAS DE CALIFORNIA HSS 4.4, 4.4.4, 4.4.6, 4.4.8

STATE AND COMMUNITY RESOURCES

CHAPTER TEST

Nombre _____ Fecha _____

 10 Prueba   🐻 NORMAS DE CALIFORNIA HSS 4.4

SELECCIÓN MÚLTIPLE (5 puntos cada una)

INSTRUCCIONES Elige la letra de la respuesta correcta.

1 ¿Qué sucedió con la economía de California después de la Segunda Guerra Mundial?
- (A) Se volvió más diversificada.
- B Se volvió menos diversificada.
- C Su crecimiento se detuvo.
- D Se concentró en la construcción de barcos.   HSS 4.4, 4.4.5, HI 1

2 ¿Cuál, entre los siguientes, fue el factor más importante que facilitó la forma de viajar de los californianos en la década de 1940?
- A los restaurantes servicio al carro
- (B) un sistema de autopistas
- C las naves espaciales
- D los chips de silicio   HSS 4.4.4

3 ¿Cuál fue una de las causas principales de la expansión urbana en California en la década de 1940?
- A el boicot al consumo de uvas
- B el desarrollo de la industria electrónica
- C la lucha contra la discriminación
- (D) el crecimiento de los suburbios   HSS 4.4.4, HI 3

Carretera interestatal
Carretera nacional
Carretera estatal

Usa el mapa para responder las preguntas 4 y 5.

4 ¿Qué carretera tomarías para viajar de Yreka a Redding?
- A Carretera Nacional 101
- B Carretera Nacional 97
- (C) Interestatal 5
- D Carretera Estatal Ruta 89   CS 4

5 ¿Qué distancia hay entre Yreka y Redding?
- A 136 millas
- (B) 99 millas
- C 73 millas
- D 46 millas   CS 4

(sigue)

CHAPTER TEST

Nombre _____ Fecha _____

Usa la información del recuadro para responder la pregunta 6.

> "Tenemos la gran oportunidad de hacer de América una gran nación, una nación donde todos los hombres vivan juntos como hermanos . . . Debemos seguir avanzando hacia ese objetivo."
>
> —Dr. Martin Luther King, Jr.

6 ¿Cómo trató de ayudar el Dr. Martin Luther King, Jr. a construir una América mejor?
- A Pronunció discursos sobre economía.
- B Organizó sindicatos laborales.
- (C) Encabezó protestas para garantizar los derechos civiles a todos los estadounidenses.
- D Fue el primer afroamericano elegido para el Congreso.   HSS 4.4, CS 1, HI 1

7 ¿De qué manera afectaron los padres de Sylvia Mendez el sistema escolar de California?
- (A) Ganaron un juicio que ayudó a poner fin a la segregación en las escuelas.
- B Aprobaron una ley que otorgaba los mismos derechos a todos los estudiantes.
- C Ayudaron a recaudar fondos para construir nuevas escuelas.
- D Trabajaron para desarrollar actividades extraescolares.   HSS 4.4.8, HI 1

8 ¿Qué tienen en común César Chávez y Dolores Huerta?
- A Construyeron automóviles en la misma fábrica de Fremont en la década de 1950.
- B Probaron motores de cohetes en Sacramento en la década de 1950.
- C Hicieron investigación en el Laboratorio de Propulsión a Chorro de Pasadena en la década de 1960.
- (D) Lucharon por los derechos de los trabajadores agrícolas de California en la década de 1960.   HSS 4.4, HI 1

9 ¿Cuál era el objetivo del Sindicato de Trabajadores Agrícolas (UFW)?
- (A) presionar por salarios más altos, mejores viviendas y mejores condiciones de trabajo
- B poner fin a la segregación en las escuelas
- C luchar contra los boicots
- D llamar la atención sobre el Movimiento por los derechos civiles   HSS 4.4, HI 1

10 ¿Por qué California es un estado multicultural?
- A La mayoría de los californianos comparte un patrimonio cultural similar.
- B El sistema de carreteras permite a los californianos viajar a cualquier lugar.
- (C) Muchos grupos de inmigrantes han traído algo de su propia cultura a California.
- D Los californianos viven en ciudades diferentes y hacen muchos trabajos diferentes.   HSS 4.4, 4.4.4, HI 2

(sigue)

CHAPTER TEST

Nombre _____ Fecha _____

EMPAREJAR (5 puntos cada una)

INSTRUCCIONES Relaciona cada persona con su descripción. Escribe la letra de la persona que corresponda en el espacio en blanco.

11 __D__ primera mujer afroamericana de California en ser elegida para la Cámara de Representantes de Estados Unidos   HSS 4.4, CS 1

12 __A__ primera mujer estadounidense en viajar al espacio   HSS 4.4, CS 1

13 __B__ niña mexicana americana cuyo caso puso fin a la segregación en las escuelas de California   HSS 4.4, CS 1

14 __E__ primer sikh que llegó a ser miembro del Congreso de Estados Unidos   HSS 4.4, CS 1

15 __C__ primer afroamericano que jugó en las ligas mayores de béisbol   HSS 4.4, 4.4.9, CS 1

A. Sally Ride

B. Sylvia Mendez

C. Jackie Robinson

D. Yvonne Brathwaite Burke

E. Dalip Singh Saund

RESPUESTA BREVE (5 puntos cada una)

INSTRUCCIONES Responde cada pregunta en el espacio en blanco.

16 ¿Qué llevó al auge de población en California después de la Segunda Guerra Mundial?   HSS 4.4.4, 4.4.5, HI 3
Respuesta posible: Muchos trabajadores, afroamericanos, braceros mexicanos y otros, que habían conseguido empleo en California durante la Segunda Guerra Mundial, se quedaron en el estado cuando la guerra terminó. Además, unos 300,000 miembros de las fuerzas armadas volvieron a California luego de la guerra.

17 ¿Cómo cambió California para mantenerse al nivel del rápido crecimiento de su población?   HSS 4.4, 4.4.6, 4.4.7
Respuesta posible: La economía de California se diversificó. Se construyeron fábricas, edificios de oficina, casas, centros comerciales, escuelas y carreteras. Los californianos obtuvieron mejores condiciones de trabajo y contribuyeron a poner fin a la segregación. Para suministrar el agua y generar la electricidad que necesitaba la población, se construyeron presas, diques y plantas de energía.

(sigue)

CHAPTER TEST

Nombre _____ Fecha _____

18 ¿Qué trato injusto recibían los trabajadores agrícolas en la década de 1960?   HSS 4.4.6, HI 1
Respuesta posible: Les pagaban menos de lo que establecía la ley: debían ganar 1.25 dólares por hora, pero la mayoría recibía un salario de 90 centavos por hora.

19 ¿Cómo logró César Chávez un trato más justo para los trabajadores agrícolas de California?   HSS 4.4.6, HI 1
Respuesta posible: Ayudó a los trabajadores agrícolas a formar un sindicato laboral, la UFW, para luchar por salarios más altos, mejores viviendas y mejores condiciones de trabajo. Chávez organizó una huelga y un boicot exitosos que finalmente obligaron a los productores a aceptar muchas de las demandas de los trabajadores agrícolas.

20 ¿Cómo mantienen vivas los californianos sus numerosas culturas?   HSS 4.4
Respuesta posible: Los californianos mantienen vivas sus culturas organizando y asistiendo a festivales culturales en ciudades de todo el estado. La mayoría de los festivales culturales incluyen música, danzas y comidas tradicionales.

Destrezas de estudio

Escribir para aprender

OBJETIVOS

- **Explicar que escribir puede ayudar al lector a comprender y recordar más acerca de lo que leyó.**

- **Usar un diario de aprendizaje para escribir reacciones frente a información nueva.**

RECURSOS

Transparencia de destrezas de estudio 10; Colección de audiotextos en CD de la Unidad 5

1 Presentar

Establecer el propósito Diga a los estudiantes que escribir sobre lo que leen puede ayudarlos a comprender y recordar información.

2 Enseñar

1 Explique que el diario de aprendizaje que aparece aquí se refiere al Capítulo 10.

Repase las entradas del diario de aprendizaje:

- La nueva información aprendida al leer el capítulo está en la columna "Aprendí".

- Las reacciones frente a la nueva información están en la columna "Mi reacción".

3 Concluir

Aplica la destreza mientras lees

2 Indique a los estudiantes que lleven un diario de aprendizaje mientras leen el Capítulo 10. Recuérdeles que deben anotar la información nueva y sus reacciones.

Study Skills

Write to Learn

OBJECTIVES

- **Explain how writing can help readers understand and remember more of what they read.**

- **Use a learning log to write responses to new information.**

RESOURCES

Study Skills Transparency 10, TimeLinks: Interactive Time Line; Unit 5 Audiotext CD Collection

1 Introduce

Set the Purpose Tell students that writing about what they read can help them understand and remember information.

2 Teach

1 Explain that the learning log shown relates to Chapter 10.

Review the entries of the learning log:

- New information learned by reading the chapter is written in the "What I Learned" column.

- Responses to new information are written in the "My Response" column.

3 Close

Apply As You Read

2 Instruct students to keep a learning log as they read Chapter 10. Remind students to write down new information and their responses.

388 ◼ **UNIT 5**

Destrezas de estudio

ESCRIBIR PARA APRENDER

Escribir acerca de lo que lees te ayudará a comprender y recordar mejor la información.

▶ Muchos estudiantes escriben sobre su lectura en un diario de aprendizaje. Escribir un diario de aprendizaje puede resultar creativo y personal.

▶ Escribir acerca del texto te hace pensar en él.

▶ Escribir tus reacciones al texto lo vuelve más significativo para ti.

Cambios después de la Segunda Guerra Mundial

Aprendí	Mi reacción
La población de California creció cuando afroamericanos, braceros de México y soldados que regresaban de la Segunda Guerra Mundial decidieron vivir en el estado.	Esto probablemente haya hecho más diversa la población de California.

1 **2**

Aplica la destreza mientras lees

Mientras lees el capítulo, presta atención a información nueva e importante. Para llevar un registro de esa información, completa un diario de aprendizaje por cada lección.

Normas de Historia y Ciencias Sociales de California, Grado 4

4.4 Los estudiantes explican cómo California se convirtió en una potencia agrícola e industrial, siguiendo la transformación de la economía de California y su desarrollo político y económico desde la década de 1850.

388 ◼ Unidad 5

Practice and Extend

REACH ALL LEARNERS

Leveled Practice Have students read a short article and keep a learning log about it.

Basic Have pairs discuss what they would write in a learning log.

Proficient Have students complete learning logs.

Advanced Have students complete learning logs and then write paragraphs summarizing their responses.

STUDY SKILLS

Study Skills
Write to Learn

Changes After World War II	
What I Learned	My Response
California's population grew when African Americans, braceros from Mexico, and soldiers returning from WWII decided to live in the state	This probably made California's population more diverse

California: A Changing State pages 388-389   Reflections   Study Skills Transparency 10

TRANSPARENCY 10

Practicar y ampliar

DESTREZAS DE ESTUDIO

Destrezas de estudio
Escribir para aprender

Cambios después de la Segunda Guerra Mundial	
Aprendí	Mi reacción
La población de California creció cuando afroamericanos, braceros de México y soldados que regresaban de la Segunda Guerra Mundial decidieron vivir en el estado.	Esto probablemente haya hecho más diversa la población de California.

California: Un estado cambiante páginas 388-389   Reflexiones   Destrezas de estudio Transparencia 10

TRANSPARENCIA 10

Hacia los tiempos modernos

CAPÍTULO 10

> Las autopistas son parte de la vida moderna de California.

Capítulo 10 ■ 389

CALIFORNIA STANDARDS HSS 4.4 Students explain how California became an agricultural and industrial power, tracing the transformation of the California economy and its political and cultural development since the 1850s. Research, Evidence, and Point of View 2.

Access Prior Knowledge

Tell students that in this chapter they will learn about many changes that occurred in California after World War II. Elicit from students what they know about California's history after 1950.

③ Visual Literacy: Photograph

Research/Evidence Explain that the photograph is of a freeway in southern California. Have students examine the photograph and pose relevant questions, such as the one below.

Q **What might be some of the positive and negative effects that freeways have had on life in California?** HSS 4.4, HR 2

A Positive: Freeways make it easier and faster to travel. Freeways help the economy grow. Negative: It is bad for the environment to have so many cars. Freeways take away from the natural landscape.

TIMELINKS: Interactive Time Line

Remind students to add people and events for each lesson in this chapter to the TimeLinks: Interactive Time Line.

Presentación del Capítulo 10

PÁGINA 389

Despertar conocimientos previos

Diga a los estudiantes que en este capítulo aprenderán sobre muchos cambios que ocurrieron en California después de la Segunda Guerra Mundial. Pregunte a los estudiantes qué saben sobre la historia de California después de 1950.

③ Aprendizaje visual: Fotografía

Investigación/Evidencia Explique que la fotografía muestra una autopista del sur de California. Pida a los estudiantes que observen la fotografía y formulen preguntas relevantes, como la de abajo.

P **¿Qué efectos positivos y negativos pueden haber tenido las autopistas en la vida en California?** HSS 4.4, HR 2

R Positivos: Las autopistas permiten viajar con más facilidad y a mayor velocidad. Negativos: Tantos automóviles son nocivos para el ambiente. Las autopistas hacen que uno disfrute menos del paisaje natural.

BACKGROUND

Freeways California has the greatest concentration of motor vehicles in the world and the most extensive multilane divided-freeway system in the country. On freeways, motorists can drive more than 500 miles north from San Diego without encountering stop signals or cross traffic.

CHAPTER 10 ■ **389**

ANTECEDENTES

Las autopistas California tiene la mayor concentración de vehículos del mundo y el sistema de autopistas de carriles múltiples más extenso del país. En las autopistas, los automovilistas pueden conducir más de 500 millas hacia el norte desde San Diego sin encontrarse con señales de alto o cruces de tránsito.

Comienza con un cuento

OBJETIVOS

- Analizar las aportaciones de los trabajadores migrantes a la industria agrícola de California.
- Explicar cómo era la vida de los trabajadores agrícolas migrantes.

RECURSOS

Colección de audiotextos en CD de la Unidad 5

Resumen

El camino de Amelia, por Linda Jacobs Altman, describe la vida de Amelia Martínez y sus padres, trabajadores agrícolas migrantes. Este fragmento cuenta la llegada de la familia a la granja y el primer día de clases de Amelia en su nueva escuela.

Fuente: *Amelia's Road,* por Linda Jacobs Altman. Ilustrado por Enrique O. Sanchez. Lee & Low books, 1995.

Antes de la lectura

Establecer el propósito Explique que un *migrante* es una persona que se muda de un lugar a otro. Reflexione con los estudiantes acerca de por qué muchos trabajadores agrícolas deben mudarse de un lugar a otro para encontrar empleo y señale las importantes aportaciones que hace este grupo. Pida a los estudiantes que consideren los sacrificios que una familia hace cuando se muda de una ciudad o un pueblo a otro.

Durante la lectura

1 Entender el cuento Comente los sentimientos de Amelia sobre las frecuentes mudanzas de su familia en su condición de trabajadores migrantes.

P ¿Por qué es importante para Amelia si su familia está en la misma cabaña que el año anterior? **HSS 4.4.6,** ELA READING 2.0

R Respuesta posible: Desea tener un lugar al que pueda considerar su hogar.

Start with a Story

OBJECTIVES

- Analyze the contributions of migrant farmworkers to California's agricultural industry.
- Explain the lives of migrant farmworkers.

RESOURCES

Unit 5 Audiotext CD Collection

Quick Summary

Amelia's Road, by Linda Jacobs Altman, describes the life of Amelia Martinez and her parents, who are migrant farmworkers. The excerpt tells about the family's arrival at labor camp and Amelia's first day at a new school.

Source: *Amelia's Road* by Linda Jacobs Altman. Illustrated by Enrique O. Sanchez. Lee & Low Books, 1995.

Before Reading

Set the Purpose Explain that a *migrant* is a person who moves from place to place. Discuss why many farmworkers must move from place to place to find work, and point out the important contributions these workers make. Ask students to consider the sacrifices the family must make as it moves from one town to the next.

During Reading

1 Understand the Story Discuss how Amelia feels about her family's frequent moves as migrant workers.

Q Why do you think it matters to Amelia if her family is in the same cabin as last year? **HSS 4.4.6,** ELA READING 2.0

A Possible response: She wants to have a place she can call home.

Comienza con un cuento

El camino de Amelia

por Linda Jacobs Altman
ilustrado por Enrique O. Sanchez

1 Los Martínez son una familia de trabajadores agrícolas migrantes. Esto significa que constantemente están en el camino, es decir, se mudan con frecuencia. Pero Amelia ya está cansada de estar siempre en los caminos. Sueña con vivir en un lugar que sea su hogar.

Era casi de noche cuando el carro oxidado y viejo de la familia se detuvo frente a la cabaña número doce de la granja.

—¿Es ésta la misma cabaña donde vivimos el año pasado? —preguntó Amelia, pero nadie se acordaba. A su familia parecía no importarle.

A Amelia sí le importaba. De un año a otro no quedaba indicio alguno de que ella hubiese vivido en ese lugar, hubiese asistido a la escuela del pueblo y hubiese trabajado en esas tierras. Amelia quería asentarse en un sitio permanente, quería echar raíces.

—Tal vez algún día —dijo su madre, pero ese maravilloso día nunca parecía llegar.

Practice and Extend

MAKE IT RELEVANT

In Your State Tell students that more than 200 kinds of crops are grown in California. Explain that farmers in different parts of the state plant and harvest different kinds of fruits, vegetables, and nuts. Have students work in groups to research three crops commonly grown in California. Then invite each group to share its findings with the class.

REACH ALL LEARNERS

Leveled Practice Discuss what a typical day for Amelia might be like.

Basic Have students draw a picture showing what Amelia does before school.

Proficient Ask students to draw and label a picture showing Amelia's morning work.

Advanced Have students write a short paragraph explaining Amelia's morning routine.

Practicar y ampliar

APLÍCALO

En tu estado Comente a los estudiantes que más de 200 cultivos diferentes se siembran en California. Explique que los agricultores de diferentes partes del estado plantan y cosechan diferentes tipos de frutas, vegetales y frutos secos. Pida a los estudiantes que trabajen en grupo para investigar tres cultivos comunes en California. Luego, invite a cada grupo a presentar los resultados de su investigación al resto de la clase.

—Mamá, ¿dónde nací yo? —preguntó Amelia.

La señora Martínez pensó por un momento y sonrió.

—¿Dónde? Déjame ver. Debe haber sido en Yuba City porque recuerdo que estábamos recogiendo melocotones.

—Tienes razón, eran melocotones —dijo el señor Martínez—, lo que significa que naciste en junio.

Amelia suspiró. Otros padres recordaban días y fechas. Los suyos recordaban las cosechas. El señor Martínez tenía presente los acontecimientos importantes de la vida de acuerdo al ciclo interminable de las cosechas.

Al día siguiente, todos se levantaron al amanecer. Amelia y su familia recogieron manzanas desde las cinco hasta casi las ocho de la mañana. Aunque todavía tenía sueño, Amelia tenía que ser muy cuidadosa para no estropear la fruta.

Cuando terminó el trabajo de la mañana, a Amelia le punzaban las manos y le dolían los hombros. Tomó una manzana y salió corriendo hacia la escuela . . .

Este año . . . la maestra les dio la bienvenida a los estudiantes nuevos y les entregó rótulos para que escribieran sus nombres. La maestra llevaba un rótulo que decía SEÑORITA RAMOS.

Después, la señorita Ramos les pidió a los estudiantes que dibujaran lo que más deseaban.

—Pinten algo que tenga un significado muy especial para ustedes.

Amelia sabía exactamente lo que haría.

Dibujó una hermosa casa blanca con un árbol en el patio. Apenas terminó, la señorita Ramos mostró el dibujo a la clase y luego pegó una estrella roja reluciente en la parte de arriba del papel.

Al final del día, todos los estudiantes de la clase sabían el nombre de Amelia. Por fin ella había encontrado un lugar donde quería quedarse.

Responde

1. ¿Cómo afectan las cosechas la vida de la familia Martínez?

2. ¿Crees que es difícil para los hijos de trabajadores agrícolas migrantes, como Amelia, asistir a la escuela? Explica tu respuesta.

Capítulo 10 391

---

2 Visual Literacy: Map Have students use the map of California on page R14 to locate Yuba City, in Sutter County.

Q What event happened in Yuba City?

ELA READING 2.4

A Amelia was born there.

3 Understand the Story Ask students why being in a class where everybody knew her name might be important to Amelia. ELA READING 2.4

After Reading

Response Corner—Answers

1. Harvests are what cause the Martinez family to move from one place to another for work. HSS 4.4.6, ELA READING 3.2

2. Yes, because with each move they have to change teachers and make new friends. HSS 4.4.6, ELA READING 2.0

✏️ Write a Response

Have students recall Amelia's dearest wish and the picture she draws. Invite students to write a short paragraph in the first-person voice of Amelia to go with her picture. ELA WRITING 2.2

For a writing response rubric, see Assessment Program, page xv.

---

2 Aprendizaje visual: Mapa Pida a los estudiantes que usen el mapa de California de la página R14 para ubicar Yuba City, en el condado Sutter.

P ¿Qué evento ocurrió en Yuba City?

ELA READING 2.4

R Amelia nació allí.

3 Entender el cuento Pregunte a los estudiantes por qué creen que pudo haber sido importante para Amelia estar en una clase donde todos conocían su nombre.

ELA READING 2.4

Después de la lectura

Responde—Respuestas

1. Las cosechas son la causa de que la familia Martínez tenga que mudarse de un lugar a otro para trabajar. HSS 4.4.6, ELA READING 3.2

2. Sí, porque cada vez que se mudan tienen que cambiar de maestros y hacer nuevos amigos. HSS 4.4.6, ELA READING 2.0

✏️ Escribir una respuesta

Pida a los estudiantes que recuerden el mayor deseo de Amelia y el dibujo que hace. Invite a los estudiantes a escribir un párrafo breve en primera persona desde el punto de vista de Amelia que concuerde con la ilustración. ELA WRITING 2.2

Para calificar la respuesta escrita, vea el Programa de evaluación, página xv.

CALIFORNIA STANDARDS HSS 4.4.6 Describe the development and locations of new industries since the nineteenth century, such as the aerospace industry, electronics industry, large-scale commercial agriculture and irrigation projects, the oil and automobile industries, communications and defense industries, and important trade links with the Pacific Basin.

READ A BOOK

Students may enjoy reading these books independently. Additional books are listed on page 345F of this Teacher Edition.

A Day's Work by Eve Bunting. Houghton Mifflin, 1997. The story of a recent Mexican immigrant and his grandson in California.

The Invention of the Silicon Chip by Windsor Chorlton. Heinemann, 2002. A factual account of the development of the silicon chip and how it has changed the world we live in.

Esperanza Rising by Pam Muñoz Ryan. Scholastic, 2000. A coming-of-age novel about rich, spoiled Esperanza, who must adapt to life as a poor migrant farmworker to save her family.

For information about ordering these trade books, visit **www.harcourtschool.com/hss/trader**

Lección 1

OBJETIVOS

- Identificar las razones del crecimiento de la población de California después de la Segunda Guerra Mundial.

- Explicar dónde y por qué se desarrollaron algunas industrias en California después de la guerra.

VOCABULARIO

economía diversificada pág. 394

tecnología pág. 394

autopista pág. 395

viajar al trabajo pág. 395

expansión urbana pág. 395

tecnología avanzada pág. 396

chip de silicio pág. 396

aeroespacial pág. 396

CAUSA Y EFECTO

págs. 350–351, 393, 394, 395, 397

RECURSOS

Tarea y práctica, págs. 104–105; Transparencia de destrezas clave 5; Colección de audiotextos en CD de la Unidad 5; Recursos en Internet

1 Presentar

Reflexiona Recuerde a los estudiantes que la guerra trajo a muchos trabajadores a California. Pídales que hagan predicciones sobre los cambios que creen que hayan ocurrido después de la guerra como resultado de esta migración.

Piensa en los antecedentes Después del fin de la Segunda Guerra Mundial, había más tiempo libre y muchos productos dejaron de escasear.

 Pida a los estudiantes que describan viajes en familia hechos en carro.

Lesson 1

OBJECTIVES

- Identify the reasons for the growth of California's population after World War II.

- Explain where and why some industries developed in California after the war.

VOCABULARY

diverse economy p. 394	**urban sprawl** p. 395
technology p. 394	**high-tech** p. 396
freeway p. 395	**silicon chip** p. 396
commute p. 395	**aerospace** p. 396

CAUSE AND EFFECT

pp. 350-351, 393, 394, 395, 397

RESOURCES

Homework and Practice Book, pp. 104–105; Reading Support and Intervention, pp. 138–141; Success for English Learners, pp. 142–145; Vocabulary Transparency 5-10-1A–5-10-1B; Vocabulary Power, p. 105; Focus Skills Transparency 5; TimeLinks: Interactive Time Line; Unit 5 Audiotext CD Collection; Internet Resources

1 Introduce

What to Know Recall with students that the war brought many workers to California. Ask students to predict changes that might have occurred after the war as a result of this migration.

Build Background Discuss how, after the end of World War II, people had more leisure time and many goods were no longer in short supply.

 Have students describe family outings or trips they have taken by car.

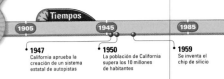
1947 California aprueba la creación de un sistema estatal de autopistas

1950 La población de California supera los 10 millones de habitantes

1959 Se inventa el chip de silicio

Cambios después de la Segunda Guerra Mundial

REFLEXIONA ¿Cómo creció y cambió California después de la Segunda Guerra Mundial?

✓ Identifica las razones del crecimiento de la población de California después de la Segunda Guerra Mundial.

✓ Explica dónde y por qué se desarrollaron algunas industrias en California después de la guerra.

VOCABULARIO
economía diversificada pág. 394
tecnología pág. 394
autopista pág. 395
viajar al trabajo pág. 395
expansión urbana pág. 395
tecnología avanzada pág. 396
chip de silicio pág. 396
aeroespacial pág. 396

PERSONAJES
Sally Ride

LUGARES
Fremont
Pasadena

CAUSA Y EFECTO

Normas de California
HSS 4.4, 4.4.4, 4.4.5, 4.4.6

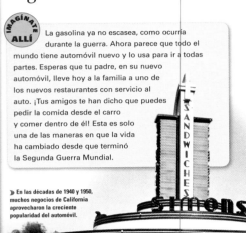

IMAGÍNATE ALLÍ La gasolina ya no escasea, como ocurría durante la guerra. Ahora parece que todo el mundo tiene automóvil nuevo y lo usa para ir a todas partes. Esperas que tu padre, en su nuevo automóvil, lleve hoy a la familia a uno de los nuevos restaurantes con servicio al auto. ¡Tus amigos te han dicho que puedes pedir la comida desde el carro y comer dentro de él! Esta es solo una de las maneras en que la vida ha cambiado desde que terminó la Segunda Guerra Mundial.

➤ En las décadas de 1940 y 1950, muchos negocios de California aprovecharon la creciente popularidad del automóvil.

CALIFORNIA STANDARDS HSS 4.4 Students explain how California became an agricultural and industrial power, tracing the transformation of the California economy and its political and cultural development since the 1850s. 4.4.4 Describe rapid American immigration, internal migration, settlement, and the growth of towns and cities (e.g., Los Angeles). 4.4.5 Discuss the effects of the Great Depression, the Dust Bowl, and World War II on California.

When Minutes Count

Read aloud the What to Know section. Ask students to examine the photographs, graphics, and captions in the lesson. Once they have finished, lead a discussion of major changes in California after World War II, connecting them back to the predictions they made in the What to Know activity.

Quick Summary

Following World War II, California's population continued to grow. The state's economy became more diverse. New industries sprang up, including high-tech and aerospace. There was a huge construction boom. Freeways and the growth of suburbs led to new ways of living as well as urban sprawl.

Cuando el tiempo apremia

Lea en voz alta la pregunta de "Reflexiona". Luego, pida a los estudiantes que observen las fotografías, las gráficas y las leyendas. Una vez que hayan terminado, guíe una conversación sobre los cambios que se produjeron en California después de la Segunda Guerra Mundial, relacionándolos con las predicciones de la actividad "Reflexiona".

Resumen

La población de California siguió en aumento después de la Segunda Guerra Mundial. La economía se diversificó y surgieron nuevas industrias, como la de tecnología avanzada y la aeroespacial. Hubo un gran auge de la construcción. Las autopistas y el crecimiento de los suburbios llevaron a la expansión urbana.

Nuevo auge en California

Durante la Segunda Guerra Mundial e inmediatamente después, la población de California creció rápidamente. En 1940, la población del estado era de casi 7 millones de habitantes. Para 1950, la cifra había superado los 10 millones.

Gran parte de ese crecimiento tuvo que ver con la guerra. Muchos de los trabajadores que habían conseguido empleo en California durante la guerra se quedaron en el estado cuando esta llegó a su fin. Entre esos trabajadores había afroamericanos. También se quedaron muchas personas que habían venido de México a plantar, cuidar y cosechar cultivos en California. Aunque cuando llegaron no eran ciudadanos estadounidenses, estos braceros jugaron un papel importante en el fortalecimiento de la industria agrícola de California.

▶ Además de los restaurantes con servicio al carro, los californianos podían ir en sus automóviles a los autocines.

Analizar gráficas Entre 1940 y 1960, la población de California aumentó a más del doble.

◆ ¿Aproximadamente en cuántos habitantes aumentó la población de California entre 1940 y 1960?

**Población de California
1940–1960**

Cantidad de habitantes / *Año*

FUENTE: U.S. Census Bureau, California Department of Finance

Otro incremento de la población se produjo cuando unos 300,000 miembros de las fuerzas armadas volvieron a California después de la guerra. Gracias a la GI Bill of Rights, es decir, la declaración de derechos militares, los soldados podían recibir dinero del gobierno para ir a la universidad, capacitarse para trabajar o pagar una vivienda. Muchos se quedaron en California para comenzar una nueva vida.

El gran aumento de la población fue un desafío para los negocios, los servicios, las viviendas y los caminos existentes. Al mismo tiempo, dio a la economía de California la oportunidad de crecer.

REPASO DE LA LECTURA ○ CAUSA Y EFECTO
¿Qué efecto tuvo la Segunda Guerra Mundial en la población de California? Atrajo a nuevos trabajadores y esto hizo que la población aumentara.

Capítulo 10 ■ **393**

---

2 Teach

California Booms Again

Content Focus California's population boomed after World War II. This new boom brought economic growth and new challenges.

① History Discuss the groups of people who came to California during and after World War II.

Q Why might wartime workers have decided to stay in California?
HSS 4.4.4, 4.4.5

A Accept all reasonable responses. Students might say there were more economic opportunities in California than there were elsewhere.

② Visual Literacy: Graphs Direct students to the line graph.

Q About how many people lived in California in 1940? in 1960? HSS 4.4.5

A about 7 million; about 16 million

CAPTION ANSWER: by about 9 million

4.4.6 Describe the development and locations of new industries since the nineteenth century, such as the aerospace industry, electronics industry, large-scale commercial agriculture and irrigation projects, the oil and automobile industries, communications and defense industries, and important trade links with the Pacific Basin. SKILL Chronological and Spatial Thinking 1, 3, 5.

VOCABULARY POWER

Word Origins Tell students that the word *aerospace* was coined, or invented, in 1958 when new computers and jets made travel in space possible. The word *freeway*, an expressway, was coined in 1930. ELA READING 1.2

aerospace	relating to equipment used for air and space travel
freeway	wide divided highway for fast travel with no tolls

For teaching lesson vocabulary, see VOCABULARY TRANSPARENCIES 5-10-1A–5-10-1B.

READING SUPPORT

For alternate teaching strategies, use pages 138–141 of the Reading Support and Intervention book to
- reinforce **vocabulary**
- build **text comprehension**
- build **fluency**

Reading Support ▶ and Intervention Reflections

ELL ENGLISH LANGUAGE LEARNERS

For English Language Learners strategies to support this lesson, see Success for English Learners book pages 142–145.
- English-language development activities
- background and concepts
- vocabulary extension

Success for ▶ English Learners Reflections

---

2 Enseñar

Nuevo auge en California

Contenido clave Después de la Segunda Guerra Mundial, hubo un auge de la población en California. Este nuevo auge trajo crecimiento económico y planteó nuevos desafíos.

① Historia Converse con los estudiantes acerca de los grupos de personas que llegaron a California durante y después de la Segunda Guerra Mundial.

P ¿Por qué creen que los trabajadores que llegaron durante la guerra pueden haber decidido quedarse en California?
HSS 4.4.4, 4.4.5

R Acepte todas las respuestas razonables. Los estudiantes pueden decir que había más oportunidades económicas en California que en cualquier otro lado.

② Aprendizaje visual: Gráficas Pida a los estudiantes que observen la gráfica lineal.

P ¿Alrededor de cuántos habitantes tenía California en 1940? ¿Y en 1960? HSS 4.4.5

R alrededor de 7 millones; alrededor de 16 millones

RESPUESTA: en aproximadamente 9 millones

Una potencia industrial

Contenido clave Después de la Segunda Guerra Mundial, la economía de California se diversificó. Crecieron nuevas industrias, lo que llevó a un auge de la construcción.

3 Economía Analice los factores que hicieron que la economía de California se diversificara.

P ¿Cómo creen que la Segunda Guerra Mundial ayudó a que California tuviera una economía más diversificada? HSS 4.4.5

R Respuesta posible: Durante la Segunda Guerra Mundial, científicos e ingenieros llegaron a California para colaborar con el esfuerzo de la guerra. Cuando la guerra terminó, muchos de ellos continuaron trabajando en el desarrollo de nuevos productos y tecnologías.

P ¿Por qué es importante una economía diversificada?

R Respuesta posible: Las economías que dependen de una sola industria, o de unas pocas, pueden tener dificultades si esa industria deja de ser necesaria.

Pida a los estudiantes que describan el desarrollo y la ubicación de las nuevas industrias, como las fábricas de automóviles en Fremont y la industria electrónica en el condado Santa Clara. HSS 4.4.6

4 Relacionar economía y gobierno Hable con los estudiantes acerca del auge de la construcción. Explique que las compañías privadas construían viviendas y edificios de oficinas. Otras obras, como la construcción de caminos, presas y plantas de energía, eran proyectos públicos financiados principalmente con el dinero proveniente de la recaudación de impuestos.

P ¿Por qué creen que los proyectos como la construcción de caminos y presas son financiados en su mayor parte por el gobierno? HSS 4.4

R Respuestas posibles: porque son proyectos públicos; todos los usan.

An Industrial Power

Content Focus After World War II, California's economy became more diverse. New industries grew, which led to a construction boom.

3 Economics Discuss the factors that caused California's economy to become more diverse.

Q How do you think World War II contributed to making California's economy more diverse? HSS 4.4.5

A Possible response: During World War II, scientists and engineers had come to California to help in the war effort. When the war ended, many of them worked to develop new products and technologies.

Q Why is a diverse economy important?

A Possible response: Economies that rely on only one industry, or a few, can run into trouble if that industry is no longer needed.

Have students describe the development and locations of the new industries, such as the automobile factories in Fremont and the electronic industries in Santa Clara County. HSS 4.4.6

4 Link Economics and Government Talk with students about the boom in construction projects. Explain that private companies built homes and constructed office buildings. Other efforts, such as the construction of roads, dams, and power plants, were public projects, largely paid for with tax money.

Q Why do you think projects such as the building of roads and dams are paid for mostly by the government and not by individuals or private businesses? HSS 4.4

A Possible responses: because they are public projects; because everyone in the state gets to use them

---

Una potencia industrial

Antes de la guerra se habían desarrollado en California las industrias de la aviación, de la construcción de barcos, del petróleo y del cine. También se había desarrollado la agricultura comercial a gran escala. Usando sistemas de irrigación, las granjas de los valles Central e Imperial producían enormes cantidades de cultivos.

3 Después de la guerra, la economía del estado se diversificó. Una **economía diversificada** es una economía basada en muchas industrias. Las nuevas industrias producían ropa, calzado, productos químicos, refrigeradores y materiales para la construcción, tales como cemento.

La industria automotriz creció rápidamente después de la guerra. En **Fremont** se abrieron nuevas fábricas de automóviles. ¡Para diciembre de 2002, una fábrica de Fremont había producido 5 millones de vehículos!

En el condado Santa Clara se desarrolló la industria electrónica. Stanford Research Park pronto se convirtió en sede de compañías que producían tecnología electrónica. La **tecnología** es el uso de conocimientos o de herramientas para fabricar algo o realizar una actividad.

4 Estas nuevas industrias llevaron a un auge de la construcción ya que necesitaban fábricas y edificios de oficinas, y las personas que trabajaban allí necesitaban lugares donde vivir y donde hacer sus compras. Se construyeron nuevas casas, escuelas y edificios de oficinas. También se construyeron presas, diques y plantas de energía para producir electricidad y suministrar agua.

REPASO DE LA LECTURA CAUSA Y EFECTO
¿Qué llevó al auge de la construcción en California después de la Segunda guerra Mundial?
el crecimiento de nuevas industrias

▸ Los trabajadores de la compañía Hughes Aircraft en Culver City terminaron el hidroavión *Hercules* en 1947. El *Hercules* sigue siendo uno de los aviones más grandes que se han construido.

DATOS BREVES
El *Hercules* fue apodado el *Spruce Goose*, o "Ganso de Abeto", porque estaba hecho principalmente de madera. El avión realizó un solo vuelo, el 2 de noviembre de 1947. El vuelo duró alrededor de un minuto y cubrió una distancia de aproximadamente una milla.

394 ■ Unidad 5

Practice and Extend

BACKGROUND

The Spruce Goose The Spruce Goose was in fact made mostly of birch, not of spruce. The huge seaplane cost $18 million to build. It was designed to transport 700 troops, but it was not completed until after the end of World War II and thus was not needed. It is now on display at an aircraft museum in Oregon.

READING SOCIAL STUDIES

Cause and Effect Work with students to change each section heading into a question beginning with *Why*. For example, for the section *California Booms Again*, the question might be *Why did California boom again?* Then have small groups review the text to find the answer. ELA READING 2.6

READING TRANSPARENCY
Use FOCUS SKILLS TRANSPARENCY 5.

Practicar y ampliar

ANTECEDENTES

El *Spruce Goose* o "Ganso de Abeto" El *Spruce Goose* estaba en realidad hecho en su mayor parte de abedul y no de abeto. La construcción de este enorme hidroavión costó 18 millones de dólares. Fue diseñado para el transporte de 700 soldados, pero como se terminó de construir después de la Segunda Guerra Mundial, no fue necesario. Hoy en día, se exhibe en un museo aeronáutico en Oregon.

LA LECTURA EN LOS ESTUDIOS SOCIALES

Causa y efecto Trabaje con los estudiantes para convertir cada título de sección en una pregunta que comience con *Por qué*. Luego, organice la clase en grupos pequeños y pídales que repasen el texto para encontrar la respuesta. ELA READING 2.6

TRANSPARENCIA DE LECTURA
Use la TRANSPARENCIA DE DESTREZAS CLAVE 5.

▶ **La carretera Arroyo Seco (izquierda) unía Los Angeles con algunas subdivisiones, o comunidades, como la de arriba.** **⑤**

Californianos en movimiento

Cuando se inauguró la carretera Arroyo Seco en 1940, comenzó un nuevo capítulo en la historia de California. La carretera se conoció después como la autopista de Pasadena, la primera **autopista** del estado. Esta autopista ancha y de varios carriles no tiene cabinas de peaje, por lo que el tráfico allí puede moverse velozmente.

Durante la Segunda Guerra Mundial se construyeron pocas carreteras importantes en California. El tráfico de automóviles comenzó a aumentar y, cuando terminó la guerra, unos 3 millones de carros circulaban por las carreteras de California. En 1947, los legisladores del estado aprobaron la construcción de un sistema de autopistas de 12,500 millas. El sistema conectaría las ciudades a los trabajadores usar sus automóviles para viajar al trabajo, y vivir así más lejos de los centros urbanos.

y áreas metropolitanas más grandes del estado. Las nuevas autopistas permitían a los trabajadores **viajar al trabajo** más fácilmente. En consecuencia, los trabajadores podían vivir más lejos de su trabajo.

Cerca de las ciudades, empresas constructoras de California construyeron comunidades enteras. Algunas de esas comunidades, también llamadas subdivisiones, tenían cientos de casas que se veían prácticamente iguales. Las comunidades comenzaron a extenderse alejándose de los centros urbanos, y surgieron enormes suburbios cerca de ciudades como Los Angeles. El resultado fue la **expansión urbana**, o crecimiento hacia afuera de las áreas urbanas. **⑥**

REPASO DE LA LECTURA Ŏ CAUSA Y EFECTO
¿Qué causó la expansión rápida de las áreas urbanas de California a finales de la década de 1940? El sistema de autopistas permitió

Capítulo 10 ■ 395

Californians on the Move

Content Focus After the war, California created a freeway system that enabled workers to live farther from their jobs. This gave rise to many new suburbs, as well as urban sprawl.

⑤ Visual Literacy: Photographs

ANALYSIS SKILL **Spatial Thinking** Direct students' attention to the photos of the subdivision and the Arroyo Seco Parkway. Have them judge the significance of the relative location of suburbs to cities.

Q **What is one advantage to living in a suburb and commuting to a job in the city? What is one disadvantage?**
HSS 4.4.4, CS 5

A One advantage is that there is more room outside a city for people to live. One disadvantage is that it takes longer to travel between home and work.

⑥ Link Civics and Government and Geography Engage students in a discussion of the effects of urban sprawl. Point out that many communities manage urban sprawl by passing laws to control it. In some cases, the laws say some land cannot be developed.
HSS 4.4.4

Californianos en movimiento

Contenido clave Después de la guerra, California creó un sistema de autopistas que permitió a los trabajadores vivir más lejos de su empleo. Esto dio lugar a muchos suburbios nuevos y a la expansión urbana.

⑤ Aprendizaje visual: Fotografías

DESTREZA DE ANÁLISIS **Pensamiento espacial** Dirija la atención de los estudiantes a las fotografías de la subdivisión y de la carretera Arroyo Seco. Pídales que evalúen la importancia de la ubicación relativa de los suburbios en relación con las ciudades.

P **¿Cuál es una ventaja de vivir en un suburbio y viajar para ir al trabajo en la ciudad? ¿Cuál es una desventaja?**
HSS 4.4.4, CS 5

R Una ventaja es que fuera de la ciudad hay más lugar para vivir. Una desventaja es que lleva más tiempo viajar entre la casa y el trabajo.

⑥ Relacionar civismo, gobierno y geografía Invite a los estudiantes a conversar acerca de los efectos de la expansión urbana. Señale que muchas comunidades controlan la expansión urbana a través de leyes. En algunos casos, las leyes establecen que no se puede construir en un determinado lugar.
HSS 4.4.4

BACKGROUND

Traffic In 2000, more than 12 million Californians relied on automobiles or motorcyles to get to work, compared to just over 700,000 who used public transportation. As the number of motorists increases, Californians are spending more time sitting in traffic. On average, Los Angeles motorists now spend 55 hours a year sitting in traffic, and San Francisco Bay area motorists spend 42 hours a year sitting in traffic.

Subdivisions The demand for homes in southern California was so great after World War II that in one planned community near Los Angeles, 107 homes were sold in an hour.

ANTECEDENTES

Tráfico En 2000, más de 12 millones de californianos iban a trabajar en carro o motocicleta, en comparación con apenas un poco más de 700,000 habitantes que usaban el transporte público. A medida que el número de conductores aumenta, los californianos pierden más tiempo atrapados en el tráfico. En promedio, los conductores de Los Angeles pierden 55 horas al año, y los de la zona de la bahía de San Francisco, 42 horas.

Subdivisiones Después de la Segunda Guerra Mundial, la demanda de viviendas en el sur de California era tan grande que en una comunidad planificada cerca de Los Angeles se vendieron 107 casas en una hora.

Hacia la era espacial

Contenido clave Después de la Segunda Guerra Mundial, se desarrollaron nuevas industrias de tecnología avanzada.

7 Aprendizaje visual: Línea cronológica

DESTREZA DE ANÁLISIS Pensamiento cronológico Pida a los estudiantes que observen las fotografías y lean las leyendas que las acompañan.

P ¿Cuándo se produjeron desarrollos clave en la industria de la computación?
HSS 4.4.6, CS 1

R en 1945, 1959 y 1976

8 Economía Explique que las universidades dan apoyo a las industrias de tecnología avanzada realizando investigaciones y capacitando a científicos e ingenieros. Señale que el gobierno también apoya las industrias de tecnología avanzada, en parte porque la tecnología beneficia la defensa de la nación.

P ¿Cómo beneficia un buen sistema universitario la industria de tecnología avanzada de California? HSS 4.4.6

R Las buenas universidades realizan investigaciones valiosas y preparan a trabajadores altamente capacitados para trabajar en las industrias de tecnología avanzada.

Pida a los estudiantes que describan el desarrollo y la ubicación de las nuevas industrias, como las de tecnología avanzada de Silicon Valley. HSS 4.4.6

Into the Space Age

Content Focus New high-tech industries developed after World War II.

7 Visual Literacy: Time Line

ANALYZE SKILL Chronological Thinking Have students look at the pictures and read the captions.

Q When were there key developments in the computer industry? HSS 4.4.6, CS 1

A in 1945, 1959, and 1976

TIMELINKS: Interactive Time Line

Have students use blank event cards to add events in this unit to the time line.

TimeLinks
Interactive Time Line

---

8 Economics Explain that universities support high-tech industries by conducting research and training scientists and engineers. Point out that the government also supports high-tech industries, in part because increased technology benefits the nation's defense.

Q How does having a strong university system benefit California's high-tech industry? HSS 4.4.6

A Good schools conduct valuable research and prepare highly skilled workers to join high-tech industries.

Have students describe the development and locations of new industries, such as high-tech industries in Silicon Valley. HSS 4.4.6

Avances tecnológicos

Se fabrica la primera computadora electrónica.
1945

1947

En la Base Edwards de la Fuerza Aerea, Chuck Yaeger pilotea un avion de prueba que supera la velocidad del sonido.

Investigadores de California inventan el chip de silicio.
1959

Hacia la era espacial

Cuando terminó la Segunda Guerra Mundial, la industria de la defensa siguió siendo importante para la economía de California. La industria de la defensa está formada por las bases militares y las fábricas que proveen los suministros. Después de la guerra, muchos científicos se quedaron en California para desarrollar computadoras, aviones de propulsión a chorro y otros nuevos avances. La Base Edwards de la Fuerza Aérea, en el condado Kern, pronto se convirtió en un importante campo de pruebas para los nuevos aviones.

Otros científicos trabajaron en las nuevas y numerosas industrias de **tecnología avanzada** de California, como la industria de las comunicaciones. Las industrias de tecnología avanzada son aquellas que inventan, construyen o usan computadoras y otra clase de equipos electrónicos. Tan solo en el área de San Francisco se

abrieron más de 200 compañías electrónicas de tecnología avanzada.

En 1959 se produjo otro gran avance tecnológico. Investigadores de California inventaron el **chip de silicio**. El chip es un minúsculo dispositivo que puede almacenar millones de bits de información. Los chips hicieron más rápidas y pequeñas las computadoras, y que fabricarlas y comprarlas resultara más barato.

Las nuevas computadoras y los nuevos aviones hicieron posibles los viajes por el espacio. Los científicos californianos lideraron la industria **aeroespacial**, que construye y prueba aparatos para viajes aéreos y espaciales. Durante la década de 1950, Sacramento se convirtió en sede de pruebas y desarrollo de motores de cohete más grande de la nación.

En 1966, científicos del Laboratorio de Propulsión a Chorro de **Pasadena** guiaron una nave espacial no tripulada que descendió en la Luna y tres años más tarde, ayudaron a astronautas a llegar allí.

396 ■ Unidad 5

Practice and Extend

INTEGRATE THE CURRICULUM

MATHEMATICS Have students use the time line to answer questions concerning the time span between various events. For example, ask *How long after the first electronic computer was built did Steve Jobs and Steve Wozniak start their successful personal computer company?* (31 years) **Subtract to Solve Problems** NUMBER SENSE 3.1

REACH ALL LEARNERS

Leveled Practice Have students summarize changes to California after World War II.

Basic Have groups make a list of the changes.

Proficient Have pairs list changes and their causes.

Advanced Have students write a paragraph in which they explain how and why California changed.

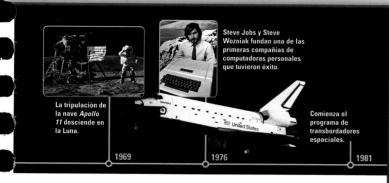

Steve Jobs y Steve Wozniak fundan una de las primeras compañías de computadoras personales que tuvieron éxito.

La tripulación de la nave *Apollo* 11 desciende en la Luna.

Comienza el programa de transbordadores espaciales.

1969   1976   1981

En 1983, **Sally Ride**, nacida en California, se convierte en la primera mujer estadounidense en viajar al espacio.

REPASO DE LA LECTURA CAUSA Y EFECTO

¿De qué manera los avances tecnológicos generaron nuevas industrias en California?

La tecnología en la computación, especialmente la invención del chip de silicio, y la nueva tecnología de propulsión a chorro llevaron a la creación de la industria aeroespacial.

Resumen

Durante la guerra y después de ella, la población de California creció. Los científicos lograron importantes adelantos en la industria aeroespacial y de computación.

REPASO

1. ¿Cómo creció y cambió California después de la Segunda Guerra Mundial?

2. Explica cómo la industria **aeroespacial** se convirtió en una industria de **tecnología avanzada**.

3. ¿Por qué la construcción de autopistas en California se volvió importante después de la Segunda Guerra Mundial?

RAZONAMIENTO CRÍTICO

4. **Aplícalo** ¿En qué se parecen las comunidades de las décadas de 1940 y 1950 a muchas de la actualidad?

5. ¿Cómo generó tanto oportunidades como desafíos para California el crecimiento de la población después de la guerra?

6. ✏️ **Escribe un folleto publicitario** Eres alcalde en California en la década de 1950. Haz un folleto para lograr que trabajadores de otros estados se muden a tu ciudad.

7. CAUSA Y EFECTO

En una hoja de papel, copia y completa el organizador gráfico de abajo.

Causa	Efecto
Aumenta el tráfico de vehículos	
	Las computadoras se vuelven más pequeñas y rápidas

Capítulo 10 ■ 397

HOMEWORK AND PRACTICE

Changes After World War II

pages 104–105

WRITING RUBRIC

Score 4
- presents clear, convincing reasons
- provides many relevant details
- has no errors or very few errors

Score 3
- presents adequate reasons
- provides some relevant details
- has a few errors

Score 2
- presents minimal reasons
- provides a few relevant details
- has several errors

Score 1
- presents no reasons
- provides no relevant details
- has many errors

TAREA Y PRÁCTICA

Cambios después de la Segunda Guerra Mundial

páginas 104–105

---

continued

6. ✏️ **Escribe un folleto publicitario— Pautas de evaluación**

Vea Writing Rubric. Esta actividad puede usarse con el proyecto de la unidad.

HSS 4.4.6, ELA WRITING 1.1

7. **Causa y efecto** EFECTO: Se construyen autopistas. CAUSA: Se inventa el chip de silicio.

HSS 4.4.6, ELA READING 2.6

---

3 Close

Summary

Have students review the summary and restate the lesson's key content.

- The population in California boomed during and after World War II.
- There were many advances in the aerospace and computer industries in California during this time.

Assess

REVIEW—Answers

1. Many workers and soldiers stayed in California, helping the economy and population grow and become more diverse. Scientists who stayed after the war helped develop new technologies, which led to new industries. These new industries in turn led to a construction boom. HSS 4.4.5

2. **Vocabulary** The **aerospace** industry is a **high-tech** industry because computers make it possible to send aircraft into space. HSS 4.4.6

3. **History** Freeways became important in California when car traffic increased after World War II due to the population boom and the growing popularity of the automobile. HSS 4.4.4

Critical Thinking

4. **Make It Relevant** Accept all reasonable responses. Students might mention that many communities built today are also built in subdivisions. HSS 4.4.4, CS 3

5. Possible response: The growing population helped California's economy grow. It also created a need for housing, roads, water, and electricity. HSS 4.4.4, 4.4.6

6. ✏️ Write a Brochure— **Assessment Guidelines** See Writing Rubric. This activity can be used with the unit project. HSS 4.4.6, ELA WRITING 1.1

7. Cause and Effect EFFECT: Freeways are built. CAUSE: The silicon chip is invented. HSS 4.4.6, ELA READING 2.6

CHAPTER 10 ■ 397

---

3 Concluir

Resumen

Pida a los estudiantes que repasen el resumen y que expresen con sus palabras el contenido clave de la lección.

- La población de California tuvo un auge durante y después de la Segunda Guerra Mundial.
- En esa época, en California se hicieron muchos avances en la industria aeroespacial y en la industria de la computación.

Evaluar

REPASO—Respuestas

1. Muchos trabajadores y soldados se quedaron en California, aportando al crecimiento y la diversificación de la economía y la población. Los científicos que se quedaron después de la guerra ayudaron a desarrollar nuevas tecnologías, lo que dio origen a nuevas industrias que, a su vez, llevaron al auge de la construcción. HSS 4.4.5

2. **Vocabulario** La industria **aeroespacial** es una industria de **tecnología avanzada** porque las computadoras son las que permiten enviar aeronaves al espacio. HSS 4.4.6

3. **Historia** Las autopistas pasaron a ser importantes en California cuando aumentó el tráfico de automóviles después de la Segunda Guerra Mundial debido al auge de la población y a la creciente popularidad del automóvil. HSS 4.4.4

Razonamiento crítico

4. **Aplícalo** Acepte todas las respuestas razonables. Los estudiantes pueden mencionar que muchas comunidades de la actualidad se construyen en subdivisiones. HSS 4.4.4, CS 3

5. Respuesta posible: El aumento de la población impulsó el crecimiento de la economía de California. También generó la necesidad de viviendas, caminos, agua y electricidad. HSS 4.4.4, 4.4.6

◀ continued to the left

Destrezas con mapas y globos terráqueos

OBJETIVOS

- Describir cómo leer un mapa de carreteras.
- Usar un mapa de carreteras para identificar una ruta entre dos lugares.

RECURSOS

Tarea y práctica, págs. 106–107; Transparencia de destrezas de Estudios Sociales 5-2; Colección de audiotextos en CD de la Unidad 5; GeoSkills en CD-ROM

1 Presentar

Por qué es importante

Explique que los mapas de carreteras son útiles porque no solo muestran las carreteras sino también las distancias entre lugares. Ayudan a los conductores a elegir la ruta.

2 Enseñar

Lo que necesitas saber

1 Aprendizaje visual: Mapa

DESTREZA DE ANÁLISIS Pensamiento espacial Guíe a los estudiantes a ubicar distintas ciudades en el mapa usando el índice del mapa. Señale que las letras y los números que figuran en los bordes se usan como un sistema de cuadrícula para ubicar puntos en el mapa.

P ¿Qué letra y qué número del índice del mapa indican la ubicación de Redding?
HSS 4.4, CS 4

R B-2; Los estudiantes deben ubicar Redding, en el centro-norte de California.

P ¿Qué letra y qué número indican la ubicación de Modesto en el índice del mapa? ¿Está Modesto al este o al oeste del Parque Nacional Yosemite?
HSS 4.4, CS 4

R C-2; al oeste

Map and Globe Skills

OBJECTIVES

- Describe how to read a road map.
- Use a road map to identify a route between two places.

RESOURCES

Homework and Practice Book, pp. 106–107; Social Studies Skills Transparency 5-2; Unit 5 Audiotext CD Collection; GeoSkills CD-Rom

1 Introduce

Why It Matters

Explain that road maps are useful because they show not only the roads in a region but also the distances between places in that region. Road maps can help drivers figure out which route is best to take.

2 Teach

What You Need to Know

1 Visual Literacy: Map

SKILL Spatial Thinking Guide students to use the map's index to identify locations of various cities on the map. Point out that the letters and numbers along the map frame are used like a grid system to locate points on the map.

Q What letter and number in the map index give the location of Redding?
HSS 4.4, CS 4

A B-2; Students should locate Redding, in north-central California.

Q What letter and number give the location of Modesto in the map index? Is Modesto east or west of Yosemite National Park?
HSS 4.4, CS 4

A C-2; west

398 ■ UNIT 5

Destrezas con mapas y globos terráqueos

Leer un mapa de carreteras

▶ POR QUÉ ES IMPORTANTE

Cuando se planean viajes en automóvil, a menudo se usan mapas de carreteras. Un mapa de carreteras no solo muestra las carreteras que hay entre distintos lugares. También indica la distancia entre los lugares. Conocer las distancias puede ser útil al elegir las rutas más convenientes para ir de un lugar a otro.

▶ LO QUE NECESITAS SABER

1 Los mapas de carreteras generalmente tienen un índice para ayudarte a ubicar los lugares. Imagina que quieres hallar Bakersfield en el mapa de la página 399. Busca Bakersfield en el índice. Al lado de Bakersfield, verás que dice *E-3*. Bakersfield está ubicada cerca de donde se cruzan *E* horizontal y 3 vertical.

En muchos mapas de carreteras, las carreteras están marcadas con pequeñas cuñas llamadas marcadores de distancia. El número entre dos cuñas indica la distancia en millas que cubre ese tramo de la carretera. Para calcular la distancia de un lugar a otro, suma las distancias de todos los tramos de carretera que hay entre los dos lugares.

▶ Puedes usar un mapa de carreteras para conocer las rutas de las autopistas en California, como la Autopista 1.

398 ■ Unidad 5

Practice and Extend

SOCIAL STUDIES SKILLS

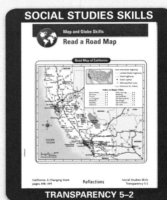

Map and Globe Skills
Read a Road Map

TRANSPARENCY 5–2

HOMEWORK AND PRACTICE

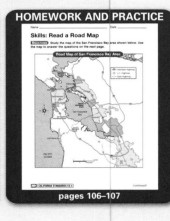

Skills: Read a Road Map

pages 106–107

Practicar y ampliar

DESTREZAS DE ESTUDIOS SOCIALES

Destrezas con mapas y globos terráqueos
Leer un mapa de carreteras

TRANSPARENCIA 5–2

TAREA Y PRÁCTICA

Destrezas: Leer un mapa de carreteras

páginas 106–107

▶ PRACTICA LA DESTREZA
Usa el mapa que aparece abajo.

1 Usa el índice para hallar San Jose y Los Angeles en el mapa. ¿Qué carretera interestatal usarías para viajar entre esas dos ciudades?

2 ¿Qué carretera tomarías para ir de Fresno a Bakersfield? ¿Cuál es la distancia?

▶ APLICA LO QUE APRENDISTE
DESTREZA DE ANÁLISIS Planea un viaje por carretera entre dos lugares de California. Usa un mapa de carreteras para decidir las mejores rutas y calcular la distancia en millas.

Practica tus destrezas con mapas y globos terráqueos con el **CD-ROM GeoSkills.**

Carreteras de California

— Carretera interestatal
— Carretera nacional
— Carretera estatal
★ Capital estatal
● Área metropolitana
Distancia (en millas)

Principales ciudades
Bakersfield	E-3	Palm Springs	E-4
Barstow	E-4	Redding	B-2
Fresno	D-3	Sacramento	C-2
Los Angeles	E-3	San Bernardino	E-4
Modesto	C-2	San Diego	F-4
Needles	E-5	San Francisco	C-1
Oakland	C-2	San Jose	C-2

Capítulo 10 ■ 399

🐻 **CALIFORNIA STANDARDS HSS 4.4 Students explain how California became an agricultural and industrial power, tracing the transformation of the California economy and its political and cultural development since the 1850s.** **SKILL** Chronological and Spatial Thinking 4.

REACH ALL LEARNERS

Leveled Practice Have students practice using the map and index to determine routes and distances between places.

(Basic) Have pairs of students find Barstow and Fresno on the map. Then have them figure out what highways link those two cities (99 and 58), and how far apart the cities are (229 miles).

(Proficient) Have pairs take turns calling out two cities listed in the index and locating those cities on the map. Then have them work together to estimate the driving distance between the cities.

(Advanced) Have students take turns quizzing each other by calling out pairs of cities, with their partners locating those cities. They should identify at least two routes linking the cities and supply the distances for those routes.

❷ Visual Literacy: Map
ANALYSIS SKILL Spatial Thinking Point out the distance markers in the map key. Explain that the number shown between two distance markers on a map is the distance between those two places. Have students practice figuring out distances.

Q How far is it from Eureka to San Rafael? HSS 4.4, CS 4

A 261 miles

Practice the Skill— Answers

ANALYSIS Spatial Thinking HSS 4.4, CS 4

1. Interstate 5
2. Highway 99; 102 miles

❸ Close

Apply What You Learned
ANALYSIS SKILL Spatial Thinking
The routes students plan will vary. Students may choose the routes either for directness or for scenic views. In either case, the distance in miles should be calculated correctly. CS 4

CD-ROM
Explore GEOSKILLS CD-ROM to learn more about map and globe skills.

CHAPTER 10 ■ 399

❷ Aprendizaje visual: Mapa
DESTREZA DE ANÁLISIS Pensamiento espacial Señale los marcadores de distancia en la clave del mapa. Explique que el número que aparece entre dos marcadores de distancia en un mapa es la distancia que hay entre esos dos lugares. Pida a los estudiantes que calculen diversas distancias como práctica.

P ¿A qué distancia está Eureka de San Rafael? HSS 4.4, CS 4

R 261 millas

Practica la destreza— Respuestas

DESTREZA DE ANÁLISIS Pensamiento espacial HSS 4.4, CS 4

1. interestatal 5
2. carretera 99; 102 millas

❸ Concluir

Aplica lo que aprendiste
DESTREZA DE ANÁLISIS Pensamiento espacial

Las rutas que planeen los estudiantes variarán. Los estudiantes pueden elegir una ruta ya sea porque es más directa o por sus vistas panorámicas. En cualquiera de los dos casos, la distancia en millas debe ser correctamente calculada. CS 4

CD-ROM
Explore GEOSKILLS en CD–ROM para aprender más acerca de destrezas con mapas y globos terráqueos.

OBJETIVOS

- Describir la lucha por la igualdad de derechos.
- Analizar los efectos del Movimiento por los derechos civiles en California.

VOCABULARIO

segregación pág. 401	**sindicato laboral** pág. 402
derechos civiles pág. 401	**huelga** pág. 403
	boicot pág. 403

CAUSA Y EFECTO

págs. 350–351, 401, 403, 404

RECURSOS

Tarea y práctica, págs. 108–109; Transparencia de destrezas clave 5; Colección de audiotextos en CD de la Unidad 5; Recursos en Internet

1 Presentar

Reflexiona Señale que durante las décadas de 1940 y 1950, no todos los habitantes de Estados Unidos gozaban de los mismos derechos y oportunidades.

Piensa en los antecedentes Explique que todos los años en las graduaciones universitarias, muchos líderes políticos pronuncian discursos que incitan a la gente joven a hacer del mundo un lugar mejor.

 Lea en voz alta el pasaje del discurso del Dr. Martin Luther King, Jr. Pregunte a los estudiantes cuál creen que es la idea principal del pasaje.

Fuente: Martin Luther King, Jr. De un discurso pronunciado en la Universidad de California, en Berkeley, el 4 de junio de 1957.

Lesson 2

PAGES 400–404

OBJECTIVES

- Describe the struggle for equal rights.
- Analyze the effects of the Civil Rights movement in California.

VOCABULARY

segregation p. 401	**labor union** p. 402
civil rights p. 401	**strike** p. 403
	boycott p. 403

 ## CAUSE AND EFFECT

pp. 350–351, 401, 403, 404

RESOURCES

Homework and Practice Book, pp. 108–109; Reading Support and Intervention, pp. 142–145; Success for English Learners, pp. 146–149; Vocabulary Transparency 5-10-2; Vocabulary Power p. 105; Focus Skills Transparency 5; Unit 5 Audiotext CD Collection; Internet Resources

1 Introduce

What to Know Point out that not everyone in the United States enjoyed equal rights and opportunities in the 1940s and 1950s.

Build Background Explain that each year at college graduations, many leaders give speeches urging young people to make the world a better place.

 Read aloud the passage from Dr. Martin Luther King, Jr.'s, speech. Ask students what they think the main idea of the passage is.

Source: Martin Luther King, Jr. From a speech given at the University of California at Berkeley, June 4, 1957.

400 ▪ UNIT 5

Lección 2

Tiempos 1905 1945 1985

• **1965** César Chávez lidera un boicot nacional contra el consumo de uvas

• **1969** Indios americanos toman la isla de Alcatraz en la bahía de San Francisco

REFLEXIONA ¿Cómo cambió California con la labor de grupos que buscaban la igualdad de derechos?

✔ Describe la lucha por la igualdad de derechos.

✔ Analiza los efectos del Movimiento por los derechos civiles en California.

VOCABULARIO
segregación pág. 401
derechos civiles pág. 401
sindicato laboral pág. 402
huelga pág. 403
boicot pág. 403

PERSONAJES
Martin Luther King, Jr.
Sylvia Mendez
Jackie Robinson
César Chávez
Dolores Huerta
Yvonne Brathwaite Burke
Dalip Singh Saund

LUGARES
Delano
isla de Alcatraz

CAUSA Y EFECTO

Normas de California
HSS 4.4, 4.4.6, 4.4.8

400 ▪ Unidad 5

Derechos para todos los californianos

 Eres un estudiante de la Universidad de California, en Berkeley. Es el año 1957. El **Dr. Martin Luther King, Jr.,** un ministro de Georgia, está pronunciando un discurso. Les dice a los oyentes que cree que todas las personas deben tener los mismos derechos ante la ley. "Tenemos la gran oportunidad de hacer de América una gran nación, una nación donde todos los hombres vivan juntos como hermanos . . . Debemos seguir avanzando hacia ese objetivo".*

*Martin Luther King, Jr. De un discurso pronunciado en la Universidad de California, en Berkeley, el 4 de junio de 1957.

▶ El Dr. Martin Luther King, Jr., vino varias veces a California para hablar sobre la igualdad de derechos para todas las personas.

CALIFORNIA STANDARDS HSS 4.4 Students explain how California became an agricultural and industrial power, tracing the transformation of the California economy and its political and cultural development since the 1850s.

When Minutes Count

Assign groups of students different sections of the lesson to preview. Have students skim their section and summarize it orally among themselves. Then ask a volunteer from each group to share with the whole class what the group learned.

Quick Summary

From the 1940s through the 1960s, many people in California worked to overcome discrimination and gain equal rights for all. Through their efforts, segregation ended, farmworkers received fairer treatment, and women and minorities won positions in government.

Cuando el tiempo apremia

Asigne a grupos de estudiantes diferentes secciones de la lección para que hagan anticipaciones. Pídales que ojeen su sección y la resuman oralmente. Luego, pida a un voluntario de cada grupo que presente al resto de la clase lo que aprendió el grupo.

Resumen

Desde la década de 1940 hasta la de 1960, en California se trabajó para superar la discriminación y conseguir la igualdad de derechos para todos. Se terminó con la segregación, los trabajadores agrícolas recibieron un trato más justo y las mujeres y las minorías ocuparon puestos en el gobierno.

> Los californianos lucharon por leyes de vivienda justas.

La lucha contra la discriminación

La economía de California experimentó un auge después de la Segunda Guerra Mundial, pero no todos disfrutaban de las mismas oportunidades. Algunos grupos, como los latinos, los afroamericanos y los asiáticos americanos, seguían enfrentando la discriminación en todo Estados Unidos. Por lo general, no podían acceder a los mejores empleos y no se les permitía vivir en ciertos vecindarios. A causa de esa **segregación**, sus hijos a menudo debían asistir a escuelas pobres.

En 1944, los padres de **Sylvia Mendez** quisieron enviarla a una escuela pública de Westminster, California, a la que solo asistían niños blancos. Cuando las autoridades de la escuela se negaron a admitirla porque la niña era mexicana americana, sus padres demandaron al distrito escolar y ganaron. La segregación en las escuelas de California llegó a su fin al año siguiente.

En 1947, **Jackie Robinson**, que había crecido en Pasadena, se convirtió en el primer afroamericano en jugar béisbol en las ligas mayores. Esto ayudó a terminar con la segregación en los deportes profesionales.

Durante las décadas de 1950 y 1960, más personas se unieron al Movimiento por los derechos civiles. Los **derechos civiles** son los derechos de los ciudadanos a un trato igualitario. Uno de los líderes del movimiento era el Dr. Martin Luther King, Jr. El Dr. King encabezó protestas pacíficas para resaltar la falta de derechos civiles. Con el tiempo, se eligieron líderes que apoyaban los derechos civiles y se aprobaron nuevas leyes de derechos civiles.

REPASO DE LA LECTURA ö CAUSA Y EFECTO
¿Qué cambio se produjo en el sistema escolar de California en la década de 1940? La segregación en las escuelas públicas llegó a su fin.

Capítulo 10 ■ 401

---

2 Teach

Confronting Discrimination

Content Focus Beginning in the 1940s, groups of people who faced discrimination began to fight segregation and demand equal rights. By the 1950s and 1960s, many people joined the Civil Rights movement.

 1 ANALYZE SKILL **Historical Interpretation** Give students the opportunity to interpret cause-and-effect relationships. Have them analyze how the ending of segregation in schools resulted in greater opportunities for various groups.

Q What opportunities would an equal education provide to California's citizens? ⬛ HSS 4.4.8, HI 3

A Possible response: It would provide all students the same chance to learn and to have greater opportunities upon completing their education.

 2 History Discuss the contributions Dr. King made to the Civil Rights movement. Explain the purpose and method of nonviolent protest. ⬛ HSS 4.4

---

2 Enseñar

La lucha contra la disciminación

Contenido clave A partir de la década de 1940, algunos grupos que habían sido discriminados comenzaron a luchar contra la segregación y a exigir igualdad de derechos. Hacia las décadas de 1950 y 1960, muchas personas se unieron al Movimiento por los derechos civiles.

1 DESTREZA DE ANÁLISIS **Interpretación histórica** Dé a los estudiantes la oportunidad de interpretar relaciones de causa y efecto. Pídales que analicen cómo el fin de la segregación en las escuelas dio como resultado más oportunidades para distintos grupos.

P ¿Qué oportunidades daría a los ciudadanos de California una educación igualitaria para todos? ⬛ HSS 4.4.8, HI 3

R Respuesta posible: Daría a todos los estudiantes la misma oportunidad de aprender y de tener más opciones al terminar sus estudios.

2 Historia Comente con los estudiantes las aportaciones del Dr. King al Movimiento por los derechos civiles. Explique el propósito y el método de la protesta no violenta. ⬛ HSS 4.4

 4.4.6 Describe the development and locations of new industries since the nineteenth century, such as the aerospace industry, electronics industry, large-scale commercial agriculture and irrigation projects, the oil and automobile industries, communications and defense industries, and important trade links with the Pacific Basin. 4.4.8 Describe the history and development of California's public education system, including universities and community colleges. SKILL Research, Evidence, and Point of View 2. Historical Interpretation 1, 3.

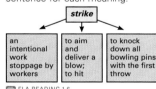

✦ VOCABULARY POWER

Multiple-Meaning Words
Discuss the different meanings of the word *strike* and give a sentence for each meaning.

strike

| an intentional work stoppage by workers | to aim and deliver a blow; to hit | to knock down all bowling pins with the first throw |

⬛ ELA READING 1.6
For teaching lesson vocabulary, see VOCABULARY TRANSPARENCY 5-10-2.

READING SUPPORT

For alternate teaching strategies, use pages 142–145 of the Reading Support and Intervention book to
- reinforce **vocabulary**
- build **text comprehension**
- build **fluency**

Reading Support ▶ and Intervention Reflections

ELL ENGLISH LANGUAGE LEARNERS

For English Language Learners strategies to support this lesson, see Success for English Learners book pages 146–149.
- English-language development activities
- background and concepts
- vocabulary extension

Success for ▶ English Learners Reflections

CHAPTER 10 ■ 401

Los trabajadores agrícolas migratorios

Contenido clave Muchos trabajadores agrícolas de California enfrentaban la discriminación. César Chávez, junto a otras personas, fundó la Asociación Nacional de Trabajadores Agrícolas y encabezó huelgas y boicots. Muchas de las demandas fueron escuchadas.

Un cartel del UFW

3 **DESTREZA DE ANÁLISIS** **Investigación/Evidencia** Hable con los estudiantes acerca de lo que observan en el cartel. Analicen el significado del lema "Sí, se puede". El desarrollo de la agricultura comercial a gran escala en California generó una fuerte demanda de trabajadores. Explique que muchos productores dependían de los trabajadores migratorios y esto daba a los trabajadores poder de negociación. Señale las personas que aparecen en primer plano. Puede decir que hay personas de diferentes edades. También observe que muchas de las figuras se muestran trabajando. Pida a los estudiantes que formulen preguntas relacionadas con la lucha de los trabajadores agrícolas.

RESPUESTA: Los estudiantes pueden decir que, al igual que el sol, el futuro de los trabajadores será brillante una vez que el UFW logre sus metas.

HSS 4.4, 4.4.6, HR 2

4 **Corregir conceptos equivocados** Los estudiantes pueden creer que el salario de 1.25 dólares a comienzos de la década de 1960 es equivalente a 1.25 dólares de hoy. Ayúdelos a entender que los salarios aumentan con el tiempo, al igual que los precios. Desde 2002, a los trabajadores agrícolas de California se les garantizó un salario mínimo de 6.75 dólares por hora.

Migrant Farmworkers

Content Focus Many workers in California's farming regions faced discrimination. Cesar Chavez and others formed the United Farm Workers and led strikes and boycotts. Finally, many of the workers' demands were met.

PRIMARY SOURCES
A UFW Poster

3 **ANALYSIS SKILL** **Research/Evidence** Talk with students about what they see in the poster. Discuss the motto "It Can Be Done" with students. The development of large-scale commercial agriculture in California led to a demand for workers. Explain that the dependence on migrant workers by many California producers gave migrant workers considerable bargaining power. Draw students' attention to the people in the foreground. You might point out that that they represent a range of ages. Also note that many of the figures are shown working in the fields. Have students pose relevant questions regarding the farmworkers' fight for better working conditions.

CAPTION ANSWER: Students might say that like the sun, the workers' future will be bright once the UFW meets its goals.

HSS 4.4, 4.4.6, HR 2

4 **Correct Misconceptions** Students may think that the $1.25 wage that farmworkers demanded in the early 1960s is equal to $1.25 today. Help students see that wages increase over time, as do prices. As of 2002, farmworkers in California were guaranteed at least $6.75 an hour.

FUENTES PRIMARIAS
3
Un cartel del UFW

DESTREZA SKILL Analizar carteles

Este cartel de 1978 llama a boicotear el consumo de lechuga y de uvas.

1 En el sol aparece el símbolo del UFW, o sea el Sindicato de Trabajadores Agrícolas.

2 Trabajadores agrícolas en un campo de lechuga.

♦ ¿Qué crees que representa el sol con el símbolo del UFW?

Los trabajadores agrícolas migratorios

En el valle Central y en otros lugares, los trabajadores agrícolas también enfrentaban la discriminación. En general, esos trabajadores y sus familias, muchos de ellos latinos, soportaban un trato injusto desde hacía muchos años. A principios de la década de 1960, las leyes establecían un salario mínimo de 1.25 dólares por hora. Sin embargo, la mayoría de los trabajadores agrícolas recibían aproximadamente 90 centavos por hora de trabajo.

Entonces, en 1962, **César Chávez**, **Dolores Huerta** y otros formaron un **sindicato laboral**. Un sindicato laboral es una organización de trabajadores.

El objetivo del sindicato era mejorar la vida de los trabajadores agrícolas. La Asociación Nacional de Trabajadores

➤ En 1965, César Chávez encabezó una marcha en apoyo de la huelga de los recolectores de uva.

Practice and Extend

BACKGROUND

Delano Grape Strike The Delano strike was started by a group of Filipino farmworkers led by organizer Larry Itliong. When Itliong asked Cesar Chavez for assistance, the National Farm Workers Association voted unanimously in favor of supporting the striking workers. The NFWA had more members than the other group, and soon Chavez took leadership of the whole movement.

INTEGRATE THE CURRICULUM

MATHEMATICS Have students figure out how much California's minimum wage increased between 1963 and 2002. Provide them with this information and have them solve for the difference: The minimum wage in 1963 was $1.25 an hour. In 2002, the minimum wage was $6.75. How much did the minimum wage increase during that time? ($5.50) **Subtract Decimals**

NUMBER SENSE 2.1

Practicar y ampliar

ANTECEDENTES

Huelga de recolectores de uva en Delano La huelga de recolectores en Delano fue iniciada por un grupo de trabajadores agrícolas de origen filipino liderados por Larry Itliong. Cuando Itliong pidió ayuda a César Chávez, la Asociación Nacional de Trabajadores Agrícolas votó por unanimidad a favor de apoyar a los trabajadores en huelga. El NFWA tenía más miembros que el otro grupo, y pronto Chávez tomó el liderazgo de todo el movimiento.

Dolores Huerta   Yvonne Brathwaite Burke   Dalip Singh Saund

5 Agrícolas, que más tarde se llamó Sindicato de Trabajadores Agrícolas (UFW), organizó a los trabajadores para exigir sueldos más altos, mejores viviendas y mejores condiciones de trabajo.

En 1965, Chávez encabezó una huelga de recolectores de uva en **Delano**, una población del valle Central. Una **huelga** es un tiempo en el que los trabajadores dejan de trabajar para hacer que los empleadores presten atención a sus peticiones.

6 Chávez también llamó a hacer un boicot al consumo de uvas. Un **boicot** es una forma de protesta en la que un grupo de personas decide no comprar algo hasta que se solucione un determinado problema. A medida que más personas se sumaban al boicot en todo el país, los productores de uva comenzaron a perder dinero. Finalmente, en 1970, los productores acordaron ofrecer a los trabajadores salarios más altos y mejores condiciones de trabajo. La huelga de los trabajadores y el boicot al consumo de uvas habían logrado su objetivo.

> **REPASO DE LA LECTURA** ☼ CAUSA Y EFECTO
> **¿Qué efecto tuvo el boicot en los productores de uva de California?** Los productores se vieron obligados a aceptar muchas de las demandas de los trabajadores.

Derechos civiles para otros grupos

En la década de 1960, al igual que otros grupos, las mujeres se habían sumado a la lucha por la igualdad de derechos. En 1972, **Yvonne Brathwaite Burke** se convirtió en la primera mujer afroamericana de California en ser elegida para la Cámara de Representantes de Estados Unidos. Pronto, mujeres asiáticas americanas y latinas de California fueron elegidas para ocupar cargos en el gobierno. En 1993, California se convirtió en el primer estado representado únicamente por mujeres, Barbara Boxer y Dianne Feinstein, en el Senado de Estados Unidos.

Los grupos asiáticos también enfrentaron la discriminación. Hasta 1952, las personas que provenían de países asiáticos no podían obtener la ciudadanía estadounidense. Durante la década de 1940, **Dalip Singh Saund**, un inmigrante sikh proveniente de India, trabajó para cambiar esa ley. En 1956, Saund se convirtió en el primer miembro sikh del Congreso.

Capítulo 10 ■ **403**

---

5 **Economics** Explain that workers in many professions have labor unions, which negotiate, or work to reach agreements, with employers to make sure that workers receive fair pay and benefits.

> **Q** How did a union help farmworkers win fairer treatment from growers in California? HSS 4.4
> **A** The union organized farmworkers and helped them push for better pay, housing, and working conditions.

6 **History** Talk with students about the role Cesar Chavez played in winning rights for farmworkers in California and across the country. You may want to clarify the difference between a strike and a boycott and explain that boycotts often rely on participation by members of the general population. HSS 4.4

Civil Rights for Other Groups

Content Focus In the 1960s, women joined the fight for equal rights. Asians, American Indians, and other groups also worked to gain equal rights.

7 **History** Review the gains that women have made in government since the 1960s.

> **Q** What was important about Barbara Boxer and Dianne Feinstein, serving together as United States senators? HSS 4.4
> **A** It was the first time that both United States senators from a state were women.

CHAPTER 10 ■ **403**

---

5 **Economía** Explique que los trabajadores de muchas profesiones tienen sindicatos laborales que negocian, o se esfuerzan por alcanzar acuerdos, con los empleadores para asegurarse de que los trabajadores reciban un pago justo y beneficios.

> **P** ¿Cómo ayudó el sindicato a los trabajadores agrícolas a obtener un trato más justo por parte de los productores de California? HSS 4.4
> **R** El sindicato organizó a los trabajadores y les ayudó a exigir mejores salarios, viviendas y condiciones de trabajo.

6 **Historia** Hable con los estudiantes acerca del papel que desempeñó César Chávez en la obtención de derechos para los trabajadores agrícolas de California y del resto del país. Quizá quiera aclarar la diferencia entre una huelga y un boicot, y explicar que los boicots a menudo cuentan con la participación de miembros de la población en general. HSS 4.4

Derechos civiles para otros grupos

Contenido clave En la década de 1960, las mujeres se sumaron a la lucha por la igualdad de derechos. Los asiáticos, los indios americanos y otros grupos también trabajaron por obtener igualdad de derechos.

7 **Historia** Repase los logros de las mujeres en el gobierno a partir de la década de 1960.

> **P** ¿Cuál fue la importancia de que Barbara Boxer y Dianne Feinstein sirvieran juntas como senadoras de Estados Unidos? HSS 4.4
> **R** Fue la primera vez que los dos senadores de un estado eran mujeres.

8 Historia Pregunte a los estudiantes por qué creen que fue importante el Movimiento por los derechos civiles de los indios americanos. Pídales que recuerden los esfuerzos de los indios americanos por obtener la igualdad de derechos. ▨ HSS 4.4

3 Concluir

Resumen

Pida a los estudiantes que repasen el resumen y que expresen con sus palabras el contenido clave de la lección.

- En los años posteriores a la Segunda Guerra Mundial no todos los habitantes de Estados Unidos disfrutaban de las mismas oportunidades.
- Durante las décadas de 1940, 1950 y 1960, muchos grupos lucharon por la igualdad de derechos.

Evaluar

REPASO—Respuestas

1. Muchos grupos recibieron mejor trato y comenzaron a disfrutar de más oportunidades. ▨ HSS 4.4
2. **Vocabulario** Un **boicot** y una **huelga** de recolectores de uva obligaron a los productores a aumentar los salarios y a mejorar las condiciones de trabajo. ▨ HSS 4.4.6
3. **Economía** Para exigir un salario más alto, mejor vivienda y mejores condiciones de trabajo para los trabajadores migratorios; los productores aceptaron muchas de sus demandas. ▨ HSS 4.4.6

Razonamiento crítico

4. ▨ **Interpretación histórica** Algunos estudiantes pueden decir que los líderes querían poner la atención en su causa y no en la violencia. ▨ HSS 4.4, HI 1
5. **Haz un cartel—Pautas para la evaluación** Vea Performance Rubric. Esta actividad puede usarse con el proyecto de la unidad. ▨ HSS 4.4, VISUAL ARTS 2.0

continued to the right ▶

---

8 History Ask students why they think the American Indian Civil Rights movement was important. Have students recall efforts of American Indians to gain equal rights. ▨ HSS 4.4

3 Close

Summary

Have students review the summary and restate the lesson's key content.

- Not all people in the United States enjoyed the same opportunities in the years following World War II.
- Many groups worked for equal rights during the 1940s, 1950s, and 1960s.

Assess

REVIEW—Answers

1. Many groups received better treatment and began to enjoy greater opportunities. ▨ HSS 4.4
2. **Vocabulary** A **boycott** and a grape pickers' **strike** forced grape growers to increase workers pay and improve their working conditions. ▨ HSS 4.4.6
3. **Economics** To push for better pay, housing, and working conditions for migrant workers; growers agreed to many of their demands. ▨ HSS 4.4.6

Critical Thinking

4. ▨ **Historical Interpretation** Some students might say that leaders wanted attention focused on their cause rather than on violence. ▨ HSS 4.4, HI 1
5. 🖍 **Make a Poster— Performance Guidelines** See Performance Rubric. This activity can be used with the unit project. ▨ HSS 4.4, VISUAL ARTS 2.0
6. 🎯 (Focus Skill) **Cause and Effect** CAUSE: Sylvia Mendez's parents sued a school district. EFFECT: Grape growers began losing money and were forced to increase workers' pay and to improve their working conditions to end the boycott. ▨ HSS 4.4, ELA READING 2.6

continued

6. 🎯 (Destreza clave) **Causa y efecto** CAUSA: Los padres de Sylvia Mendez demandaron a un distrito escolar. EFECTO: Los productores de uva comenzaron a perder dinero y se vieron obligados a aumentar los salarios y a mejorar las condiciones de trabajo. ▨ HSS 4.4, ELA READING 2.6

▶ Los indios que tomaron la isla de Alcatraz en 1969 llamaron a su grupo "Indios de todas las tribus".

8 Los indios americanos fueron otro grupo que luchó por la igualdad de derechos en la década de 1960. Algunas tribus se unieron para exigir una mejor educación para los niños indios. Otros trabajaron para proteger sus derechos sobre las tierras de sus tribus.

En 1969, un grupo de indios americanos ocupó la **isla de Alcatraz**, en la bahía de San Francisco. En la isla, que en el pasado había pertenecido a los indios, se encontraba una antigua prisión de Estados Unidos. Para ellos, la isla era un símbolo de todas las tierras que alguna vez habían pertenecido a los indios americanos. Los manifestantes se quedaron en la isla por casi dos años haciendo así que se prestara atención al Movimiento por los derechos civiles de los indios americanos.

REPASO DE LA LECTURA GENERALIZAR
¿Por qué luchaban muchos de los grupos en las décadas de 1940, 1950 y 1960?
Por la igualdad de derechos

Resumen

En las décadas de 1940, 1950 y 1960, muchos grupos lucharon por la igualdad de derechos. Afroamericanos, latinos, asiáticos americanos e indios americanos trabajaron por obtener derechos civiles. Las mujeres lucharon para obtener igualdad de derechos.

REPASO

1. ¿Cómo cambió California con la labor de grupos que buscaban asegurar la igualdad de derechos?
2. Usa los términos **huelga** y **boicot** para describir cómo obtuvieron un mejor trato los trabajadores agrícolas de California.
3. ¿Por qué se formó el UFW? ¿Qué sucedió como resultado de su formación?

RAZONAMIENTO CRÍTICO

4. ¿Por qué crees que era importante para los líderes de los derechos civiles que las protestas fueran pacíficas?

5. 🖍 **Haz un cartel** Elige uno de los grupos que lucharon por la igualdad de derechos. Haz un cartel que resalte uno de sus problemas importantes.

6. 🎯 **CAUSA Y EFECTO**
En una hoja de papel, copia y completa el organizador gráfico de abajo.

Causa	Efecto
	California terminó con la segregación en las escuelas.
Causa	**Efecto**
César Chávez llamó a un boicot al consumo de uvas.	

404 ■ Unidad 5

Practice and Extend

PERFORMANCE RUBRIC

Score 4
- clearly presents a key issue
- provides many relevant details
- has no errors or very few errors

Score 3
- adequately presents a key issue
- provides some relevant details
- has a few errors

Score 2
- partially presents a key issue
- provides few relevant details
- has several errors

Score 1
- does not present a key issue
- provides no relevant details
- has many errors

HOMEWORK AND PRACTICE

Rights for All Californians

pages 108–109

Practicar y ampliar

TAREA Y PRÁCTICA

Derechos para todos los californianos

páginas 108–109

César Chávez

*"Juntos, todas las cosas son posibles."**

César Chávez nació en una granja cerca de Yuma, Arizona, en 1927. Cuando tenía diez años, su familia tuvo que cerrar la granja. Los Chávez se mudaron a California, donde se hicieron trabajadores agrícolas migratorios.

La infancia de Chávez fue dura. Debía trabajar muchas horas, pero le pagaban poco. Como su familia se mudaba con frecuencia para hallar trabajo, asistió a más de 30 escuelas. Al terminar el octavo grado, Chávez abandonó la escuela para trabajar tiempo completo en los campos. De esa forma, ayudaba a su familia a ganarse la vida.

En 1962, Chávez ayudó a fundar la Asociación Nacional de Trabajadores Agrícolas que más tarde se conoce como Sindicato de Trabajadores Agrícolas. El propósito del sindicato era organizar a los trabajadores agrícolas migratorios para que lucharan unidos por mejores condiciones de trabajo y mejores salarios.

Un año después de su muerte, Chávez fue premiado con la Medalla Presidencial de la Libertad, una de las distinciones más importantes de la nación.

Como líder del UFW, César Chávez organizó en 1965 una huelga de recolectores de uva.

*César Chávez. De un discurso pronunciado durante su Ayuno por la vida, en 1988. www.ufw.org/cecstory.htm

Biografía breve

1927 Nace
1962 Chávez y otros organizan lo que sería el Sindicato de Trabajadores Agrícolas
1965 Encabeza una huelga y un boicot para ayudar a los recolectores de uva
1993 Muere

Visita MULTIMEDIA BIOGRAPHIES en www.harcourtschool.com/hss para hallar biografías multimedia.

CALIFORNIA STANDARDS HSS 4.4.6 Describe the development and locations of new industries since the nineteenth century, such as the aerospace industry, electronics industry, large-scale commercial agriculture and irrigation projects, the oil and automobile industries, communications and defense industries, and important trade links with the Pacific Basin. Research, Evidence, and Point of View 2.

BACKGROUND

Ernesto Galarza One of Cesar Chavez's role models in the labor movement was Ernesto Galarza. Although Galarza worked in the fields at a young age, he went on to study at Stanford and was one of the first Mexican Americans to earn a Ph.D. In addition to being a writer, scholar, and educator, he organized farmworkers in the late 1940s and 1950s. Later on, he served as an adviser to Chavez.

REACH ALL LEARNERS

Leveled Practice Summarize Cesar Chavez's contributions to the lives of farmworkers.

(**Basic**) Have pairs orally summarize Chavez's major accomplishments.

(**Proficient**) Have pairs list things that Chavez did to further the rights of farmworkers.

(**Advanced**) Have students write a paragraph summarizing Chavez's work.

ANTECEDENTES

Ernesto Galarza Uno de los modelos de César Chávez en el movimiento sindical fue Ernesto Galarza. Galarza, que de joven había trabajado en los campos, estudió en Stanford y fue uno de los primeros mexicanos americanos en obtener un Ph.D. Además de ser escritor, investigador y educador, organizó a los trabajadores agrícolas a fines de la década de 1940 y durante la década de 1950. Después, trabajó como asesor de Chávez.

APRENDE en línea

RECURSOS EN INTERNET

Visite MULTIMEDIA BIOGRAPHIES en **www.harcourtschool.com/hss** para hallar biografías multimedia.

Biografía

Integridad
Respeto
Responsabilidad
Equidad
Bondad
Patriotismo

La importancia del carácter

◆ ¿Cómo demostró César Chávez su profunda preocupación por las condiciones de vida de los trabajadores agrícolas migratorios?

Biography

PAGE 405

OBJECTIVES

- Explain how Cesar Chavez fought for the rights of migrant farmworkers.

RESOURCES

Unit 5 Audiotext CD Collection; Internet Resources

1 Introduce

Set the Purpose Ask students to read to find out how Cesar Chavez worked to make sure farmworkers were treated fairly.

2 Teach

Primary Source: Quotation

ANALYSIS SKILL **Research/Evidence** Talk about how it is often easier to accomplish things by working with others.

Source: Cesar Chavez. From a speech given during his Fast for Life in 1988. www.ufw.org/cecstory.htm

Q What does the quotation say about Cesar Chavez's belief in teamwork?
HSS 4.4.6, HR 2

A Possible response: Chavez believed anything was possible through teamwork.

3 Close

Why Character Counts

Cesar Chavez started the United Farm Workers. He worked with farmworkers to get better working conditions and higher pay for them.

GO ONLINE INTERNET RESOURCES
Visit MULTIMEDIA BIOGRAPHIES at **www.harcourtschool.com/hss**

CHAPTER 10 ■ 405

Biografía

PÁGINA 405

OBJETIVOS

- Explicar cómo César Chávez luchó por los derechos de los trabajadores agrícolas migratorios.

RECURSOS

Colección de audiotextos en CD de la Unidad 5; Recursos en Internet

1 Presentar

Establecer el propósito Pida a los estudiantes que lean para descubrir cómo trabajó César Chávez para asegurarse de que los trabajadores agrícolas recibieran un trato justo.

2 Enseñar

Fuente primaria: Cita

DESTREZA DE ANÁLISIS **Investigación/Evidencia** Converse con los estudiantes acerca de cómo, por lo general, es más fácil lograr cosas trabajando junto con otras personas.

Fuente: César Chávez. De un discurso pronunciado durante su Ayuno por la vida, en 1988. www.ufw.org/cecstory.htm

P ¿Qué dice la cita acerca de la opinión de César Chávez sobre el trabajo en equipo? HSS 4.4.6, HR 2

R Respuesta posible: Chávez creía que todo era posible por medio de trabajo en equipo.

3 Concluir

La importancia del carácter

César Chávez ayudó a fundar el Sindicato de Trabajadores Agrícolas. Trabajó con ellos para conseguir mejores condiciones de trabajo y salarios más altos.

Lección 3

OBJETIVOS

- **Describir qué efectos tuvo la inmigración en la población de California.**

- **Explicar cómo honran y celebran su cultura los habitantes de todo el estado.**

VOCABULARIO

multicultural pág. 407

grupo étnico pág. 408

patrimonio cultural pág. 408

CAUSA Y EFECTO

págs. 350–351, 407, 409

RECURSOS

Tarea y práctica, págs. 110–111; Transparencia de destrezas clave 5; Colección de audiotextos en CD de la Unidad 5; Recursos en Internet

1 Presentar

Reflexiona Diga a los estudiantes que leerán sobre muchos grupos culturales que viven en California.

Piensa en los antecedentes Diga a los estudiantes que Bangladesh es un país del sur de Asia. Pídales que ubiquen Bangladesh en el planisferio de las páginas R2-R3.

 Pregunte a los estudiantes cómo creen que sería llegar a San Francisco, o a cualquier otra ciudad de California, después de haber vivido toda la vida en otro lugar.

Lesson 3

OBJECTIVES

- **Describe how immigration has affected the population of California.**

- **Explain how people throughout California honor and celebrate culture.**

VOCABULARY

multicultural p. 407   **heritage** p. 408

ethnic group p. 408

 ## CAUSE AND EFFECT

pp. 350–351, 407, 409

RESOURCES

Homework and Practice Book, pp. 110–111; Reading Support and Intervention, pp. 146–149; Success for English Learners, pp. 150–153; Vocabulary Transparency 5-10-3; Vocabulary Power, p. 105; Focus Skills Transparency 5; Unit 5 Audiotext CD Collection; Internet Resources

1 Introduce

What to Know Tell students that they will be reading about many cultural groups living in California.

Build Background Tell students that Bangladesh is a country in southern Asia. Have students find Bangladesh on the world map on pages R2–R3.

 Ask students what they think it would be like to arrive in San Francisco, or any other California city, after having lived your whole life in another place.

Cuando el tiempo apremia

Pida a los estudiantes que trabajen en parejas para hallar las respuestas a la pregunta de Repaso que aparece al final de cada sección. Luego, analice las respuestas de cada grupo con toda la clase.

Resumen

La población de California es mayor que la de cualquier otro estado. Es una población multicultural. En todo el estado, diversos grupos étnicos organizan festivales y celebraciones para mantener viva su tradición y transmitir su historia y su patrimonio cultural a los demás.

Lección 3

1952 El Día de la Ciudadanía se convierte en día de fiesta nacional

1964 Por primera vez, California tiene más habitantes que cualquier otro estado

REFLEXIONA
¿Qué cambios produjeron en California la inmigración y la migración?

✓ Describe qué efectos tuvo la inmigración en la población de California.

✓ Explica cómo honran y celebran su cultura los habitantes de todo el estado.

VOCABULARIO
multicultural pág. 407
grupo étnico pág. 408
patrimonio cultural pág. 408

CAUSA Y EFECTO

Normas de California
HSS 4.4, 4.4.4

Un estado diverso

IMAGÍNATE ALLÍ Miras por la ventanilla mientras el avión aterriza en San Francisco. Eres de Bangladesh, un país de Asia, pero San Francisco será ahora tu nuevo hogar. ¡Estás emocionado! Te preguntas cómo será tu nuevo hogar. El clima de Bangladesh es siempre caluroso. Elefantes y tigres viven en la jungla cercana al arrozal de tu familia. ¿Se parecerá San Francisco en algo a Bangladesh?

» La población diversa de California ha hecho del estado un lugar más interesante para vivir.

 CALIFORNIA STANDARDS HSS 4.4 Students explain how California became an agricultural and industrial power, tracing the transformation of the California economy and its political and cultural development since the 1850s. 4.4.4 Describe rapid American immigration, internal migration, settlement, and the growth of towns and cities (e.g., Los Angeles). Chronological and Spatial Thinking 3. Historical Interpretation 2, 3.

When Minutes Count

Have pairs of students work together to find answers to the review question at the end of each section. Then discuss students' responses as a whole class.

Quick Summary

The population of California is greater than that of any other state. It is a multicultural population. All over the state, various ethnic groups hold festivals and celebrations to keep their traditions alive and to share their history and cultural heritage with others.

Una población en auge

Actualmente, California tiene más de 35 millones de habitantes, es decir, más población que cualquier otro estado. Parte de este auge de población es resultado de la migración a California desde otros lugares de Estados Unidos. Otra parte se debe al aumento en la tasa de natalidad y a la inmigración.

Muchos inmigrantes han llegado de México, América Central y América del Sur. Otros han venido de Laos, Camboya y Vietnam. Esos tres países se encuentran en el sureste de Asia, una región devastada por la guerra. Otros inmigrantes asiáticos han venido de India, Bangladesh, las Filipinas, China y Corea del Sur. También han llegado inmigrantes de países europeos y de naciones africanas como Kenya y Nigeria.

Cada grupo de inmigrantes ha traído su propia cultura a California. La cultura de estos grupos se refleja en sus idiomas, comidas y creencias religiosas. Las diversas culturas de los inmigrantes han transformado a California en un estado **multicultural**.

Población de California nacida en el extranjero, 2000

América Latina
América del Norte
Europa
Asia
Otros

Analizar gráficas Los habitantes de California provienen de muchas regiones y tienen orígenes diferentes.

◆ ¿De qué región provenía en el año 2000 la mayoría de la población de California nacida en el extranjero?
FUENTE: U.S. Census Bureau

Muchos inmigrantes de California son inmigrantes legales. Eso significa que tienen permiso del gobierno para vivir en Estados Unidos. Algunas personas, sin embargo, encuentran maneras de ingresar al país ilegalmente. El gobierno ha aprobado leyes que hacen más difícil para esos inmigrantes ilegales permanecer en Estados Unidos.

REPASO DE LA LECTURA ⊘ CAUSA Y EFECTO
¿Cómo ha afectado la inmigración a la cultura de California? California se ha transformado en un estado multicultural.

Capítulo 10 ■ **407**

---

2 Teach

A Booming Population

Content Focus The population of California is greater than that of any other state. It is a diverse population, one made up of people from many different regions and of many different backgrounds.

1 **ANALYSIS SKILL** **Historical Interpretation**
Discuss the reasons people immigrate to California, and help students understand the costs and benefits of immigration that immigrants might consider.

Q How has immigration caused California to be multicultural?
HSS 4.4.4, HI 3

A Possible responses: Immigrants have come to California from many places and have brought their cultures and traditions to the state.

2 **Visual Literacy: Graphs** Explain that the graph shows the regions of origin of Californians born outside the United States. Invite students to speculate on why there are more immigrants from some areas than others.

CAPTION ANSWER: Latin America
HSS 4.4.4

VOCABULARY POWER

Context Clues Write the sentences on the board. Have students identify and read aloud the sentence that explains the term *heritage*.

> The people of California work to keep their cultures alive and to share their history and <u>heritage</u> with others. <u>Heritage includes the traditions, beliefs, and ways of life that have been handed down from the past.</u>

READING 1.0

For teaching lesson vocabulary, see **VOCABULARY TRANSPARENCY 5-10-3.**

READING SUPPORT

For alternate teaching strategies, use pages 146–149 of the Reading Support and Intervention book to

- reinforce **vocabulary**
- build **text comprehension**
- build **fluency**

Reading Support ▶ and Intervention

ELL **ENGLISH LANGUAGE LEARNERS**

For English Language Learners strategies to support this lesson, see Success for English Learners book pages 150–153.

- English-language development activities
- background and concepts
- vocabulary extension

Success for ▶ English Learners

---

2 Enseñar

Una población en auge

Contenido clave La población de California es mayor que la de cualquier otro estado. Es una población diversa, integrada por personas que provienen de muchas regiones diferentes y que tienen orígenes también diferentes.

1 **DESTREZA DE ANÁLISIS** **Interpretación histórica**
Comente los motivos por los cuales la gente inmigra a California y ayude a los estudiantes a comprender los costos y los beneficios que los inmigrantes podrían tener en cuenta al hacerlo.

P ¿Cómo ha convertido la inmigración a California en un estado multicultural?
HSS 4.4.4, HI 3

R Respuestas posibles: Los inmigrantes han llegado a California desde distintos lugares y han traído al estado su cultura y sus tradiciones.

2 **Aprendizaje visual: Gráficas** Explique que la gráfica muestra las regiones de origen de los californianos nacidos fuera de Estados Unidos. Invite a los estudiantes a que piensen acerca de por qué hay más inmigrantes de algunas zonas que de otras.

RESPUESTA: América Latina HSS 4.4.4

Celebraciones culturales

Contenido clave En California, las personas de distintas culturas y grupos étnicos organizan festivales y celebraciones para mantener viva su cultura y transmitir su historia y patrimonio cultural a los demás.

CIVISMO

Instituciones democráticas

③ Explique que con la ciudadanía se adquieren determinados derechos y responsabilidades. Invite a voluntarios a que expliquen la diferencia entre derechos y responsabilidades y digan por qué ambos son importantes. Podría comentar que algunos derechos, como el derecho al voto, son también responsabilidades. ⬚ **HSS 4.4.4**

④ **DESTREZA DE ANÁLISIS** **Interpretación histórica** Con el tiempo, los distintos grupos que llegaron a vivir a California moldearon su historia y su cultura. Guíe a los estudiantes para que hagan una lista de festivales culturales de California. Invite a los estudiantes a añadir a la lista cualquier otro festival que conozcan. Pídales que describan las actividades que se desarrollan en estos festivales. Ayúdelos a que comprendan cómo las características humanas forman el carácter único de los lugares de California.

P **¿Qué tienen en común el Festival Punjabi Americano y el Día del Tambor?** ⬚ **HSS 4.4.4 HI 2**

R Ambos incluyen música.

Celebrating Culture

Content Focus In California, people from many different cultures and ethnic groups hold festivals and celebrations to keep their cultures alive and to share their history and heritage with others.

CITIZENSHIP

Democratic Institutions

③ Explain that with citizenship come certain rights and responsibilities. Invite volunteers to explain the difference between rights and responsibilities, and tell why both are important. You might point out that some rights, such as voting, are also responsibilities. ⬚ **HSS 4.4.4**

④ **ANALYZE SKILL** **Historical Interpretation** Over time, the many groups of people who have come to live in California have shaped its history and culture. Guide students to create a list of cultural festivals in California. Invite students to add to the list any other festivals they know. Ask them to describe activities that go on at these festivals. Help students understand how such human characteristics form the unique character of places in California.

Q **What do the Punjabi American Festival and the Day of the Drum share in common?** ⬚ **HSS 4.4,** HI 2

A They both include music.

▶ Estos niños tocan tambores tradicionales japoneses en un festival.

cultura. Cada grupo étnico ha traído algo de su propia cultura a California.

Los californianos trabajan para mantener vivas sus culturas y para transmitir su historia y su patrimonio cultural a los demás. El **patrimonio cultural** incluye las tradiciones, creencias y costumbres del pasado que han sido transmitidas de generación en generación. Muchas ciudades tienen cada año festivales, o celebraciones culturales. En Los Ángeles y San Diego, el festival del Cinco de Mayo da a conocer el patrimonio cultural mexicano. En Sonora, los habitantes de origen irlandés, escocés y galés realizan una Celebración Celta. En Yuba City, el Festival Punjabi Americano difunde el patrimonio cultural de la región del

④

Celebraciones culturales

Como muchos de los habitantes de California han llegado de otros lugares, la población del estado tiene muchos grupos étnicos diferentes. Un **grupo étnico** es un grupo de personas del mismo país, de la misma raza, o que tienen la misma

CIVISMO

Instituciones democráticas

Todas las personas nacidas en Estados Unidos son ciudadanos de la nación. Los inmigrantes que llegan a Estados Unidos pueden seguir ciertos pasos para convertirse en ciudadanos.

③ En 1940, el Congreso de Estados Unidos resolvió que debía establecerse un día para rendir homenaje a los nuevos ciudadanos de la nación. Al principio, se llamó "I Am an American Day," o Día Soy un Americano. Más tarde, en 1952, se cambió el nombre a Día de la Ciudadanía. Se eligió el 17 de septiembre como Día de la Ciudadanía, porque la Constitución de Estados Unidos se firmó ese día en 1787. Este día rinde homenaje a todos los ciudadanos de Estados Unidos.

408 ■ **Unidad 5**

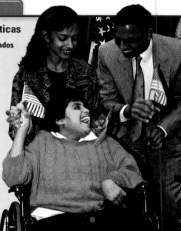

Practice and Extend

REACH ALL LEARNERS

Leveled Practice Have students explain how immigrants have made California a multicultural state.

Basic Have groups of students talk about some of the places that immigrants to California are from. Then they identify celebrations held by some of those groups.

Proficient Have pairs of students identify the geographic areas most of California's immigrants come from, and discuss why those immigrants have come and what they contribute to California's culture.

Advanced Have students write a paragraph explaining what makes California a multicultural state and summarizing the contributions people from different cultures make to life in California.

Punjab, en India. Muchos punjabíes pertenecen a la religión sikh. En el año 2004, unas 13,000 personas asistieron al festival para aprender sobre la cultura sikh.

Casi todos los festivales culturales incluyen comida, música, canciones y danzas tradicionales. En Los Angeles, el Día del Tambor de las Torres Watts se concentra en un solo instrumento musical. Personas de diferentes culturas escuchan y aprenden sobre música de tambores.

REPASO DE LA LECTURA **RESUMIR**
¿Cómo difunden los californianos el patrimonio cultural y la historia de diferentes grupos de personas? Realizan festivales y celebraciones culturales.

▶ Baile folclórico danés en Solvang (arriba) y un joven mariachi en el Festival de los Antiguos Días Españoles, en Santa Barbara (izquierda).

Resumen

California continúa atrayendo inmigrantes de muchas partes del mundo. Los diversos grupos de habitantes que hoy residen en California celebran y difunden sus culturas en los festivales.

REPASO

1. ¿Qué cambios produjeron en California la inmigración y la migración?

2. Usa el término **patrimonio cultural** para explicar por qué es importante celebrar festivales culturales.

3. ¿Qué puede aprender la gente en el Festival Punjabi Americano?

RAZONAMIENTO CRÍTICO

4. ¿Cómo se ha convertido California en un estado multicultural? ¿Cómo ha afectado eso la vida en California?

5. ¿Qué esperanzas comparten los inmigrantes de hoy con los del pasado?

6. ✎ **Escribe un párrafo** Piensa en cosas de tu comunidad que demuestren que es un lugar multicultural. Escribe un párrafo que describa esas cosas.

7. **CAUSA Y EFECTO**
En una hoja de papel, copia y completa el organizador gráfico de abajo.

Causa	Efecto
Continúan llegando inmigrantes a California.	

Causa	Efecto
	California es un estado multicultural.

Capítulo 10 ■ 409

HOMEWORK AND PRACTICE

A Diverse State

pages 110–111

WRITING RUBRIC

Score 4
- presents clear examples
- provides many relevant details
- has no errors or very few errors

Score 3
- presents adequate examples
- provides some relevant details
- has a few errors

Score 2
- presents minimal examples
- provides few relevant details
- has several errors

Score 1
- does not present examples
- does not provide relevant details
- has many errors

TAREA Y PRÁCTICA

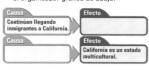

Un estado diverso

 páginas 110–111

---

3 Close

Summary

Have students review the summary and restate the lesson's key content.
- People from many different world regions and of many different backgrounds live in California.
- Californians from many ethnic groups hold festivals to honor and celebrate their cultures.

Assess

REVIEW—Answers
1. Immigration and migration have helped the population of the state grow and have made California a multicultural state. ▥ HSS 4.4.4
2. **Vocabulary** Cultural festivals provide a way for people to celebrate their **heritage** and share it with others. ▥ HSS 4.4
3. **Culture** about Sikh culture ▥ HSS 4.4

Critical Thinking
4. **Historical Interpretation** People from many different regions and of many different backgrounds have come to California. They have shaped the state's history and culture. ▥ HSS 4.4, HI 2
5. **Chronological Thinking** Possible responses: They hope for better economic opportunities; they hope to build better lives for themselves and their families. ▥ HSS 4.4, CS 3
6. ✎ Write a Paragraph—
   Assessment Guidelines See Writing Rubric. This activity can be used with the unit project. ▥ HSS 4.4, ELA WRITING 2.3, ELA WRITTEN AND ORAL ENGLISH LANGUAGE CONVENTIONS 1.0
7. **Cause and Effect** EFFECT: California's population grows. CAUSE: People come to California from all over the world. ▥ HSS 4.4, ELA READING 2.6

---

3 Concluir

Resumen

Pida a los estudiantes que repasen el resumen y que expresen con sus palabras el contenido clave de la lección.
- En California viven personas de muchas regiones del mundo y de orígenes muy diversos.
- Los californianos de muchos grupos étnicos organizan festivales para honrar y celebrar su cultura.

Evaluar

REPASO—Respuestas
1. La inmigración y la migración han ayudado al crecimiento de la población del estado y han hecho de California un estado multicultural. ▥ HSS 4.4.4
2. **Vocabulario** Los festivales culturales son formas que tiene cada grupo de celebrar su **patrimonio cultural** y de transmitirlo a los demás. ▥ HSS 4.4
3. **Cultura** acerca de la cultura sikh ▥ HSS 4.4

Razonamiento crítico

4. **DESTREZA DE ANÁLISIS** Interpretación histórica A California han llegado personas de muchas regiones diferentes y de distintos orígenes. Estas personas han moldeado la historia y la cultura del estado. ▥ HSS 4.4, HI 2

5. **DESTREZA DE ANÁLISIS** Pensamiento cronológico Respuestas posibles: La esperanza de tener mejores oportunidades económicas; la esperanza de construir una vida mejor para ellos y sus familias. ▥ HSS 4.4, CS 3

6. ✎ Escribe un párrafo—
   Pautas para la evaluación Vea Writing Rubric. Esta actividad puede usarse con el proyecto de la unidad.
   ▥ HSS 4.4, ELA WRITING 2.3, ELA WRITTEN AND ORAL ENGLISH LANGUAGE CONVENTIONS 1.0

7. **Causa y efecto** EFECTO: La población de California aumenta. CAUSA: Llega a California gente de todo el mundo. ▥ HSS 4.4, ELA READING 2.6

PÁGINAS 410–411

CAUSA Y EFECTO
Destreza clave

Los estudiantes pueden usar el organizador gráfico que aparece en la página 114 del cuaderno de Tarea y práctica. Las respuestas aparecen en la Edición del maestro del cuaderno de Tarea y práctica.

Pautas de redacción de California

Escribe un reporte Los reportes de los estudiantes deben describir las diferentes maneras que tienen los californianos de mantener viva su cultura. Deben incluir ejemplos del Capítulo 10 y de sus propias observaciones y experiencias personales. Además, deben estar bien organizados y contener pocos errores.
HSS 4.4, ELA WRITING 2.3

Para calificar la redacción, vea el Programa de evaluación, pág. xii.

Escribe un resumen Los resúmenes de los estudiantes deben contener ideas principales y detalles precisos acerca del desarrollo de la industria aeroespacial en California. Deben estar bien organizados y escritos con palabras de los estudiantes.
HSS 4.4.6, ELA WRITING 2.4

Para calificar la redacción, vea el Programa de evaluación, pág. xii.

Usa el vocabulario HSS 4.4

1. viajar al trabajo (pág. 395)
2. derechos civiles (pág. 401)
3. huelga (pág. 403)
4. tecnología (pág. 394)

Usa la línea cronológica

Pensamiento cronológico
HSS 4.4, 4.4.6, CS 1, 2

5. en la década de 1960
6. 14 años

Chapter 10 Review

PAGES 410–411

CAUSE AND EFFECT
Focus Skill

Students may use the graphic organizer that appears on page 114 of the Homework and Practice Book. Answers appear in the Homework and Practice Book, Teacher Edition.

California Writing Prompts

Write a Report Students' reports should focus on different ways in which Californians keep their cultures alive. Their reports should include examples from Chapter 10 as well as examples from their own observations and personal experience. The reports should also be well organized and contain few errors. HSS 4.4, ELA WRITING 2.3

For a writing rubric, see Assessment Program, p. xii.

Write a Summary Students' summaries should present accurate main ideas and details about how the aerospace industry developed in California. Summaries should be well organized and written in the students' own words. HSS 4.4.6, ELA WRITING 2.4

For a writing rubric, see Assessment Program, p. xii.

Use Vocabulary HSS 4.4

1. commute (p. 395)
2. civil rights (p. 401)
3. strike (p. 403)
4. technology (p. 394)

Use the Time Line
Chronological Thinking
HSS 4.4, 4.4.6, CS 1, 2

5. the 1960s
6. 14 years

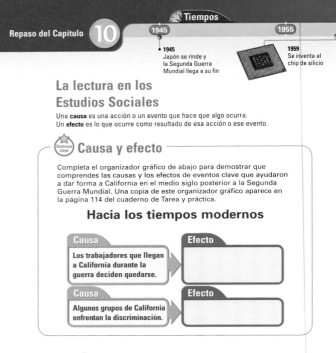

Repaso del Capítulo 10

Tiempos

1945 · 1945 Japón se rinde y la Segunda Guerra Mundial llega a su fin

1955 · 1959 Se inventa el chip de silicio

La lectura en los Estudios Sociales

Una **causa** es una acción o un evento que hace que algo ocurra.
Un **efecto** es lo que ocurre como resultado de esa acción o ese evento.

Causa y efecto
Destreza clave

Completa el organizador gráfico de abajo para demostrar que comprendes las causas y los efectos de eventos clave que ayudaron a dar forma a California en el medio siglo posterior a la Segunda Guerra Mundial. Una copia de este organizador gráfico aparece en la página 114 del cuaderno de Tarea y práctica.

Hacia los tiempos modernos

Causa		Efecto
Los trabajadores que llegan a California durante la guerra deciden quedarse.		
Algunos grupos de California enfrentan la discriminación.		

Pautas de redacción de California

Escribe un reporte Escribe un reporte que explique algunas maneras en que los habitantes de California trabajan para mantener viva su cultura. Incluye ejemplos mencionados en el Capítulo 10 y también otros que conozcas por tu propia experiencia.

Escribe un resumen Imagina que eres un historiador que escribe una entrada de una enciclopedia sobre California y su papel en los viajes espaciales. Escribe un breve resumen acerca de cómo ayudó California a desarrollar el programa espacial de Estados Unidos.

410 ■ Unidad 5

CALIFORNIA STANDARDS HSS 4.4 Students explain how California became an agricultural and industrial power, tracing the transformation of the California economy and its political and cultural development since the 1850s. Chronological and Spatial Thinking 1, 2, 4. Historical Interpretation 1, 3.

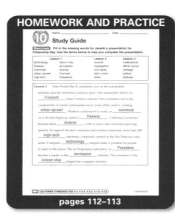

HOMEWORK AND PRACTICE
pages 112–113

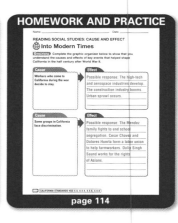

HOMEWORK AND PRACTICE
page 114

TAREA Y PRÁCTICA
páginas 112-113

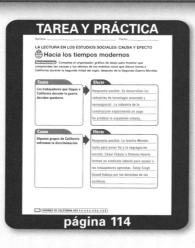

TAREA Y PRÁCTICA
página 114

1965
César Chávez encabeza un boicot nacional al consumo de uvas

1969
Indios americanos toman la isla de Alcatraz en la bahía de San Francisco

1965   1975   1985

Usa el vocabulario

Identifica el término que corresponda a cada definición.

tecnología, pág. 394

viajar al trabajo, pág. 395

derechos civiles, pág. 401

huelga, pág. 403

1. ir del trabajo a la casa y viceversa

2. derecho de los ciudadanos a tener igual trato ante la ley

3. tiempo en que los trabajadores se niegan a trabajar para que se preste atención a sus peticiones

4. el uso de conocimientos o de herramientas para fabricar o hacer algo

Usa la línea cronológica

DESTREZA DE ANÁLISIS Usa la línea cronológica de arriba para responder estas preguntas.

5. ¿En qué década encabezó César Chávez un boicot al consumo de uvas y también los indios americanos tomaron la isla de Alcatraz?

6. ¿Cuántos años después de la Segunda Guerra Mundial se inventó el chip de silicio?

Aplica las destrezas

DESTREZA DE ANÁLISIS Leer un mapa de carreteras

7. Observa el mapa de la página 399. ¿Qué carreteras tomarías para ir desde Sacramento hasta Monterey?

Recuerda los datos

Responde estas preguntas.

8. ¿Cómo la construcción de autopistas cambió la ubicación de los lugares donde vivían las personas?

9. ¿Cómo ayudó César Chávez a mejorar la vida de los trabajadores agrícolas?

10. ¿Cómo han contribuido los inmigrantes a la cultura de California?

Escribe la letra que corresponda a la respuesta correcta.

11. ¿Cuál fue el efecto del aumento de población en California después de la Segunda Guerra Mundial?
   A una depresión
   B una escasez de trabajadores
   C un desastre natural
   D un auge de la construcción

12. ¿Cuál fue el resultado del Movimiento por los derechos civiles?
   A Líderes que apoyaban los derechos civiles fueron elegidos para cargos en el gobierno.
   B Se permitió la segregación en las escuelas.
   C Se construyeron más autopistas.
   D Las mujeres obtuvieron el derecho al voto.

Piensa críticamente

13. **DESTREZA DE ANÁLISIS** ¿Habrías participado en el boicot al consumo de uvas cultivadas en California en la década de 1960? ¿Por qué?

14. **DESTREZA DE ANÁLISIS** ¿Cómo contribuyeron los automóviles y las autopistas a la expansión urbana en California?

Capítulo 10 ▪ 411

Apply Skills

Read a Road Map
SKILL Spatial Thinking HSS 4.4, CS 4

7. Possible responses: Interstate 80 to U.S. Hwy. 101 to Hwy. 152; Interstate 5 to Hwy. 152.

Recall Facts

8. The freeway system allowed people to live farther away from urban centers. (p. 395) HSS 4.4.5

9. He formed the UFW and organized boycotts and strikes to help workers fight for better wages, housing, and working conditions. (pp. 402–403) HSS 4.4.6

10. Possible response: They have made California a multicultural state. They have shared their heritage through celebrations, festivals, dances, music, and food. (pp. 407–409) HSS 4.4.4

11. D (p. 394) HSS 4.4.5

12. A (p. 403) HSS 4.4

Think Critically

13. **SKILL Historical Interpretation** Responses should include clearly expressed opinions and sound reasons. HSS 4.4.6, HI 1

14. **SKILL Historical Interpretation** Possible response: People could live farther away from urban centers and commute to work on freeways. As houses were constructed farther and farther away from city centers, cities began expanding outward, causing urban sprawl. HSS 4.4.4, HI 3

Aplica las destrezas

Leer un mapa de carreteras
DESTREZA DE ANÁLISIS Pensamiento espacial HSS 4.4, CS 4

7. Repuestas posibles: la carretera interestatal 80 hasta la carretera nacional 101, hasta la carretera estatal 152; la carretera interestatal 5 hasta la carretera estatal 152

Recuerda los datos

8. El sistema de autopistas permitió a los habitantes vivir en lugares más alejados de los centros urbanos. (pág. 395) HSS 4.4.5

9. Formó el UFW y organizó boicots y huelgas para obtener mejoras en salarios, viviendas y condiciones de trabajo. (págs. 402–403) HSS 4.4.6

10. Respuesta posible: Han convertido a California en un estado multicultural. Han transmitido su patrimonio cultural a través de celebraciones, festivales, bailes, música y comidas. (pág. 407–409) HSS 4.4.4

11. D (pág. 394) HSS 4.4.5

12. A (pág. 403) HSS 4.4

Piensa críticamente

13. **DESTREZA DE ANÁLISIS Interpretación histórica** Las respuestas deben incluir opiniones expresadas con claridad y razones bien fundamentadas. HSS 4.4.6, HI 1

14. **DESTREZA DE ANÁLISIS Interpretación histórica** Respuesta posible: La gente podía vivir lejos de los centros urbanos y viajar al trabajo por las autopistas. A medida que se construían viviendas cada vez más alejadas, las ciudades comenzaron a expandirse hacia afuera dando lugar a la expansión urbana. HSS 4.4.4, HI 3

Excursión

OBJETIVOS

- **Comentar cómo el Museo Petersen Automovilístico muestra la influencia perdurable del automóvil en Estados Unidos.**

- **Describir cómo los automóviles afectaron a California, Estados Unidos y el mundo.**

RECURSOS

Colección de audiotextos en CD de la Unidad 5; Recursos en Internet

Resumen

El Museo Automovilístico Petersen de Los Angeles ofrece a los visitantes la oportunidad de ver cómo se desarrollaron los automóviles a lo largo de los años.

1 Presentar

Prepárate

Informe a los estudiantes que el Museo Automovilístico Petersen exhibe automóviles del pasado, el presente y el futuro. Señale que el museo incluye muestras de escenas callejeras de diferentes décadas del siglo XX, que el visitante puede recorrer.

Field Trip

PAGES 412–413

OBJECTIVES

- **Tell how the Petersen Automotive Museum traces the lasting influence of the automobile in the United States.**

- **Describe how automobiles have affected California, the United States, and the world.**

RESOURCES

Unit 5 Audiotext CD Collection; Internet Resources

Quick Summary

The Petersen Automotive Museum in Los Angeles offers visitors the opportunity to see how automobiles have developed over the years.

1 Introduce

Get Ready

Inform students that the Petersen Automotive Museum features exhibits on the past, present, and future of automobiles. Point out that the museum includes displays of street scenes from different decades in the 20th century that visitors can walk through.

Excursión

Museo Automovilístico

Petersen

PREPÁRATE

Para la década de 1950, el automóvil ya se había convertido en parte importante de la vida diaria en Estados Unidos, especialmente en el sur de California. En el Museo Automovilístico Petersen, en Los Angeles, puedes ver cómo se desarrollaron los automóviles a lo largo de los años y cómo influyeron en la cultura del sur de California y de todo el mundo. Los visitantes pueden recorrer exposiciones de calles, que muestran cómo cambiaron los automóviles con el paso del tiempo. En el museo también se exhiben motocicletas, automóviles de carreras y carros de películas y de personas famosas. El centro May Family Discovery está repleto de objetos que pueden tocarse y también tiene un simulador de manejo.

OBSERVA

UBÍCALO

CALIFORNIA — Los Angeles

Estos automóviles de la década de 1950 estacionados afuera de una cafetería completan esta exhibición y resaltan las imágenes de esa época.

412 ▪ Unidad 5

Practice and Extend

BACKGROUND

The Miracle Mile The Petersen Automotive Museum is located in the area of Los Angeles known as the "Miracle Mile," where, in the 1930s, the world's first linear shopping district was developed to serve motorists. With its wide store windows set close to the sidewalk and street, and large rear entrances to accommodate the traffic, the "Miracle Mile" paved the way for the strip malls and shopping centers of the future.

MAKE IT RELEVANT

In Your Community Discuss with students the ways cars affect the local community. Encourage students to think about how their families use cars. Ask students to name some businesses that depend on cars or serve drivers. Then have students name some activities that people in the community rely on cars for. Guide students to see how dependence on cars has changed over time in their community.

Practicar y ampliar

ANTECEDENTES

Miracle Mile El Museo Automovilístico Petersen está ubicado en el área de Los Angeles conocida como "Miracle Mile" donde, en la década de 1930, se desarrolló el primer distrito especial de compras para automovilistas. Con sus grandes vidrieras sobre la acera y las amplias entradas posteriores para el estacionamiento, "Miracle Mile" fue la precursora de los centros de compras del futuro.

APLÍCALO

En su comunidad Analice con los estudiantes cómo el automóvil afecta su comunidad. Dígales que piensen acerca del uso que sus familias dan a los carros. Pídales que nombren actividades para las cuales la comunidad depende de los automóviles. Guíe a los estudiantes para que observen cómo la dependencia del automóvil ha cambiado con el correr del tiempo.

Hoy, los fabricantes de automóviles hechos por encargo toman carros de las décadas de 1940 y 1950 y los reconstruyen para hacer diseños especiales para coleccionistas.

Este puesto de comida con forma de perro es parte de una exposición de automóviles de la década de 1930.

Los visitantes pueden recorrer exposiciones de calles e interaccionar con los objetos que se exhiben, como esta gasolinera de la década de 1920.

UN PASEO VIRTUAL

APRENDE en línea Visita VIRTUAL TOURS en **www.harcourtschool.com/hss** para realizar un paseo virtual.

Unidad 5 ■ 413

CALIFORNIA STANDARDS HSS 4.4 Students explain how California became an agricultural and industrial power, tracing the transformation of the California economy and its political and cultural development since the 1850s.

INTEGRATE THE CURRICULUM

 SCIENCE Explain to students that a variety of parts work together to power cars. Have students research how engines make cars move. Encourage students to find the name and function of each part and its role in powering the car. Invite students to draw a diagram or write a brief summary of this process.
Describe a Car Engine
PHYSICAL SCIENCES 1.g

VISUAL ARTS Encourage students to look at the cars on pages 412 and 413. Then invite students to create their own cars. Direct students to invent original designs and come up with names for the make and model of their cars. Students might also provide written or oral descriptions of the various features of their cars.
Design Your Own Car
VISUAL ARTS 5.3

2 Teach

What to See

Direct students' attention to the photographs on pages 412 and 413. Ask the following questions:

- What similarities and differences do you notice between cars from the 1950s and cars today? HSS 4.4
- Why do you think an automobile museum has chosen to include the streetscapes of the 1950s diner and the dog-shaped food stand of the 1930s? HSS 4.4

3 Close

A Virtual Tour Depending on the availability of computers, have students work individually, in pairs, or in small groups to take the virtual tours. Remind students that they can include what they learn on the virtual tours in their Unit Projects.

GO ONLINE — INTERNET RESOURCES

Visit VIRTUAL TOURS at **www.harcourtschool.com/hss** for a listing of Internet sites focusing on automobiles.

2 Enseñar

Observa

Dirija la atención de los estudiantes a las fotografías de las páginas 412 y 413. Hágales las siguientes preguntas:

- ¿Qué semejanzas y diferencias notan entre los carros de la década de 1950 y los de hoy en día? HSS 4.4
- ¿Por qué creen que un museo del automóvil ha elegido incluir la escena de una cafetería de la década de 1950 y la de un puesto de comida con forma de perro de la década de 1930? HSS 4.4

3 Concluir

Un paseo virtual De acuerdo con la disponibilidad de computadoras, pida a los estudiantes que trabajen en forma individual, en parejas o en grupos pequeños para repasar los paseos virtuales. Recuérdeles aplicar lo que han aprendido en sus paseos virtuales como información de base para el proyecto de la unidad.

La gran idea

Pida a los estudiantes que vuelvan a leer "La gran idea" de la unidad:

Crecimiento y cambio Durante el siglo veinte, las acciones humanas y los fenómenos naturales cambiaron California, Estados Unidos y el mundo.

Resumen

Pida a los estudiantes que lean el resumen. Anímelos a reflexionar acerca de los eventos que ocurrieron en el siglo veinte y los efectos de esos eventos en California, Estados Unidos y el resto del mundo.

Ideas principales y vocabulario

1. D HSS 4.4
2. B HSS 4.4.5
3. D HSS 4.4
4. C HSS 4.4.4, 4.4.5

Recuerda los datos

5. Apoyó varias enmiendas a la constitución del estado que dieron al pueblo más control sobre el gobierno estatal. (pág. 359) HSS 4.4

6. Los productores de cine comenzaron a filmar en California porque el paisaje era variado y el clima, templado, lo que les permitía trabajar durante todo el año. (pág. 363) HSS 4.4.6, 4.4.9

7. Se les pagaba muy poco. Algunos no ganaban dinero suficiente como para pagar una renta y, por lo tanto, vivían en tiendas de campaña o dormían en carros o camiones. Las condiciones en los campamentos eran muy precarias y mucha gente se enfermaba. (pág. 371) HSS 4.4.5

8. Muchos fueron obligados a trasladarse a campos de reasentamiento que eran como prisiones. (pág. 382) HSS 4.4.5

Unit 5 Review

The Big Idea

Ask students to review the unit's Big Idea:

Growth and Change Human and natural events changed California, the United States, and the world during the twentieth century.

Summary

Have students read the summary. Encourage them to think about the events that occurred in the twentieth century and about the effects of those events on California, the United States, and the rest of the world.

Main Ideas and Vocabulary

1. D HSS 4.4
2. B HSS 4.4.5
3. D HSS 4.4
4. C HSS 4.4.4, 4.4.5

Recall Facts

5. He backed a number of amendments to the state constitution that gave people more control over the state government. (p. 359) HSS 4.4

6. Filmmakers began coming to California to make pictures because the landscape was varied and the climate was mild, enabling them to film year-round. (p. 363) HSS 4.4.6, 4.4.9

7. They were paid very poorly. Some did not earn enough money to pay rent, and so they set up tent camps or slept in cars or trucks. Conditions in the camps were poor, and many people became ill. (p. 371) HSS 4.4.5

8. Many were forced to move to relocation camps that were like prisons. (p. 382) HSS 4.4.5

Unidad 5

Repaso

LA GRAN IDEA

Crecimiento y cambio Durante el siglo veinte, las acciones humanas y los fenómenos naturales cambiaron California, Estados Unidos y el mundo.

Resumen

Resolver problemas

A principios del siglo XX, la apertura del canal de Panamá y la demanda de bienes durante la Primera Guerra Mundial hicieron crecer la economía de California. Cuando se produjo la Gran Depresión, personas de todo el país tuvieron que luchar para ganarse la vida. Muchos llegaron a California esperando hallar trabajo, pero los empleos eran escasos. Para combatir el alto desempleo, el gobierno contrató personas para trabajar en obras públicas.

La entrada del país en la Segunda Guerra Mundial dio trabajo a la población y trajo más habitantes al estado. Hacia el final de la guerra, la población de California era más numerosa y más diversa. Las industrias del estado habían crecido y se habían fortalecido. A partir de la década de 1940, los californianos lucharon por la igualdad y por los derechos civiles. Algunos se postularon para cargos públicos para producir cambios. Otros formaron sindicatos laborales y organizaron boicots y huelgas. Hoy, California sigue atrayendo a personas de todo el mundo. Estas personas aportan diversidad cultural al estado.

Ideas principales y vocabulario

Lee el resumen de arriba. Luego, responde las preguntas que siguen.

1. ¿Qué es el desempleo?
  A suministros militares y armas
  B cambiar algo para mejorarlo
  C un momento en que fracasan muchos negocios
  D el número de personas que no tiene trabajo

2. ¿Cómo respondió el gobierno a la Gran Depresión?
  A Construyó el canal de Panamá.
  B Contrató personas para trabajar en obras públicas.
  C Concedió a las mujeres igual salario por igual trabajo.
  D Creó sindicatos laborales.

3. ¿Qué son los derechos civiles?
  A reglas de comportamiento
  B huelgas y boicots
  C cargos públicos
  D trato igualitario ante la ley

4. ¿Cómo cambió la población de California durante la Segunda Guerra Mundial?
  A Fue segregada.
  B Disminuyó y se volvió menos diversa.
  C Aumentó y se volvió más diversa.
  D No cambió.

VOTES FOR WOMEN

414 ■ Unidad 5

CALIFORNIA STANDARDS HSS 4.4 Students explain how California became an agricultural and industrial power, tracing the transformation of the California economy and its political and cultural development since the 1850s. Chronological and Spatial Thinking 3, 4. Historical Interpretation 2.

Recuerda los datos

Responde estas preguntas.

5. ¿Qué reformas ayudó a llevar a cabo Hiram Johnson como gobernador de California?

6. ¿Qué hizo que la industria cinematográfica se desarrollara en el sur de California?

7. ¿Cómo era la vida de los trabajadores migratorios durante la Gran Depresión?

8. ¿Qué ocurrió con los japoneses americanos que vivían en California?

9. ¿Cómo se diversificó la economía de California después de la guerra?

Escribe la letra que corresponda a la respuesta correcta.

10. ¿Después de cuál de estos eventos entró Estados Unidos en la Segunda Guerra Mundial?
   A la inauguración del canal de Panamá
   B el derrumbe de la bolsa de valores en 1929
   C el ataque a Pearl Harbor
   D la huelga de los recolectores de uva en 1965

11. Los automóviles ayudaron a producir la expansión urbana al
   A evitar el crecimiento de las áreas metropolitanas.
   B contaminar el aire.
   C usar gasolina.
   D permitir a las personas vivir en un lugar y trabajar en otro.

12. ¿Cuál era el nombre de la primera autopista de California?
   A autopista Arroyo Seco
   B Camino Real
   C Autopista 1
   D autopista Golden Gate

13. ¿Cómo mejoraron sus condiciones de trabajo los trabajadores agrícolas migratorios?
   A Pidieron que se compraran más uvas.
   B Formaron un sindicato e hicieron huelga.
   C Evitaron que se creara un sindicato.
   D Decidieron no protestar.

Piensa críticamente

14. **DESTREZA DE ANÁLISIS** ¿Cómo crees que el automóvil cambió la ubicación de los lugares donde vivían las personas?

15. **DESTREZA DE ANÁLISIS** Durante la década de 1960, muchos californianos lucharon por los derechos civiles, la igualdad en el lugar de trabajo y el trato justo hacia los trabajadores agrícolas. ¿Crees que actualmente continúa siendo importante luchar por la igualdad de derechos? Explica tu respuesta.

Aplica las destrezas

Leer un mapa de carreteras

DESTREZA DE ANÁLISIS Observa el mapa de carreteras que aparece abajo para responder estas preguntas.

16. ¿Cuántas millas hay de Bakersfield a Needles? ¿Qué carreteras tomarías para ir de un lugar al otro?

17. ¿Qué ruta tomarías para ir desde San Luis Obispo hasta el Parque Nacional Joshua Tree? ¿Qué otra ruta podrías tomar?

El sur de California

Carretera interestatal
Carretera nacional
Carretera estatal
Distancia (en millas)

OCÉANO PACÍFICO
MÉXICO

Unidad 5 ■ 415

---

9. After World War II, California's economy grew because some new industries developed, and some older industries expanded. Some of the new industries were started during the war. Others grew quickly following the war, such as the automobile industry in Fremont and the electronics industry in Santa Clara County. (p. 394) **HSS 4.4.4, 4.4.5**

10. C (p. 379) **HSS 4.4**

11. D (p. 395) **HSS 4.4.4**

12. A (p. 395) **HSS 4.4.4**

13. B (pp. 402–403) **HSS 4.4.6**

Think Critically

14. **ANALYSIS SKILL Historical Interpretation** The automobile allowed people to live farther away from the center of town. This led to freeways being built, and freeways led to more subdivisions being built in the suburbs. **HSS 4.4, HI 2**

15. **ANALYSIS SKILL Chronological Thinking** Student responses should reflect an understanding of the Civil Rights movement and the state of civil rights today. **HSS 4.4, CS 3**

Apply Skills
Read a Road Map

ANALYSIS SKILL Spatial Thinking **HSS 4.4, CS 4**

16. 272 miles; state highway 58 and Interstate highway 40

17. Possible response: U.S. highway 101 to interstate 10; U.S. highway 101 to interstate 5 to state highway 138 to interstate 15 to interstate 10

UNIT 5 ■ 415

---

9. Después de la Segunda Guerra Mundial, la economía de California creció porque se desarrollaron nuevas industrias y se expandieron algunas de las que ya existían. Algunas de las nuevas industrias se abrieron durante la guerra. Otras crecieron con rapidez inmediatamente después de la guerra, como la industria del automóvil en Fremont y la industria electrónica en el condado Santa Clara. (págs. 394) **HSS 4.4.4, 4.4.5**

10. C (pág. 379) **HSS 4.4**

11. D (pág. 395) **HSS 4.4.4**

12. A (pág. 395) **HSS 4.4.4**

13. B (págs. 402–403) **HSS 4.4.6**

Piensa críticamente

14. **DESTREZA DE ANÁLISIS Interpretación histórica** El automóvil permitió a la gente vivir lejos del centro de las ciudades. Esto llevó a la construcción de carreteras, y las carreteras, a su vez, a la construcción de más subdivisiones en los suburbios. **HSS 4.4, HI 2**

15. **DESTREZA DE ANÁLISIS Pensamiento cronológico** Las respuestas de los estudiantes deben reflejar que han comprendido qué es el Movimiento por los derechos civiles y cuál es el estado de los derechos civiles en la actualidad. **HSS 4.4, CS 3**

Aplica las destrezas

Leer un mapa de carreteras

DESTREZA DE ANÁLISIS Pensamiento espacial **HSS 4.4, CS 4**

16. 272 millas; la carretera estatal 58 y la carretera interestatal 40

17. Respuesta posible: la carretera nacional 101 hasta la carretera interestatal 10; la carretera nacional 101 hasta la carretera interestatal 5, hasta la carretera estatal 138, hasta la carretera interestatal 15, hasta la carretera interestatal 10

Actividades de la Unidad 5

Muestra lo que sabes

Actividad de redacción

Escribe un resumen Los discursos de los estudiantes deben resumir de manera clara y precisa las aportaciones de la persona o el grupo que hayan elegido. Los resúmenes deben incluir solo ideas principales y detalles clave. Los estudiantes deben incluir información del libro de texto y pueden también incluir datos de fuentes de consulta adicionales. Los discursos deben estar bien organizados y no deben tener errores. **HSS 4.4**, ELA WRITING 2.4

Si lo desea, puede distribuir entre los estudiantes la página 103, Unidad 5 • Pautas de redacción, del Programa de evaluación.

Para calificar la redacción, vea la Edición del maestro, pág. 345M, o el Programa de evaluación, pág. 104.

Proyecto de la unidad

Diseña un álbum de recortes Antes de que los estudiantes comiencen con este proyecto, repase las páginas 345N–345O, Unit Project: Performance Assessment de esta Edición del maestro. Los álbumes de recortes deben enfocarse en una persona, un evento o un logro importante de California en el siglo XX. Los resúmenes de los estudiantes deben estar escritos con claridad y en sus propias palabras. Las ilustraciones deben estar bien hechas y deben ser relevantes con relación al tema del álbum de recortes. Toda la información de los álbumes de recortes debe ser precisa. **HSS 4.4**, ELA WRITING 2.4

Si lo desea, puede distribuir entre los estudiantes la página 105, Unidad 5 • Pautas del proyecto, del Programa de evaluación.

Para calificar el proyecto, vea la Edición del maestro, pág. 345M, o el Programa de evaluación, pág. 106.

> **LECTURAS A NIVEL**
> Use las LECTURAS A NIVEL Time for Kids para la Unidad 5.

Unit 5 Activities

Show What You Know
Unit Writing Activity

Write a Summary Students' speeches should clearly and accurately summarize the contributions of the person or group. The summaries should include only main ideas and key details. Students should include information from the textbook and may also include data from additional reference sources. Speeches should be well organized and free of errors. **HSS 4.4**, ELA WRITING 2.4

You may wish to distribute the Unit 5 Writing Activity Guidelines on page 103 of the Assessment Program.

For a writing rubric, see this Teacher Edition, p. 345M, or the Assessment Program, p. 104.

Unit Project

Design a Scrapbook Before students begin this project, review the Unit Project Performance Assessment on p. 345O of this Teacher Edition. Scrapbooks should focus on a notable person, event, or achievement from 20th century California. Students' summary paragraphs should be written clearly and in students' own words. Illustrations should be well executed and relevant to the subject of the scrapbook. All information in the scrapbooks should be accurate. **HSS 4.4**, ELA WRITING 2.4

You may wish to distribute the Unit 5 Project Guidelines on page 105 of the Assessment Program.

For a project rubric, see this Teacher Edition, p. 345M, or the Assessment Program, p. 106.

> **LEVELED READERS**
> Use the Time for Kids LEVELED READERS for Unit 5.

> **BOOKS FOR ALL LEARNERS**
> Use the Books for All Learners Teacher Guide.

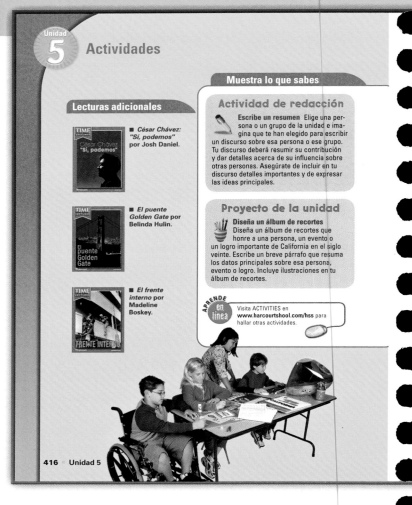

416 | Unidad 5

Read More

After students' study of California history since 1900, encourage additional reading with these books or books of your choice. Additional books are listed on page 345F of this Teacher Edition.

Basic *On the Home Front,* by Madeline Boskey. Students will read about the struggles of Californians and others in the United States during World War II.

Proficient *The Golden Gate Bridge,* by Belinda Hulin. Students will read about the building of the world-famous San Francisco suspension bridge.

Advanced *Cesar Chavez: Yes We Can!,* by Josh Daniel. Students will read about the labor leader who devoted his life to helping farmworkers achieve better working conditions.

Lecturas adicionales

Después de que hayan estudiado la historia de California desde el siglo XX, anime a los estudiantes a realizar lecturas adicionales de estos libros u otros libros que usted elija.

Fácil *El frente interno,* por Madeline Boskey. Acerca de la lucha de los californianos y otros grupos de Estados Unidos en la Segunda Guerra Mundial.

A nivel *El puente Golden Gate,* por Belinda Hulin. Los estudiantes leerán sobre la construcción del puente de San Francisco.

Avanzado *César Chávez: "Sí, podemos",* por Josh Daniel. Los estudiantes leerán sobre el líder sindical que dedicó su vida a ayudar a los trabajadores a lograr mejores condiciones de trabajo.

Unit 6 California Today and Tomorrow

4.1 **Students demonstrate an understanding of the physical and human geographic features that define places and regions in California.**

4.1.5 Use maps, charts, and pictures to describe how communities in California vary in land use, vegetation, wildlife, climate, population density, architecture, services, and transportation.

4.4 **Students explain how California became an agricultural and industrial power, tracing the transformation of the California economy and its political and cultural development since the 1850s.**

4.4.6 Describe the development and locations of new industries since the turn of the century, such as the aerospace industry, electronics industry, large-scale commercial agriculture and irrigation projects, the oil and automobile industries, communications and defense industries, and important trade links with the Pacific Basin.

4.4.8 Describe the history and development of California's public education system, including universities and community colleges.

4.4.9 Analyze the impact of twentieth-century Californians on the nation's artistic and cultural development, including the rise of the entertainment industry (e.g., Louis B. Meyer, Walt Disney, John Steinbeck, Ansel Adams, Dorothea Lange, John Wayne).

4.5 **Students understand the structures, functions, and powers of the local, state, and federal governments as described in the U.S. Constitution.**

4.5.1 Discuss what the U.S. Constitution is and why it is important (i.e., a written document that defines the structure and purpose of the U.S. government and describes the shared powers of federal, state, and local governments).

4.5.2 Understand the purpose of the California Constitution, its key principles, and its relationship to the U.S. Constitution.

4.5.3 Describe the similarities (e.g., written documents, rule of law, consent of the governed, three separate branches) and differences (e.g., scope of jurisdiction, limits on government powers, use of the military) among federal, state, and local governments.

4.5.4 Explain the structures and functions of state governments, including the roles and responsibilities of their elected officials.

4.5.5 Describe the components of California's governance structure (e.g., cities and towns, Indian rancherias and reservations, counties, school districts).

INTEGRATE OTHER CALIFORNIA STANDARDS

English Language Arts **Reading** 1.0 Students understand the basic features of reading. They select letter patterns and know how to translate them into spoken language by using phonics, syllabication, and word parts. They apply this knowledge to achieve fluent oral and silent reading. 1.2 Apply knowledge of word origins, derivations, synonyms, antonyms, and idioms to determine the meaning of words and phrases. 1.3 Use knowledge of root words to determine the meaning of unknown words within a passage. 1.4 Know common roots and affixes derived from Greek and Latin and use this knowledge to analyze the meaning of complex words. 1.6 Distinguish and interpret words with multiple meanings. 2.0 Students read and understand grade-level-appropriate material. They draw upon a variety of comprehension strategies as needed. 2.2 Use appropriate strategies when reading for different purposes. 2.4 Evaluate new information and hypotheses by testing them against known information and ideas. 3.0 Students read and respond to a wide variety of significant works of children's literature. They distinguish between the structural features of the text and literary terms or elements. 3.2 Identify the main events of the plot, their causes, and the influence of each event on future actions. 3.3 Use knowledge of the situation and setting and of a character's traits and motivations to determine the causes for that character's actions. **Writing** 2.0 Students write compositions that describe and explain familiar objects, events, and experiences. Student writing demonstrates a command of standard American English and the drafting, research, and organizational strategies outlined in Writing Standard 1.0. 2.1 Write narratives: a. Relate ideas, observations, or recollections of an event or experience. b. Provide a context to enable the reader to imagine the world of the event or experience. c. Use concrete sensory details. d. Provide insight into why the selected event or experience is memorable. 2.2 Write responses to literature: a. Demonstrate an understanding of the literary work. b. Support judgments through references to both the text and prior knowledge. 2.3 Write personal and formal letters, thank-you notes, and invitations: a. Frame a central question about an issue or situation. b. Include facts and details for focus. c. Draw from more than one source of information. 2.4 Write summaries that contain the main ideas of the reading selection and the most significant details. **Written and Oral English Language Conventions** 1.0 Students write and speak with a command of standard English conventions appropriate to this grade level. **Listening and Speaking** 2.2 Make informational presentations: a. Frame a key question. b. Include facts and details that help listeners to focus. c. Incorporate more than one source of information.

Theatre 3.2 Recognize key developments in the entertainment industry in California, such as the introduction of silent movies, animation, radio and television broadcasting, and interactive video. 5.2 Use improvisation and dramatization to explore concepts in other content areas. 5.3 Exhibit team identity and commitment to purpose when participating in theatrical experiences.

Visual Arts 1.0 Students perceive and respond to works of art, objects in nature, events, and the environment. They also use the vocabulary of the visual arts to express their observations. 1.1 Perceive and describe contrast and emphasis in works of art and in the environment. 2.0 Students apply artistic processes and skills, using a variety of media to communicate meaning and intent in original works of art. 2.5 Use accurate proportions to create an expressive portrait or a figure drawing or painting. 3.2 Identify and discuss the content of works of art in the past and present, focusing on the different cultures that have contributed to California's history and art heritage. 5.0 Students apply what they learned in the visual arts across subject areas. They develop competencies and creative skills in problem solving, communication, and management of time and resources that contribute to lifelong learning and career skills. They also learn about careers in and related to the visual arts. 5.3 Construct diagrams, maps, graphs, timelines, and illustrations to communicate ideas or tell a story about a historical event.

California hoy y mañana

Unidad 6

COMIENZA CON LAS NORMAS

Normas de Historia y Ciencias Sociales de California

4.1 Los estudiantes demuestran una comprensión de las características físicas y humanas que definen los lugares y las regiones de California.

4.4 Los estudiantes explican cómo California se convirtió en una potencia agrícola e industrial, siguiendo la transformación de la economía de California y su desarrollo político y económico desde la década de 1850.

4.5 Los estudiantes comprenden las estructuras, funciones y poderes del gobierno local, estatal y federal, y describen la Constitución de Estados Unidos.

La gran idea

GOBIERNO Y LIDERAZGO

Los californianos están orgullosos de su historia, su gobierno y su patrimonio cultural.

Reflexiona

✓ ¿Qué industrias son importantes para la economía actual de California?

✓ ¿Qué importancia tienen las artes y el sistema de educación pública de California?

✓ ¿Cuáles son las funciones de cada nivel del gobierno?

Muestra lo que sabes

★ Prueba de la Unidad 6

✍ Redacción: Un reportaje

✎ Proyecto de la unidad: Tablero de anuncios

Instructional Design

Standards-based instructional planning always begins with the standards. The flowchart below shows briefly how instruction was planned for Unit 6.

START WITH THE STANDARDS	UNLOCK THE STANDARDS	PLAN ASSESSMENT	PLAN INSTRUCTION
HSS 4.1 HSS 4.4 HSS 4.5	The Big Idea What to Know	Assessment Options • Option 1: Unit 6 Test • Option 2: Writing • Option 3: Unit Project	Unit 6 Teacher Edition • materials • instructional strategies • activities

Introduce the Unit

START WITH THE STANDARDS

Read the standards with students, and explain that the focus of these standards is on government and leadership in California and the United States. Remind students that in Unit 5 they learned about growth and change in California in the 20th century.

The Big Idea Have students read the Big Idea. Explain that government and leadership are concepts they have studied in earlier grades and will continue to study in History-Social Science. In this unit, they will focus on understanding how local, state, and federal governments work and the relationships between them. Remind students to refer back to the Big Idea periodically as they complete this unit.

What to Know Have students read "What to Know." Explain that these three essential questions will help them focus on the Big Idea.

Show What You Know Share with students that throughout this unit they will be asked to show evidence of their understanding of the Big Idea. See Assessment Options on page 417J of this Teacher Edition.

UNIT 6 ■ 417A

Introducción de la unidad

COMIENZA CON LAS NORMAS

Lea las normas con los estudiantes y explíqueles que estas normas se enfocan en el gobierno y liderazgo de California y de Estados Unidos. Recuerde a los estudiantes que en la Unidad 5 aprendieron acerca del crecimiento y los cambios en California en el siglo XX.

La gran idea Pida a los estudiantes que lean "La gran idea". Explíqueles que gobierno y liderazgo son conceptos que han estudiado en grados anteriores y que continuarán estudiando en Historia y Ciencias Sociales. En esta unidad, los estudiantes se enfocarán en comprender cómo funcionan los distintos niveles de gobierno y las relaciones que hay entre ellos. Recuerde a los estudiantes que repasen periódicamente "La gran idea" mientras completan esta unidad.

Reflexiona Pida a los estudiantes que lean la sección "Reflexiona". Explique que estas tres preguntas esenciales les ayudarán a enfocarse en "La gran idea".

Muestra lo que sabes Comente a los estudiantes que a lo largo de la unidad se les pedirá que demuestren que han comprendido "La gran idea". Vea Assessment Options en la página 417J de esta Edición del maestro.

Lexical Variations

Encourage students to share other familiar terms with their classmates.

WORD	STUDENT PAGE	VARIATIONS
grifo (faucet)	428	llave, canilla
aguacate (avocado)	434	palta
albaricoque (apricot)	434	chabacano, damasco, pérsico
camarero (waiter)	435	mesero, mozo, mesonero
alfombra (carpet)	438	tapete

Plan de la Unidad 6

California hoy y mañana

6 WEEKS	WEEK 1	WEEK 2	WEEK 3	WEEK 4	WEEK 5	WEEK 6
	Introduce the Unit	CHAPTER 11		CHAPTER 12		Wrap Up the Unit

TESTED STANDARDS

4.1 Students demonstrate an understanding of the physical and human geographic features that define places and regions in California.

4.4 Students explain how California became an agricultural and industrial power, tracing the transformation of the California economy and its political and cultural development since the 1850s.

4.5 Students understand the structures, functions, and powers of the local, state, and federal governments as described in the U.S. Constitution.

4.1 Students demonstrate an understanding of the physical and human geographic features that define places and regions in California.

4.1.5. Use maps, charts, and pictures to describe how communitities in California vary in land use, vegetation, wildlife, climate, population density, architecture, services, and transportation.

4.4 Students explain how California became an agricultural and industrial power, tracing the transformation of the California economy and its political and cultural development since the 1850s.

4.4.6. Describe the development and locations of new industries since the nineteenth century, such as the aerospace industry, electronics industry, large-scale commercial agriculture and irrigation projects, the oil and automobile industries, communications and defense industries, and important trade links with the Pacific Basin.

4.4.8. Describe the history and development of California's public education system, including universities and community colleges.

4.4.9. Analyze the impact of twentieth-century Californians on the nation's artistic and cultural development, including the rise of the entertainment industry (e.g., Louis B. Mayer, Walt Disney, John Steinbeck, Ansel Adams, Dorothea Lange, John Wayne).

4.1 Students demonstrate an understanding of the physical and human geographic features that define places and regions in California.

4.5 Students understand the structures, functions, and powers of the local, state, and federal governments as described in the U.S. Constitution.

4.5.1. Discuss what the U.S. Constitution is and why it is important (i.e., a written document that defines the structure and purpose of the U.S. government and describes the shared powers of federal, state, and local governments)

4.5.2. Understand the purpose of the California Constitution, its key principles, and its relationship to the U.S. Constitution.

4.5.3. Describe the similarities (e.g., written documents, rule of law, consent of the governed, three separate branches) and differences (e.g., scope of jurisdiction, limits on government powers, use of the military) among federal, state, and local governments.

4.5.4. Explain the structures and functions of state governments, including the roles and responsibilities of their elected officials.

4.5.5. Describe the components of California's governance structure (e.g., cities and towns, Indian rancherias and reservations, counties, school districts).

REACH ALL LEARNERS

Leveled Practice, p. 423
Special Needs, p. 417I
Advanced, p. 417I
ENGLISH LANGUAGE LEARNERS, p. 417I, 417

Leveled Practice, pp. 424, 434, 437, 441, 448, 452, 455
ENGLISH LANGUAGE LEARNERS, pp. 431, 432, 439, 447, 451
Advanced, pp. 427, 443
Reading Support, pp. 431, 439, 447, 451

Leveled Practice, pp. 458, 460, 468, 475, 479, 486, 489, 491
ENGLISH LANGUAGE LEARNERS, pp. 463, 465, 471, 481, 485
Advanced, pp. 466, 474, 484, 495
Special Needs, pp. 467, 482
Reading Support, pp. 463, 471, 481

Advanced, p. 495

UNIT RESOURCES

Leveled Support

 Time for Kids Readers

 Time for Kids Readers Teacher Guide

Homework and Practice Book, pp. 115–138

Social Studies Skills Transparencies pp. 6-1—6-4

Study Skills Transparencies 11–12

Unit 6 School-to-Home Newsletter, pp. S13–S14

Success for English Learners, pp. 154–182

Social Studies in Action: Resources for the Classroom

Primary Source Collection

Music CD

Interactive Map Transparencies

Interactive Desk Maps

Atlas

Reading Support

Reading Support and Intervention, pp. 150–177

Unit 6 Audiotext CD Collection

Focus Skills Transpareny 6

Vocabulary Power, pp. 109–118

Vocabulary Transparencies 6-11-1—6-12-3B

TimeLinks: Interactive Time Line

Technology Support

The Social Studies Website: Virtual Tours and Primary Sources

GeoSkills CD-ROM

Internet Resources

Assessment

 Assessment Program,
Tests, pp. 107–122, 127–132
Unit 6 Writing Activity, p. 123
Unit 6 Project, p. 125

Leveled Readers

TIME For Kids Readers
Lesson Plan Summaries

TOPIC
California Today and Tomorrow

Summary *Creating Yosemite National Park,* by Lisa Jo Rudy. Students will read about the features of a famous national park and about the people who worked to preserve it. HSS 4.1.3, 4.1.4, 4.1.5, 4.5, 4.5.4, 4.5.5

BEFORE READING

Vocabulary Power Have students define the following words. Help them write one sentence for each word as it relates to California today and tomorrow. ELA READING 1.0

conservar   granito   proyecto de ley   senderos   turistas

DURING READING

Summarize Have students complete the graphic organizer to show that they can summarize the concepts related to California today and tomorrow as described in the Reader.

Key Fact	Summary
People worked hard to preserve Yosemite.	Yosemite has been preserved, but we need to continue protecting it.

Key Fact
Almost 3 million people visit the park each year.

AFTER READING

Critical Thinking Discuss with students what qualifies a piece of land for preservation. Are there any areas of land in your community that meet these qualifications?

Write a Short Play Have small groups of students write and perform a short play about the first time American settlers saw the Yosemite Valley and the giant sequoias. Encourage them to show the characters debating the best use for the land.
ELA WRITING 2.1

TOPIC
California Today and Tomorrow

Summary *Sacramento: A Capital City,* by Sheila Sweeny. Students will read about the history, government, and culture of California's capital city.
HSS 4.1.3, 4.5, 4.5.3, 4.5.4

BEFORE READING

Vocabulary Power Have students define the following words. Help them write one sentence for each word as it relates to California today and tomorrow. ELA READING 1.0

asamblea   capital   gobernador   asentamiento   turísticas

DURING READING

Summarize Have students complete the graphic organizer to show that they can summarize the concepts related to California today and tomorrow as described in the Reader.

Key Fact	Summary
Sacramento is the center of California's government.	Sacramento is one of California's main tourist areas.

Key Fact
Sacramento is the center of much of California's history.

AFTER READING

Critical Thinking Lead students in a discussion about the diverse population of California. Ask them to identify things about California that attract people.

Write a Report Have students write a brief report about the flooding that occurs in Sacramento. Their reports should explain why there are floods in the area.
ELA WRITING 2.3

CALIFORNIA STANDARDS HSS 4.4 Students explain how California became an agricultural and industrial power, tracing the transformation of the California economy and its political and cultural development since the 1850s.

CALIFORNIA STANDARDS HSS 4.5 Students understand the structures, functions, and powers of the local, state, and federal governments as described in the U.S. Constitution.

ADVANCED

TOPIC
California Today and Tomorrow

Summary *Twentieth-Century Californians,* by Lisa Jo Rudy. Students will learn about Californians from the last century who influenced dancers, artists, photographers, and architects around the United States and the world. HSS 4.4.9

BEFORE READING

Vocabulary Power Have students define the following words. Help them write one sentence for each word as it relates to California today and tomorrow. ELA READING 2.0

arquitectura coreógrafo expresión inspiraron retratos

DURING READING

Focus Skill

Summarize Have students complete the graphic organizer to show that they can summarize the concepts related to California today and tomorrow as described in the Reader.

Key Fact		Summary
Duncan and Ailey invented new ways to dance.	→	Many Californians have influenced ideas about dance and art.
Key Fact		
Noguchi and the Eameses created different kinds of art.	→	

AFTER READING

Critical Thinking Lead students in a discussion about what art is. Have them consider the similarities and differences in the forms of art discussed in the Reader.

Write Questions Have students write a list of questions they would like to ask one of the Californians discussed in the Reader. Have pairs of students role-play their interviews for classmates. ELA WRITING 2.2

Teacher Guide

TIME For Kids Teacher Guide has three lessons that provide background, reading tips, fast facts, answer keys, and copying masters to broaden students' understanding of California today and tomorrow.

Students will

- write a poem or paragraph about a place

- identify examples of local government at work

- research the contributions that people have made to California and Sacramento

- write a nomination speech for a living artist

- plan a tribute for a Californian

The TIME For Kids Readers may be used for small-group reading, shared reading, buddy reading, literature circles, or reading at home.

GO ONLINE — INTERNET RESOURCES

Visit the Social Studies website at
www.harcourtschool.com/hss

Independent Reading

BASIC

Simon, Charnan. *Walt Disney, Creator of Magical Worlds.* Children's Press, 2000. A biography that focuses on the creative achievements of this California animation pioneer.

McElroy, Lisa Tucker. *Meet My Grandmother: She's a United States Senator.* Millbrook, 2000. A photo essay that focuses on the working life of California's Senator Dianne Feinstein as seen through her granddaughter's eyes.

Quiri, Patricia Ryon. *The Presidency.* Children's Press, 1999. A factual description of the American presidency, including its history of the office.

PROFICIENT

Giesecke, Ernestine. *Kid's Guide: State Government.* Heinemann, 2000. A factual description of the basic role of state government and how it works.

Ansary, Mir Tamim. *California History.* Heinemann, 2002. An overview of the state's development from early California to modern times.

Levy, Elizabeth. *If You Were There When They Signed the Constitution.* Scholastic, 1992. A series of fact-based questions and answers that provide historical background on the U.S. Constitution and the Constitutional Convention.

ADVANCED

Lewis, Brian, and Julie Jaskol. *City of Angels: In and Around Los Angeles.* Dutton, 1999. A picture book that relates the rich history and cultural diversity of this major California city. Includes a time line of people, places, and events from 1542 to 1998.

Kennedy, Teresa. *California: From Sea to Shining Sea.* Children's Press, 2001. A fact-based guide to California that describes the state's economy, government, people, and culture.

Fritz, Jean. *Shh! We're Writing the Constitution.* Putnam, 1998. An account of how the Constitution came to be written in the summer of 1787 and ratified four years later.

Additional books are also recommended at the point of use throughout the unit. Note that information, while correct at the time of publication, is subject to change.

For information about ordering these tradebooks, visit www.harcourtschool.com/hss/trader

CALIFORNIA STATE AND COMMUNITY RESOURCES

The California Department of Education provides a number of resources related to the study of History-Social Science. **www.cde.ca.gov/ci**

Resources include the California **History-Social Science Course Models.** The Course Models provide lesson plans to help you implement the California History-Social Science Standards. **www.history.ctaponline.org**

Resources include **Pages of the Past**, which aligns numerous children's literature titles to the History-Social Science Standards. **score.rims.k12.ca.us/literature/K6**

Schools of California Online Resources (SCORE) provides web resources searchable by topic or grade level. It supports academic standards with lesson activities, projects, and field trips, for example. **score.rims.k12.ca.us**

For **Primary Sources** the following sites may be useful.

CONFERENCE of California Historical Societies (including links to museums, libraries, and other history-oriented groups and individuals) **www.californiahistorian.com**

California State Library **www.library.ca.gov**

Oakland Museum of California **www.museumca.org**

Additional sites are available at **www.harcourtschool.com/hss/resourcesca**

Harcourt's The Learning Site offers a Social Studies Website at www.harcourtschool.com/hss that provides a wide variety of activities, Internet links, and online references.

THE LEARNING SITE

GO ONLINE

INTERNET RESOURCES

Primary Sources

- Artwork
- Clothing
- Diaries
- Government Documents
- Historical Documents
- Maps
- Tools

and more!

Visit PRIMARY SOURCES at www.harcourtschool.com/hss

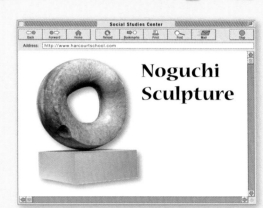

Noguchi Sculpture

Find all this at www.harcourtschool.com/hss

- Activities and Games
- California Resources
- Current Events
- Free and Inexpensive Materials
- Interactive Multimedia Biographies
- Online Atlas
- Primary Sources
- Virtual Tours

and more!

Virtual Tours

- Capitols and Government Buildings
- Cities
- Countries
- Historical Sites
- Museums
- Parks and Scenic Areas

and more!

Visit VIRTUAL TOURS at www.harcourtschool.com/hss

California State Capitol

Free and Inexpensive Materials

Free and inexpensive materials are listed on the Social Studies Website at www.harcourtschool.com/hss/free

- Addresses to write for free and inexpensive products
- Links to unit-related materials
- Internet maps
- Internet references

Interactive Multimedia Biographies

- A thorough biography for each famous figure
- Links to additional information and further reading
- Special features that include photographs, video clips, audio, and additional text

Visit MULTIMEDIA BIOGRAPHIES at www.harcourtschool.com/hss

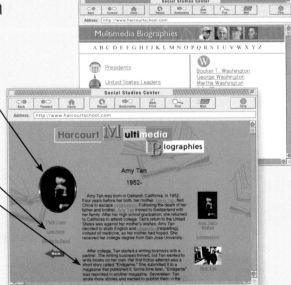

Suggestions for Additional Technology Support

- Computer Software
- Videos and DVDs

Suggestions for computer software, videos, and DVDs to extend and enrich student learning are listed on the Social Studies website at www.harcourtschool.com/hss/resourcesca

 PBS Videos and DVDs

PBS videos available at www.harcourtschool.com/hss/resourcesca

Integrate the Curriculum

Use these topics to help you integrate social studies into your daily planning. See the page numbers indicated for more information about each topic.

THEATRE

Create a Film Time Line, p. 419

Improvise a Scene, p. 477

Role-Play a City Council Meeting, p. 484

VISUAL ARTS

Create a Class Mural, p. 440

Examine Photographs, p. 445

Create a Drawing, p. 465

Draw a Map, p. 467

Social Studies

ENGLISH LANGUAGE ARTS

Summarize an Article, p. 422

Give a Report, p. 466

Learn Terms, p. 473

TECHNOLOGY

GoOnline, pp. 417F, 419, 443, 445, 477, 495, 498

GeoSkills CD-ROM, p. 436

TimeLinks: Interactive Time Line

Have students use the TimeLinks: Interactive Time Line to place events from other curriculum areas.

Technology In 1990, researchers at the European Organization for Nuclear Research developed the technology that allowed for the creation of the Internet.

Science The Mars Pathfinder landed on the Red Planet in 1997, relaying over 17,000 images of Mars in a few months.

Literature In 1993, Toni Morrison became the first African American and the eighth woman to win a Nobel prize for literature.

TimeLinks
Interactive Time Line
Intermediate Level

Use these activities to help differentiate instruction. Each activity has been developed to address a different level or type of learner.

ENGLISH LANGUAGE LEARNERS

 45 minutes

Materials
- textbook, encyclopedia
- index cards
- pens and pencils

MAKE INFORMATION CARDS Have students make information cards about present-day Californians to use in practice activities.

- As students read the lessons in this unit, have them list the people mentioned in each lesson, and write their names on the front side of index cards. Then, on the back of each card, have students list the person's occupation and a sentence or two about his or her contributions to California.

- Once students have completed their cards, they can use them in sorting and memory activities.

  HSS 4.4, 4.5, ELA WRITING 2.0

Dianne Feinstein

California Senator

First female mayor of San Francisco, one of two female senators from California, represents the state in the federal government.

Ansel Adams

photographer/artist

Captured the beauty of California's landscape in his photos.

SPECIAL NEEDS

 1 hour for 2 days

Materials
- textbook
- butcher paper
- pencils
- markers or paints

MAKE A MURAL Have students create a mural with panels that feature areas of life in present-day California.

- As students read each lesson, have them discuss what information they will include in their mural and how they will illustrate it.

- Divide a long sheet of butcher paper into several sections, each representing an area of life in California. You might want to start with *government, the arts,* and *the economy.*

- Have students create images for the mural in each of the sections, either by drawing their own illustrations or by making a collage of images from the textbook and other sources. HSS 4.1, 4.4, 4.5, VISUAL ARTS 2.0

ADVANCED

 1 hour

Materials
- textbook
- paper and pens
- computers with Internet access

CREATE A SOURCEBOOK Have students create a guide to resources that are available for the study of California and its history.

- Have students visit the media center and use the Internet to survey resources about California and its history.

- Ask students to write brief descriptions of each resource, including the information it offers, its physical location, and its Internet address, if available. Students may also rate each resource.

  HSS 4.1, 4.4, 4.5, ELA READING 2.0

Office of the Governor of California

The Office of the Governor is located in Sacramento. It can be accessed on the Web at www.governor.ca.gov. You can learn about the governor and the governor's departments, duties, and committees. There is a biography of the current governor there. You can also learn information about California's economy, current events in the state, and past governors of California. The site includes speeches, announcements, and links to other state departments. Overall, it is a great resource for people learning about the Office of the Governor.

Assessment Options

The Assessment Program gives all learners many opportunities to show what they know and can do. It also provides ongoing information about each student's understanding of social studies.

 Online Standards Assessment available at www.harcourtschool.com/hss/standardsassessment

 OPTION 1 CHAPTER AND UNIT TESTS

- **Unit Pretest, Assessment Program,** pp. 107–108
- **Chapter Reviews,** pp. 456–457, 492–493
- **Chapter Tests, Assessment Program,** pp. 109–112, 113–116

- **Unit Review,** pp. 496–497
- **Unit Test, Assessment Program,** pp. 117–122

OPTION 2 WRITING

- **Show What You Know, Unit Writing Activity, Write an Information Report,** p. 498
- **Chapter Review, California Writing Prompts,** pp. 417M, 456, 492

- **Lesson Review, Writing Activities,** at end of lessons

 OPTION 3 UNIT PROJECT

- **Show What You Know, Unit Project, Make a California Bulletin Board,** p. 498
- **Unit Project: Performance Assessment,** pp. 417N–417O

- **Lesson Review, Performance Activities,** at ends of lessons

INFORMAL ASSESSMENT

- **Lesson Review,** at ends of lessons
- **Skills: Practice the Skill,** pp. 436, 455, 479, 489
  Apply What You Learned, pp. 436, 455, 479, 489
- **Reading Social Studies, Summarize,** pp. 422–423
- **Literature Response Corner,** pp. 429, 461

- **Primary Sources, Analysis Skills,** pp. 444–445
- **Citizenship, Think About It,** pp. 490–491

STUDENT SELF-EVALUATION

- **Reading Check Questions,** within lessons
- **Study Skills: Skim and Scan,** p. 424
  Pose Questions, p. 458
- **Biography, Why Character Counts,** pp. 443, 477

- **Analyze Graphics questions,** within lessons
- **A Closer Look questions,** p. 471

Unidad 6 — Prueba preliminar

Nombre _____ Fecha _____

NORMAS DE CALIFORNIA HSS 4.4, 4.5

INSTRUCCIONES Relaciona cada descripción de la izquierda con la persona o grupo de la derecha que podría haberla dicho. Escribe la letra de la persona o grupo que corresponda en el espacio en blanco. (7 puntos cada una)

❶ **E** Trabajo en la industria de servicios, la industria más importante de California. Trato de asegurar que cada huésped se sienta bien recibido y disfrute de buena comida. HSS 4.4.6

❷ **I** Encabezo el poder ejecutivo del gobierno del estado de California. Firmo proyectos que se convierten en ley y me aseguro de que las leyes se apliquen. HSS 4.5.4

❸ **A** Trabajo en una fábrica de alimentos envasados y ayudo a que los cultivos de California estén listos para el mercado. HSS 4.4.6

❹ **J** Seguiremos buscando nuevas maneras para que los californianos puedan generar energía a partir del sol, el viento y el agua. HSS 4.4.6

❺ **G** Somos Dianne Feinstein y Barbara Boxer, trabajamos duro por los californianos en la capital de nuestra nación. HSS 4.5

❻ **B** Trabajo en Silicon Valley para crear las imágenes que aparecerán en la pantalla de tu computadora. HSS 4.4.6

❼ **D** Somos afortunados de tener el sistema de universidades públicas más grande de la nación. HSS 4.4.8

❽ **H** Bajo nuestra propia constitución, gobernamos a nuestro pueblo como una nación libre e independiente dentro de California. HSS 4.5.5

❾ **C** Soy elegido por los votantes para proteger a los habitantes de mi condado, también soy responsable de la cárcel del condado. HSS 4.5.3

❿ **F** Gracias al interés en nuestra cultura y nuestro patrimonio cultural, tenemos un museo en San Diego para exhibir nuestras obras. HSS 4.4.9

A. agricultor de California

B. trabajador de una empresa de tecnología avanzada

C. alguacil

D. estudiantes universitarios de California

E. camarera de restaurante de hotel

F. artista chicano

G. dos senadoras nacionales de California

H. consejo tribal indio de California

I. gobernador de California

J. científicos ambientales

(sigue)

Nombre _____ Fecha _____

INSTRUCCIONES En el espacio en blanco, escribe tus respuestas a las preguntas. (10 puntos cada una)

⓫ Cuando California se convirtió en estado, la nueva constitución estatal estableció un sistema de educación pública. ¿Por qué crees que se hizo eso? HSS 4.4.8

Respuesta posible: porque las personas que redactaron la constitución querían que los californianos recibieran educación para hacer de California un lugar mejor para vivir.

⓬ La Constitución de California tiene una sección llamada Declaración de Derechos, que es similar a la Declaración de Derechos de la Constitución de Estados Unidos. ¿Qué derechos crees que otorga la Declaración de Derechos a los californianos? HSS 4.5.2

Respuestas posibles: libertad de expresión, libertad de prensa, libertad de culto, derecho a juicio con jurado, etc.

Usa el Gran Sello del Estado de California para responder la pregunta 13.

⓭ En el sello, la mujer que sostiene una lanza representa a la diosa romana de la sabiduría. ¿Por qué crees que aparece esa mujer en el sello? HSS 4.5

Respuesta posible: para mostrar que California está gobernada con sabiduría y que sus líderes toman buenas decisiones para los habitantes del estado

---

Unidad 6 — Prueba

Nombre _____ Fecha _____

NORMAS DE CALIFORNIA HSS 4.4, 4.5

SELECCIÓN MÚLTIPLE (3 puntos cada una)

INSTRUCCIONES Elige la letra de la respuesta correcta.

Usa la información de la tabla para responder la pregunta 1.

PRINCIPALES SOCIOS COMERCIALES

Posición	Importaciones	Exportaciones
1	China	Japón
2	Japón	México
3	México	China
4	Corea	Corea
5	Taiwán	Taiwán
6	Malasia	Singapur
7	Alemania	Hong Kong
8	Tailandia	Australia

❶ ¿Qué tres países son los socios comerciales más importantes de California?
A Corea, Hong Kong, Australia
B Corea, Singapur, Taiwán
Ⓒ China, Japón, México
D México, Corea, Japón HSS 4.4.6

❷ ¿Qué ocurrió durante la Época de Oro de Hollywood?
A Los cines eran gratuitos debido a la Gran Depresión.
B La televisión comenzó a hacerse popular.
C Los actores se hicieron muy ricos.
Ⓓ Las compañías cinematográficas realizaban alrededor de 400 películas por año. HSS 4.4.6, 4.4.9

❸ ¿Qué es el Centro J. Paul Getty?
A un museo de arte indio americano
Ⓑ un museo con grandes obras de arte de todo el mundo
C un museo de automóviles
D un museo de la historia de California HSS 4.4.9

❹ ¿Quién fue Isamu Noguchi?
A un escritor japonés americano
B la arquitecta que diseñó el castillo Hearst
Ⓒ un escultor nacido en Los Angeles
D un famoso músico de jazz del área de Stockton HSS 4.4.9

❺ ¿Qué importancia tuvo Walt Disney en la industria cinematográfica?
Ⓐ Hizo el primer largometraje de dibujos animados.
B Inventó los efectos especiales.
C Fundó el primer estudio cinematográfico.
D Hizo películas protagonizadas por el actor John Wayne. HSS 4.4.9, CS 1

(sigue)

Nombre _____ Fecha _____

Usa la información del recuadro para responder la pregunta 6.

> "Si las personas van a gobernarse a sí mismas . . . deben recibir educación; deben educar a sus hijos."
>
> —Robert Semple, 1849

❻ ¿Cómo influyó esa declaración de Robert Semple ante la Asamblea Constituyente de California en el futuro del estado?
A Se hizo una ley para que los gobernadores tuvieran que ser graduados universitarios.
Ⓑ La constitución del estado estableció un sistema de escuela pública.
C El estado alentó la fundación de escuelas privadas.
D La constitución del estado estableció una lotería para pagar las escuelas. HSS 4.4.8, CS 3

❼ ¿De dónde proviene la mayor parte del apoyo financiero a las escuelas públicas de California?
Ⓐ impuestos del estado, del condado y de la ciudad
B donaciones de personas ricas
C dinero de grupos privados
D la lotería estatal HSS 4.4.8

❽ ¿Cómo previenen los californianos la escasez y cómo se aseguran de que su economía se mantenga fuerte?
A a través de la interdependencia
B a través de enmiendas
C generando déficit
Ⓓ a través del planeamiento a largo plazo HSS 4.4

❾ En una democracia, ¿cómo participan las personas en las decisiones del gobierno?
A Quien lo desee puede ser parte del gobierno.
B Pueden trabajar en cualquier profesión que elijan.
Ⓒ Pueden elegir a personas para que los representen en el gobierno.
D Pueden trabajar con amigos para formar un nuevo gobierno estatal o local. HSS 4.5

❿ ¿Cómo obtiene dinero la mayor parte de los gobiernos locales para financiar sus programas públicos?
A a través del impuesto federal a las ganancias
Ⓑ a través de los impuestos a la propiedad de viviendas, empresas y granjas
C a través de préstamos otorgados por el gobierno federal
D a través de un impuesto nacional a las ventas HSS 4.5

(sigue)

Unit 6 Assessment

Nombre _____ Fecha _____

Usa la información del recuadro para responder la pregunta 11.

> "Los poderes del gobierno estatal son el legislativo, el ejecutivo y el judicial. Las personas responsables del ejercicio de un poder no pueden ejercer ninguna de las facultades de los otros poderes excepto las que permite la Constitución."
>
> —Constitución de California, Artículo 3

11 ¿Por qué se incluyó ese artículo en la constitución estatal?
A para proteger a los californianos de la Constitución de Estados Unidos
B para que el gobernador tenga poder sobre los tres poderes del gobierno
C para asegurar que cada poder del gobierno se mantenga independiente de los otros dos
D para proteger las facultades de las cortes (HSS 4.5.2, 4.5.4, CS 3)

12 ¿Qué dos cámaras integran la legislatura estatal de California?
A congreso y asamblea
B senado y cámara de representantes
C capitolio y legislatura
D senado y asamblea (HSS 4.5.4)

13 ¿Cuál es la función de la Corte Suprema de California?
A interviene en casos sobre los derechos y las libertades de los ciudadanos de California
B nombra al gobernador
C nombra a los jueces de las cortes más bajas
D destituye a los funcionarios que no cumplen con su deber (HSS 4.5.2, 4.5.4)

14 ¿Cuál de las siguientes frases describe correctamente una capital de condado?
A la cantidad de dinero destinada al director de la junta de supervisores
B la ciudad donde están las principales autoridades del gobierno del condado.
C una corte especial que interviene en casos importantes para el condado
D el salón donde se reúne la junta de supervisores (HSS 4.5.5)

15 ¿Cuál es el rol del consejo municipal en el gobierno municipal?
A Resuelve conflictos entre el presidente municipal y el administrador municipal.
B Aplica las leyes municipales.
C Es el poder judicial de la ciudad e interviene en casos sobre derechos de propiedad.
D Actúa como poder legislativo y hace leyes para la ciudad. (HSS 4.5.4)

(sigue)

Nombre _____ Fecha _____

COMPLETAR LAS ORACIONES

INSTRUCCIONES Completa las oraciones con el término correcto del recuadro de abajo. (3 puntos cada una)

> referéndum   distrito especial   interdependencia   conservación   petición

16 La relación comercial de California con Japón es un ejemplo de <u>interdependencia</u> porque cada lugar depende de los productos del otro. (HSS 4.4.6)

17 La población y las industrias de California se preocupan por el ambiente y promueven la <u>conservación</u> para proteger los recursos naturales y usarlos con prudencia. (HSS 4.4)

18 Si los votantes de California no están de acuerdo con alguna ley, pueden votar para que se lleve a cabo un <u>referéndum</u> que la cambiará. (HSS 4.5.2)

19 En ocasiones, a los votantes de California se les pide que firmen una <u>petición</u> para someter a votación una iniciativa. (HSS 4.5.2)

20 Cuando varios condados comparten la misma fuente de agua, a menudo forman un <u>distrito especial</u> para administrar su uso. (HSS 4.5.5)

(sigue)

Nombre _____ Fecha _____

INSTRUCCIONES Usa el mapa para responder las preguntas que siguen. (3 puntos cada una)

21 ¿Qué se produce en el área de Fresno? (HSS 4.4.6, CS 4)
<u>uvas, nueces, heno, algodón, ganado vacuno, otras frutas</u>

Productos de California

- Uvas
- Otras frutas
- Nueces
- Verduras
- Ganado vacuno
- Algodón
- Aves de corral
- Heno
- Productos lácteos
- Productos forestales
- Artículos electrónicos
- Equipos de transporte
- Pescados y mariscos

22 ¿Cuáles son los principales productos del área de San José? (HSS 4.4.6, CS 4)
<u>pescado, fruta, artículos electrónicos, equipos de transporte, productos lácteos, aves de corral</u>

23 ¿Qué parte del estado tiene la mayor producción forestal? (HSS 4.4.6, CS 4)
<u>el norte de California</u>

24 ¿Por qué crees que se producen uvas en un área tan grande de California? (HSS 4.4.6, CS 4)
<u>Respuesta posible: El clima y la temporada de cultivo de gran parte de California favorecen el crecimiento de uvas.</u>

25 ¿Qué conclusiones puedes sacar sobre la producción de ganado vacuno? (HSS 4.4.6, CS 4)
<u>Respuesta posible: Las condiciones de gran parte de California son favorables para la producción de ganado vacuno; se produce ganado vacuno en casi todo el estado.</u>

(sigue)

Nombre _____ Fecha _____

INSTRUCCIONES Responde cada pregunta en el espacio en blanco. (5 puntos cada una)

26 ¿Por qué crees que el procesamiento de alimentos se ha convertido en una parte importante de la economía de California? (HSS 4.4.6)
<u>Respuesta posible: Como California produce muchos cultivos, las fábricas para envasar, congelar, secar y preparar los alimentos para el mercado se han vuelto importantes para la economía de California.</u>

27 En tu opinión, ¿cuál es el mayor desafío que enfrenta California? Explica tu respuesta. (HSS 4.4)
<u>Aceptar respuestas razonables. Los estudiantes pueden decir que el mayor desafío es reducir la contaminación, porque la contaminación del aire y del agua es peligrosa para las personas, los cultivos y los animales; o hallar nuevas fuentes de energía para no depender tanto de los recursos no renovables y prevenir la escasez de energía; o reducir el déficit para que el estado ya no tenga que solicitar préstamos de dinero para financiar los servicios.</u>

28 ¿Qué tienen en común los gobiernos federal, estatal y local? (HSS 4.5.3)
<u>Respuesta posible: Todos los niveles operan con el consentimiento de los ciudadanos; deben obedecer la Constitución de Estados Unidos; deben respetar las leyes; todos los niveles hacen y aplican leyes, recaudan impuestos y tienen sus propias cortes; todos los niveles recaudan y solicitan préstamos de dinero para financiar programas públicos; trabajan juntos por el bien de los ciudadanos.</u>

29 ¿Cómo es el proceso para que una iniciativa se convierta en ley? (HSS 4.5.2, 4.5.4)
<u>Respuesta posible: Si suficientes votantes firman una petición para someter a votación una iniciativa, esta se presenta a votación en las siguientes elecciones. Si más de la mitad de los votantes la apoyan, la iniciativa se convierte en ley.</u>

30 ¿Cómo funcionan en California los gobiernos indios soberanos, o libres e independientes? (HSS 4.5.5)
<u>Respuesta posible: Las tribus con gobierno soberano funcionan como una nación. Se gobiernan a sí mismas, sin intervención de los gobiernos federal, estatal o local. Algunas tribus tienen constituciones que guían sus decisiones y muchas son gobernadas por un consejo tribal elegido por los miembros de la tribu. Tienen sus propias leyes y cortes para resolver desacuerdos.</u>

(sigue)

WRITING

RUBRIC

Nombre _____ Fecha _____

Unidad 6 • Pautas de redacción

Escribir un reportaje

Tema de redacción Escribe un breve reportaje acerca de un aspecto de la vida actual en California, por ejemplo, la educación, el gobierno, el arte o la economía. Tu reportaje debe plantear una pregunta sobre el tema que has elegido. Usa los datos y los detalles para responderla. Si es posible, reúne información de más de una fuente.

PASO 1 Repasa los capítulos 11 y 12 y piensa qué aspectos de la vida de hoy en California te parecen más interesantes. Elige uno de esos aspectos como tema de tu reportaje. Piensa una pregunta, siempre sobre ese tema, de la cual quisieras conocer su respuesta.

PASO 2 Usa el libro de texto como punto de partida para reunir información sobre tu tema. Busca información que te ayude tanto a responder la pregunta que formulaste como a explicar los acontecimientos recientes.

PASO 3 Haz un esquema con las ideas principales y los detalles que quieres incluir en tu reporte. Luego, realiza una investigación adicional para agregar los detalles y los datos que falten.

PASO 4 Sigue tu esquema para escribir un borrador de tu reportaje. Asegúrate de incluir los datos y los detalles importantes que respondan a tu pregunta.

PASO 5 Repasa tu reportaje para asegurarte de que la información que contiene esté bien organizada y claramente presentada. Verifica tu trabajo para hallar posibles errores de gramática, ortografía, puntuación y uso de mayúsculas.

PASO 6 Haz todos los cambios que consideres necesarios y prepara la versión final de tu reportaje.

SCORE 4	SCORE 3	SCORE 2	SCORE 1
• effectively presents many facts and details about the topic and poses and answers a question	• adequately presents facts and details about the topic and poses, but does not answer, a question	• presents some facts and details about the topic or does not pose or answer a question	• presents few or inaccurate facts and details about the topic and does not pose or answer a question
• includes several reference sources	• includes more than one reference source	• includes only one reference source	• includes no reference sources
• is very clear and well organized	• is mostly clear and well organized	• is somewhat unclear and disorganized	• is very unclear and disorganized
• has very few errors in grammar, spelling, punctuation, and capitalization	• has few errors in grammar, spelling, punctuation, and capitalization	• has some errors in grammar, spelling, punctuation, and capitalization	• has many errors in grammar, spelling, punctuation, and capitalization

PROJECT

RUBRIC

Nombre _____ Fecha _____

Unidad 6 • Pautas del proyecto

Tablero de anuncios de California

Hagan un tablero de anuncios para exponer las características de California hoy en día. Incluyan fotografías e ilustraciones de personas y lugares, y eventos que sean importantes para el estado y para su comunidad. Escriban textos breves sobre las personas, lugares y eventos que muestren en su tablero de anuncios.

PASO 1 Conversa con tus compañeros acerca de las diferentes maneras en que pueden presentar la información en un tablero de anuncios.

PASO 2 Trabajen en conjunto para hacer una lista de las personas, los lugares y los eventos que quisieran incluir en un tablero de anuncios sobre el estado de California hoy en día. Luego, dividan los temas de manera que cada uno tenga por lo menos uno o dos temas para trabajar.

PASO 3 Investiga tus temas.

• Repasa tu libro de texto y toma apuntes. Examina los mapas, las ilustraciones y las fotografías en busca de ideas acerca de cómo puedes presentar la información importante.

• Usa una enciclopedia y otras fuentes de referencia para agregar más detalles a tus apuntes. Asegúrate de incluir información sobre la historia de tu tema así como detalles sobre sus características actuales.

PASO 4 Usa tus apuntes para hacer borradores de los pasajes escritos. Prepara materiales visuales para acompañar tus textos, como dibujos, fotografías y mapas.

PASO 5 Repasa tu redacción para corregir posibles errores de gramática, ortografía, puntuación y uso de mayúsculas.

PASO 6 Reúne los materiales que creaste para tu parte del tablero de anuncios. Trabaja con tus compañeros para ordenar y presentar los diferentes materiales de una manera interesante e informativa.

SCORE 4	SCORE 3	SCORE 2	SCORE 1
• provides very effective illustrations about the subject	• provides effective illustrations about the subject	• provides somewhat effective illustrations about the subject	• doesn't provide illustrations or provides very poor illustrations about the subject
• very clearly summarizes information on people, places, or events	• clearly summarizes information on people, places, or events	• somewhat clearly summarizes information on people, places, or events	• does not summarize information on people, places, and events
• contains very few or no errors	• contains few errors	• contains some errors	• contains many errors
• worked very well with classmates to create the final bulletin board display	• worked well with classmates to create the final bulletin board display	• worked adequately with classmates to create the final bulletin board display	• worked poorly with classmates to create the final bulletin board display

RUBRICS Copying masters of a student *Writing Rubric* and *Project Rubric* appear in the Assessment Program, pp. 124, 126.

Make a California Bulletin Board

Getting Started

Distribute the Unit 6 Project Guidelines provided on page 125 of the Assessment Program.

Introduce the unit project to students as you begin Unit 6. Explain to students that they will work as a class to make a bulletin board display about present-day California. For the display, they will create written passages and visual materials about topics they believe to be important in California and their community. Have students use the Student Edition's Research Handbook and your school's media center as they work on their display items. Their contributions to the bulletin board should clearly display information about their topics and should reflect the unit's Big Idea.

The Big Idea

Government and Leadership Californians are proud of their history, government, and heritage.

During the Unit

As students read Unit 6, they can begin work on their bulletin board display. Displays can include:

- Lesson review activities
- Additional activities listed on page 417O
- Your own favorite activities
- Ideas students develop on their own

Materials: textbook, encyclopedia and other reference sources, pens and pencils, paper, markers

Graphic Organizer: As students read each lesson and conduct research, have them take their own notes or complete a graphic organizer like the one below. Either strategy will help them remember important details as they plan their display items.

ORGANIZER

My Topic
Silicon Valley

Main Idea	Details	Ways to Display
center of high-tech industry	silicon chips, Stanford graduates	pictures of silicon chip and high-tech products

Project Management

- Have students work individually, in pairs, or in small groups to complete their display items.
- Remind students that they can find reference resources in the media center and on the Internet. Direct students to the Research Handbook on pages R28–R37 of their textbooks.

CALIFORNIA STANDARDS HSS 4.1 Students demonstrate an understanding of the physical and human geographic features that define places and regions in California. 4.4 Students explain how California became an agricultural and industrial power, tracing the transformation of the California economy and its political and cultural development since the 1850s. 4.5 Students understand the structures, functions, and powers of the local, state, and federal governments as described in the U.S. Constitution.

Displaying Bulletin Board Items

As students compile their display items, work with the whole class to create the final class bulletin board display. Encourage students to work together to arrange the materials in an interesting and informative way.

Assessment

For a project rubric, see the Assessment Program, p. 126, or Teacher Edition, p. 417M.

What to Look For

- Display items contain accurate information from textbook and other sources.

- Written materials summarize main ideas and key details on the topic.

- Illustrations and visual materials effectively offer additional information about the subject to complement written materials.

- Materials are written in the student's own words.

- Writing has few errors in spelling, grammar, punctuation, and capitalization.

- Student worked well with classmates to create the final bulletin board display.

Lesson Review Activities

CHAPTER 11

Lesson 1: **Make a Brochure,** p. 435

Lesson 2: **Make a Table,** p. 442

Lesson 4: **Design a Button,** p. 453

CHAPTER 12

Lesson 1: **Write a Pamphlet,** p. 469

Lesson 3: **Create a City Government Brochure,** p. 487

Additional Activities

TimeLinks Have students use the TimeLinks: Interactive Time Line and cards to place people and events from this unit. At the end of the unit, they can use the completed time line to review for the assessments or as part of their bulletin board display. HSS 4.4, 4.5, CS 1

Write a Brief Biography of one of the government officials who serves your community or state. HSS 4.5, ELA WRITING 2.0

Draw a Flowchart detailing the processing of an agricultural product using the example on page 434 and the Read a Flowchart activity on pages 478 and 479 to guide your work. HSS 4.4

Collect Newspaper Clippings on current events related to a part of life in modern California such as education, government, or the environment. HSS 4.1, 4.5, VISUAL ARTS 2.0

Create a Land Use and Products Map for the industries in your region using information from the map on page 437 and your own research. Include an annotated key explaining the industries in your area. HSS 4.1, CS 4

Presentación de la Unidad 6: Tiempos

Analizar la gran idea

Gobierno y liderazgo Los californianos están orgullosos de su historia, su gobierno y su patrimonio cultural.

Explique a los estudiantes que en esta unidad estudiarán la economía, el gobierno y las artes de California en la actualidad.

Aplícalo Analice con los estudiantes la siguiente pregunta:

- ¿De qué partes de la historia y el patrimonio cultural de California están más orgullosos?

Despertar conocimientos previos

Invite a los estudiantes a comentar lo que saben acerca de la economía, el gobierno y las artes de California.

- Pida a los estudiantes que propongan personas, lugares y eventos relacionados con California hoy en día.
- Registre las sugerencias de los estudiantes en una red de palabras. Escriba las palabras "economía", "gobierno" y "artes" en los óvalos centrales de la red.

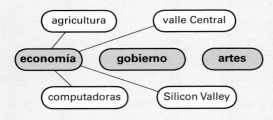

Analizar la fotografía

1 Explique que la fotografía muestra el horizonte de San Diego al anochecer.

P Basándose en la fotografía, ¿cómo describirían San Diego a un amigo de otro estado? HSS 4.4

R Respuesta posible: San Diego es una gran ciudad de la costa sur de California. Hoy en día, es una ciudad moderna que tiene muchos rascacielos. Como está en la costa, sus habitantes pueden disfrutar de la navegación en botes y veleros.

Unit 6 Preview: Time

PAGES 417P–417

Discuss the Big Idea

Government and Leadership
Californians are proud of their history, government, and heritage.

Explain to students that they will learn about the economy, the government, and the arts in present-day California.

Make It Relevant Discuss the following question:

- What parts of California's history and heritage are you most proud of?

Access Prior Knowledge

Invite students to share what they know about the economy, the government, and the arts in California.

- Brainstorm people, places, and events related to California today.
- Record students' suggestions in a word web, using "economy," "government," and "the arts" as central ovals of the web.

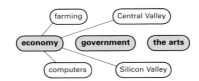

Analyze the Picture

1 Explain that the picture shows the San Diego skyline at dusk.

Q Based on the photograph, how would you describe San Diego to a friend in another state? HSS 4.4

A Possible response: San Diego is a large city on the coast of southern California. Today it is a modern city that has many skyscrapers. Because of its location on the coast, people there are able to enjoy boating and sailing.

417P ■ UNIT 6

Practice and Extend

BACKGROUND

San Diego San Diego has a population of 1.25 million people, making it the second-largest city in California and the seventh-largest city in the United States. Its top industries are manufacturing, defense, tourism, and agriculture. San Diego is also home to more than 1,000 companies focused on transportation technology, as well as several of the nation's top environmental design firms.

San Diego's telecommunications industry has grown so much that some are beginning to call the area "Telecom Valley." The city's location on the Pacific Ocean and near the Mexico–United States border makes it an ideal location for international trade. There are over 600 international companies in the area.

Practicar y ampliar

ANTECEDENTES

San Diego San Diego tiene 1.25 millones de habitantes, lo que la convierte en la segunda ciudad más grande de California y la séptima ciudad más grande de Estados Unidos. Sus principales industrias son la manufacturera, la de defensa, el turismo y la agricultura. Además, existen en San Diego más de 1,000 compañías de equipos de transporte, así como de varias de las firmas más importantes de diseño ambiental de la nación.

La industria de las telecomunicaciones ha crecido tanto en San Diego, que el área comenzó a ser llamada Telecom Valley, es decir, "valle de las Telecomunicaciones". La ubicación de la ciudad, en la costa del Pacífico y cerca de la frontera entre México y Estados Unidos, la convierte en un lugar ideal para el comercio internacional. Hay más de 600 compañías internacionales en esa zona.

417P ■ UNIT 6

California hoy y mañana

2003 Los californianos votan a favor de la destitución del gobernador Gray Davis, pág. 475

2003 Los incendios forestales arrasan más de 750,000 acres en el sur de California

Presente Más de 6 millones de estudiantes asisten a las escuelas públicas de California, pág. 447

2000

PRESENTE

2000 George W. Bush gana las elecciones presidenciales más reñidas de la historia de Estados Unidos

2001 Terroristas atacan el World Trade Center y el Pentágono

Unidad 6 ■ 417

CALIFORNIA STANDARDS HSS 4.1 Students demonstrate an understanding of the physical and human geographic features that define places and regions in California. 4.4 Students explain how California became an agricultural and industrial power, tracing the transformation of the California economy and its political and cultural development since the 1850s. 4.5 Students understand the structures, functions, and powers of the local, state, and federal governments as described in the U.S. Constitution. Chronological and Spatial Thinking 1.

ELL ENGLISH LANGUAGE LEARNERS

Frontloading Language: Summarize To be able to summarize effectively, students will need to understand the phrases *main ideas* and *key details* ("the idea that is most important"; "the facts about the main idea that are most important"). They need to know what is meant by *too specific*. They also need to understand the phrase *restate in your own words.*

Beginning Read from a lesson and have students identify the main idea and key details.

Intermediate Read aloud some ideas from a lesson and have students identify whether each is a main idea, a key detail, or a detail that is too specific.

Advanced Read aloud several sentences from a lesson and have students restate the ideas in their own words.

Discuss the Time Line

2 Chronological Thinking
Emphasize that the events at the top of the time line occurred in California, while the events at the bottom of the time line took place elsewhere during the same time.

California Today and Tomorrow

Q How many years passed between the 1994 earthquake and the brush fires in southern California? HSS 4.4, CS 1

A 9 years

Q How many students attend California public schools at present? HSS 4.4.8

A more than 6 million

Have students work in pairs to ask additional questions about the time line.

At the Same Time

Q When did the Cold War end? HSS 4.4, CS 1

A 1989

Q What was happening in California in the same year terrorists attacked the World Trade Center and the Pentagon? HSS 4.4, CS 1

A California was facing an energy shortage.

Have students work in pairs to ask additional questions about the time line.

TIMELINKS: Interactive Time Line

Have students use the TimeLinks: Interactive Time Line to track events in this unit. Provide event cards for students to place on the time line, as well as copies of blank event cards they can use to add other events described in the unit.

Analizar la línea cronológica

2 Pensamiento cronológico Señale que los eventos que aparecen en la parte superior de la línea cronológica se refieren a la historia de California. Los eventos que aparecen en la parte inferior de la línea cronológica ocurrieron en otras partes del mundo durante la misma época.

California hoy y mañana

P ¿Cuántos años pasaron entre el terremoto de 1994 y los incendios forestales en el sur de California? HSS 4.4, CS 1

R 9 años

P ¿Cuántos estudiantes asisten a las escuelas públicas de California hoy en día? HSS 4.4.8

R más de 6 millones

Pida a los estudiantes que trabajen en parejas para formular otras preguntas sobre los eventos de la línea cronológica.

Al mismo tiempo

P ¿Cuándo terminó la Guerra Fría? HSS 4.4, CS 1

R 1989

P ¿Qué ocurría en California en el mismo año en que los terroristas atacaron el World Trade Center y el Pentágono? HSS 4.4, CS 1

R California enfrentaba escasez de energía eléctrica.

Pida a los estudiantes que trabajen en parejas para formular otras preguntas sobre los eventos de la línea cronológica.

Presentación de la Unidad 6: Personas

PÁGINAS 418–419

Analizar a las personas

Pida a los estudiantes que lean la información sobre las personas que aparecen en estas páginas.

1 **Earl Warren** nació en Los Angeles y asistió a la Universidad de California, en Berkeley.

P **¿Qué cargos ocupó Earl Warren en el gobierno?** HSS 4.5

R gobernador de California y presidente de la Corte Suprema de Estados Unidos

2 **Paul R. Williams** ayudó a diseñar el edificio Theme del Aeropuerto Internacional de Los Angeles, que aparece en las páginas 345P–345. HSS 4.4.9

3 **John Wayne** nació en Iowa pero se mudó con su familia al sur de California cuando tenía 6 años.

P **¿Por qué las estrellas de cine como John Wayne juegan un papel tan importante en la cultura de California?** HSS 4.4.9

R Respuesta posible: porque California lidera la industria cinematográfica desde hace mucho tiempo

4 **Ronald Reagan** ganó las elecciones presidenciales de 1984. Obtuvo más del 97 por ciento de los votos electorales, lo que representa la mayoría de votos electorales más amplia de la historia. HSS 4.5

5 **Dianne Feinstein** nació en San Francisco y asistió a la Universidad de Stanford.

P **¿Cómo ha ayudado Dianne Feinstein a promover los derechos de la mujer en California?** HSS 4.5

R Respuesta posible: Se desempeñó como la primera alcaldesa de San Francisco y fue la primera mujer californiana en formar parte del Senado de Estados Unidos.

Unit 6 Preview: People

PAGES 418–419

Discuss the People

Have students read the information about the people highlighted.

1 **Earl Warren** was born in Los Angeles and attended the University of California, Berkeley.

Q **What positions in government did Earl Warren hold?** HSS 4.5

A Governor of California and Chief Justice of the United States Supreme Court

2 **Paul R. Williams** helped design the LAX Theme Building pictured on pages 345P–345. HSS 4.4.9

3 **John Wayne** was born in Iowa but moved with his family to southern California when he was six.

Q **Why do movie stars such as John Wayne play such a big role in California culture?** HSS 4.4.9

A Possible response: because California has long been the leader in the film industry

4 **Ronald Reagan** won the 1984 Presidential election by the largest majority of electoral votes in history, winning over 97 percent of those votes. HSS 4.5

5 **Dianne Feinstein** was born in San Francisco and attended Stanford University.

Q **How has Dianne Feinstein helped advance the rights of women in California?** HSS 4.5

A Possible response: She served as the first woman mayor in San Francisco and the first woman from California in the United States Senate.

Practice and Extend

BACKGROUND

Earl Warren and the Supreme Court As Chief Justice of the Supreme Court, Earl Warren ruled on some very significant cases. In 1954, the *Brown vs. The Board of Education* verdict impacted race relations in the United States by declaring that the policy of racial segregation in education based on the establishment of "separate but equal" facilities was unconstitutional. This eventually resulted in the end of policies of racial segregation in public schools. In addition, the 1966 verdict on *Miranda vs. the State of Arizona* created the "Miranda Rights," which ensured that those being arrested were informed of their rights. The line "You have the right to remain silent…," spoken by law enforcement officers, was a result of the *Miranda* decision.

Practicar y ampliar

ANTECEDENTES

Earl Warren y la Corte Suprema Como presidente de la Corte Suprema, Earl Warren dictó sentencia en varios casos muy importantes. En 1954, el veredicto del caso *Brown vs. Consejo de educación* tuvo un gran impacto sobre las relaciones raciales en Estados Unidos. El caso determinó que la política de segregación racial, basada en el establecimiento de escuelas "separadas pero iguales", era inconstitucional. Este caso ayudó a poner fin a las políticas de segregación racial en las escuelas públicas. Además, en 1966, el veredicto del caso *Miranda vs. el estado de Arizona* estableció los "derechos Miranda", que garantizan que las personas arrestadas conozcan sus derechos. La frase "tiene derecho a permanecer callado…", que dicen los oficiales de policía, fue resultado del fallo *Miranda*.

John Wayne
1907–1979
- Estrella de cine, célebre por representar héroes rudos en películas como "Los boinas verdes" y "Valor de ley"
- Intentó alistarse en el ejército durante la guerra de Vietnam pero fue rechazado debido a una antigua lesión y a su edad

Ronald Reagan
1911–2004
- Dos veces gobernador de California, de 1966 a 1974
- Dos veces presidente de Estados Unidos, de 1980 a 1988
- Hizo carrera como actor antes de entrar en la política

1950   1970   1990   PRESENTE

1974
1980
1979
2004
1946 • Judith Baca
1947 • Arnold Schwarzenegger
1952 • Amy Tan

Arnold Schwarzenegger
1947–
- Nacido en Austria; ganador de numerosos campeonatos de fisicoculturismo, incluyendo los de Mister Olimpia y Mister Universo
- Protagonista de numerosas películas de acción
- Elegido gobernador de California en 2003

Amy Tan
1952–
- Autora americana de origen chino que escribe acerca de crecer en la cultura china y en la cultura americana
- Su primer libro, *The Joy Luck Club*, fue llevado al cine

Unidad 6 ■ 419

CALIFORNIA STANDARDS HSS 4.1 Students demonstrate an understanding of the physical and human geographic features that define places and regions in California. 4.4 Students explain how California became an agricultural and industrial power, tracing the transformation of the California economy and its political and cultural development since the 1850s. 4.5 Students understand the structures, functions, and powers of the local, state, and federal governments as described in the U.S. Constitution.
Chronological and Spatial Thinking 1.

INTEGRATE THE CURRICULUM

THEATER Have students research appropriate films of John Wayne, Ronald Reagan, or Arnold Schwarzenegger. Then have them create a time line showing the release dates of some of the actors' films. Encourage students to add milestones in the development of radio and television broadcasting or filmmaking techniques. **Create a Film Time Line** THEATRE 3.2

6 Judith Baca is one of the leading muralists in the country. Her mural *the Great Wall of Los Angeles* shows the history of ethnic groups in California.

Q How has Judith Baca contributed to her community and state? HSS 4.4.9

A Possible response: Her work makes her community more beautiful and it shows the rich cultural history of the state.

7 Arnold Schwarzenegger became governor after people in California voted to remove Governor Gray Davis from office. HSS 4.5

8 Amy Tan was born in Oakland and attended San Jose State University and the University of California, Berkeley.

Q What important cultural insights might Amy Tan's books offer? HSS 4.4.9

A Possible response: They offer details about the experiences of Chinese immigrants to America and the experiences of their children.

Discuss the Time Line

ANALYSIS SKILL **Chronological Thinking**

9 Point out to students that the time line continues through the present day, as many of the figures described on pages 418 and 419 are still alive.

Q What are some major events you would have studied that many of these people lived through? HSS 4.4, CS 1

A Possible response: World War II and the Civil Rights Movement

GO ONLINE **INTERNET RESOURCES**
Visit MULTIMEDIA BIOGRAPHIES at **www.harcourtschool.com/hss**

UNIT 6 ■ **419**

6 Judith Baca es una de las muralistas más importantes del país. Su mural *The Great Wall of Los Angeles* cuenta la historia de los grupos étnicos de California.

P ¿Cómo contribuyó Judith Baca a su comunidad y a su estado? HSS 4.4.9

R Respuesta posible: Su obra embellece su comunidad y muestra la rica historia cultural del estado.

7 Arnold Schwarzenegger se convirtió en gobernador después de que los ciudadanos de California votaron para destituir al gobernador Gray Davis. HSS 4.5

8 Amy Tan nació en Oakland y asistió a la Universidad Estatal de San Jose y a la Universidad de California, en Berkeley.

P ¿Qué visiones culturales importantes creen que ofrecen los libros de Amy Tan? HSS 4.4.9

R Respuesta posible: Ofrecen detalles sobre las experiencias de los inmigrantes chinos en Estados Unidos, así como de las experiencias de sus hijos.

Analizar la línea cronológica

DESTREZA DE ANÁLISIS **Pensamiento cronológico**

9 Explique a los estudiantes que la línea cronológica continúa hasta el presente, ya que muchas de las personas descritas en las páginas 418 y 419 todavía viven.

P ¿Cuáles son algunos de los eventos importantes que ustedes pueden haber estudiado y que muchas de estas personas han vivido? HSS 4.4, CS 1

R Respuesta posible: la Segunda Guerra Mundial y el Movimiento por los derechos civiles

APRENDE **en línea** **RECURSOS EN INTERNET**
Visite MULTIMEDIA BIOGRAPHIES en **www.harcourtschool.com/hss** para hallar biografías multimedia.

Presentación de la Unidad 6: Lugares

PÁGINAS 420–421

Analizar el mapa

1 **DESTREZA DE ANÁLISIS** **Pensamiento espacial** Pida a los estudiantes que observen con atención el mapa de la cuenca del Pacífico y que identifiquen los países que se muestran allí. Recuérdeles que la cuenca del Pacífico incluye los países que están a orillas del océano Pacífico así como las islas de la región. Pídales que recuerden la importancia de la ubicación relativa de California en relación con Asia. **HSS 4.1, 4.4,** CS 5

P **¿Cuáles son algunos de los mares y vías navegables más importantes del océano Pacífico?** **HSS 4.1, 4.4,** CS 4

R Ejemplo de respuesta: el mar de Okhotsk, el mar de Bering, el estrecho de Bering y el golfo de Alaska

Analizar las ilustraciones

Explique que las ilustraciones destacan algunos productos y puertos relacionados con el comercio entre los países de la cuenca del Pacífico.

2 **Industria de la madera** En California, al igual que en Oregon, Washington y partes de Canadá, se siembran secuoyas, abetos, pinos y otras variedades de árboles para obtener madera. En 1999, la producción maderera de la costa oeste alcanzó 1.6 millardos de pies de tablas de madera.

Unit 6 Preview: Place

PAGES 420–421

Discuss the Map

ANALYSIS SKILL **Spatial Thinking**

1 Have students look carefully at the map of the Pacific Basin and identify the countries shown. Remind students that the Pacific Basin includes countries bordering the edge of the Pacific Ocean, as well as the islands in the region. Direct students to recall the significance of the relative location of California to Asia. **HSS 4.1, 4.4,** CS 5

Q **What are some of the major seas and waterways within the Pacific Ocean?** **HSS 4.1, 4.4,** CS 4

A Sample response: the Sea of Okhotsk, the Bering Sea, the Bering Strait, and the Gulf of Alaska

Discuss the Illustrations

Explain that the illustrations highlight some of the goods and ports involved in trade between countries in the Pacific Basin.

2 **Lumber Industry** Trees of several varieties, including redwoods, firs, sequoias, and pine trees, are harvested for lumber in California as well as in Oregon, Washington, and parts of Canada. West coast timber accounted for 1.6 billion board feet of lumber in 1999.

Unidad **6** Lugares — California en la cuenca del Pacífico

RUSIA — Mar de Ojotsk — Petropavlovsk-Kamchatskiy — MONGOLIA — Yuzhno-Sakhalinsk — Sapporo — JAPÓN — Beijing — P'yongyang — COREA DEL NORTE — Sendai — Seúl — Tokyo — CHINA — COREA DEL SUR — Yokohama — Shanghai — Mar de China Oriental — Taipei — Hong Kong — TAIWAN — VIETNAM — FILIPINAS — Manila — Mar de China Meridional — Ho Chi Minh City — BRUNEI — OCÉANO PACÍFICO — INDONESIA — PAPÚA Y NUEVA GUINEA

420 Unidad 6

Al mismo tiempo — Buques de carga en Hong Kong, China **5**

Practice and Extend

BACKGROUND

Silicon Valley and Stanford University In 1925, Frederick E. Terman, a graduate of the Massachusetts Institute of Technology (MIT), joined the faculty at Stanford University. His goal was to expand Stanford's electrical engineering department and radio and communications research facilities to compete with eastern universities. He encouraged students such as William Hewlett and David Packard and Eugene Litton to establish local companies. He also established Stanford Industrial Park, which offered long-term leases to high-tech companies for research. As economic trends shifted high-tech research to personal computers and software, Stanford graduates continued to establish businesses in the area.

Practicar y ampliar

ANTECEDENTES

Silicon Valley y la Universidad de Stanford En 1925, Frederick E. Terman, un graduado del Instituto Tecnológico de Massachusetts (MIT), se incorporó al cuerpo docente de la Universidad de Stanford. Su objetivo era ampliar el departamento de ingeniería eléctrica de Stanford y el centro de investigaciones de radio y comunicaciones, para competir con las universidades del este. Alentó a estudiantes como William Hewlett, David Packard y Eugene Litton a fundar compañías locales. También creó el Parque Industrial Stanford, *Stanford Industrial Park,* donde se ofrecían contratos de arrendamiento a largo plazo para que las compañías de tecnología avanzada pudieran hacer investigaciones. Cuando las tendencias económicas impulsaron el uso de las computadoras personales y el *software* más que la investigación, los graduados de Stanford siguieron fundando compañías en la zona.

Un aserradero en el norte de California

Trabajadores de empresas de tecnología avanzada en Silicon Valley

Agricultores en el valle Imperial

0   500   1,000 millas
0   500   1,000 kilómetros
Proyección de Miller

Unidad 6 ■ 421

③ Silicon Valley From 1992 to 1999, high-tech products from Silicon Valley accounted for roughly 40 percent of California's export trade.

④ Imperial Valley has one of the longest growing seasons in California, making it an important source of winter fruits and vegetables for northern California and the rest of the United States. Products grown there include cotton, dates, lettuce, and grains.

At The Same Time

Direct students' attention to the part of the map showing the Pacific Basin countries in Asia. Explain that many of the agricultural products grown in California and the goods manufactured there are shipped to countries in Asia for sale. Similarly, goods from Asia, such as electronics and cars, are shipped to California and the United States.

⑤ Cargo Ships in Asia Many of the goods produced in Asia and shipped to destinations throughout the United States first arrive at ports in California. Similarly, many goods exported to Asia from the United States are shipped from ports in California.

③ Silicon Valley Desde 1992 hasta 1999, los productos de tecnología avanzada de Silicon Valley representaron aproximadamente el 40 por ciento de las exportaciones de California.

④ El valle Imperial tiene una de las temporadas de cultivo más largas de California, lo que lo convierte en una importante fuente de producción de frutas y vegetales de invierno para el norte de California y el resto de Estados Unidos. Entre otros productos, allí se cultiva algodón, lechuga, dátiles y cereales.

Al mismo tiempo

Dirija la atención de los estudiantes a la parte del mapa que muestra los países asiáticos de la cuenca del Pacífico. Explique que muchos productos agrícolas y manufacturas que se producen en California se envían por barco a los países de Asia para su venta. Del mismo modo, los productos asiáticos, como artículos electrónicos y automóviles, se envían por barco a California y Estados Unidos.

⑤ Buques de carga en Asia Muchos de los bienes asiáticos que se envían a diferentes destinos de Estados Unidos llegan a los puertos de California. A su vez, muchas exportaciones de Estados Unidos a Asia se embarcan en esos mismos puertos.

CALIFORNIA STANDARDS HSS 4.1 Students demonstrate an understanding of the physical and human geographic features that define places and regions in California. 4.4 Students explain how California became an agricultural and industrial power, tracing the transformation of the California economy and its political and cultural development since the 1850s. 4.5 Students understand the structures, functions, and powers of the local, state, and federal governments as described in the U.S. Constitution. Chronological and Spatial Thinking 4, 5.

GEO CHALLENGE

Have students carefully examine the map and answer the following questions:

1 Which country along the eastern edge of the Pacific Basin is closest to the United States?
Russia

2 About how far is Hawaii from Japan?
About 4,000 miles

SCHOOL TO HOME

Use the Unit 6 SCHOOL-TO-HOME NEWSLETTER on pages S13–S14 to introduce the unit to family members of students and to suggest activities families can do at home.

DESAFÍO DE GEOGRAFÍA

Indique a los estudiantes que observen con atención el mapa y que respondan las siguientes preguntas:

1 ¿Qué país del extremo este de la cuenca del Pacífico está más próximo a Estados Unidos?
Rusia

2 ¿A qué distancia aproximada está Hawaii de Japón?
Aproximadamente a 4,000 millas

La lectura en los Estudios Sociales

 **Resumir**

OBJETIVOS

- **Explicar cómo resumir puede ayudar a los lectores a comprender y recordar la información.**

- **Resumir un pasaje.**

VOCABULARIO

resumir pág. 422

RECURSOS

Transparencia de destrezas clave 6; Colección de audiotextos en CD de la Unidad 6

1 Presentar

Por qué es importante

1 Converse con los estudiantes acerca de por qué, después de leer una lección o un artículo, es útil recordar las ideas más importantes y expresarlas con sus palabras. Explique que hacer esto ayuda a los lectores a recordar los datos importantes durante más tiempo.

Aprendizaje visual: Organizador gráfico Pida a los estudiantes que lean la definición del término *resumir*. Luego, pídales que observen detenidamente el organizador gráfico. Explique que un resumen incluye solamente los datos y las ideas más importantes de un texto. Si lo desea, puede destacar también la diferencia entre resumir información y copiarla directamente de un texto.

Reading Social Studies

 **Summarize**

OBJECTIVES

- **Explain how summarizing can help readers understand and remember information.**

- **Summarize a passage.**

VOCABULARY

summarize p. 422

RESOURCES

Focus Skills Transparency 6; Unit 6 Audiotext CD Collection

1 Introduce

Why It Matters

1 Discuss why, after reading a lesson or article, it is helpful to recall the most important ideas and state them in one's own words. Explain that doing this helps readers remember important facts over a longer period of time.

Visual Literacy: Graphic Organizer Have students read the definition of *summarize*. Then have them look closely at the graphic organizer. Explain that a summary includes only the most important facts and ideas from a text. You might also want to highlight the difference between summarizing information and copying it directly from a text.

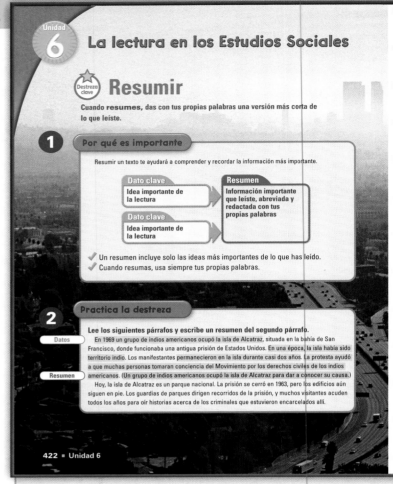

Unidad 6 — La lectura en los Estudios Sociales

Resumir

Cuando **resumes**, das con tus propias palabras una versión más corta de lo que leíste.

1 Por qué es importante

Resumir un texto te ayudará a comprender y recordar la información más importante.

| Dato clave — Idea importante de la lectura | Resumen — Información importante que leíste, abreviada y redactada con tus propias palabras |

| Dato clave — Idea importante de la lectura |

✓ Un resumen incluye solo las ideas más importantes de lo que has leído.
✓ Cuando resumas, usa siempre tus propias palabras.

2 Practica la destreza

Lee los siguientes párrafos y escribe un resumen del segundo párrafo.

En 1969 un grupo de indios americanos ocupó la isla de Alcatraz, situada en la bahía de San Francisco, donde funcionaba una antigua prisión de Estados Unidos. En una época, la isla había sido territorio indio. Los manifestantes permanecieron en la isla durante casi dos años. La protesta ayudó a que muchas personas tomaran conciencia del Movimiento por los derechos civiles de los indios americanos. (Un grupo de indios americanos ocupó la isla de Alcatraz para dar a conocer su causa.)

Hoy, la isla de Alcatraz es un parque nacional. La prisión se cerró en 1963, pero los edificios aún siguen en pie. Los guardias de parques dirigen recorridos de la prisión, y muchos visitantes acuden todos los años para oír historias acerca de los criminales que estuvieron encarcelados allí.

422 ■ Unidad 6

Practice and Extend

INTEGRATE THE CURRICULUM

✎ **ENGLISH LANGUAGE ARTS** Have students read a brief informational article and use a graphic organizer such as the one on page 422 to summarize it. You may want to have students explain why they believe that the ideas and facts that they included are the most important. Make sure students use their own words in their summaries.
Summarize an Article
▣ ELA WRITING 2.4

FOCUS SKILLS

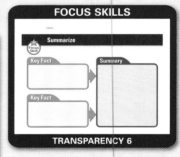

Summarize	
Key Fact	Summary
Key Fact	

TRANSPARENCY 6

Practicar y ampliar

DESTREZAS CLAVE

La lectura en los Estudios Sociales
Resumir

| Dato clave | Resumen |
| Dato clave | |

California: Un estado cambiante páginas 422–423   Reflexiones   Destrezas clave Transparencia 6

TRANSPARENCIA 6

Aplica lo que aprendiste

 Resumir Lee los siguientes párrafos y responde las preguntas.

Proteger el ambiente de California

Durante la fiebre del oro, las personas dañaron ríos y arroyos. Desde entonces, los californianos han trabajado para resolver los problemas del ambiente causados por seres humanos. De hecho, los californianos son líderes en la protección del aire, el agua y el suelo.

Los esfuerzos por proteger los recursos naturales del estado comenzaron en el siglo XIX. En 1890, un naturalista llamado John Muir convenció al Congreso de la necesidad de proteger áreas naturales en California. Ese año, Yosemite, Sequoia y General Grant (hoy Kings Canyon) se convirtieron en los primeros parques nacionales de California.

A comienzos del siglo XX, el ambiente de California volvió a cambiar. En ese tiempo, se abrieron muchas fábricas y las personas comenzaron a usar el sistema de autopistas para viajar. Hacia la década de 1940, los gases que despedían los automóviles y las fábricas contaminaban el aire. El aire contaminado del sur de California se volvió peligroso para las personas, los animales y las plantas.

En 1959, el gobierno estatal aprobó una ley que establecía normas para la calidad del aire en California. Esa ley fue la primera de su tipo en la nación y establecía que las personas debían examinar y controlar los gases emitidos por fábricas, automóviles y camiones. Cuatro años después, el gobierno federal aprobó la Ley del Aire Limpio con el fin de fijar normas nacionales para la calidad del aire.

Luego, en 1970, el gobierno federal creó la Agencia de Protección Ambiental, *Environmental Protection Agency*. Esta agencia se encarga de proteger el ambiente y la salud de la población.

Destreza clave
Resumir

1. ¿Cómo describirías los problemas ambientales que han enfrentado los californianos?

2. ¿Qué actividades han causado la contaminación del aire en California?

3. ¿Cómo ha respondido el gobierno ante los problemas ambientales?

▶ Diseñar automóviles especiales que consuman menos gasolina es una manera de proteger el ambiente.

Unidad 6 ■ 423

REACH ALL LEARNERS

Leveled Practice Ask students to summarize other information from the passage.

Basic Guide students to identify key facts in each of the paragraphs and summarize them orally.

Proficient Have students write a one-sentence summary of each paragraph. Then have them discuss how they might combine their summaries into a summary of the whole passage.

Advanced Have students read the passage and write a paragraph summarizing the main ideas in it.

---

2 Teach

Practice the Skill

❷ Review the first example paragraph, and guide students to see how the sentence in parentheses summarizes the highlighted facts. Then challenge students to identify key ideas from the second paragraph and use them to write a summary.

Facts: Alcatraz is a national park. The prison is closed, but the buildings still stand. Tours are given to many visitors.
Summary: Alcatraz was once a prison, but now it is a national park.

Apply What You Learned

❸ You may wish to provide students with these guidelines:

Step 1: Look for key words in each question that will help you focus on the most important facts and ideas.
Step 2: Find the key facts in the passage that answer each question.
Step 3: Summarize those facts.

Summarize—Answers

1. Californians have faced environmental problems caused by humans, such as air pollution and damage to streams and rivers. HSS 4.1, 4.4
2. Manufacturing and automobile travel have contributed to air pollution in California. HSS 4.1, 4.4
3. The state and federal governments have set standards for air quality, and the federal government has formed the Environmental Protection Agency. HSS 4.1, 4.4, 4.5

3 Close

As students read the lessons in Unit 6, encourage them to summarize information. Students can use their summaries to review.

---

2 Enseñar

Practica la destreza

❷ Repase el primer párrafo del ejemplo y guíe a los estudiantes para que observen cómo la frase entre paréntesis resume los datos resaltados. Luego, pídales que identifiquen las ideas clave del segundo párrafo y que las usen para escribir un resumen.

Datos: Alcatraz es un parque nacional. La prisión está cerrada, pero los edificios aún siguen en pie. Se organizan excursiones para los visitantes.

Resumen: Alcatraz fue una prisión, pero ahora es un parque nacional.

Aplica lo que aprendiste

❸ Si lo desea, distribuya entre los estudiantes las siguientes pautas:

Paso 1: Buscar en cada pregunta las palabras clave que los ayuden a identificar los datos y las ideas más importantes.

Paso 2: Hallar en el pasaje los datos clave que responden cada pregunta.

Paso 3: Resumir esos datos.

Resumir—Respuestas

1. Los californianos han enfrentado problemas ambientales causados por el hombre, como la contaminación del aire y el daño a arroyos y ríos. HSS 4.1, 4.4

2. Las fábricas y los automóviles han contribuido a la contaminación del aire en California. HSS 4.1, 4.4

3. El gobierno estatal y el gobierno federal fijaron normas para la calidad del aire, y el gobierno federal creó la Agencia de Protección Ambiental. HSS 4.1, 4.4, 4.5

3 Concluir

Mientras los estudiantes leen las lecciones de la Unidad 6, aliéntelos a resumir la información. Los estudiantes pueden usar sus resúmenes para repasar.

El estado dorado

La gran idea
GOBIERNO Y LIDERAZGO **Los californianos están orgullosos de su historia, su gobierno y su patrimonio cultural.**

LESSON	PACING	🐻 TESTED STANDARDS
Introducción del capítulo Destrezas de estudio: Ojear e identificar pág. 424 Presentación del Capítulo 11 pág. 425	**1** DAY	**4.1** Students demonstrate an understanding of the physical and human geographic features that define places and regions in California. **4.4** Students explain how California became an agricultural and industrial power, tracing the transformation of the California economy and its political and cultural development since the 1850s.
Comienza con un cuento *Las maravillosas torres de Watts* págs. 426–429	**1** DAY	**4.4.9.** Analyze the impact of twentieth-century Californians on the nation's artistic and cultural development, including the rise of the entertainment industry (e.g., Louis B. Mayer, Walt Disney, John Steinbeck, Ansel Adams, Dorothea Lange, John Wayne).
① **Una economía moderna** págs. 430–435 💡 **REFLEXIONA** ¿Cuáles son los sectores más importantes de la economía de California?	**2** DAYS	**4.4** Students explain how California became an agricultural and industrial power, tracing the transformation of the California economy and its political and cultural development since the 1850s. **4.4.6.** Describe the development and locations of new industries since the nineteenth century, such as the aerospace industry, electronics industry, large-scale commercial agriculture and irrigation projects, the oil and automobile industries, communications and defense industries, and important trade links with the Pacific Basin.
DESTREZAS CON MAPAS Y GLOBOS TERRÁQUEOS **Leer un mapa de uso de la tierra y productos** págs. 436–437	**1** DAY	**4.1.5** Use maps, charts, and pictures to describe how communities in California vary in land use, vegetation, wildlife, climate, population density, architecture, services, and transportation. **4.4.6.** Describe the development and locations of new industries since the nineteenth century, such as the aerospace industry, electronics industry, large-scale commercial agriculture and irrigation projects, the oil and automobile industries, communications and defense industries, and important trade links with the Pacific Basin.
② **El estado de las artes** págs. 438–442 💡 **REFLEXIONA** ¿Qué hace que California sea un centro cultural importante?	**2** DAYS	**4.4** Students explain how California became an agricultural and industrial power, tracing the transformation of the California economy and its political and cultural development since the 1850s. **4.4.9.** Analyze the impact of twentieth-century Californians on the nation's artistic and cultural development, including the rise of the entertainment industry (e.g., Louis B. Mayer, Walt Disney, John Steinbeck, Ansel Adams, Dorothea Lange, John Wayne).
BIOGRAFÍA **Walt Disney** págs. 443	**1** DAY	**4.4.9.** Analyze the impact of twentieth-century Californians on the nation's artistic and cultural development, including the rise of the entertainment industry (e.g., Louis B. Mayer, Walt Disney, John Steinbeck, Ansel Adams, Dorothea Lange, John Wayne).
FUENTES PRIMARIAS **Las fotografías de Ansel Adams** págs. 444–445	**1** DAY	**4.4.9.** Analyze the impact of twentieth-century Californians on the nation's artistic and cultural development, including the rise of the entertainment industry (e.g., Louis B. Mayer, Walt Disney, John Steinbeck, Ansel Adams, Dorothea Lange, John Wayne).

3 WEEKS	WEEK 1		WEEK 2		WEEK 3	
	Introduce the Chapter	Lesson 1	Lesson 2	Lesson 3	Lesson 4	Chapter Review

OBJECTIVES	READING SUPPORT/ VOCABULARY	REACH ALL LEARNERS	RESOURCES
■ Describe how skimming and scanning can each be used to find information. ■ Skim and scan to find information. ■ Tell the story of Simon Rodia and the Watts Towers. ■ Describe the impact of a twentieth-century California artist and his work.	(Focus Skill) **Reading Social Studies** **Summarize,** **Review the Unit 6** **Reading Social Studies** **Focus Skill,** pp. 422–423 **Vocabulary Power:** Use Reference Sources, p. 426 Suffixes, p. 428	**Leveled Practice,** p. 424 **Advanced,** p. 427	Social Studies in Action: Resources for the Classroom Primary Source Collection ⊙ Music CD ☐ Interactive Map Transparencies Interactive Desk Maps Atlas TimeLinks: Interactive Time Line ☐ Study Skills Transparency 11 ☐ Internet Resources ⊙ Unit 6 Audiotext CD Collection
■ Explain the reasons for the size and strength of California's economy. ■ Describe the industries that play an important role in the economy of California. ■ Interpret a land use and products map. ■ Use a land use and products map to identify local industries.	(Focus Skill) **Reading Social Studies** **Summarize,** pp. 431, 435 **Vocabulary Power:** Compound Words, p. 431 **comercio internacional** pág. 431 **producto de importación** pág. 433 **interdependencia** pág. 433 **procesamiento de alimentos** pág. 434 **industria de servicios** pág. 435 **turismo** pág. 435 **uso de la tierra** pág. 436	**ENGLISH LANGUAGE LEARNERS,** pp. 431, 432 **Leveled Practice,** pp. 434, 437 **Reading Support,** p. 431	Homework and Practice Book, pp. 115–117 Reading Support and Intervention, pp. 150–153 Success for English Learners, pp. 155–158 Vocabulary Power, pp. 109–112 ☐ Vocabulary Transparency 6-11-1 ☐ Focus Skills Transparency 6 ⊙ Unit 6 Audiotext CD Collection ☐ Internet Resources ⊙ GeoSkills CD-Rom
■ Describe the development of California's entertainment industry. ■ Analyze the impact of twentieth-century Californians on the nation's artistic and cultural development. ■ Describe the life and contributions of Walt Disney. ■ Analyze the photographs of Ansel Adams. ■ Describe the influence of Ansel Adams on the nation's artistic and cultural development.	(Focus Skill) **Reading Social Studies** **Summarize,** pp. 439, 441, 442 **Vocabulary Power:** Word Origins, p. 439 **efectos especiales** pág. 439	**ENGLISH LANGUAGE LEARNERS,** p. 439 **Reading Support,** p. 439 **Leveled Practice,** p. 441 **Advanced,** p. 443	Homework and Practice Book, pp. 118–119 Reading Support and Intervention, pp. 154–157 Success for English Learners, pp. 159–162 Vocabulary Power, pp. 109–112 ☐ Vocabulary Transparency 6-11-2 ☐ Focus Skills Transparency 6 ⊙ Unit 6 Audiotext CD Collection ☐ Internet Resources

LESSON	PACING	TESTED STANDARDS
③ La educación en California págs. 446–449 💡 **REFLEXIONA** ¿Cómo contribuye la educación a asegurar un futuro brillante para California?	**2 DAYS**	**4.4** Students explain how California became an agricultural and industrial power, tracing the transformation of the California economy and its political and cultural development since the 1850s. **4.4.8.** Describe the history and development of California's public education system, including universities and community colleges.
④ Superar los desafíos págs. 450–453 💡 **REFLEXIONA** ¿Cuáles son algunos de los desafíos que enfrentarán los californianos en el siglo XXI?	**1 DAY**	**4.1** Students demonstrate an understanding of the physical and human geographic features that define places and regions in California. **4.4** Students explain how California became an agricultural and industrial power, tracing the transformation of the California economy and its political and cultural development since the 1850s.
DESTREZAS DE RAZONAMIENTO CRÍTICO **Resolver un problema** págs. 454–455	**1 DAY**	**4.1** Students demonstrate an understanding of the physical and human geographic features that define places and regions in California. **4.4** Students explain how California became an agricultural and industrial power, tracing the transformation of the California economy and its political and cultural development since the 1850s.
Repaso del capítulo págs. 456–457	**1 DAY**	**4.1** Students demonstrate an understanding of the physical and human geographic features that define places and regions in California. **4.4** Students explain how California became an agricultural and industrial power, tracing the transformation of the California economy and its political and cultural development since the 1850s.

OBJECTIVES	READING SUPPORT/ VOCABULARY	REACH ALL LEARNERS	RESOURCES
■ Describe how and why California's public education system was developed. ■ Explain how public education is funded and operates in California today.	(Focus Skill) **Reading Social Studies** **Summarize,** pp. 447, 449 **Vocabulary Power:** Multiple-Meaning Words, p. 447 **escuela pública** pág. 447 **escuela privada** pág. 447 **generación** pág. 449	**ENGLISH LANGUAGE LEARNERS,** p. 447 **Leveled Practice,** p. 448 **Reading Support,** p. 447	Homework and Practice Book, p. 120 Reading Support and Intervention, pp. 158–161 Success for English Learners, pp. 163–166 Vocabulary Power, pp. 109–112 Vocabulary Transparency 6-11-3 Focus Skills Transparency 6 Unit 6 Audiotext CD Collection Internet Resources
■ Describe how Californians use natural resources to provide energy. ■ Explain how Californians plan for the future of the state. ■ Use a process for solving problems. ■ Identify solutions to California's energy shortages.	(Focus Skill) **Reading Social Studies** **Summarize,** pp. 451, 453 **Vocabulary Power:** Roots, p. 451 **crisis de energía** pág. 451 **planeamiento a largo plazo** pág. 451 **conservación** pág. 451 **renovable** pág. 451 **no renovable** pág. 451 **contaminación** pág. 451 **déficit** pág. 452	**ENGLISH LANGUAGE LEARNERS,** p. 451 **Leveled Practice,** pp. 452, 455 **Reading Support,** p. 451	Homework and Practice Book, pp. 121, 122–123 Reading Support and Intervention, pp. 162–165 Success for English Learners, pp. 167–170 Vocabulary Power, pp. 109–112 Vocabulary Transparency 6-11-4 Focus Skills Transparency 6 Unit 6 Audiotext CD Collection Internet Resources
	(Focus Skill) **Reading Social Studies** **Summarize,** p. 456		Homework and Practice Book, pp. 124–125, 126 Assesment Program, Chapter 11 Test, pp. 109–112

Homework and Practice Book

LESSON 1

Nombre _____ Fecha _____

Una economía moderna

INSTRUCCIONES Usa la tabla para responder las preguntas de abajo.

Los diez destinos principales de las exportaciones agrícolas de California, 2002			
Posición	País/Región	Valor de las exportaciones (en millones)	Principales productos de exportación
1	Canadá	$1,199	lechuga, tomate procesado, uvas
2	Unión Europea	$1,128	almendras, vino, nueces
3	Japón	$905	arroz, almendras, heno
4	China/Hong Kong	$345	uvas, naranjas, algodón
5	México	$293	productos lácteos, uvas, tomate procesado
6	Corea	$274	naranjas, carne vacuna, algodón
7	Taiwan	$212	algodón, duraznos y nectarinas, arroz
8	Indonesia	$101	algodón, uvas, productos lácteos
9	India	$94	almendras, algodón, uvas
10	Malasia	$60	uvas, naranjas, almendras

Fuente: California Department of Food and Agriculture

1 ¿Cuáles son los principales productos de exportación de California a China/Hong Kong?

uvas, naranjas y algodón

2 ¿Cuáles son los principales productos de exportación de California a Taiwan?

algodón, duraznos y nectarinas, y arroz

3 ¿Cuál fue el valor de las exportaciones a Japón en 2002?

905 millones de dólares

4 ¿Cuántos de los diez destinos principales reciben almendras de California?

cuatro de los diez destinos principales

5 ¿A qué países/regiones exporta California algodón?

a China/Hong Kong, Corea, Taiwan, Indonesia e India

NORMAS DE CALIFORNIA HSS 4.4, 4.4.6

SKILL PRACTICE

Nombre _____ Fecha _____

Destrezas: Leer un mapa de uso de la tierra y productos

INSTRUCCIONES Usa el mapa de uso de la tierra y productos para responder las preguntas de la página siguiente.

Productos de California

NORMAS DE CALIFORNIA HSS 4.4, 4.4.6; CS 4

(sigue)

SKILL PRACTICE

Nombre _____ Fecha _____

1 ¿Cómo se representan los diversos productos en un mapa de productos?

Los diversos productos de un mapa de productos se representan con símbolos.

2 ¿Qué símbolo representa los productos lácteos?

El símbolo que representa los productos lácteos es un cartón de leche.

3 ¿Qué símbolo representa el gas natural?

El símbolo que representa el gas natural es una llama.

4 La turba es un tipo de tierra formada con tierra, agua y pasto. ¿En qué parte de California está la mayor cantidad de turba?

La mayor cantidad de turba está al sureste de Oakland.

5 ¿Qué animal de granja se cría en las tierras ubicadas al norte de Sacramento?

En las tierras ubicadas al norte de Sacramento se crían ovejas.

6 ¿Qué tipo de combustible hay al sur de Los Angeles?

Al sur de Los Angeles hay petróleo.

7 ¿Qué área del estado produce la mayor parte de los productos forestales?

El área norte del estado produce la mayor parte de los productos forestales.

8 ¿Qué cinco productos hay en el área más próxima a la frontera entre California y México?

Las respuestas pueden incluir: gas natural, algodón, ganado vacuno, vegetales, remolachas y oro.

9 ¿Qué área del estado produce la mayor parte de los alimentos?

La parte central de California produce la mayor parte de los alimentos.

10 ¿Qué productos hay dentro de un área de 50 millas alrededor del lago Tahoe?

Dentro de un área de 50 millas alrededor del lago Tahoe hay productos forestales, remolachas, piedra, arena, grava, plata y gas natural.

LESSON 2

Nombre _____ Fecha _____

El estado de las artes

INSTRUCCIONES Lee los párrafos de abajo. Usa la información para responder las preguntas de la página siguiente.

Walt Disney es uno de los nombres más famosos en la historia de los dibujos animados. Fue el primero en agregar sonido a sus cortometrajes animados. También fue el primero en producir un largometraje de dibujos animados.

La mayoría de las películas más conocidas de los estudios Disney se hicieron usando la técnica de animación en hojas transparentes de celuloide. El celuloide fue el primer material usado para hacer dibujos animados. En la animación en hojas de celuloide intervienen numerosos artistas. Un diagramador decide qué fondos, o escenarios, hacen falta y qué apariencia y movimientos tendrá cada personaje. Un artista dibuja los escenarios de la película. Los animadores dibujan a los personajes. Cada dibujo es ligeramente distinto del anterior. Cuando los dibujos se muestran en orden, uno tras otro, de manera muy rápida, parece que el personaje se mueve exactamente igual que una persona o un animal.

Luego, un grupo de artistas debe trazar los dibujos en hojas de celuloide, o láminas transparentes de película. Las hojas de celuloide se ordenan con los escenarios correspondientes y a continuación se toman fotografías de cada cuadro, o fotograma. Por último se agrega una banda de sonido, es decir, la música de fondo y las voces de los personajes. Entonces la película está lista.

Hoy, se usan computadoras para hacer la mayoría de los dibujos animados. Aunque las computadoras pueden acelerar las cosas, el proceso todavía toma un tiempo largo. Un gran sistema de computadoras tarda aproximadamente 6 horas para hacer un solo cuadro. Cuando vemos la película, un cuadro dura solamente 1/24 de segundo en la pantalla. ¡Hacer algunos cuadros puede llevar hasta 90 horas!

Ver películas de dibujos animados puede ser muy divertido, porque no están limitadas por el mundo real. Pero tanto los animadores que usan hojas de celuloide como los que usan computadoras saben que crear unas cuantas horas de magia cinematográfica puede llevar meses.

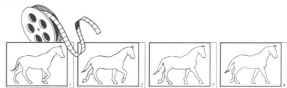

NORMAS DE CALIFORNIA HSS 4.4, 4.4.9

(sigue)

Nombre _____ Fecha _____

❶ ¿Qué cineasta de California produjo el primer largometraje de dibujos animados?

Walt Disney produjo el primer largometraje de dibujos animados.

❷ ¿Qué tipo de animación usó el estudio Disney para hacer la mayoría de sus películas más célebres?

Respuesta posible: La mayoría de sus películas más célebres se hicieron

usando animación en hojas de celuloide.

❸ ¿Qué tipos de artistas se necesitan para hacer animación en hojas de celuloide?

La animación en hojas de celuloide requiere diagramadores, dibujantes de

escenarios, animadores y artistas que trazan la animación en celuloide.

❹ ¿Cuánto tiempo lleva hacer un cuadro animado por computadora?

Hacer un cuadro animado por computadora puede llevar de 6 a 90 horas.

❺ ¿Te parece difícil o fácil hacer una película animada? Explica tu respuesta con la información que aprendiste en la lectura.

Respuestas posibles: Es fácil, porque uno no está limitado por el mundo real,

y las computadoras hacen más sencillo el trabajo. Es difícil, porque crear

cada cuadro lleva mucho tiempo y requiere muchos pasos.

Nombre _____ Fecha _____

La educación en California

INSTRUCCIONES Usa las palabras o frases del recuadro para completar las siguientes oraciones sobre la educación en California.

más grande	Alta California
escuelas privadas	San Francisco
universidades	escuelas públicas
600,000	9,000
escuela secundaria	futuro

❶ En California hay casi _____9,000_____ escuelas públicas.

❷ La primera constitución de California estableció la creación de un sistema de _____universidades_____ estatales para que los estudiantes asistan al finalizar la escuela secundaria.

❸ Las _____escuelas públicas_____ se financian principalmente con los impuestos de la ciudad y del estado.

❹ En 1850 se inauguró en _____San Francisco_____ la primera escuela pública financiada con los impuestos de la ciudad.

❺ Por lo general, las _____escuelas privadas_____ son financiadas por individuos o grupos privados.

❻ La primera _____escuela secundaria_____ pública de San Francisco se inauguró en 1856.

❼ En California han existido escuelas privadas desde la época en que los españoles gobernaban _____Alta California_____.

❽ California tiene el sistema universitario _____más grande_____ de Estados Unidos.

❾ Más de _____600,000_____ estudiantes de California asisten a escuelas privadas.

❿ El propósito del sistema educativo de California es preparar a los estudiantes para el _____futuro_____.

🐻 **NORMAS DE CALIFORNIA HSS 4.4, 4.4.8**

Nombre _____ Fecha _____

Superar los desafíos

INSTRUCCIONES Indica si cada recurso es renovable (R) o no renovable (N).

❶ __N__ oro

❷ __N__ petróleo

❸ __R__ árboles

❹ __N__ carbón

❺ __R__ agua

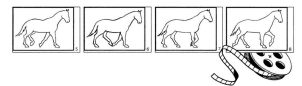

INSTRUCCIONES Traza una recta uniendo cada término con su definición.

❻ déficit — la protección y el uso prudente de los recursos naturales

❼ contaminación — la consecuencia de un estado que ha gastado más dinero del que tiene

❽ conservación — tomar decisiones que influirán en la vida futura

❾ crisis de energía — todo aquello que ensucia o inutiliza un recurso natural

❿ planeamiento a largo plazo — lo que ocurre cuando no hay suficiente energía eléctrica para satisfacer la demanda

🐻 **NORMAS DE CALIFORNIA HSS 4.1**

Nombre _____ Fecha _____

Destrezas: Resolver un problema

INSTRUCCIONES Vuelve a leer los pasos para resolver un problema. Luego, responde las preguntas.

❶ Una ciudad con mucho tráfico tiene un alto nivel de contaminación del aire. Identifica el problema.

El problema es el alto nivel de contaminación del aire.

❷ Imagina que hay una escasez de energía porque se usa mucha electricidad. Ahora imagina que hay una interrupción en su suministro después de un terremoto. ¿Son las causas por las que falta energía las mismas? Explica tu respuesta.

No. En un caso, la escasez se debe al uso excesivo. En el otro caso es

una avería.

❸ Algunos tipos de escasez pueden prevenirse por medio de la conservación. ¿Cuáles son algunas ventajas y desventajas de la conservación?

Respuesta posible: Las ventajas son que es una solución a largo plazo y

permite que el recurso siga usándose. Una desventaja es que las personas

deben conformarse con menos.

❹ Los automóviles consumen gas y petróleo, que son recursos no renovables. ¿Cuáles son algunas soluciones posibles a ese problema?

Respuesta posible: Las personas podrían tratar de conservar el petróleo,

organizarse para viajar juntas en un solo automóvil, viajar en bicicleta o

caminar mas.

❺ En un bosque se han talado muchos árboles. ¿Cuál podría ser una solución?

Respuesta posible: No permitir que se talen más árboles por el momento y

plantar nuevos árboles en las áreas deforestadas.

🐻 **NORMAS DE CALIFORNIA HSS 4.1; HI 4**　　　　　　　*(sigue)*

SKILL PRACTICE

Nombre _____ Fecha _____

INSTRUCCIONES Imagina que vives en el sur de California durante un período de escasez de agua. Quieres ayudar a conservar el agua en tus actividades diarias. Sabes que usas mucha agua todos los días cuando te bañas y llenas la tina casi por completo. Tienes una ducha y sabes que las duchas breves consumen menos agua que los baños en tina. ¿Qué podrías hacer para ahorrar agua y, al mismo tiempo, estar limpio? Usa las preguntas de abajo para resolver el problema.

1 ¿Cuál es el problema?

Respuesta posible: Uso mucha agua cuando me baño todos los días.

_____

2 ¿Puedes identificar la causa o causas del problema? Explica tu respuesta.

Respuesta posible: Tomo baños de inmersión en lugar de duchas, y lleno la

tina casi por completo.

3 ¿Cuáles son algunas posibles soluciones al problema?

Respuesta posible: Podría tomar duchas en lugar de baños de inmersión, o

podría llenar menos la tina cuando me baño.

4 ¿Cuáles son algunas ventajas y desventajas de cada solución?

Respuesta posible: Una ventaja es que puedo tomar una ducha más rápido de

lo que puedo tomar un baño de inmersión. Una desventaja es que llenar la

tina con menos agua no sería tan relajante.

5 Elige la mejor solución. ¿Cómo pondrás en práctica tu solución?

Respuesta posible: Me ducharé en lugar de bañarme en la tina. Cuando tome

baños de inmersión, llenaré la tina con menos agua.

_____

STUDY GUIDE

Capítulo 11

Nombre _____ Fecha _____

Guía de estudio

INSTRUCCIONES Tienes una idea para diseñar un folleto de la Cámara de Comercio que cuente por qué California es conocido como el "estado dorado". Usa los términos de las listas de abajo para completar este folleto.

Lección 1	Lección 2	Lección 3	Lección 4
comercio internacional	efectos especiales	públicas	planeamiento a largo plazo
importaciones	arquitectos	privadas	conservación
interdependencia	Los Angeles	futuro	renovable
procesamiento de alimentos	San Francisco	educación	no renovable
turismo	San Diego	constitución	déficit

Lección 1 ¡Bienvenidos a California, el "estado dorado"! A menudo las personas consideran que California es solo un lugar para ir de vacaciones. La industria del _____turismo_____ es solo una de las industrias que contribuyen a la economía de California. La industria agrícola es otra industria importante. El _____procesamiento de alimentos_____ es una parte importante de esa industria. Las relaciones comerciales crean _____interdependencia_____ entre California y las personas de otros países. California recibe _____importaciones_____ del exterior y envía exportaciones de muchos productos. La ubicación del estado en las costas del océano Pacífico lo hace ideal para el _____comercio internacional_____.

NORMAS DE CALIFORNIA HSS 4.4, 4.4.6, 4.4.8, 4.4.9

(sigue)

STUDY GUIDE

Nombre _____ Fecha _____

Lección 2 California es célebre por su industria cinematográfica, donde las fantasías parecen reales gracias al uso de _____efectos especiales_____. ¡Pero el cine no es el único arte de California! En la ciudad de _____Los Angeles_____ está el Centro J. Paul Getty, donde los visitantes pueden admirar grandes obras de arte. _____Arquitectos_____ como Julia Morgan han dejado su huella en los grandes edificios que diseñaron. El Centro Cultural de la Raza, en _____San Diego_____, el Museo de Arte Asiático, en _____San Francisco_____, y el Museo Estatal del Indio de California, en Sacramento, exhiben las obras de grandes artistas.

Lección 3 Ninguna de las aportaciones de California habría sido posible sin la _____educación_____. La primera _____constitución_____ de California estableció la creación de escuelas públicas. El delegado Robert Semple sabía que una buena educación es importante para preparar a los estudiantes para el _____futuro_____. Las escuelas _____públicas_____ (financiadas con impuestos) así como las escuelas _____privadas_____ (financiadas por individuos y grupos) contribuyen a que los habitantes de California reciban educación.

Lección 4 Los californianos enfrentan muchos desafíos, especialmente la escasez de energía. El _____planeamiento a largo plazo_____ ayuda a prevenir la escasez, o _____déficit_____, de recursos, tanto para los recursos _____renovables_____ (que pueden volver a generarse) como para los recursos _____no renovables_____ (que no pueden volver a generarse). Los californianos practican la _____conservación_____ para proteger los recursos. Esa es una manera de contribuir con la sociedad.

CHAPTER 11 REVIEW

Nombre _____ Fecha _____

LA LECTURA EN LOS ESTUDIOS SOCIALES: RESUMIR

El estado dorado

INSTRUCCIONES Completa este organizador gráfico para mostrar que comprendes cómo hacer un resumen acerca de las industrias, las actividades y las instituciones de California.

Dato clave
California tiene una poderosa economía basada en el comercio internacional, en la agricultura y en las industrias de tecnología avanzada y de servicios.

Resumen
Respuesta posible: El sistema educativo de California ayudará a formar trabajadores capacitados para hacer crecer las industrias y la economía.

Dato clave
El sistema educativo de California prepara a los estudiantes para el futuro.

Dato clave
Los californianos enfrentan la escasez de energía.

Resumen
Respuesta posible: A través de la investigación, los californianos pueden encontrar maneras de evitar la escasez de energía.

Dato clave
Los californianos buscan maneras de usar los recursos renovables.

NORMAS DE CALIFORNIA HSS 4.4, 4.4.6, 4.4.8

CHAPTER TEST

Nombre _____ Fecha _____

Capítulo 11 Prueba

🐻 NORMAS DE CALIFORNIA HSS 4.1, 4.4

SELECCIÓN MÚLTIPLE (5 puntos cada una)

INSTRUCCIONES Elige la letra de la respuesta correcta.

1 ¿Qué hizo que Silicon Valley se convirtiera en un centro de industrias de tecnología avanzada?
- A La creciente demanda de productos de tecnología avanzada en la zona.
- B Las grandes compañías de computación del este se trasladaron a la zona.
- C Se descubrieron ricos depósitos de silicio en la zona.
- (D) Algunos graduados universitarios locales establecieron sus propias compañías en la zona.

HSS 4.4.6, HI 1, 2, 3

2 ¿Qué tipo de productos constituye aproximadamente la mitad de los productos de exportación de California?
- A maquinaria
- (B) tecnología avanzada
- C agricultura
- D minería

HSS 4.4.6

3 ¿En qué país se consume la mayoría de los alimentos producidos en California?
- A Japón
- B China
- (C) Estados Unidos
- D Canadá

HSS 4.4.6

Usa el mapa para responder las preguntas 4 y 5.

Manufactura	⚓ Arcilla
Agricultura	🐟 Pesca
Pastoreo	Oro
Bosques	Hierro
Tierra poco usada	Petróleo o gas natural
🔲 Bórax	△ Sal

4 ¿Qué ciudad tiene un uso de la tierra más parecido al de San Diego?
- A Palm Springs
- (B) Los Angeles
- C Needles
- D Bakersfield

HSS 4.4.6, CS 4

5 ¿Cuál de estos productos se produce cerca de Bakersfield?
- A pescados y mariscos
- B oro
- C bórax
- (D) petróleo y gas natural

HSS 4.4.6, CS 4

(sigue)

Capítulo 11 ▪ Prueba   Programa de evaluación ▪ **109**

CHAPTER TEST

Nombre _____ Fecha _____

6 ¿Durante qué dos décadas se produjo la Época de Oro de Hollywood?
- A 1890 y 1900
- B 1900 y 1910
- C 1910 y 1920
- (D) 1930 y 1940

HSS 4.4.9, CS 2

7 ¿Cómo beneficiaron los avances tecnológicos a los cineastas?
- A Permitieron a los cineastas escribir mejores guiones.
- (B) Ayudaron a los cineastas a producir efectos especiales sorprendentes.
- C Permitieron a los cineastas contratar actores más talentosos.
- D Ayudaron a los cineastas a enseñar a las personas a hacer sus propias películas.

HSS 4.4.6

8 ¿Cuál de los siguientes artistas trabajó con adolescentes para pintar un mural que cuenta la historia de los grupos étnicos de California?
- A Isamu Noguchi
- B David Hockney
- (C) Judith Baca
- D Julia Morgan

HSS 4.4.9

9 ¿Dónde y cuándo se inauguró la primera escuela pública de California?
- A en Monterey en 1849
- B en Sacramento en 1857
- C en Los Angeles en 1852
- (D) en San Francisco en 1850

HSS 4.4.8, HI 1

Usa la información del recuadro para responder la pregunta 10.

> Ahora, los líderes del estado deben hallar la manera de pagar el déficit presupuestario.

10 ¿Qué significa la palabra déficit?
- (A) la cantidad de dinero que el estado gastó y no tenía
- B la cantidad de dinero que el estado decidió gastar para pagar los servicios públicos
- C la cantidad de dinero que el estado ahorró al reducir algunos servicios públicos
- D la cantidad de dinero que el estado recaudó a través de impuestos

HSS 4.5.4

(sigue)

110 ▪ Programa de evaluación   Capítulo 11 ▪ Prueba

CHAPTER TEST

Nombre _____ Fecha _____

COMPLETAR LAS ORACIONES (5 puntos cada una)

INSTRUCCIONES Completa las oraciones con la palabra del recuadro de abajo que corresponda.

> contaminación   conservación   turismo   arquitecta   comercio internacional

11 La importación y exportación de productos entre California y países como China, Japón y México, han hecho del __comercio internacional__ una parte importante de la economía del estado.

HSS 4.4.6, CS 5

12 Las playas y montañas de California atraen a personas de todo el mundo, contribuyendo a hacer del __turismo__ una parte importante de la economía del estado.

HSS 4.4.6, HI 2

13 Julia Morgan, de San Francisco, fue la __arquitecta__ que diseñó el castillo Hearst en San Simeon.

HSS 4.4.9

14 Las leyes californianas de protección ambiental han ayudado a reducir la __contaminación__ y a hacer más limpio el aire del estado.

HSS 4.5.4

15 La __conservación__ es una manera de proteger los recursos naturales de California para su uso en el futuro.

HSS 4.1, CS 2, HI 2

RESPUESTA BREVE (5 puntos cada una)

INSTRUCCIONES Responde cada pregunta en el espacio en blanco.

16 ¿Cómo contribuyó la geografía de California a fortalecer su economía?

HSS 4.1, 4.4

Respuesta posible: La costa y las montañas de California atraen turistas. Su suelo fértil y su clima contribuyen a la exitosa industria agrícola del estado. Los puertos en la costa del océano Pacífico fomentan el comercio internacional.

(sigue)

Capítulo 11 ▪ Prueba   Programa de evaluación ▪ **111**

CHAPTER TEST

Nombre _____ Fecha _____

17 ¿Quién fue Ansel Adams y qué hizo?   HSS 4.4.9, HI 1

Respuestas posibles: Ansel Adams fue un fotógrafo que creció en San Francisco. Amaba la naturaleza y pasaba mucho tiempo al aire libre. Se unió al Club Sierra para proteger el ambiente natural. Se hizo famoso por capturar la naturaleza agreste en sus bellas fotografías en blanco y negro.

18 ¿Por qué es tan importante la educación para el futuro de California?   HSS 4.4.8

Respuesta posible: Las escuelas de California educan a los ciudadanos para que participen activamente en la democracia. Las personas que han recibido educación contribuyen al desarrollo de las empresas y la industria y hacen inventos y descubrimientos científicos que fortalecen la economía de California.

19 ¿Cómo tratan los californianos de resolver los problemas ambientales?   HSS 4.4

Respuesta posible: a través del planeamiento a largo plazo y la conservación de los recursos naturales; desarrollando fuentes de energía renovables, como las del agua, el sol y el viento; fabricando automóviles que generan menos contaminación

20 ¿Qué puede hacer California para reducir su déficit presupuestario?   HSS 4.5.4

Respuesta posible: aumentar los impuestos para que el estado tenga más entrada de dinero, reducir servicios, administrar el gobierno con mayor eficiencia

112 ▪ Programa de evaluación   Capítulo 11 ▪ Prueba

Destrezas de estudio

Ojear e identificar

OBJETIVOS

- Describir cómo usar la destreza ojear e identificar para hallar información.
- Ojear e identificar para hallar información.

RECURSOS

Transparencia de destrezas de estudio 11; Colección de audiotextos en CD de la Unidad 6

1 Presentar

Establecer el propósito Explique que, para buscar una información específica, el lector puede hacer una lectura rápida de todo el texto.

2 Enseñar

1 Explique a los estudiantes que el ejemplo de "Ojear e identificar" que aparece aquí se refiere al Capítulo 11. Repase estos puntos con los estudiantes:

- Para ojear, lean rápidamente todas las partes de la lección que se refieren a la idea principal.
- Para identificar una información específica, lean rápidamente todo el texto.

3 Concluir

Aplica la destreza mientras lees

2 Aliente a los estudiantes a ojear e identificar cada lección para hallar la idea principal antes de leer. Recuérdeles que, además, ojeen la lección para hallar más rápidamente las respuestas a las preguntas de repaso.

Study Skills

Skim and Scan

OBJECTIVES

- Describe how skimming and scanning can each be used to find information.
- Skim and scan to find information.

RESOURCES

Study Skills Transparency 11, TimeLinks: Interactive Time Line; Unit 6 Audiotext CD Collection

1 Introduce

Set the Purpose Explain that to look for particular information, a reader might quickly read through all the text.

2 Teach

1 Explain to students that the example under Skim and Scan relates to Chapter 11. Review these points with students:

- When skimming, quickly read any parts of the lesson that will give a sense of the main idea.
- When scanning for specific information, quickly read all the text.

3 Close

Apply As You Read

2 Encourage students to skim each lesson for the main idea before reading. Remind students to also scan the lesson to find the answers to review questions more quickly.

Destrezas de estudio

OJEAR E IDENTIFICAR

Ojear e identificar pueden ayudarte a comprender lo que lees.

▶ Para ojear, lee rápidamente el título de la lección y de cada sección. Observa las imágenes y lee las leyendas. Usa esta información para identificar los temas principales.

▶ Para identificar, busca rápidamente en el texto detalles específicos, como palabras o datos clave.

OJEAR	IDENTIFICAR
Lección: Una economía moderna	Palabras y datos clave
Idea principal: California tiene una economía fuerte y diversificada.	• comercio internacional
Títulos/encabezados: Una economía fuerte, Tecnología y comercio	• La historia de California ha determinado su economía.
Elementos visuales: _____	• Silicon Valley
	• _____
	• _____

Aplica la destreza mientras lees

Antes de leer, ojea el texto para encontrar la idea principal de cada sección. Luego, busca palabras clave. Si tienes preguntas sobre algún tema, identifica las respuestas en el texto.

Normas de Historia y Ciencias Sociales de California, Grado 4

4.1 Los estudiantes demuestran una comprensión de las características físicas y humanas que definen los lugares y las regiones de California.
4.4 Los estudiantes explican cómo California se convirtió en una potencia agrícola e industrial, siguiendo la transformación de la economía de California y su desarrollo político y económico desde la década de 1850.

424 ■ Unidad 6

Practice and Extend

REACH ALL LEARNERS

Leveled Practice Have students skim and scan an article.

(Basic) Have students quickly identify the main idea.

(Proficient) Have students write down the main idea. Then give students a specific question and have them find the answer.

(Advanced) Have students write down the main idea. Then have them find the answers to several questions.

STUDY SKILLS

Skim and Scan

TRANSPARENCY 11

Practicar y ampliar

DESTREZAS DE ESTUDIO

Ojear e identificar

TRANSPARENCIA 11

El estado dorado

CAPÍTULO **11**

3

» Los fuegos artificiales del Día de la Independencia
estallan sobre el puente Golden Gate, uno de los
símbolos más queridos de California.

Capítulo 11 ▪ 425

CALIFORNIA STANDARDS 4.1 Students demonstrate an understanding of the physical and human geographic features that define places and regions in California. 4.4 Students explain how California became an agricultural and industrial power, tracing the transformation of the California economy and its political and cultural development since the 1850s. Research, Evidence, and Point of View 2.

BACKGROUND

San Francisco's Economy and Culture San Francisco is not only one of the largest cities in California, it is also an important economic and cultural center. Tourism has become a huge part of San Francisco's economy. In addition, San Francisco is one of the most prominent financial capitals on the west coast. The Federal Reserve Bank, the Pacific Stock Exchange, and other top financial institutions have their headquarters in the city. In the late 1990s, many Internet companies and digital arts firms based their operations in San Francisco, building a strong connection between the city and the high-tech companies of the nearby Silicon Valley. San Francisco has also been home to several important cultural movements.

Chapter 11 Preview

PAGE 425

Access Prior Knowledge

Tell students that in this chapter they will read about aspects of modern life in California, including the economy, the educational system, and the arts.

Encourage students to think about their community. Ask: What is the economy like in your area? What do you know about artists in your community? What types of schools and colleges are in your area?

3 Visual Literacy: Photograph

ANALYSIS SKILL Research/Evidence Explain that the photograph shows an Independence Day fireworks display over the Golden Gate Bridge in San Francisco. Have students examine the photograph and pose relevant questions, such as the one below.

Q How does the Golden Gate Bridge help form the unique character of the San Francisco Bay area? HSS 4.1, 4.4, HR 2

A Possible response: It's distinctive orange towers that stand over the bay have become synonymous with the San Francisco Bay area.

TIMELINKS: Interactive Time Line

Remind students to add people and events for each lesson in this chapter to the TimeLinks: Interactive Time Line.

Presentación del Capítulo 11

PÁGINA 425

Despertar conocimientos previos

Diga a los estudiantes que en este capítulo leerán acerca de los aspectos de la vida moderna en California, incluyendo la economía, el sistema educativo y las artes.

Aliente a los estudiantes a pensar acerca de la comunidad en la que viven. Pregunte: ¿Cómo es la economía en la zona donde viven? ¿Qué saben sobre los artistas de su comunidad? ¿Qué tipos de escuelas y universidades hay en la zona?

3 Aprendizaje visual: Fotografía

DESTREZA DE ANÁLISIS Investigación/Evidencia Explique que la fotografía muestra los fuegos artificiales del Día de la Independencia sobre el puente Golden Gate, en San Francisco. Pida a los estudiantes que observen la fotografía y formulen preguntas relevantes, como la que aparece abajo.

P ¿Cómo contribuye el puente Golden Gate al carácter único de la bahía de San Francisco? HSS 4.1, 4.4, HR 2

R Respuesta posible: Sus distintivas torres naranjas, que se alzan sobre la bahía, se han convertido en sinónimo de la bahía de San Francisco.

ANTECEDENTES

Economía y cultura de San Francisco San Francisco no solo es una de las ciudades más grandes de California, sino también un importante centro económico y cultural. El turismo se ha convertido en un sector fundamental de la economía de San Francisco. Además, la ciudad es una de las principales capitales financieras de la costa oeste. El Banco de la Reserva Federal, el *Pacific Stock Exchange* y otras instituciones financieras líderes tienen sus oficinas centrales en la ciudad. A finales de la década de 1990, muchas compañías de Internet y de artes digitales establecieron sus bases de operaciones en San Francisco, creando una sólida relación entre la ciudad y las compañías de tecnología avanzada del cercano Silicon Valley. Además, San Francisco ha sido el núcleo de varios movimientos culturales importantes.

Comienza con un cuento

PÁGINAS 426–429

OBJETIVOS

- Contar la historia de Simón Rodia y las torres de Watts.

- Describir el impacto de un artista californiano del siglo XX y de su obra.

RECURSOS

Colección de audiotextos en CD de la Unidad 6

Resumen

Las maravillosas torres de Watts, escrito por Patricia Zelver, habla de Simón Rodia y su reconocida escultura, las torres de Watts. El siguiente pasaje explica quién era Simón, qué materiales recolectaba, cómo construyó su obra y con qué personas de su comunidad la compartió.

Fuente: *The Wonderful Towers of Watts* por Patricia Zelver, ilustrado por Frané Lessac. HarperCollins Publishers, 1994.

Antes de la lectura

Establecer el propósito Explique a los estudiantes que los artistas y los escritores juegan un papel importante en la formación de la cultura de una sociedad. Infórmeles que en este cuento leerán acerca de un artista de California y de su importante obra. Mientras los estudiantes leen, pídales que consideren qué pudo haber impulsado a este artista a construir las torres.

Durante la lectura

❶ Entender el cuento Pida a los estudiantes que expliquen quién es el Viejo Sam. Pídales que identifiquen su país de origen.

P ¿Cuál es el verdadero nombre del Viejo Sam? HSS 4.4.9, ELA READING 1.2

R Simón Rodia

Start with a Story

PAGES 426–429

OBJECTIVES

- Tell the story of Simon Rodia and the Watts Towers.

- Describe the impact of a twentieth-century California artist and his work.

RESOURCES

Unit 6 Audiotext CD Collection

Quick Summary

The Wonderful Towers of Watts by Patricia Zelver tells about Simon Rodia and his well-known sculpture, Watts Towers. The following excerpt explains who Simon was, what materials he gathered together, how he built his creation, and whom in the community he shared his work with.

Source: *The Wonderful Towers of Watts* by Patricia Zelver. Illustrated by Frané Lessac. HarperCollins Publishers, 1994.

Before Reading

Set the Purpose Explain that artists and writers play an important role in shaping the culture of a society. Inform students that in the following story, they will read about one California artist and his important creation. As they read, have students consider what may have prompted this artist to begin the towers.

During Reading

❶ Understand the Story Have students discuss who Old Sam is. Ask students to identify what country Old Sam came from.

Q What is Old Sam's real name? HSS 4.4.9, ELA READING 1.2

A Simon Rodia

Comienza con un cuento

Las maravillosas torres de Watts

por Patricia Zelver
ilustrado por Frané Lessac
traducido por Aída Murga

California tiene un gran número de museos excelentes con bellas obras de arte. Sin embargo, una de las formas más extraordinarias de arte de nuestro estado surge de lo que una vez fue el patio interior de Simón Rodia, en Watts. Rodia pasó más de 30 años, desde 1921 hasta 1954, construyendo tres torres pintorescas en su vecindario, que ahora está ubicado en la parte central al sur de Los Angeles.

Lee para aprender cómo Rodia construyó sus torres de Watts.

426 Unidad 6

Practice and Extend

BACKGROUND

Watts Towers The Watts Towers, located in the Watts neighborhood of Los Angeles, are built out of steel pipes, wire, concrete, found objects, and other materials. The structure is made up of 17 different sculptures. Two of the towers are about 100 feet high. Today, the site is a state historic park. It is also the location of an annual jazz and drum festival.

VOCABULARY POWER

Use Reference Sources Tell students they may come across unfamiliar words in the story. Encourage them to find the meaning of these words by looking them up in a dictionary or an encyclopedia or on the Internet. Make sure students understand the terms *bungalow, Milk of Magnesia, church spire,* and *willowware plates.*

ELA READING 2.2

Practicar y ampliar

ANTECEDENTES

Las torres de Watts Las torres de Watts, situadas en el vecindario Watts de Los Angeles, están construidas con caños de acero, alambre, concreto, objetos que se hallaron en la calle y otros materiales. La estructura está integrada por 17 esculturas diferentes. Dos de las torres miden aproximadamente 100 pies de altura. Actualmente, el sitio es un parque histórico estatal. También es la sede de un festival de jazz y percusión que se lleva a cabo una vez al año.

El verdadero nombre del Viejo Sam era Simón Rodia. Él era un hombre pequeño que se vestía con overoles viejos, camisa sin mangas y un sombrero grasoso. Sus brazos y su cara estaban siempre cubiertos con polvo.

Simón Rodia había venido desde Italia cuando era un joven y hablaba con acento pronunciado. Compró un pequeño chalet en Watts, un vecindario pobre que era mitad pueblo mitad campo, afuera de los límites de la ciudad de Los Angeles. Horneaba su pan en un horno al aire libre que construyó, el cual era exactamente igual al horno que su mamá había usado en su viejo país. A veces, era amigable y sonreía a las personas con una sonrisa sin dientes; otras veces sus pensamientos parecían llevarlo a lugares distantes y no le hablaba a nadie.

El Viejo Sam trabajaba como obrero en la fábrica de azulejos Taylor. Todas las noches se bajaba del tranvía cargando un gran saco de azulejos multicolores hechos pedazos.

—¿Qué va a hacer el Viejo Sam con esos azulejos? —se preguntaba la gente.

Los fines de semana, el Viejo Sam caminaba hacia el lote vacío cerca de las vías del ferrocarril y recogía cosas que la gente pensaba que estaban mejor tiradas en la basura. Llevaba a su casa botellas azules de leche de magnesia, pedazos de loza de colores y hasta pedazos de espejos rotos. A veces, les pagaba a los niños del vecindario con centavos o galletas para que le llevaran botellas verdes de gaseosa vacías y sacos de conchas marinas.

—¿Qué es lo que el Viejo Sam quiere hacer con toda esa basura? —se preguntaba la gente.

El Viejo Sam usaba casi todo su dinero para comprar sacos de cemento, arena y acero. La gente podía escucharlo mientras trabajaba en su patio, detrás de una gran cerca.

—¿Qué será lo que hace el Viejo Sam? —se preguntaban.

Capítulo 11 427

② Understand the Story
Discuss what Old Sam does on weekends.

Q What does Old Sam do with the things he collects?
ELA READING 2.0, VISUAL ARTS 3.2

A He uses them to start a building project in his backyard.

③ Invite students to predict what Old Sam is building.

Q How do you know Old Sam enjoys working on his project?
ELA READING 2.4, 3.3

A He spends most of his free time and money on the project.

② Entender el cuento
Comente con los estudiantes qué hace el Viejo Sam durante los fines de semana.

P ¿Qué hace el Viejo Sam con las cosas que recoge? ELA READING 2.0, VISUAL ARTS 3.2

R Las usa para poner en marcha un proyecto de construcción en su patio.

③ Invite a los estudiantes a imaginar qué está construyendo el Viejo Sam.

P ¿Cómo saben que al Viejo Sam le gusta trabajar en su proyecto? ELA READING 2.4, 3.3

R Dedica al proyecto la mayor parte de su tiempo libre y de su dinero.

CALIFORNIA STANDARDS HSS 4.4.9 Analyze the impact of twentieth-century Californians on the nation's artistic and cultural development, including the rise of the entertainment industry (e.g., Louis B. Mayer, Walt Disney, John Steinbeck, Ansel Adams, Dorothea Lange, John Wayne). Chronological and Spatial Thinking 4.

BACKGROUND

Simon Rodia Rodia was born in Italy in 1879. As a teenager, he came to the United States and worked in the coal mines of Pennsylvania before moving to northern California. There he got married and had two children. In the early 1920s, he moved to Watts and began work on Watts Towers. When he finished in 1954, he left his property to a neighbor and moved to Martinez, never to see his work again.

Enrico Caruso Enrico Caruso was a famous opera singer in the early 1900s. He was born in 1873 in Naples, Italy. He sang as a child but did not receive formal music training until the age of 18. In 1903, he performed for the first time in the United States with the Metropolitan Opera in New York City. He became a celebrated tenor as well as one of the first musicians to make recordings for the gramophone.

REACH ALL LEARNERS

Advanced Tell students that gramophones were machines used to play musical recordings in the early 1900s. Explain that gramophones did not use electricity; people had to turn a hand crank many times in order to play a record. Invite students to write a paragraph comparing how people listened to recorded music in the early 1900s with how people listen to it today.

CHAPTER 11 ■ 427

ANTECEDENTES

Simón Rodia Rodia nació en Italia en 1879. Cuando era adolescente viajó a Estados Unidos y trabajó en las minas de carbón de Pennsylvania. Luego se mudó al norte de California. Allí se casó y tuvo dos hijos. A principios de la década de 1920, se mudó a Watts y comenzó a trabajar en las torres. Cuando las terminó, en 1954, le dejó su propiedad a un vecino y se mudó a Martinez. Nunca más volvió a ver su obra.

Enrico Caruso Enrico Caruso fue un famoso cantante de ópera de comienzos del siglo XX. Nació en 1873 en Nápoles, Italia. Cantaba desde niño, pero no recibió educación musical formal sino hasta los 18 años. Cantó por primera vez en Estados Unidos en 1903, en la Ópera Metropolitana de la ciudad de New York. Se convirtió en un célebre tenor y fue uno de los primeros músicos en hacer grabaciones para gramófono.

4 Entender el cuento Comente con los estudiantes acerca de a quiénes invita el Viejo Sam a su patio para ver su obra. Pregúnteles por qué creen que para el Viejo Sam era importante mostrar su obra a los niños del vecindario.

P ¿Qué ven los niños dentro del patio del Viejo Sam? ⬛ ELA READING 2.0

R Respuesta posible: Ven una ciudad mágica decorada con diseños coloridos y bellos. Hallan objetos curiosos que el Viejo Sam ha recogido y ha pegado al concreto.

5 Entender el cuento Pida a los estudiantes que comenten la respuesta que da el Viejo Sam cuando lo entrevistan los reporteros.

P ¿Qué responde Sam cuando los reporteros le preguntan "por qué lo hizo"? ¿Qué razones creen que tuvo Sam para construir las torres de Watts? ⬛ ELA READING 2.0, 3.3

R Respuesta posible: Les responde que construyó las torres simplemente porque sintió deseos de hacerlo; tal vez el Viejo Sam quería crear algo bello para que las personas de su vecindario lo disfrutaran.

---

4 Understand the Story Discuss whom Old Sam invites into his yard to view his work. Ask students why it may be important to Old Sam to share his work with the neighborhood children.

Q What do the children see inside Old Sam's yard? ⬛ ELA READING 2.0

A Possible response: They see a magical city decorated with colorful and pretty designs. They find unusual objects that Old Sam has collected and stuck into cement.

5 Understand the Story Have students discuss how Old Sam responds when he is questioned by newspaper reporters.

Q What answer does Old Sam give when reporters ask him, "Why did you do it?" What reasons do you think Old Sam had for building Watts Towers? ⬛ ELA READING 2.0, 3.3

A Possible response: He tells the reporters he built the towers because he just felt like it; maybe Old Sam wanted to create something beautiful for the people of his neighborhood to enjoy.

Un día, ante el asombro de los vecinos, algo extraño y bello se elevó por encima de la cerca del patio de Sam. Era una obra tejida de acero, cubierta con una superficie de concreto en donde el Viejo Sam había pegado pedacitos brillantes de azulejo, vidrio, espejos, loza y conchas marinas. ¿Estaba el Viejo Sam construyendo un castillo encantado? ¿El capitel de una iglesia? ¿Una torre en la que pudiera subir al cielo?

Todos contemplaron maravillados la creación del Viejo Sam.

Sam continuó su obra. Trabajó sin la ayuda de nadie durante treinta y tres años, en toda clase de climas, subiéndose bien alto y usando únicamente un cincho de los que utilizan las personas que limpian ventanas para prevenir una caída. Mientras trabajaba, escuchaba música de ópera en un gramófono viejo. Su cantante favorito era Enrico Caruso. Se podía escuchar al Viejo Sam cantando junto a él.

Los niños del vecindario crecieron y tuvieron sus propios hijos, quienes observaron las torres del Viejo Sam elevarse hacia el cielo. El Viejo Sam estaba envejeciendo también, pero siguió trabajando igual que antes.

Algunas veces el Viejo Sam invitaba a los niños del vecindario a entrar en su **4** patio, que ahora estaba rodeado por una pared decorada. Allí, los niños encontraban una ciudad mágica con calles pequeñas, plazas y fuentes. Los caminos y paredes estaban cubiertos con patrones de estrellas de mar, figuras de corazones, conchas marinas, azulejos de colores decorados con pavo reales y un abejorro dorado. Pegado al cemento había toda clase de objetos curiosos que el Viejo Sam coleccionó durante años. El pico de una tetera. Una bota de vaquero. Agarraderos de grifos. Herraduras. Y hasta platos antiguos de *willow ware*.

Reporteros de periódicos escucharon sobre las torres, llegaron a verlas y hablaron con el Viejo Sam.

—¿Qué significan? —le pregunt **5** El Viejo Sam solamente se sonrió.

—¿Dónde están sus planos? —le dijeron.

El Viejo Sam señaló su cabeza.

—¿Por qué lo hizo? —le dijeron.

—Yo solamente sentí hacerlo — contestó el Viejo Sam.

La obra de Rodia ha sido preservada, y personas de todo el mundo continúan visitando sus torres maravillosas.

428 Unidad 6

Practice and Extend

MAKE IT RELEVANT

In Your Community Tell students that the Watts Towers remain an important landmark. Discuss with students the important works of art that can be found in their own communities. Ask students to select a work of art from the community they live in, and describe it in a short paragraph. Then have students share their paragraphs with a partner.

VOCABULARY POWER

Suffixes Write the words *magical* and *colorful* on the board in two columns. Circle the suffix *-al*, and explain that it adds the meaning "of, like, or relating to" to the word *magic*. Then circle the suffix *-ful*, and explain that it adds the meaning "filled with" to the word *color*. Ask students to name other words that contain the same suffixes. List the words on the board, and discuss their meanings with the class. ⬛ ELA READING 1.4

428 ■ UNIT 6

Practicar y ampliar

APLÍCALO

En su comunidad Explique a los estudiantes que las torres de Watts continúan siendo un lugar histórico importante. Hable con ellos acerca de las obras de arte importantes que hay en su propia comunidad. Pídales que seleccionen una obra de arte de su comunidad y que la describan en un párrafo breve. Luego, pídales que muestren su párrafo a un compañero.

Responde

1. ¿Qué crees que significaban las torres de Watts para el Viejo Sam?

2. Haz una lista de los objetos de tu comunidad que podrías usar para crear una obra de arte. Haz un plan para tu obra.

After Reading

Response Corner—Answer

1. **Possible responses:** The towers allowed Old Sam to create and share something magical with the people of his community; they allowed him to transform into art the things that other people had thrown away. ⬛ ELA READING 2.4, 3.3

2. Students' drawings of their creations should feature materials available in their community. ⬛ VISUAL ARTS 2.0

✏ Write a Response

Have students reread on page 428 the questions that newspaper reporters asked Old Sam, and his responses. Then invite students to write a newspaper article a reporter might have written about Old Sam and his towers. The article should try to answer the six basic questions of *who, what, when, where, why,* and *how.* ⬛ ELA WRITING 2.2

For a writing response scoring rubric, see Assessment Program, p. xv.

Después de la lectura

Responde—Respuestas

1. **Respuestas posibles:** Las torres permitieron al Viejo Sam crear y compartir algo mágico con las personas de su comunidad; le permitieron transformar en arte las cosas que otras personas habían desechado. ⬛ ELA READING 2.4, 3.3

2. Los planes para las obras de los estudiantes deben mostrar los materiales que hay disponibles en su comunidad. ⬛ VISUAL ARTS 2.0

✏ Escribir una respuesta

Pida a los estudiantes que vuelvan a leer, en la página 428, las preguntas que los reporteros le hacen al Viejo Sam y sus respuestas. Luego, invítelos a escribir un artículo periodístico que podría haber escrito un reportero acerca del Viejo Sam y sus torres. El artículo debe tratar de responder las seis preguntas básicas *quién, qué, cuándo, dónde, por qué* y *cómo.* ⬛ ELA WRITING 2.2

Para calificar la redacción, vea el Programa de evaluación, pág. xv

---

READ A BOOK

Students may enjoy reading these books independently. Additional books are listed on page 417F of this Teacher Edition.

Walt Disney, Creator of Magical Worlds by Charnan Simon. Children's Press, 2000. A biography that focuses on the creative achievements of this California animation pioneer.

California History by Mir Tamim Ansary. Heinemann, 2002. An overview of the state's development from early California to modern times.

California: From Sea to Shining Sea by Teresa Kennedy. Children's Press, 2001. A fact-based guide to California that includes the state's economy, government, people, and culture.

For information about ordering these trade books, visit **www.harcourtschool.com/hss/trader**

CHAPTER 11 ■ 429

OBJETIVOS

- **Explicar las razones del tamaño y la fortaleza de la economía de California.**

- **Describir las industrias que juegan un papel importante en la economía de California.**

VOCABULARIO

comercio internacional pág. 431

producto de importación pág. 433

interdependencia pág. 433

procesamiento de alimentos pág. 434

industria de servicios pág. 435

turismo pág. 435

Destreza clave

RESUMIR

págs. 422–423, 431, 435

RECURSOS

Tarea y práctica, pág. 115; Transparencia de destrezas clave 6; Colección de audiotextos en CD de la Unidad 6; Recursos en Internet

1 Presentar

Reflexiona Pida a los estudiantes que hablen acerca de las industrias que consideran las más importantes del estado.

Piensa en los antecedentes Proponga a los estudiantes que comenten lo que saben acerca de la economía de California. Registre sus respuestas en una red de conceptos en el pizarrón.

Comente con los estudiantes la importancia del microchip y pídales que hagan conjeturas acerca de dónde se fabricó el primer microchip.

Lesson 1
PAGES 430–435

OBJECTIVES

- **Explain the reasons for the size and strength of California's economy.**

- **Describe the industries that play an important role in the economy of California.**

VOCABULARY

international trade p. 431

import p. 433

interdependence p. 433

food processing p. 434

service industry p. 435

tourism p. 435

Focus Skill

SUMMARIZE

pp. 422–423, 431, 435

RESOURCES

Homework and Practice Book, p. 115; Reading Support and Intervention, pp. 150–153; Success for English Learners, pp. 155–158; Vocabulary Transparency 6-11-1; Vocabulary Power, p. 109; Focus Skills Transparency 6; Unit 6 Audiotext CD Collection; Internet Resources

1 Introduce

What to Know Ask students to talk about what they think are the state's largest industries.

Build Background Have students share what they already know about California's economy. Record their responses in a concept web on the board.

Discuss the importance of the microchip, and ask students to speculate about where the first microchips were made.

Una economía moderna

REFLEXIONA
¿Cuáles son los sectores más importantes de la economía de California?

✓ Explica las razones del tamaño y la fortaleza de la economía de California.

✓ Describe las industrias que juegan un papel importante en la economía de California.

VOCABULARIO
comercio internacional pág. 431
producto de importación pág. 433
interdependencia pág. 433
procesamiento de alimentos pág. 434
industria de servicios pág. 435
turismo pág. 435

LUGARES
Silicon Valley
cuenca del Pacífico

RESUMIR

Normas de California
HSS 4.4, 4.4.6

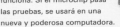
IMAGÍNATE ALLÍ Observas detenidamente el microchip que acabas de hacer. Pronto será sometido a pruebas en diferentes máquinas para saber si funciona. Si el microchip pasa las pruebas, se usará en una nueva y poderosa computadora.

La empresa para la que trabajas es una de las muchas compañías de tecnología avanzada que hay en California. Este tipo de compañías representa un sector importante de la economía de California, una de las economías más importantes del mundo.

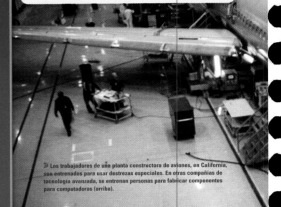

▶ Los trabajadores de una planta constructora de aviones, en California, son entrenados para usar destrezas especiales. En otras compañías de tecnología avanzada, se entrenan personas para fabricar componentes para computadoras (arriba).

430 = Unidad 6

CALIFORNIA STANDARDS HSS 4.4 Students explain how California became an agricultural and industrial power, tracing the transformation of the California economy and its political and cultural development since the 1850s.

When Minutes Count

Read aloud the What to Know question at the beginning of the lesson. Then ask students to scan the lesson for information to answer that question.

Quick Summary

California's geography, history, and people have helped shape the state's strong economy. The high-tech and agricultural industries both play key roles in the economy. California has developed important trade relationships with Asia and other countries.

Cuando el tiempo apremia

Lea en voz alta la pregunta de la sección "Reflexiona", que aparece al comienzo de la lección. Luego, pida a los estudiantes que ojeen la lección para buscar la información que responda esa pregunta.

Resumen

La geografía, la historia y los habitantes de California han ayudado a fortalecer la economía del estado. La industria de tecnología avanzada y la industria agrícola juegan papeles clave en la economía. California ha desarrollado importantes relaciones comerciales con Asia y otros países.

Una economía fuerte

Cada año, California genera alrededor de 1.4 billones de dólares en productos y servicios. De hecho, es líder nacional en la industria manufacturera, y su economía es más importante que la de muchos países.

Uno de los factores que contribuyen a que California tenga una economía fuerte es su geografía. Las amplias zonas de tierra cultivable hacen que California sea uno de los principales productores de vegetales, frutas y lácteos. Sus playas y montañas atraen a millones de visitantes. Además, su ubicación en el océano Pacífico resulta muy apropiada para el desarrollo del **comercio internacional**, o sea, el intercambio comercial con otros países. Hoy en día, California es líder nacional en materia de comercio internacional.

La historia de California también ha determinado su economía.

su geografía, su historia y sus habitantes. La fiebre del oro, la construcción de los ferrocarriles, dos guerras mundiales y otros acontecimientos han favorecido el crecimiento de nuevas industrias.

La economía de California depende de las destrezas de sus habitantes. Los actores y las actrices de Los Angeles, los ingenieros de Santa Clara, los agricultores cerca de Fresno y los trabajadores portuarios de San Diego contribuyen a la economía del estado.

REPASO DE LA LECTURA Ö RESUMIR
¿Qué hace que la economía de California sea una economía fuerte?
Fuente: Employment Development Department of California
Analizar gráficas La economía de California se conforma de varias industrias fuertes.
❖ ¿Qué industria emplea más trabajadores en California?

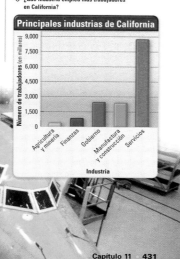

Principales industrias de California

Número de trabajadores (en millares)
9,000 / 7,500 / 6,000 / 4,500 / 3,000 / 1,500 / 0

Agricultura y minería · Finanzas · Gobierno · Manufactura y construcción · Servicios

Industria

Capítulo 11   431

VOCABULARY POWER

Compound Words Write the words *service* and *industry* on the board. Have students define each word. Ask students to tell how they can use the meaning of each word to help them figure out the meaning of the compound word. Then have students find other compound words in the lesson. ELA READING 1.4

service + *industry* = *service industry*

For teaching lesson vocabulary, see VOCABULARY TRANSPARENCY 6-11-1.

READING SUPPORT

For alternate teaching strategies, use pages 150–153 of the Reading Support and Intervention book to

■ reinforce **vocabulary**
■ build **text comprehension**
■ build **fluency**

Reading Support ▶ and Intervention   Reflections

ELL ENGLISH LANGUAGE LEARNERS

For English Language Learners strategies to support this lesson, see Success for English Learners pages 155–158.

■ English-language development activities
■ background and concepts
■ vocabulary extension

Success for ▶ English Learners   Reflections

2 Teach

A Strong Economy

Content Focus California's strong economy rests on its geography and history as well as on the knowledge and skills of its people.

1 Link Economics and Geography Invite students to discuss how California's geography has influenced its economy. Record their ideas in a two-column chart labeled *Geography* and *Impact on Economy*.

Q Why do you think the climate of California is a good one for the movie industry? HSS 4.4.6

A The typically warm and sunny weather in some parts of California, especially in the south, makes it a good place to make movies.

2 Visual Literacy: Graphs Ask a volunteer to read the graph's labels and describe what the graph is showing. the number of workers in each of California's top industries Then discuss the types of jobs that make up each industry in the graph. HSS 4.4, 4.4.6

CAPTION ANSWER: services

CHAPTER 11 ■ **431**

2 Enseñar

Una economía fuerte

Contenido clave La economía de California está basada en su geografía y en su historia, así como en los conocimientos y las destrezas de sus habitantes.

1 Relacionar economía y geografía Invite a los estudiantes a comentar cómo la geografía de California influyó en su economía. Anote las ideas de los estudiantes en una tabla de dos columnas rotuladas respectivamente *Geografía* e *Impacto en la economía.*

P ¿Por qué creen que el clima de California favorece la industria del cine? HSS 4.4.6

R El clima cálido y soleado de algunas partes de California, especialmente del sur, la convierten en un buen lugar para filmar películas.

2 Aprendizaje visual: Gráficas Pida a un voluntario que lea los rótulos de la gráfica y describa lo que muestra la gráfica. el número de trabajadores en cada una de las principales industrias de California Luego, comente con los estudiantes los tipos de empleos que conforman cada industria señalada en la gráfica. HSS 4.4, 4.4.6

RESPUESTA: la industria de servicios

CHAPTER 11 ■ **431**

Tecnología y comercio

Contenido clave La industria de tecnología avanzada representa una parte importante de la economía de California. Los puertos situados a lo largo de la costa de California juegan un papel importante en el transporte de productos de exportación e importación entre California y sus socios comerciales.

GEOGRAFÍA

Silicon Valley

3 Comente cómo recibió su nombre Silicon Valley.

P ¿Qué grupo de personas contribuyó a que Palo Alto se convirtiera en un centro de industrias de tecnología avanzada en California? HSS 4.4.6

R Algunos graduados de la Universidad de Stanford que no querían mudarse al este para buscar empleo.

4 Aprendizaje visual: Ilustraciones Pida a los estudiantes que comenten lo que saben acerca de la industria de los juegos de vídeo y los empleos que genera. Invítelos a mencionar compañías californianas que fabriquen esos juegos. HSS 4.4.6

RESPUESTA: Los diseñadores crean los juegos; los trabajadores ensamblan los materiales.

5 Economía Comente con los estudiantes el tipo de productos y servicios relacionados con la industria de tecnología avanzada. Explique a los estudiantes que muchas universidades de California se destacan en ciencias, matemáticas e ingeniería, lo que ha contribuido a impulsar el éxito de esta industria.

P ¿Cuántos californianos trabajan en la industria de tecnología avanzada?

R aproximadamente 400,000 personas HSS 4.4.6

Technology and Trade

Content Focus The high-tech industry is an important part of California's economy. Ports along California's coast play an important role in shipping exports and imports between California and its trading partners.

GEOGRAPHY

Silicon Valley

3 Discuss how Silicon Valley got its name.

Q What group of people contributed to Palo Alto's becoming a center for high-tech industries in California? HSS 4.4.6

A Stanford University graduates who did not want to move East for jobs

4 Visual Literacy: Illustrations Have students share their prior knowledge of the video game industry, including the jobs involved and any companies they know in California that produce the games. HSS 4.4.6

CAPTION ANSWER: Designers create the games; workers assemble the game materials

5 Economics Discuss the type of goods and services that are involved in the high-tech industry. Explain to students that California's universities, many of which are strong in science, mathematics, and engineering, helped make the high-tech industry successful.

Q How many Californians work in the high-tech industry?

A about 400,000 people HSS 4.4.6

432 ■ UNIT 6

Manufactura de tecnología avanzada

GEOGRAFÍA

Silicon Valley

3 Una de las razones por las que California se convirtió en centro de industrias de tecnología avanzada es que algunos graduados de la Universidad de Stanford, cerca de Palo Alto, no querían mudarse a los estados del este en busca de empleo, así que fundaron sus propias compañías en la zona. A medida que se abrían más compañías de computación, el área se convirtió en un importante centro de tecnología avanzada. En la década de 1970, la zona que abarca desde Palo Alto hasta San Jose comenzó a llamarse "Silicon Valley".

Analizar ilustraciones Los juegos de vídeo son uno de los productos que se fabrican en Silicon Valley. **1** Los diseñadores usan computadoras para crear imágenes y sonidos. **2** Los trabajadores ensamblan los materiales. **3** Los juegos se envían a las tiendas para su venta. **4** Los usuarios disfrutan de los juegos en sus hogares.
↩ ¿Qué pasos deben seguirse antes de enviar los juegos a las tiendas?

Tecnología y comercio

La tecnología avanzada desempeña un papel clave en la economía de California. En 1951, se abrieron las primeras compañías de tecnología avanzada cerca de Palo Alto y San Jose. Hoy en día hay tantas compañías de computación que la zona se conoce como **Silicon Valley**, porque las computadoras usan chips de silicio, que en inglés se dice silicon.

432 ■ Unidad 6

Practice and Extend

BACKGROUND

Frederick Terman Terman, a professor of electrical engineering at Stanford University, played a major role in transforming the Bay Area into a center for the high-tech industry. He encouraged former students, most notably William Hewlett and David Packard, to create their own companies locally. Later, he further promoted business in the area by helping turn land owned by Stanford University into an industrial park.

ELL ENGLISH LANGUAGE LEARNERS

Make sure students understand the term *high-tech*.

Beginning Explain what high technology means, and ask students to give two examples.

Intermediate Ask students to search the text for a definition and examples of high technology.

Advanced Ask students to use the term in a sentence that describes the industry in California.

Practicar y ampliar

ANTECEDENTES

Frederick Terman Terman, un profesor de ingeniería eléctrica de la Universidad de Stanford, jugó un papel muy importante en la transformación de la zona de la bahía de San Francisco en un centro de tecnología avanzada. Terman alentó a graduados universitarios, entre quienes se destacan William Hewlett y David Packard, a fundar sus propias compañías locales. Después ayudó a que los terrenos pertenecientes a la Universidad de Stanford se convirtieran en un parque industrial para fomentar aun más los negocios en la zona.

Compañías que se dedican a la tecnología avanzada se localizan también en otras partes de California, principalmente en los condados Orange, San Bernardino, Los Angeles, San Diego, San Mateo y Marin. Cerca de 400,000 californianos trabajan para este tipo de compañías.

Esta tecnología ha cambiado la forma de vivir de muchas personas. Los chips de silicio se usan en juguetes y otros artículos de la vida diaria. Además, hoy en día en casi la mitad de los hogares de Estados Unidos hay computadoras.

Muchos de los productos de tecnología avanzada de California se exportan a otros países. De hecho, casi la mitad de todos los productos de exportación de California pertenecen a esta industria. Otros importantes son las maquinarias y los alimentos.

Los productos de exportación de California y de otros estados se envían de California a otros puertos por la **cuenca del Pacífico.** Cada año, el estado exporta productos a Asia cuyo valor se acerca a los 50 millardos de dólares. California también envía muchos productos a México y Canadá.

Además de exportar, California recibe productos de otros países, o sea, **productos de importación.** Los principales de estos incluyen automóviles, artículos electrónicos y alimentos. Muchos llegan a puertos de California, como los de Los Angeles, Long Beach, San Diego, Oakland y San Francisco.

El comercio crea **interdependencia** entre los californianos y gente de otros lugares. Esto significa que la población de dos lugares depende mutuamente de los bienes y productos que ambos manufacturan.

REPASO DE LA LECTURA GENERALIZAR
¿Qué relación hay entre los productos de importación y la interdependencia?
Las personas dependen unas de otras para los productos y los bienes importados.

Principales socios comerciales de California, 2003

POSICIÓN	PRODUCTOS DE IMPORTACIÓN	PRODUCTOS DE EXPORTACIÓN
❶	China	Japón
❷	Japón	México
❸	México	China
❹	Corea	Corea
❺	Taiwan	Taiwan
❻	Malasia	Singapur
❼	Alemania	Hong Kong
❽	Tailandia	Australia

Fuente: World Institute for Strategic Economic Research

Analizar tablas Esta tabla muestra los principales socios comerciales de California.
❖ ¿De qué país importa más productos California?

Capítulo 11 ■ 433

---

6 ANALYSIS SKILL **Spatial Thinking**
Direct students to look at the map of the world on pages R2–R3 and describe California's location relative to Asia and any advantages that may offer for trade. Guide students to understand that trade with Asia is an important part of California's economy.
HSS 4.4, 4.4.6, CS 5

7 Economics Discuss the difference between imports and exports.

Q Why do you think California's exports are important to the state's economy?
HSS 4.4.6

A Possible response: California businesses can increase the amount of money they bring into the state by selling goods to other countries as well as within the United States.

8 Economics Explain that many Asian economies grew significantly during the second half of the twentieth century. Point out that as those economies grew, people who lived in those countries had more money to buy American goods, including goods from California. This helped California's economy grow.

Q In what way are Japan and California interdependent? HSS 4.4, 4.4.6
A California and Japan both depend on selling exports to and receiving imports from each other.

9 Visual Literacy: Tables
Make sure students understand that the table shows the top importers of goods to California as well as those countries that receive large amounts of exports from California. Explain that the ranking of trading partners can change over time based on the exchange of goods each year.
HSS 4.4, 4.4.6

CAPTION ANSWER: China

---

6 DESTREZA DE ANÁLISIS **Pensamiento espacial** Pida a los estudiantes que observen el planisferio de las páginas R2–R3 y describan la ubicación relativa de California con relación a Asia y las ventajas que esa ubicación puede ofrecer para el comercio. Ayúdelos a comprender que el comercio con Asia representa una parte importante de la economía de California. HSS 4.4, 4.4.6, CS 5

7 Economía Explique la diferencia entre productos de exportación y productos de importación.

P ¿Por qué creen que los productos de exportación de California son importantes para la economía del estado?
HSS 4.4.6

R Respuesta posible: Las compañías de California pueden aumentar la cantidad de dinero que aportan al estado a través de la venta de productos a otros países y también a otras partes de Estados Unidos.

8 Economía Explique que muchas economías asiáticas crecieron significativamente durante la segunda mitad del siglo XX. Señale que, a medida que esas economías crecieron, los habitantes de esos países tuvieron más dinero para comprar productos estadounidenses, incluyendo productos de California. Eso ayudó al crecimiento de la economía de California.

P ¿En qué aspecto hay interdependencia entre Japón y California? HSS 4.4, 4.4.6

R Tanto California como Japón dependen mutuamente de vender productos de exportación y recibir productos de importación.

9 Aprendizaje visual: Tablas
Asegúrese de que los estudiantes comprendan que la tabla muestra los principales exportadores de productos a California, así como los países que importan gran cantidad de productos de California. Explique que la posición de los socios comerciales puede cambiar a lo largo del tiempo, de acuerdo con el intercambio de productos que se produce cada año. HSS 4.4, 4.4.6

RESPUESTA: China

Un gigante agrícola

Contenido clave California genera más productos agrícolas que cualquier otro estado. Más de 1 millón de californianos trabajan en la industria agrícola.

⑩ Aprendizaje visual: Diagramas Pida a los estudiantes que describan los pasos que hay que seguir para llevar los tomates de la granja al mercado. HSS 4.4.6

RESPUESTA: Las respuestas posibles incluyen la salsa de tomates y el ketchup.

⑪ Relacionar economía e historia Explique a los estudiantes que, durante la segunda mitad del siglo XX, muchos agricultores compraron granjas vecinas para acrecentar sus terrenos. Como consecuencia, actualmente hay menos granjas, pero de mayor tamaño. Muchas pertenecen a grandes corporaciones. HSS 4.4, 4.4.6

⑫ Economía Guíe una conversación sobre los tipos de empleos en la agricultura.

P ¿Qué tipo de tareas implica el procesamiento de alimentos? HSS 4.4, 4.4.6

R cocción, envasado, secado, congelamiento y preparación de alimentos para la venta

⑬ Relacionar economía y geografía Pida a los estudiantes que hagan una lista de los alimentos que sepan que se cultivan en California. Hable con ellos sobre los cultivos que se producen en su región.

P ¿Qué alimentos producen las granjas de California, además de frutas, nueces y vegetales? HSS 4.4, 4.4.6

R carne vacuna y productos lácteos

An Agricultural Giant

Content Focus California produces more agricultural goods than any other state. More than 1 million Californians work in the agriculture industry.

⑩ Visual Literacy: Diagrams Have students describe the steps involved in getting tomatoes from farm to market. HSS 4.4.6

CAPTION ANSWER: Possible responses include salsa and ketchup

⑪ Link Economics and History Explain to students that many farmers expanded their acreage by buying neighboring farms during the second half of the twentieth century. As a result, there are now fewer farms overall, but they are bigger in size. Many are owned by large corporations. HSS 4.4, 4.4.6

⑫ Economics Lead a discussion about kinds of jobs in agriculture.

Q What kind of work is involved in food processing? HSS 4.4.6

A cooking, canning, drying, freezing, and preparing food for sale

⑬ Link Economics and Geography Ask students to make a list of the types of food which they know are grown in California. Discuss crops that are grown in your region.

Q What foods do California farms produce besides fruits, nuts, and vegetables? HSS 4.4, 4.4.6

A beef and dairy products

434 ▪ UNIT 6

De la granja al mercado

Analizar diagramas
El tomate es uno de los principales cultivos de California.

? ¿Qué productos hechos con tomate podrías comprar en una tienda?

① Los tomates se cultivan, luego se cosechan y se seleccionan.

② Los tomates se procesan y se enlatan para el mercado.

③ Los consumidores compran salsa y ketchup.

Un gigante agrícola

California ha ocupado el primer lugar en producción agrícola en el país durante más de 50 años. Alrededor de la mitad de todas las frutas, vegetales y frutos secos que produce Estados Unidos se cultivan en California. La agricultura brinda empleo a más de 1 millón de californianos. Muchos trabajan como científicos, investigadores de campo o agricultores. California también ofrece empleos en el **procesamiento de alimentos**, o sea la cocción, el envasado, el secado, el congelamiento y la preparación de alimentos para el mercado.

La geografía de California es muy apropiada para la agricultura. El clima y el suelo favorecen el crecimiento de muchas especies de plantas. De hecho, California produce casi la totalidad de almendras, albaricoques, aceitunas, aguacates y uvas que se venden en Estados Unidos.

La tierra de California también es buena para la cría de animales de granja. La ganadería es muy importante para la economía del estado. Hoy en día, California es uno de los principales productores de lácteos y carne vacuna en Estados Unidos.

La mayoría de los alimentos producidos en California se consumen en Estados Unidos. Sin embargo, los californianos recaudan alrededor de 6 millardos de dólares al año por la exportación de alimentos. En Japón, Europa, Canadá, México y China se consumen alimentos producidos en California.

REPASO DE LA LECTURA IDEA PRINCIPAL Y DETALLES ¿Qué importancia tiene la agricultura para la economía de California? Los alimentos que se producen en California brindan empleo e ingresos a los californianos.

Practice and Extend

REACH ALL LEARNERS

Leveled Practice Have students chart the path of a California agricultural product from farm to market. Have small groups choose a product and then brainstorm all of the jobs involved in preparing it to be sold.

Basic Have students draw and label pictures of the important steps in preparing, transporting, and selling the agricultural product.

Proficient Have students draw pictures of the steps in preparing, transporting, and selling the product and then write captions to accompany their pictures.

Advanced Have students write a paragraph describing the jobs involved in preparing the product for consumers.

La industria de servicios

 Las empresas que ofrecen servicios, en lugar de fabricar productos, pertenecen a la **industria de servicios**. Los cajeros, los camareros y los taxistas son trabajadores de la industria de servicios.

El **turismo**, o sea, el negocio de atender a los visitantes, genera mucho dinero para California. Más de 50 millones de turistas llegan al estado cada año. Los turistas apoyan la economía cuando se hospedan en hoteles, comen en restaurantes y compran recuerdos.

REPASO DE LA LECTURA CAUSA Y EFECTO
¿Cómo afectan los turistas a la industria de servicios del estado?
Los turistas ayudan a su crecimiento porque traen dinero al estado.

Resumen

La economía de California es fuerte debido a su historia, su geografía y su población. La industria manufacturera y la de servicios, así como la agricultura y el comercio internacional, son importantes para la economía de California.

▶ Los famosos parques temáticos de California reciben visitas de turistas de todo el mundo.

Capítulo 11 ■ 435

REPASO

1. ¿Cuáles son los sectores más importantes de la economía de California?

2. Describe cómo los **productos de importación** forman parte del **comercio internacional**.

3. ¿Cómo ha afectado la geografía a la economía de California?

RAZONAMIENTO CRÍTICO

4. ¿Qué relación existe entre la historia de California y su economía moderna?

5. Haz un folleto Imagina que planeas abrir un negocio. Selecciona una industria e investiga acerca de los diferentes lugares de California donde podrías ubicar tu negocio. Haz un folleto que describa la empresa y su ubicación.

6. RESUMIR
En una hoja de papel, copia y completa el organizador gráfico de abajo.

Dato clave	
Dato clave	

Resumen
California tiene una economía diversificada.

HOMEWORK AND PRACTICE

A Modern Economy

California's Top Ten Agricultural Export Markets, 2002

page 115

WRITING RUBRIC

Score 4
- accurately depicts business and location
- includes many relevant details
- has no errors or very few errors

Score 3
- depicts business and location
- includes some relevant details
- has a few errors

Score 2
- partially depicts business and location
- includes few relevant details
- has several errors

Score 1
- does not depict business and location
- includes no relevant details
- has many errors

TAREA Y PRÁCTICA

Una economía moderna

Los diez destinos principales de las exportaciones agrícolas de California, 2002

página 115

The Service Industry

Content Focus The service industry, which includes tourism, is an important part of California's economy.

14 Economics Lead a discussion about the difference between a service job and other kinds of jobs. ▦ HSS 4.4.6

3 Close

Summary

Have students review the summary and restate the lesson's key content.

- California's strong economy rests on its geography, history, and people.
- California has important trade relationships with other countries, including many in the Pacific Basin.

Assess
REVIEW—Answers

1. service industries, manufacturing, agriculture, and international trade ▦ HSS 4.4.6

2. **Vocabulary Imports** are goods brought into California from other countries as part of its **international trade**. ▦ HSS 4.4.6

3. **Economics** The state's location attracts tourists, allows for year-round farming, and provides good ports. ▦ HSS 4.4, 4.4.6

Critical Thinking

4. **Chronological Thinking** Many people came to work in California during the gold rush and World War II. These and other events led to the growth of new industries. ▦ HSS 4.4.6, CS 3

5. **Make a Brochure— Assessment Guidelines** See Writing Rubric. This activity can be used with the unit project. ▦ HSS 4.4.6, ELA WRITING 2.3

6. **Summarize KEY FACT:** California has a strong agricultural industry. **KEY FACT:** California has a strong high-tech industry. ▦ HSS 4.4, ELA READING 2.2

CHAPTER 11 ■ 435

La industria de servicios

Contenido clave La industria de servicios, que incluye el turismo, es un sector importante de la economía de California.

14 Economía Guíe una conversación sobre la diferencia entre un empleo en la industria de servicios y otras clases de empleos. ▦ HSS 4.4.6

3 Concluir

Resumen

Pida a los estudiantes que repasen el resumen y que expresen con sus palabras el contenido clave de la lección.

- La economía de California se basa en su geografía, su historia y sus habitantes.
- California tiene importantes relaciones comerciales con otros países, incluyendo muchos de la cuenca del Pacífico.

Evaluar
REPASO—Respuestas

1. industrias de servicios, manufactura, agricultura y comercio internacional ▦ HSS 4.4.6

2. **Vocabulario** Los **productos de importación** son productos que se envían a California de otros países como parte de su **comercio internacional.** ▦ HSS 4.4.6

3. **Economía** La ubicación del estado atrae turistas, permite practicar la agricultura todo el año y ofrece buenos puertos. ▦ HSS 4.4, 4.4.6

Razonamiento crítico

4. **Pensamiento cronológico** Durante la fiebre del oro y la Segunda Guerra Mundial, muchas personas fueron a trabajar a California. Este y otros eventos llevaron al surgimiento de nuevas industrias. ▦ HSS 4.4.6, CS 3

5. **Haz un folleto—Pautas de evaluación** Vea Writing Rubric. Esta actividad puede usarse con el proyecto de la unidad. ▦ HSS 4.4.6, ELA WRITING 2.3

◀ continued to the left

continued

6. **Resumir DATO CLAVE:** California tiene una industria agrícola fuerte. **DATO CLAVE:** California tiene una industria de tecnología avanzada fuerte. ▦ HSS 4.4, ELA READING 2.2

Destrezas con mapas y globos terráqueos

OBJETIVOS

- **Interpretar un mapa de uso de la tierra y productos**
- **Usar un mapa de uso de la tierra y productos para identificar industrias locales.**

VOCABULARIO

uso de la tierra pág. 436

RECURSOS

Tarea y Práctica, págs. 116-117; Transparencia de destrezas de Estudios Sociales 6-1; GeoSkills en CD-ROM; Colección de audiotextos en CD de la Unidad 6

1 Presentar

Por qué es importante

Un mapa de uso de la tierra y productos puede usarse para identificar las principales industrias de una región en particular.

2 Enseñar

Lo que necesitas saber

Lea con los estudiantes la clave del mapa de la página 437. Guíelos para hallar en el mapa un ejemplo de cada uso de la tierra y de cada producto.

1 **DESTREZA DE ANÁLISIS** **Pensamiento cronológico** Pida a los estudiantes que consideren cómo cambió el uso de la tierra en California desde 1850 y cómo varía hoy en diferentes comunidades. Pídales que escriban pasajes breves donde describan cómo cambió o se mantuvo igual el uso de la tierra en California, utilizando términos como *pasado, presente, futuro, década, siglo* y *generación.* HSS 4.4.6, CS 2, 3

Map and Globe Skills

OBJECTIVES

- **Interpret a land use and products map.**
- **Use a land use and products map to identify local industries.**

VOCABULARY

land use p. 436

RESOURCES

Homework and Practice Book, pp. 116–117; Social Studies Skills Transparency 6-1; GeoSkills CD-Rom; Unit 6 Audiotext CD Collection

1 Introduce

Why It Matters

A land use and products map can be used to identify the major industries of a particular region.

2 Teach

What You Need to Know

Read with students the map key on page 437. Guide them to find on the map an example of each land use and product.

1 **ANALYSIS SKILL** **Chronological Thinking** Ask students to consider how land use has changed in California since 1850 and how it varies in different communities today. Have students write short passages describing how land use in California has changed and stayed the same, using terms such as *past, present, future, decade, century,* and *generation.* HSS 4.4.6, CS 2, 3

Destrezas con mapas y globos terráqueos

Leer un mapa de uso de la tierra y productos

▶ POR QUÉ ES IMPORTANTE

¿Dónde se fabrica la mayoría de los productos de California? ¿En qué partes del estado se encuentran las granjas? Para hallar las respuestas a estas preguntas, necesitas un mapa que muestre el **uso de la tierra**, o sea, cómo se emplea la mayor parte de la tierra de un lugar.

▶ LO QUE NECESITAS SABER

1 El mapa de la página 437 es un mapa de uso de la tierra y productos de California. El mapa tiene colores que indican cómo se usa la mayor parte de la tierra de un lugar. También tiene símbolos que muestran los lugares donde se cultivan o se fabrican los diferentes productos. Observa la clave del mapa para saber qué color representa cada uso de la tierra y qué símbolo representa cada producto.

▶ PRACTICA LA DESTREZA

Observa el mapa de uso de la tierra y productos para responder las siguientes preguntas.

1 ¿Qué color muestra las áreas donde la tierra se usa para la manufactura?

2 ¿Dónde están las regiones de California que producen uvas?

3 ¿Qué partes de California casi no se utilizan con fines económicos?

▶ APLICA LO QUE APRENDISTE

DESTREZA DE ANÁLISIS **Aplícalo** Dibuja un mapa de los usos que se le da a la tierra cercana a tu comunidad. Usa el mapa de la página 437 y libros de consulta para saber cómo se usa la tierra en esa zona. Incluye una clave del mapa.

Practica tus destrezas con mapas y globos terráqueos con el **CD-ROM GeoSkills**

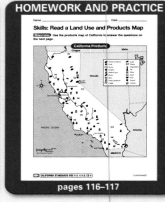

▶ Las tierras y las aguas de la costa de California se usan para obtener madera, pescar y sembrar.

436 ■ **Unidad 6**

Practice and Extend

SOCIAL STUDIES SKILLS

Map and Globe Skills
Read a Land Use and Products Map

California: A Changing State pages 436–437   Reflections   Social Studies Skills Transparency 6-1

TRANSPARENCY 6-1

HOMEWORK AND PRACTICE

Skills: Read a Land Use and Products Map

CALIFORNIA STANDARDS HSS 4.4, 4.4.6, CS 2

pages 116–117

Practicar y ampliar

DESTREZAS DE ESTUDIOS SOCIALES

Destrezas con mapas y globos terráqueos
Leer un mapa de uso de la tierra y productos

California: Un estado cambiante   Reflexiones   Destrezas de Estudios Sociales Transparencia 6-1

TRANSPARENCIA 6-1

TAREA Y PRÁCTICA

Destrezas: Leer un mapa de uso de la tierra y productos

NORMAS DE CALIFORNIA HSS 4.4, 4.4.6, CS 2

páginas 116–117

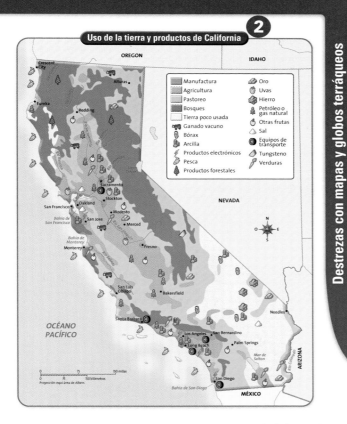

Uso de la tierra y productos de California

OREGON

IDAHO

Manufactura	Oro
Agricultura	Uvas
Pastoreo	Hierro
Bosques	Petróleo o gas natural
Tierra poco usada	Otras frutas
Ganado vacuno	Sal
Bórax	Equipos de transporte
Arcilla	
Productos electrónicos	Tungsteno
Pesca	Verduras
Productos forestales	

NEVADA

ARIZONA

OCÉANO PACÍFICO

MÉXICO

Capítulo 11 ■ 437

CALIFORNIA STANDARDS HSS 4.1.5 Use maps, charts, and pictures to describe how communities in California vary in land use, vegetation, wildlife, climate, population density, architecture, services, and transportation. 4.4.6 Describe the development and locations of new industries since the nineteenth century, such as the aerospace industry, electronics industry, large-scale commercial agriculture and irrigation projects, the oil and automobile industries, communications and defense industries, and important trade links with the Pacific Basin. Chronological and Spatial Thinking 2, 3, 4.

REACH ALL LEARNERS

Leveled Practice Have students choose a product and use the map to identify the areas where that product is produced.

Basic Ask students to point to and name areas on the map where the product is produced.

Proficient Ask students to make a list of the areas where the product is produced and write a generalization about these locations.

Advanced Ask students to compile a list and write a paragraph explaining why they think the product is produced in these areas.

Destrezas con mapas y globos terráqueos

---

② **Visual Literacy: Map**

Spatial Thinking Invite students to share questions that come to mind about the information presented in the map. Have them use the map legend to interpret land use and products in California.

Q Where are most of the state's forests? HSS 4.1.5, CS 4

A in the northern part of the state

Q Which products are common in southern California? HSS 4.1.5, CS 4

A transportation equipment, fishing, clay, oil or natural gas, vegetables, other fruits, iron, gold, salt, and electronic equipment

Practice the Skill— Answers

Spatial Thinking HSS 4.1.5, 4.4.6, CS 4

1. red
2. in the Central Valley and north of San Francisco
3. the southeastern part of the state

3 Close

Apply What You Learned

Spatial Thinking HSS 4.1.5, CS 4

Make It Relevant Provide students with a regional map and reference sources about your region. Students' maps should accurately reflect the land use of the area near their community and should include a map key that is clear and well organized.

CD-ROM

Explore GEOSKILLS CD-ROM to learn more about land use and product maps.

---

② **Aprendizaje visual: Mapa**

Pensamiento espacial Invite a los estudiante a formular las preguntas que tengan acerca de la información presentada en el mapa. Pídales que usen la leyenda del mapa para interpretar el uso de la tierra y los productos en California.

P ¿Dónde está la mayor parte de los bosques del estado? HSS 4.1.5, CS 4

R en la parte norte del estado

P ¿Qué productos son comunes en el sur de California? HSS 4.1.5, CS 4

R equipos de transporte, pesca, arcilla, petróleo o gas natural, vegetales, frutas, hierro, oro, sal y artículos electrónicos

Practica la destreza— Respuestas

Pensamiento espacial HSS 4.1.5, 4.4.6, CS 4

1. rojo
2. en el valle Central y el norte de San Francisco
3. la parte sureste del estado

3 Concluir

Aplica lo que aprendiste

Pensamiento espacial HSS 4.1.5, CS 4

Aplícalo Entregue a los estudiantes un mapa regional y fuentes de consulta acerca de su región. Los mapas de los estudiantes deberán reflejar con precisión el uso de la tierra en el área de la comunidad en la que viven y deberán incluir una clave del mapa clara y bien organizada.

CD-ROM

Explore GEOSKILLS en CD–ROM para aprender más acerca de mapas de uso de la tierra y productos.

Lección 2

OBJETIVOS

- **Describir el desarrollo de la industria del entretenimiento en California.**

- **Analizar el impacto de los californianos del siglo XX en el desarrollo artístico y cultural de la nación.**

VOCABULARIO

efectos especiales pág. 439

RESUMIR

págs. 422–423, 439, 441, 442

RECURSOS

Tarea y práctica, págs. 118-119; Transparencia de destrezas clave 6; Colección de audiotextos en CD de la Unidad 6; Recursos en Internet

1 Presentar

Reflexiona Explique que California se convirtió en un importante centro cultural en el transcurso del siglo XX. Pida a los estudiantes que conjeturen acerca de qué tipo de aportaciones hicieron los artistas de California. Recuérdeles que busquen la respuesta a la pregunta mientras leen la lección.

Piensa en los antecedentes Pida a los estudiantes que comenten lo que saben sobre el desarrollo de la industria cinematográfica de California.

 Analice los tipos de empleos que genera la industria del cine. Pida a los estudiantes que comenten lo que saben acerca de las tareas que se realizan en cada uno de los empleos mencionados.

Lesson 2

OBJECTIVES

- **Describe the development of California's entertainment industry.**

- **Analyze the impact of twentieth-century Californians on the nation's artistic and cultural development.**

VOCABULARY

special effects p. 439

 SUMMARIZE

pp. 422–423, 439, 441, 442

RESOURCES

Homework and Practice Book, pp. 118–119; Reading Support and Intervention, pp. 154–157; Success for English Learners, pp. 159–162; Vocabulary Transparency 6-11-2; Vocabulary Power, p. 109; Focus Skills Transparency 6; Unit 6 Audiotext CD Collection; Internet Resources

1 Introduce

What to Know Explain that California became an important cultural center over the course of the twentieth century. Ask students to speculate about the types of contributions that California artists made. Remind students to look for the answer to the question as they read the lesson.

Build Background Ask students to share what they already know about the development of the film industry in California.

 Discuss the types of jobs involved in making movies. Ask students to share what they know about the tasks required in each of the jobs mentioned.

Lección **2** — El estado de las artes

REFLEXIONA
¿Qué hace que California sea un centro cultural importante?

✔ Describe el desarrollo de la industria del entretenimiento en California.

✔ Analiza el impacto de los californianos del siglo XX en el desarrollo artístico y cultural de la nación.

VOCABULARIO
efectos especiales pág. 439

PERSONAS
John Wayne
Ansel Adams
Judith Baca
Isamu Noguchi
Jack London
William Saroyan
Amy Tan
Dave Brubeck
Isadora Duncan
Julia Morgan
Paul R. Williams
Frank O. Gehry

RESUMIR

Normas de California
HSS 4.4, 4.4.9

IMAGÍNATE ALLÍ ¡Clic, clic, clic! Los flashes de las cámaras resplandecen a tu alrededor cuando la estrella de cine pisa la alfombra roja. Estás en el teatro chino Grauman's para ver la película más reciente de Hollywood. Muchos han venido solo para ver a los actores, pero tú sabes que se necesitan muchas más personas para hacer una película. En la industria cinematográfica también trabajan directores, técnicos de sonido y de iluminación, editores, operadores de computadoras, maquilladores y diseñadores.

▶ El teatro chino Grauman's (izquierda), la estatuilla de los premios Oscar (arriba) y el anuncio de Hollywood son tres símbolos de la industria cinematográfica de California.

438 ■ Unidad 6

CALIFORNIA STANDARDS HSS 4.4 Students explain how California became an agricultural and industrial power, tracing the transformation of the California economy and its political and cultural development since the 1850s.

 When Minutes Count

Have students read aloud the What to Know question. Then ask them to examine the photographs and captions in the lesson and describe how each one relates to the What to Know question.

Quick Summary

California has long thrived as a center for the arts. The state's film industry continues to produce many movies and television shows. Many important artists have come from California, including actors, painters, writers, musicians, dancers, and architects.

 Cuando el tiempo apremia

Pida a los estudiantes que lean en voz alta la pregunta de la sección "Reflexiona". Luego, pídales que examinen las ilustraciones de esta lección y las leyendas que las acompañan para describir cómo se relaciona cada una con la pregunta.

Resumen

Desde hace mucho tiempo, California se ha destacado como un centro de las artes. La industria cinematográfica continúa produciendo muchas películas y programas de televisión. California ha dado al mundo numerosos actores, artistas plásticos, escritores, músicos, bailarines y arquitectos.

un periodo durante las décadas de 1930 y 1940 en el que los estudios cinematográficos hacían alrededor de 400 películas por año

¡Luces, cámara, acción!

1 La industria cinematográfica ha sido importante en California desde principios del siglo XX. Durante las décadas de 1930 y 1940, período que se conoce como la Época de Oro de Hollywood, las compañías cinematográficas realizaban alrededor de 400 películas por año. A estas compañías también se las llamaba estudios.

2 Con el tiempo, los estudios comenzaron a ser conocidos por el tipo de películas que hacían. Por ejemplo, el estudio Walt Disney hacía películas de dibujos animados. El estudio Warner Brothers era célebre por sus películas de acción y el Metro-Goldwyn-Mayer, por sus estrellas de cine. Otros estudios hacían películas de vaqueros, musicales o comedias.

Muchos actores también se hicieron famosos por representar determinado tipo de papeles. Uno de ellos fue **John Wayne.** Nació en Iowa pero se mudó a California cuando tenía seis años. Wayne hizo más de 170 películas, muchas de ellas de vaqueros.

> Los trabajadores de la industria cinematográfica a menudo usan computadoras para hacer los efectos especiales de las películas.

Hoy en día, las compañías cinematográficas de California continúan haciendo muchas películas y programas de televisión. Algunos de estos programas tienen sorprendentes efectos especiales. Los **efectos especiales** se usan para lograr que las cosas que no son reales parezcan reales en las películas. La tecnología permite a los cineastas hacer que un viaje espacial imaginario se vea tan real como un paseo en auto por el barrio.

REPASO DE LA LECTURA Ŏ RESUMIR
¿Qué fue la Época de Oro de Hollywood?

Capítulo 11 ▪ 439

HSS 4.4.9 Analyze the impact of twentieth-century Californians on the nation's artistic and cultural development, including the rise of the entertainment industry (e.g., Louis B. Mayer, Walt Disney, John Steinbeck, Ansel Adams, Dorothea Lange, John Wayne). Chronological and Spatial Thinking 3. Research, Evidence, and Point of View 2. Historical Interpretation 4.

---

2 Teach

Lights, Camera, Action!

Content Focus During the Golden Age of Hollywood in the 1930s and 1940s, movie companies produced about 400 movies a year. Today, California companies continue to produce many movies and television programs.

1 **Chronological Thinking**
Discuss the Golden Age of Hollywood. Encourage students to make comparisons between Hollywood then and Hollywood now.

Q How many films were made yearly in the 1930s and 1940s? HSS 4.4.9, CS 3
A about 400 films

2 **Culture** Discuss how California movies might influence the rest of the country.

Q Do you think movies made in California influence the rest of the country? Why or why not? HSS 4.4.9
A Possible response: Yes, because California movies are watched around the country, and people are influenced by what they see.

---

2 Enseñar

¡Luces, cámara, acción!

Contenido clave Durante la Época de Oro de Hollywood, en las décadas de 1930 y 1940, las compañías cinematográficas producían alrededor de 400 películas por año. Hoy, las compañías de California continúan produciendo numerosas películas y programas de televisión.

1 **DESTREZA DE ANÁLISIS** **Pensamiento cronológico**
Hable con los estudiantes acerca de la Época de Oro de Hollywood. Aliéntelos a hacer comparaciones entre Hollywood en aquella época y Hollywood tal como es hoy en día.

P ¿Cuántas películas se producían anualmente en las décadas de 1930 y 1940? HSS 4.4.9, CS 3
R alrededor de 400 películas

2 **Cultura** Comente con los estudiantes cómo las películas de California podrían influir sobre el resto del país.

P ¿Creen que las películas producidas en California influyen sobre el resto del país? ¿Por qué? HSS 4.4.9
R Respuesta posible: Sí, porque las películas de California se ven en todo el país e influyen en las personas.

Las artes en California

Contenido clave Un gran número de artistas vive en California, incluyendo pintores, escultores, escritores, músicos, bailarines y arquitectos.

3 Cultura Pregunte a los estudiantes si han visitado alguno de los museos mencionados en la página 440. Invítelos a comentar lo que vieron allí.

P ¿Cuál es el objetivo de un museo?
HSS 4.4.9

R Respuesta posible: permitir a las personas apreciar objetos del pasado y obras de arte para aprender sobre diferentes temas

4 Aprendizaje visual: Arte

DESTREZA DE ANÁLISIS Investigación/Evidencia Pida a los estudiantes que observen la pintura y la escultura que aparecen en la página 440. Pídales que formulen preguntas relevantes acerca de las obras de arte. Luego, indíqueles que trabajen en grupo para responder las preguntas.

P ¿Por qué creen que David Hockney eligió esos colores para su pintura?
HSS 4.4.9, HR 2

R Respuesta posible: Tal vez eligió colores vivos porque el paisaje es llamativo y variado.

5 Cultura Hable con los estudiantes acerca de cómo hace Judith Baca sus murales.

P ¿Por qué creen que Judith Baca invita a adolescentes para que colaboren en la realización de sus murales? HSS 4.4.9

R Respuesta posible: porque quiere alentarlos a apreciar el arte y sentirse orgullosos de su patrimonio cultural

---

The Arts in California

Content Focus California is home to a large number of artists, including painters, sculptors, writers, musicians, dancers, and architects.

3 Culture Ask students if they have ever been to any of the museums mentioned on page 440. Invite them to share what they saw there.

Q What is the purpose of a museum?
HSS 4.4.9

A Possible response: to allow people to see works of art or artifacts and to learn about different subjects

4 Visual Literacy: Art

ANALYSIS SKILL Research/Evidence Ask students to examine the painting and the sculpture shown on page 440. Have students write down relevant questions they have about the works of art. Then, have students try to answer the questions as a class.

Q Why do you think David Hockney chose the colors he did for his painting? HSS 4.4.9, HR 2

A Possible response: He may have chosen bold colors because the landscape is striking and varied.

5 Culture Discuss Judith Baca's approach to making murals.

Q Why do you think Judith Baca invites teenagers to help her paint her murals? HSS 4.4.9

A Possible response: because she wants to encourage them to appreciate art and feel proud of their cultural heritage

---

4

> El artista David Hockney se inspiró en el paisaje del sur de California para pintar "Autopista de la costa del Pacífico y Santa Monica" en 1993.

Las artes en California

Un gran número de artistas talentosos vive en California. Para mostrar las obras de estos artistas, el estado tiene muchos teatros, auditorios y museos. En el Centro J. Paul Getty de Los Angeles, los visitantes pueden admirar grandes obras de arte de todo el mundo. En el Museo Oakland de California se exponen obras de arte de California que datan desde el siglo XIX hasta nuestros días, incluyendo pinturas de la época de la fiebre del oro.

California también tiene museos dedicados a la historia y la cultura de ciertos grupos. El Museo Afroamericano de California está en Los Angeles. El Museo Estatal del Indio de California se encuentra en Sacramento.

El Museo de Arte Asiático, en San Francisco, exhibe obras de artistas de Asia. Muchos artistas chicanos, o de ascendencia cultural mexicana, exponen sus obras en el Centro Cultural de la Raza, en San Diego.

California ha sido el hogar de excelentes artistas de todo tipo durante mucho tiempo. Las fotografías de **Ansel Adams** capturan la belleza agreste del paisaje californiano. La pintora **Judith Baca** hace enormes diseños en paredes, llamados murales. Para pintar los murales, trabaja con cientos de personas. Muchos de los pintores que colaboran con Baca son adolescentes. Uno de sus murales, *The Great Wall of Los Angeles*, cuenta la historia de los grupos étnicos de California.

5

> Una escultura de Isamu Noguchi

Isamu Noguchi

440 ■ Unidad 6

Practice and Extend

BACKGROUND

Painting History Baca's *The Great Wall of Los Angeles* is the world's longest mural. It was painted on the sides of a flood control channel in North Hollywood. The mural was completed with the help of historians, community members, and more than 400 teenagers. The mural inspired other groups to create murals throughout Los Angeles and the city became known as the "mural capital of the world."

INTEGRATE THE CURRICULUM

VISUAL ARTS Have students work together as a class to design a mural that depicts a part of California's history. First, have students choose an era in California history. Then, ask them to discuss different pictures that could be drawn to represent parts of that era. Have students draw or paint the pictures and then arrange them in order on a wall. **Create a Class Mural** VISUAL ARTS 5.0

Practicar y ampliar

ANTECEDENTES

Historia de la pintura *The Great Wall of Los Angeles*, por Judith Baca, es el mural más largo del mundo. Está pintado a ambos lados de un canal de control de inundaciones situado en North Hollywood. La obra se realizó con la ayuda de historiadores, miembros de la comunidad y más de 400 adolescentes. El mural inspiró a otros grupos a crear murales en todo Los Angeles. Así fue como la ciudad comenzó a conocerse como "la capital mundial del mural".

Judith Baca   Amy Tan   Dave Brubeck

fue un escultor nacido en Los Angeles. Sus grandes esculturas, jardines de piedra e incluso patios de juego lo hicieron famoso.

En California también nacieron muchos escritores. El autor **Jack London,** que se crió en la zona de la bahía de San Francisco, escribió muchos emocionantes cuentos de aventuras. El escritor armenio americano **William Saroyan** escribió sobre las alegrías y las penas de los

inmigrantes. **Amy Tan** continúa escribiendo sobre las experiencias de los chino americanos.

California también ha dado al mundo músicos y bailarines de gran talento. **Dave Brubeck,** de Concord, formó un famoso grupo de jazz en la década de 1950. **Isadora Duncan,** nacida en San Francisco en 1878, creó nuevos estilos de danza basados en las antiguas tragedias griegas. El estilo de Duncan influyó

➤ **Los visitantes del Centro J. Paul Getty, en Los Angeles, pueden disfrutar del arte y de la arquitectura a la vez.**

Capítulo 11 ▪ 441

6 Culture Discuss the concept of a theme. Point out that many California artists have explored themes in their work. William Saroyan and Amy Tan wrote about the experiences of immigrants.

Q What was the theme of *The Great Wall of Los Angeles*? ▦ HSS 4.4.9
A the history of ethnic groups in California

Q Which author discussed in this chapter has written about the experiences of Chinese Americans? ▦ HSS 4.4.9
A Amy Tan

7 Link Culture and Geography Ask students to share what they know about other artists from California. Ask them if they think the works of artists they name are influenced by California's geography, economy, politics, or culture. If students fail to mention it, explain that California artists have also made important contributions to classical music, as well as rock, hip hop, and rap music. ▦ HSS 4.4, 4.4.9

6 Cultura Converse con los estudiantes acerca del concepto "tema". Señale que muchos artistas californianos han explorado temas en su obra. William Saroyan y Amy Tan escribieron sobre las experiencias de los inmigrantes.

P ¿Cuál es el tema de *The Great Wall of Los Angeles*? ▦ HSS 4.4.9
R la historia de los grupos étnicos de California

P ¿Qué autora mencionada en este capítulo escribió acerca de las experiencias de los chinos americanos? ▦ HSS 4.4.9
R Amy Tan

7 Relacionar cultura y geografía Pida a los estudiantes que comenten lo que saben acerca de otros artistas de California. Pregúnteles si creen que la geografía, la economía, la política o la cultura de California influyen sobre las obras de esos artistas. Si los estudiantes no lo mencionan, coménteles que los artistas de California han hecho importantes aportaciones a la música clásica, así como al rock, el hip hop y el rap. ▦ HSS 4.4, 4.4.9

CHAPTER 11 ▪ **441**

8 Aprendizaje visual: Fotografía

Investigación/Evidencia Diga a los estudiantes que observen la fotografía. Pídales que describan en qué se diferencia ese edificio de otros que hayan visto. Pídales que expliquen por qué la arquitectura puede ser importante para los habitantes de una ciudad. HSS 4.4, HR 2

3 Concluir

Resumen

Pida a los estudiantes que repasen el resumen y que expresen con sus palabras el contenido clave de la lección.

• La industria cinematográfica de California produce muchas películas y programas de televisión.

• California ha dado al mundo numerosos artistas importantes.

Evaluar

REPASO—Respuestas

1. En California se producen películas y programas de televisión; el estado tiene teatros, auditorios y museos, así como edificios diseñados por arquitectos famosos. HSS 4.4, 4.4.9

2. **Vocabulario** Los cineastas usan **efectos especiales** para crear escenas que no podrían filmarse de otro modo.

3. **Cultura** Los estudiantes deben identificar cuatro artistas y sus obras. HSS 4.4.9

Razonamiento crítico

4. **Aplícalo** Acepte todas las respuestas razonables. HSS 4.4.9

5. **Interpretación histórica** Los estudiantes pueden decir que el arte debe ser fomentado porque representa nuestra cultura y expresa ideas y valores importantes para las personas. HS 4.4.9, HI 4

6. **Haz una tabla—Pautas de evaluación** Vea Performance Rubric. Esta actividad puede usarse con el proyecto de la unidad. HSS 4.4.9

continued to the right ▶

---

8 Visual Literacy: Photograph

Research/Evidence Ask students to look at the photograph. Have them describe how this building is different from other buildings they have seen. Have them explain why architecture might be important to the people of a city. HSS 4.4, HR 2

3 Close

Summary

Have students review the summary and restate the lesson's key content.

• California's film industry produces many movies and television shows.

• Many important artists have come from California.

Assess

REVIEW—Answers

1. Many films and television shows are made here; the state has many theaters, museums, and concert halls and buildings designed by famous architects. HSS 4.4, 4.4.9

2. **Vocabulary** Filmmakers use **special effects** to create scenes that they could not film in real life.

3. **Culture** Students should correctly identify four artists and their work. HSS 4.4.9

Critical Thinking

4. **Make It Relevant** Accept all reasonable responses. HSS 4.4.9

5. **Historical Interpretation** Students might say art should be supported because it represents our culture and expresses ideas and values that are important to people. HS 4.4.9, HI 4

6. **Make a Table— Assessment Guidelines** See Performance Rubric. This activity can be used with the unit project. HSS 4.4.9

7. **Summarize** KEY FACT Hollywood is the center of the movie industry. KEY FACT California is home to a large number of talented artists. HSS 4.4.9, ELA READING 2.2

continued

7. **Resumir** DATO CLAVE: Hollywood es el centro de la industria cinematográfica. DATO CLAVE: California es el hogar de un gran número de artistas talentosos. HSS 4.4.9, ELA READING 2.2

➤ La sala de conciertos Walt Disney, en Los Angeles

enormemente en los bailarines que la sucedieron. California también ha sido el hogar de arquitectos notables. **Julia Morgan** diseñó el castillo Hearst en San Simeon. **Paul R. Williams** colaboró en el diseño del edificio Theme, en el Aeropuerto Internacional de Los Angeles. **Frank O. Gehry** diseñó la sala de conciertos Walt Disney, en Los Angeles.

REPASO DE LA LECTURA ✿ RESUMIR
¿Cómo han influido los californianos en las artes?
Muchos artistas, músicos, escritores, bailarines y arquitectos de California se han hecho famosos en todo el mundo.

Resumen

Los californianos han influido en el cine, las artes plásticas, la música, la literatura, la danza y la arquitectura. Muchos museos mundialmente famosos ofrecen la oportunidad de disfrutar del arte y la cultura en California. A menudo, las obras de los artistas de California plasman la belleza natural del estado.

REPASO

1. ¿Qué hace que California sea un centro cultural importante?

2. Usa la expresión **efectos especiales** para describir cómo se hacen las películas en Hollywood.

3. Menciona a cuatro artistas de California y describe el tipo de trabajo que realizan.

RAZONAMIENTO CRÍTICO

4. **Aplícalo** ¿Qué tipo de expresión artística es más importante para ti? ¿Por qué?

5. ¿Crees que fomentar las artes es importante para California? ¿Por qué?

6. **Haz una tabla** En una tabla, clasifica a los californianos acerca de los cuales hayas leído en esta lección, como artistas, escritores, músicos, bailarines o arquitectos.

7. **RESUMIR** En una hoja de papel, copia y completa el organizador gráfico de abajo.

Dato clave		Resumen
		Las artes son una parte importante de la historia de California.
Dato clave		

442 ■ Unidad 6

Practice and Extend

PERFORMANCE RUBRIC

Score 4
• includes all relevant information
• accurately classifies information
• has no errors or very few errors

Score 3
• includes mostly relevant information
• adequately classifies information
• has a few errors

Score 2
• includes some relevant information
• partially classifies information
• has several errors

Score 1
• includes no relevant information
• does not classify information
• has many errors

HOMEWORK AND PRACTICE

A State of the Arts

Read the paragraphs below. Use the information to answer the questions on the next page.

pages 118–119

Practicar y ampliar

TAREA Y PRÁCTICA

El estado de las artes

páginas 118–119

Walt Disney

W alt Disney se interesó por el dibujo desde muy pequeño. Tomó clases de dibujo en la escuela primaria y, con los años, se dio cuenta de que quería convertirse en director de cine o en caricaturista.

Después de la Primera Guerra Mundial, Disney comenzó a trabajar como dibujante publicitario. En 1923 se mudó a Los Angeles, donde fundó un estudio cinematográfico. En 1928, presentó el ratón Mickey al mundo en *Steamboat Willie*, la primera cinta sonora de dibujos animados. En 1937, estrenó el primer largometraje de dibujos animados, *Blancanieves*

Walt Disney explica cómo será el nuevo medio de transporte en el parque temático.

y los siete enanos. Luego realizó muchas películas más.

Con el dinero que ganó de sus películas, Walt Disney construyó Disneylandia, un parque temático que se inauguró en 1955. Disney dijo: "Disneylandia nunca terminará de construirse. Seguirá creciendo siempre que haya imaginación en el mundo".*

*Walt Disney. De un discurso pronunciado en la inauguración de Disneylandia. 17 de julio de 1955.

Biografía

Integridad
Respeto
Responsabilidad
Equidad
Bondad
Patriotismo

La importancia del carácter

◆ ¿Cómo sabes que Walt Disney respetaba la imaginación y la creatividad?

Biografía breve

1901 Nace — 1966 Muere

1923 Se muda a Los Angeles para trabajar en la industria cinematográfica
1928 Presenta al ratón Mickey, su personaje animado más famoso
1937 La película de Disney, *Blancanieves y los siete enanos*, es un gran éxito
1955 Se inaugura Disneylandia en Anaheim, California

APRENDE en línea Visita MULTIMEDIA BIOGRAPHIES en www.harcourtschool.com/hss para hallar biografías multimedia.

443

CALIFORNIA STANDARDS HSS 4.4.9 Analyze the impact of twentieth-century Californians on the nation's artistic and cultural development, including the rise of the entertainment industry (e.g., Louis B. Mayer, Walt Disney, John Steinbeck, Ansel Adams, Dorothea Lange, John Wayne). ONLINE SKILL Historical Interpretation 2.

BACKGROUND

Walt Disney Disney was born in Chicago in 1901 and, at age five, moved to Missouri where he spent most of his childhood. He worked as an ambulance driver during World War I and later moved to Los Angeles to pursue a career as a director or producer. There he invented many beloved cartoon characters and founded a company that continues to be hugely successful today.

REACH ALL LEARNERS

Advanced Have students research the history of animated film. Direct them to make a time line of important events, including when sound and color were first added to film.

ANTECEDENTES

Walt Disney Disney nació en Chicago en 1901 y a los cinco años de edad se mudó a Missouri, donde pasó la mayor parte de su infancia. Durante la Primera Guerra Mundial trabajó como conductor de ambulancia y más tarde se mudó a Los Angeles con la esperanza de desarrollar una carrera como director o productor. Allí inventó muchos entrañables personajes de dibujos animados y fundó una compañía que continúa siendo enormemente exitosa en la actualidad.

Biography

PAGE 443

OBJECTIVES

■ **Describe the life and contributions of Walt Disney.**

RESOURCES

Unit 6 Audiotext CD Collection; Internet Resources

1 Introduce

Set the Purpose Have students discuss the meaning of the word *respect* and consider how Walt Disney demonstrated respect in his life.

2 Teach

ANALYSIS SKILL **Historical Interpretation** Review the quotation and the time line at the bottom of the page. Discuss Walt Disney's contributions.

Q How would California be a different place without Walt Disney? HSS 4.4.9, HI 2

A Possible response: There would be no Mickey Mouse and no Disneyland.

Source: Walt Disney. From a speech given at the opening of Disneyland. July 17, 1955.

3 Close

Why Character Counts

During his long career in the film industry, Disney demonstrated a deep respect for creativity.

GO ONLINE **INTERNET RESOURCES**
Visit MULTIMEDIA BIOGRAPHIES at **www.harcourtschool.com/hss**

CHAPTER 11 ■ 443

Biografía

PÁGINA 443

OBJETIVOS

■ **Describir la vida y las aportaciones de Walt Disney.**

RECURSOS

Colección de audiotextos en CD de la Unidad 6, Recursos en Internet

1 Presentar

Establecer el propósito Pida a los estudiantes que comenten el significado de la palabra *respeto* y que consideren de qué manera Walt Disney demostró respeto a lo largo de su vida.

2 Enseñar

DESTREZA DE ANÁLISIS **Interpretación histórica** Repase la cita y la línea cronológica que aparece en la parte inferior de la página. Comente con los estudiantes las aportaciones de Walt Disney.

P ¿Qué sería diferente en California sin Walt Disney? HSS 4.4.9, HI 2

R Respuesta posible: No existiría el ratón Mickey ni Disneylandia.

Fuente: Walt Disney. De un discurso pronunciado en la inauguración de Disneylandia. 17 de julio de 1955.

3 Concluir

La importancia del carácter

Durante su larga carrera en la industria cinematográfica, Disney demostró un profundo respeto por la creatividad.

APRENDE en línea **RECURSOS EN INTERNET**
Visite MULTIMEDIA BIOGRAPHIES en **www.harcourtschool.com/hss** para hallar biografías multimedia.

CHAPTER 11 ■ 443

Fuentes primarias

OBJETIVOS

- Analizar las fotografías de Ansel Adams.
- Describir la influencia de Ansel Adams en el desarrollo artístico y cultural de la nación.

RECURSOS

Colección de audiotextos en CD de la Unidad 6; Recursos en Internet

1 Presentar

Establecer el propósito Las fotografías que Ansel Adams tomó en Estados Unidos dejaron una marca duradera. Recuerde a los estudiantes que una fuente primaria es un documento o un objeto hecho por personas que existieron en un momento determinado o que estaban presentes cuando sucedió cierto evento. Las fuentes secundarias están hechas por personas que vivieron en un tiempo posterior al que se refieren o después de que el evento tuvo lugar.

Piensa en los antecedentes El valle de Yosemite era uno de los lugares favoritos de Adams para tomar fotografías. Pida a los estudiantes que comenten lo que saben acerca del valle de Yosemite.

2 Enseñar

Aprendizaje visual: Fotografías

Investigación/Evidencia Pida a los estudiantes que examinen las fotografías de la página 445. Pídales que hagan una generalización acerca de las fotografías de Adams y que expliquen por qué las fotografías son fuentes primarias.

P ¿Por qué creen que Adams decidió fotografiar la naturaleza? HSS 4.4.9, HR 1

R Respuesta posible: Pensaba que era hermosa; la respetaba.

Primary Sources

OBJECTIVES

- Analyze the photographs of Ansel Adams.
- Describe the influence of Ansel Adams on the nation's artistic and cultural development.

RESOURCES

Unit 6 Audiotext CD Collection; Internet Resources

1 Introduce

Set the Purpose Ansel Adams's photographs of the United States made a lasting impression. Remind students that a primary source is a record or object made by people who existed during a certain time or were present as an event took place. Secondary sources are made by people during a later time or after an event has happened.

Build Background One of Adams's favorite places to take pictures was Yosemite Valley. Ask students to share what they know about Yosemite Valley.

2 Teach

Visual Literacy: Photographs

Research/Evidence Ask students to study the photographs on page 445. Ask students to make a generalization about Adams's photographs and to explain why the photographs are primary sources.

Q Why do you think Adams chose to photograph nature? HSS 4.4.9, HR 1

A Possible response: He thought it was beautiful; he respected it.

FUENTES PRIMARIAS

Las fotografías de Ansel Adams

Cuando era niño, Ansel Adams vivía en San Francisco. Era hijo único y tenía problemas de adaptación en la escuela, pasaba mucho tiempo solo y al aire libre. Años después, se unió al Club Sierra, un grupo que se dedica a proteger el ambiente natural.

En 1922, Adams publicó por primera vez sus fotografías en el Boletín del Club Sierra. A partir de ese momento, se hizo muy conocido por sus fotografías en blanco y negro de la naturaleza.

Ansel Adams usaba una cámara como esta para tomar algunas de sus fotografías.

Al accionar este interruptor, el fotógrafo abre el obturador que permite la entrada de luz a través de la lente.

La imagen que toma el fotógrafo se registra en una placa fotográfica.

La lente filtra la luz y proyecta la imagen en la placa fotográfica.

444 ■ Unidad 6

Practice and Extend

BACKGROUND

Photography and Conservation As a photographer, Adams made significant contributions to the conservation movement. Adams's photographs introduced many people in the United States to the beauty of the nation's wilderness areas, persuading many to support conservation efforts.

Photographic Style Adams espoused a style of photography known as "straight photography," which emphasizes direct presentations of subjects. He also developed the "zone system," which allows photographers to control the levels of shading and contrast in pictures.

Practicar y ampliar

ANTECEDENTES

Fotografía y conservación Como fotógrafo, Adams hizo importantes aportaciones al movimiento conservacionista. Sus fotografías mostraron, por primera vez a muchos estadounidenses, la belleza de las áreas naturales de la nación, convenciéndolos de apoyar la causa de la conservación.

Estilo fotográfico Adams desarrolló un estilo fotográfico conocido como "fotografía directa", que pone énfasis en la presentación directa de los elementos retratados. También desarrolló el "sistema de exposición zonal", que permite controlar los niveles de iluminación y contraste.

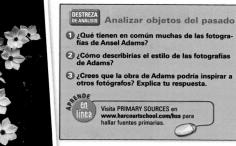

Flores de cornejo en el Parque
Nacional Yosemite

El Capitan, en el Parque
Nacional Yosemite

DESTREZA DE ANÁLISIS Analizar objetos del pasado

1 ¿Qué tienen en común muchas de las fotografías de Ansel Adams?

2 ¿Cómo describirías el estilo de las fotografías de Adams?

3 ¿Crees que la obra de Adams podría inspirar a otros fotógrafos? Explica tu respuesta.

APRENDE en línea Visita PRIMARY SOURCES en **www.harcourtschool.com/hss** para hallar fuentes primarias.

Un árbol cubierto de nieve en el Parque Nacional Yosemite

CALIFORNIA STANDARDS 4.4.9 Analyze the impact of twentieth-century Californians on the nation's artistic and cultural development, including the rise of the entertainment industry (e.g., Louis B. Mayer, Walt Disney, John Steinbeck, Ansel Adams, Dorothea Lange, John Wayne). **SKILL** Research, Evidence and Point of View 1, 2.

INTEGRATE THE CURRICULUM

VISUAL ARTS: PHOTOGRAPHY Guide students to see that lights and darks are sharply contrasted in Adams's photographs. Invite students to share thoughts about how he achieved this effect. Explain that Adams enhanced the contrast between lights and darks when developing film in the dark room. **Examine Photographs** VISUAL ARTS 1.1

---

3 Close

Analyze Artifacts— Answers

SKILL Research/Evidence HSS 4.4.9, HR 1, 2

1. They are photographs of nature.
2. Possible response: Adams took pictures of nature and emphasized contrasts between light and dark.
3. Possible response: Yes, because Adams's photographs are beautiful, and others might be inspired to take pictures of similar natural subjects.

Activity

Photograph Nature If possible, have students use disposable cameras to photograph natural objects in the manner of Ansel Adams.

Research

Students will find a variety of artifacts from California's history on the Web at **www.harcourtschool.com/hss** under PRIMARY SOURCES.

Ask students to select an artifact and discuss with a partner what the artifact indicates about the past.

GO ONLINE **INTERNET RESOURCES**
Visit PRIMARY SOURCES at **www.harcourtschool.com/hss** to view other primary sources.

---

3 Concluir

Analizar objetos del pasado— Respuestas

DESTREZA DE ANÁLISIS Investigación/Evidencia
HSS 4.4.9, HR 1, 2

1. Son fotografías de la naturaleza.
2. Respuesta posible: Adams tomaba fotografías de la naturaleza y ponía énfasis en los contrastes entre luz y oscuridad.
3. Respuesta posible: Sí, porque las fotografías de Adams son bellas, y podrían inspirar a otros a tomar fotografías de objetos naturales similares.

Actividad

Fotografiar la naturaleza Si es posible, pida a los estudiantes que usen cámaras desechables para fotografiar objetos naturales a la manera de Ansel Adams.

Investigación

Los estudiantes pueden hallar una variedad de objetos del pasado relacionados con la historia de California en PRIMARY SOURCES en **www.harcourtschool.com/hss**

Pida a los estudiantes que seleccionen un objeto del pasado y que analicen con un compañero qué les dice ese objeto acerca del pasado.

APRENDE en línea **RECURSOS EN INTERNET**
Visite PRIMARY SOURCES en **www.harcourtschool.com/hss** para hallar fuentes primarias.

OBJETIVOS

- **Describir cómo y por qué se desarrolló el sistema de educación pública de California.**

- **Explicar cómo se financia y cómo funciona la educación pública de California hoy en día.**

VOCABULARIO

escuela pública pág. 447

escuela privada pág. 447

generación pág. 449

RESUMIR

págs. 422–423, 447, 449

RECURSOS

Tarea y práctica, pág. 120; Transparencia de destrezas clave 6; Colección de audiotextos en CD de la Unidad 6; Recursos en Internet

1 Presentar

Reflexiona Pida a los estudiantes que sugieran los motivos que llevaron a la creación del sistema de educación pública de California.

Piensa en los antecedentes Pida a los estudiantes que expliquen por qué la educación es importante para el futuro.

 Explique a los estudiantes que hacer abono orgánico en la escuela les permite aprender y, al mismo tiempo, brindar un servicio a la comunidad. Pídales que propongan ideas de otros tipos de proyectos, de la escuela o de la clase, que sirvan para aprender y contribuir con la comunidad.

Lesson 3

PAGES 446–449

OBJECTIVES

- **Describe how and why California's public education system was developed.**

- **Explain how public education is funded and operates in California today.**

VOCABULARY

public school p. 447

private school p. 447

generation p. 449

 SUMMARIZE

pp. 422–423, 447, 449

RESOURCES

Homework and Practice Book, p. 120; Reading Support and Intervention, pp. 158–161; Success for English Learners, pp. 163–166; Vocabulary Transparency 6-11-3; Vocabulary Power, p. 109; Focus Skills Transparency 6; Unit 6 Audiotext CD Collection; Internet Resources

1 Introduce

What to Know Ask students to suggest reasons behind the creation of California's public education system.

Build Background Ask students to explain why education is thought to be important for the future.

 Explain that composting at school allows students to learn while providing a service to the community. Solicit ideas about other types of school or class projects in which students can learn while making contributions to their communities.

Lección 3 La educación en California

REFLEXIONA
¿Cómo contribuye la educación a asegurar un futuro brillante para California?

✓ Describe cómo y por qué se desarrolló el sistema de educación pública de California.

✓ Explica cómo se financia y cómo funciona la educación pública de California hoy en día.

VOCABULARIO
escuela pública pág. 447
escuela privada pág. 447
generación pág. 449

PERSONAS
Robert Semple

RESUMIR

Normas de California
HSS 4.4, 4.4.8

Observas, con tus compañeros, unas lombrices rojas que se retuercen dentro de un recipiente lleno de papel picado y desperdicios vegetales de la cafetería escolar. Las lombrices descomponen la basura hasta transformarla en un material terroso y oscuro llamado abono orgánico.

Esta es una de las maneras en la que los estudiantes de tu escuela aprenden acerca del mundo que los rodea. Al igual que los estudiantes de otros lugares, leen, escuchan a los maestros y se escuchan entre sí. Las escuelas te brindan la oportunidad de tener un futuro brillante.

1850: Se inaugura en San Francisco la primera escuela pública de California financiada con dinero de los impuestos.

1849: La constitución del estado establece la creación de escuelas públicas.

1852: Se funda Mills College, una universidad para mujeres, en Oakland.

446 ▪ Unidad 6

CALIFORNIA STANDARDS HSS 4.4 Students explain how California became an agricultural and industrial power, tracing the transformation of the California economy and its political and cultural development since the 1850s. 4.4.8 Describe the history and development of California's public education system, including universities and community colleges. **SKILL** Chronological and Spatial Thinking 2, 3.

When Minutes Count

Have pairs of students work together to find the answers to the What to Know question and the section review questions.

Quick Summary

California has long been committed to public education. The state's first constitution provided for public schools. Today, California public schools serve more than 6 million students, and the state university system is the largest in the nation.

Cuando el tiempo apremia

Pida a los estudiantes que trabajen en parejas para responder la pregunta de la sección "Reflexiona" y las preguntas de la sección de repaso.

Resumen

California ha estado siempre comprometida con la educación pública. La primera constitución del estado estableció la creación de escuelas públicas. Hoy en día, sus escuelas públicas reciben a más de 6 millones de estudiantes, y el sistema universitario estatal es el más grande de la nación.

Las escuelas de California

En 1849, durante la primera Asamblea Constituyente de California, el delegado **Robert Semple** dijo:

①

> ❝Si las personas van a gobernarse a sí mismas . . . deben recibir educación; deben educar a sus hijos.❞*

② Cuando California se convirtió en estado, la nueva constitución estatal estableció la creación de **escuelas públicas**. La primera, financiada con los impuestos de la ciudad, se inauguró en San Francisco en 1850. Más tarde, en 1856, se

*Will C. Wood, Superintendente Estatal de Enseñanza Pública. De *The Bulletin*. Diamond Jubilee Edition. 1925.

inauguró allí la primera escuela secundaria pública.

Hoy, más de 6 millones de estudiantes asisten a escuelas públicas de California, más que en ningún otro estado. Hay cerca de 9,000 escuelas, que se financian con impuestos de la ciudad, del condado y del estado.

Más de 600,000 estudiantes de California asisten a **escuelas privadas**. Por lo general, estas escuelas no reciben dinero de impuestos, sino que son financiadas por individuos o grupos privados. Para estudiar allí, usualmente se hace un pago. En California han existido escuelas privadas desde la época en que los españoles gobernaban Alta California.

REPASO DE LA LECTURA ⭮ **RESUMIR**
¿Cómo surgieron las escuelas públicas en California?
La constitución del estado estableció la creación de escuelas públicas.

1960: El gobernador Pat Brown ayuda a aprobar la Ley Donahue de Educación Superior, que organiza el sistema universitario de California.

Hoy: Más de 6 millones de estudiantes asisten a la escuela en California.

---

② Enseñar

Las escuelas de California

Contenido clave California ha estado comprometida con la educación de sus habitantes desde hace mucho tiempo. Hoy en día asisten más de 6 millones de estudiantes a las escuelas públicas de California.

①Fuente primaria: Cita Invite a un voluntario a leer en voz alta la cita de la página 447. Guíe una conversación acerca del papel de la educación en una democracia, donde las personas se gobiernan a sí mismas.

Fuente: Will C. Wood, Superintendente Estatal de Enseñanza Pública. De *The Bulletin*. Diamond Jubilee Edition. 1925.

P ¿Por qué creía Robert Semple que los californianos debían recibir educación?
🔖 HSS 4.4.8

R porque debían gobernarse a sí mismos

② Pensamiento cronológico
Destaque que la primera constitución estatal establecía la creación de escuelas públicas. Explique que las escuelas públicas se financian con dinero de los impuestos.

P ¿Cuándo y dónde se inauguró la primera escuela pública de California?
🔖 HSS 4.4.8, CS 3

R en 1850 en San Francisco

Educación para el futuro

Contenido clave California tiene el sistema universitario más grande de Estados Unidos.

3 Historia Explique a los estudiantes que en las universidades de California se han realizado muchos descubrimientos e inventos importantes, y que muchos académicos de esas instituciones han obtenido el Premio Nobel. Entre ellos se destacan J. Michael Bishop y Harold E. Varmus, quienes fueron reconocidos en 1989 por sus investigaciones en medicina. Pida a los estudiantes que mencionen otras categorías por las que se otorga el Premio Nobel. física, química, literatura, paz, economía

4 Civismo y gobierno Pida a los estudiantes que nombren las universidades cercanas que forman parte del sistema universitario estatal.

P ¿Cómo se financian las universidades del sistema estatal? HSS 4.4.8

R Las universidades reciben dinero del estado así como de una matrícula que pagan los estudiantes.

5 DESTREZA DE ANÁLISIS Pensamiento cronológico Guíe una conversación acerca del propósito de la educación y de cómo esta puede ayudar a las generaciones futuras. Pida a los estudiantes que describan componentes del sistema educativo de California, incluyendo escuelas primarias, medias y secundarias, escuelas técnicas, universidades comunitarias y universidades estatales.

P ¿Por qué creen que la educación es importante? HSS 4.4.8, CS 2

R Las respuestas variarán, pero deben mencionar que la educación ayuda a las personas a tomar mejores decisiones para las futuras generaciones.

Educating for the Future

Content Focus California has the largest system of colleges and universities in the United States.

3 History Explain to students that many important discoveries and inventions have been made at California universities and that many scholars from these institutions have won Nobel Prizes. These Nobel laureates include J. Michael Bishop and Harold E. Varmus, who were recognized for their research in medicine in 1989. Ask students if they can name any of the other categories for which Nobel Prizes are given. physics, chemistry, literature, peace, economics

4 Civics and Government Ask students to name nearby universities that are part of the state university system.

Q How are universities in the state system funded? HSS 4.4.8

A Universities receive money from the state as well as from tuition paid by students.

5 ANALYSIS SKILL Chronological Thinking Lead a discussion about the purpose of education and how it can service future generations. Have students describe components of California's educational system including elementary, middle, and high schools; vocational schools, community colleges, and state universities.

Q Why do you think education is important? HSS 4.4.8, CS 2

A Responses will vary but should include that education helps people make better decisions for future generations.

➤ Cada año, miles de estudiantes se gradúan de las universidades (derecha). Como parte de sus estudios, muchos alumnos realizan investigaciones científicas (arriba).

Educación para el futuro

La primera constitución de California también establecía la creación de un sistema de universidades estatales. Hoy, California tiene el sistema universitario más grande de Estados Unidos. Las universidades públicas reciben dinero del gobierno estatal. Sin embargo, los estudiantes también deben pagar para poder asistir. Varios programas estatales y nacionales ayudan a los estudiantes que no pueden pagar el costo.

El sistema universitario de California incluye 9 dependencias de la Universidad de California y 22 campus de la Universidad Estatal de California. Además de las grandes universidades, California también tiene muchas universidades comunitarias que ofrecen carreras de dos años. Algunos estudiantes eligen universidades privadas. Una de las primeras del estado, Mills College, se fundó en 1852 como una universidad para mujeres.

El objetivo del sistema educativo de California es preparar a los estudiantes para el futuro. Los que han recibido educación tienen la capacitación necesaria para pensar en distintas maneras de mejorar el estado. Ayudan al crecimiento de las empresas y piensan en nuevas maneras de proteger el ambiente para las generaciones futuras. Una

448 ■ Unidad 6

Practice and Extend

REACH ALL LEARNERS

Leveled Practice Have students interview the school's principal about the history and mission of their school. First, ask students to brainstorm questions. Then, have them vote on which questions they want to pose to the principal. After the interview, have students summarize the principal's responses.

Basic Work with students to help them orally summarize the principal's responses.

Proficient Ask students to summarize in writing the principal's response to each question asked.

Advanced Ask students to write a paragraph or news article in which they identify the time and place of the interview, recall the questions, and summarize the principal's response to each.

generación es un grupo de personas que nacen y viven aproximadamente en la misma época. Los que han recibido educación también pueden comunicarse mejor con otros para realizar proyectos, convirtiéndolos así en ciudadanos más activos.

5

REPASO DE LA LECTURA IDEA PRINCIPAL Y DETALLES ¿**Cómo se financian las universidades públicas?** Reciben dinero de impuestos y de los alumnos.

Resumen

Desde la primera Asamblea Constituyente de California, las escuelas públicas y privadas han sido importantes para los californianos. Una buena educación ayuda a preparar a los estudiantes para el futuro.

▶ Pasadena es sede del Tazón de las Rosas, un torneo entre los principales equipos universitarios de fútbol americano.

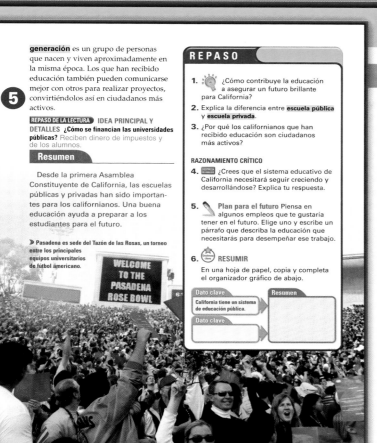

REPASO

1. ¿Cómo contribuye la educación a asegurar un futuro brillante para California?

2. Explica la diferencia entre **escuela pública** y **escuela privada**.

3. ¿Por qué los californianos que han recibido educación son ciudadanos más activos?

RAZONAMIENTO CRÍTICO

4. ¿Crees que el sistema educativo de California necesitará seguir creciendo y desarrollándose? Explica tu respuesta.

5. **Plan para el futuro** Piensa en algunos empleos que te gustaría tener en el futuro. Elige uno y escribe un párrafo que describa la educación que necesitarás para desempeñar ese trabajo.

6. RESUMIR

En una hoja de papel, copia y completa el organizador gráfico de abajo.

Dato clave	Resumen
California tiene un sistema de educación pública.	
Dato clave	

---

3 **Close**

Summary

Have students review the summary and restate the lesson's key content.

- Californians have long been committed to public education.
- Education helps prepare students for the future.

Assess

REVIEW—Answers

1. It will prepare students to help businesses grow, discover new ways to protect the environment, and be informed, active citizens. HSS 4.4, 4.4.8

2. **Vocabulary** **Public schools** are mostly funded by city, county, and state taxes, while **private schools** generally do not get money from taxes. HSS 4.4.8

3. **Civics and Government** because they have the training needed to think of ways to improve the state

Critical Thinking

4. **ANALYSIS SKILL** **Chronological Thinking** Responses will vary. Some students will say yes, because the population of California is growing and changing. Ideas and new technologies are also growing and changing. HSS 4.4.8, CS 3

5. **Plan for the Future—Assessment Guidelines** See Writing Rubric. HSS 4.4.8, ELA READING 2.3, WRITTEN AND ORAL ENGLISH LANGUAGE CONVENTIONS 1.0

6. **Focus Skill** **Summarize** KEY FACT: California's first constitution provided for public schools. SUMMARY: Public education is important to Californians. HSS 4.4.8, ELA READING 2.3

---

3 **Concluir**

Resumen

Pida a los estudiantes que repasen el resumen y que expresen con sus palabras el contenido clave de la lección.

- Los californianos han estado comprometidos con la educación pública desde hace mucho tiempo.
- La educación ayuda a preparar a los estudiantes para el futuro.

Evaluar

REPASO—Respuestas

1. Preparará a los estudiantes para contribuir al crecimiento del comercio, descubrir nuevas maneras de proteger el ambiente y ser ciudadanos informados y activos. HSS 4.4, 4.4.8

2. **Vocabulario** Las **escuelas públicas** se financian principalmente con los impuestos de la ciudad, del condado y el estado, mientras que las **escuelas privadas** generalmente no reciben dinero de los impuestos. HSS 4.4.8

3. **Civismo y gobierno** porque tienen la capacitación necesaria para pensar cómo mejorar el estado

Razonamiento crítico

4. **DESTREZA DE ANÁLISIS** **Pensamiento cronológico** Las respuestas variarán. Algunos estudiantes dirán que sí, porque la población de California está creciendo y cambiando. Las ideas y las nuevas tecnologías también están creciendo y cambiando. HSS 4.4.8, CS 3

5. **Plan para el futuro—Pautas de evaluación** Vea Writing Rubric. HSS 4.4.8, ELA READING 2.3, WRITTEN AND ORAL ENGLISH LANGUAGE CONVENTIONS 1.0

6. **Destreza clave** **Resumir** DATO CLAVE: La primera constitución de California establecía la creación de escuelas públicas. RESUMEN: La educación pública es importante para los californianos. HSS 4.4.8, ELA READING 2.3

HOMEWORK AND PRACTICE

Name _____ Date _____

Education in California

Directions Fill in each blank with the correct word or phrase to complete these sentences about education in California. Use the terms below.

largest	Alta California
private schools	San Francisco
university	public schools
600,000	3,000
high school	future

1 There are nearly ___9,000___ public schools in California.

2 California's first constitution set up a state ___university___ system for students to go to after high school.

3 ___Public schools___ are funded in large part by city and state taxes.

4 In 1850, the first public school that was paid for by city taxes opened in ___San Francisco___.

5 ___Private schools___ are mostly funded by private groups and individuals.

6 San Francisco's first public ___high school___ opened in 1856.

7 There have been private schools in California since the time the Spanish ruled ___Alta California___.

8 California has the ___largest___ system of colleges and universities in the United States.

9 More than ___600,000___ students in California attend private schools.

10 The purpose of California's educational system is to prepare students for the ___future___.

CALIFORNIA STANDARDS HSS 4.4, 4.4.8

page 120

WRITING RUBRIC

Score 4
- describes educational needs clearly
- provides many relevant details
- has no errors or very few errors

Score 3
- describes educational needs adequately
- provides some relevant details
- has a few errors

Score 2
- partially describes educational needs
- provides few relevant details
- has several errors

Score 1
- does not describe educational needs
- provides no relevant details
- has many errors

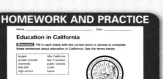

TAREA Y PRÁCTICA

Nombre _____ Fecha _____

La educación en California

Instrucciones Usa las palabras o frases del recuadro para completar las siguientes oraciones sobre la educación en California.

más grande	Alta California
escuelas privadas	San Francisco
universidades	escuelas públicas
600,000	3,000
escuela secundaria	futuro

1 En California hay casi ___9,000___ escuelas públicas.

2 La primera constitución de California estableció a creación de un sistema de ___universidades___, estatales para que los estudiantes asistan al finalizar la escuela secundaria.

3 Las ___escuelas públicas___ se financian principalmente con los impuestos de la ciudad y del estado.

4 En 1850 se inauguró en ___San Francisco___ la primera escuela pública financiada con los impuestos de la ciudad.

5 Por lo general, las ___escuelas privadas___ son financiadas por individuos o grupos privados.

6 La primera ___escuela secundaria___ pública de San Francisco se inauguró en 1856.

7 En California han existido escuelas privadas desde la época en que los españoles gobernaban ___Alta California___.

8 California tiene el sistema universitario ___más grande___ de Estados Unidos.

9 Más de ___600,000___ estudiantes de California asisten a escuelas privadas.

10 El propósito del sistema educativo de California es preparar a los estudiantes para el ___futuro___.

NORMAS DE CALIFORNIA HSS 4.4, 4.4.8

página 120

Lección 4

PÁGINAS 450-453

OBJETIVOS

- **Describir cómo los californianos usan los recursos naturales para generar energía.**

- **Explicar cómo los californianos planean el futuro de su estado.**

VOCABULARIO

crisis de energía pág. 451

planeamiento a largo plazo pág. 451

conservación pág. 451

renovable pág. 451

no renovable pág. 451

contaminación pág. 451

déficit pág. 452

Destreza clave

RESUMIR

págs. 422–423, 451, 453

RECURSOS

Tarea y práctica, pág. 121; vocabulario pág. 109, Transparencia de destrezas clave 6; Colección de audiotextos en CD de la Unidad 6; Recursos en Internet

1 Presentar

Reflexiona Señale que esta lección explica algunos desafíos que enfrentan los californianos en el siglo XXI y cómo trabajan para resolverlos. Recuerde a los estudiantes que busquen la respuesta a la pregunta mientras leen.

Piensa en los antecedentes Pida a los estudiantes que comenten lo que saben sobre los problemas de California y el modo en que sus habitantes han respondido a esos problemas.

Comente con los estudiantes qué sucede durante un apagón y cómo es vivir esa experiencia.

Lesson 4

PAGES 450–453

OBJECTIVES

- **Describe how Californians use natural resources to provide energy.**

- **Explain how Californians plan for the future of the state.**

VOCABULARY

energy crisis p. 451
long-term planning p. 451
conservation p. 451
renewable p. 451

nonrenewable p. 451
pollution p. 451
deficit p. 452

SUMMARIZE
Focus Skill

pp. 422–423, 451, 453

RESOURCES

Homework and Practice Book, p. 121; Reading Support and Intervention, pp. 162–165; Success for English Learners, pp. 167–170; Vocabulary Transparency 6-11-4; Vocabulary Power, p. 109; Focus Skills Transparency 6; Unit 6 Audiotext CD Collection; Internet Resources

1 Introduce

What to Know Point out that this lesson tells about some challenges Californians face in the twenty-first century and how they are working to address those challenges. Remind students to look for the answer to the question as they read.

Build Background Ask students to share what they know about the problems Californians face and how people have responded to them.

You ARE There
Discuss what happens during a blackout and what it is like to experience one.

Lección 4

Superar los desafíos

REFLEXIONA
¿Cuáles son algunos de los desafíos que enfrentarán los californianos en el siglo XXI?

✔ Describe cómo los californianos usan los recursos naturales para generar energía.

✔ Explica cómo los californianos planean el futuro de su estado.

VOCABULARIO
crisis de energía pág. 451
planeamiento a largo plazo pág. 451
conservación pág. 451
renovable pág. 451
no renovable pág. 451
contaminación pág. 451
déficit pág. 452

RESUMIR

Normas de California
HSS 4.1, 4.4

IMAGÍNATE ALLÍ Estás leyendo un buen libro cuando de pronto se va la luz. Miras por la ventana y ves que el resto de las casas de la cuadra también están a oscuras. ¿Acaso se cayó algún cable de alta tensión? ¿Ocurrió algún accidente en la central eléctrica local? Enciendes una radio de baterías pero no hay ningún informe de cables caídos ni de accidentes. Desconcertado, te preguntas qué otra cosa pudo haber provocado el apagón.

▶ En ocasiones, en los últimos años, California no ha tenido suficiente electricidad para satisfacer las necesidades de su creciente población.

450 ■ Unidad 6

CALIFORNIA STANDARDS HSS 4.1 Students demonstrate an understanding of the physical and human geographic features that define places and regions in California. 4.4 Students explain how California became an agricultural and industrial power, tracing the transformation of the California economy and its political and cultural development since the 1850s. Chronological and Spatial Thinking 3. Historical Interpretation 3.

When Minutes Count

Have the class scan the lesson to find the meanings of the lesson vocabulary terms. Then ask students to use the terms in sentences about the lesson.

Quick Summary

Californians continue to look for new ways to conserve natural resources and reduce pollution. The state government strives to balance the budget while still providing important services.

Cuando el tiempo apremia

Pida a los estudiantes que ojeen la lección para hallar los significados de los términos de vocabulario. Luego, pídales que usen los términos para escribir oraciones acerca de la lección.

Resumen

Los californianos continúan buscando nuevas maneras de preservar los recursos naturales y de reducir la contaminación. El gobierno estatal se esfuerza por equilibrar el presupuesto sin dejar de brindar servicios importantes.

Planes para el futuro

A medida que California ha crecido, se han construido proyectos hídricos y plantas productoras de energía. Sin embargo, durante la década de 1990 y comienzos de la de 2000, California tuvo que enfrentar una crisis de energía. Una **crisis de energía** se produce cuando no hay suficiente energía eléctrica para satisfacer la demanda.

Los californianos intentan prevenir la escasez de energía y otros problemas a través de un **planeamiento a largo plazo**, o sea tomando decisiones que influirán en la vida futura. La **conservación**, o protección y uso prudente de los recursos naturales, es un ejemplo de planeamiento a largo plazo.

Los recursos naturales están presentes en casi todas las cosas que las personas necesitan. Algunos recursos, como los árboles, son **renovables**. Pueden generarse nuevamente por la naturaleza o el ser humano. Otros recursos, como el petróleo o los minerales, se consideran **no renovables**. No pueden volver a generarse.

A menudo, las actividades humanas causan contaminación. La **contaminación** incluye todo aquello que ensucia o inutiliza un recurso natural. Los californianos trabajan para satisfacer sus crecientes necesidades y al mismo tiempo reducir la contaminación. Por su parte, los investigadores han encontrado maneras de fabricar productos, como automóviles, que contaminan menos. También buscan nuevas maneras de generar energía a partir de recursos renovables.

REPASO DE LA LECTURA ○ RESUMIR
¿Cuáles son los dos tipos de recursos naturales?
renovables y no renovables

▶ Este grupo de voluntarios limpia la playa después de un derrame de petróleo en Newport Beach. Los derrames de petróleo en el océano pueden dañar la vida silvestre y arruinar las playas.

Capítulo 11   451

---

2 Teach

Planning for the Future

Content Focus Californians have tried to prevent problems, such as energy shortages and environmental pollution, through conservation, research, and long-term planning.

1 **ANALYSIS SKILL** **Historical Interpretation** Remind students that events often have multiple causes and effects. Then discuss some of the possible causes and effects of energy shortages. Have students share what they know about conservation efforts and the use of renewable resources in California.
HSS 4.1, HI 3

2 **Geography** Guide students to understand the impact that California's population growth has had on the state's natural resources.

Q How does California's growing population affect its natural resources?
HSS 4.1

A Population growth leads to a higher demand for natural resources and also increases pollution.

---

2 Enseñar

Planes para el futuro

Contenido clave A través de la conservación, la investigación y el planeamiento a largo plazo, California ha intentado prevenir problemas como la escasez de energía y la contaminación ambiental.

1 **DESTREZA DE ANÁLISIS** **Interpretación histórica** Recuerde a los estudiantes que los eventos tienen, a menudo, múltiples causas y efectos. Luego, converse con ellos acerca de las posibles causas y efectos de la escasez de energía. Pida a los estudiantes que comenten lo que saben acerca de las tareas de conservación y el uso de los recursos renovables en California.
HSS 4.1, HI 3

2 **Geografía** Guíe a los estudiantes para que comprendan el impacto que el crecimiento de la población de California ha tenido sobre los recursos naturales del estado.

P ¿Qué efecto tiene el crecimiento de la población de California sobre los recursos naturales del estado? HSS 4.1

R El crecimiento de la población lleva a una mayor demanda de recursos naturales y también aumenta la contaminación.

CHAPTER 11 ■ 451

El futuro económico de California

Contenido clave El gobierno estatal de California busca la forma de brindar los servicios necesarios sin generar un gran déficit en el presupuesto.

3 Aprendizaje visual: Gráficas Guíe a los estudiantes para que comprendan la información representada en la gráfica de la página 452. Converse con ellos acerca del tipo de servicios que componen cada una de las categorías de la gráfica.

P **¿Cómo obtiene dinero el gobierno estatal para pagar los servicios que brinda?** [HSS 4.4]

R a través de impuestos

RESPUESTA: educación de K a 12 y servicios humanitarios y de salud

4 Economía Explique el término *déficit*. Compare el presupuesto del estado con algo más cercano a los estudiantes como, por ejemplo, el presupuesto de una familia.

P **¿Qué sucede cuando el gobierno gasta más dinero del que recauda?** [HSS 4.4]

R El gobierno genera un déficit.

5 Civismo y gobierno Explique a los estudiantes que los votantes de California aprobaron la propuesta de pedir un préstamo de 15 millardos de dólares para reducir el déficit estatal, en 2004. Comente con ellos otras maneras en que el estado puede enfrentar el déficit, como reducir los gastos y aumentar los impuestos. [HSS 4.4]

California's Economic Future

Content Focus California's state government looks for ways to provide necessary services while avoiding large budget deficits.

3 Visual Literacy: Graphs Guide students to understand the information represented in the graph on page 452. Discuss what kinds of services make up each of the categories included in the chart.

Q How does the state government get money to pay for state services? [HSS 4.4]

A from taxes

CAPTION ANSWER: education K through 12 and health and human services

4 Economics Discuss the concept of a deficit. Compare the state's budget to something more familiar to students, such as a family budget.

Q What happens when the government spends more money than it brings in? [HSS 4.4]

A The government creates a deficit.

5 Civics and Government Explain to students that in 2004 California voters approved a proposition to borrow $15 billion to pay down the state deficit. Discuss other ways that the state can address a deficit, including cutting spending and raising taxes. [HSS 4.4]

El futuro económico de California

Los californianos también recurren al planeamiento a largo plazo cuando toman decisiones económicas. El gobierno del estado ofrece servicios para ayudar a los ciudadanos, las empresas, las granjas, las escuelas y el ambiente. Para pagar estos servicios, el estado recauda dinero a través de los impuestos. Si el estado no logra recaudar suficiente dinero, puede pedir préstamos.

Fuente: California Department of Finance

Destino del dinero de los impuestos estatales de California, 2004–2005

- Empresa, transporte y vivienda
- Correccionales de jóvenes y adultos
- Otros
- Protección ambiental
- Cortes
- Educación básica y superior
- Educación de K a 12
- Servicios humanitarios y de salud

452 Unidad 6

En años recientes, California y muchos otros gobiernos estatales han enfrentado déficits en sus presupuestos. Un **déficit** significa que el estado ha gastado más dinero del que tiene. Por lo tanto, debe pedir dinero prestado para continuar brindando servicios. Cuando eso ocurre, los líderes del estado deben hallar la manera de pagar el déficit del presupuesto. También deben buscar la manera de que el gobierno estatal siga funcionando sin que eso genere un déficit mayor.

Como la población de California es muy numerosa, y sigue creciendo, el

Analizar gráficas El dinero de los impuestos del estado se usa para pagar muchos servicios estatales, como la construcción de carreteras (abajo).

◆ ¿A qué servicios destina California la mayor parte del dinero de los impuestos?

Practice and Extend

REACH ALL LEARNERS

Leveled Practice Ask students to imagine that they are state legislators working to balance the budget and considering where spending can be cut. Ask them to rank the following focuses for government support in order of importance: education, health care, transportation, and environmental protection.

Basic Guide a discussion of the importance of each of these focuses. Work with students to develop a ranking of relative importance.

Proficient Ask students to rank the focuses independently and then to discuss their choices with other students.

Advanced Ask students to rank the focuses and then write a paragraph explaining their rationale.

estado enfrentará muchos desafíos en el futuro. Pero a través de la educación, la investigación y el planeamiento a largo plazo, los californianos tienen la posibilidad de asegurar un futuro brillante para el estado.

5

REPASO DE LA LECTURA SACAR CONCLUSIONES
¿Cómo crees que los californianos superarán el déficit en el presupuesto? Es posible que algunos estudiantes digan que pidiendo préstamos. Otros, que aumentando los impuestos y reduciendo los servicios.

Resumen

A medida que California crece, enfrenta ciertos desafíos. La investigación y la educación ayudarán a que los californianos encuentren maneras de conservar los recursos naturales y reducir la contaminación. A través del planeamiento, podrán asegurarse de que haya suficiente energía para el estado y suficiente dinero para continuar brindando servicios.

REPASO

1. ¿Cuáles son algunos de los desafíos que enfrentarán los californianos en el siglo XXI?

2. ¿De qué manera la energía generada por un **recurso renovable** podría prevenir la escasez energética?

3. ¿Qué han hecho los californianos para ayudar a proteger el ambiente del estado?

RAZONAMIENTO CRÍTICO

4. ¿Por qué la conservación de recursos seguirá siendo necesaria en el futuro?

5. Diseña un botón Diseña un botón o un adhesivo para el parachoques que proponga una manera de conservar un recurso natural. Explica cómo ayudará tu idea a conservar ese recurso natural.

6. RESUMIR
En una hoja de papel, copia y completa el organizador gráfico de abajo.

Dato clave	Resumen
Los californianos trabajan para proteger los recursos naturales.	
Dato clave	

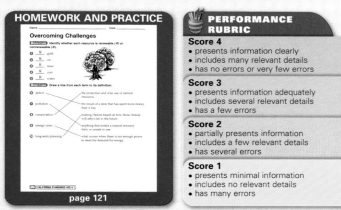

HOMEWORK AND PRACTICE
page 121

PERFORMANCE RUBRIC

Score 4
- presents information clearly
- includes many relevant details
- has no errors or very few errors

Score 3
- presents information adequately
- includes several relevant details
- has a few errors

Score 2
- partially presents information
- includes a few relevant details
- has several errors

Score 1
- presents minimal information
- includes no relevant details
- has many errors

TAREA Y PRÁCTICA
página 121

---

3 Close

Summary

Have students review the summary and restate the lesson's key content.

- Californians look for ways to conserve natural resources and reduce pollution.
- The state government strives to balance the budget and provide important services.

Assess
REVIEW—Answers

1. energy shortages, conservation of natural resources, pollution, budget deficits HSS 4.1, 4.4

2. **Vocabulary** **Renewable resources** can provide a reliable source of energy to help prevent shortages. HSS 4.1, 4.4

3. **History** Possible responses: They have looked for new ways to use energy from renewable resources, conserved natural resources, and worked to reduce pollution. HSS 4.4

Critical Thinking

4. **Chronological Thinking** because the state's population is growing and the supply of nonrenewable resources is decreasing HSS 4.1, 4.4, CS 3

5. Design a Button—
Assessment Guidelines
See Performance Rubric. This activity can be used with the unit project. HSS 4.1, ELA WRITING 2.3

6. Summarize KEY FACT: Californians work to reduce pollution. SUMMARY: Californians look to find ways of addressing environmental problems.
HSS 4.1, 4.4, ELA READING 2.2

CHAPTER 11 453

---

3 Concluir

Resumen

Pida a los estudiantes que repasen el resumen y que expresen con sus palabras el contenido clave de la lección.

- Los californianos buscan nuevas maneras de preservar los recursos naturales y reducir la contaminación.
- El gobierno estatal se esfuerza por equilibrar el presupuesto y brindar servicios importantes.

Evaluar
REPASO—Respuestas

1. escasez de energía, preservación de recursos naturales, contaminación, déficit en los presupuestos HSS 4.1, 4.4

2. **Vocabulario** Los **recursos naturales** pueden proveer una fuente confiable de energía para ayudar a prevenir la escasez. HSS 4.1, 4.4

3. **Historia** Respuestas posibles: Buscaron nuevas maneras de generar energía a partir de recursos renovables, preservaron los recursos naturales y trabajaron para reducir la contaminación. HSS 4.4

Razonamiento crítico

4. **Pensamiento cronológico** porque la población del estado crece y el suministro de recursos no renovables disminuye HSS 4.1, 4.4, CS 3

5. Diseña un botón—**Pautas de evaluación** Vea Performance Rubric. Esta actividad puede usarse con el proyecto de la unidad.
HSS 4.1, ELA WRITING 2.3

6. Resumir DATO CLAVE: Los californianos trabajan para reducir la contaminación. RESUMEN: Los californianos buscan maneras de resolver los problemas ambientales.
HSS 4.1, 4.4, ELA READING 2.2

OBJETIVOS

- **Usar un proceso de resolución de problemas.**
- **Identificar soluciones para la escasez de energía de California.**

RECURSOS

Tarea y práctica, págs. 122-123; Transparencia de destrezas de Estudios Sociales 6-2; Colección de audiotextos en CD de la Unidad 6

1 Presentar

Por qué es importante

Aprender a resolver un problema puede ayudar a mejorar nuestra vida y la de las personas que nos rodean.

2 Enseñar

Lo que necesitas saber

1 Aprendizaje visual: Fotografías Dirija la atención de los estudiantes a las fotografías de las páginas 454–455. Converse con ellos acerca de cómo esos métodos para generar energía pueden ayudar a prevenir la escasez de energía. **HSS 4.4**

2 DESTREZA DE ANÁLISIS Interpretación histórica Aplique los pasos para resolver un problema que aparecen en la página 455 a un problema particular, como el déficit presupuestario de California. Repase con los estudiantes las posibles soluciones. Use los pasos de la página 455 para conversar acerca de los costos y beneficios de cada solución.

P ¿Qué soluciones podrían aplicarse para resolver el déficit presupuestario de California? **HSS 4.4, HI 4**

R Respuestas posibles: El gobierno podría aumentar los impuestos, reducir los gastos o solicitar préstamos.

OBJECTIVES

- Use a process for solving problems.
- Identify solutions to California's energy shortages.

RESOURCES

Homework and Practice Book, pp. 122–123; Social Studies Skills Transparency 6-2; Unit 6 Audiotext CD Collection

1 Introduce

Why It Matters

Problem-solving skills can help us improve our lives and the lives of the people around us.

2 Teach

What You Need to Know

1 Visual Literacy: Photographs Direct students' attention to the photographs on pages 454–455. Discuss how these methods of generating energy might help address energy shortages. **HSS 4.4**

2 ANALYSIS SKILL Historical Interpretation Apply the problem-solving steps on page 455 to a particular problem, such as California's budget deficit. Review with students possible approaches to this problem. Using the steps on page 455, discuss the costs and benefits of each solution.

Q What are some possible solutions to the state's budget deficit? **HSS 4.4, HI 4**

A Possible responses: The government could raise taxes, cut spending, or take out loans.

Destrezas de razonamiento crítico

Resolver un problema

▶ **POR QUÉ ES IMPORTANTE**
Piensa en algunos problemas que hayas tenido que resolver en estas últimas semanas. Tal vez tuviste dificultades para aprender a hacer algo nuevo. Posiblemente no te fue tan bien como pensabas en una prueba y quieras mejorar para la

próxima vez. O tal vez no te alcanzó el dinero para comprar algo que realmente querías.

Todas las personas tienen problemas en algún momento. Aprender a resolver un problema es una destreza importante que puedes usar ahora y en el futuro.

1 ▶ Estos molinos de viento en Tracy, California, usan la energía del viento para mover las máquinas que generan electricidad.

454 ■ Unidad 6

Practice and Extend

SOCIAL STUDIES SKILLS

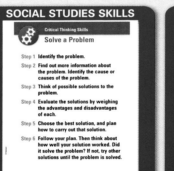

Critical Thinking Skills
Solve a Problem

Step 1 **Identify the problem.**
Step 2 **Find out more information about the problem. Identify the cause or causes of the problem.**
Step 3 **Think of possible solutions to the problem.**
Step 4 **Evaluate the solutions by weighing the advantages and disadvantages of each.**
Step 5 **Choose the best solution, and plan how to carry out that solution.**
Step 6 **Follow your plan. Then think about how well your solution worked. Did it solve the problem? If not, try other solutions until the problem is solved.**

California: A Changing State   Reflections   Social Studies Skills
pages 454–455   Transparency 6-2

TRANSPARENCY 6-2

HOMEWORK AND PRACTICE

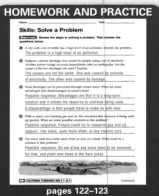

Name _____ Date _____

Skills: Solve a Problem

Directions Review the steps to solving a problem. Then answer the questions below.

1 A city with a lot of traffic has a high level of air pollution. Identify the problem.
   The problem is a high level of air pollution.

2 Suppose a power shortage was caused by people using a lot of electricity. Another power outage occurred immediately after an earthquake. Are the causes of the two shortages the same? Explain.
   The causes are not the same. One was caused by overuse of electricity. The other was caused by damage.

3 Some shortages can be prevented through conservation. What are some advantages and disadvantages of conservation?
   Possible response: Advantages are that it is a long-term solution and it allows the resource to continue being used. A disadvantage is that people have to make do with less.

4 With so many cars burning gas and oil, this nonrenewable resource is being used up quickly. What are some possible solutions to this problem?
   Possible response: People could try to conserve gas and oil, carpool, ride bikes, walk more often, or buy electric cars.

5 Too many trees have been taken from an area of a forest. What could be a solution to this problem?
   Possible response: Do not allow any more trees to be removed for now, and plant new trees in the bare areas.

CALIFORNIA STANDARDS HSS 4.1, HI 4

pages 122–123

Practicar y ampliar

DESTREZAS DE ESTUDIOS SOCIALES

Destrezas de razonamiento crítico
Resolver un problema

Paso 1 **Identifica el problema.**
Paso 2 **Busca más información acerca del problema. Identifica la causa o las causas del problema.**
Paso 3 **Piensa en posibles soluciones para el problema.**
Paso 4 **Analiza las ventajas y las desventajas de cada solución.**
Paso 5 **Elige la mejor solución y haz un plan para llevarla a cabo.**
Paso 6 **Sigue tu plan. Luego, piensa si tu solución fue buena. ¿Resolviste el problema? De no ser así, intenta otras soluciones hasta que el problema quede resuelto.**

California: Un estado cambiante   Reflexiones   Destrezas de Estudios Sociales
páginas 454–455   Transparencia 6-2

TRANSPARENCIA 6–2

TAREA Y PRÁCTICA

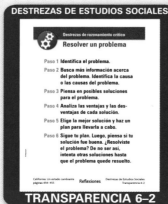

Nombre _____ Fecha _____

Destrezas: Resolver un problema

Instrucciones Vuelve a leer los pasos para resolver un problema. Luego, responde las preguntas.

1 Una ciudad con mucho tráfico tiene un alto nivel de contaminación del aire. Identifica el problema.
   El problema es el alto nivel de contaminación del aire.

2 Imagina que hay una escasez de energía porque se usa mucha electricidad. Ahora imagina que hay una interrupción en su suministro después de un terremoto. ¿Son las causas por las que falla energía las mismas? Explica tu respuesta.
   No. En un caso, se debe al uso excesivo. En el otro caso es una avería.

3 Algunos tipos de escasez pueden prevenirse por medio de la conservación. ¿Cuáles son algunas ventajas y desventajas de la conservación?
   Respuesta posible: Las ventajas son que es una solución a largo plazo y permite que el recurso siga usándose. Una desventaja es que las personas deben conformarse con menos.

4 Los automóviles consumen gas y petróleo, que son recursos no renovables. ¿Cuáles son algunas soluciones posibles a ese problema?
   Respuesta posible: Las personas podrían tratar de conservar el petróleo, organizarse para viajar juntas en un solo automóvil, viajar en bicicleta o caminar más.

5 Se ha quitado muchos árboles de un área de un bosque. ¿Cuál podría ser una solución?
   Respuesta posible: No permitir que se talen más árboles por el momento y plantar nuevos árboles en las áreas deforestadas.

NORMAS DE CALIFORNIA HSS 4.1, HI 4

páginas 122–123

2 ▸ LO QUE NECESITAS SABER

Estos son algunos pasos que puedes seguir para resolver un problema.

Paso 1 Identifica el problema.

Paso 2 Busca más información acerca del problema. Identifica la causa o las causas del problema.

Paso 3 Piensa en posibles soluciones para el problema.

Paso 4 Analiza las ventajas y las desventajas de cada solución.

Paso 5 Elige la mejor solución y haz un plan para llevarla a cabo.

Paso 6 Sigue tu plan. Luego, piensa si tu solución fue buena. ¿Resolviste el problema? De no ser así, intenta otras soluciones hasta que el problema quede resuelto.

▸ PRACTICA LA DESTREZA

En esta lección has leído acerca de las dificultades de California para ofrecer fuentes confiables de energía. Piensa qué podría hacerse para evitar la escasez de energía. Luego, responde las siguientes preguntas.

❶ ¿Cómo podría reducirse la demanda de energía eléctrica en California?

❷ ¿Cómo podría aumentarse el suministro de energía eléctrica en California?

❸ ¿Cuál crees que sería la mejor solución para evitar la escasez de energía en el futuro?

▸ Los paneles solares recolectan la energía del sol.

▸ APLICA LO QUE APRENDISTE

Aplícalo Observa tu comunidad e identifica un problema que consideres importante. Luego, para resolver este problema, sigue los pasos que se mencionan en la sección "Lo que necesitas saber". Presenta tus ideas a tus compañeros de clase.

Destrezas de razonamiento crítico

Capítulo 11 ▪ 455

CALIFORNIA STANDARDS HSS 4.1 Students demonstrate an understanding of the physical and human geographic features that define places and regions in California. 4.4 Students explain how California became an agricultural and industrial power, tracing the transformation of the California economy and its political and cultural development since the 1850s. Historical Interpretation 4.

REACH ALL LEARNERS

Leveled Practice Have students apply the steps on page 455 to a problem in their community.

Basic Help students identify a problem and work through each of the steps.

Proficient Ask students to apply the skill independently, and then report on the steps they followed.

Advanced Ask students to work through the steps, and then write a paragraph explaining their solution.

Practice the Skill—

Answers ▭ HSS 4.1, 4.4

1. Responses will vary. Students might say that the state government could start educational programs that teach people how to use less energy; people could take it upon themselves to use less energy.
2. Responses will vary. Students might say that more power plants could be built or that new sources of energy could be developed.
3. Accept all reasonable responses that show that students recognize the advantages and disadvantages of various solutions.

3 Close

Apply What You Learned

Make It Relevant Ask students to identify local problems that their community faces. Problems might include air pollution, heavy traffic, droughts, or wildfires. Have students use the problem-solving steps to identify solutions to one of these problems. Students' responses should clearly identify the problem and then explain the thought process that led them to arrive at their recommended solution.

CHAPTER 11 ▪ 455

Practica la destreza—

Respuestas ▭ HSS 4.1, 4.4

1. Las respuestas variarán. Los estudiantes pueden decir que el gobierno estatal podría lanzar programas educativos que enseñen a las personas a consumir menos energía; las personas podrían asumir individualmente la responsabilidad de usar menos energía.
2. Las respuestas variarán. Los estudiantes pueden decir que podrían construirse más plantas productoras de energía o que podrían desarrollarse nuevas fuentes de energía.
3. Acepte todas las respuestas razonables que demuestren que los estudiantes reconocen las ventajas y desventajas de las diferentes soluciones.

3 Concluir

Aplica lo que aprendiste

Aplícalo Pida a los estudiantes que identifiquen los problemas locales que enfrenta la comunidad en la que viven. Los problemas pueden incluir contaminación del aire, mucho tráfico, sequías o incendios forestales. Pídales que usen los pasos para resolver un problema a fin de identificar soluciones para uno de esos problemas. Las respuestas de los estudiantes deben indicar claramente el problema y explicar el proceso de razonamiento que los llevó a recomendar determinada solución.

Destreza clave RESUMIR

Los estudiantes pueden usar el organizador gráfico que aparece en la página 126 del cuaderno de Tarea y práctica. Las respuestas aparecen en la Edición del maestro del cuaderno de Tarea y práctica.

Pautas de redacción de California

Escribe un resumen Los resúmenes de los estudiantes deben describir con precisión los principales recursos naturales de California y explicar por qué deben ser protegidos. Los resúmenes deberán estar bien organizados y escritos con palabras de los estudiantes. HSS 4.1, ELA WRITING 2.4

Para calificar la redacción, vea el Programa de evaluación, página xiv.

Escribe un reporte Los reportes de los estudiantes deben explicar, claramente y con precisión, la historia, la financiación y la organización de las escuelas públicas de California. Los reportes deberán estar bien organizados y no contener errores de gramática, ortografía ni puntuación HSS 4.4.8, ELA WRITING 2.3

Para calificar la redacción, vea el Programa de evaluación, página xii.

Usa el vocabulario HSS 4.1, 4.4

1. La ubicación de California sobre el océano Pacífico hace del **comercio internacional** un sector importante de la economía del estado. (pág. 431)
2. Muchos bienes que no se producen en California son enviados al estado desde otros países como **productos de importación.** (pág. 433)
3. La **industria de servicios** está formada por empresas que hacen determinadas cosas para las personas. (pág. 435)
4. Los **efectos especiales** de las películas hacen que las cosas que no son reales parezcan reales. (pág. 439)

Chapter 11 Review

PAGES 456–457

Focus Skill SUMMARIZE

Students may use the graphic organizer that appears on page 126 of the Homework and Practice Book. Answers appear in the Homework and Practice Book, Teacher Edition.

California Writing Prompts

Write a Summary Students' summaries should accurately describe California's major natural resources and give sound reasons why they should be protected. The summaries should be well organized and written in students' own words. HSS 4.1, ELA WRITING 2.4

For a writing rubric, see Assessment Program, page xiv.

Write a Report Students' reports should clearly and accurately explain the history, funding, and organization of California's public schools. The reports should be well organized and free of errors in grammar, spelling, and mechanics. HSS 4.4.8, ELA WRITING 2.3

For a writing rubric, see Assessment Program, page xii.

Use Vocabulary HSS 4.1, 4.4

1. California's location on the Pacific Ocean makes **international trade** an important part of the state's economy. (p. 431)
2. Many goods that are not produced in California are brought into the state from other countries as **imports.** (p. 433)
3. The **service industry** is made up of businesses that do things for people. (p. 435)
4. **Special effects** in movies make things that are not real look real. (p. 439)

Repaso del Capítulo 11

La lectura en los Estudios Sociales

Cuando **resumes,** vuelves a expresar con tus propias palabras los puntos clave o las ideas más importantes.

Resumir

Completa este organizador gráfico para mostrar lo que has aprendido acerca de las industrias, las actividades y las instituciones de California. Una copia de este organizador gráfico aparece en la página 126 del cuaderno de Tarea y práctica.

El estado dorado

Dato clave	Resumen
California tiene una poderosa economía basada en el comercio internacional, en la agricultura y en las industrias de tecnología avanzada y de servicios.	
El sistema educativo de California prepara a los estudiantes para el futuro.	

Pautas de redacción de California

Escribe un resumen Imagina que trabajas para proteger y preservar el ambiente de California. Escribe un artículo que resuma los recursos naturales de California que requieran protección.

Escribe un reporte Escribe un reporte acerca del sistema de escuelas públicas de California. Incluye información acerca de la historia de las escuelas, de cómo están organizadas y dónde provienen los fondos para su mantenimiento.

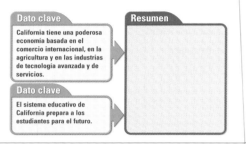

CALIFORNIA STANDARDS HSS 4.1 Students demonstrate an understanding of the physical and human geographic features that define places and regions in California. 4.4 Students explain how California became an agricultural and industrial power, tracing the transformation of the California economy and its political and cultural development since the 1850s. SKILL Chronological and Spatial Thinking 4. Historical Interpretation 2.

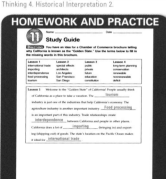

pages 124–125

page 126

páginas 124–125

página 126

Usa el vocabulario

Usa cada una de las siguientes palabras del vocabulario para escribir oraciones que ayuden a explicar su significado.

1. **comercio internacional**, pág. 431
2. **producto de importación**, pág. 433
3. **industria de servicios**, pág. 435
4. **efectos especiales**, pág. 439
5. **conservación**, pág. 451
6. **no renovable**, pág. 451
7. **contaminación**, pág. 451
8. **déficit**, pág. 452

Aplica las destrezas

DESTREZA DE ANÁLISIS **Leer un mapa de uso de la tierra y productos** Usa el mapa de la página 437 para responder estas preguntas.

9. ¿Cómo se usa la mayor parte de la tierra cerca de Bakersfield?
10. ¿Cómo se usa la mayor parte de la tierra en los alrededores de Fresno?
11. ¿Cerca de qué ciudad encontrarías la mayor producción de sal del estado?
12. ¿Qué tipos de productos encontrarías en Los Ángeles?

Resolver un problema

13. Imagina que eres el gobernador de California durante la crisis de energía de la década de 1990. ¿Qué preguntas podrías hacer para hallar una solución al problema?

Recuerda los datos

Responde estas preguntas.

14. ¿Cómo se beneficia económicamente California de su ubicación en el océano Pacífico?
15. ¿Por qué se dice que California es un gigante agrícola?
16. ¿Cómo ha influido la tecnología en los tipos de película que se realizan?

Escribe la letra que corresponda a la respuesta correcta.

17. ¿Cómo se llama la zona del norte de California que tiene muchas compañías de computación?
   A High-Tech Valley
   B Valle de San Joaquín
   C Silicon Valley
   D Death Valley
18. ¿Qué autor o autora escribe acerca de la cultura de los chino americanos?
   A Jack London
   B William Saroyan
   C Robert Frost
   D Amy Tan

Piensa críticamente

19. ¿De qué sector de la economía de California sería más difícil prescindir? ¿Por qué?
20. **DESTREZA DE ANÁLISIS** ¿Cómo sería California si los cineastas no hubieran llegado a Hollywood a principios del siglo XX? Explica tu respuesta.

Capítulo 11 ■ 457

---

5. Many people help protect the state's natural resources through **conservation**. (p. 451)
6. **Nonrenewable** resources, such as oil, cannot be easily replaced by nature or people. (p. 451)
7. Human activities can cause **pollution**, which makes parts of the environment dirty. (p. 451)
8. A **deficit** is caused when a government spends more money than it collects. (p. 452)

Apply Skills

Read a Land Use and Products Map
ANALYSIS SKILL Spatial Thinking HSS 4.4.6, CS 4

9. for farming
10. for manufacturing
11. Oakland
12. oil and natural gas, clay, electronic equipment, transportation equipment

Solve a Problem

13. Possible responses: What could Californians do to decrease the demand for electric power? How could Californians increase the supply of electric power? HSS 4.4

Recall Facts

14. It makes trade with other countries easier. (p. 431) HSS 4.4.6
15. Californians earn about $6 billion every year from food exports. (p. 434) HSS 4.4.6
16. Filmmakers can use special effects to make things that are not real look real on film. (p. 439) HSS 4.4.9
17. C (p. 432) HSS 4.4.6
18. D (p. 441) HSS 4.4.9

Think Critically

19. Students might say the service industry because it employs many workers. Accept any reasonable responses. HSS 4.4.6
20. **ANALYSIS SKILL** Historical Interpretation Possible response: A different industry may have grown in California. HSS 4.4.9, HI 2

CHAPTER 11 ■ 457

---

5. Muchas personas ayudan a proteger los recursos naturales del estado a través de la **conservación**. (pág. 451)
6. Los recursos **no renovables**, como el petróleo, no pueden ser reemplazados fácilmente por la naturaleza o por el hombre. (pág. 451)
7. Las actividades humanas pueden causar **contaminación**, que ensucia el ambiente. (pág. 451)
8. Un **déficit** se produce cuando un gobierno gasta más dinero del que recauda. (pág. 452)

Aplica las destrezas

Leer un mapa de uso de la tierra y productos
DESTREZA DE ANÁLISIS Pensamiento espacial HSS 4.4.6, CS 4

9. para agricultura
10. para manufactura
11. Oakland
12. petróleo y gas natural, cerámica, artículos electrónicos, equipos de transporte

Resolver un problema

13. Respuestas posibles: ¿Qué podrían hacer los californianos para disminuir la demanda de energía eléctrica? ¿Cómo podrían los californianos aumentar el suministro de energía eléctrica? HSS 4.4

Recuerda los datos

14. Facilita el comercio con otros países. (pág. 431) HSS 4.4.6
15. Los californianos ganan aproximadamente 6 millardos de dólares en alimentos que exportan cada año. (pág. 434) HSS 4.4.6
16. Los cineastas pueden usar efectos especiales para lograr que las cosas que no son reales parezcan reales en una película. (pág. 439) HSS 4.4.9
17. C (pág. 432) HSS 4.4.6
18. D (pág. 441) HSS 4.4.9

Piensa críticamente

19. Los estudiantes pueden mencionar la industria de servicios, porque brinda empleo a muchos trabajadores. Acepte todas las respuestas razonables. HSS 4.4.6
20. **DESTREZA DE ANÁLISIS** Interpretación histórica Respuesta posible: En California podría haber surgido otro tipo de industria. HSS 4.4.9, HI 2

Plan del Capítulo 12

Los californianos y el gobierno

La gran idea
GOBIERNO Y LIDERAZGO Los californianos están orgullosos de su historia, su gobierno y su patrimonio cultural.

LESSON	PACING	TESTED STANDARDS
Introducción del capítulo Destrezas de estudio: Formular preguntas pág. 458 Presentación del Capítulo 12 pág. 459	**1** DAY	**4.5** Students understand the structures, functions, and powers of the local, state, and federal governments as described in the U.S. Constitution.
Comienza con una canción *¡Te quiero, California!* págs. 460–461	**1** DAY	**4.1** Students demonstrate an understanding of the physical and human geographic features that define places and regions in California.
① Un plan de gobierno págs. 462–469 🔎 **REFLEXIONA** ¿Por qué es importante la Constitución de Estados Unidos?	**2** DAYS	**4.5** Students understand the structures, functions, and powers of the local, state, and federal governments as described in the U.S. Constitution. **4.5.1** Discuss what the U.S. Constitution is and why it is important (i.e., a written document that defines the structure and purpose of the U.S. government and describes the shared powers of federal, state, and local governments) **4.5.3.** Describe the similarities (e.g., written documents, rule of law, consent of the governed, three separate branches) and differences (e.g., scope of jurisdiction, limits on government powers, use of the military) among federal, state, and local governments.
② El gobierno estatal de California págs. 470–476 🔎 **REFLEXIONA** ¿Cómo está organizado el gobierno estatal de California?	**2** DAYS	**4.5** Students understand the structures, functions, and powers of the local, state, and federal governments as described in the U.S. Constitution. **4.5.2.** Understand the purpose of the California Constitution, its key principles, and its relationship to the U.S. Constitution. **4.5.3.** Describe the similarities (e.g., written documents, rule of law, consent of the governed, three separate branches) and differences (e.g., scope of jurisdiction, limits on government powers, use of the military) among federal, state, and local governments. **4.5.4.** Explain the structures and functions of state governments, including the roles and responsibilities of their elected officials.
BIOGRAFÍA **Ronald Reagan** pág. 477	**1** DAY	**4.5** Students understand the structures, functions, and powers of the local, state, and federal governments as described in the U.S. Constitution.
DESTREZAS CON TABLAS Y GRÁFICAS **Leer un organigrama** págs. 478–479	**1** DAY	**4.5.2.** Understand the purpose of the California Constitution, its key principles, and its relationship to the U.S. Constitution. **4.5.3.** Describe the similarities (e.g., written documents, rule of law, consent of the governed, three separate branches) and differences (e.g., scope of jurisdiction, limits on government powers, use of the military) among federal, state, and local governments. **4.5.4.** Explain the structures and functions of state governments, including the roles and responsibilities of their elected officials.

3 WEEKS	WEEK 1		WEEK 2	WEEK 3	
	Introduce the Chapter	Lesson 1	Lesson 2	Lesson 3	Chapter Review

OBJECTIVES	READING SUPPORT/ VOCABULARY	REACH ALL LEARNERS	RESOURCES
■ Tell how posing questions while reading can help readers understand more of what they read. ■ Pose and answer questions while reading a passage. ■ Learn California's state song. ■ Identify regions, landforms, and landmarks of California.	(Focus Skill) **Reading Social Studies** **Summarize, Review the Unit 6 Reading Social Studies Focus Skill,** pp. 422–423	**Leveled Practice,** pp. 458, 460	Social Studies in Action: Resources for the Classroom Primary Source Collection ⊙ Music CD 🖳 Interactive Map Transparencies Interactive Desk Maps Atlas TimeLinks: Interactive Time Line 🖳 Study Skills Transparency 12 🖳 Internet Resources ⊙ Unit 6 Audiotext CD Collection
■ Explain the structure and purpose of the United States government. ■ Describe the shared powers of federal, state, and local governments and tell how the levels are similar and different.	(Focus Skill) **Reading Social Studies** **Summarize,** pp. 463, 464, 465, 469 **Vocabulary Power:** Multiple-Meaning Words, p. 463 **democracia** pág. 463 **federal** pág. 463 **gabinete** pág. 465 **impuesto** pág. 466	**ENGLISH LANGUAGE LEARNERS,** pp. 463, 465 **Leveled Practice,** p. 468 **Special Needs,** p. 467 **Reading Support,** p. 463 **Advanced,** p. 466	Homework and Practice Book, pp. 127–128 Reading Support and Intervention, pp. 166–169 Success for English Learners, pp. 171–174 Vocabulary Power, pp. 113–117 🖳 Vocabulary Transparency 6-12-1 🖳 Focus Skills Transparency 6 ⊙ Unit 6 Audiotext CD Collection 🖳 Internet Resources
■ Analyze the purpose of and the key principles in the California Constitution. ■ Describe the work of each branch of state government, and describe the roles of officials in each branch. ■ Analyze the life and values of Ronald Reagan. ■ Read and interpret a flowchart. ■ Analyze the sequence of steps that the state government follows to make laws.	(Focus Skill) **Reading Social Studies** **Summarize,** pp. 471, 472, 473, 476 **Vocabulary Power:** Roots, p. 471 **proyecto de ley** pág. 472 **presupuesto** pág. 473 **vetar** pág. 473 **destituir** pág. 475 **iniciativa** pág. 475 **petición** pág. 475 **referéndum** pág. 476 **organigrama** pág. 478	**ENGLISH LANGUAGE LEARNERS,** p. 471 **Advanced,** p. 474 **Reading Support,** p. 471 **Leveled Practice,** pp. 475, 479	Homework and Practice Book, pp. 129–131 Reading Support and Intervention, pp. 170–173 Success for English Learners, pp. 175–178 Vocabulary Power, pp. 113–117 🖳 Vocabulary Transparency 6-12-2 🖳 Focus Skills Transparency 6 ⊙ Unit 6 Audiotext CD Collection 🖳 Internet Resources

LESSON	PACING	TESTED STANDARDS
③ Los gobiernos locales págs. 480–487 🔆 **REFLEXIONA** ¿Cómo están organizados los gobiernos locales de California, y qué tareas desempeñan?	**1 DAY**	**4.5** Students understand the structures, functions, and powers of the local, state, and federal governments as described in the U.S. Constitution. **4.5.3.** Describe the similarities (e.g., written documents, rule of law, consent of the governed, three separate branches) and differences (e.g., scope of jurisdiction, limits on government powers, use of the military) among federal, state, and local governments. **4.5.5.** Describe the components of California's governance structure (e.g., cities and towns, Indian rancherias and reservations, counties, school districts).
DESTREZAS DE RAZONAMIENTO CRÍTICO **Tomar una decisión económica** págs. 488–489	**1 DAY**	**4.5.3.** Describe the similarities (e.g., written documents, rule of law, consent of the governed, three separate branches) and differences (e.g., scope of jurisdiction, limits on government powers, use of the military) among federal, state, and local governments.
CIVISMO **Ser un ciudadano activo** págs. 490–491	**1 DAY**	**4.5** Students understand the structures, functions, and powers of the local, state, and federal governments as described in the U.S. Constitution. **4.5.1** Discuss what the U.S. Constitution is and why it is important (i.e., a written document that defines the structure and purpose of the U.S. government and describes the shared powers of federal, state, and local governments) **4.5.2.** Understand the purpose of the California Constitution, its key principles, and its relationship to the U.S. Constitution.
Repaso del Capítulo 12 págs. 492–493	**1 DAY**	**4.5** Students understand the structures, functions, and powers of the local, state, and federal governments as described in the U.S. Constitution.

OBJECTIVES	READING SUPPORT/ VOCABULARY	REACH ALL LEARNERS	RESOURCES
■ Summarize how California's local governments are organized. ■ Describe the functions of each part of California's local governments. ■ Explain the functions of California's special forms of local government. ■ Apply a step-by-step decision-making process to economic situations. ■ Analyze the costs and benefits of various economic choices. ■ Analyze the individual rights of citizens protected by the constitutions of the United States and California. ■ Describe how the United States citizens can be active participants in government and their communities and why it is important that they do so.	**Reading Social Studies** **Summarize,** pp. 481, 482, 487 **Vocabulary Power:** Synonyms, p. 481 **condado** pág. 481 **capital de condado** pág. 481 **junta de supervisores** pág. 481 **juicio con jurado** pág. 482 **municipal** pág. 483 **administrador municipal** pág. 484 **distrito especial** pág. 485 **cuerpo regional** pág. 485 **ranchería** pág. 486 **soberano** pág. 486 **consecuencia económica** pág. 488 **costo de oportunidad** pág. 488	**ENGLISH LANGUAGE LEARNERS,** pp. 481, 485 **Advanced,** p. 484 **Special Needs,** p. 482 **Reading Support,** p. 481 **Leveled Practice,** pp. 486, 489, 491	Homework and Practice Book, pp. 132–133, 134–135 Reading Support and Intervention, pp. 174–177 Success for English Learners, pp. 179–182 Vocabulary Power, pp. 113–117 Vocabulary Transparency 6-12-3A—6-12-3B Focus Skills Transparency 6 Unit 6 Audiotext CD Collection Internet Resources
	Reading Social Studies **Summarize,** p. 492		Homework and Practice Book, pp. 136–137, 138 Assessment Program, Chapter 12 Test, pp. 113–116

Homework and Practice Book

LESSON 1

Nombre _____ Fecha _____

Un plan de gobierno

INSTRUCCIONES Haz un círculo alrededor de la palabra o el término que haga correcta cada oración.

1. Las primeras diez enmiendas a la Constitución de Estados Unidos se conocen como Declaración de (Derechos) / Preámbulo.

2. El Congreso es el poder (legislativo) / judicial del gobierno federal.

3. El gobierno federal tiene su sede en Sacramento / (Washington, D.C.)

4. El Congreso de Estados Unidos hace leyes para todo el (país) / estado de California.

5. El gabinete es un grupo integrado por los (consejeros) / senadores más importantes del presidente.

6. Los magistrados de la Corte Suprema ocupan el cargo durante 10 años / (toda su vida.)

7. El comercio entre estados es administrado por el gobierno (federal) / estatal.

8. Un reembolso / (impuesto) es dinero que un gobierno recauda de sus ciudadanos, generalmente para pagar servicios.

9. El gobierno federal y el gobierno estatal están divididos en dos / (tres) poderes.

10. (Tres) / Cinco californianos han sido elegidos presidentes.

11. La Cámara de Representantes de Estados Unidos tiene 100 / (435) miembros.

12. El estado que tiene más representantes en la Cámara de Representantes de Estados Unidos es (California) / New York.

13. Solamente el gobierno estatal / (gobierno federal) tiene la facultad de declarar la guerra a otra nación.

NORMAS DE CALIFORNIA HSS 4.5, 4.5.1, 4.5.3

(sigue)

LESSON 1

Nombre _____ Fecha _____

INSTRUCCIONES Lee la siguiente lista de responsabilidades. Identifica si la responsabilidad corresponde al gobierno federal *(F)*, estatal *(E)* o local *(L)*.

1. __L__ Recauda impuestos a la propiedad de viviendas, empresas y granjas

2. __E__ Emite licencias de conducir

3. __F__ Imprime dinero

4. __E__ Controla el comercio dentro del estado

5. __F__ Abre oficinas de correo

6. __E__ Se encarga de los embalses y canales que acopian y transportan agua

7. __L__ Aprueba leyes que se aplican a los habitantes de una ciudad en particular

8. __L__ Se encarga de las tuberías de agua de una región específica

9. __F__ Fija normas nacionales para la calidad del aire

10. __E__ Recauda dinero a través de impuestos a las ventas

11. __F__ Se encarga del cuidado de los parques nacionales y sitios históricos

12. __F__ Administra el comercio entre Estados Unidos y otros países

13. __E__ Aprueba leyes que solo aplican a las personas que viven en California

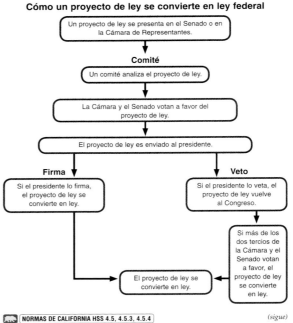

LESSON 2

Nombre _____ Fecha _____

El gobierno estatal de California

INSTRUCCIONES Compara y contrasta la Constitución de Estados Unidos con la Constitución de California. Usa los términos de la lista de abajo para completar el diagrama. Escribe el término que corresponda en el área correcta. Usa cada término o palabra una sola vez. Recuerda que los términos escritos donde los dos círculos se entrecruzan corresponden a ambas constituciones.

poder ejecutivo	referéndum
Declaración de Derechos nacional	redactada en 1787
poder judicial	ley suprema de la nación
Declaración de Derechos estatal	destitución de funcionarios
iniciativas	poder legislativo

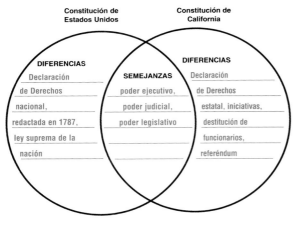

Constitución de Estados Unidos

DIFERENCIAS
Declaración de Derechos nacional, redactada en 1787, ley suprema de la nación

SEMEJANZAS
poder ejecutivo, poder judicial, poder legislativo

Constitución de California

DIFERENCIAS
Declaración de Derechos estatal, iniciativas, destitución de funcionarios, referéndum

NORMAS DE CALIFORNIA HSS 4.5, 4.5.1, 4.5.2, 4.5.3, 4.5.4

SKILL PRACTICE

Nombre _____ Fecha _____

Destrezas: Leer un organigrama

INSTRUCCIONES Estudia el organigrama de abajo. El organigrama explica cómo un proyecto de ley se convierte en ley federal. Úsalo para responder las preguntas de la página siguiente.

Cómo un proyecto de ley se convierte en ley federal

Un proyecto de ley se presenta en el Senado o en la Cámara de Representantes.

↓

Comité

Un comité analiza el proyecto de ley.

↓

La Cámara y el Senado votan a favor del proyecto de ley.

↓

El proyecto de ley es enviado al presidente.

Firma
Si el presidente lo firma, el proyecto de ley se convierte en ley.

Veto
Si el presidente lo veta, el proyecto de ley vuelve al Congreso.

↓

Si más de los dos tercios de la Cámara y el Senado votan a favor, el proyecto de ley se convierte en ley.

El proyecto de ley se convierte en ley.

NORMAS DE CALIFORNIA HSS 4.5, 4.5.3, 4.5.4

(sigue)

SKILL PRACTICE

Nombre _____ Fecha _____

1 ¿Dónde se presenta un proyecto de ley?

Un proyecto de ley se presenta en el Senado o en la Cámara de

Representantes.

2 ¿Cuál es el paso que sigue a la presentación del proyecto de ley?

Después de que se presenta, el proyecto de ley pasa a un comité que lo

analiza.

3 ¿Quiénes deben votar a favor del proyecto de ley antes de que sea enviado al presidente de Estados Unidos?

La Cámara y el Senado deben votar a favor del proyecto de ley antes de que

sea enviado al presidente.

4 ¿Qué ocurre si el presidente firma el proyecto de ley?

Si el presidente lo firma, el proyecto de ley se convierte en ley.

5 Compara este organigrama con el de las páginas 478–479 de tu libro de texto. ¿Cómo puede convertirse en ley un proyecto de ley que ha sido vetado por el presidente de Estados Unidos o el gobernador de California?

Si más de los dos tercios del Congreso o de la legislatura de California votan

a favor del proyecto de ley vetado, este puede convertirse en ley.

LESSON 3

Nombre _____ Fecha _____

Los gobiernos locales

INSTRUCCIONES Relaciona la forma de gobierno local con la persona o grupo que la representa.

Persona o grupo	Forma de gobierno local
Alcalde de la ciudad de Los Angeles	Indio
Alguacil del condado Sacramento	Municipal
Distrito escolar unificado de Claremont	Cuerpo regional
Presidenta tribal de la ranchería Blue Lake	De condado
Comisión Metropolitana de Transporte	Distrito especial

NORMAS DE CALIFORNIA HSS 4.5, 4.5.5

(sigue)

LESSON 3

Nombre _____ Fecha _____

INSTRUCCIONES Responde las preguntas sobre gobiernos locales.

1 ¿Qué es un cuerpo regional?

Un cuerpo regional es un grupo integrado por personas de varias ciudades

o condados que trabajan en conjunto con el fin de crear un plan para una

región extensa.

2 ¿Las tareas de qué poder o poderes del gobierno realiza la junta de supervisores de condado?

La junta de supervisores de condado habitualmente realiza las tareas de los

poderes legislativo y ejecutivo.

3 ¿Cuál es la diferencia entre ciudades regidas por leyes generales y ciudades "charter"?

Las ciudades regidas por leyes generales siguen las normas de la legislatura

estatal. Las ciudades "charter" establecen sus propias normas para gobernar

la ciudad.

4 Señala tres aspectos por los que una tribu india soberana se considera una nación.

Respuesta posible: Una tribu india soberana puede tener su propia

constitución, es gobernada por un consejo tribal elegido y tiene sus propias

leyes y cortes tribales.

5 ¿Por qué es importante que el departamento de educación de cada condado trabaje en conjunto con el consejo de educación estatal y los distritos escolares locales?

Es importante que trabajen en conjunto para brindar una educación de calidad

a todos los estudiantes.

SKILL PRACTICE

Nombre _____ Fecha _____

Destrezas: Tomar una decisión económica

INSTRUCCIONES Imagina que eres el alcalde de Cualquierópolis, en California. El consejo municipal acaba de aprobar el presupuesto para el próximo año. Tienes 10,000 dólares para gastar en "extras" para la ciudad. Piensas que Cualquierópolis necesita mejoras en los departamentos de policía y de bomberos, obras en la calle principal, nuevos juegos para el parque, artículos de mantenimiento para la escuela y nuevas sillas para la biblioteca. También te gustaría organizar un desfile para el Día de la Independencia y un Festival de la Cosecha.

Observa la lista de costos de abajo. Elige cómo gastar el presupuesto extra de Cualquierópolis y responde las preguntas.

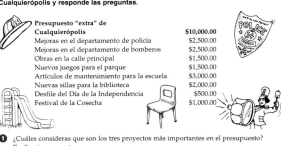

Presupuesto "extra" de Cualquierópolis	$10,000.00
Mejoras en el departamento de policía	$2,500.00
Mejoras en el departamento de bomberos	$2,500.00
Obras en la calle principal	$1,500.00
Nuevos juegos para el parque	$1,500.00
Artículos de mantenimiento para la escuela	$3,000.00
Nuevas sillas para la biblioteca	$2,000.00
Desfile del Día de la Independencia	$500.00
Festival de la Cosecha	$1,000.00

1 ¿Cuáles consideras que son los tres proyectos más importantes en el presupuesto? Explica tu respuesta.

Respuesta posible: Pienso que los tres proyectos más importantes en

el presupuesto son las mejoras en los departamentos de policía y de

bomberos y los artículos de mantenimiento para la escuela. La ciudad

necesita los departamentos de policía y de bomberos para protección, y

los niños necesitan una escuela buena y segura.

NORMAS DE CALIFORNIA HSS 4.5, 4.5.4; HI 4

(sigue)

Nombre _____ Fecha _____

2 Basándote en el presupuesto, ¿cómo gastarías los 10,000 dólares? Recuerda que el presupuesto no puede superar los 10,000 dólares.

Respuesta posible:

Mejoras en el departamento de policía	2,500.00 dólares
Mejoras en el departamento de bomberos	2,500.00 dólares
Obras en la calle principal	1,500.00 dólares
Artículos de mantenimiento para la escuela	3,000.00 dólares
Desfile del Día de la Independencia	500.00 dólares
	= 10,000.00 dólares

3 Imagina que debes elegir entre hacer las obras en la calle principal y comprar nuevos juegos para el parque. Elegir uno de esos proyectos significa renunciar al otro. ¿Cómo se le llama al hecho de renunciar a una cosa para obtener otra a cambio?

Al hecho de renunciar a una cosa para obtener otra se le llama consecuencia económica.

4 ¿Cuáles fueron los costos de oportunidad de tu presupuesto?

Los juegos para el parque, las sillas para la biblioteca y el Festival de la Cosecha

5 ¿Decidiste organizar un desfile del Día de la Independencia o un Festival de la Cosecha con tu presupuesto? Explica tu respuesta. ¿Por qué son importantes para la ciudad los eventos sociales?

Respuesta posible: Decidí organizar un desfile del Día de la Independencia porque era más barato que el Festival de la Cosecha y pude incluirlo en el presupuesto. Para la ciudad es importante tener eventos sociales porque unen a sus habitantes.

Nombre _____ Fecha _____

Guía de estudio

INSTRUCCIONES En el periódico escolar, Todd escribió un artículo sobre los gobiernos de Estados Unidos y de California. Usa las palabras y los términos del recuadro para completar el artículo.

Lección 1	**Lección 2**	**Lección 3**
federal	proyecto de ley	municipales
democracia	presupuesto	distritos especiales
enmiendas	vetar	junta de supervisores
Congreso	destitución	juicios con jurado
impuestos	referéndum	soberanos

Lección 1   El gobierno desempeña un papel importante en nuestras vidas. Este artículo tratará sobre los gobiernos de Estados Unidos y California. Estados Unidos tiene una forma de gobierno conocida como _____democracia_____, en la que el pueblo gobierna, ya sea tomando decisiones él mismo o eligiendo a otros para que tomen las decisiones en su nombre. El gobierno _____federal_____ tiene su sede en Washington, D.C. Incluye el Senado y la Cámara de Representantes, que conforman el _____Congreso_____. La Constitución de Estados Unidos se mantiene actualizada a través de cambios, o _____enmiendas_____. Todos los niveles de gobierno recaudan _____impuestos_____, o dinero, de los ciudadanos para pagar por servicios.

NORMAS DE CALIFORNIA HSS 4.5, 4.5.1, 4.5.3, 4.5.4, 4.5.5

(sigue)

Nombre _____ Fecha _____

Lección 2   La legislatura estatal de California es similar al Congreso de Estados Unidos. Tiene dos cámaras: el Senado y la Asamblea. Los miembros de cada cámara pueden presentar una propuesta para una nueva ley, o sea, un _____proyecto de ley_____. Cuando ambas cámaras aprueban una nueva ley, esta es enviada al gobernador. Él puede _____vetar_____ la ley si no está de acuerdo con ella. Si eso pasa, la legislatura necesita que dos tercios de sus miembros voten a favor de la ley para que sea aprobada. El gobernador es responsable de hacer cumplir las leyes del estado. También es responsable de crear un plan, llamado _____presupuesto_____, que indica a qué se destinará el dinero del estado. Los votantes de California pueden tomar acciones para oponerse a una ley, pidiendo que sea sometida a la votación de los ciudadanos a través de un _____referéndum_____. Por medio de una _____destitución_____, los votantes de California pueden remover a funcionarios de sus cargos.

Lección 3   El nivel más alto de gobierno local en California es el gobierno de condado. Los votantes del condado eligen un grupo de líderes llamado _____junta de supervisores_____. Cada condado tiene un poder judicial y una corte superior. Esas cortes pueden tener _____juicios con jurado_____, o sea, casos donde un grupo de ciudadanos decide la culpabilidad o inocencia del acusado. Los gobiernos de la ciudad, o _____municipales_____, aprueban leyes locales y se aseguran de su cumplimiento. Los _____distritos especiales_____ prestan servicios que no ofrecen los gobiernos de condados o municipales. Las tribus indias tienen derecho a formar gobiernos _____soberanos_____, es decir, libres e independientes.

Nombre _____ Fecha _____

LA LECTURA EN LOS ESTUDIOS SOCIALES: RESUMIR

Los californianos y el gobierno

INSTRUCCIONES Completa este organizador gráfico para mostrar que comprendes cómo hacer un resumen acerca de los californianos y el gobierno.

Dato clave	**Resumen**
Todos los niveles de gobierno funcionan solo con la aprobación de los ciudadanos.	Respuesta posible: El pueblo tiene un papel importante en todos los niveles del gobierno.
Cada nivel de gobierno solo puede existir según leyes escritas aceptadas por el pueblo.	

Dato clave	**Resumen**
En la Constitución de California, los votantes tienen la facultad de aprobar iniciativas.	Respuesta posible: Los votantes de California participan activamente en el gobierno de su estado.
En California, los votantes pueden destituir a funcionarios estatales.	

NORMAS DE CALIFORNIA HSS 4.5, 4.5.2, 4.5.3

CHAPTER TEST

Nombre _____ Fecha _____

12 Prueba 🐻 NORMAS DE CALIFORNIA HSS 4.5

SELECCIÓN MÚLTIPLE (5 puntos cada una)

INSTRUCCIONES Elige la letra de la respuesta correcta.

1 ¿Cuál de estas frases describe mejor la Constitución de Estados Unidos?
(A) un documento escrito que describe el propósito y la estructura del gobierno de Estados Unidos
B un conjunto de reglas escritas para los votantes de Estados Unidos
C un documento escrito que describe cómo deberían gobernarse los estados
D un libro de 10,000 páginas que contiene todas las leyes de la nación aprobadas desde 1786   HSS 4.5.1

Usa la información del recuadro para responder la pregunta 2.

> El Congreso hace las leyes, es el poder legislativo del gobierno federal.

2 ¿Cuál es el sinónimo de federal?
A estatal
B local
(C) nacional
D regional   HSS 4.5.3

3 ¿Qué deber o facultad comparten todos los niveles de gobierno?
A controlar el comercio entre estados
(B) recaudar impuestos
C controlar las fuerzas militares
D imprimir dinero   HSS 4.5.3

4 ¿Cuál es el propósito de la Declaración de Derechos de la Constitución de California?
A Define los deberes del gobernador.
B Establece un Senado y una Asamblea.
(C) Establece los derechos y libertades de los californianos.
D Otorga a la legislatura el derecho a aprobar un proyecto de ley vetado por el gobernador.   HSS 4.5.2

5 ¿Qué funcionario electo ocupa el cargo más alto del poder ejecutivo del gobierno de California?
A el presidente
(B) el gobernador
C el presidente de la Corte Suprema de California
D los 40 senadores estatales   HSS 4.5.4

(sigue)

Capítulo 12 ■ Prueba   Programa de evaluación ■ 113

CHAPTER TEST

Nombre _____ Fecha _____

Usa la información del recuadro para responder la pregunta 6.

> " . . . el pueblo tiene el derecho de modificar o reformar [el gobierno] cuando el bien público lo requiera."
>
> —Constitución de California, Artículo II, Sección 1

6 ¿Cuál de las siguientes acciones es el mejor ejemplo del significado de la cita de arriba?
(A) realizar una elección para destituir a un funcionario
B aprobar un proyecto de ley
C apelar la decisión de un tribunal
D recaudar impuestos   HSS 4.5.2

Usa el mapa para responder las preguntas 7 y 8.

7 ¿Qué lugar limita con el océano Pacífico y los condados Riverside, Orange e Imperial?
A Arizona
B condado San Bernardino
(C) condado San Diego
D condado Los Angeles   HSS 4.5.5, CS 4

8 ¿Con qué condados limita al oeste el condado San Bernardino?
(A) condados Los Angeles y Kern
B condados Santa Barbara y San Luis Obispo
C condados Orange y Ventura
D condados Riverside y San Diego   HSS 4.5.5, CS 4

9 ¿Cuál de las siguientes declaraciones acerca del gobierno municipal es verdadera?
A Opera siempre tanto a nivel local como a nivel estatal.
B Es igual que el gobierno del condado.
(C) A menudo es el que tiene un efecto más directo sobre la vida de los ciudadanos.
D Es responsable de las cortes de cada condado.   HSS 4.5.5

10 ¿Qué forma de gobierno municipal tienen tres cuartas partes de las ciudades de California?
A alcalde-administrador municipal
B consejo regional
C alcalde-consejo
(D) consejo-administrador   HSS 4.5.5

(sigue)

114 ■ Programa de evaluación   Capítulo 12 ■ Prueba

CHAPTER TEST

Nombre _____ Fecha _____

EMPAREJAR (5 puntos cada una)

INSTRUCCIONES Relaciona cada término con su descripción. Escribe la letra del término que corresponda en el espacio en blanco.

11 __E__ idea para una ley, redactada y votada por la legislatura estatal   HSS 4.5.4

12 __C__ grupo que dirige el gobierno del condado   HSS 4.5.5

13 __B__ grupo integrado por los consejeros más importantes del presidente   HSS 4.5.3

14 __A__ idea para una ley redactada y votada directamente por los votantes   HSS 4.5.2

15 __D__ territorio destinado a una tribu india americana de California con su propio gobierno   HSS 4.5.5

A. iniciativa

B. gabinete

C. junta de supervisores

D. ranchería

E. proyecto de ley

RESPUESTA BREVE (5 puntos cada una)

INSTRUCCIONES Responde cada pregunta en el espacio en blanco.

16 ¿Cuáles son los poderes del gobierno federal? ¿Qué función desempeña cada uno?   HSS 4.5.1, 4.5.3

poder legislativo: hacer leyes; poder ejecutivo: aplicar las leyes; poder judicial: decidir si las leyes estatales o federales respetan la Constitución

17 ¿Cómo limitan la Constitución de Estados Unidos y la Constitución de California el poder del gobierno?   HSS 4.5.3

Acepte respuestas razonables. Los estudiantes pueden decir que ambas establecen o protegen ciertos derechos y libertades de los ciudadanos, como la libertad de expresión, la libertad de culto y la libertad de prensa.

18–19 Menciona y describe dos tipos de gobierno local.   HSS 4.5.5

Los estudiantes pueden describir dos de los siguientes tipos de gobierno: gobierno de condado, gobierno municipal o de la ciudad, operaciones de distritos especiales o gobiernos indios de las reservas o rancherías.

_____

_____

(sigue)

Capítulo 12 ■ Prueba   Programa de evaluación ■ 115

CHAPTER TEST

Nombre _____ Fecha _____

COMPLETAR LAS ORACIONES (5 puntos en total, 1 punto por cada recuadro en blanco)

20 Usa las oraciones del recuadro de abajo para completar el organigrama que muestra cómo un proyecto de ley se convierte en ley en California.   HSS 4.5.4, CS 1

> El gobernador veta el proyecto de ley.
> Un comité analiza el proyecto e informa sobre él.
> Un miembro de la Asamblea o del Senado redacta un proyecto de ley.
> El proyecto se convierte en ley.
> El gobernador firma el proyecto de ley.

Un miembro de la Asamblea o del Senado redacta un proyecto de ley.

↓

Un comité analiza el proyecto e informa sobre él.

↓

La mayoría de los miembros de la Asamblea y del Senado votan a favor del proyecto.

↓

| El gobernador firma el proyecto de ley. | El gobernador no firma el proyecto de ley, pero tampoco lo veta. | El gobernador veta el proyecto de ley. |

↓

| El proyecto se convierte en ley. | Más de los dos tercios de la Asamblea y del Senado deben votar nuevamente a favor del proyecto de ley. |

116 ■ Programa de evaluación   Capítulo 12 ■ Prueba

Destrezas de estudio

PÁGINA 458

Formular preguntas

OBJETIVOS

- Explicar que formular preguntas puede ayudar a los lectores a comprender más acerca de lo que leen.

- Formular y responder preguntas mientras se lee un pasaje.

RECURSOS

Transparencia de destrezas de estudio 12; Colección de audiotextos en CD de la Unidad 6

1 Presentar

Establecer el propósito Explique a los estudiantes que formular preguntas mientras leen puede ayudarlos a comprender cómo se relacionan los acontecimientos y las ideas.

2 Enseñar

1 Explique que la tabla de preguntas y respuestas que aparece aquí se refiere al Capítulo 12. Repase estos puntos con los estudiantes:

- Los estudiantes deberán anotar las preguntas que les surjan mientras leen el capítulo.

- Los estudiantes deberán formular y responder preguntas usando *quién, qué, dónde, cuándo, cómo* y *por qué*.

3 Concluir

Aplica la destreza mientras lees

2 Aliente a los estudiantes a hacer tablas de preguntas y respuestas relacionadas con el Capítulo 12. Mientras los estudiantes leen cada lección, pídales que formulen preguntas y hallen las respuestas para guiarse en la lectura.

Study Skills

PAGE 458

Pose Questions

OBJECTIVES

- Tell how posing questions while reading can help readers understand more of what they read.

- Pose and answer questions while reading a passage.

RESOURCES

Study Skills Transparency 12, TimeLinks: Interactive Time Line; Unit 6 Audiotext CD Collection

1 Introduce

Set the Purpose Explain that posing questions while reading can help readers understand how events and ideas are related.

2 Teach

1 Explain that the question-and-answer chart here relates to Chapter 12. Review these points with students:

- As students read the chapter, they should record questions they have.
- Students should form and answer questions using *who, what, where, when, how,* and *why*.

3 Close

Apply As You Read

2 Encourage students to make question-and-answer charts for Chapter 12. As students read each lesson, have them pose questions and find answers to guide their reading.

Destrezas de estudio

FORMULAR PREGUNTAS

Formular preguntas mientras lees te ayudará a comprender lo que estás aprendiendo.

➤ Formula preguntas mientras lees. Piensa cómo y por qué ocurrieron los eventos y cómo se relacionan los eventos y las ideas.

➤ Usa las preguntas para guiar tu lectura. Busca las respuestas mientras lees.

1

Los californianos y el gobierno	
Preguntas	Respuestas
¿Por qué es importante la Constitución de Estados Unidos?	Porque determina la forma de gobierno de Estados Unidos y puede ser modificada para adecuarla a las cambiantes necesidades o deseos del pueblo.

Aplica la destreza mientras lees

2 Mientras lees, escribe todas las preguntas que tengas acerca de eventos, ideas, fuentes primarias, personas o lugares que se mencionan en el capítulo. Luego, lee para buscar las respuestas.

Normas de Historia y Ciencias Sociales de California, Grado 4

4.5 Los estudiantes comprenden las estructuras, funciones y poderes del gobierno local, estatal y federal, y describen la Constitución de Estados Unidos.

458 ▪ Unidad 6

Practice and Extend

REACH ALL LEARNERS

Leveled Practice Have students pose and answer questions while reading a brief article.

Basic Have volunteers pose and answer questions orally.

Proficient Have students complete a question-and-answer chart.

Advanced Have students list other questions they have after reading, and encourage them to research answers.

STUDY SKILLS

Study Skills
Pose Questions

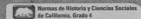

Californians and Government	
Questions	Answers
What makes the United States Constitution important?	It continues to shape the United States government and can be changed to fit the changing needs or wishes of the people.

California: A Changing State pages 458–459 — Reflections — Study Skills Transparency 12

TRANSPARENCY 12

Practicar y ampliar

DESTREZAS DE ESTUDIO

Destrezas de estudio
Formular preguntas

Los californianos y el gobierno	
Preguntas	Respuestas
¿Por qué es importante la Constitución de Estados Unidos?	Porque determina la forma de gobierno de Estados Unidos y puede ser modificada para adecuarla a las cambiantes necesidades o deseos del pueblo.

California: Un estado cambiante páginas 458–459 — Reflexiones — Destrezas de estudio Transparencia 12

TRANSPARENCIA 12

Los californianos y el gobierno

CAPÍTULO **12**

③

▶ De visita en el Capitolio Estatal de California, en Sacramento.

Capítulo 12 **459**

CALIFORNIA STANDARDS HSS 4.5 Students understand the structures, functions, and powers of the local, state, and federal governments as described in the U.S. Constitution. ⬛ Research, Evidence, and Point of View 2.

Access Prior Knowledge

Explain to students that in this chapter, they will learn about the national, state, and local governments.

Encourage students to think about times in their lives when they were members of a group that had to work together to achieve a goal. Ask: *What responsibilities did you have in the group? Did you have to make decisions that affected others? How did you work with others who had different opinions from yours?*

③ Visual Literacy: Photograph

SKILL **Research/Evidence** Explain that the children are sitting next to the Great Seal of the state of California. Have students examine the seal and pose relevant questions, such as the one below.

Q **How does the Great Seal represent the heritage of California?** ⬛ HSS 4.5, HR 2

A It shows aspects of California's history, economy, culture, and natural beauty.

TIMELINKS: Interactive Time Line

Remind students to add people and events for each lesson in this chapter to the TimeLinks: Interactive Time Line.

BACKGROUND

Great Seal The Great Seal of the state of California was designed by Major R.S. Garrett of the United States Army and was adopted as the state seal at the California Constitutional Convention of 1849. California was to become the thirty-first state to join the union. That is why there are thirty-one stars across the top of the seal. For more information about the Great Seal, see page 472.

MAKE IT RELEVANT

In Your Community Discuss with students what they know about the politicians who represent their area in the local, state, and federal governments. Help students list the names of their representatives and what students know about the responsibilities of their positions.

CHAPTER 12 ■ **459**

Presentación del Capítulo 12

PÁGINA 459

Despertar conocimientos previos

Explique a los estudiantes que en este capítulo aprenderán acerca de los gobiernos nacional, estatal y local.

Aliente a los estudiantes a pensar en momentos de su vida en que formaron parte de un grupo que debía trabajar para alcanzar un objetivo. Pregunte: *¿Cuáles eran sus responsabilidades dentro del grupo? ¿Debieron tomar decisiones que afectaban a otros? ¿Cómo trabajaban con personas de opiniones diferentes de las suyas?*

③ Aprendizaje visual: Fotografía

DESTREZA DE ANÁLISIS **Investigación/Evidencia** Explique que los niños están sentados junto al Gran Sello del Estado de California. Pida a los estudiantes que observen el sello y formulen preguntas relevantes, como la que aparece abajo:

P **¿Cómo representa el Gran Sello el patrimonio cultural de California?** ⬛ HSS 4.5, HR 2

R Muestra aspectos de la historia, la economía, la cultura y la belleza natural de California.

ANTECEDENTES

Gran Sello El Gran Sello del Estado de California fue diseñado por el mayor R. S. Garrett del ejército de Estados Unidos. En 1849 fue adoptado como sello estatal por la Asamblea Constituyente de California. En ese momento, California estaba a punto de sumarse a la unión como el estado número 31. Por eso, en la parte superior del sello hay 31 estrellas. Para más información acerca del Gran Sello, vea la página 472.

APLÍCALO

En su comunidad Pida a los estudiantes que comenten lo que saben acerca de los políticos que representan la zona en que viven ante los gobiernos local, estatal y federal. Ayúdelos a hacer una lista de los nombres de sus representantes y de las responsabilidades de los cargos que cada uno ocupa.

Comienza con una canción

OBJETIVOS

- **Aprender la canción del estado.**
- **Identificar regiones, accidentes geográficos y lugares históricos de California.**

RECURSOS

Colección de audiotextos en CD de la Unidad 6

Resumen

La letra de la canción "¡Te quiero, California!", escrita por F. B. Silverwood, describe las diferentes regiones de California y el amor que el autor siente por ciertos lugares inspiradores del estado.

Fuente: "Te quiero, California". Letra de F. B. Silverwood.

Antes de la lectura

Establecer el propósito Pida a los estudiantes que comenten lo que saben acerca de las canciones en honor a América y sus paisajes, tales como "América la hermosa" y "Esta tierra es tu tierra".

Durante la lectura

1 **DESTREZA DE ANÁLISIS** **Pensamiento espacial** Pida a los estudiantes que usen un mapa de California para ubicar los lugares mencionados en la canción. **HSS 4.1,** CS 4

P **¿Qué regiones de California están representadas en este fragmento?** **HSS 4.1,** ELA READING 2.0

R el valle Central, las regiones costera y montañosa

Start with a Song

OBJECTIVES

- **Learn California's state song.**
- **Identify regions, landforms, and landmarks of California.**

RESOURCES

Unit 6 Audiotext CD Collection

Quick Summary

The words to the song "I Love You, California," written by F. B. Silverwood, describe the different regions of California and the love the writer feels for certain inspirational places in the state.

Source: "I Love You, California." Words by F. B. Silverwood.

Before Reading

Set the Purpose Have students share what they know about songs that celebrate America and its landscape, such as "America the Beautiful" and "This Land Is Your Land."

During Reading

1 **ANALYSIS SKILL** **Spatial Thinking** Have students use a map of California to locate the places mentioned in the song. **HSS 4.1,** CS 4

Q **What regions of California are represented in this excerpt?** **HSS 4.1,** ELA READING 2.0

A the Central Valley, Mountain, and Coastal Regions

460 ■ UNIT 6

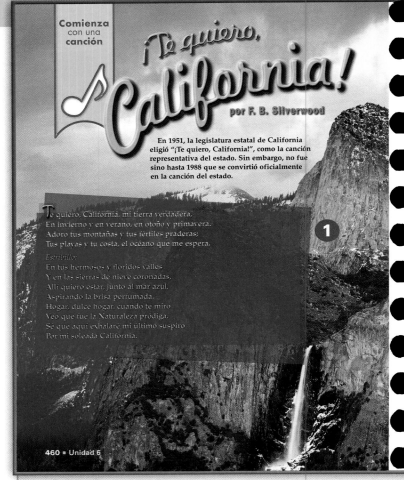

Comienza con una canción

¡Te quiero, California!

por F. B. Silverwood

En 1951, la legislatura estatal de California eligió "¡Te quiero, California!", como la canción representativa del estado. Sin embargo, no fue sino hasta 1988 que se convirtió oficialmente en la canción del estado.

Te quiero, California, mi tierra verdadera,
En invierno y en verano, en otoño y primavera.
Adoro tus montañas y tus fértiles praderas;
Tus playas y tu costa, el océano que me espera.

Estribillo:
En tus hermosos y floridos valles
Y en las sierras de nieve coronadas,
Allí quiero estar, junto al mar azul,
Aspirando la brisa perfumada.
Hogar, dulce hogar, cuando te miro
Veo que fue la Naturaleza pródiga.
Sé que aquí exhalaré mi último suspiro
Por mi soleada California.

460 ■ Unidad 6

Practice and Extend

BACKGROUND

The State Song The words to the state song, "I Love You, California," were written in the early 1900s by F. B. Silverwood, a Los Angeles merchant. These words were later set to music by the former conductor of the Los Angeles Symphony Orchestra, Alfred Frankenstein. In 1951, the state legislature selected "I Love You, California" as the state song. However, it did not become the official state song until 1988.

REACH ALL LEARNERS

Leveled Practice Have students identify the regions and places mentioned in the song.
Basic Have students list the places that are described.
Proficient Ask students to create a map showing the places referred to in the song.
Advanced Ask students to create a map showing the places described. Then have them write a summary of the song.

Practicar y ampliar

ANTECEDENTES

La canción del estado La letra de "¡Te quiero, California!" fue escrita por F. B. Silverwood, un comerciante de Los Angeles, a comienzos del siglo XX. Más tarde, el entonces director de la Orquesta Sinfónica de Los Angeles, Alfred Frankenstein, compuso la melodía. En 1951, la legislatura estatal eligió "¡Te quiero, California!" como la canción representativa del estado. Pero no fue sino hasta 1988 que se convirtió oficialmente en la canción del estado.

Amo tus bosques de secuoyas y tus campos dorados,
Las lluvias de invierno y las brisas del verano,
Te amo, tierra de flores, fruta, vino y miel,
Mi querida California, te llevo bajo mi piel.

Estribillo

Adoro tus misiones antiguas y tus viñedos, allá en la lejanía,
El puente Golden Gate que imponente cruza la bahía;
Tus célebres ocasos tiñendo de púrpura el mar,
Te quiero, California, jamás te dejaré de amar.

Estribillo

Te quiero, Catalina, eres todo para mí
Te quiero, Tamalpais, y te quiero Yosemite.
Te quiero, tierra del sol— contemos tus bellezas de una vez.
Te quise cuando era niño y te querré en mi vejez.

Estribillo

imponente *majestuoso*
púrpura *color rojo subido que tira a violado*

Responde

1. ¿Cómo se expresa el orgullo por el estado en "¡Te quiero, California!"?
2. ¿De qué manera los himnos estatales como "¡Te quiero, California!" y los himnos nacionales ayudan a unir a los ciudadanos?

CALIFORNIA STANDARDS HSS 4.1 Students demonstrate an understanding of the physical and human geographic features that define places and regions in California. **SKILL** Chronological and Spatial Thinking 4. Historical Interpretation 2.

READ A BOOK

Students may enjoy reading these books independently. Additional books are listed on page 417F of this Teacher Edition.

Meet My Grandmother: She's a United States Senator by Lisa Tucker McElroy (with help from Eileen Feinstein Mariano). Millbrook, 2000. A photo essay on Senator Dianne Feinstein.

Kids' Guide: State Government by Ernestine Giesecke. Heinemann, 2000. A factual description of the basic role of state government and how it works.

Shh! We're Writing the Constitution by Jean Fritz. Putnam, 1998. The story of how the Constitution came to be written and then ratified.

For information about ordering these trade books, visit **www.harcourtschool.com/hss/trader**

CHAPTER 12 ■ 461

---

2 SKILL Historical Interpretation

Discuss the physical and human characteristics of California that are described in the song.

Q What elements of the song show the effects of humans on California?

A Possible response: fields of grain, missions, vineyards **HSS 4.1**, HI 2

After Reading

Response Corner—Answers

1. The song celebrates the different natural regions and well-known landmarks of California. **ELA READING 3.0**

2. It helps people appreciate where they live and the things they have in common.

Write a Response

Have students list things they love about California. Then ask them to compose a new verse for the state song, based on their lists. Remind students that they can focus on the natural beauty of the state or other aspects of life in California. Then invite volunteers to read or sing their verses to the class. **ELA WRITING 2.0**

For a writing response scoring rubric, see Assessment Program, p. xv

---

2 DESTREZA DE ANÁLISIS Interpretación histórica

Converse con los estudiantes acerca de las características físicas y humanas de California mencionadas en la canción.

P ¿Qué elementos de la canción muestran los efectos de la actividad humana en California?

R Respuesta posible: misiones, viñedos, el puente Golden Gate **HSS 4.1**, HI 2

Después de la lectura

Responde—Respuestas

1. La canción menciona las diferentes regiones naturales y algunos reconocidos lugares históricos de California. **ELA READING 3.0**

2. Ayudan a las personas a apreciar el lugar en el que viven y las cosas que tienen en común.

Escribir una respuesta

Pida a los estudiantes que hagan una lista de las cosas que aman de California. Luego, pídales que usen su lista para escribir una nueva estrofa para la canción del estado. Recuérdeles que pueden enfocarse en las bellezas naturales del estado o en otros aspectos de la vida en California. Luego, invite a voluntarios a leer o cantar sus estrofas al resto de la clase. **ELA WRITING 2.0**

Para calificar la redacción, vea el Programa de evaluación, pág. xv

Lección 1

OBJETIVOS

- Explicar la estructura y el propósito del gobierno de Estados Unidos.

- Describir los poderes que comparten el gobierno federal, el estatal y el local, y explicar las diferencias y las semejanzas entre los niveles de poder.

VOCABULARIO

democracia pág. 463

federal pág. 463

gabinete pág. 465

impuesto pág. 466

RESUMIR

págs. 422–423, 463, 464, 465, 469

RECURSOS

Tarea y práctica, págs. 127–128; Transparencia de destrezas clave 6; Colección de audiotextos en CD de la Unidad 6; Recursos en Internet

1 Presentar

Reflexiona Pida a los estudiantes que comenten lo que saben acerca de cómo está organizado el gobierno de Estados Unidos.

Piensa en los antecedentes Pida a los estudiantes que observen la pintura de las páginas 462–463. Pregúnteles qué saben acerca de la Constitución de Estados Unidos. Explique que aunque han pasado más de 215 años desde que se redactó, sigue siendo el documento fundamental de la organización de la nación.

 Pida a los estudiantes que piensen de qué manera los gobiernos nacional, estatal y local pueden trabajar conjuntamente para tratar de proteger el aire.

Lesson 1

OBJECTIVES

- Explain the structure and purpose of the United States government.

- Describe the shared powers of federal, state, and local governments and tell how the levels are similar and different.

VOCABULARY

democracy p. 463	**Cabinet** p. 465
federal p. 463	**tax** p. 466

SUMMARIZE

pp. 422–423, 463, 464, 465, 469

RESOURCES

Homework and Practice Book, pp. 127–128; Reading Support and Intervention, pp. 166–169; Success for English Learners, pp. 171–174; Vocabulary Transparency 6-12-1; Vocabulary Power, p. 113; Focus Skills Transparency 6; Unit 6 Audiotext CD Collection; Internet Resources

1 Introduce

What to Know Ask students to share what they know about how the United States government is organized.

Build Background Have students look at the painting on pages 462–463. Ask them what they know about the United States Constitution. Explain that more than 215 years after it was written, it is still the nation's fundamental organizing document.

Ask students to think about how national, state, and local governments might work together to try to protect the air in your region.

Lección 1

Un plan de gobierno

REFLEXIONA
¿Por qué es importante la Constitución de Estados Unidos?

✓ Explica la estructura y el propósito del gobierno de Estados Unidos.

✓ Describe los poderes que comparten el gobierno federal, el estatal y el local, y explica las diferencias y las semejanzas entre los niveles de poder.

VOCABULARIO
democracia pág. 463
federal pág. 463
gabinete pág. 465
impuesto pág. 466

PERSONAS
Dianne Feinstein
Barbara Boxer
Herbert Hoover
Richard Nixon
Ronald Reagan
Stephen J. Field
Earl Warren
Anthony Kennedy

RESUMIR

Normas de California
HSS 4.5, 4.5.1, 4.5.3

IMAGÍNATE ALLÍ Desde el patio trasero de tu casa, ubicada sobre una colina, miras el centro de Los Ángeles. Hay días en los que apenas puedes ver la ciudad, pero hoy el cielo está despejado. Sabes que en Estados Unidos hay una Ley de Aire Limpio. Sabes que California tiene leyes similares. Tal vez también existan en tu comunidad. Pero, ¿qué nivel de gobierno es responsable de garantizar la limpieza del aire en tu comunidad? Lo más probable es que cada nivel de gobierno desempeñe un papel.

▶ Esta pintura de Howard Chandler Christy muestra la firma de la Constitución de Estados Unidos, en 1787.

462 ■ Unidad 6

 CALIFORNIA STANDARDS HSS 4.5 Students understand the structures, functions, and powers of the local, state, and federal governments as described in the U.S. Constitution. 4.5.1 Discuss what the U.S. Constitution is and why it is important (i.e., a written document that defines the structure and purpose of the U.S. government and describes the shared powers of federal, state, and local governments).

When Minutes Count

Organize the class into four groups, and assign each group a different section of the lesson. Ask group members to learn the meanings of any vocabulary terms, answer the Reading Check questions, and find details in their section that relate to the question and ideas in the What to Know section. Have volunteers from each group share a summary of what the group learned.

Quick Summary

This lesson explains what the United States Constitution is and how the federal government is set up in three branches. It explains some similarities and differences between federal, state, and local levels of government and tells how these different levels share responsibilities in reaching common goals.

Cuando el tiempo apremia

Organice la clase en cuatro grupos y asigne a cada grupo una sección diferente de la lección. Pida que aprendan el significado de algunas palabras de vocabulario, que respondan las preguntas de Repaso y que busquen en su sección detalles relacionados con la pregunta y las ideas de "Reflexiona". Invite a voluntarios a resumir lo que aprendieron.

Resumen

Esta lección explica qué es la Constitución de Estados Unidos y cómo el gobierno federal está organizado en tres poderes. Explica las semejanzas y diferencias entre los niveles de gobierno federal, estatal y local, y describe cómo esos diferentes niveles comparten las responsabilidades.

La Constitución

Estados Unidos es una democracia. Una **democracia** es una forma de gobierno en la que el pueblo gobierna, ya sea tomando decisiones él mismo o eligiendo a otros para que tomen las decisiones en su nombre. En una democracia, el pueblo decide a través del voto.

La Constitución de Estados Unidos fue redactada en 1787. Es el plan para nuestro gobierno nacional, o **federal**. En ella se explica cómo está organizado el gobierno federal y cuál es su objetivo. La Constitución afirma que el gobierno trabajará por la justicia y la paz, defenderá la nación y garantizará su bienestar.

La Constitución también otorga a los estados el derecho de formar sus propios gobiernos. A su vez, los estados permiten la formación de gobiernos locales de las zonas dentro de sus límites.

Por lo tanto, Estados Unidos tiene tres niveles de gobierno: nacional, estatal y local.

Los tres niveles comparten el poder para gobernar. Sin embargo, la Constitución es la ley suprema, o sea, la más importante de todo el territorio. La Constitución se actualiza a través de enmiendas. Las primeras diez enmiendas, conocidas como Declaración de Derechos, enumeran las libertades que se prometen a todos los ciudadanos de Estados Unidos.

> **REPASO DE LA LECTURA** ⓞ RESUMIR
>
> **¿Qué es la Constitución de Estados Unidos?** el plan para el gobierno nacional

Capítulo 12 ■ 463

🐻 **4.5.3** Describe the similarities (e.g., written documents, rule of law, consent of the governed, three separate branches) and differences (e.g., scope of jurisdiction, limits on government powers, use of the military) among federal, state, and local governments. ▦ Chronological and Spatial Thinking 3, 4.

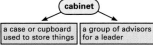
---

2 Teach

The Constitution

Content Focus The Constitution is a document that outlines the structure and powers of the federal government. It also describes the rights or freedoms of United States citizens.

1 Civics and Government Discuss the concept of democracy. Explain that the United States is also a republic—a country with a government in which the leaders are elected by citizens. Discuss the United States Constitution. Have students explain why it is important. Lead students to see that it is a written document that defines the structure and purpose of the United States government and that it describes the shared powers of the different levels of government.

Q What are the three levels of government in the United States? ▦ HSS 4.5, 4.5.1

A national, state, and local

2 Link Civics and Government with Geography Guide students to understand that *federal* and *national* are synonyms, both referring to matters concerning all of the states together. ▦ HSS 4.5, 4.5.1

---

2 Enseñar

La Constitución

Contenido clave La Constitución es un documento que describe la estructura y las facultades del gobierno federal. También describe los derechos y las libertades de los ciudadanos de Estados Unidos.

1 Civismo y gobierno Converse con los estudiantes acerca del concepto "democracia". Explique que Estados Unidos es también una república, es decir, un país con un gobierno cuyos líderes son elegidos por los ciudadanos. Hable con ellos acerca de la Constitución de Estados Unidos, y pídales que expliquen por qué es importante. Guíelos para que comprendan que es un documento escrito que define la estructura y el propósito del gobierno de Estados Unidos, y describe las facultades compartidas por los diferentes niveles de gobierno.

P ¿Cuáles son los tres niveles de gobierno en Estados Unidos? ▦ HSS 4.5, 4.5.1

R nacional, estatal y local

2 Relacionar civismo y gobierno, y geografía Guíe a los estudiantes para que comprendan que *federal* y *nacional* son sinónimos, y que ambos se refieren a temas que involucran a todos los estados. ▦ HSS 4.5, 4.5.1

El gobierno federal

Contenido clave El gobierno federal tiene tres ramas principales: el poder legislativo, el poder ejecutivo y el poder judicial. Cada rama tiene responsabilidades diferentes.

③ Civismo y gobierno Repase con los estudiantes las estructuras y las funciones de los tres poderes del gobierno federal. ⬚ HSS 4.5

CIVISMO

Principios democráticos

④ Lea la cita en voz alta y analice su significado con los estudiantes. Explíqueles que la Constitución define y limita los poderes del gobierno.

P **¿Por qué creen que los redactores de la Constitución querían que las leyes escritas fueran más poderosas que cualquier persona?** ⬚ HSS 4.5.1

R Respuesta posible: Querían limitar la autoridad del gobierno y no querían que ningún individuo se volviera demasiado poderoso.

Fuente: del artículo VI de la Constitución de Estados Unidos

⑤ Civismo y gobierno Comente con los estudiantes las diferencias entre las dos cámaras del Congreso. Explique que los autores de la Constitución organizaron el poder legislativo de esa manera con el objetivo de equilibrar el poder entre los estados con mayor población y los estados con menor población.

P **En la mayoría de los estados, ¿quiénes representan a más ciudadanos, los senadores o los representantes? ¿Cómo lo saben?** ⬚ HSS 4.5.1

R Los senadores; ellos representan a todo un estado, mientras que los representantes representan zonas más pequeñas de un estado.

The Federal Government

Content Focus The federal government has three main parts —the legislative branch, the executive branch, and the judicial branch—each with separate duties.

③ Civics and Government Review with students the structures and functions of the three branches of the federal government. ⬚ HSS 4.5

CITIZENSHIP

Democratic Principles

④ Read the quotation aloud, and discuss its meaning. Explain to students that the Constitution both defines and limits the powers of the government.

Q **Why do you think the writers of the Constitution wanted written laws to be more powerful than any person?** ⬚ HSS 4.5.1

A Possible response: They wanted to limit the power of government and did not want any individual to become too powerful.

Source: from the United States Constitution, Article VI

⑤ Civics and Government Discuss the differences between the two houses of Congress. Explain that the framers of the Constitution set up the legislative branch in this way to help balance the power between the states with larger populations and those with smaller populations.

Q **In most states, who represents more people—senators or representatives? How do you know?** ⬚ HSS 4.5.1

A Senators; they represent an entire state, while representatives represent smaller areas in a state.

El gobierno federal

El gobierno federal tiene su sede en Washington, D.C. La Constitución de Estados Unidos divide el gobierno federal en tres ramas o poderes: poder legislativo, poder ejecutivo y poder judicial. La Constitución de Estados Unidos afirma que ninguno de estos poderes puede decidir por encima de los otros dos.

El Congreso es el poder legislativo, o sea, el que hace las leyes para toda la nación. Está formado por dos cámaras: el Senado y la Cámara de Representantes. El Senado tiene 100 miembros. Cada estado elige dos senadores. California pasó a la historia como el primer estado que eligió a mujeres, **Dianne Feinstein** y **Barbara Boxer**, para ocupar sus dos asientos en el Senado.

La Cámara de Representantes tiene 435 miembros. El número de representantes que elige cada estado depende de la cantidad de ciudadanos que tenga. Los estados con mayor población, como California, Texas y New York, tienen más representantes. California es el estado con más representantes, ya que tiene 53.

El poder ejecutivo se asegura de que se apliquen las leyes aprobadas por el Congreso. El presidente encabeza el poder ejecutivo. Tres californianos han

CIVISMO

Principios democráticos

"Esta Constitución, y las leyes de Estados Unidos...serán la ley suprema de la nación..."*

Aunque la Constitución de Estados Unidos es la ley suprema en todo el territorio, el poder del gobierno tiene límites. De acuerdo con la Declaración de Derechos de la Constitución, todos los ciudadanos tienen garantizados ciertos derechos, entre ellos: la libertad de expresión, la libertad de culto y la libertad de prensa. Ningún nivel de gobierno puede ignorar los derechos que la Constitución protege, a menos que se demuestre que una persona es culpable de un delito grave.

*del artículo VI de la Constitución de Estados Unidos

▶ Una estatua que representa la justicia

▶ El edificio del Capitolio de Estados Unidos, en Washington, D.C.

464 ▪ Unidad 6

Practice and Extend

BACKGROUND

The Bill of Rights The Bill of Rights, the first ten amendments to the Constitution, was adopted in 1791. Prior to this, the Constitution was criticized for failing to protect individual freedoms. Besides the freedoms of speech, religion, and the press, the Bill of Rights protects the right of peaceful assembly and petition, the right of fair treatment for people accused of crimes, and the right to keep and bear arms.

READING SOCIAL STUDIES

Summarize After reading the Citizenship feature, ask students to recall what the Bill of Rights is, why it is important, and what rights it protects. Then ask students to summarize how the Constitution limits government powers. ⬚ ELA READING 2.2

READING TRANSPARENCY

Use FOCUS SKILLS TRANSPARENCY 6.

Practicar y ampliar

ANTECEDENTES

La Declaración de Derechos La Declaración de Derechos, o sea, las primeras diez enmiendas a la Constitución, fue aprobada en 1791. Antes de eso, la Constitución era criticada porque no protegía las libertades individuales. Además de las libertades de expresión, de religión y de prensa, la Declaración de Derechos protege el derecho a congregarse y a hacer peticiones, a un trato justo para las personas acusadas de delitos y a tener y portar armas.

LA LECTURA EN LOS ESTUDIOS SOCIALES

Resumir Después de leer el recuadro titulado "Civismo", pida a los estudiantes que recuerden qué es la Declaración de Derechos, su importancia y los derechos que protege. Luego, pídales que resuman cómo la Constitución limita los poderes del gobierno. ⬚ ELA READING 2.2

TRANSPARENCIA DE LECTURA

Use la TRANSPARENCIA DE DESTREZAS CLAVE 6.

ocupado la silla presidencial de Estados Unidos: **Herbert Hoover, Richard Nixon** y **Ronald Reagan.** El poder ejecutivo también incluye al vicepresidente y al gabinete presidencial. El **gabinete** es un grupo integrado por los consejeros más importantes del presidente.

El poder judicial está compuesto por la Corte Suprema de Estados Unidos y por todas las cortes federales.

Los magistrados, o jueces, de la Corte Suprema, son designados por el presidente y aprobados por el Senado. Una vez aprobados, los jueces ocupan el cargo durante toda su vida.

Tres californianos han sido miembros de la Corte Suprema. El presidente

Abraham Lincoln designó a **Stephen J. Field** en 1863. **Earl Warren** fue presidente, o juez principal, de la Corte Suprema de 1953 a 1969 y **Anthony Kennedy** es actualmente uno de los magistrados.

La Corte Suprema decide si las leyes aprobadas por el Congreso o las acciones del presidente respetan la Constitución. También decide si las leyes y las cortes de California y del resto de los estados cumplen con la Constitución. Las decisiones que toma la Corte Suprema se aplican a todas las personas de Estados Unidos.

REPASO DE LA LECTURA Ô RESUMIR
¿Qué tareas desempeña cada uno de los tres poderes del gobierno federal?
El legislativo hace las leyes; el ejecutivo hace que las leyes se cumplan; el poder judicial determina si las leyes son justas

Analiza las tablas Ninguno de los poderes del gobierno federal tiene más poder que los otros.

✦ ¿Por qué crees que el gobierno federal tiene tres poderes?

Poderes del gobierno federal

PODER LEGISLATIVO	PODER EJECUTIVO	PODER JUDICIAL
Hace las leyes	Hace que se cumplan las leyes de la nación, es decir, se ocupa de que se apliquen	Decide si las leyes se han violado o si están en contra de lo establecido por la Constitución

465

6 History Clarify for students that Richard Nixon was the only President who was born in California. Herbert Hoover and Ronald Reagan both lived in California but were not natives of the state.

7 Visual Literacy: Table Help students understand the connection between the information presented in the table and the information presented in the text. Have students identify some members of each branch of government. Point out the photographs of the Capitol building, the White House, and the Supreme Court building. Explain that these buildings are important national symbols.
HSS 4.5, 4.5.1

CAPTION ANSWER: to balance or limit power between the branches and ensure that no one branch is more powerful than the others

8 Visual Literacy: Photographs Ask students to share any questions they have about the buildings, the people who work in them, and the jobs those people do. HSS 4.5

6 Historia Aclare a los estudiantes que Richard Nixon fue el único presidente que nació en California. Tanto Herbert Hoover como Ronald Reagan vivían en California, pero no eran nativos del estado.

7 Aprendizaje visual: Tabla Ayude a los estudiantes a comprender la relación entre la información de la tabla y la información escrita. Pídales que identifiquen a algunos miembros de cada rama del gobierno. Señale las fotografías del Capitolio, la Casa Blanca y la Corte Suprema. Explique que esos edificios son símbolos nacionales importantes.
HSS 4.5, 4.5.1

RESPUESTA: para equilibrar o limitar la autoridad entre los poderes y asegurar que ningún poder tenga más autoridad que los demás

8 Aprendizaje visual: Fotografías Pida a los estudiantes que formulen cualquier pregunta que tengan acerca de los edificios, las personas que trabajan en ellos y las tareas que desempeñan esas personas.
HSS 4.5

ELL ENGLISH LANGUAGE LEARNERS

Have students discuss the three branches of the federal government.

Beginning Have students respond to simple questions by naming terms related to each branch.

Intermediate Have students describe each branch, using simple sentences.

Advanced Have students describe details about each branch.

INTEGRATE THE CURRICULUM

VISUAL ARTS Discuss the roles of proportion and symbols in creating a sculpture or an image. Ask students to study the photograph of the statue of Justice on page 464. Have them create drawings or paintings of the statue and discuss how the sword, the blindfold, and the scales symbolize and relate to concepts of fairness and equality.
Create a Drawing VISUAL ARTS 2.5

Diferentes niveles de gobierno

Contenido clave Los niveles de gobierno estatal y local deben obedecer la Constitución y otras leyes federales. Todos los niveles de gobierno comparten algunas tareas pero tienen también diferentes responsabilidades.

9 Civismo y gobierno Asegúrese de que los estudiantes comprendan que todas las leyes del país han sido hechas por representantes elegidos por los votantes.

10 Civismo y gobierno Converse con los estudiantes acerca de qué significa que cada nivel de gobierno de una nación o un estado "debe cumplir con la ley", cuando las leyes escritas son creadas por representantes elegidos.

P ¿Qué creen que sucedería si no hubiera leyes escritas? HSS 4.5.3

R Los estudiantes pueden decir que los estados o las ciudades podrían ignorar las leyes nacionales o que el país estaría desorganizado.

11 Aprendizaje visual: Diagrama Invite a los estudiantes a estudiar el diagrama de las páginas 466–467 y a resumir la información que muestra. Asegúrese de que comprendan que los gobiernos locales pueden incluir tanto gobiernos de la ciudad como gobiernos de condado.

P ¿Qué niveles de gobierno se muestran en el diagrama? HSS 4.5.3

R federal, estatal y local

RESPUESTA: el gobierno estatal

Different Levels of Government

Content Focus State and local levels of government must obey the Constitution and other federal laws. All levels of government share some duties and also have separate responsibilities.

9 Civics and Government Make sure students understand that all of the country's laws have been made by representatives who have been elected by the voters.

10 Civics and Government Discuss what it means for a nation or state to operate under the "rule of law," where written laws at each level of government are created by elected representatives.

Q What do you think would happen if there were no written laws? HSS 4.5.3

A Students may say that states or cities might not follow the national laws; or the country might be in disorder.

11 Visual Literacy: Diagram Invite students to study the diagram on pages 466–467 and to summarize the information shown. Make sure students understand that local governments can include both city governments and county governments.

Q What levels of government are shown in the diagram? HSS 4.5.3

A federal, state, and local

CAPTION ANSWER: state government

Diferentes niveles de gobierno

Los niveles del gobierno —federal, estatal y local— se parecen en varios aspectos. Por ejemplo, los gobiernos federal y estatal se rigen por constituciones escritas, y las tareas que desempeñan se dividen entre tres poderes.

Todos los niveles de gobierno operan solo con el consentimiento, o la aprobación, de los ciudadanos. Cada nivel debe obedecer la Constitución y las leyes aprobadas por el Congreso de Estados Unidos. Y cada nivel debe cumplir con la ley. Esto significa que el gobierno y los funcionarios elegidos deben obedecer las mismas leyes que el resto de los ciudadanos.

Los niveles de gobierno comparten algunas tareas. Cada uno de ellos hace leyes y se asegura de que se cumplan. Todos los niveles de gobierno recaudan impuestos. Un **impuesto** es dinero que el gobierno recauda de sus ciudadanos, a menudo para pagar por servicios. El dinero de los impuestos se usa también para pagar los salarios de los empleados públicos y atender las necesidades del gobierno.

Aunque tienen muchas características en común, los niveles de gobierno también tienen diferencias importantes. Por ejemplo, solo el gobierno federal tiene la facultad de declarar la guerra a otra nación. El gobierno federal también controla las fuerzas militares de la nación.

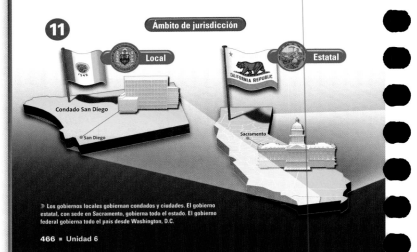

Ámbito de jurisdicción

Local — Condado San Diego — San Diego

Estatal — CALIFORNIA REPUBLIC — Sacramento

≫ Los gobiernos locales gobiernan condados y ciudades. El gobierno estatal, con sede en Sacramento, gobierna todo el estado. El gobierno federal gobierna todo el país desde Washington, D.C.

466 ■ Unidad 6

Practice and Extend

INTEGRATE THE CURRICULUM

✐ ENGLISH LANGUAGE ARTS Have small groups choose a national, state, or local park in California. Ask each group to conduct research about the park and present orally an informational report about it. Encourage them to use more than one source. Reports should clearly focus on the topic and include facts and relevant details. **Give a Report** ELA LISTENING AND SPEAKING 2.2

REACH ALL LEARNERS

Advanced Have students work together, using the government pages of the local phone book to identify the national, state, and local government agencies in your area. Ask students to discuss the responsibilities of the various agencies, and then have them make a chart, classifying each agency by the level and branch of government to which it belongs.

Solo el gobierno federal tiene la facultad de imprimir dinero y abrir oficinas de correo. También administra el comercio entre los estados y entre Estados Unidos y otros países. El gobierno federal también tiene otros deberes, que incluyen el cuidado de los parques nacionales y sitios históricos.

Las leyes creadas por los tres niveles de gobierno son diferentes y se aplican a distintos grupos de personas, mientras que las leyes aprobadas por el Congreso de Estados Unidos se aplican a todas las personas en el país. Las leyes aprobadas por la legislatura estatal de California solo se aplican a las personas que viven allí. Los gobiernos locales aprueban leyes que se aplican a los habitantes de un condado, una ciudad o un pueblo en particular.

Cada nivel de gobierno tiene sus propias cortes. No obstante, la decisión final en la resolución de disputas está en manos de la corte más alta, la Corte Suprema de Estados Unidos. Las cortes estatales se ocupan de casos relacionados con las leyes del estado, y las cortes locales atienden casos relacionados con leyes locales.

Los gobiernos estatales y locales también tienen responsabilidades especiales. Por ejemplo, los gobiernos estatales emiten las licencias de conducir. Los gobiernos estatales y locales organizan elecciones y se ocupan de la salud y la seguridad de los ciudadanos. **13**

REPASO DE LA LECTURA COMPARAR Y CONTRASTAR **¿Qué tienen en común el gobierno federal, el estatal y el local?** El gobierno federal y el estatal se rigen por constituciones escritas; las tareas se dividen entre tres poderes; todos deben respetar las leyes y gobernar con el consentimiento del pueblo.

Analizar diagramas

◆ **¿Qué nivel de gobierno tiene, por lo general, poder sobre un área mayor, el gobierno estatal o el gobierno del condado?**

Federal

Washington D.C.

Capítulo 12 ■ 467

---

12 ANALYZE SKILL **Chronological Thinking** Discuss how the powers of the different levels of government are similar and how they are different. Explain to students that while our government has changed in many ways over time, its basic structure and purpose as defined by the Constitution have remained the same.

Q **Why do you think only the federal government has the power to print money?** HSS 4.5.3, CS 3

A Possible responses: so that the entire nation has one type of money; so that the amount of money printed can be controlled by one group

13 **Civics and Government** Have students create a three-column chart with the headings *Federal, State,* and *Local.* Ask them to list information under each heading to show the differences among the three levels of government. HSS 4.5.3

Q **Do you think it makes sense for state governments to be in charge of issuing driver's licenses? Why or why not?** HSS 4.5.3

A Possible response: Yes, it makes sense because most of the driving that people do takes place within the state where they live and so should be controlled by that state.

CHAPTER 12 ■ **467**

---

12 DESTREZA DE ANÁLISIS **Pensamiento cronológico** Analice con los estudiantes las diferencias y semejanzas entre los distintos niveles de gobierno. Explique a los estudiantes que, si bien nuestro gobierno ha cambiado en muchos aspectos a lo largo del tiempo, su estructura básica y su propósito siguen siendo los mismos que determina la Constitución.

P **¿Por qué creen que solamente el gobierno federal tiene la facultad de imprimir dinero?** HSS 4.5.3, CS 3

R Respuestas posibles: para que toda la nación tenga el mismo tipo de dinero; para que la cantidad de dinero emitido pueda ser controlada por un solo grupo

13 **Civismo y gobierno** Pida a los estudiantes que hagan una tabla de tres columnas con los títulos *Federal, Estatal* y *Local.* Pídales que anoten bajo cada título las diferencias entre los tres niveles de gobierno. HSS 4.5.3

P **¿Creen que tiene sentido que los gobiernos estatales se encarguen de emitir las licencias de conducir? ¿Por qué?** HSS 4.5.3

R Respuestas posibles: Sí, tiene sentido porque las personas, por lo general, conducen dentro del estado donde viven y, por lo tanto, ese estado debe controlar las licencias.

Responsabilidades compartidas

Contenido clave Los niveles de gobierno federal, estatal y local trabajan en conjunto para brindar algunos servicios.

⓮ Relacionar civismo y gobierno, y economía Pida a los estudiantes que comenten lo que saben acerca de los distintos tipos de impuestos. Si es necesario, explique que el impuesto a la propiedad es un impuesto sobre los inmuebles, que pagan los propietarios de tierras y de viviendas; el impuesto a los ingresos es un impuesto al dinero que gana una persona; y el impuesto a las ventas es un impuesto que pagan las personas cuando compran algo. ⬛ **HSS 4.5**

⓯ Aprendizaje visual: Tabla Pida a los estudiantes que lean las facultades que tiene cada nivel de gobierno y que describan las facultades compartidas.

RESPUESTA: porque cada nivel de gobierno necesita tener dinero para pagar por servicios. ⬛ **HSS 4.5.3**

⓰ Aprendizaje visual: Mapa

DESTREZA DE ANÁLISIS Pensamiento espacial Pida a los estudiantes que observen el mapa del Sistema de Parques Nacionales de California, en la página 469. Pídales que ubiquen los parques cercanos a su comunidad y que comenten alguna visita que hayan hecho a esos lugares. ⬛ **HSS 4.5,** CS 4

RESPUESTA: el Parque Nacional Joshua Tree

Sharing Responsibilities

Content Focus Federal, state, and local levels of government work together to provide certain services.

⓮ Link Civics and Government with Economics Ask students to share what they know about the various types of taxes. If necessary, explain that property tax is a tax on real estate, paid by people who own land and buildings on the land; income tax is a tax on the money a person earns; and sales tax is a tax paid by people when they buy something. ⬛ HSS 4.5

⓯ Visual Literacy: Table Have students read the powers each level of government has and describe the shared powers.

CAPTION ANSWER: because each level of government needs to have money to pay for services ⬛ HSS 4.5.3

⓰ Visual Literacy: Map

ANALYSIS SKILL Spatial Thinking Ask students to look at the map on page 469 of national parks in California. Have them locate parks near your community and share any experiences they have had visiting those places. ⬛ HSS 4.5, CS 4

CAPTION ANSWER: Joshua Tree National Park

Responsabilidades compartidas

Aunque las tareas del gobierno federal, del estatal y del local son diferentes, comparten responsabilidades y facultades para alcanzar sus objetivos. Por ejemplo, cada nivel recauda impuestos y solicita préstamos para financiar programas públicos.

⓮ La mayoría de los gobiernos locales recauda impuestos a la propiedad de viviendas, empresas y granjas. El gobierno federal y algunos gobiernos estatales también recaudan impuestos a los ingresos, es decir, sobre la cantidad de dinero que ganan las personas. Los estados también recaudan dinero de impuestos a las ventas, es decir, impuestos sobre los bienes que compran las personas.

A menudo, los tres niveles trabajan en conjunto. Por ejemplo, los gobiernos locales se encargan de las tuberías de agua de su área, los estatales se encargan de los embalses y canales que juntan y transportan el agua, y en grandes proyectos hídricos, el gobierno federal da a los estados el dinero para su realización. También trabajan juntos para garantizar la salud pública y la seguridad. Por ejemplo, los gobiernos locales vigilan las fuentes de contaminación del aire en sus regiones y algunos estados hacen pruebas a los automóviles y camiones para asegurarse de que no contaminen.

Analizar tablas Los gobiernos local, estatal y federal comparten facultades que les permiten trabajar en conjunto para ayudar a las personas.
◆ ¿Por qué crees que cada nivel de gobierno tiene la facultad de recaudar impuestos?

⓯

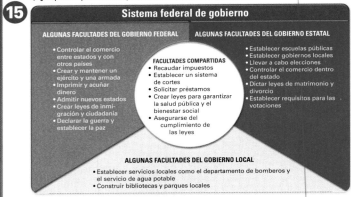

Sistema federal de gobierno

ALGUNAS FACULTADES DEL GOBIERNO FEDERAL
- Controlar el comercio entre estados y con otros países
- Crear y mantener un ejército y una armada
- Imprimir y acuñar dinero
- Admitir nuevos estados
- Crear leyes de inmigración y ciudadanía
- Declarar la guerra y establecer la paz

FACULTADES COMPARTIDAS
- Recaudar impuestos
- Establecer un sistema de cortes
- Solicitar préstamos
- Crear leyes para garantizar la salud pública y el bienestar social
- Asegurarse del cumplimiento de las leyes

ALGUNAS FACULTADES DEL GOBIERNO ESTATAL
- Establecer escuelas públicas
- Establecer gobiernos locales
- Llevar a cabo elecciones
- Controlar el comercio dentro del estado
- Dictar leyes de matrimonio y divorcio
- Establecer requisitos para las votaciones

ALGUNAS FACULTADES DEL GOBIERNO LOCAL
- Establecer servicios locales como el departamento de bomberos y el servicio de agua potable
- Construir bibliotecas y parques locales

468 ■ Unidad 6

Practice and Extend

REACH ALL LEARNERS

Leveled Practice Have students work in small groups to design a set of posters depicting the work of federal, state, and local levels of government.

Basic Ask students to create a poster for each level of government, giving it a title that reflects the structure or activities of that level.

Proficient Have students create posters with labels describing the functioning of each level of government.

Advanced Have students create a poster for each level of government, including detailed descriptions of its activities. To accompany the posters, have students also prepare a written explanation of how the different levels work together.

16 Analizar mapas El gobierno federal tiene a su cargo 8 parques nacionales, 18 bosques nacionales y una costa nacional en California. El gobierno estatal tiene a su cargo aproximadamente 100 parques estatales.

◆ Lugares ¿Qué parque nacional está más cerca de Palm Springs?

El gobierno federal, a su vez, establece normas nacionales para garantizar la calidad del aire. Así, los niveles de gobierno trabajan juntos por el bien de todos.

REPASO DE LA LECTURA ○ RESUMIR
¿Cuáles son algunas de las cosas que brindan los niveles de gobierno al trabajar juntos?
Todos los niveles trabajan juntos para brindar servicios y garantizar la salud y la seguridad públicas.

Resumen

El gobierno de Estados Unidos está dividido en tres niveles: federal, estatal y local. El gobierno federal y el estatal tienen tres poderes. Los tres niveles de gobierno trabajan en conjunto y comparten responsabilidades.

Sistema de Parques Nacionales de California

REPASO

1. ¿Por qué es importante la Constitución de Estados Unidos?

2. Usa el término **gabinete** en una oración que explique las tareas del poder ejecutivo del gobierno federal.

3. ¿De qué maneras es el gobierno federal más poderoso que los gobiernos estatales o locales?

RAZONAMIENTO CRÍTICO

4. ¿Por qué crees que los autores de la Constitución de Estados Unidos establecieron tres poderes de gobierno?

5. ¿Cómo ayuda el gobierno federal a unir a los habitantes de California con los de los otros estados?

6. Escribe un folleto Piensa acerca de las cosas que una persona recién llegada a Estados Unidos debería saber acerca de la Constitución. Escribe un folleto que describa la Constitución.

7. RESUMIR
En una hoja de papel, copia y completa el organizador gráfico de abajo.

Dato clave	Resumen
Dato clave	La Constitución es el plan para el gobierno nacional.

Capítulo 12 ■ 469

HOMEWORK AND PRACTICE

A Plan for Government

pages 127–128

WRITING RUBRIC

Score 4
• provides all important facts
• is well-organized and clear
• has no errors or very few errors

Score 3
• provides most important facts
• is mostly well-organized and clear
• has a few errors

Score 2
• provides some important facts
• is somewhat organized and fairly clear
• has several errors

Score 1
• provides few important facts
• is not well-organized or clear
• has many errors

TAREA Y PRÁCTICA

Un plan de gobierno

páginas 127–128

---

3 Close

Summary

Have students review the summary and restate the lesson's key content.

• The Constitution is the written plan for the federal government.

• Federal and state governments have three branches: executive, legislative, and judicial.

• Federal, state, and local governments share some responsibilities.

Assess
REVIEW—Answers

1. It outlines the purpose, structure, and powers of the federal government and protects the rights of citizens. HSS 4.5, 4.5.1

2. **Vocabulary** The President has a **Cabinet** made up of advisers who help the President make important decisions regarding how to carry out and enforce laws. HSS 4.5.1

3. **Government** The federal government has the right to print money, manage trade, declare war, and control the military; the federal courts decide whether state and local laws follow the Constitution. HSS 4.5.3

Critical Thinking

4. **Chronological Thinking** to ensure that no one branch becomes too powerful HSS 4.5.1, CS 3

5. Students may answer that the federal government provides an organized system of representation through which citizens from every state can help govern the nation. HSS 4.5.1

6. Write a Pamphlet—
Assessment Guidelines
See Writing Rubric. This activity can be used with the unit project.
HSS 4.5.1, ELA WRITING 2.3, 2.4, ELA WRITTEN AND ORAL ENGLISH LANGUAGE CONVENTIONS 1.0

7. **Summarize** KEY FACT: The Constitution sets up three branches of government. KEY FACT: The Constitution includes the Bill of Rights. HSS 4.5, ELA READING 2.2

CHAPTER 12 ■ 469

---

3 Concluir

Resumen

Pida a los estudiantes que repasen el resumen y que expresen con sus palabras el contenido clave de la lección.

• La Constitución es el plan escrito para el gobierno federal.

• El gobierno federal y los gobiernos estatales tienen tres poderes: ejecutivo, legislativo y judicial.

• El gobierno federal, los gobiernos estatales y los gobiernos locales comparten algunas responsabilidades.

Evaluar
REPASO—Respuestas

1. Define el propósito, la estructura y las facultades del gobierno federal, y protege los derechos de los ciudadanos. HSS 4.5, 4.5.1

2. **Vocabulario** El presidente tiene un **gabinete** de consejeros que lo ayudan a tomar decisiones sobre cómo aplicar y hacer cumplir las leyes. HSS 4.5.1

3. **Gobierno** El gobierno federal tiene la facultad de imprimir dinero, controlar el comercio, declarar la guerra y crear y mantener un ejército; las cortes federales deciden si las leyes estatales y locales son constitucionales. HSS 4.5.3

Razonamiento crítico

4. **Pensamiento cronológico** Para que ningún poder de gobierno se vuelva demasiado poderoso. HSS 4.5.1, CS 3

5. Los estudiantes pueden responder que el gobierno federal proporciona un sistema de representación organizado, en el que los ciudadanos de cada estado pueden ayudar a gobernar la nación. HSS 4.5.1

6. Escribe un folleto—**Pautas de evaluación** Vea Writing Rubric. Esta actividad puede usarse con el proyecto de la unidad.
HSS 4.5.1, ELA WRITING 2.3, 2.4, ELA WRITTEN AND ORAL ENGLISH LANGUAGE CONVENTIONS 1.0

7. **Resumir** DATO CLAVE: La Constitución establece tres poderes de gobierno. DATO CLAVE: La Constitución incluye la Declaración de Derechos. HSS 4.5, ELA READING 2.2

Lección 2

PÁGINAS 470–476

OBJETIVOS

- Analizar el propósito y los principios clave de la Constitución de California.

- Describir las funciones de cada uno de los poderes del gobierno estatal y las responsabilidades de sus funcionarios.

VOCABULARIO

proyecto de ley pág. 472
presupuesto pág. 473
vetar pág. 473
destituir pág. 475
iniciativa pág. 475
petición pág. 475
referéndum pág. 476

RESUMIR

págs. 422–423, 471, 472, 473, 476

RECURSOS

Tarea y práctica, pág. 129; Transparencia de destrezas clave 6; Colección de audiotextos en CD de la Unidad 6; Recursos en Internet

1 Presentar

Reflexiona Recuerde con los estudiantes cuáles son los tres poderes del gobierno federal. Luego, pídales que comenten lo que saben acerca de cómo está organizado el gobierno estatal.

Piensa en los antecedentes Analice con los estudiantes de qué manera la Constitución federal otorga a los estados el derecho de establecer sus propias leyes, siempre que respeten la Constitución.

 Analice el significado de la expresión *candidatos a los cargos públicos* y pida a los estudiantes que definan *candidato y cargos públicos* en el contexto del gobierno.

Lesson 2

PAGES 470–476

OBJECTIVES

- Analyze the purpose of and the key principles in the California Constitution.

- Describe the work of each branch of state government, and describe the roles of oficials in each branch.

VOCABULARY

bill p. 472   **initiative** p. 475
budget p. 473   **petition** p. 475
veto p. 473   **referendum** p. 476
recall p. 475

 SUMMARIZE

pp. 422–423, 471, 472, 473, 476

RESOURCES

Homework and Practice Book, p. 129; Reading Support and Intervention, pp. 170–173; Success for English Learners, pp. 175–178; Vocabulary Transparency 6-12-2; Vocabulary Power, p. 113; Focus Skills Transparency 6; Unit 6 Audiotext CD Collection; Internet Resources

1 Introduce

What to Know Recall with students the branches of the federal government. Then have them share their knowledge of how state government is organized.

Build Background Discuss how the federal Constitution gives the states the right to write their own laws so long as they follow the Constitution.

 Discuss the meaning of the idiom *running for office,* and have students define *office* and *official* in the context of government.

Lección 2 — El gobierno estatal de California

REFLEXIONA
¿Cómo está organizado el gobierno estatal de California?

✓ Analiza el propósito y los principios clave de la Constitución de California.

✓ Describe las funciones de cada uno de los poderes del gobierno estatal y las responsabilidades de sus funcionarios.

VOCABULARIO
proyecto de ley pág. 472
presupuesto pág. 473
vetar pág. 473
destituir pág. 475
iniciativa pág. 475
petición pág. 475
referéndum pág. 476

PERSONAS
Ronald M. George
Gray Davis
Arnold Schwarzenegger

LUGARES
Sacramento

RESUMIR

Normas de California
HSS 4.5, 4.5.2, 4.5.3, 4.5.4

IMAGÍNATE ALLÍ Por fin tienes 18 años, la edad suficiente para votar por primera vez. Es día de elecciones y estás en la cabina de votación. Has escuchado los debates, o discusiones, de los candidatos a los cargos públicos.

Cada uno de ellos tiene un plan diferente para hacer del estado un lugar mejor. Ahora debes decidir por quién votar.

CALIFORNIA STANDARDS HSS 4.5 Students understand the structures, functions, and powers of the local, state, and federal governments as described in the U.S. Constitution. 4.5.2 Understand the purpose of the California Constitution, its key principles, and its relationship to the U.S. Constitution.

When Minutes Count

Ask students to examine the following parts of this lesson:

- headings
- vocabulary terms in bold print
- photographs and captions
- Reading Check questions

Then have them write a brief summary that describes the main ideas of the lesson.

Quick Summary

This lesson describes the organization and functions of the three branches of California state government—the legislative branch, the executive branch, and the judicial branch. It also explains the special powers held by California voters—the rights of petition, initiative, recall, and referendum.

Cuando el tiempo apremia

Pida a los estudiantes que examinen las siguientes partes de esta lección:

- títulos
- palabras de vocabulario en negrita
- fotografías y leyendas
- preguntas de "Repaso de la lectura"

Luego, pídales que resuman las ideas principales de la lección.

Resumen

Esta lección describe la organización y las funciones de los tres poderes del gobierno estatal de California: el poder legislativo, el poder ejecutivo y el poder judicial. También explica las facultades especiales que tienen los votantes de California: los derechos de petición, iniciativa, destitución y referéndum.

La Constitución de California

Antes de asumir su cargo, los funcionarios electos y los empleados del gobierno estatal de California hacen una promesa pública que comienza con estas palabras:

> **"Cumpliré y defenderé la Constitución de Estados Unidos y la Constitución del estado de California . . ."***

Al hacer este juramento, prometen cumplir las leyes que ambos documentos establecen.

La Constitución de California es el plan escrito para el gobierno estatal. En muchos aspectos, es similar a la Constitución de Estados Unidos.

Al igual que la Constitución de Estados Unidos, la Constitución de

*Del Juramento del cargo de California, Constitución de California, Artículo 20 miscellaneous subjects. www.leginfo.ca.gov.

California establece un gobierno con tres poderes, que sigue el modelo de los poderes ejecutivo, legislativo y judicial del gobierno federal.

Otra parte de la Constitución de California, la Declaración de Derechos, enumera los derechos y libertades de los ciudadanos. Gran parte de estos derechos y libertades también están incluidos en la Constitución de Estados Unidos.

REPASO DE LA LECTURA Ŏ RESUMIR
¿Cuál es el propósito de la Constitución de California? Es el plan escrito para el gobierno estatal.

El Capitolio Estatal ②

El edificio del capitolio del estado de California está en Sacramento y se terminó de construir en 1874.
① cúpula del capitolio
② las oficinas históricas
③ Cámara del Senado Estatal
☞ ¿Qué poder del gobierno estatal tiene su sede en el edificio del capitolio?

Capítulo 12 **471**

4.5.3 Describe the similarities (e.g., written documents, rule of law, consent of the governed, three separate branches) and differences (e.g., scope of jurisdiction, limits on government powers, use of the military) among federal, state, and local governments. 4.5.4 Explain the structures and functions of state governments, including the roles and responsibilities of their elected officials. **SKILL** Research, Evidence, and Point of View 1. Historical Interpretation 4.

CHAPTER 12 ■ **471**

---

2 Teach

The California Constitution

Content Focus The California Constitution sets up the state's legislative, executive, and judicial branches and includes a Declaration of Rights similar to the Bill of Rights.

① Primary Source: Quotation Read aloud the quotation, and discuss the relationship between the purpose and principles of the California Constitution and those of the United States Constitution. HSS 4.5.2

Source: From the California Oath of Office. California constitution, Article 20 miscellaneous subjects. www.leginfo.ca.gov.

The State Capitol
② Have students look at the diagram and read the labels. Explain that both the state senate and the state assembly have chambers, or meeting rooms, in the capitol building. HSS 4.5, 4.5.4

CAPTION ANSWER: the state legislature

---

2 Enseñar

La Constitución de California

Contenido clave La Constitución de California establece los poderes legislativo, ejecutivo y judicial del estado e incluye una Declaración de Derechos similar a la de la Constitución de Estados Unidos.

① Fuente primaria: Cita Lea en voz alta la cita y converse con los estudiantes acerca de la relación entre el propósito y los principios de la Constitución de California y los de la Constitución de Estados Unidos. HSS 4.5.2

Fuente: Del Juramento del cargo de California. Constitución de California, Artículo 20 miscellaneous subjects. www.leginfo.ca.gov.

El Capitolio Estatal
② Pida a los estudiantes que observen el diagrama y lean los rótulos. Explique que tanto el Senado Estatal como la Asamblea Estatal tienen cámaras, o salas de reunión, en el edificio del capitolio. HSS 4.5, 4.5.4

RESPUESTA: la legislatura estatal

La legislatura de California

Contenido clave A semejanza del Congreso de Estados Unidos, la legislatura estatal de California tiene dos cámaras: el Senado y la Asamblea. La legislatura estatal decide qué nuevas leyes se harán y cómo se gastará el dinero de los impuestos.

El Gran Sello del Estado de California

3 **DESTREZA DE ANÁLISIS** **Investigación/Evidencia** Explique que el sello del estado es un símbolo del estado. Pida a los estudiantes que lo observen y relacionen las descripciones con los elementos numerados en el sello. Aliéntelos a formular preguntas sobre esos elementos. **HSS 4.5**, HR 1

RESPUESTA: Todos son símbolos de eventos de la historia de California.

4 **DESTREZA DE ANÁLISIS** **Civismo y gobierno** Si es posible, muestre un mapa de los distritos que los miembros del Senado y de la Asamblea representan. Ayude a los estudiantes a identificar y describir los límites de distrito del Senado y la Asamblea locales. Explique que la legislatura a veces reformula los límites de distrito de acuerdo con los cambios en la población. **HSS 4.5**

California's Legislature

Content Focus Similar to the U.S. Congress, the California State Legislature has two houses—the senate and the assembly. The state legislature decides what new laws will be made and how taxes will be spent.

The Great Seal of the State of California

3 **ANALYSIS SKILL** **Research/Evidence** Explain that the state seal is used as a symbol for the state. Have students examine the seal, matching the descriptions to numbered items on the seal. Encourage them to pose questions about items on the seal. **HSS 4.5**, HR 1

CAPTION ANSWER: They are all symbols of events in California history.

4 **ANALYSIS SKILL** **Civics and Government** If possible, display a map of state assembly and senate districts. Help students identify and describe the local senate and assembly district boundaries. Explain that the legislature sometimes redraws district boundaries if the population changes. **HSS 4.5**

FUENTES PRIMARIAS

3 **El Gran Sello del Estado de California**

DESTREZA Analizar objetos del pasado **El sello del estado de California se usa en todos los documentos oficiales del estado.**

1 El sello exhibe el lema de California, *Eureka*, que significa "lo he encontrado".

2 Minerva, la diosa romana de la sabiduría, sostiene un escudo con 31 estrellas. Las estrellas representan el número de estados que tenía la Unión en la época en que California se incorporó a Estados Unidos.

3 Las uvas y el trigo a los pies de Minerva simbolizan los numerosos productos agrícolas de California.

❖ ¿Por qué piensas que el sello también muestra un oso pardo, un minero y barcos?

La legislatura de California

4

En California, el poder legislativo se llama Legislatura Estatal de California y es similar, en muchos aspectos, al Congreso de Estados Unidos. La legislatura estatal tiene dos partes, conocidas como cámaras: el Senado y la Asamblea. Sus miembros representan los diferentes distritos, o partes, del estado.

El Senado de California tiene 40 miembros, llamados senadores. Los votantes de cada distrito eligen senadores estatales para ocupar el cargo por cuatro años. Un senador no puede ocupar el cargo por más de dos períodos. La Asamblea de California tiene 80 miembros. Sus cargos duran dos años y no pueden ser ocupados por más de tres períodos.

Las dos cámaras se reúnen en el capitolio estatal, en **Sacramento**. Los miembros de cada cámara pueden presentar **proyectos de ley**, o propuestas

➤ Los miembros de la legislatura estatal se reúnen en el edificio del capitolio para discutir, debatir y aprobar leyes.

Practice and Extend

BACKGROUND

The California Constitution California's first constitution was written in 1849. A second constitution, adopted in 1879, is still in place today. That document has been amended more than 500 times in the years since its adoption. The California Constitution is currently more than 10,000 pages long. By comparison, the U.S. Constitution with all its amendments can be printed on fewer than 30 pages.

READING SOCIAL STUDIES

Focus Skill **Summarize** Organize the class into three groups, and assign each group one of the branches of state government. Direct group members to review the text to create an oral summary of the structure and function of their assigned branch, including descriptions of the jobs of the main officials. **ELA READING 2.2**

▸ **READING TRANSPARENCY**

Use FOCUS SKILLS TRANSPARENCY 6

Practicar y ampliar

ANTECEDENTES

La Constitución de California La primera constitución de California fue redactada en 1849. Una segunda constitución, adoptada en 1879, es la que sigue en vigencia. Desde su adopción, el documento fue enmendado más de 500 veces. La Constitución de California tiene actualmente más de 10,000 páginas. En comparación, la Constitución de Estados Unidos, con todas sus enmiendas, puede imprimirse en menos de 30 páginas.

LA LECTURA EN LOS ESTUDIOS SOCIALES

Destreza clave **Resumir** Organice la clase en tres grupos y asigne a cada grupo uno de los poderes del gobierno estatal. Pídales que repasen el texto para resumir oralmente la estructura y la función del poder que se les asignó, incluyendo las tareas de los funcionarios principales. **ELA READING 2.2**

▸ **TRANSPARENCIA DE LECTURA**

Use la TRANSPARENCIA DE DESTREZAS CLAVE 6.

❯ El gobernador Schwarzenegger se reúne con bomberos en Paso Robles.

6

para nuevas leyes. Primero, cada cámara diseña sus proyectos de ley. Después, los proyectos que son aprobados, o aceptados, por una de las cámaras, se envían a la otra cámara para su aprobación.

La legislatura estatal también decide cómo se gastarán los impuestos recaudados por el estado. Esos impuestos se destinan al funcionamiento del gobierno, así como a construir caminos, edificios, escuelas y parques, y a elaborar programas de ayuda a los ciudadanos.

REPASO DE LA LECTURA Ö RESUMIR
¿Cuáles son las dos cámaras de la legislatura estatal de California? el Senado y la Asamblea

El poder ejecutivo de California

5

El gobernador es el líder del poder ejecutivo estatal. Los votantes del estado eligen al gobernador para cumplir un mandato de cuatro años. Además de aplicar las leyes, la oficina del gobernador

crea un **presupuesto**, es decir, un plan escrito que indica a qué se destinará el dinero del estado. El gobernador entrega el presupuesto a la legislatura para su aprobación. El gobernador también puede presentar proyectos de ley a la legislatura.

Todos los proyectos de ley deben ser aprobados por las dos cámaras de la legislatura. Si son aprobados, el gobernador debe revisarlos, y si los firma, se convierten en ley. Si no toma ninguna decisión en cuanto a algún proyecto, este se convierte en ley después de 12 días.

El gobernador puede **vetar**, o sea, rechazar un proyecto. Aun así, la legislatura puede aprobar el proyecto vetado, pero para hacerlo necesita el voto a favor de dos tercios de los miembros de ambas cámaras. El gobernador también elige funcionarios para dirigir organismos y departamentos de gobierno, como el Departamento de Automotores.

7

REPASO DE LA LECTURA SACAR CONCLUSIONES
¿Cómo puede el gobernador de California impedir que un proyecto de ley se convierta en ley? El gobernador puede vetar el proyecto.

Capítulo 12 ▪ 473

California's Executive Branch

Content Focus California's governor, the leader of the executive branch, creates a yearly budget and can sign or veto bills passed by the legislature.

5 **Civics and Government**
Discuss how the lawmaking process in California mirrors that of the federal government. 🔲 HSS 4.5.3

6 **Visual Literacy: Photograph**
Have students examine the photograph of Governor Schwarzenegger and firefighters. Explain that when a disaster, such as a major fire, occurs, a governor may visit the site to see the damage and recommend that state money be used to help citizens affected by the event. 🔲 HSS 4.5.4

7 **Civics and Government** Explain that a two-thirds vote of both houses is required to override a veto.

Q Why do you think a two-thirds vote by both houses is required to overide a veto? 🔲 HSS 4.5.4

A Possible response: so that such an action happens only when a large majority of the legislators agree that the veto is unwise.

El poder ejecutivo de California

Contenido clave El gobernador de California, o sea, el líder del poder ejecutivo, crea un presupuesto anual, y puede firmar o vetar proyectos de ley aprobados por la legislatura.

5 **Civismo y gobierno** Converse con los estudiantes acerca de cómo el proceso de creación de leyes en California refleja el proceso similar en el gobierno federal. 🔲 HSS 4.5.3

6 **Aprendizaje visual: Fotografía** Pida a los estudiantes que observen la fotografía del gobernador Schwarzenegger con los bomberos. Explique que cuando se produce una catástrofe, por ejemplo, un gran incendio, es posible que el gobernador visite el lugar para evaluar los daños y recomendar que se use el dinero del estado para ayudar a los ciudadanos damnificados. 🔲 HSS 4.5.4

7 **Civismo y gobierno** Explique que se requiere el voto a favor de dos tercios de ambas cámaras para anular un veto.

P **¿Por qué creen que, para anular un veto, se requiere el voto a favor de dos tercios de ambas cámaras?** 🔲 HSS 4.5.4

R Respuesta posible: para que eso ocurra solamente cuando una amplia mayoría de los legisladores coincide en que el veto es desaconsejable.

BACKGROUND

State Emergencies From time to time, California experiences disasters such as mud slides, floods, earthquakes, or wildfires. The California Office of Emergency Services, which the governor oversees, responds to these disasters, providing public information and assistance and distributing state and federal money to help citizens recover from their losses.

INTEGRATE THE CURRICULUM

✏ **ENGLISH LANGUAGE ARTS** Explain that many words used to talk about government have multiple meanings. Discuss various meanings of *house* and *bill*. Invite students to use a dictionary to identify each meaning that relates to government and to compare it with other meanings. **Learn Terms**
🔲 ELA READING 1.6

MAKE IT RELEVANT

In Your State Have students create a chart listing contact information and brief job descriptions for the following California officials:

- the local member of the California Assembly
- the local state senator
- the governor of California

Have students research when these officials took office and calculate when their terms will end.

CHAPTER 12 ▪ 473

ANTECEDENTES

Emergencias estatales De vez en cuando, California sufre catástrofes, como deslaves, inundaciones, terremotos o incendios forestales. La Oficina de Servicios de Emergencia de California, supervisada por el gobernador, responde ante esas catástrofes brindando información y asistencia pública, así como distribuyendo dinero estatal y federal para ayudar a los ciudadanos a recuperarse de sus pérdidas.

APLÍCALO

En su estado Pida a los estudiantes que hagan una tabla con una descripción breve de las tareas de los siguientes funcionarios estatales, e información para contactarlos:

- el representante local ante la Asamblea de California
- el senador estatal local
- el gobernador de California

Pídales que investiguen cuándo asumieron el cargo esos funcionarios y que calculen cuándo concluirán sus mandatos.

El poder judicial de California

Contenido clave La Corte Suprema del estado y las seis cortes de apelación intervienen en casos relacionados con las leyes de California y la Constitución de California.

❽ Civismo y gobierno Explique que, en cada condado, el estado tiene cortes más bajas donde se llevan a cabo juicios, como aquellos en los que una persona es acusada de un delito. Señale que, una vez concluido el juicio, la parte perdedora puede apelar el caso, pidiendo la intervención de una corte más alta. 📖 HSS 4.5, 4.5.2, 4.5.4

❾ Civismo y gobierno Pida a los estudiantes que vuelvan a leer la página 465 de la Lección 1. Luego, indíqueles que comparen la Corte Suprema de California con la Corte Suprema federal.

P ¿Durante cuánto tiempo ocupan sus cargos los magistrados de la Corte Suprema de California? ¿Y los de la Corte Suprema federal? 📖 HSS 4.5.3

R estatal: 12 años; federal: toda su vida

P ¿Cómo obtienen su cargo los magistrados de la Corte Suprema y los de las cortes de apelación de California? ¿Cómo obtienen su cargo los magistrados de la Corte Suprema federal?

R magistrados de California: son designados por el gobernador y aprobados por los votantes; magistrados de la Corte Suprema federal: son designados por el presidente y confirmados por el Senado 📖 HSS 4.5.3

California's Judicial Branch

Content Focus The state's supreme court and six appeal courts hear cases having to do with California laws and the California Constitution.

❽ Civics and Government Explain that in each county, the state has lower courts where trials take place, such as those in which a person is accused of a crime. Point out that after a trial ends, the losing party may be able to appeal the case, asking for it to be heard by a higher court. 📖 HSS 4.5, 4.5.2, 4.5.4

❾ Civics and Government Have students reread page 465 of Lesson 1 and then compare the California and federal Supreme Courts.

Q How long is the term of office for California Supreme Court justices? for federal Supreme Court justices? 📖 HSS 4.5.3

A state—12 years; federal—life

Q How do California Supreme Court and Courts of Appeal justices get their jobs? How do federal Supreme Court justices get their jobs?

A California justices: appointed by the governor and approved by voters; federal Supreme Court justices: appointed by the President and confirmed by the Senate 📖 HSS 4.5.3

▶ El presidente de la Corte Suprema Ronald George (izquierda) toma el juramento a los magistrados Marvin Baxter, Kathryn Werdegar y Carlos Moreno (de izquierda a derecha).

El poder judicial de California

El poder judicial está formado por todas las cortes del estado. Los jueces estatales se aseguran de que las leyes de California se apliquen de manera justa.

También deciden si las leyes concuerdan con la constitución del estado.

La Corte Suprema de California es la corte más alta del estado. Está formada por varios jueces, llamados magistrados. Uno de ellos es elegido presidente de la Corte Suprema. En la actualidad, **Ronald M. George** ocupa ese cargo.

La Corte Suprema interviene en casos relacionados con los derechos y las libertades de los ciudadanos de California. Los magistrados también se ocupan de temas relacionados con la Constitución de California.

Bajo la Corte Suprema de California, existen seis cortes de apelación. En términos legales, apelar significa pedir otro juicio. Las cortes de apelación actúan en los casos en que se cuestiona alguna decisión tomada por una corte más baja.

Los jueces analizan los argumentos de ambas partes y luego deciden si apoyan o rechazan la decisión de la corte más baja.

Los magistrados de la Corte Suprema y de las cortes de apelación son designados por el gobernador. Después, se pide a los votantes que aprueben las propuestas del gobernador. Si son aprobados, los magistrados ocupan su cargo durante 12 años. Los jueces de las cortes más bajas son elegidos directamente por los votantes.

REPASO DE LA LECTURA GENERALIZAR
¿Por qué es importante la Corte Suprema de California? Decide sobre temas relacionados con la Constitución de California y los derechos de los ciudadanos.

474 ▪ Unidad 6

Practice and Extend

BACKGROUND

California Trial Courts
California has 58 lower courts called superior courts—one for each county. In densely populated counties, superior courts have many branches. In 2003, California superior courts had about 400 locations and 1,600 judges. Almost 8 million cases were filed in these courts. California's court system is the largest in the country. It is larger than the federal court system.

REACH ALL LEARNERS

Advanced California used to have two levels of lower courts—municipal and superior. Voters passed an initiative in 1998 allowing county judges to merge the two court levels; as of 2001, all 58 counties had unified the state's 220 trial courts into just 58. Ask students to investigate details about these changes, including their advantages and disadvantages, and then have them present a summary of their findings.

ANTECEDENTES

Cortes judiciales de California California tiene 58 cortes más bajas, llamadas cortes superiores, una por cada condado. En los condados con mayor densidad de población, las cortes superiores tienen muchas sedes. En 2003, las cortes superiores de California tenían aproximadamente 400 juzgados y 1,600 jueces. Casi 8 millones de casos fueron presentados en esas cortes. El sistema de cortes de California es el más grande del país, incluso mayor que el sistema de cortes federales.

Los votantes de California

La Constitución de California otorga a sus votantes algunas facultades especiales que no tienen los votantes de otros estados.

En todos los estados, los votantes eligen al gobernador y a los miembros de la legislatura estatal. En California, y en algunos otros estados, los votantes también pueden **destituir** a sus funcionarios, o sea, removerlos del cargo. En el otoño de 2003, por primera vez en la historia de California, los ciudadanos votaron a favor de la destitución del gobernador **Gray Davis**. Para ocupar su lugar, eligieron a **Arnold Schwarzenegger.**

Los votantes de California también tienen la facultad de aprobar iniciativas. Una **iniciativa** es una ley hecha directamente por los votantes, no por los legisladores.

Para que una iniciativa sea aprobada, los votantes firman una petición en la que declaran que quieren una nueva ley. Una **petición** es una solicitud firmada para que se lleve a cabo una acción. Si la petición reúne suficientes firmas, la iniciativa se presenta a todos los votantes de California en las siguientes elecciones. Si más de la mitad de los votantes la apoyan, la iniciativa se convierte en ley. Del mismo modo, los ciudadanos de California también pueden modificar la constitución del estado.

⑩

★ CIVISMO

Principios democráticos

"Todo poder político emana del pueblo… el pueblo tiene el derecho de modificar o reformar [el gobierno] cuando el bien público lo requiera."*

En 1911, los líderes modificaron la Constitución de California con el fin de permitir la destitución, la iniciativa y el referéndum. Recientemente, los ciudadanos de California ejercieron su derecho a pedir la destitución de cualquier funcionario elegido. En una elección especial organizada en 2003, los californianos votaron para decidir si el gobernador Gray Davis debía ser destituido. También votaron para decidir quién lo reemplazaría en caso de ser así.

Aproximadamente 9 millones de californianos votaron en la elección. Cerca de 5 millones de votantes estuvieron a favor de destituir al gobernador Davis. Para reemplazarlo en el cargo, más de 4 millones de votantes eligieron a Arnold Schwarzenegger.

*de la Constitución del Estado de California, Artículo II, Sección 1

▶ En 2003, los californianos votaron para decidir quién sustituiría al gobernador Gray Davis.

Capítulo 12 ■ **475**

California Voters

Content Focus Besides the power to elect officials, California voters have the power to pass new laws or cancel existing laws, and they can remove elected officials from office.

★ CITIZENSHIP

Democratic Principles

⑩ Review with students the government reforms enacted when Hiram Johnson became governor in 1911. Explain that citizens in a representative democracy always have the power to change their government.

Source: From the California State Constitution, Article II, Section 1

Q Why do you think the state constitution was changed to allow for recalls, initiatives, and referendums? 🔲 HSS 4.5.2

A so citizens could have more control over state government

CHAPTER 12 ■ **475**

Initiative and Referendum
To place an initiative or a referendum on the ballot, a certain number of signatures must be gathered; the required number of signatures is equal to 5 percent of the number of people who voted in the previous governor's race—373,816 signatures in 2004. For an initiative to change the state constitution, the signature requirement is 8 percent, or 598,105 in 2004.

Leveled Practice Have students make a storyboard to show the steps in the process of a recall, initiative, or referendum.

(Basic) Have students draw a picture for each step in the process, place the steps in the correct order, and then dictate a title for each picture.

(Proficient) Have students illustrate the steps in order and include labels that describe what is occurring in each step.

(Advanced) Have students illustrate the steps with descriptive labels and then present the information orally.

Los votantes de California

Contenido clave Además de la facultad de elegir funcionarios, los votantes de California tienen la facultad de aprobar nuevas leyes o de anular leyes existentes, y pueden remover a funcionarios de su cargo.

★ CIVISMO

Principios democráticos

⑩ Repase con los estudiantes las reformas al gobierno aprobadas en 1911, cuando Hiram Johnson se convirtió en gobernador. Explique que los ciudadanos de una democracia representativa siempre tienen la facultad de cambiar su gobierno.

Fuente: De la Constitución del Estado de California, Artículo II, Sección 1

P ¿Por qué creen que se modificó la constitución del estado para permitir la destitución, la iniciativa y el referéndum? 🔲 HSS 4.5.2

R para que los ciudadanos pudieran tener más control sobre el gobierno estatal

---

Iniciativa y referéndum Para someter a votación una iniciativa o un referéndum es nece-sario reunir una determinada cantidad de firmas; el número de firmas requeridas equivale al 5 por ciento de la cantidad de personas que votaron en la elección anterior para gobernador (373,816 firmas en 2004). Para que una iniciativa modifique la constitución estatal, las firmas deben representar el 8 por ciento (598,105 en 2004).

11 DESTREZA DE ANÁLISIS Civismo y gobierno

Repase el significado de las palabras *petición, iniciativa, destituir* y *referéndum*.

P ¿Qué facultades tienen los votantes de California, a diferencia de los votantes de muchos otros estados? HSS 4.5.3, 4.5.4

R Pueden firmar una petición para aprobar iniciativas y referéndum, y para destituir a un funcionario elegido.

3 Concluir

Resumen

Pida a los estudiantes que repasen el resumen y que expresen con sus palabras el contenido clave de la lección.

- La constitución estatal establece el gobierno del estado.
- Los votantes eligen a los funcionarios estatales y tienen facultades especiales.

Evaluar

REPASO—Respuestas

1.  en los poderes legislativo, ejecutivo y judicial HSS 4.5, 4.5.2, 4.5.4

2. **Vocabulario** El gobernador tiene la facultad de **vetar** un proyecto de ley. También debe crear un **presupuesto** estatal. HSS 4.5.4

3. **Gobierno** Pueden aprobar una iniciativa o participar en un referéndum. HSS 4.5.2

4. **Gobierno** En común: gobierno con tres poderes; detalla los derechos de los ciudadanos; Diferencias: los magistrados de la Corte Suprema de California ocupan su cargo durante 12 años; requiere que los votantes aprueben a los magistrados designados; otorga facultades especiales a los votantes. HSS 4.5.2

Razonamiento crítico

5. DESTREZA DE ANÁLISIS **Interpretación histórica** Respuesta posible: para garantizar que los ciudadanos tengan más participación directa en el gobierno. HSS 4.5.2 HI 4

6. **Pronuncia un discurso—Pautas de evaluación** Vea Performance Rubric.
HSS 4.5.4, ELA LISTENING AND SPEAKING 2.2

continued to the right ▶

---

11 ANALYSIS SKILL Civics and Government

Review the meanings of *petition, initiative, recall,* and *referendum.*

Q What powers do California voters have that voters in many other states do not have? HSS 4.5.3, 4.5.4

A They can petition to pass initiatives and referendums and to recall an elected official.

3 Close

Summary

Have students review the summary and restate the lesson's key content.

- The state constitution sets up the state government.
- Voters elect state officials and have special powers.

Assess

REVIEW—Answers

1.  into the legislative, executive, and judicial branches.
HSS 4.5, 4.5.2, 4.5.4

2. **Vocabulary** The governor has the power to **veto** a bill to reject it. He or she also must create a state **budget**. HSS 4.5.4

3. **Government** They can pass an initiative or participate in a referendum. HSS 4.5.2

4. **Government** Similar: government with three branches; it lists the rights of citizens; Different: 12-year terms for supreme court justices; it requires that voters approve choices for justices; it gives voters special powers. HSS 4.5.2

Critical Thinking

5. ANALYSIS SKILL **Historical Interpretation** Possible response: to ensure that citizens have more of a direct say in government.
HSS 4.5.2 HI 4

6. **Deliver a Speech—Assessment Guidelines** See Performance Rubric.
HSS 4.5.4, ELA LISTENING AND SPEAKING 2.2

7. Focus Skill **Summarize** The governor is an important part of state government.
HSS 4.5, ELA READING 2.2

476 ■ **UNIT 6**

continued

7. Destreza clave **Resumir** El gobernador desempeña un papel importante en el gobierno estatal. HSS 4.5, ELA READING 2.2

Si los votantes no están de acuerdo con alguna de las leyes aprobadas por el gobierno estatal, pueden tomar diferentes acciones para cambiarla. Pueden firmar una petición para que se lleve a cabo un referéndum. Un **referéndum** es una elección en la cual los votantes deciden si conservan o no una ley existente.

REPASO DE LA LECTURA Ö RESUMIR
¿De qué manera los procesos de destitución, iniciativa y referéndum otorgan poder a los votantes?

Resumen

La Constitución de California establece un gobierno con tres poderes. Los votantes de California eligen al gobernador, a los miembros de la legislatura y a los jueces. También pueden destituir a los funcionarios electos, aprobar iniciativas y realizar un referéndum para modificar las leyes del estado.

▶ Para los votantes de California, cada elección es una oportunidad de participar en el gobierno.

La destitución permite a los votantes remover de su cargo a funcionarios; la iniciativa permite la creación de nuevas leyes y el referéndum permite cambiar las leyes.

REPASO

1. ¿Cómo está organizado el gobierno estatal de California?

2. Usa las palabras **presupuesto** y **vetar** en una oración que describa las tareas del poder ejecutivo del gobierno estatal.

3. ¿Cómo pueden los votantes de California modificar las leyes del estado?

4. ¿Qué tienen en común la Constitución de California y la Constitución de Estados Unidos?

RAZONAMIENTO CRÍTICO

5. DESTREZA DE ANÁLISIS ¿Por qué es importante para los votantes de California tener la posibilidad de modificar las leyes de su estado?

6. Pronuncia un discurso Imagina que eres uno de los líderes del gobierno estatal, por ejemplo, el gobernador o el presidente de la Corte Suprema. En un discurso a tus compañeros, describe tu trabajo y explica por qué es importante.

7. RESUMIR En una hoja de papel, copia y completa el organizador gráfico de abajo.

Dato clave	Resumen
El gobernador hace cumplir las leyes.	
Dato clave	
El gobernador puede vetar un proyecto de ley.	

476 ■ Unidad 6

PERFORMANCE RUBRIC

Score 4
- describes work accurately
- explains importance fully
- uses excellent speaking skills

Score 3
- describes work adequately
- explains importance adequately
- uses good speaking skills

Score 2
- describes work partially
- explains importance partially
- uses fair speaking skills

Score 1
- does not describe work
- does not explain importance
- uses poor speaking skills

HOMEWORK AND PRACTICE

California State Government

page 129

Practicar y ampliar

TAREA Y PRÁCTICA

El gobierno estatal de California

página 129

Ronald Reagan

"Conciudadanos, nuestra nación está lista para la grandeza. Debemos hacer lo que sabemos que es correcto, y poner en ello toda nuestra voluntad."

Ronald Wilson Reagan nació en Illinois, en 1911. Pasó su infancia en la ciudad de Dixon. Durante su adolescencia trabajó como salvavidas y rescató a 77 personas. Después de terminar la universidad, Reagan trabajó en la radio como locutor deportivo. En 1937, se mudó a Hollywood para convertirse en actor de cine. Fue protagonista de muchas películas y durante varios años ocupó el cargo de presidente del sindicato de actores.

Reagan también participó activamente en la política. En 1966, fue elegido por primera vez como gobernador de California, puesto que ocupó dos veces. En 1980, y nuevamente en 1984, fue elegido presidente de Estados Unidos.

Como presidente, Reagan trabajó para reducir el gobierno federal y para mantener la fortaleza de Estados Unidos ante los enemigos de la democracia.

Del discurso pronunciado por Ronald Reagan al asumir por segunda vez la presidencia, 21 de enero de 1985.

Ronald Reagan pronuncia un discurso como gobernador de California en 1966.

Biografía

Integridad
Respeto
Responsabilidad
Equidad
Bondad
Patriotismo

La importancia del carácter

◆ ¿Cómo demuestran las palabras y los actos de Ronald Reagan su patriotismo hacia Estados Unidos?

Biografía breve

1911 Nace			2004 Muere

1966 Elegido para el primero de sus dos mandatos como gobernador de California

1980 Elegido para el primero de sus dos mandatos como presidente de Estados Unidos

1994 Anuncia que padece el mal de Alzheimer, una enfermedad que ataca el cerebro

Visita MULTIMEDIA BIOGRAPHIES en www.harcourtschool.com/hss para hallar biografías multimedia.

477

CALIFORNIA STANDARDS HSS 4.5 Students understand the structures, functions, and powers of the local, state, and federal governments as described in the U.S. Constitution. Research, Evidence, and Point of View 2.

BACKGROUND

Ronald Reagan Reagan served as student body president of both his high school in Dixon, Illinois, and his college in Eureka, Illinois. Both as governor of California and as President, he worked to reduce government spending, taxes, and crime, while encouraging businesses to grow. He believed the country should have a strong military even in peacetime.

INTEGRATE THE CURRICULUM

THEATRE Reagan was a great improviser. Once when he was a sportscaster, the machine on which he was receiving the game information stopped working. He continued announcing made-up plays on the radio until it was fixed. Have students review outside biographical sources on Reagan's life and choose a scene from his life to improvise. **Improvise a Scene** THEATRE 5.2

ANTECEDENTES

Ronald Reagan Reagan presidió la asociación de estudiantes en su escuela secundaria, en Dixon, Illinois, y en la universidad, en Eureka, Illinois. Como gobernador de California y como presidente, trabajó para reducir el gasto del gobierno, los impuestos y el delito, fomentando el crecimiento de las empresas. Creía que el país debía tener un ejército fuerte, aun en tiempos de paz.

RECURSOS EN INTERNET

Visite MULTIMEDIA BIOGRAPHIES en **www.harcourtschool.com/hss** para hallar biografías multimedia.

Biography

OBJECTIVES

■ Analyze the life and values of Ronald Reagan.

RESOURCES

Unit 6 Audiotext CD Collection; Internet Resources

1 Introduce

Set the Purpose Discuss with students the meaning of the term *patriotism.* Have them share ideas about how people can be patriotic.

2 Teach

Primary Source: Quotation

Point of View With students, read aloud the quotation and discuss what they think it means. Review what a *union* is and discuss how Reagan's job as a union leader may have helped prepare him for political life. HSS 4.5, HR 2

Source: From Ronald Reagan's second Presidential Inauguration speech, January 21, 1985.

3 Close

Why Character Counts

Ronald Reagan's words show patriotism because he believed that the United States is great and should act strongly to carry out what its people think is right. His actions show patriotism because he devoted his later life to public service. HSS 4.5

INTERNET RESOURCES

Visit MULTIMEDIA BIOGRAPHIES at **www.harcourtschool.com/hss**

CHAPTER 12 ■ 477

Biografía

PÁGINA 477

OBJETIVOS

■ Analizar la vida y los valores de Ronald Reagan.

RECURSOS

Colección de audiotextos en CD de la Unidad 6, Recursos en Internet

1 Presentar

Establecer el propósito Converse con los estudiantes sobre el significado de la palabra *patriotismo.* Invítelos a proponer ideas sobre el modo de expresarlo.

2 Enseñar

Fuente primaria: Cita

Punto de vista Con los estudiantes, lea la cita en voz alta y pídales que interpreten su significado. Repase qué es un *sindicato* y converse acerca de cómo la tarea de Reagan como líder de un sindicato pudo haberlo ayudado a prepararse para la vida política. HSS 4.5, HR 2

Fuente: Del discurso pronunciado por Ronald Reagan al asumir por segunda vez la presidencia, 21 de enero 1985.

3 Concluir

La importancia del carácter

Las palabras de Ronald Reagan expresan patriotismo porque él creía en la grandeza de Estados Unidos y consideraba que debía actuar con determinación para hacer lo que sus ciudadanos consideraran correcto. Sus acciones expresan patriotismo porque dedicó la última parte de su vida a la función pública. HSS 4.5

Destrezas con tablas y gráficas

OBJETIVOS

- **Leer e interpretar un organigrama.**
- **Analizar la secuencia de los pasos que sigue el gobierno estatal para hacer leyes.**

VOCABULARIO

organigrama pág. 478

RECURSOS

Tarea y práctica, págs. 130–131; Transparencia de destrezas de Estudios Sociales 6-3

1 ▶ Presentar

Por qué es importante

Comente con los estudiantes la forma en que puede usarse un organigrama para presentar los pasos de un proceso, de modo que sea más fácil visualizarlos y comprenderlos.

2 ▶ Enseñar

Lo que necesitas saber

1 Aprendizaje visual: Diagrama Pida a los estudiantes que observen el organigrama. Explíqueles que se trata de un dibujo que muestra una secuencia de pasos. Señale que las flechas indican el orden de las acciones que se llevan a cabo desde que un proyecto de ley es redactado hasta que se convierte en ley. **HSS 4.5.4**

2 Civismo y gobierno Explique que solamente los miembros del Senado o de la Asamblea pueden redactar o impulsar un proyecto y que el gobernador tan solo puede hacer sugerencias sobre la redacción o sugerir que se redacte un proyecto. **HSS 4.5.2**

Chart and Graph Skills

OBJECTIVES

- Read and interpret a flowchart.
- Analyze the sequence of steps that the state government follows to make laws.

VOCABULARY

flowchart p. 478

RESOURCES

Homework and Practice Book, pp. 130–131; Social Studies Skills Transparency 6-3

1 ▶ Introduce

Why It Matters

Discuss how a flowchart can be used to present the steps in a process, making them easier to visualize and understand.

2 ▶ Teach

What You Need to Know

1 Visual Literacy: Diagram Direct students to look at the flowchart, and explain that it shows a sequence of steps. Point out that the arrows show the progression of activities as a bill moves from being written to becoming a law. **HSS 4.5.4**

2 Civics and Government Explain that only members of the senate or the assembly may write or sponsor a bill and that the governor may only make suggestions about wording or suggest that a bill be written. **HSS 4.5.2**

478 ■ **UNIT 6**

Destrezas con tablas y gráficas

Leer un organigrama

▶ **POR QUÉ ES IMPORTANTE**

Cierto tipo de información se comprende mejor cuando se presenta gráficamente. El dibujo de esta página es un organigrama. Un **organigrama** es un dibujo que muestra los pasos de un proceso. Las flechas te ayudan a seguir el orden de esos pasos.

▶ **LO QUE NECESITAS SABER**

El organigrama muestra la manera en que el gobierno estatal de California hace nuevas leyes. El primer cuadro del organigrama muestra el primer paso en el proceso de aprobación de una ley: un miembro del Senado o de la Asamblea de California redacta un proyecto de ley. Cualquiera de las dos cámaras puede proponer un proyecto de ley.

En el segundo paso, el proyecto es enviado a un comité especial. Un comité es un pequeño grupo de legisladores de alguna de las cámaras de la legislatura. Sus miembros analizan el proyecto y

Cómo un proyecto de ley se convierte en ley

El gobernador firma el proyecto de ley.

Un comité analiza el proyecto e informa sobre él al resto de la Asamblea o del Senado. La mayoría de los miembros de la Asamblea y del Senado votan a favor del proyecto.

Un miembro de la Asamblea o del Senado de California redacta un proyecto de ley.

478 ■ Unidad 6

Practice and Extend

SOCIAL STUDIES SKILLS

Chart and Graph Skills
Read a Flowchart

California: A Changing State
pages 478–479   Reflections   Social Studies Skills Transparency 6-3

TRANSPARENCY 6-3

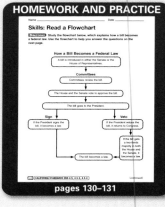

HOMEWORK AND PRACTICE

Skills: Read a Flowchart

Study the flowchart below, which explains how a bill becomes a federal law. Use the flowchart to help you answer the questions on the next page.

How a Bill Becomes a Federal Law

A bill is introduced in either the Senate or the House of Representatives.

Committees
Committees review the bill.

The House and the Senate vote to approve the bill.

The bill goes to the President.

Sign
If the President signs the bill, it becomes a law.

Veto
If the President vetoes the bill, it returns to Congress.

If the bill gets a two-thirds majority in both the House and the Senate, it becomes a law.

The bill becomes a law.

CALIFORNIA STANDARD HSS 4.5, 4.5.2, 4.5.4

pages 130–131

Practicar y ampliar

DESTREZAS DE ESTUDIOS SOCIALES

Destrezas con tablas y gráficas
Leer un organigrama

California: Un estado cambiante
páginas 478–479   Reflexiones   Destrezas de Estudios Sociales Transparencia 6-3

TRANSPARENCIA 6-3

TAREA Y PRÁCTICA

Destrezas: Leer un organigrama

Estudia el organigrama de abajo. El organigrama explica cómo un proyecto de ley se convierte en ley federal. Úsalo para responder las preguntas de la página siguiente.

Cómo un proyecto de ley se convierte en ley federal

Un proyecto de ley se presenta en el Senado o en la Cámara de Representantes.

Comité
Un comité analiza el proyecto de ley.

La Cámara y el Senado votan a favor del proyecto de ley.

El proyecto de ley es enviado al presidente.

Firma
Si el presidente lo firma, el proyecto de ley se convierte en ley.

Veto
Si el presidente lo veta, el proyecto de ley vuelve al Congreso.

Si más de los dos tercios de la Cámara y el Senado votan a favor del proyecto de ley, se convierte en ley.

El proyecto de ley se convierte en ley.

NORMAS DE CALIFORNIA HSS 4.5, 4.5.2, 4.5.4

páginas 130–131

luego, si creen que el proyecto puede convertirse en una buena ley, se lo comunican al resto de los miembros de la cámara.

Lee los pasos que siguen en el organigrama para descubrir qué más debe ocurrir para que un proyecto de ley se convierta en ley.

▶ PRACTICA LA DESTREZA

Responde estas preguntas.

❶ ¿Qué ocurre después de que la Asamblea y el Senado aprueban un proyecto de ley?

❷ ¿Qué puede hacer el gobernador después de recibir el proyecto?

❸ ¿Cómo puede convertirse en ley un proyecto que ha sido vetado por el gobernador?

▶ APLICA LO QUE APRENDISTE

Aplícalo Con un compañero diseña un proceso de toma de decisiones. Haz un organigrama que muestre los pasos y explique cómo se relacionan. Escribe cada paso en una tira de papel. Luego, ordena las tiras y pégalas en una cartulina. Conecta los pasos con flechas. Elige un título y presenta tu trabajo a la clase.

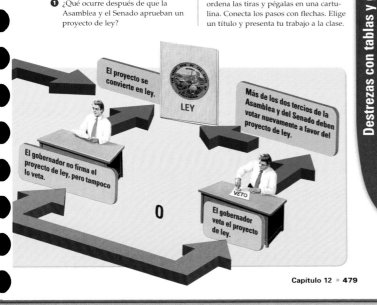

El proyecto se convierte en ley.

LEY

Más de los dos tercios de la Asamblea y del Senado deben votar nuevamente a favor del proyecto de ley.

El gobernador no firma el proyecto de ley, pero tampoco lo veta.

VETO

El gobernador veta el proyecto de ley.

0

Destrezas con tablas y gráficas

Capítulo 12 ■ 479

CALIFORNIA STANDARDS HSS 4.5.2 Understand the purpose of the California Constitution, its key principles, and its relationship to the U.S. Constitution. 4.5.3 Describe the similarities (e.g., written documents, rule of law, consent of the governed, three separate branches) and differences (e.g., scope of jurisdiction, limits on government powers, use of the military) among federal, state, and local governments. 4.5.4 Explain the structures and functions of state governments, including the roles and responsibilities of their elected officials.

BACKGROUND

Legislative Work In an average two-year legislative session, state lawmakers propose and debate more than 6,000 bills. If a bill is amended in one house and the original author does not agree with the changes, a conference committee must work out the differences. Then both houses must vote on the final bill. Bills signed by the governor usually become law on the next January 1.

REACH ALL LEARNERS

Leveled Practice Have students make a flowchart of the initiative process.

Basic Have students explain each step in their own words.

Proficient Have students write each step and put the steps in order.

Advanced Have students create a flowchart and then orally explain the steps in the process.

ANTECEDENTES

Tarea legislativa En un período legislativo promedio de dos años, los legisladores estatales proponen y debaten más de 6,000 proyectos. Si un proyecto es enmendado en una cámara y el autor original no está de acuerdo con los cambios, las diferencias se resuelven en un comité. Luego, ambas cámaras deben someter a votación la versión definitiva del proyecto. Los proyectos firmados por el gobernador generalmente se convierten en ley el 1° de enero siguiente.

---

❸**Civics and Government** Explain that the federal government follows a similar process for writing and passing a law. Work with students to create a flowchart for how a bill becomes law in the federal government.

Q **What is the name of the legislative branch of the federal government?** HSS 4.5.3

A Congress

Q **Who do you think can write a bill in the federal government?** HSS 4.5.3

A members of the Senate or the House of Representatives

Q **Who do you think has the veto power in the federal government?** HSS 4.5.3

A the President

Practice the Skill— Answers HSS 4.5.4

1. The bill goes to the governor.
2. The governor can veto the bill, sign it into law, or do nothing.
3. if two-thirds of the members of both houses of the legislature vote for the bill again

❸ Close

Apply What You Learned

Make It Relevant Brainstorm with students a list of classroom decisions for which flowcharts might be created. For example: how class officers are elected or how to decide what to do during a rainy-day recess. Then have groups of students each create a flowchart for one of the decision-making processes. The completed flowcharts should each contain several clearly outlined steps, arranged in a logical sequence.

---

❸**Civismo y gobierno** Explique que el gobierno federal sigue un proceso similar para redactar y aprobar una ley. Trabaje con los estudiantes para diseñar un organigrama que muestre cómo un proyecto se convierte en ley en el gobierno federal.

P **¿Cómo se llama el poder legislativo del gobierno federal?** HSS 4.5.3

R Congreso

P **¿Quiénes creen que tienen la facultad de redactar un proyecto de ley en el gobierno federal?** HSS 4.5.3

R los miembros del Senado o de la Cámara de Representantes

P **¿Quién creen que tiene la facultad de vetar un proyecto en el gobierno federal?** HSS 4.5.3

R el presidente

Practica la destreza— Respuestas HSS 4.5.4

1. El proyecto es enviado al gobernador.
2. El gobernador puede vetar el proyecto, firmarlo y convertirlo en ley, o no hacer nada.
3. si dos tercios de los miembros de ambas cámaras de la legislatura votan nuevamente a favor del proyecto

❸ Concluir

Aplica lo que aprendiste

Aplícalo Pida a los estudiantes que hagan entre todos una lista de decisiones de la clase que podrían mostrarse en organigramas. Por ejemplo: cómo se eligen los delegados de la clase o cómo se decide qué hacer durante el recreo en un día lluvioso. Luego, organice a los estudiantes en grupos y pida a cada grupo que diseñe un organigrama para uno de los procesos de toma de decisión. Los organigramas deberán tener varios pasos claramente definidos, ordenados en una secuencia lógica.

Lección 3

OBJETIVOS

- **Resumir cómo están organizados los gobiernos locales de California.**

- **Describir la función de cada parte de los gobiernos locales de California.**

- **Explicar las funciones de las formas especiales de gobierno local de California.**

VOCABULARIO

condado pág. 481
capital de condado pág. 481
junta de supervisores pág. 481
juicio con jurado pág. 482
municipal pág. 483
administrador municipal pág. 484
distrito especial pág. 485
cuerpo regional pág. 485
ranchería pág. 486
soberano pág. 486

Destreza clave

RESUMIR

págs. 422–423, 481, 482, 487

RECURSOS

Tarea y práctica, págs. 132–133; Transparencia de destrezas clave 6; Colección de audiotextos en CD de la Unidad 6; Recursos en Internet

1 Presentar

Reflexiona Pida a los estudiantes que comenten lo que saben acerca del gobierno local.

Piensa en los antecedentes Repase las responsabilidades compartidas por el gobierno federal, el gobierno estatal y los gobiernos locales.

IMAGÍNATE ALLÍ Pida a los estudiantes que comenten sus conocimientos sobre las tareas de un alcalde.

Lesson 3

PAGES 480–487

OBJECTIVES

- **Summarize how California's local governments are organized.**

- **Describe the functions of each part of California's local governments.**

- **Explain the functions of California's special forms of local government.**

VOCABULARY

county p. 480	**special district**
county seat p. 481	p. 485
board of	**regional body**
supervisors p. 481	p. 485
jury trial p. 482	**rancheria** p. 486
municipal p. 483	**sovereign** p. 486
city manager p. 484	

Focus Skill

SUMMARIZE

pp. 422–423, 481, 482, 487

RESOURCES

Homework and Practice Book, pp. 132–133; Reading Support and Intervention, pp. 174–177; Success for English Learners, pp. 179–182; Vocabulary Transparencies 6-12-3A–6-12-3B; Vocabulary Power, p. 113; Focus Skills Transparency 6; Unit 6 Audiotext CD Collection; Internet Resources

1 Introduce

What to Know Have students share what they know about local government.

Build Background Review responsibilities shared by federal, state and local governments.

YOU ARE THERE Ask students to discuss their prior knowledge of the work of a mayor.

480 ■ **UNIT 6**

Lección 3 — Los gobiernos locales

REFLEXIONA
¿Cómo están organizados los gobiernos locales de California, y qué tareas desempeñan?

✔ Resume cómo están organizados los gobiernos locales de California.

✔ Describe la función de cada parte de los gobiernos locales de California.

✔ Explica las funciones de las formas especiales de gobierno local de California.

VOCABULARIO
condado pág. 481
capital de condado pág. 481
junta de supervisores pág. 481
juicio con jurado pág. 482
municipal pág. 483
administrador municipal pág. 484
distrito especial pág. 485
cuerpo regional pág. 485
ranchería pág. 486
soberano pág. 486

RESUMIR

Normas de California
HSS 4.5, 4.5.3, 4.5.5

IMAGÍNATE ALLÍ Han pasado varios meses desde que la ciudad cerró su parque por reparaciones. Ahora caminas por el nuevo patio de juegos, pasas junto a canteros de flores recién plantadas, y te sumas a un numeroso grupo de personas que están reunidas frente a un escenario. Poco después llega la alcaldesa y pronuncia un discurso para agradecer a todas las personas que trabajaron en el arreglo del parque. Luego, corta una cinta e inaugura las obras.

▶ Lauren Hammond, miembro del consejo municipal de Sacramento, escucha a una de las habitantes de la ciudad.

480 ■ Unidad 6

CALIFORNIA STANDARDS HSS 4.5 Students understand the structures, functions, and powers of the local, state, and federal governments as described in the U.S. Constitution. **4.5.3** Describe the similarities (e.g., written documents, rule of law, consent of the governed, three separate branches) and differences (e.g., scope of jurisdiction, limits on government powers, use of the military) among federal, state, and local governments.

When Minutes Count

Have students scan the lesson to find definitions for the vocabulary terms. Then read aloud the What to Know question and statements. Ask volunteers to explain how each vocabulary term relates to these ideas.

Quick Summary

The lesson describes the structure, responsibilities, and function of county and municipal governments in California. It also discusses the roles of special districts, regional bodies, and Indian tribal governments.

Cuando el tiempo apremia

Pida a los estudiantes que ojeen la lección para hallar los significados de las palabras de vocabulario. Luego, lea en voz alta la pregunta y las instrucciones de la sección "Reflexiona". Pida a voluntarios que expliquen cómo se relacionan las palabras de vocabulario con esas ideas.

Resumen

La lección describe la estructura, las responsabilidades y la función de los gobiernos de condado y de los gobiernos municipales de California. También analiza los roles de los distritos especiales, los cuerpos regionales y los gobiernos tribales indios.

Condados de California

Alameda	36	Orange	55
Alpine	27	Placer	19
Amador	26	Plumas	12
Butte	11	Riverside	56
Calaveras	31	Sacramento	24
Colusa	15	San Benito	44
Contra Costa	29	San Bernardino	51
Del Norte	1	San Diego	57
El Dorado	25	San Francisco	34
Fresno	45	San Joaquin	30
Glenn	10	San Luis Obispo	49
Humboldt	4	San Mateo	35
Imperial	58	Santa Barbara	52
Inyo	48	Santa Clara	40
Kern	50	Santa Cruz	39
Kings	46	Shasta	6
Lake	14	Sierra	13
Lassen	7	Siskiyou	2
Los Angeles	54	Solano	23
Madera	42	Sonoma	20
Marin	28	Stanislaus	37
Mariposa	38	Sutter	16
Mendocino	8	Tehama	9
Merced	41	Trinity	5
Modoc	3	Tulare	47
Mono	33	Tuolumne	32
Monterey	43	Ventura	53
Napa	21	Yolo	22
Nevada	18	Yuba	17

Analizar mapas El condado San Bernardino es el más extenso de los 58 condados de California. El condado San Francisco es el más pequeño.

◇ Ubicación ¿Qué condados limitan con el estado de Oregon?

Gobiernos de condado

Además del gobierno estatal, California tiene gobiernos de condado y de la ciudad. Estos gobiernos locales hacen leyes que se aplican solo en su condado o ciudad. El nivel más alto de gobierno local es el gobierno de condado. Un **condado** es una parte de un estado.

El centro de cada gobierno de condado se llama capital de condado. Una **capital de condado** es la ciudad donde están las principales autoridades del gobierno del condado.

Los votantes de cada condado eligen a un grupo de personas para dirigir el gobierno. Ese grupo se llama **junta de supervisores**. En la mayoría de los condados, los miembros de la junta realizan las tareas de los poderes ejecutivo y legislativo. Hacen leyes y deciden en qué gastar los impuestos recaudados. Los gobiernos de condado realizan una amplia variedad de tareas, desde administrar los aeropuertos hasta coordinar la recolección de basura.

REPASO DE LA LECTURA ⟳ RESUMIR
¿Qué tareas realiza la junta de supervisores en la mayoría de los gobiernos de condado?
las tareas de los poderes legislativo y ejecutivo

Capítulo 12 ▪ **481**

---

2 Teach

County Governments

Content Focus California has 58 counties that are led by elected boards of supervisors, most of whom have both legislative and executive duties.

1 Visual Literacy: Maps

ANALYSIS SKILL Spatial Thinking Have students use the map to locate the county where they live and to identify and name the surrounding counties.
HSS 4.5.5, CS 4

CAPTION ANSWER: Del Norte, Siskiyou, Modoc

2 Civics and Government Provide students with, or help them find, the names of local county supervisors. Explain that many counties are divided into smaller areas called districts and that voters in a district elect a supervisor to represent their interests in county government. Point out that in some counties, however, supervisors are elected "at large," which means they are elected to represent all county citizens. Discuss with students how the government of the county in which they live is organized. **HSS 4.5.5**

4.5.5 Describe the components of California's governance structure (e.g., cities and towns, Indian rancherías and reservations, counties, school districts), **SKILL** Chronological and Spatial Thinking 3, 4. Research, Evidence, and Point of View 2. Historical Interpretation 4.

CHAPTER 12 ▪ **481**

---

2 Enseñar

Gobiernos de condado

Contenido clave California tiene 58 condados que son dirigidos por juntas de supervisores elegidos por votación, la mayoría de las cuales tienen responsabilidades tanto legislativas como ejecutivas.

1 Aprendizaje visual: Mapas

DESTREZA DE ANÁLISIS Pensamiento espacial Pida a los estudiantes que usen el mapa para ubicar el condado en el que viven y para identificar y nombrar los condados vecinos.
HSS 4.5.5, CS 4

RESPUESTA: Del Norte, Siskiyou, Modoc

2 Civismo y gobierno Ayude a los estudiantes a hallar los nombres de los supervisores de condado locales, o deles la información, si así lo prefiere. Explique que muchos condados están divididos en áreas más pequeñas llamadas distritos y que los votantes de un distrito eligen un supervisor para representar sus intereses ante el gobierno del condado. Señale que en algunos condados, sin embargo, los supervisores son elegidos "en general", lo que significa que son elegidos para representar a todos los ciudadanos del condado. Converse con los estudiantes acerca de cómo está organizado el gobierno del condado en el que viven. **HSS 4.5.5**

Funcionarios del condado

Contenido clave Entre los funcionarios del condado pueden figurar un alguacil, un tesorero, un fiscal de distrito, los magistrados de la corte superior y un superintendente de escuelas.

3 **Aprendizaje visual: Fotografía** Pida a los estudiantes que comenten lo que saben sobre los servicios que brinda un departamento de bomberos.

P **¿Por qué es importante que un gobierno local tenga un departamento de bomberos?** HSS 4.5.3, 4.5.5

R para salvar y proteger a las personas y sus propiedades en los incendios y otras emergencias; los departamentos de bomberos tienen vehículos de rescate para emergencias, con paramédicos que ayudan en emergencias médicas y accidentes de tráfico con heridos

4 **Civismo y gobierno** Nombre oficinas y servicios del condado como los que se detallan más abajo (puede ayudarse con la guía telefónica, si lo prefiere), y converse con los estudiantes sobre el propósito de cada uno: bibliotecas, servicios de empleo, servicios de salud y de salud mental, mantenimiento de caminos, parques regionales, servicios para niños y ancianos, servicios de manejo de desechos sólidos y registro de votantes. HSS 4.5.5

5 **Civismo y gobierno** Hable con los estudiantes sobre cómo se convoca a los jurados y lo que hace un jurado. Explique que los jurados están formados por ciudadanos. Esos ciudadanos deben participar en la corte y escuchar casos criminales. Después, se pide al jurado que decida si una persona acusada de un delito es inocente o culpable. HSS 4.5.3, 4.5.5

County Officials

Content Focus County officials may include a sheriff, a treasurer, a district attorney, several superior court judges, and a superintendent of schools.

3 **Visual Literacy: Photograph** Have students share what they know about the services provided by a fire department.

Q **Why is it important for a local government to provide a fire department?** HSS 4.5.3, 4.5.5

A to save and protect people and their property from fires and other emergencies; fire departments have emergency rescue vehicles with paramedics to help with medical emergencies and vehicle accidents involving injuries

4 **Civics and Government** Name or use a phone book to identify county offices and services, such as those listed below, and discuss the purpose of each with students: libraries, job and employment services, health and mental health services, child and senior-citizen services, road maintenance, regional parks, solid waste management services, and voter registration. HSS 4.5.5

5 **Civics and Government** Discuss with students how juries are called to service and what a jury does. Tell students that juries are made up of citizens. These citizens are called on to sit in court and hear criminal cases. The jury is then called on to make a decision as to the guilt or innocence of a person accused of a crime. HSS 4.5.3, 4.5.5

▶ Los gobiernos de los condados proveen servicios como el de protección contra incendios.

Funcionarios del condado

Además de la junta de supervisores, cada condado tiene otros funcionarios, elegidos o designados, que desempeñan una variedad de tareas: aplican las leyes, garantizan elecciones limpias y proveen servicios de salud.

Cada condado tiene un alguacil elegido por los votantes. El trabajo del alguacil consiste en proteger a los habitantes y asegurarse de que se cumplan las leyes. También es responsable de las cárceles del condado.

Otros funcionarios del condado son el tesorero y el fiscal de distrito. El tesorero controla el dinero que se recauda de los impuestos y paga las cuentas. El fiscal de distrito representa al condado en los juicios.

Al igual que en el gobierno estatal y el federal, los condados tienen un poder judicial. Cada condado tiene su propia corte superior. Los magistrados de esta corte son elegidos por los votantes del condado.

A menudo, los juicios con jurado se realizan en las cortes superiores. Un **juicio con jurado** se realiza en presencia de un jurado, que es un grupo de ciudadanos que se encarga de decidir si la persona juzgada es culpable o inocente.

Cada condado cuenta con una oficina de educación, dirigida por un superintendente de escuelas elegido por votación. Esta oficina trabaja en conjunto con el consejo estatal de educación y con los distritos escolares locales con el objetivo de brindar una educación de calidad a todos los estudiantes del condado.

REPASO DE LA LECTURA IDEA PRINCIPAL Y DETALLES **¿Cuáles son algunas de las tareas que realizan los funcionarios de los gobiernos de condado?** hacer cumplir las leyes, garantizar elecciones limpias, proveer servicios de salud

482 ▪ Unidad 6

Practice and Extend

482 ▪ UNIT 6

Practicar y ampliar

Gobiernos municipales

California tiene 478 comunidades que están organizadas como ciudades. Más de las tres cuartas partes de los californianos viven en ciudades. Por esta razón, el gobierno **municipal**, o gobierno de la ciudad, a menudo es el que tiene un efecto más directo sobre la vida de los ciudadanos.

Los gobiernos municipales aprueban leyes locales y garantizan su cumplimiento. Proveen varios servicios, como el de protección policial y el de bomberos. Establecen y mantienen escuelas, bibliotecas, parques, cárceles y otras instalaciones. Además, dirigen los programas de reciclaje de la ciudad, mantienen las calles en buenas condiciones y se ocupan de muchas otras tareas importantes.

La Constitución de California describe dos clases de ciudades: las ciudades regidas por leyes generales y las ciudades "charter", regidas por una serie de leyes especiales. Las ciudades regidas por leyes generales siguen las normas de la legislatura estatal. Cerca de tres cuartas partes de las ciudades de California están regidas por leyes generales.

Las ciudades charter pueden formarse en comunidades de 3,500 personas o más. Las leyes especiales de estas ciudades están incluidas en un documento oficial que indica cómo está formado el gobierno de una ciudad. A diferencia de las regidas por leyes generales, las ciudades charter establecen sus propias normas de gobierno. Habitualmente, las ciudades regidas por leyes generales siguen las normas establecidas en la constitución del estado.

REPASO DE LA LECTURA IDEA PRINCIPAL Y DETALLES ¿Cuáles son las dos clases de ciudades descritas en la Constitución de California? las ciudades regidas por leyes generales y las ciudades charter

➤ Este oficial (derecha) trabaja en el Departamento de Policía, en una zona de San Francisco conocida como Japantown, o barrio japonés. La recolección de basura (abajo) es otro de los servicios que proveen los gobiernos de las ciudades.

BACKGROUND

Towns and Areas Outside of Cities Nearly one-fourth of Californians live in small towns or in areas outside any city. Counties provide these areas with services that a city would otherwise provide. For example, the county sheriff provides police services. Small towns that are not cities may form a municipal advisory council, a group of citizens who advise their county district supervisor on community matters.

San Francisco San Francisco has a one-of-a-kind government in California because it is both a city and a county. Its government has both a mayor and a board of supervisors, and it blends city and county services and structures.

Municipal Governments

Content Focus More than three-fourths of Californians live in either a general law city or a charter city, two types of municipalities described in the California Constitution.

6 **Civics and Government** Have students discuss the characteristics of general law cities and charter cities.

Q **What is the main difference between general law cities and charter cities?** HSS 4.5.5

A While general law cities follow rules for cities made by the state legislature, charter cities set up their own rules.

7 **ANALYSIS SKILL** **Research/Evidence** Invite students to generate questions about the photographs of the police officer and the garbage being collected and discuss the ideas they bring up. Model a question for students, such as the one below.

Q **What are some of the services that city governments provide?** HSS 4.5.3, HR 2

A fire and police departments, emergency services, public utilities, garbage collection

Gobiernos municipales

Contenido clave Más de tres cuartas partes de los californianos viven en una ciudad regida por leyes generales o en una ciudad "charter", dos tipos de municipalidad descritos en la Constitución de California.

6 **Civismo y gobierno** Pida a los estudiantes que comenten las características de las ciudades regidas por leyes generales y las de las ciudades charter.

P **¿Cuál es la diferencia principal entre las ciudades regidas por leyes generales y las ciudades charter?** HSS 4.5.5

R Las ciudades regidas por leyes generales siguen normas municipales dictadas por la legislatura estatal, mientras que las ciudades charter establecen sus propias normas.

7 **DESTREZA DE ANÁLISIS** **Investigación/Evidencia** Invite a los estudiantes a formular preguntas sobre las fotografías del oficial de policía y de la recolección de basura, y comente con ellos las ideas que surjan. Formule una pregunta a manera de ejemplo, como la siguiente:

P **¿Cuáles son algunos de los servicios que proveen los gobiernos municipales?** HSS 4.5.3, HR 2

R departamentos de bomberos y de policía, servicios de emergencias, servicios públicos, recolección de basura

ANTECEDENTES

Pueblos y áreas distantes de las ciudades Casi una cuarta parte de los californianos viven en pequeños pueblos o en áreas distantes de una ciudad. Los condados proveen a esas áreas servicios equivalentes a los que les proveería una ciudad. Por ejemplo, el alguacil del condado provee los servicios de policía. Los pequeños pueblos que no son ciudades pueden formar un consejo asesor municipal, o grupo de ciudadanos que asesoran en las cuestiones comunitarias al supervisor de distrito de su condado.

San Francisco San Francisco tiene un gobierno único en su clase en California, porque es tanto una ciudad como un condado. Su gobierno tiene un alcalde y una junta de supervisores, y combina servicios y estructuras municipales y de condado.

Formas de gobierno municipal

Contenido clave Las formas de gobierno municipal más comunes de California son las formas alcalde-consejo y consejo-administrador.

⑧ Civismo y gobierno Proponga a los estudiantes que diseñen un organizador gráfico que muestre la estructura de las formas de gobierno municipal alcalde-consejo y consejo-administrador. Pídales que incluyan en su organizador tantos detalles del texto como sea posible, mostrando las responsabilidades del alcalde, del consejo municipal, del administrador municipal, etc.

P ¿En qué se parecen las formas de gobierno municipal alcalde-consejo y consejo-administrador? ¿En qué se diferencian? HSS 4.5.5

R Semejanzas: ambas tienen consejos municipales elegidos que hacen las leyes; Diferencias: En la forma alcalde-consejo, los votantes eligen a un alcalde que encabeza el poder ejecutivo y contrata a los funcionarios municipales. También eligen un consejo, que hace las leyes. En la forma consejo-administrador, los votantes eligen un consejo, que nombra a uno de sus miembros como alcalde, para que represente a la ciudad en eventos; el consejo contrata a un administrador municipal, que administra la ciudad bajo la dirección del consejo y contrata a los trabajadores municipales.

Forms of Municipal Governments

Content Focus California's most common forms of city government are the mayor-council and council-manager forms.

⑧ Civics and Government Challenge students to create a graphic organizer showing the structure of the mayor-council and council-manager forms of municipal government. Ask students to include as many details from the text as possible in their organizers, showing the responsibilities of the mayor, the city council, the city manager, and so on.

Q How are the mayor-council and council-manager forms of city government alike? How are they different? HSS 4.5.5

A Alike: both have elected city councils that make laws; Different: In the mayor-council form, the voters elect a mayor who leads the executive branch and who hires city employees. They also elect a council, which makes the laws. In the council-manager form, voters elect a council, which names one of its members as mayor, to represent the city at events; the council hires a city manager, who runs the city under the council's direction and hires city workers.

Formas de gobierno municipal

Las ciudades tienen distintas formas de gobierno municipal. Muchas ciudades están organizadas según el modelo alcalde-consejo. En este tipo de gobierno, los votantes eligen un alcalde y un consejo municipal. El alcalde encabeza el poder ejecutivo. Se asegura de que se apliquen las leyes de la ciudad y designa funcionarios para que dirijan los departamentos del gobierno municipal.

En la forma de gobierno alcalde-consejo, el consejo actúa como poder legislativo. Dicta las leyes de la ciudad y recauda impuestos. Muchas grandes ciudades de California usan esta forma de gobierno.

➤ A menudo, las reuniones de los gobiernos municipales están abiertas al público.

Otras ciudades organizan sus gobiernos municipales según el modelo consejo-administrador. Aproximadamente tres cuartas partes de las ciudades de California tienen esta forma de gobierno municipal.

En la forma consejo-administrador, los votantes eligen un consejo municipal para que dicte las leyes. A menudo no eligen al alcalde, sino que el consejo municipal nombra a uno de sus miembros para ocupar ese puesto. El alcalde representa a la ciudad en ocasiones importantes. El consejo también contrata a un **administrador municipal**, que trabaja bajo su dirección. A su vez, el administrador municipal contrata a los funcionarios de los distintos departamentos de gobierno.

REPASO DE LA LECTURA **IDEA PRINCIPAL Y DETALLES** ¿Cuáles son las dos formas de gobierno municipal en California? la forma alcalde-consejo y la forma consejo-administrador

484 ▪ Unidad 6

Practice and Extend

> En California hay más de 1,050 distritos escolares que ayudan a administrar más de 9,050 escuelas públicas del estado.

Distritos especiales y cuerpos regionales

California también tiene otra forma de gobierno local llamada distrito especial. Los **distritos especiales** son grupos que se forman para prestar ciertos servicios o enfrentar ciertos problemas. A veces se encargan de proveer servicios que no ofrecen los gobiernos municipales o del condado. Además, están autorizados a recaudar dinero para mejorar servicios o solucionar problemas.

En ocasiones, varios gobiernos trabajan en conjunto para dirigir un distrito especial. Los distritos escolares, de agua, de riego y de control de inundaciones son ejemplos de distritos especiales.

Cuando se trata de enfrentar problemas que afectan a grandes regiones, los californianos pueden formar grupos especiales de gobierno, llamados cuerpos regionales. Un **cuerpo regional** es un grupo integrado por personas de varias ciudades o condados que trabajan en conjunto con el fin de crear un plan para una región extensa.

La Comisión Metropolitana de Transporte es uno de los cuerpos regionales del área de la bahía de San Francisco. Entre otras cosas, decide cómo se usará el dinero federal destinado a los proyectos de transporte en el área.

REPASO DE LA LECTURA SACAR CONCLUSIONES
¿Por qué crees que el trabajo conjunto en proyectos de transporte podría ayudar a varios condados? Cada condado podría sumar sus recursos al proyecto de transporte.

Capítulo 12 ■ **485**

Special Districts and Regional Bodies

Content Focus Special districts and regional bodies provide specific services or address certain problems for a defined area that has boundaries different from those of cities and counties in the region.

9 Civics and Government Point out that in addition to roughly 1,050 school districts, California has about 3,400 special districts. Explain that most special districts focus on a single issue and that these issues include everything from airports to mosquito control to levee maintenance to fire protection.

Q **Why do you think an area might set up a special district for flood control or fire protection?** HSS 4.5.5

A because the people living in the area want to work together to deal with a problem that affects them all

10 Geography Discuss with students the rough boundaries of the local school district, or have students work in groups to draw maps of the local school district, including all its schools. HSS 4.5.5

Distritos especiales y cuerpos regionales

Contenido clave Los distritos especiales y los cuerpos regionales proveen servicios específicos o tratan problemas determinados, en un área definida que tiene límites diferentes de los de las ciudades y los condados de la región.

9 Civismo y gobierno Señale que, además de los aproximadamente 1,050 distritos escolares, California tiene alrededor de 3,400 distritos especiales. Explique que la mayor parte de los distritos especiales enfoca su accionar en un solo tema, y que esos temas incluyen desde los aeropuertos hasta el control de los mosquitos, el mantenimiento de diques y la protección contra incendios.

P **¿Por qué les parece que podría un área establecer un distrito especial para el control de inundaciones o la protección contra incendios?** HSS 4.5.5

R porque las personas que viven en el área quieren trabajar en conjunto para enfrentar un problema que les afecta a todas

10 Geografía Analice con los estudiantes cuáles son los límites aproximados del distrito escolar local, o pídales que trabajen en grupos para hacer mapas del distrito escolar local, incluyendo todas sus escuelas. HSS 4.5.5

CHAPTER 12 ■ **485**

Gobiernos indios

Contenido clave Muchos de los indios americanos de California viven en ciudades. Algunos, sin embargo, viven en reservas o rancherías.

11 **DESTREZA DE ANÁLISIS** **Punto de vista** Lea en voz alta las citas y asegúrese de que los estudiantes comprendan que Makil representa los intereses de los gobiernos soberanos de los indios. Schwarzenegger, aunque respeta la soberanía de los indígenas, representa los intereses del gobierno estatal. **HSS 4.5.5**, HR 2

RESPUESTAS:
1. Makil cree que las tribus son como estados o países diferentes, y que por eso no deberían pagar impuestos al estado; la posición del gobernador Schwarzenegger es que, dado que las tribus operan casinos dentro del estado, sus casinos deberían pagar impuestos al estado, como hacen otras empresas.
2. Respuesta posible: porque vienen de orígenes diferentes y tienen diferentes preocupaciones **HSS 4.5.5**

Fuentes: Ivan Makil. De *Mercury News,* 20 de abril de 2003. www.mercurynews.com

Arnold Schwarzenegger. Del Informe de Gobierno Estatal 6 de enero del 2004 http://www.governor.ca.gov

12 **Civismo y gobierno** Trabaje con los estudiantes para diseñar un organizador gráfico que muestre la organización de los gobiernos tribales de California. **HSS 4.5.5**

13 **Aprendizaje visual: Mapas**

DESTREZA DE ANÁLISIS **Pensamiento espacial** Invite a los estudiantes a usar el mapa de los condados de California de la página 481 o un mapa del estado de California para identificar los territorios indios cercanos a su comunidad. **HSS 4.5.5**, CS 4

RESPUESTA: el norte, el centro y el suroeste de California

Indian Governments

Content Focus Many of the American Indians in California live in cities. Some, however, live on reservations or rancherias.

11 **ANALYSIS SKILL** **Point of View** Read aloud the quotations. Make sure students understand that Makil represents the interests of sovereign Indian governments. Schwarzenegger, while respecting the sovereignty of Native Americans, represents the interests of the state government. **HSS 4.5.5**, HR 2

CAPTION ANSWERS:
1. Makil believes that tribes are like separate states or countries, and so they should not have to pay taxes to the state; Governor Schwarzenegger takes the position that since the tribes operate casinos within the state, their casinos should pay taxes to the state, as other businesses do.
2. Possible response: because they come from different backgrounds and have different concerns **HSS 4.5.5**

Sources: Ivan Makil. From the *Mercury News,* April 20, 2003. www.mercurynews.com.

Arnold Schwarzenegger. From the State of the State Address, January 6, 2004. http://www.governor.ca.gov

12 **Civics and Government** Work with students to create a graphic organizer outlining the organization of tribal governments in California. **HSS 4.5.5**

13 **Visual Literacy: Maps**

ANALYSIS SKILL **Spatial Thinking** Encourage students to use the map of California counties on page 481, or a California state map, to identify the tribal lands near their community. **HSS 4.5.5**, CS 4

CAPTION ANSWER: northern, central, and southwestern California

---

Gobiernos indios

En la actualidad, la mayoría de los 330,000 indios americanos de California viven en ciudades. Sin embargo, algunos viven en reservas o **rancherías,** es decir, territorios destinados para ellos. Por lo general, las rancherías son más pequeñas que las reservas.

A comienzos de la década de 1850, el gobierno de Estados Unidos accedió a ceder territorios a los indios de California. Según se estableció en los tratados firmados en 1852, el gobierno federal debía entregar más de 7 millones de acres a las tribus de California. No obstante, numerosos funcionarios estatales y federales se opusieron a esos tratados y los indios de California nunca recibieron el total de esos territorios. Para 1900, tan solo unos 6,000 de los 16,000 indios de California habían recibido tierras en las reservas.

Actualmente, el gobierno federal reconoce la existencia de 109 tribus indias en California. Estas tribus tienen derecho a formar un gobierno **soberano,** es decir, un gobierno libre e independiente en sus territorios. En muchos aspectos, una tribu con este tipo de gobierno se considera una nación. La tribu se gobierna a sí misma, sin intervención del gobierno federal, estatal o local.

Numerosas tribus tienen constituciones que indican cómo deben formarse sus gobiernos. La mayoría está gobernada por un consejo tribal, o sea, un grupo de líderes elegidos por miembros de la tribu. Muchas tribus también tienen sus propias leyes y cuentan con cortes para resolver desacuerdos.

En 1976, el gobierno estatal formó la Comisión del Patrimonio Cultural Indio

486 ▪ Unidad 6

Practice and Extend

REACH ALL LEARNERS

Leveled Practice Have students work in small groups to design a seal or an emblem representing their town, city, or county. Students can study the city seal in the photo on page 484 and the state seal on page 472 as models.

Basic Have students create a design and then name the images they have included.

Proficient Have students design the seal or emblem and then add labels that explain the significance of each element.

Advanced Have students present their seal or emblem to the class, along with a written and oral explanation of what each element represents.

de California, *California Native American Heritage Commission.* Los indios de esa comisión trabajan con el gobierno federal, el estatal y el tribal con el fin de proteger y preservar su cultura y los territorios indios que son importantes por su significado histórico y religioso.

REPASO DE LA LECTURA COMPARAR Y CONTRASTAR **¿Cuál es la diferencia entre las reservas y las rancherías?** Las rancherías son, por lo general, más pequeñas.

Resumen

Los gobiernos de los condados y de las ciudades de California se encargan de tareas que no realiza el gobierno estatal. Los distritos especiales y los cuerpos regionales se ocupan de problemas que no dependen de los gobiernos estatales, del condado o de la ciudad. Los indios de las reservas y rancherías tienen derecho a formar su propio gobierno, elegir a sus líderes, hacer leyes y aplicarlas.

Tierras tribales de California

Analizar mapas Este mapa muestra los territorios actuales de las tribus indias de California.

Regiones ¿En qué partes de California se encuentra la mayoría de las tierras tribales?

REPASO

1. ¿Cómo están organizados los gobiernos locales de California, y qué tareas desempeñan?
2. ¿Para qué se forman los **cuerpos regionales**?
3. ¿Qué forma de gobierno local es un distrito escolar?

RAZONAMIENTO CRÍTICO

4. ¿Cuáles son los costos y los beneficios que deben evaluar el alcalde o el consejo de una ciudad al decidir la reparación de un parque local?
5. ¿Por qué crees que el número de condados de California creció de 27 en 1850 a 58 hoy en día, aun cuando el territorio del estado no ha aumentado?

6. **Crea un folleto del gobierno municipal** Haz un folleto ilustrado acerca del gobierno de tu ciudad. Indica cómo está gobernada y qué servicios se brindan a sus habitantes.

7. **RESUMIR** En una hoja de papel, copia y completa el organizador gráfico de abajo.

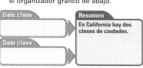

Dato clave	Resumen
	En California hay dos clases de ciudades.
Dato clave	

Capítulo 12 ■ 487

HOMEWORK AND PRACTICE

Local Governments

pages 132–133

PERFORMANCE RUBRIC

Score 4
• presents clear, complete information
• facts are accurate
• has no errors or very few errors

Score 3
• presents adequate information
• facts are mostly accurate
• has a few errors

Score 2
• presents partial information
• facts are somewhat accurate
• has several errors

Score 1
• presents little or no information
• facts are inaccurate
• has many errors

TAREA Y PRÁCTICA

Los gobiernos locales

páginas 132–133

Summary

Have students review the summary and restate the lesson's key content.

• Local governments provide services not covered by the state or federal government.
• Cities, counties, special districts, regional bodies, and Indian reservations and rancherias are all forms of local government.

Assess

REVIEW—Answers

1. Local governments can be county boards of supervisors, city councils with mayors and/or city managers, special districts, regional bodies, or tribal governments. Each of these bodies is designed to address the needs of the people that they represent. HSS 4.5, 4.5.3, 4.5.5

2. **Vocabulary** **Regional bodies** are formed to make plans that meet needs of people in several neighboring cities or counties. HSS 4.5.5

3. **Government** a special district HSS 4.5.5

Critical Thinking

4. **Historical Interpretation** Possible response: The costs might include the time and money required to do the job and the other work that could not be done as a result. The benefits might include adding space for recreation and civic pride. HSS 4.5.5, HI 4

5. **Chronological Thinking** because the state's population has grown HSS 4.5.5, CS 3

6. **Create a City Government Brochure—Assessment Guidelines** See Performance Rubric. This activity can be used with the unit project. HSS 4.5.5, ELA WRITING 2.3, 2.4

7. **Summarize** KEY FACTS: About three-fourths of California cities are general law cities. Most other cities are charter cities. HSS 4.5.3, 4.5.5, ELA READING 2.2

CHAPTER 12 ■ **487**

continued

7. **Resumir** DATOS CLAVE: Aproximadamente tres cuartas partes de las ciudades de California son ciudades regidas por leyes generales. La mayor parte de las demás ciudades son ciudades charter. HSS 4.5.3, 4.5.5, ELA READING 2.2

Resumen

Pida a los estudiantes que repasen el resumen y que expresen con sus palabras el contenido clave de la lección.

• Los gobiernos locales proveen servicios no cubiertos por el gobierno estatal o el gobierno federal.
• Las ciudades, condados, distritos especiales, cuerpos regionales y rancherías son formas de gobierno local.

Evaluar

REPASO—Respuestas

1. Los gobiernos locales pueden ser juntas de supervisores de condado, consejos municipales con alcaldes y/o administradores municipales, distritos especiales, cuerpos regionales o gobiernos tribales. Cada uno de esos cuerpos está concebido para atender las necesidades de las personas que representan. HSS 4.5, 4.5.3, 4.5.5

2. **Vocabulario** Los **cuerpos regionales** se forman para hacer planes que satisfacen las necesidades de los ciudadanos de ciudades o condados de los alrededores. HSS 4.5.5

3. **Gobierno** un distrito especial HSS 4.5.5

Razonamiento crítico

4. **Interpretación histórica** Respuesta posible: Los costos podrían incluir el tiempo y el dinero requeridos para hacer el trabajo, y el otro trabajo que no podría hacerse como consecuencia. Los beneficios podrían incluir agregar espacio para recreación y orgullo cívico. HSS 4.5.5, HI 4

5. **Pensamiento cronológico** porque la población del estado aumentó HSS 4.5.5, CS 3

6. **Crea un folleto del gobierno municipal—Pautas de evaluación** Vea Performance Rubric. Esta actividad puede usarse con el proyecto de la unidad. HSS 4.5.5, ELA WRITING 2.3, 2.4

◄ *continued to the left*

Destrezas de razonamiento crítico

PÁGINAS 488–489

OBJETIVOS

- Aplicar un procedimiento "paso a paso" para tomar decisiones económicas.
- Analizar los costos y beneficios de distintas opciones económicas.

VOCABULARIO

consecuencia económica pág. 488
costo de oportunidad pág. 488

RECURSOS

Tarea y práctica, págs. 134–135; Transparencia de destrezas de Estudios Sociales 6-4; Colección de audiotextos en CD de la Unidad 6

1 Presentar

Invite a los estudiantes a hablar acerca de cómo y por qué las personas deciden ahorrar o gastar dinero que ganan o que reciben como obsequio. Señale que cada vez que los estudiantes deciden de qué manera ahorrar o gastar dinero, toman una decisión económica.

Por qué es importante

Guíe a los estudiantes en una conversación sobre la importancia de las decisiones económicas en su vida de todos los días. Explique que saber cómo analizar los costos y beneficios de esas decisiones los ayudará a tomar decisiones inteligentes. Señale que no todas las decisiones económicas se relacionan con el dinero. Algunas decisiones económicas son sobre el uso de recursos, incluidos los recursos humanos.

Critical Thinking Skills

PAGES 488–489

OBJECTIVES

- Apply a step-by-step decision-making process to economic situations.
- Analyze the costs and benefits of various economic choices.

VOCABULARY

trade-off p. 488
opportunity cost p. 488

RESOURCES

Homework and Practice Book, pp. 134–135; Social Studies Skills Transparency 6-4; Unit 6 Audiotext CD Collection

1 Introduce

Invite students to talk about how and why people decide to save or spend money they earn or receive as a gift. Point out that every time students decide how to save or spend money, they make an economic decision.

Why It Matters

Lead students in a discussion of the importance of economic decisions in their everyday lives. Explain that knowing how to analyze costs and benefits of such decisions will help them make wise choices. Point out that not all economic choices are about money. Some economic choices are about using resources, including human resources.

Destrezas de razonamiento crítico

Tomar una decisión económica

▶ POR QUÉ ES IMPORTANTE

Cuando decides ahorrar o gastar dinero, estás tomando una decisión económica. Al igual que las personas, también los gobiernos deben tomar decisiones económicas.

Tanto las personas como los gobiernos deben pensar en los costos y beneficios de gastar dinero en las cosas que desean y necesitan. Para tomar una decisión, a menudo es necesario tener en cuenta las consecuencias económicas. Una **consecuencia económica** significa renunciar a algo para obtener otra cosa a cambio. La cosa a la que se renuncia recibe el nombre de **costo de oportunidad**.

▶ LO QUE NECESITAS SABER

Los siguientes pasos pueden ayudarte a tomar una buena decisión económica.

Paso 1 Identifica tu objetivo y los recursos que tienes para lograrlo.

Paso 2 Identifica las alternativas.

Paso 3 Reflexiona acerca de las ventajas y desventajas de cada alternativa.

Paso 4 Elige e identifica el costo de oportunidad de cada opción.

▶ Las personas toman decisiones económicas cuando usan los bancos (izquierda) o adquieren bienes o servicios.

488 ■ Unidad 6

Practice and Extend

SOCIAL STUDIES SKILLS

Critical Thinking Skills

Make an Economic Decision

Step 1 Identify your goal and the resources you have to meet that goal.

Step 2 Identify the alternatives.

Step 3 Think about the advantages and disadvantages of each alternative.

Step 4 Choose and identify the opportunity cost of each choice.

California: A Changing State pages 488–489   Reflections   Social Studies Skills Transparency 6-4

TRANSPARENCY 6-4

HOMEWORK AND PRACTICE

Skills: Make an Economic Decision

Imagine you are the mayor of Anytown, California. The city council has just approved the budget for next year. You have $10,000 to spend on "extras" for the town. You feel that Anytown needs police and fire department upgrades, roadwork on Main Street, new playground equipment for the park, school maintenance equipment, and new chairs for the library. You would also like to have an Independence Day parade and a Harvest Festival.

Look at the list of costs below. Choose how to spend the "extras" budget for Anytown, and answer the questions.

Anytown "Extras" Budget	$10,000.00
Police department upgrade	$2,500.00
Fire department upgrade	$2,500.00
Roadwork on Main Street	$1,500.00
New playground equipment	$1,500.00
School maintenance equipment	$1,000.00
New chairs for Anytown Library	$2,000.00
Independence Day parade	$500.00
Harvest Festival	$1,000.00

❶ What do you think are the three most important budget items to spend money on? Explain your answer.

Possible response: I think the three most important budget items are the police and fire department upgrades and the school maintenance equipment. The town needs the police and fire departments for protection, and the children need a good, safe school.

pages 134–135

Practicar y ampliar

DESTREZAS DE ESTUDIOS SOCIALES

Destrezas de razonamiento crítico

Tomar una decisión económica

Paso 1 Identifica tu objetivo y los recursos que tienes para lograrlo.

Paso 2 Identifica las alternativas.

Paso 3 Reflexiona acerca de las ventajas y desventajas de cada alternativa.

Paso 4 Elige e identifica el costo de oportunidad de cada opción.

California: Un estado cambiante páginas 488–489   Reflexiones   Destrezas de Estudios Sociales Transparencia 6-4

TRANSPARENCIA 6-4

TAREA Y PRÁCTICA

Destrezas: Tomar una decisión económica

Imagina que eres el alcalde de Cualquierpueblo, en California. El consejo municipal acaba de aprobar el presupuesto para el próximo año. Tienes 10,000 dólares para gastar en "extras" para la ciudad. Piensas que Cualquierpueblo necesita mejoras en los departamentos de policía y de bomberos, obras en la calle principal, nuevos juegos para el parque, artículos de mantenimiento para la escuela y nuevas sillas para la biblioteca. También te gustaría organizar un desfile para el Día de la Independencia y un Festival de la Cosecha.

Observa la lista de costos de abajo. Elige cómo gastar el presupuesto extra de Cualquierpueblo y responde las preguntas.

Presupuesto "extra" de Cualquierpueblo	$10,000.00
Mejoras en el departamento de policía	$2,500.00
Mejoras en el departamento de bomberos	$2,500.00
Obras en la calle principal	$1,500.00
Nuevos juegos para el parque	$1,500.00
Artículos de mantenimiento para la escuela	$1,000.00
Nuevas sillas para la biblioteca	$2,000.00
Desfile del Día de la Independencia	$500.00
Festival de la Cosecha	$1,000.00

❶ ¿Cuáles consideras que son los tres proyectos más importantes en el presupuesto? Explica tu respuesta.

Respuesta posible: Pienso que los tres proyectos más importantes en el presupuesto son las mejoras en los departamentos de policía y de bomberos y los artículos de mantenimiento para la escuela. La ciudad necesita los departamentos de policía y de bomberos para protección, y los niños necesitan una escuela buena y segura.

páginas 134–135

▶ PRACTICA LA DESTREZA

Imagina que eres el alcalde de una ciudad de California. El gobierno municipal dispone de dinero para realizar un proyecto público. Hay suficiente dinero para hacer un sendero para bicicletas o una cancha de básquetbol, pero no para ambos. ¿Qué proyecto aprobarías? ¿Por qué?

Piensa en los datos y las preguntas de abajo y sigue los pasos. Luego, toma tu decisión.

1 Un sendero para bicicletas ofrecería más seguridad a las personas que usan bicicletas para ir al trabajo o por diversión.

2 Una cancha de básquetbol les daría a las personas un lugar para jugar, y podría usarse para realizar programas extraescolares.

3 ¿Cuáles son las consecuencias económicas de cada opción? ¿Cuáles son los costos de oportunidad?

▶ APLICA LO QUE APRENDISTE

Aplícalo Imagina que tienes 5 dólares para gastar. Quieres comprar un libro y alquilar una película, pero el dinero no te alcanza para hacer ambas cosas. Explica a un compañero las consecuencias económicas y los costos de oportunidad de tu decisión.

▶ Algunas comunidades han usado parte de su presupuesto para construir senderos públicos para bicicletas.

Capítulo 12 ■ 489

CALIFORNIA STANDARDS 4.5.3 Describe the similarities (e.g., written documents, rule of law, consent of the governed, three separate branches) and differences (e.g., scope of jurisdiction, limits on government powers, use of the military) among federal, state, and local governments.
SKILL Historical Interpretation 4.

REACH ALL LEARNERS

Leveled Practice Select a government budget decision from the news, and have students apply the four-step decision-making process to decide upon the choice they think makes the most sense.

Basic Have students name the choices involved in the decision as well as the trade-offs and opportunity costs.

Proficient Have students apply the four steps and then share their response orally.

Advanced Have students provide a written summary of their thinking, including any indirect costs or benefits that might result from each choice.

---

2 Teach

What You Need to Know

1 Economics Discuss with students the difference between the actual cost of something and the opportunity cost associated with an economic choice.

Q What sort of trade-offs might result from the decision to go to the movies instead of studying for a big test? HI 4

A Possible response: a good grade on the test, a passing grade in the class

Q What economic resource are you spending by going to the movie or by studying?

A time

Practice the Skill—Answers

SKILL Historical Interpretation

HSS 4.5.3, HI 4

Responses will vary. Students should support their decisions by explaining the trade-offs and opportunity costs they considered and how they used those to make a choice.

---

3 Close

Apply What You Learned

Make It Relevant To begin, have students identify books they might like to buy and movies they might like to rent. Then have them work with a partner to discuss the trade-offs and opportunity costs of each choice. Finally, have partners report back to the class about the choices they made.

CHAPTER 12 ■ 489

---

2 Enseñar

Lo que necesitas saber

1 Economía Hable con los estudiantes sobre la diferencia entre el costo real de algo y el costo de oportunidad asociado a una opción económica.

P ¿Qué tipo de consecuencia económica podría resultar de la decisión de ir al cine en lugar de estudiar para una prueba importante? HI 4

R Respuesta posible: una buena calificación en la prueba, una calificación de aprobado en la clase

P ¿Qué recurso económico gasta uno al ir al cine o al estudiar?

R tiempo

Practica la destreza—Respuestas

DESTREZA DE ANÁLISIS Interpretación histórica HSS 4.5.3, HI 4

Las respuestas variarán. Los estudiantes deberán respaldar sus decisiones explicando las consecuencias económicas y los costos de oportunidad que consideraron y cómo los usaron para tomar una decisión.

---

3 Concluir

Aplica lo que aprendiste

Aplícalo Primero, pida a los estudiantes que identifiquen libros que podrían querer comprar y películas que les gustaría rentar. Luego, pídales que trabajen con un compañero para analizar las consecuencias económicas y los costos de oportunidad de cada opción. Finalmente, pida a los compañeros que informen a la clase sobre la decisión que tomaron.

OBJETIVOS

■ Analizar los derechos individuales de los ciudadanos protegidos por las constituciones de Estados Unidos y California.

■ Describir de qué manera los ciudadanos de Estados Unidos pueden ser participantes activos en el gobierno y en sus comunidades, y por qué es importante que lo sean.

OBJECTIVES

■ Analyze the individual rights of citizens protected by the constitutions of the United States and California.

■ Describe how United States citizens can be active participants in government and their communities and why it is important that they do so.

1 Presentar

Establecer el propósito Analice por qué podría ser importante que los votantes estudien las opiniones de quienes se postulan como funcionarios, así como también los temas sobre los que se vota en una elección.

Piensa en los antecedentes Pregunte a los estudiantes si alguna vez han estado en un centro electoral donde se lleva a cabo una votación o si han visto adhesivos o botones en apoyo de un candidato o de leyes propuestas. Repase con los estudiantes las facultades de petición, iniciativa, referéndum y destitución.

1 Introduce

Set the Purpose Discuss why it might be important for voters to study the opinions of people running for office as well as the issues to be voted upon in an election.

Build Background Ask students if they have ever been to a polling place where voting is taking place or seen stickers or buttons in support of candidates or proposed laws. Review with students the powers of petition, initiative, referendum, and recall that they learned about.

2 Enseñar

❶ Fuente primaria: Cita

DESTREZA DE ANÁLISIS Punto de vista Pida a un voluntario que lea en voz alta las palabras del presidente Rutherford B. Hayes. Pida a los estudiantes que formulen toda pregunta que tengan sobre la cita.

P ¿Cuál es la opinión del presidente Hayes sobre la importancia de votar?
HSS 4.5, 4.5.1, HR 2

R Votar es un deber que las personas tienen con su sociedad; siempre deberían votar.

Fuente: De *Diary and Letters of Rutherford Birchard Hayes: Nineteenth President of the United States,* 1879.

2 Teach

❶ Primary Source: Quotation

ANALYSIS SKILL Point of View Ask a volunteer to read aloud the words of President Rutherford B. Hayes. Ask students to pose any questions they have about the quote orally in class.

Q What is President Hayes's opinion about the importance of voting?
HSS 4.5, 4.5.1, HR 2

A Voting is a duty that people owe to their society; they should always vote.

Source: From the *Diary and Letters of Rutherford Birchard Hayes: Nineteenth President of the United States,* 1879.

Civismo

SER UN CIUDADANO ACTIVO

VOTA
Yo Voté

"Votar es como saldar una deuda: un deber que debe cumplirse cuando es posible hacerlo."* ❶
—Presidente Rutherford B. Hayes

Los autores de la Constitución de Estados Unidos no estaban seguros de que su gobierno fuera a durar. Ninguna otra nación había tenido jamás un gobierno como el que describía la Constitución. Ningún otro pueblo había tenido nunca los derechos de que gozaban los ciudadanos americanos. Los ciudadanos tendrían la responsabilidad de hacer funcionar el gobierno y de proteger sus libertades. El país necesitaría ciudadanos responsables y activos.

Los ciudadanos activos votan. Además, leen periódicos y libros, y miran o escuchan

*De *Diary and Letters of Rutherford Birchard Hayes: Nineteenth President of the United States,* 1879.

Los ciudadanos leen el periódico para mantenerse informados.

Practice and Extend

BACKGROUND

Political Parties Political parties are groups of voters who tend to agree with one another on main issues. The Democratic and Republican parties are the two main political parties in the United States. They compete for control of the national and state executive and legislative branches. Other, smaller parties are also active, such as the Green party, which favors environmental causes.

MAKE IT RELEVANT

In Your Community If possible and timely, display a sample local or state ballot and voting information pamphlet. Review their contents with students, identifying candidates for office and their political parties and statements. Help students identify initiatives, referendums, or recalls if they are on the ballot and summarize arguments for and against one or more measures.

Practicar y ampliar

ANTECEDENTES

Partidos políticos Los partidos políticos son grupos de votantes que tienden a coincidir entre sí en cuestiones fundamentales. Los partidos Demócrata y Republicano son los dos principales partidos políticos de Estados Unidos. Compiten por el control de los poderes ejecutivo y legislativo, tanto a nivel nacional como estatal. Hay otros partidos más pequeños que también son activos, como el partido Verde, que apoya causas ambientales.

APLÍCALO

En su comunidad Si es posible y oportuno, exhiba como muestra un folleto informativo de una votación local o estatal. Repase sus contenidos con los estudiantes, identificando a los candidatos a funcionarios, sus partidos políticos y sus declaraciones. Ayude a los estudiantes a identificar iniciativas, referéndum o destituciones si hubieran, y a resumir argumentos a favor y en contra de una o más medidas.

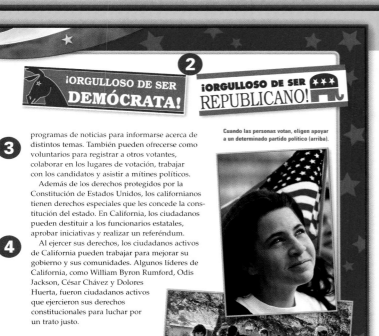

¡ORGULLOSO DE SER **DEMÓCRATA!**

¡ORGULLOSO DE SER **REPUBLICANO!**

programas de noticias para informarse acerca de distintos temas. También pueden ofrecerse como voluntarios para registrar a otros votantes, colaborar en los lugares de votación, trabajar con los candidatos y asistir a mítines políticos.

Además de los derechos protegidos por la Constitución de Estados Unidos, los californianos tienen derechos especiales que les concede la constitución del estado. En California, los ciudadanos pueden destituir a los funcionarios estatales, aprobar iniciativas y realizar un referéndum.

Al ejercer sus derechos, los ciudadanos activos de California pueden trabajar para mejorar su gobierno y sus comunidades. Algunos líderes de California, como William Byron Rumford, Odis Jackson, César Chávez y Dolores Huerta, fueron ciudadanos activos que ejercieron sus derechos constitucionales para luchar por un trato justo.

Cuando las personas votan, eligen apoyar a un determinado partido político (arriba).

Piensa

Aplícalo ¿Por qué es importante ser un ciudadano activo?

Para que una democracia funcione, el gobierno necesita ciudadanos activos y comprometidos. Estas personas firman una petición para que su gobierno local construya un paso peatonal en un cruce peligroso.

491

CALIFORNIA STANDARDS 4.5 Students understand the structures, functions, and powers of the local, state, and federal governments as described in the U.S. Constitution. **4.5.1** Discuss what the U.S. Constitution is and why it is important (i.e., a written document that defines the structure and purpose of the U.S. government and describes the shared powers of federal, state, and local governments). **4.5.2** Understand the purpose of the California Constitution, its key principles, and its relationship to the U.S. Constitution. Research, Evidence, and Point of View 2.

REACH ALL LEARNERS

Leveled Practice Have students locate new stories about election issues.

(Basic) Have students name a candidate or present simple facts about an issue.

(Proficient) Have students describe a candidate's opinion on an issue or describe the main reasons for or against an issue.

(Advanced) Have students compare and evaluate two candidates' positions on an issue or two possible actions on a current issue.

---

2 Visual Literacy: Photographs Help students identify the bumper stickers for the two major political parties and the symbols associated with each party—the donkey for Democrats and the elephant for Republicans. HSS 4.5

3 Civics and Government Make sure students understand the meanings of the following terms: *volunteer, register to vote, political candidates,* and *political rallies.* Discuss why each of the processes for being active is helpful, and invite students to explain each process. HSS 4.5

Q Are political activities protected by the United States Constitution? HSS 4.5.1

A Yes; the freedoms of speech, press, and assembly are protected in the U.S. Bill of Rights.

Explain that collecting petition signatures for an initiative, referendum, or recall is another way of being an active citizen. HSS 4.5.2

4 History Ask students to recall what they know about Cesar Chavez and Dolores Huerta. Discuss how their actions helped improve their communities.

3 Close

Summarize

Make It Relevant Have students list reasons that they should stay informed about issues being considered at the federal, state, and local levels of government, and have them describe ways they can become involved in the decision-making process.

CAPTION ANSWER: Students' responses should show that they understand the need for citizens to be active.

---

2 Aprendizaje visual: Fotografías Ayude a los estudiantes a identificar los adhesivos de los dos principales partidos políticos y los símbolos asociados con cada partido: el burro con los demócratas y el elefante con los republicanos. HSS 4.5

3 Civismo y gobierno Asegúrese de que los estudiantes comprendan el significado de las siguientes expresiones: *voluntario, registrar votantes, candidatos políticos* y *mitines políticos.* Analice por qué todas las formas de participación activa son útiles e invite a los estudiantes a explicar cada una de ellas. HSS 4.5

P ¿Están las actividades políticas protegidas por la Constitución de Estados Unidos? HSS 4.5.1

R Sí; las libertades de expresión y de prensa y la libertad de reunión están protegidas en la Declaración de Derechos de Estados Unidos.

Explique que reunir firmas para una iniciativa, referéndum o destitución es otra manera de ser un ciudadano activo. HSS 4.5.2

4 Historia Pida a los estudiantes que recuerden lo que saben sobre César Chávez y Dolores Huerta. Analice cómo sus acciones ayudaron a mejorar sus comunidades.

3 Concluir

Resumir

Aplícalo Pida a los estudiantes que hagan una lista de motivos por los que deberían mantenerse informados sobre los asuntos que se están considerando en los niveles de gobierno federal, estatal y local, y que describan formas en que pueden comprometerse en el proceso de toma de decisiones.

RESPUESTA: Las respuestas de los estudiantes deberán mostrar que comprenden la necesidad de que los ciudadanos sean activos.

RESUMIR
Destreza clave

Los estudiantes pueden usar el organizador gráfico de la página 138 del cuaderno de Tarea y práctica. Las respuestas aparecen en la Edición del maestro del cuaderno de Tarea y práctica.

Pautas de redacción de California

Escribe un resumen Los resúmenes de los estudiantes deberán describir correctamente la organización y la función de los gobiernos locales y el gobierno estatal de California. Los resúmenes deberán estar bien organizados e incluir solamente ideas principales y detalles clave. HSS 4.5.4, 4.5.5, ELA WRITING 2.4

Para calificar la redacción, vea el Programa de evaluación, página xii.

Escribe un reporte Los reportes de los estudiantes deberán detallar las responsabilidades principales del funcionario elegido. También deberán explicar por qué la persona que ocupa ese cargo juega un papel importante en la conducción del gobierno. Los reportes no deberán tener errores de gramática, ortografía, utilización de mayúsculas ni puntuación. HSS 4.5.4, ELA WRITING 2.3

Para calificar la redacción, vea el Programa de evaluación, página xii.

Usa el vocabulario
1. destituir (pág. 475)
2. vetar (pág. 473)
3. federal (pág. 463)
4. condado (pág. 481)
5. presupuesto (pág. 473)
6. democracia (pág. 463)

Chapter 12 Review

PAGES 492–493

SUMMARIZE
Focus Skill

Students may use the graphic organizer that appears on page 138 of the Homework and Practice Book. Answers appear in the Homework and Practice Book, Teacher Edition.

California Writing Prompts

Write a Summary Students' summaries should accurately explain the organization and function of local and state government in California. The summaries should be well organized and include only main ideas and key details. HSS 4.5.4, 4.5.5, ELA WRITING 2.4

For a writing rubric, see Assessment Program, p. xii.

Write a Report Students' reports should list the key duties of the chosen official. They should also explain why the person in that position plays an important role in running the government. The reports should be free of errors in grammar, spelling, capitalization, and punctuation. HSS 4.5.4, ELA WRITING 2.3

For a writing rubric, see Assessment Program, p. xii.

Use Vocabulary
1. recall (p. 475)
2. veto (p. 473)
3. federal (p. 463)
4. county (p. 481)
5. budget (p. 473)
6. democracy (p. 463)

492 ■ **UNIT 6**

Repaso del Capítulo 12

La lectura en los Estudios Sociales

Cuando **resumes**, vuelves a expresar con tus propias palabras los puntos clave o las ideas más importantes.

Resumir
Destreza clave

Completa este organizador gráfico para resumir cómo el gobierno federal, el estatal y el local trabajan en conjunto por el bien de todos los ciudadanos. Una copia de este organizador gráfico aparece en la página 138 del cuaderno de Tarea y práctica.

Los californianos y el gobierno

Dato clave		Resumen
Todos los niveles de gobierno funcionan solo con la aprobación de los ciudadanos.		
Cada nivel de gobierno solo puede existir según leyes escritas aceptadas por el pueblo.		

Pautas de redacción de California

Escribe un resumen Imagina que debes explicar a un grupo de alumnos de segundo grado el funcionamiento de los niveles de gobierno estatal y local de California. Escribe un discurso que resuma cómo está organizado cada nivel.

Escribe un reporte Escribe un reporte acerca de alguno de los funcionarios públicos electos que se mencionan en este capítulo. Explica los deberes de la persona que ocupa ese cargo e indica por qué su labor es importante para el funcionamiento del gobierno.

492 ■ Unidad 6

CALIFORNIA STANDARDS HSS 4.5 Students understand the structures, functions, and powers of the local, state, and federal governments as described in the U.S. Constitution. Historical Interpretation 4.

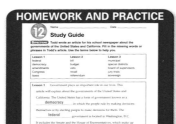

HOMEWORK AND PRACTICE
Study Guide
pages 136–137

HOMEWORK AND PRACTICE
READING SOCIAL STUDIES: SUMMARIZE
Californians and Government
page 138

TAREA Y PRÁCTICA
Guía de estudio
páginas 136–137

TAREA Y PRÁCTICA
LA LECTURA EN LOS ESTUDIOS SOCIALES: RESUMIR
Los californianos y el gobierno
página 138

Usa el vocabulario

Usa una palabra de la lista para completar cada oración.

1. Los votantes de California pueden _____ al gobernador.

2. El gobernador decidió _____ el proyecto de ley.

3. La Corte Suprema de Estados Unidos es parte del gobierno _____.

4. San Bernardino es el _____ más extenso de California.

5. El nuevo _____ estatal destina más dinero a programas extraescolares.

6. En una _____, el pueblo decide a través del voto.

democracia, pág. 463
federal, pág. 463
presupuesto, pág. 473
vetar, pág. 473
destituir, pág. 475
condado, pág. 481

Aplica las destrezas

Leer un organigrama

7. Examina el organigrama de las páginas 478 y 479 para responder la pregunta. ¿Qué ocurre antes de que los miembros de la Asamblea y el Senado de California voten un proyecto de ley?

Tomar una decisión económica.

8. **DESTREZA DE ANÁLISIS** Piensa en una decisión económica que hayas tomado recientemente, o que haya tomado alguien que conozcas. ¿Qué consecuencias económicas debieron tener en cuenta? ¿Cuáles fueron los costos de oportunidad?

Recuerda los datos

Responde estas preguntas.

9. ¿Qué tienen en común las tareas que realizan un senador de Estados Unidos, un miembro de la asamblea estatal y un supervisor de condado?

10. ¿Qué poder del gobierno estatal de California prepara el presupuesto del estado?

11. ¿Qué facultades especiales tienen los votantes de California, a diferencia de los votantes de otros estados?

12. ¿Qué derechos especiales tienen las tribus indias de California?

Escribe la letra que corresponda a la respuesta correcta.

13. ¿Cuál es el nivel más alto de gobierno local en California?
A gobierno municipal
B gobierno de condado
C distrito escolar
D Corte Suprema estatal

14. ¿Quién encabeza el poder ejecutivo estatal?
A el gobernador
B el alguacil de condado
C el presidente de Estados Unidos
D el presidente de la Corte Suprema

Piensa críticamente

15. **DESTREZA DE ANÁLISIS** ¿Crees que es una buena idea que los votantes tengan la facultad de destituir funcionarios? Explica tu respuesta.

16. ¿Por qué crear un distrito especial o un cuerpo regional puede ayudar a solucionar un problema?

Capítulo 12 ■ 493

Apply Skills

Read a Flowchart

7. The bill is written by one of the Assembly members or senators, and then a special committee studies it and presents it to the whole Assembly or Senate. HSS 4.5.2, 4.5.4

Make an Economic Decision

SKILL Historical Interpretation HSS 4.5, HI 4

8. Accept all reasonable responses that demonstrate an understanding of the terms *trade-offs* and *opportunity costs*.

Recall Facts

9. Possible response: Officials at all three levels are elected by voters and must obey the Constitution and other laws, just as all citizens do. People who hold the three jobs are responsible for making laws at their level of government. (pp. 466-467, 481) HSS 4.5.3

10. the executive branch (p. 473) HSS 4.5.4

11. Voters in California have the power to recall elected officials. (p. 475) HSS 4.5.2

12. They have the right to form sovereign, or free and independent, governments. (p. 486) HSS 4.5.5

13. B (p. 481) HSS 4.5.3, 4.5.5

14. A (p. 473) HSS 4.5.4

Think Critically

15. **SKILL** Historical Interpretation Accept all responses that include sound and well supported reasons. HSS 4.5.2, HI 4

16. Possible response: Special districts provide services that are not provided by county or city governments, and they have the power to raise and spend money to fix problems. HSS 4.5.5

Aplica las destrezas

Leer un organigrama

7. El proyecto es redactado por uno de los miembros de la Asamblea o de los senadores y luego un comité especial lo estudia y lo presenta al conjunto de la Asamblea o el Senado. HSS 4.5.2, 4.5.4

Tomar una decisión económica

DESTREZA DE ANÁLISIS Interpretación histórica HSS 4.5, HI 4

8. Acepte toda respuesta razonable que demuestre una comprensión de las expresiones *consecuencia económica* y *costos de oportunidad*.

Recuerda los datos

9. Respuesta posible: Los funcionarios de los tres niveles son elegidos por los votantes y deben obedecer la Constitución y otras leyes, como lo hacen todos los ciudadanos. Las personas que ocupan los tres cargos son responsables de hacer leyes en su nivel de gobierno. (págs. 466-467, 481) HSS 4.5.3

10. el poder ejecutivo (pág. 473) HSS 4.5.4

11. Los votantes de California tienen la facultad de destituir funcionarios electos. (pág. 475) HSS 4.5.2

12. Tienen el derecho de formar gobiernos soberanos, o sea, libres e independientes. (pág. 486) HSS 4.5.5

13. B (pág. 481) HSS 4.5.3, 4.5.5

14. A (pág. 473) HSS 4.5.4

Piensa críticamente

15. **DESTREZA DE ANÁLISIS** Interpretación histórica Acepte toda respuesta que incluya motivos sólidos y bien fundamentados. HSS 4.5.2, HI 4

16. Respuesta posible: Los distritos especiales proveen servicios que no provee el gobierno del condado o el gobierno municipal, y tienen la facultad de recaudar y gastar dinero para resolver problemas. HSS 4.5.5

Excursión

PÁGINAS 494–495

OBJETIVOS

- **Analizar las oportunidades culturales, educativas y recreativas de que disponen los californianos en el Parque Balboa.**

RECURSOS

Colección de audiotextos en CD de la Unidad 6; Recursos en Internet

Resumen

En el Parque Balboa de San Diego funcionan 15 museos, 85 organizaciones culturales y recreativas, un complejo deportivo y el zoológico de San Diego.

1 Presentar

Prepárate

Informe a los estudiantes que el Parque Balboa abarca casi 2.2 millas cuadradas, lo que lo hace el parque cultural urbano más grande de Estados Unidos.

2 Enseñar

Observa

Pida a los estudiantes que observen atentamente las fotografías y el mapa de las páginas 494 y 495. Luego, hágales las siguientes preguntas:

- ¿Acerca de qué parte de la historia de California podrían aprender en el Centro Cultural de la Raza? **HSS 4.4**
- ¿A qué industria de California está dedicado uno de los museos del Parque Balboa? **HSS 4.4**
- ¿Dónde podrían aprender acerca de la vegetación de California? **HSS 4.4**
- ¿Cuántos animales pueden verse en el Zoológico de San Diego? **HSS 4.4**

Field Trip

PAGES 494–495

OBJECTIVES

- **Analyze the cultural, educational, and recreational opportunities available for Californians at Balboa Park.**

RESOURCES

Unit 6 Audiotext CD Collection; Internet Resources

Quick Summary

Balboa Park in San Diego contains 15 museums, 85 cultural and recreational organizations, a sports complex, and the San Diego Zoo.

1 Introduce

Get Ready

Inform students that Balboa Park covers nearly 2.2 square miles, which makes it the largest urban cultural park in the United States.

2 Teach

What to See

Tell students to look closely at the photographs and map on pages 494 and 495. Then ask them the following questions:

- What part of California's history might you be able to learn about at the Centro Cultural de la Raza? **HSS 4.4**
- What California industry is celebrated at one of Balboa Park's museums? **HSS 4.4**
- Where might you be able to learn about vegetation in California? **HSS 4.4**
- How many animals can you see at the San Diego Zoo? **HSS 4.4**

Parque Balboa

PREPÁRATE

En 1868, los líderes de San Diego reservaron 1,400 acres de tierra para construir un parque público. Hoy en día, es conocido como Parque Balboa, el parque urbano de cultura más grande de Estados Unidos. En el parque funcionan 15 museos, 85 organizaciones recreativas y culturales y numerosos grupos artísticos. Tiene un gran complejo deportivo donde se puede jugar tenis y golf, nadar o pasear en bicicleta.

También es posible visitar el Jardín Japonés de la Amistad, la Casa de las Relaciones Pacíficas, el Centro World Beat y el Centro Cultural de la Raza. Además, en el Parque Balboa está el zoológico de San Diego, que tiene miles de animales. Las numerosas atracciones del Parque Balboa permiten a los visitantes explorar el mundo del arte, de la cultura y de la naturaleza.

OBSERVA

UBÍCALO

San Diego
CALIFORNIA

Practice and Extend

BACKGROUND

Balboa Park The land to build Balboa Park was set aside in 1868, but it took many years to develop it into the park it is today. Trees had to be planted, water systems installed, and roads built. In 1910, the park was named to honor explorer Vasco Núñez de Balboa. The park was the site of the Panama-California Exposition in 1915, which celebrated the completion of the Panama Canal.

MAKE IT RELEVANT

In Your Community Discuss with students the various museums, cultural organizations, parks, and recreational centers in their area. Invite volunteers who have visited some of these places to share their experiences. Help students compile a list of places they might like to visit, and encourage them to find information about visiting hours and current programs or exhibits.

Practicar y ampliar

ANTECEDENTES

Parque Balboa El terreno para construir el Parque Balboa fue elegido en 1868, pero llevó muchos años transformarlo en el parque que es en la actualidad. Hizo falta plantar árboles, instalar sistemas de agua y construir caminos. En 1910, el parque fue bautizado con el nombre del explorador Vasco Núñez de Balboa. El parque fue sede de la Exposición Panamá-California, en 1915, que celebró la finalización del canal de Panamá.

APLÍCALO

En tu comunidad Hable con los estudiantes sobre los diversos museos, organizaciones culturales, parques y centros recreativos del área en la que viven. Invite a voluntarios que hayan visitado alguno de esos lugares a comentar sus experiencias. Ayude a los estudiantes a hacer una lista de lugares que les gustaría visitar y aliéntelos a obtener información sobre horarios de visita y programas o exposiciones en curso.

En el zoológico de San Diego, que tiene más de 4,000 animales, ¡puedes ver desde una pequeña oruga hasta un oso polar gigante!

En el Museo Aeroespacial del Parque Balboa puedes ver aviones históricos como este.

El Jardín Botánico del Parque Balboa tiene más de 2,000 plantas diferentes.

UN PASEO VIRTUAL

APRENDE en línea Visita VIRTUAL TOURS en **www.harcourtschool.com/hss** para realizar un paseo virtual.

Unidad 6 ■ 495

CALIFORNIA STANDARDS HSS 4.4 Students explain how California became an agricultural and industrial power, tracing the transformation of the California economy and its political and cultural development since the 1850s.

3 Close

Access Prior Knowledge

A Virtual Tour Depending on the availability of computers, have students work individually, in pairs, or in small groups to review the virtual tours. Encourage students to think about what parts of California and its history are represented in the various parts of the park. Remind students that they can use what they learn on their virtual tours as information for the Unit Project.

GO ONLINE **INTERNET RESOURCES**

Visit VIRTUAL TOURS at **www.harcourtschool.com/hss** for a listing of Internet sites focusing on museums and parks.

3 Concluir

Despertar conocimientos previos

Un paseo virtual Dependiendo de la disponibilidad de computadoras, pida a los estudiantes que trabajen individualmente, en parejas o en pequeños grupos para repasar los paseos virtuales. Aliéntelos a pensar qué partes de California y su historia están representadas en las diversas partes del parque. Recuérdeles que pueden usar lo que aprendieron en sus paseos virtuales como información para el Proyecto de la unidad.

Repaso de la Unidad 6

La gran idea

Pida a los estudiantes que repasen "La gran idea" de la unidad:

Gobierno y liderazgo
Los californianos están orgullosos de su historia, su gobierno y su patrimonio cultural.

Resumen

Pida a los estudiantes que lean el Resumen. Aliéntelos a pensar sobre las maneras en que los californianos contribuyeron al éxito del estado, y cómo los líderes y funcionarios protegen y apoyan el éxito de California como estado.

Ideas principales y vocabulario

1. D HSS 4.4
2. A HSS 4.4.6
3. C HSS 4.5
4. A HSS 4.5

Recuerda los datos

5. California exporta cada año bienes por millardos de dólares. También importa productos de muchos países. (pág. 433) HSS 4.4.6

6. a otros estados así como a Japón, Canadá, México, China y países de Europa. (pág. 434) HSS 4.4, 4.4.6

7. Respuesta posible: Solamente el gobierno federal tiene la facultad de declarar la guerra y de controlar las fuerzas armadas de la nación. Solamente el gobierno federal tiene la facultad de imprimir dinero, establecer correos y controlar el comercio entre estados y otros países. Y solamente el gobierno federal puede aprobar leyes que afecten a todos los ciudadanos de Estados Unidos. (págs. 466-467) HSS 4.5.1, 4.5.3

Unit 6 Review

The Big Idea

Ask students to review the unit's Big Idea:

Government and Leadership
Californians are proud of their history, government, and heritage.

Summary

Have students read the Summary. Encourage students to think about the ways Californians contributed to the state's success, and how leaders and officials protect and support California's success as a state.

Main Ideas and Vocabulary

1. D HSS 4.4
2. A HSS 4.4.6
3. C HSS 4.5
4. A HSS 4.5

Recall Facts

5. California exports billions of dollars worth of goods each year. It also imports goods from many countries. (p. 433) HSS 4.4.6

6. to other states as well as Japan, Canada, Mexico, China, and countries in Europe (p. 434) HSS 4.4, 4.4.6

7. Possible response: Only the federal government has the power to declare war and to control the nation's military forces. Only the federal government has the power to print money, set up post offices, and manage trade between states and other countries. And only the federal government can pass laws affecting all United States citizens. (pp. 466–467) HSS 4.5.1, 4.5.3

Unidad 6 — Repaso

LA GRAN IDEA

Gobierno y liderazgo Los californianos están orgullosos de su historia, su gobierno y su patrimonio cultural.

Resumen

Crear un estado próspero

California ha crecido y prosperado gracias a múltiples factores, como sus pobladores, su ubicación, su historia y su gobierno. La economía del estado depende de la destreza de sus habitantes para desarrollar diferentes industrias, como la agricultura, la electrónica, la cinematografía y el turismo. Además, su ubicación también ayuda su economía, ya que se encuentra en la costa del océano Pacífico, lo que la convierte en un centro para el comercio con otros países de la cuenca del Pacífico.

Para el buen funcionamiento del estado, los californianos dependen de que los líderes y funcionarios del gobierno local, del estatal y del federal trabajen en conjunto con el objetivo de desarrollar proyectos públicos y resolver temas importantes. Los funcionarios estatales deben respetar la Constitución de Estados Unidos y la Constitución de California, así como las leyes aprobadas por los legisladores locales, estatales y federales. El gobierno estatal desarrolla diferentes tareas, que incluyen hacer leyes y usar el dinero recaudado a través de los impuestos para garantizar la salud, la seguridad y el bienestar social de todos los californianos.

Ideas principales y vocabulario

Lee el resumen de arriba. Luego, responde las siguientes preguntas.

1. ¿Qué significa el término turismo?
   A películas filmadas a color
   B países de la cuenca del Pacífico
   C productos agrícolas
   D el negocio de atender a los visitantes

2. ¿Cuál es uno de los principales beneficios de que California esté ubicado en la costa del océano Pacífico?
   A comercio con otros países de la cuenca del Pacífico
   B proyectos públicos a lo largo de la costa
   C tierras fértiles para la agricultura
   D costa rocosa para películas de acción

3. ¿Qué significa federal?
   A poderoso
   B local
   C nacional
   D internacional

4. ¿Qué leyes prometen obedecer los funcionarios estatales de California?
   A las leyes federales, locales y estatales
   B solo las leyes federales
   C solo las leyes estatales
   D solo las leyes locales

496 ■ Unidad 6

CALIFORNIA STANDARDS HSS 4.4 Students explain how California became an agricultural and industrial power, tracing the transformation of the California economy and its political and cultural development since the 1850s. 4.5 Students understand the structures, functions, and powers of the local, state, and federal governments as described in the U.S. Constitution. Chronological and Spatial Thinking 4. Historical Interpretation 2.

Recuerda los datos

Responde estas preguntas.

5. ¿Cómo se beneficia California del comercio internacional?

6. ¿A qué países exporta productos agrícolas California?

7. ¿Cuáles son algunas de las facultades que tiene el gobierno federal que no tienen los gobiernos estatales?

8. ¿Cuáles son los tres poderes del gobierno estatal de California? ¿Qué tareas desempeña cada uno?

9. ¿De qué manera pueden los votantes de California hacer nuevas leyes o suprimir leyes existentes sin que intervenga la legislatura del estado?

10. ¿Cómo obtiene el estado el dinero para pagar los servicios que provee a sus habitantes y a sus empresas?

Escribe la letra que corresponda a la respuesta correcta.

11. ¿Cuál de las siguientes personas se destacó en la arquitectura?
A Julia Morgan
B Amy Tan
C Judith Baca
D Ansel Adams

12. ¿Por qué California tiene la mayor cantidad de legisladores en la Cámara de Representantes de Estados Unidos?
A California es el estado con mayor población.
B California tiene los mejores líderes.
C California realiza más elecciones que ningún otro estado.
D California es el estado con el territorio más extenso.

13. ¿Cómo removieron de su cargo los votantes de California al gobernador Davis?
A por medio de un debate
B por medio de un veto
C por medio de una destitución
D por medio de un juicio

Piensa críticamente

14. **DESTREZA DE ANÁLISIS** ¿Por qué tener una economía variada puede ser importante para un estado y sus trabajadores?

15. ¿Qué nivel de gobierno crees que tiene mayor impacto en tu vida? Explica tu respuesta.

Aplica las destrezas

Leer un mapa de uso de la tierra y productos

DESTREZA DE ANÁLISIS Observa el mapa de uso de la tierra que se muestra abajo para responder estas preguntas.

16. ¿Cómo se usa la mayor parte de la tierra en el área de Los Angeles?

17. ¿Cuál es el uso más común que se le da a la tierra en el noroeste del estado? ¿Y en el valle Central?

Uso de la tierra en California

Manufactura
Agricultura
Pastoreo
Bosques
Tierra poco usada

Unidad 6 ■ 497

8. Students should identify the legislative, judicial, and executive branches and accurately describe the functions of each branch. (pp. 471–474) HSS 4.5.4

9. They can sign a petition in order to pass an initiative or hold a referendum. (pp. 475–476) HSS 4.5.2

10. The state government collects taxes to provide services for its residents and businesses. (p. 468) HSS 4.5.2

11. A (p. 442) HSS 4.4.9

12. A (p. 464) HSS 4.5.1

13. C (p. 475) HSS 4.5.2

Think Critically

14. **ANALYSIS SKILL Historical Interpretation**
Possible response: There are many different jobs for workers to fill, and many industries to invest in. That creates opportunity and security. HSS 4.4, 4.4.6, HI 2

15. Answers will vary. Students might say local governments, because local government makes decisions that more directly affect students' communities. HSS 4.5.3

Apply Skills

Read a Land Use and Products Map
ANALYSIS SKILL Spatial Thinking HSS 4.4.6, CS 4

16. manufacturing

17. forest; farming

ASSESSMENT

Use the UNIT 6 TEST on pages 117–122 of the Assessment Program.

8. Los estudiantes deberán identificar los poderes legislativo, ejecutivo y judicial y describir correctamente las funciones de cada poder. (págs. 471-474) HSS 4.5.4

9. Pueden firmar una petición para aprobar una iniciativa o realizar un referéndum. (págs. 475-476) HSS 4.5.2

10. El gobierno estatal recauda impuestos para proveer servicios para sus habitantes y empresas. (pág. 468) HSS 4.5.2

11. A (pág. 442) HSS 4.4.9

12. A (págs. 464) HSS 4.5.1

13. C (pág. 475) HSS 4.5.2

Piensa críticamente

14. **DESTREZA DE ANÁLISIS Interpretación histórica** Respuesta posible: Hay muchos empleos diferentes y muchas industrias en que invertir. Eso genera oportunidades y seguridad. HSS 4.4, 4.4.6, HI 2

15. Las respuestas variarán. Los estudiantes pueden decir gobiernos locales, porque el gobierno local toma decisiones que afectan más directamente a las comunidades de los estudiantes. HSS 4.5.3

Aplica las destrezas

Leer un mapa de uso de la tierra y productos

DESTREZA DE ANÁLISIS Pensamiento espacial HSS 4.4.6, CS 4

16. manufactura

17. bosques; agricultura

EVALUACIÓN

Use la PRUEBA DE LA UNIDAD 6 que se encuentra en las páginas 117–122 del Programa de evaluación.

TEST-TAKING STRATEGIES

Review these tips with students:
- Read the directions before reading the question.
- Read each question twice, focusing the second time on all the possible answers.
- Take time to think about all the possible answers before deciding on one answer.
- Move past questions that give you trouble, and answer the ones you know. Then return to the difficult items.

ESTRATEGIAS PARA TOMAR LA PRUEBA

Repase estas sugerencias con los estudiantes:
- Lean las instrucciones antes de leer las preguntas.
- Lean cada pregunta dos veces, enfocándose la segunda vez en todas las respuestas posibles.
- Tómense el tiempo necesario para pensar todas las respuestas posibles antes de elegir una.
- Salteen las preguntas que les den problemas y respondan las que sepan. Luego, vuelvan a las preguntas difíciles.

Actividades de la Unidad 6

Muestra lo que sabes

Actividad de redacción

Redacción: Escribe un reportaje
Para ayudar a los estudiantes a elegir un tópico, aliéntelos a pensar en una parte de la vida de California que encuentren interesante. Recuérdeles que formulen una pregunta que responderán en su reportaje. Sus reportajes deberán usar datos y detalles sobre su tópico obtenidos de más de una fuente.

HSS 4.4, 4.5, HR 2, ELA WRITING 2.3

Si lo desea, puede distribuir entre los estudiantes la página 123, Unidad 6 • Pautas de redacción, del Programa de evaluación.

Para calificar la redacción, vea la Edición del maestro, pág. 417M, o el Programa de evaluación, pág. 124.

Proyecto de la unidad

Hagan un tablero de anuncios de California Antes de que los estudiantes comiencen a trabajar en este proyecto, repase las páginas 417N–417O, Unit Project: Performance Assessment de esta Edición del maestro. Mientras los estudiantes anotan los tópicos, aliéntelos a pensar cómo se podrían exhibir esos tópicos. Pida a los estudiantes que usen su libro de texto así como otras fuentes de referencia para reunir información sobre sus tópicos. Los materiales para el tablero de anuncios deberán incluir pasajes escritos así como fotos y otras ilustraciones. HSS 4.4

Si lo desea, puede distribuir entre los estudiantes la página 125, Unidad 6 • Pautas del proyecto, del Programa de evaluación.

Para calificar el proyecto, vea la Edición del maestro, pág. 417M, o el Programa de evaluación, pág. 126.

LECTURAS A NIVEL
Use las LECTURAS A NIVEL Time for Kids para la Unidad 6.

Unit 6 Activities

Show What You Know
Unit Writing Activity

Write an Information Report To help students choose a topic, encourage them to think about a part of life in California that they find interesting. Remind students to pose a question that they will answer in their report. Their reports should use facts and details about their topic drawn from more than one source.

HSS 4.4, 4.5, HR 2, ELA WRITING 2.3

You may wish to distribute the Unit 6 Writing Activity Guidelines on page 123 of the Assessment Program.

For a writing rubric, see this Teacher Edition, p. 417M, or the Assessment Program, p. 124.

Unit Project

Make a California Bulletin Board Before students begin this project, review the Unit Project Performance Assessment on p. 417O of the Teacher Edition. As students list topics, encourage them to think about how those topics might be displayed. Instruct students to use their textbook as well as other reference sources to gather information on their topics. Their materials for the bulletin board should include written passages as well as photos and other illustrations. HSS 4.4

You may wish to distribute the Unit 6 Unit Project Guidelines on page 125 of the Assessment Program.

For a project rubric, see this Teacher Edition, p. 417M, or the Assessment Program, p. 126.

LEVELED READERS
Use the Time for Kids LEVELED READERS for Unit 6.

BOOKS FOR ALL LEARNERS
Use the Books for All Learners Teacher Guide.

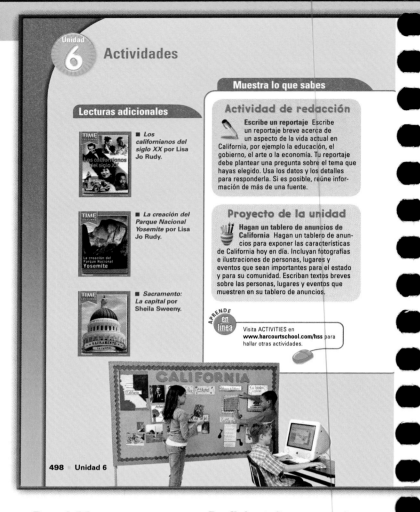

498 ■ Unidad 6

Unidad 6 Actividades

Muestra lo que sabes

Actividad de redacción
Escribe un reportaje Escribe un reportaje breve acerca de un aspecto de la vida actual en California, por ejemplo la educación, el gobierno, el arte o la economía. Tu reportaje debe plantear una pregunta sobre el tema que hayas elegido. Usa los datos y los detalles para responderla. Si es posible, reúne información de más de una fuente.

Proyecto de la unidad
Hagan un tablero de anuncios de California Hagan un tablero de anuncios para exponer las características de California hoy en día. Incluyan fotografías e ilustraciones de personas, lugares y eventos que sean importantes para el estado y para su comunidad. Escriban textos breves sobre las personas, lugares y eventos que muestren en su tablero de anuncios.

APRENDE en línea
Visita ACTIVITIES en www.harcourtschool.com/hss para hallar otras actividades.

Lecturas adicionales
- Los californianos del siglo XX por Lisa Jo Rudy.
- La creación del Parque Nacional Yosemite por Lisa Jo Rudy.
- Sacramento: La capital por Sheila Sweeny.

Read More

After students' study of national, state, and local government, encourage additional reading with these books or books of your choice. Additional books are listed on page 417F of this Teacher Edition.

Basic *Creating Yosemite National Park,* by Lisa Jo Rudy. Students will read about the features of a famous national park and about the people who worked to preserve it.

Proficient *Sacramento: A Capital City,* by Sheila Sweeny. Students will read about the history, government, and culture of California's capital city.

Advanced *Twentieth-Century Californians,* by Lisa Jo Rudy. Students will learn about influential Californians from the last century.

Lecturas adicionales

Después de que hayan estudiado el gobierno nacional, el gobierno estatal y el gobierno local, anime a los estudiantes a realizar lecturas adicionales de estos libros u otros libros que usted elija.

Fácil *La creación del Parque Nacional Yosemite,* por Lisa Jo Rudy. Los estudiantes leerán acerca de las características de un famoso parque nacional y sobre las personas que trabajaron para preservarlo.

A nivel *Sacramento: La capital,* por Sheila Sweeny. Los estudiantes leerán acerca de la historia, el gobierno y la cultura de la ciudad capital de California.

Avanzado *Los californianos del siglo XX,* por Lisa Jo Rudy. Los estudiantes aprenderán acerca de californianos importantes del siglo pasado.

SUMMATIVE TEST

Unidades 4-6 Prueba acumulativa

Nombre _____ Fecha _____

NORMAS DE CALIFORNIA
HSS 4.1, 4.4, 4.5

SELECCIÓN MÚLTIPLE (2 puntos cada una)

INSTRUCCIONES Elige la letra de la respuesta correcta.

Usa la información del recuadro para responder la pregunta 1.

"Los habitantes de California . . . creen que [el telégrafo] será el medio de fortalecer los vínculos del Este y el Oeste con la Unión [los Estados Unidos]. . . ."

–Stephen J. Field

1 ¿Cómo creía Field que el telégrafo ayudaría a Estados Unidos?
A señalizando las rutas terrestres seguras con cables de telégrafo
B uniendo el país con comunicaciones más rápidas y más fáciles
C eliminando la necesidad del correo
D permitiendo al presidente Lincoln enviar mensajes secretos a personas de California   HSS 4.4.1

2 ¿Qué dos grupos de inmigrantes fueron contratados en gran cantidad para tender las vías del ferrocarril transcontinental?
A irlandeses y chinos
B canadienses y mexicanos
C italianos y japoneses
D rusos y alemanes   HSS 4.4.1, 4.4.3

3 ¿Por qué los "Big Four" cobraban tarifas altas por los boletos de tren?
A Necesitaban dinero para reparar las vías rotas.
B Para recaudar dinero para comprar tierras.
C Querían impedir que las personas del este se mudaran al oeste.
D Tenían poca competencia de otros ferrocarriles.   HSS 4.4

Usa la información del recuadro para responder la pregunta 4.

"Para algunos, [el valle Central] es la huerta del mundo; para otros, el lugar más desolado [desierto] de la creación [de la Tierra]."

—John Bidwell

4 ¿Cómo contribuyó la fiebre del oro de California a convertir el valle Central en "la huerta del mundo"?
A Las prácticas de extracción hidráulica dejaron suelo fértil al descubierto.
B La demanda de productos agrícolas generada por los mineros hizo crecer la agricultura.
C Los mineros usaron sus riquezas para crear huertas asombrosas.
D Personas de todo el mundo plantaron huertas cerca de los yacimientos de oro.   HSS 4.4.2, HI 1, 3

Unidades 4–6 ▪ Prueba acumulativa

Programa de evaluación ▪ **127**

SUMMATIVE TEST

Nombre _____ Fecha _____

5 ¿Por qué creció la discriminación hacia los inmigrantes cuando la economía de California atravesó momentos difíciles, en la década de 1870?
A Los californianos estaban celosos porque los inmigrantes podían regresar a sus países de origen para escapar de los tiempos difíciles.
B Los californianos estaban enojados porque los inmigrantes solo aceptaban trabajos agrícolas.
C Los californianos sentían que los inmigrantes estaban quitándoles sus empleos.
D Los californianos creían que los inmigrantes eran prejuiciosos.   HSS 4.4.3

Usa la información del recuadro para responder la pregunta 6.

"Hace diez años [el valle del Owens] era un valle maravilloso. . . . ahora este es un valle de desolación."

—Will Rogers, 1930

6 ¿Por qué crees que Will Rogers se refería al valle del Owens como "un valle de desolación"?
A El valle se había vuelto estéril y seco debido al acueducto de Los Angeles.
B Casi toda la población del valle se había mudado a Los Angeles.
C El descubrimiento de petróleo en el valle había llevado a la destrucción de las tierras de cultivo.
D El presidente Theodore Roosevelt había ordenado que los residentes del valle se mudaran a otro lugar.   HSS 4.4.7

7 ¿Qué hizo el gobierno de California para fomentar el crecimiento del norte de California?
A Le prestó dinero a A. P. Giannini para reconstruir San Francisco.
B Financió un servicio de ferry para ayudar a las personas a mudarse a Oakland.
C Ayudó a los inmigrantes japoneses a establecer granjas en el área de Sacramento.
D Gastó 18 millones de dólares en la construcción de una red de carreteras pavimentadas para conectar las ciudades.   HSS 4.4.4

8 ¿Qué cambio importante experimentó la vida de los californianos después de la Segunda Guerra Mundial?
A Millones de mujeres tomaron empleos de tiempo completo.
B Comenzaron los vuelos en avión entre la mayor parte de las ciudades de California.
C Las ciudades se superpoblaron.
D La popularidad del automóvil hizo que los californianos se convirtieran en los principales consumidores de automóviles.   HSS 4.4.4

9 ¿Por qué se mudaron tantas personas del Dust Bowl a California?
A Sabían que en el este no había buenas tierras de cultivo.
B Pensaban que California tenía un clima templado, tierra fértil y muchos empleos.
C Creían que podrían hallar petróleo.
D Esperaban hallar empleo en la industria cinematográfica.   HSS 4.4.4, 4.4.5

(sigue)

128 ▪ Programa de evaluación

Unidades 4–6 ▪ Prueba acumulativa

SUMMATIVE TEST

Nombre _____ Fecha _____

10 ¿Quién ayudó a desarrollar la industria californiana de la construcción de barcos durante la Segunda Guerra Mundial?
A John Steinbeck
B Joseph B. Strauss
C Louis B. Mayer
D Henry J. Kaiser   HSS 4.4.5, 4.4.6, CS 1

11 ¿Qué hizo que se diversificara la economía de California después de la Segunda Guerra Mundial?
A Muchas industrias crecieron y el estado desarrolló nuevas industrias.
B Las fábricas contrataron inmigrantes de Alemania y Japón.
C Las industrias de tiempos de guerra comenzaron repentinamente a cerrar.
D Los braceros de México que cruzaron la frontera establecieron muchos negocios nuevos.   HSS 4.4.5, 4.4.6

Usa la información del recuadro para responder la pregunta 12.

César Chávez llamó a hacer un boicot al consumo de uvas. Muchas personas de todo el país se unieron al boicot.

12 ¿Qué significa la palabra boicot?
A el acto de dejar de trabajar para protestar contra el trato injusto
B la discriminación contra los trabajadores agrícolas
C la decisión de no comprar algo hasta que no se solucione un determinado problema
D el derecho de los ciudadanos a un trato igualitario   HSS 4.4.6, HI 1, 3

Usa el mapa para responder la pregunta 13.

13 ¿Cómo se usa la mayor parte de la tierra en el área de Merced?
A bosques
B manufactura
C pastoreo
D agricultura   HSS 4.4, 4.4.6, CS 4

14 ¿Cómo trabajan juntas la industria cinematográfica y la industria electrónica de California?
A Los fabricantes de computadoras toman ideas de las películas para diseñar chips de silicio.
B A menudo se usan computadoras para hacer los efectos especiales de las películas.
C Los cineastas también diseñan juegos de vídeo.
D Los cineastas a menudo hacen películas acerca de la industria electrónica.   HSS 4.4, 4.4.6, 4.4.9

(sigue)

Unidades 4–6 ▪ Prueba acumulativa

Programa de evaluación ▪ **129**

SUMMATIVE TEST

Nombre _____ Fecha _____

15 ¿Qué declaración explica mejor cómo California se transformó en un estado multicultural?
A California honra a los inmigrantes celebrando una cultura diferente cada semana.
B Los inmigrantes de todo el mundo han traído sus culturas a California.
C California ha establecido relaciones comerciales con muchos países diferentes.
D Las personas de muchos otros estados se han mudado a California.   HSS 4.4, HI 2

16 ¿Aproximadamente cuántos estudiantes asisten a las escuelas públicas de California?
A 60 millones
B 6 millones
C 600,000
D 6,000   HSS 4.4.8

17 ¿Cuál de los siguientes recursos naturales es renovable?
A oro
B carbón
C árboles
D petróleo   HSS 4.1

18 ¿Cómo se mantiene actualizada la Constitución de Estados Unidos?
A a través de límites a los poderes del gobierno
B a través de enmiendas
C a través de la protección de los derechos de los ciudadanos
D a través de las reuniones del gabinete presidencial   HSS 4.5.1

19 ¿Quién encabeza el poder judicial del gobierno estatal de California?
A el gobernador
B el tribunal estatal de apelación
C la Asamblea de California
D los magistrados de la Corte Suprema estatal   HSS 4.5.4

20 ¿Cuál es el propósito del consejo municipal en el modelo de gobierno municipal alcalde-consejo?
A dictar las leyes de la ciudad y recaudar impuestos
B asegurarse de que las leyes de la ciudad se apliquen
C contratar personas para administrar los departamentos municipales
D juzgar a las personas acusadas de violar las leyes de la ciudad   HSS 4.5.5

(sigue)

130 ▪ Programa de evaluación

Unidades 4–6 ▪ Prueba acumulativa

SUMMATIVE TEST

Nombre _____ Fecha _____

EMPAREJAR (3 puntos cada una)

INSTRUCCIONES Relaciona cada descripción de la izquierda con un término o nombre de la derecha. Escribe la letra que corresponda en el espacio en blanco.

㉑ __H__ inventor del código usado para enviar mensajes telegráficos [HSS 4.4.1]

㉒ __J__ agricultor japonés que ayudó a recuperar tierra en el delta del río San Joaquín [HSS 4.4, 4.4.6]

㉓ __G__ líder modoc que luchó durante más de tres años contra el ejército de Estados Unidos para impedir que la tribu fuera obligada a vivir en una reserva [HSS 4.4.3, HI 1]

㉔ __I__ una gran tubería o canal que lleva agua de un lugar a otro [HSS 4.4, 4.4.7]

㉕ __D__ gobernador de California en 1911, que reformó el gobierno estatal para otorgar más control al pueblo [HSS 4.4, CS 1]

㉖ __A__ programas que el gobierno de Estados Unidos implementó para ayudar a terminar con la Gran Depresión [HSS 4.4.5, HI 1]

㉗ __F__ primera mujer estadounidense en viajar al espacio [HSS 4.4.6, 4.4.9, CS 1, HI 1]

㉘ __B__ mujer que ayudó a formar el Sindicato de Trabajadores Agrícolas para luchar por mejorar las condiciones de los trabajadores agrícolas [HSS 4.4.6, HI 1]

㉙ __E__ todas las empresas que ofrecen servicios, en lugar de fabricar productos [HSS 4.4.6]

㉚ __C__ un plan escrito que indica a qué se destinará el dinero del estado [HSS 4.5, 4.5.4]

A. Nuevo Trato

B. Dolores Huerta

C. presupuesto

D. Hiram Johnson

E. industria de servicios

F. Sally Ride

G. jefe Kientepoos

H. Samuel F. B. Morse

I. acueducto

J. George Shima

(sigue)

SUMMATIVE TEST

Nombre _____ Fecha _____

RESPUESTA BREVE

INSTRUCCIONES Responde cada pregunta en el espacio en blanco.
(6 puntos cada una)

㉛ En 1887 se aprobó la Ley Wright, que permitía a los agricultores formar distritos de irrigación. ¿Cómo ayudaron esos distritos a los agricultores de California? [HSS 4.4, 4.4.6, 4.4.7]

Respuesta posible: Los agricultores de cada distrito tenían derecho a tomar agua de los ríos y construir canales para llevarla hasta sus tierras de cultivo. Eso permitió contar con miles de acres de tierra para el cultivo.

㉜ ¿Cómo afectó el derrumbe de la bolsa de valores de 1929 a California? [HSS 4.4.5, CS 1, HI 3]
Respuestas posibles: Muchos bancos cerraron, y las personas perdieron sus ahorros; las personas no tenían dinero para comprar bienes de consumo, eso causó que muchos negocios quebraran, dejando a sus empleados sin trabajo; el Dust Bowl llevó miles de migrantes a California, y cada vez más personas competían por los pocos empleos que había; el estado puso a la población a trabajar en proyectos, como la construcción del puente Golden Gate, y el gobierno de Estados Unidos contrató personas para la construcción de obras públicas, y para plantar árboles, escribir libros y pintar murales.

㉝ ¿Qué querían César Chávez, Dolores Huerta y el Sindicato de Trabajadores Agrícolas para los recolectores de uva? ¿Qué métodos usaron para lograr que los productores de uva aceptaran sus demandas? [HSS 4.4.6, HI 1]

Respuesta posible: Salarios más altos, mejores viviendas y mejores condiciones de trabajo; organizaron una huelga de recolectores de uva y llamaron a un boicot al consumo de uvas.

㉞ ¿Cómo se convirtió California en un centro mundial de la cultura? [HSS 4.4, 4.4.9, HI 2]
Respuestas posibles: California es un centro de producción cinematográfica y televisiva; gran cantidad de artistas talentosos viven en California y presentan sus obras en salas teatrales y cinematográficas, museos y auditorios; alberga pinturas y esculturas mundialmente famosas, del pasado y contemporáneas; es el hogar de muchos escritores, artistas y arquitectos importantes y mundialmente reconocidos.

㉟ ¿Qué responsabilidades comparten los gobiernos federal, estatal y local? [HSS 4.5.1, 4.5.3, 4.5.4]

Respuesta posible: Cada nivel de gobierno recauda impuestos y solicita préstamos de dinero para financiar programas públicos; los tres niveles trabajan en conjunto para servir al pueblo, por ejemplo, para suministrar el agua, garantizar la salud pública y la seguridad y hacer seguimiento de las fuentes de contaminación del aire.

NOTES

Para tu referencia

ATLAS/ALMANAQUE

MANUAL DE INVESTIGACIÓN

DICCIONARIO BIOGRÁFICO

DICCIONARIO GEOGRÁFICO

GLOSARIO

ÍNDICE

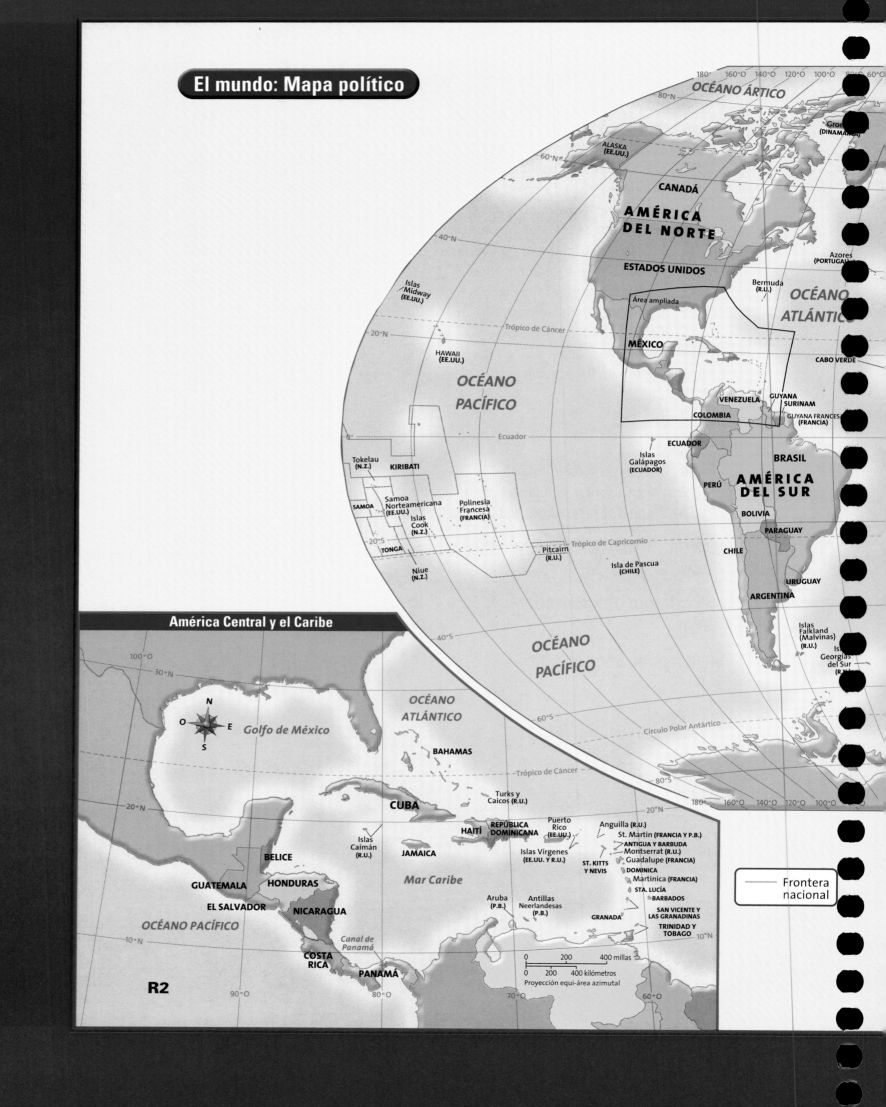

El mundo: Mapa político

OCÉANO ÁRTICO

Groe
(DINAMARCA)

ALASKA
(EE.UU.)

CANADÁ

**AMÉRICA
DEL NORTE**

ESTADOS UNIDOS

Azores
(PORTUGAL)

Bermuda
(R.U.)

**OCÉANO
ATLÁNTICO**

Islas
Midway
(EE.UU.)

Área ampliada

MÉXICO

CABO VERDE

Trópico de Cáncer

HAWAII
(EE.UU.)

**OCÉANO
PACÍFICO**

VENEZUELA

GUYANA
SURINAM

COLOMBIA

GUYANA FRANCESA
(FRANCIA)

Ecuador

ECUADOR

Islas
Galápagos
(ECUADOR)

BRASIL

Tokelau
(N.Z.)

KIRIBATI

PERÚ

**AMÉRICA
DEL SUR**

SAMOA

Samoa
Norteamericana
(EE.UU.)

Polinesia
Francesa
(FRANCIA)

BOLIVIA

Islas
Cook
(N.Z.)

PARAGUAY

Trópico de Capricornio

TONGA

Pitcairn
(R.U.)

CHILE

Isla de Pascua
(CHILE)

URUGUAY

Niue
(N.Z.)

ARGENTINA

Islas
Falkland
(Malvinas)
(R.U.)

**OCÉANO
PACÍFICO**

Isl
Georgias
del Sur
(R.

Círculo Polar Antártico

América Central y el Caribe

Golfo de México

BAHAMAS

Trópico de Cáncer

CUBA

Turks y
Caicos (R.U.)

Islas
Caimán
(R.U.)

HAITÍ

**REPÚBLICA
DOMINICANA**

Puerto
Rico
(EE.UU.)

Anguilla (R.U.)

St. Martin (FRANCIA Y P.B.)

ANTIGUA Y BARBUDA

Montserrat (R.U.)

JAMAICA

Islas Vírgenes
(EE.UU. Y R.U.)

ST. KITTS
Y NEVIS

Guadalupe (FRANCIA)

DOMINICA

Martinica (FRANCIA)

STA. LUCÍA

BELICE

Mar Caribe

BARBADOS

GUATEMALA

HONDURAS

Aruba
(P.B.)

Antillas
Neerlandesas
(P.B.)

SAN VICENTE Y
LAS GRANADINAS

EL SALVADOR

NICARAGUA

GRANADA

TRINIDAD Y
TOBAGO

OCÉANO PACÍFICO

Canal de
Panamá

COSTA
RICA

PANAMÁ

0   200   400 millas

0   200   400 kilómetros

Proyección equi-área azimutal

Frontera
nacional

R2

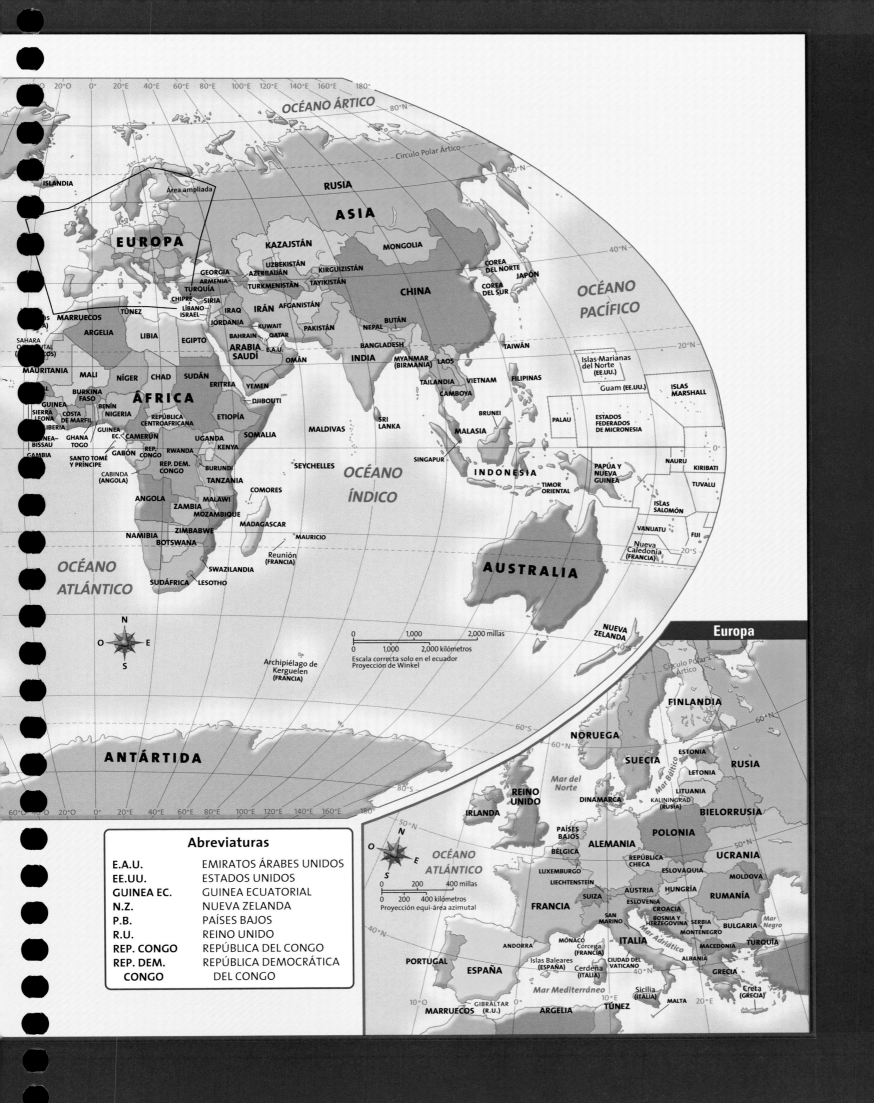

OCÉANO ÁRTICO

80°N

Círculo Polar Ártico

ISLANDIA

Área ampliada

60°N

RUSIA

ASIA

EUROPA

KAZAJSTÁN

MONGOLIA

40°N

GEORGIA
ARMENIA
AZERBAIJÁN
TURQUÍA
UZBEKISTÁN
KIRGUIZISTÁN
TURKMENISTÁN
TAYIKISTÁN

COREA
DEL NORTE
JAPÓN

CHIPRE
SIRIA
LÍBANO
ISRAEL
IRAQ
IRÁN
AFGANISTÁN

CHINA

COREA
DEL SUR

**OCÉANO
PACÍFICO**

TÚNEZ
MARRUECOS
JORDANIA
KUWAIT
PAKISTÁN
NEPAL
BUTÁN

ARGELIA
LIBIA
EGIPTO
BAHRAIN
QATAR
ARABIA
SAUDÍ
E.A.U.
OMÁN
INDIA
BANGLADESH
MYANMAR
(BIRMANIA)
LAOS
TAIWÁN

20°N

SAHARA
OCCIDENTAL
(MARRUECOS)

Islas Marianas
del Norte
(EE.UU.)

MAURITANIA
MALI
NÍGER
CHAD
SUDÁN
ERITREA
YEMEN
TAILANDIA
VIETNAM
FILIPINAS
Guam (EE.UU.)

ISLAS
MARSHALL

BURKINA
FASO
BENÍN
NIGERIA
ÁFRICA
DJIBOUTI
CAMBOYA

GUINEA
SIERRA
LEONA
COSTA
DE MARFIL
REPÚBLICA
CENTROAFRICANA
ETIOPÍA
BRUNEI

PALAU

ESTADOS
FEDERADOS
DE MICRONESIA

GUINEA-
BISSAU
GHANA
TOGO
GUINEA
EC.
CAMERÚN
UGANDA
SOMALIA
MALDIVAS
SRI
LANKA
MALASIA

LIBERIA

GAMBIA
GABÓN
REP.
CONGO
RWANDA
KENYA
SINGAPUR

SANTO TOMÉ
Y PRÍNCIPE
REP. DEM.
CONGO
BURUNDI
SEYCHELLES
**OCÉANO
ÍNDICO**
INDONESIA

NAURU
KIRIBATI

PAPÚA Y
NUEVA
GUINEA

CABINDA
(ANGOLA)
TANZANIA
TIMOR
ORIENTAL
TUVALU

ANGOLA
ZAMBIA
MALAWI
COMORES

MOZAMBIQUE
MADAGASCAR

ISLAS
SALOMÓN

NAMIBIA
ZIMBABWE
MAURICIO
VANUATU
FIJI

BOTSWANA
Reunión
(FRANCIA)
20°S
Nueva
Caledonia
(FRANCIA)

**OCÉANO
ATLÁNTICO**

SWAZILANDIA
SUDÁFRICA
LESOTHO

AUSTRALIA

N
O   E
S

NUEVA
ZELANDA

0   1,000   2,000 millas
0   1,000   2,000 kilómetros
Escala correcta solo en el ecuador
Proyección de Winkel

40°S

Archipiélago de
Kerguelen
(FRANCIA)

Europa

Círculo Polar
Ártico

60°S

60°N

FINLANDIA

NORUEGA
60°N
ESTONIA
RUSIA

ANTÁRTIDA

SUECIA
LETONIA

Mar del
Norte
LITUANIA
80°S
REINO
UNIDO
DINAMARCA
KALININGRAD
(RUSIA)
BIELORRUSIA

Mar Báltico

IRLANDA
PAÍSES
BAJOS
ALEMANIA
POLONIA
50°N

50°N
BÉLGICA
UCRANIA
REPÚBLICA
CHECA

60°S   20°O   0°   20°E   40°E   60°E   80°E   100°E   120°E   140°E   160°E   180°

LUXEMBURGO
ESLOVAQUIA
MOLDOVA

LIECHTENSTEIN
AUSTRIA
HUNGRÍA
RUMANÍA

SUIZA
ESLOVENIA
CROACIA
FRANCIA
SAN
MARINO
BOSNIA Y
HERZEGOVINA
SERBIA
BULGARIA
Mar
Negro
MONTENEGRO

N
O   E
S

**OCÉANO
ATLÁNTICO**

50°N

40°N

ANDORRA
MÓNACO
Córcega
(FRANCIA)
ITALIA
MACEDONIA
TURQUÍA
ALBANIA

0   200   400 millas
0   200   400 kilómetros
Proyección equi-área azimutal

PORTUGAL
Islas Baleares
(ESPAÑA)
CIUDAD DEL
VATICANO
GRECIA
ESPAÑA
Cerdeña
(ITALIA)
40°N
Creta
(GRECIA)

Mar Mediterráneo
Sicilia
(ITALIA)

10°O
GIBRALTAR
(R.U.)
10°E
MALTA
20°E

MARRUECOS
ARGELIA
TÚNEZ

Mar Adriático

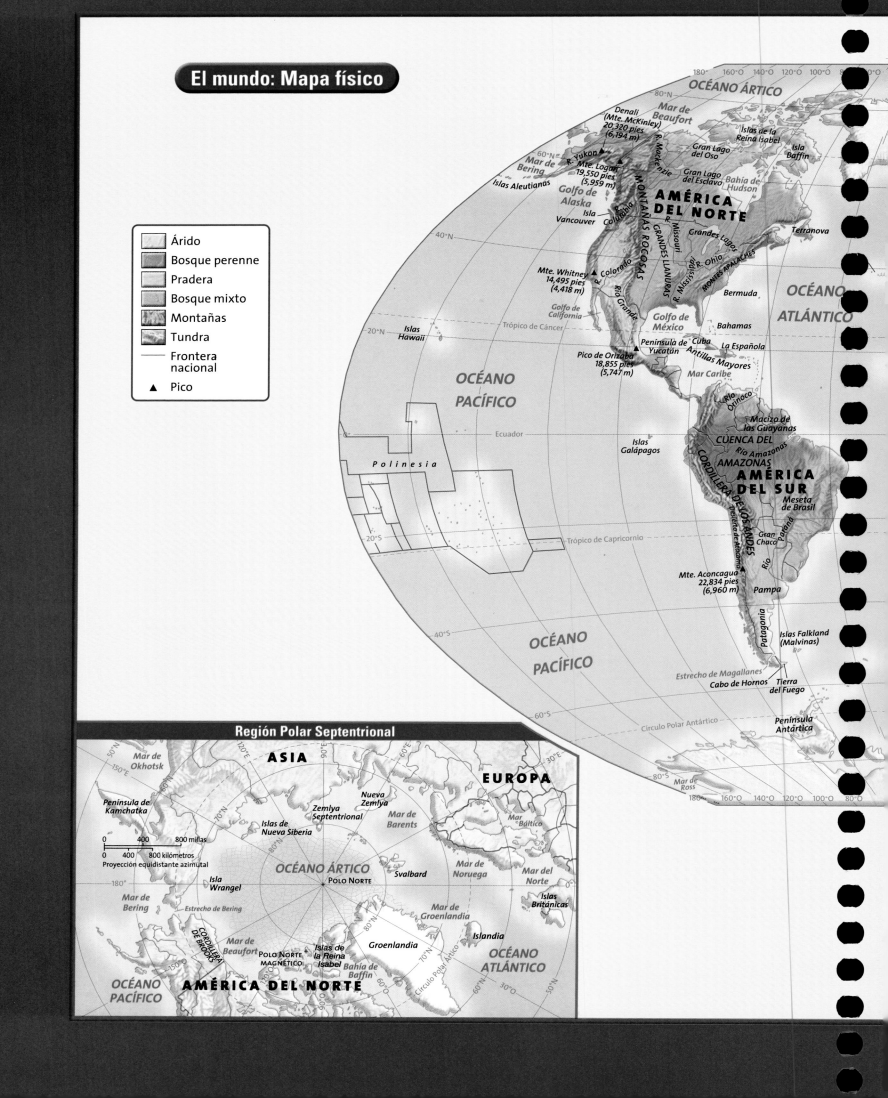

El mundo: Mapa físico

Leyenda:
- Árido
- Bosque perenne
- Pradera
- Bosque mixto
- Montañas
- Tundra
- Frontera nacional
- ▲ Pico

OCÉANO ÁRTICO

Mar de Beaufort

Denali (Mte. McKinley) 20,320 pies (6,194 m)

Islas de la Reina Isabel

Isla Baffin

Gran Lago del Oso

R. Mackenzie

Gran Lago del Esclavo

Bahía de Hudson

Mar de Bering

R. Yukon

Mte. Logan 19,550 pies (5,959 m)

Islas Aleutianas

Golfo de Alaska

Isla Vancouver

R. Columbia

MONTAÑAS ROCOSAS

AMÉRICA DEL NORTE

Missouri

Grandes Lagos

R. Ohio

R. Mississippi

GRANDES LLANURAS

MONTES APALACHES

Terranova

Mte. Whitney 14,495 pies (4,418 m)

R. Colorado

Bermuda

OCÉANO ATLÁNTICO

Golfo de California

Río Grande

Golfo de México

Bahamas

Islas Hawaii

Trópico de Cáncer

Península de Yucatán

Pico de Orizaba 18,855 pies (5,747 m)

Cuba

La Española

Antillas Mayores

Mar Caribe

OCÉANO PACÍFICO

Ecuador

Islas Galápagos

Río Orinoco

Macizo de las Guayanas

CUENCA DEL Río Amazonas

AMAZONAS

AMÉRICA DEL SUR

Meseta de Brasil

Polinesia

CORDILLERA DE LOS ANDES

Desierto de Atacama

Trópico de Capricornio

Gran Chaco

Río Paraná

Mte. Aconcagua 22,834 pies (6,960 m)

Pampa

OCÉANO PACÍFICO

Patagonia

Islas Falkland (Malvinas)

Estrecho de Magallanes

Cabo de Hornos

Tierra del Fuego

Círculo Polar Antártico

Península Antártica

Mar de Ross

Región Polar Septentrional

Mar de Okhotsk

ASIA

EUROPA

Península de Kamchatka

Islas de Nueva Siberia

Zemlya Septentrional

Nueva Zemlya

Mar de Barents

Mar Báltico

0 400 800 millas
0 400 800 kilómetros
Proyección equidistante azimutal

Isla Wrangel

OCÉANO ÁRTICO

POLO NORTE

Svalbard

Mar de Noruega

Mar del Norte

Mar de Bering

Estrecho de Bering

Islas Británicas

CORDILLERA DE BROOKS

Mar de Beaufort

POLO NORTE MAGNÉTICO

Islas de la Reina Isabel

Bahía de Baffin

Groenlandia

Mar de Groenlandia

Islandia

OCÉANO ATLÁNTICO

OCÉANO PACÍFICO

AMÉRICA DEL NORTE

Círculo Polar Ártico

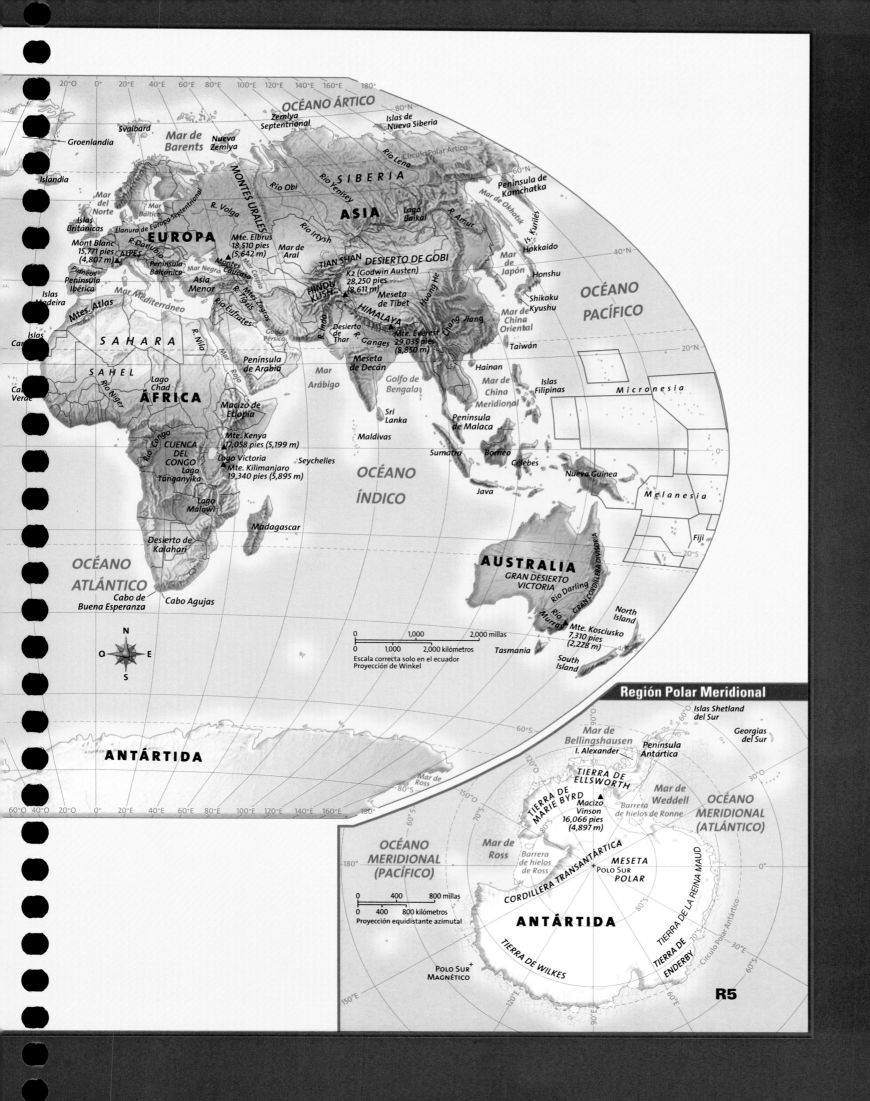

OCÉANO ÁRTICO

Groenlandia
Svalbard
Mar de Barents
Nueva Zemlya
Zemlya Septentrional
Islas de Nueva Siberia
Islandia
Mar del Norte
Mar Báltico
Islas Británicas
Llanura de Europa Septentrional
R. Volga
SIBERIA
Río Lena
Círculo Polar Ártico
Península de Kamchatka
Mar de Okhotsk
Is. Kuriles
Río Obi
Río Yeniséy
R. Amur
EUROPA
MONTES URALES
ASIA
Mont Blanc 15,771 pies (4,807 m)
ALPES
R. Danubio
Península Balcánica
Pirineos
Península Ibérica
Asia Menor
Mar Negro
Mtes. Cáucaso
Mte. Elbrus 18,510 pies (5,642 m)
Río Irtysh
Mar de Aral
Monte Casio
TIAN SHAN
DESIERTO DE GOBI
K2 (Godwin Austen) 28,250 pies (8,611 m)
HINDU KUSH
Meseta de Tíbet
Huang He
Mar de Japón
Hokkaido
Honshu
Shikoku
Kyushu
OCÉANO PACÍFICO
Islas Madeira
Islas Canarias
Mtes. Atlas
Mar Mediterráneo
R. Tigris
R. Éufrates
Golfo Pérsico
R. Indo
Desierto de Thar
HIMALAYA
R. Ganges
Chang Jiang
Mte. Everest 29,035 pies (8,850 m)
Mar de China Oriental
Taiwán
SAHARA
R. Nilo
Mar Rojo
Península de Arabia
Meseta de Decán
Mar Arábigo
Golfo de Bengala
Hainan
Mar de China Meridional
Islas Filipinas
Micronesia
SAHEL
Lago Chad
Río Níger
ÁFRICA
CUENCA DEL CONGO
Río Congo
Macizo de Etiopía
Mte. Kenya 17,058 pies (5,199 m)
Lago Victoria
Mte. Kilimanjaro 19,340 pies (5,895 m)
Lago Tanganyika
Lago Malawi
Madagascar
Sri Lanka
Maldivas
Seychelles
Sumatra
Borneo
Célebes
Java
Nueva Guinea
Melanesia
Fiji
Desierto de Kalahari
Lago Malawi
OCÉANO ÍNDICO
OCÉANO ATLÁNTICO
Cabo de Buena Esperanza
Cabo Agujas
AUSTRALIA
GRAN DESIERTO VICTORIA
GRAN CORDILLERA DIVISORIA
Río Darling
Río Murray
North Island
Mte. Kosciusko 7,310 pies (2,228 m)
South Island
Tasmania

N
O   E
S

0   1,000   2,000 millas
0   1,000   2,000 kilómetros
Escala correcta solo en el ecuador
Proyección de Winkel

ANTÁRTIDA
Mar de Ross

Región Polar Meridional

Islas Shetland del Sur
Georgias del Sur
Mar de Bellingshausen
I. Alexander
Península Antártica
TIERRA DE ELLSWORTH
TIERRA DE MARIE BYRD
Macizo Vinson 16,066 pies (4,897 m)
Barrera de hielos de Ronne
Mar de Weddell
OCÉANO MERIDIONAL (ATLÁNTICO)
OCÉANO MERIDIONAL (PACÍFICO)
Mar de Ross
Barrera de hielos de Ross
CORDILLERA TRANSANTÁRTICA
Polo Sur
MESETA POLAR
TIERRA DE LA REINA MAUD
ANTÁRTIDA
TIERRA DE WILKES
TIERRA DE ENDERBY
Círculo Polar Antártico
Polo Sur Magnético

0   400   800 millas
0   400   800 kilómetros
Proyección equidistante azimutal

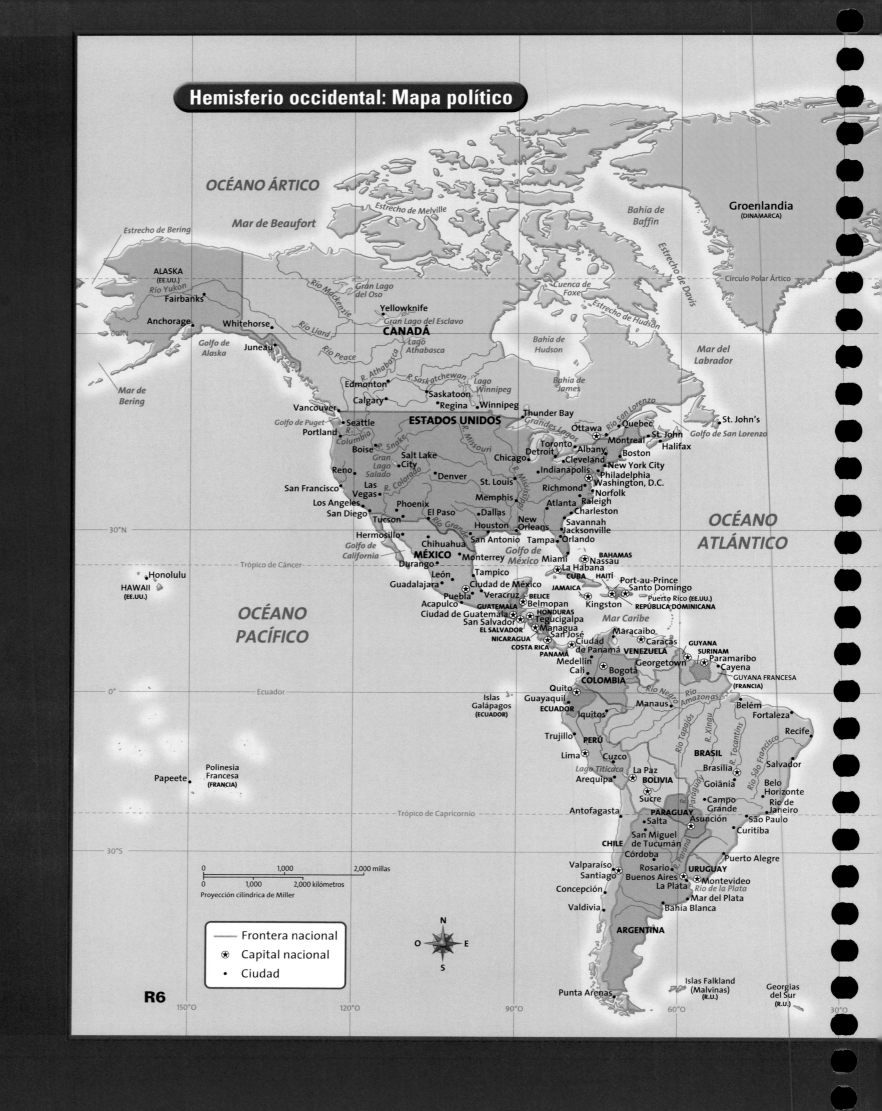

Hemisferio occidental: Mapa político

OCÉANO ÁRTICO

Estrecho de Melville

Bahía de Baffin

Groenlandia
(DINAMARCA)

Mar de Beaufort

Estrecho de Bering

Círculo Polar Ártico

Estrecho de Davis

Cuenca de Foxe

ALASKA
(EE.UU.)

Río Yukon

Gran Lago del Oso

Fairbanks

Yellowknife

Anchorage

Whitehorse

Río Liard

CANADÁ

Bahía de Hudson

Mar del Labrador

Golfo de Alaska

Juneau

Río Peace

Gran Lago del Esclavo

Lago Athabasca

Mar de Bering

Edmonton

R. Athabasca

R. Saskatchewan

Lago Winnipeg

Bahía de James

Saskatoon

Calgary

Vancouver

Golfo de Puget

Regina

Winnipeg

Thunder Bay

Río San Lorenzo

St. John's

Seattle

ESTADOS UNIDOS

Ottawa

Quebec

Golfo de San Lorenzo

Portland

R. Columbia

Grandes Lagos

Toronto

Montreal

St. John

Boise

R. Snake

R. Missouri

Detroit

Albany

Boston

Halifax

Gran Lago Salado

Salt Lake City

Chicago

Cleveland

New York City

Reno

Denver

Indianapolis

Philadelphia

San Francisco

Las Vegas

R. Colorado

St. Louis

R. Mississippi

Richmond

Washington, D.C.

Norfolk

Los Angeles

Phoenix

Memphis

Atlanta

Raleigh

San Diego

Tucson

El Paso

Dallas

Charleston

OCÉANO ATLÁNTICO

Hermosillo

San Antonio

New Orleans

Houston

Savannah

Jacksonville

30°N

Chihuahua

MÉXICO

Monterrey

Golfo de México

Orlando

Tampa

Miami

BAHAMAS

Golfo de California

Durango

Nassau

Trópico de Cáncer

León

Tampico

La Habana

CUBA

HAITÍ

Honolulu

Ciudad de México

Port-au-Prince

Santo Domingo

HAWAII
(EE.UU.)

Guadalajara

Puebla

Veracruz

JAMAICA

Puerto Rico (EE.UU.)

OCÉANO PACÍFICO

Acapulco

BELICE

Belmopan

Kingston

REPÚBLICA DOMINICANA

GUATEMALA

Ciudad de Guatemala

HONDURAS

San Salvador

Tegucigalpa

EL SALVADOR

Managua

Maracaibo

NICARAGUA

San José

GUYANA

COSTA RICA

Ciudad de Panamá

Caracás

SURINAM

PANAMÁ

VENEZUELA

Paramaribo

Medellín

Georgetown

Cayena

Cali

Bogotá

GUYANA FRANCESA
(FRANCIA)

0°

Ecuador

COLOMBIA

Río Negro

Río Amazonas

Quito

Islas Galápagos
(ECUADOR)

Guayaquil

Manaus

Belém

ECUADOR

Iquitos

Fortaleza

R. Tapajós

R. Xingu

R. Tocantins

Recife

Trujillo

PERÚ

Lima

Cuzco

BRASIL

Rio São Francisco

Papeete

Polinesia Francesa
(FRANCIA)

Lago Titicaca

La Paz

Brasilia

Salvador

Arequipa

BOLIVIA

Goiânia

Belo Horizonte

Sucre

R. Paraguay

Campo Grande

Rio de Janeiro

Trópico de Capricornio

Antofagasta

PARAGUAY

São Paulo

30°S

Salta

Asunción

Curitiba

CHILE

San Miguel de Tucumán

R. Paraná

Valparaíso

Córdoba

Puerto Alegre

Santiago

Rosario

URUGUAY

Concepción

Buenos Aires

Montevideo

La Plata

Río de la Plata

Mar del Plata

Valdivia

Bahía Blanca

N

O   E

S

ARGENTINA

0   1,000   2,000 millas

0   1,000   2,000 kilómetros

Proyección cilíndrica de Miller

—— Frontera nacional

⊛ Capital nacional

• Ciudad

Islas Falkland
(Malvinas)
(R.U.)

Georgias del Sur
(R.U.)

Punta Arenas

150°O   120°O   90°O   60°O   30°O

Hemisferio occidental: Mapa físico

OCÉANO ÁRTICO

Isla Ellesmere

Polo Norte Magnético
Islas de la Reina Isabel

Isla Melville
Estrecho de Melville
Isla Devon

Bahía de Baffin

Groenlandia

Mar de Beaufort
Isla Banks

Isla Victoria

Isla Baffin

Estrecho de Bering
Punta Barrow

Cuenca de Foxe

Estrecho de Davis

Círculo Polar Ártico

Cordillera de Brooks

Mte. McKinley 20,320 pies (6,194 m)

Río Yukón
Mtes. Mackenzie
Río Mackenzie

Meseta de Yukón
R. Liard

Gran Lago del Oso
Gran Lago del Esclavo

Bahía de Hudson

60°N

Cabo Farewell

Mar del Labrador

Cordillera de Wasta

Mte. Logan 19,550 pies (5,959 m)

R. Peace
R. Athabasca

Lago Athabasca

Estrecho de Hudson

Labrador

Golfo de Alaska
Isla Kodiak

R. Saskatchewan

Bahía de James

Península de Alaska
Mar de Bering
Islas Aleutianas

Arch. de la Reina Carlota

Lago Winnipeg

ESCUDO CANADIENSE

Terranova

Isla Vancouver
Golfo de Puget

AMÉRICA DEL NORTE

Cataratas del Niágara
R. San Lorenzo

Golfo del San Lorenzo

Grandes Lagos

Nueva Escocia
Bahía de Fundy
Cabo Cod
Isla Long

Black Hills
Río Missouri
R. Mississippi

Gran Lago Salado
GRAN CUENCA

R. Snake
R. Platte
R. Arkansas
Meseta Ozark

LLANURAS DEL INTERIOR
R. Ohio

Bahía de Chesapeake
Cabo Hatteras

Mte. Whitney 14,495 pies (4,418 m)

R. Colorado

Río Grande

MTES. APALACHES

Death Valley (Punto más bajo de A. del N.) -282 pies (-86 m)

LLANURA COSTERA

30°N

Golfo de México

Bahamas

OCÉANO ATLÁNTICO

Trópico de Cáncer

Islas Hawaii

Península de Yucatán

Cuba

La Española
Puerto Rico

Antillas Mayores

Pico de Orizaba 18,855 pies (5,747 m)

Pequeñas Antillas

OCÉANO PACÍFICO

Baja California

Desierto de Sonora

Sierra Madre Occidental
Sierra Madre Oriental

Mar Caribe

Lago Maracaibo

Lago Nicaragua

Istmo de Panamá

R. Orinoco

Cataratas del Ángel

Islas de la Línea

Ecuador

Islas Galápagos

Chimborazo 20,702 pies (6,310 m)

Llanos

Macizo de las Guayanas

Río Negro
R. Amazonas

Cabo São Roque

Islas Marquesas

CUENCA DEL AMAZONAS

Huascarán 22,205 pies (6,768 m)

Río Tapajós
Río Xingú
R. Tocantins
Río São Francisco

Islas Cook

Archipiélago Tuamotu

Meseta de Matto Grosso
Meseta de Brasil

Islas de la Sociedad

Lago Titicaca

Desierto de Atacama

Altiplano

AMÉRICA DEL SUR

Trópico de Capricornio

Gran Chaco

R. Paraguay
R. Paraná

Cataratas del Iguazú

0   1,000   2,000 millas

0   1,000   2,000 kilómetros
Proyección cilíndrica de Miller

Mte. Aconcagua 22,834 pies (6,960 m)

R. Uruguay

30°S

Río de la Plata

Pampa

▲ Pico

▼ Bajo el nivel del mar

— Frontera nacional

≈ Catarata

Península Valdés (Punto más bajo de A. del S.) -131 pies (-40 m)

N
O   E
S

Río Paraná

Estrecho de Magallanes

Tierra del Fuego

Islas Falkland (Malvinas)

R7 Georgias del Sur

150°O

120°O

Cabo de Hornos

90°O

60°O

30°O

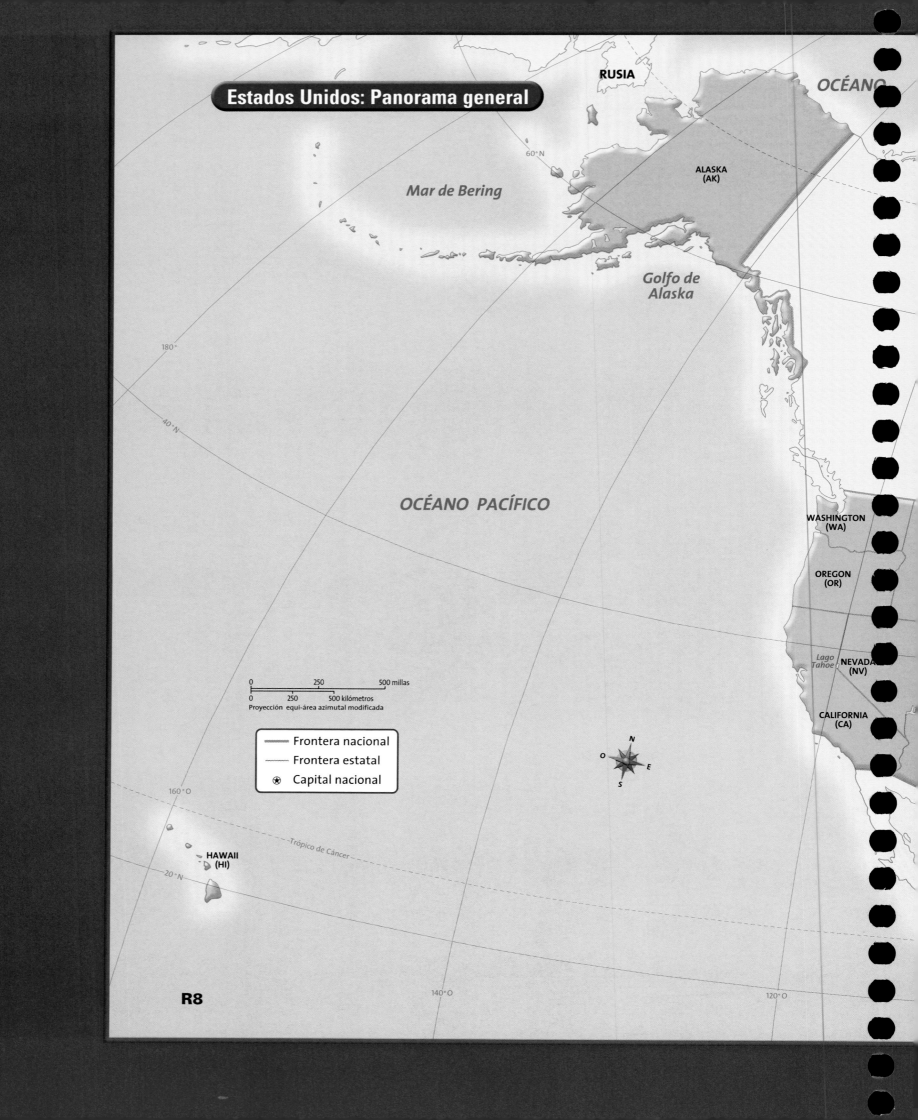

ÁRTICO

ISLANDIA

Bahía de Baffin

Groenlandia
(DINAMARCA)

Círculo Polar Ártico

40°O

60°N

Mar del Labrador

Bahía de Hudson

CANADÁ

Bahía de James

Lago de los Bosques

Lago Superior

MONTANA (MT)

NORTH DAKOTA (ND)

MINNESOTA (MN)

MICHIGAN

VERMONT (VT)

MAINE (ME)

IDAHO (ID)

SOUTH DAKOTA (SD)

WISCONSIN (WI)

Lago Michigan

Lago Huron

(MI)

Lago St. Clair

Lago Erie

Lago Ontario

Lago Champlain

NEW YORK (NY)

NEW HAMPSHIRE (NH)

MASSACHUSETTS (MA)

RHODE ISLAND (RI)

60°O

WYOMING (WY)

NEBRASKA (NE)

IOWA (IA)

ILLINOIS (IL)

INDIANA (IN)

OHIO (OH)

PENNSYLVANIA (PA)

NEW JERSEY (NJ)

CONNECTICUT (CT)

40°N

Lago do

UTAH (UT)

COLORADO (CO)

KANSAS (KS)

MISSOURI (MO)

KENTUCKY (KY)

Washington, D.C.
WEST VIRGINIA (WV)

VIRGINIA (VA)

DELAWARE (DE)

MARYLAND (MD)

Bahía de Chesapeake

ARIZONA (AZ)

NEW MEXICO (NM)

OKLAHOMA (OK)

ARKANSAS (AR)

TENNESSEE (TN)

NORTH CAROLINA (NC)

SOUTH CAROLINA (SC)

MISSISSIPPI (MS)

ALABAMA (AL)

GEORGIA (GA)

OCÉANO ATLÁNTICO

TEXAS (TX)

LOUISIANA (LA)

FLORIDA (FL)

Lago Okeechobee

BAHAMAS

Golfo de California

MÉXICO

Golfo de México

CUBA

REPÚBLICA DOMINICANA

PUERTO RICO (EE.UU.)

HAITÍ

100°O

80°O

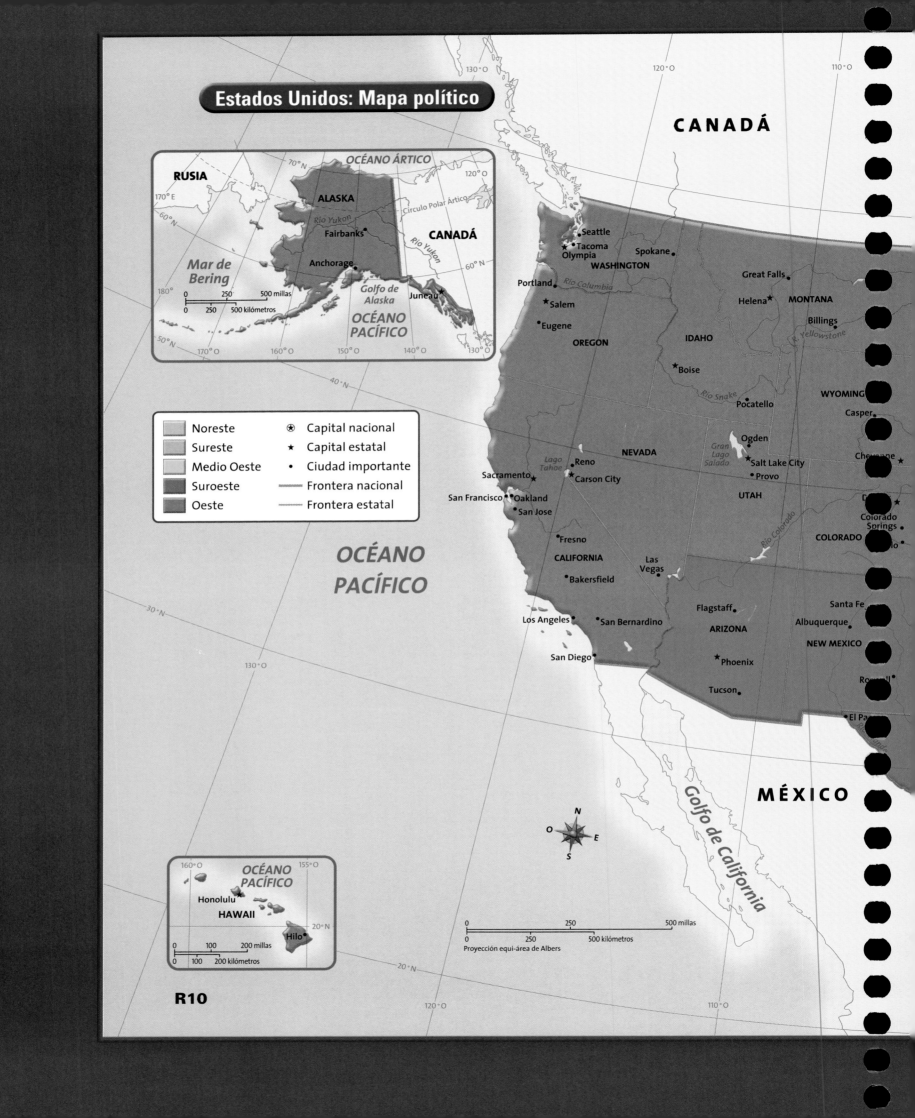

Estados Unidos: Mapa político

CANADÁ

Mapa de Alaska
RUSIA
OCÉANO ÁRTICO
70° N
170° E
ALASKA
120° O
60° N
Río Yukon
CANADÁ
Fairbanks
Círculo Polar Ártico
Mar de Bering
Anchorage
Río Yukon
60° N
Golfo de Alaska
Juneau
180°
0   250   500 millas
0   250   500 kilómetros
OCÉANO PACÍFICO
50° N
170° O   160° O   150° O   140° O   130° O

Leyenda
- Noreste
- Sureste
- Medio Oeste
- Suroeste
- Oeste
- ⊛ Capital nacional
- ★ Capital estatal
- • Ciudad importante
- Frontera nacional
- Frontera estatal

40° N

Seattle
Tacoma
Olympia ★
Spokane
WASHINGTON
Great Falls
Portland
Río Columbia
Helena ★
MONTANA
Salem ★
Billings
Eugene
OREGON
IDAHO
R. Yellowstone
Boise ★
Río Snake
WYOMING
Pocatello
Casper
Gran Lago Salado
Ogden
Cheyenne ★
NEVADA
Lago Tahoe
Reno
Salt Lake City ★
Sacramento ★
Carson City ★
Provo
San Francisco
Oakland
UTAH
Río Colorado
San Jose
Colorado Springs
Fresno
COLORADO
OCÉANO PACÍFICO
CALIFORNIA
Las Vegas
Bakersfield
Santa Fe
Flagstaff
30° N
Los Angeles
San Bernardino
Albuquerque
ARIZONA
NEW MEXICO
San Diego
Phoenix ★
130° O
Roswell
Tucson
El Paso

MÉXICO

Golfo de California

N
O   E
S

Mapa de Hawaii
160° O   155° O
OCÉANO PACÍFICO
Honolulu
HAWAII
20° N
Hilo
0   100   200 millas
0   100   200 kilómetros
20° N

0   250   500 millas
0   250   500 kilómetros
Proyección equi-área de Albers

110° O
120° O
130° O

R10

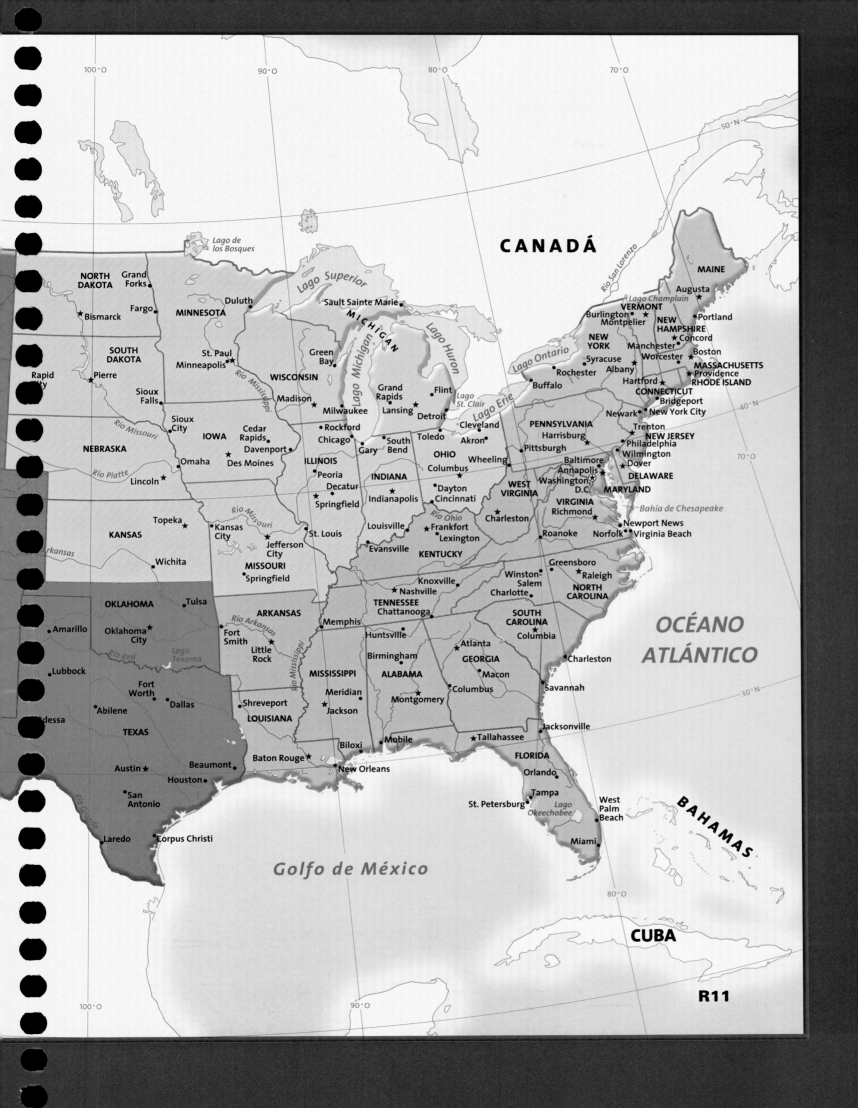

100°O 90°O 80°O 70°O

50°N

CANADÁ

Río San Lorenzo

MAINE

Augusta

Lago Champlain

VERMONT

Burlington
Montpelier

NEW HAMPSHIRE

Portland

Concord

Lago de los Bosques

Lago Superior

MICHIGAN

Sault Sainte Marie

Duluth

NORTH DAKOTA
Grand Forks

Bismarck Fargo

MINNESOTA

St. Paul
Minneapolis

SOUTH DAKOTA

Pierre

Rapid City

Rio Mississippi

WISCONSIN

Green Bay

Madison

Milwaukee

Lago Michigan

Lago Huron

Grand Rapids

Flint

Lansing

Detroit

Lago St. Clair

Lago Erie

Cleveland

Akron

NEW YORK

Syracuse

Rochester

Albany

Buffalo

Manchester

Worcester

Boston

MASSACHUSETTS

Providence

RHODE ISLAND

Hartford

CONNECTICUT

Bridgeport

40°N

Lago Ontario

PENNSYLVANIA

Harrisburg

Pittsburgh

Newark

New York City

Trenton

NEW JERSEY

Philadelphia

Wilmington

Dover

DELAWARE

Sioux Falls

Sioux City

IOWA

Cedar Rapids

Rockford

Chicago

Davenport

Des Moines

ILLINOIS

Peoria

Decatur

Springfield

Gary

South Bend

INDIANA

OHIO

Columbus

Toledo

Dayton

Cincinnati

Indianapolis

Wheeling

WEST VIRGINIA

Charleston

Baltimore

Annapolis

Washington D.C.

MARYLAND

70°O

NEBRASKA

Omaha

Rio Platte

Lincoln

Rio Missouri

VIRGINIA

Richmond

Bahía de Chesapeake

Newport News

Norfolk

Virginia Beach

Topeka

KANSAS

Kansas City

Jefferson City

St. Louis

MISSOURI

Springfield

Louisville

Frankfort

Lexington

KENTUCKY

Evansville

Rio Ohio

Roanoke

Greensboro

Winston-Salem

Raleigh

NORTH CAROLINA

Wichita

Rio Missouri

Knoxville

Nashville

TENNESSEE

Chattanooga

Charlotte

Arkansas

OKLAHOMA

Tulsa

Oklahoma City

Rio Arkansas

ARKANSAS

Memphis

Huntsville

Columbia

SOUTH CAROLINA

Amarillo

Fort Smith

Little Rock

Birmingham

Atlanta

Charleston

Lubbock

Lago Texomo

Rio Red

Shreveport

MISSISSIPPI

Meridian

ALABAMA

GEORGIA

Macon

Savannah

Fort Worth

Dallas

Jackson

Montgomery

Columbus

Abilene

LOUISIANA

Rio Mississippi

OCÉANO ATLÁNTICO

30°N

Odessa

TEXAS

Austin

Beaumont

Baton Rouge

Biloxi

Mobile

Tallahassee

Jacksonville

Houston

New Orleans

FLORIDA

Orlando

San Antonio

Rio Grande

Tampa

St. Petersburg

Lago Okeechobee

West Palm Beach

BAHAMAS

Laredo

Corpus Christi

Golfo de México

Miami

80°O

CUBA

R11

100°O 90°O

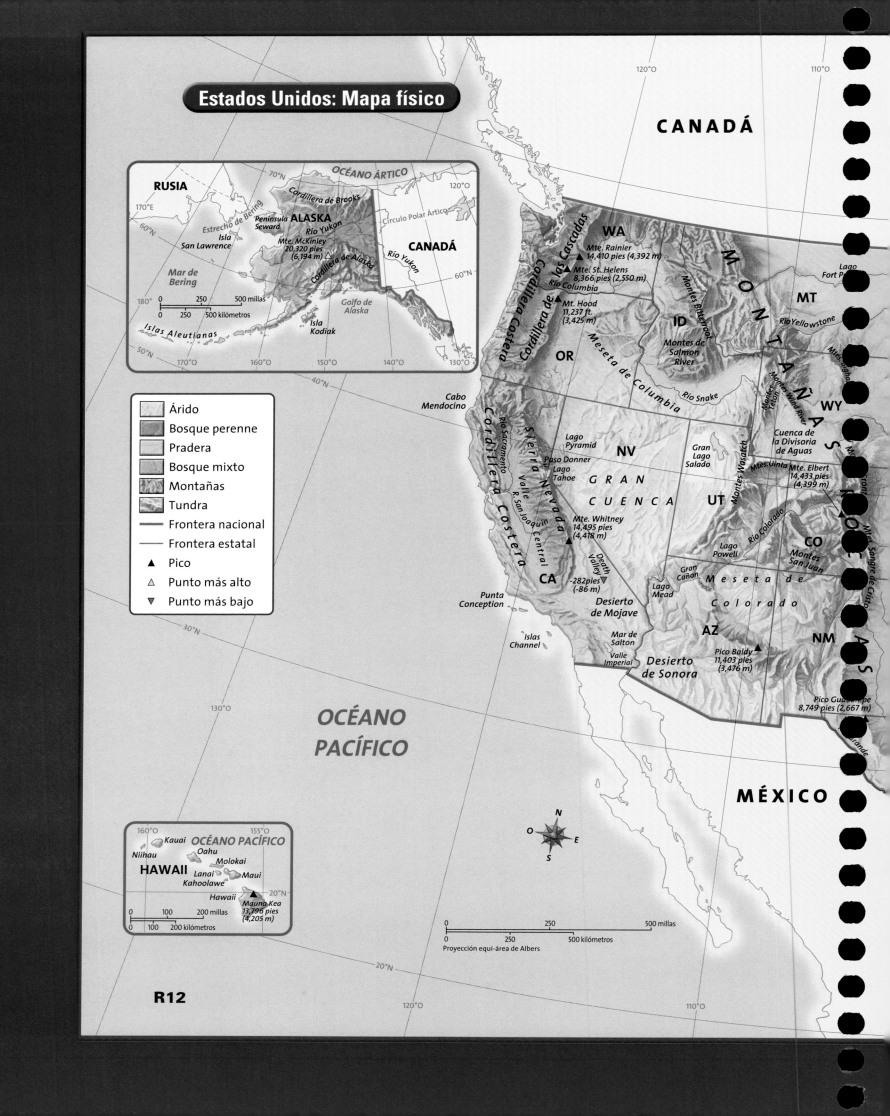

Estados Unidos: Mapa físico

Leyenda
- Árido
- Bosque perenne
- Pradera
- Bosque mixto
- Montañas
- Tundra
- ▬ Frontera nacional
- ─ Frontera estatal
- ▲ Pico
- △ Punto más alto
- ▼ Punto más bajo

CANADÁ

RUSIA
OCÉANO ÁRTICO
Cordillera de Brooks
Estrecho de Bering
Península Seward
ALASKA
Isla San Lawrence
Mte. McKinley 20,320 pies (6,194 m) △
Cordillera de Alaska
Río Yukon
Mar de Bering
Golfo de Alaska
Isla Kodiak
Islas Aleutianas
Círculo Polar Ártico
Río Yukon
CANADÁ

0 250 500 millas
0 250 500 kilómetros

Cabo Mendocino
Cordillera Costera
Río Sacramento
Sierra Nevada
Valle Central
R. San Joaquin
Paso Donner
Lago Tahoe
Lago Pyramid
Mte. Whitney 14,495 pies (4,418 m) ▲
Death Valley
-282 pies ▼ (-86 m)
Punta Conception
CA
Islas Channel
Mar de Salton
Valle Imperial
Desierto de Mojave
Desierto de Sonora

WA
Mte. Rainier 14,410 pies (4,392 m) ▲
Mte. St. Helens 8,366 pies (2,550 m) ▲
Río Columbia
Mt. Hood 11,237 ft. (3,425 m) ▲
Cordillera de las Cascadas
OR
Meseta de Columbia
Río Snake
ID
Montes Bitterroot
Montes de Salmon River
NV
GRAN CUENCA
Lago Powell
Gran Cañón
Lago Mead
AZ
Pico Baldy 11,403 pies (3,476 m) ▲
MONTAÑAS
Lago Fort P.
MT
Río Yellowstone
Montes Teton
Montes Wind River
WY
Cuenca de la Divisoria de Aguas
Gran Lago Salado
Montes Wasatch
Mtes. Uinta
Mte. Elbert 14,433 pies (4,399 m)
UT
Río Colorado
CO
Montes San Juan
Meseta de Colorado
NM
Mtes. Sangre de Cristo
Mtes. Sacramento
Río Grande
Pico Guadalupe 8,749 pies (2,667 m)

MÉXICO

OCÉANO PACÍFICO

N
O E
S

HAWAII
OCÉANO PACÍFICO
Kauai
Niihau
Oahu
Molokai
Lanai Maui
Kahoolawe
Hawaii
Mauna Kea 13,796 pies (4,205 m) ▲

0 100 200 millas
0 100 200 kilómetros

0 250 500 millas
0 250 500 kilómetros
Proyección equi-área de Albers

R12

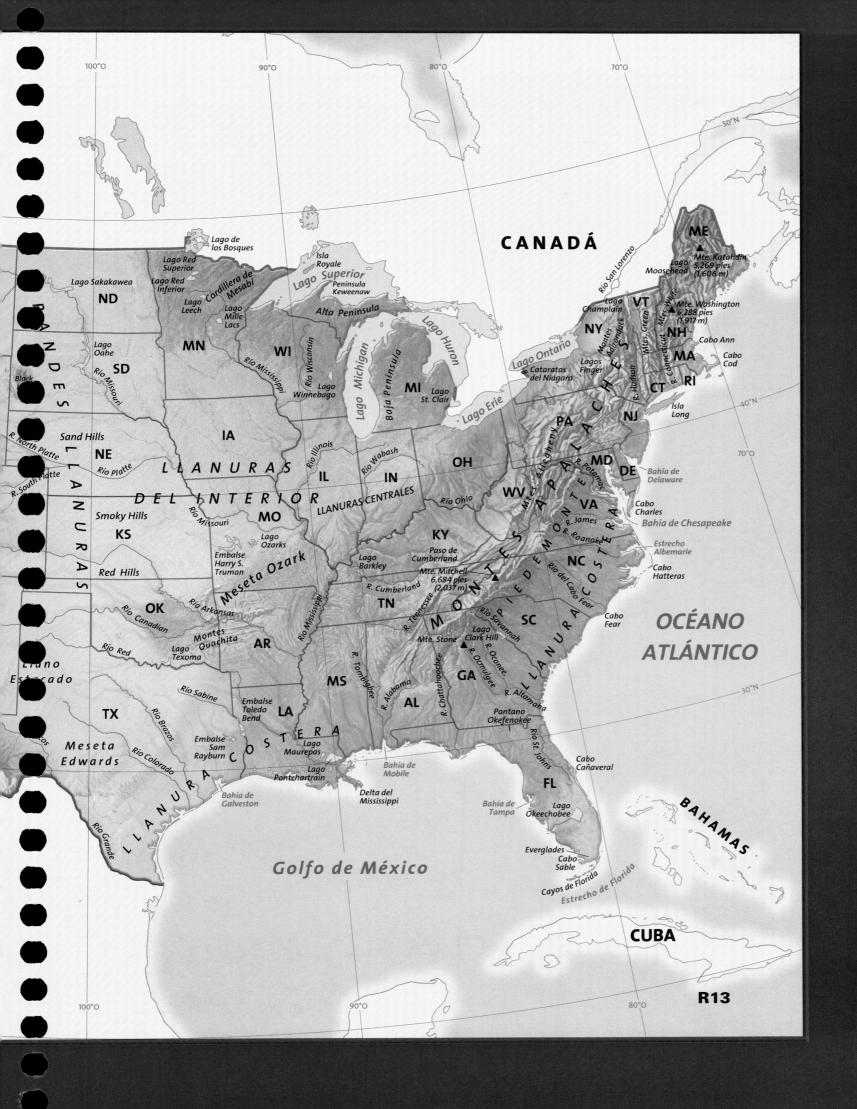

CANADÁ

OCÉANO ATLÁNTICO

Golfo de México

BAHAMAS

CUBA

Principales elementos geográficos

- Lago de los Bosques
- Lago Red Superior
- Lago Red Inferior
- Lago Sakakawea
- Lago Leech
- Lago Mille Lacs
- Cordillera de Mesabi
- Isla Royale
- Península Keweenaw
- Lago Superior
- Río San Lorenzo
- Lago Moosehead
- Mte. Katahdin 5,269 pies (1,606 m)
- Mtes. White
- Mte. Washington 6,288 pies (1,917 m)
- Cabo Ann
- Cabo Cod
- Alta Península
- Lago Huron
- Lago Champlain
- Montes Adirondack
- Mtes. Green
- R. Connecticut
- Lago Oahe
- Lago Wisconsin
- Lago Ontario
- Lagos Finger
- R. Hudson
- Isla Long
- Río Mississippi
- Lago Winnebago
- Lago Michigan
- Baja Península
- Lago St. Clair
- Cataratas del Niágara
- Lago Erie
- Mtes. Allegheny
- R. Potomac
- Bahía de Delaware
- Sand Hills
- R. North Platte
- Río Platte
- R. South Platte
- Río Illinois
- Río Wabash
- R. James
- R. Roanoke
- Cabo Charles
- Bahía de Chesapeake
- Smoky Hills
- Río Missouri
- Lago Ozarks
- Río Ohio
- Cabo Hatteras
- Embalse Harry S. Truman
- Estrecho Albemarle
- Red Hills
- Lago Barkley
- Paso de Cumberland
- Mte. Mitchell 6,684 pies (2,037 m)
- Río del Cabo Fear
- Río Arkansas
- Río Canadian
- R. Cumberland
- R. Tennessee
- Lago Texoma
- Montes Ouachita
- Río Red
- Lago Savannah
- Cabo Fear
- Llano Estacado
- Río Sabine
- Embalse Toledo Bend
- Lago Clark Hill
- R. Oconee
- Mte. Stone
- R. Ocmulgee
- Meseta Edwards
- Embalse Sam Rayburn
- Lago Maurepas
- R. Tombigbee
- R. Alabama
- R. Chattahoochee
- R. Altamaha
- Río Brazos
- Río Colorado
- Lago Pontchartrain
- Pantano Okefenokee
- Bahía de Galveston
- Bahía de Mobile
- Delta del Mississippi
- Río St. Johns
- Bahía de Tampa
- Lago Okeechobee
- Cabo Cañaveral
- Río Grande
- Everglades
- Cabo Sable
- Cayos de Florida
- Estrecho de Florida

LLANURAS DEL INTERIOR

LLANURAS CENTRALES

Meseta Ozark

LLANURA COSTERA

APALACHES

MONTES PIEDEMONTE

LLANURA COSTERA

R13

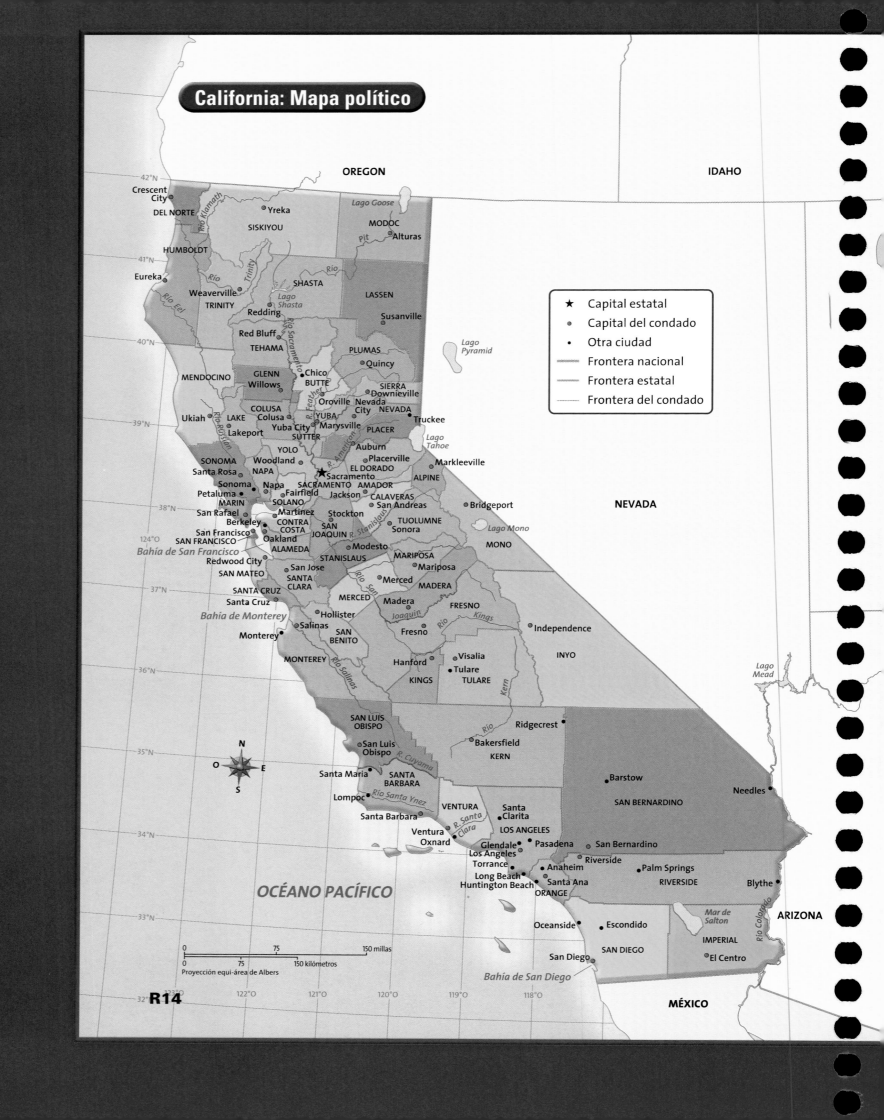

California: Mapa político

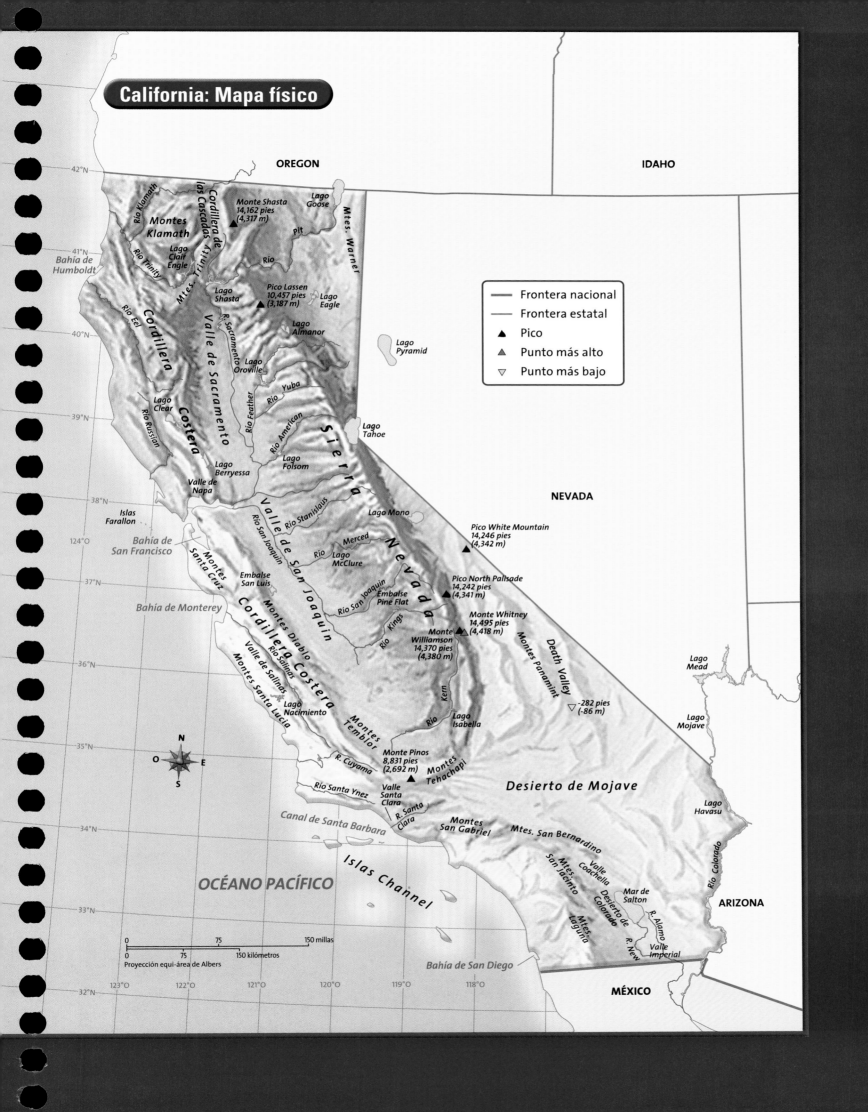

California: Mapa físico

OREGON

IDAHO

NEVADA

ARIZONA

MÉXICO

Frontera nacional
Frontera estatal
▲ Pico
▲ Punto más alto
▽ Punto más bajo

Lago Goose

Monte Shasta
14,162 pies
(4,317 m)

Río Klamath

Montes Klamath

Mtes. Warner

Pit

Río

Lago Clair Engle

Río Trinity

Cordillera de las Cascadas

Mtes. Trinity

Pico Lassen
10,457 pies
(3,187 m)

Lago Eagle

Lago Shasta

Lago Almanor

Río Eel

Cordillera Costera

Valle de Sacramento

Río Sacramento

Lago Oroville

Lago Pyramid

Bahía de Humboldt

Lago Clear

Río Russian

Río Feather

Yuba

Río

Río American

Lago Tahoe

Lago Folsom

Lago Berryessa

Valle de Napa

Sierra Nevada

Islas Farallon

Valle de San Joaquin

Río Stanislaus

Lago Mono

Pico White Mountain
14,246 pies
(4,342 m)

Bahía de San Francisco

Montes Santa Cruz

Río San Joaquin

Merced

Río

Lago McClure

Río San Joaquin

Embalse San Luis

Embalse Pine Flat

Pico North Palisade
14,242 pies
(4,341 m)

Bahía de Monterey

Montes Diablo

Kings

Monte Whitney
14,495 pies
(4,418 m)

Cordillera Costera

Río

Monte Williamson
14,370 pies
(4,380 m)

Montes Panamint

Death Valley

Lago Mead

Montes de Salinas

Río Salinas

Kern

Montes Santa Lucía

Lago Nacimiento

Lago Isabella

-282 pies
(-86 m)

Lago Mojave

Montes Temblor

R. Cuyama

Monte Pinos
8,831 pies
(2,692 m)

Río

Montes Tehachapi

Desierto de Mojave

Río Santa Ynez

Valle Santa Clara

R. Santa Clara

Montes San Gabriel

Mtes. San Bernardino

Lago Havasu

Canal de Santa Barbara

OCÉANO PACÍFICO

Islas Channel

Valle Coachella

Mtes. San Jacinto

Mar de Salton

Río Colorado

Desierto de Colorado

R. Alamo

Mtes. Laguna

R. New

Valle Imperial

Bahía de San Diego

42°N

41°N

40°N

39°N

38°N

37°N

36°N

35°N

34°N

33°N

32°N

124°O

123°O   122°O   121°O   120°O   119°O   118°O

N
O   E
S

0   75   150 millas
0   75   150 kilómetros
Proyección equi-área de Albers

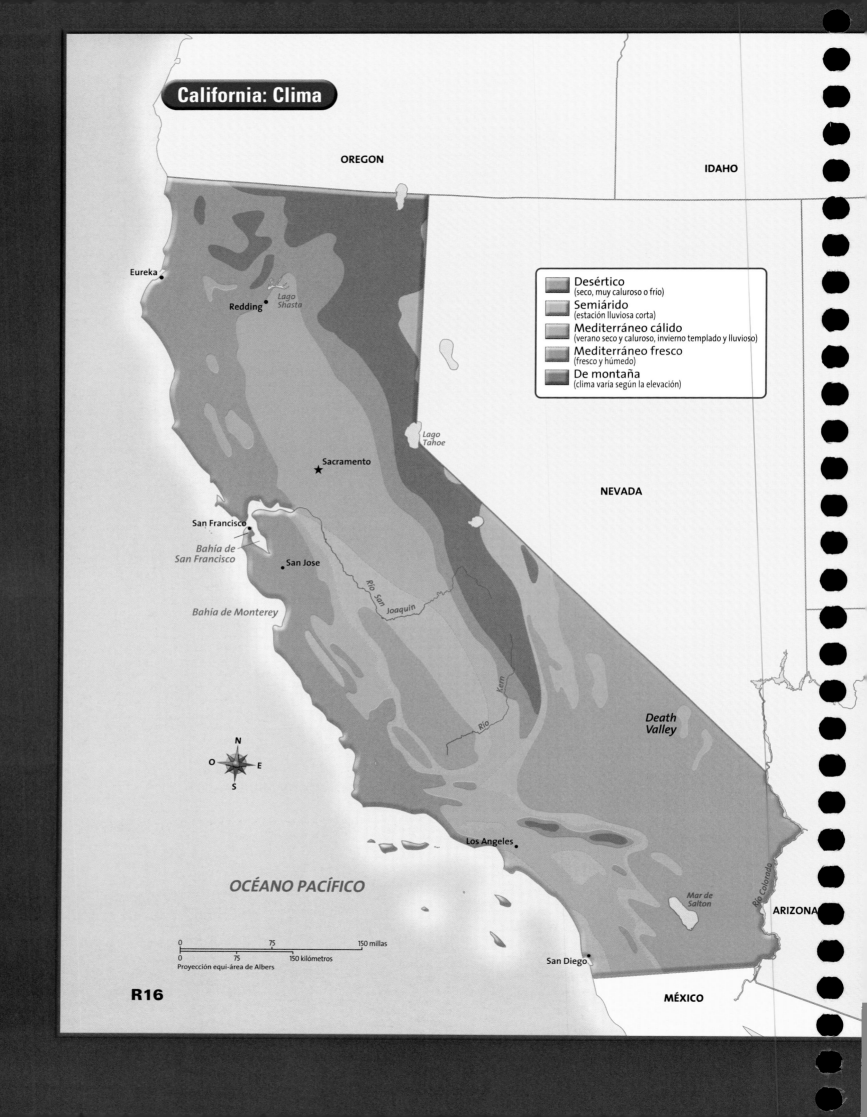

California: Clima

OREGON

IDAHO

Eureka

Redding

Lago Shasta

Desértico
(seco, muy caluroso o frío)
Semiárido
(estación lluviosa corta)
Mediterráneo cálido
(verano seco y caluroso, invierno templado y lluvioso)
Mediterráneo fresco
(fresco y húmedo)
De montaña
(clima varía según la elevación)

Lago Tahoe

★ Sacramento

NEVADA

San Francisco

Bahía de San Francisco

San Jose

Río San Joaquín

Bahía de Monterey

Kern

Río

Death Valley

N
O E
S

Los Angeles

OCÉANO PACÍFICO

Mar de Salton

Río Colorado

ARIZONA

| 0 | | 75 | | 150 millas |
| 0 | | 75 | | 150 kilómetros |

Proyección equi-área de Albers

San Diego

R16

MÉXICO

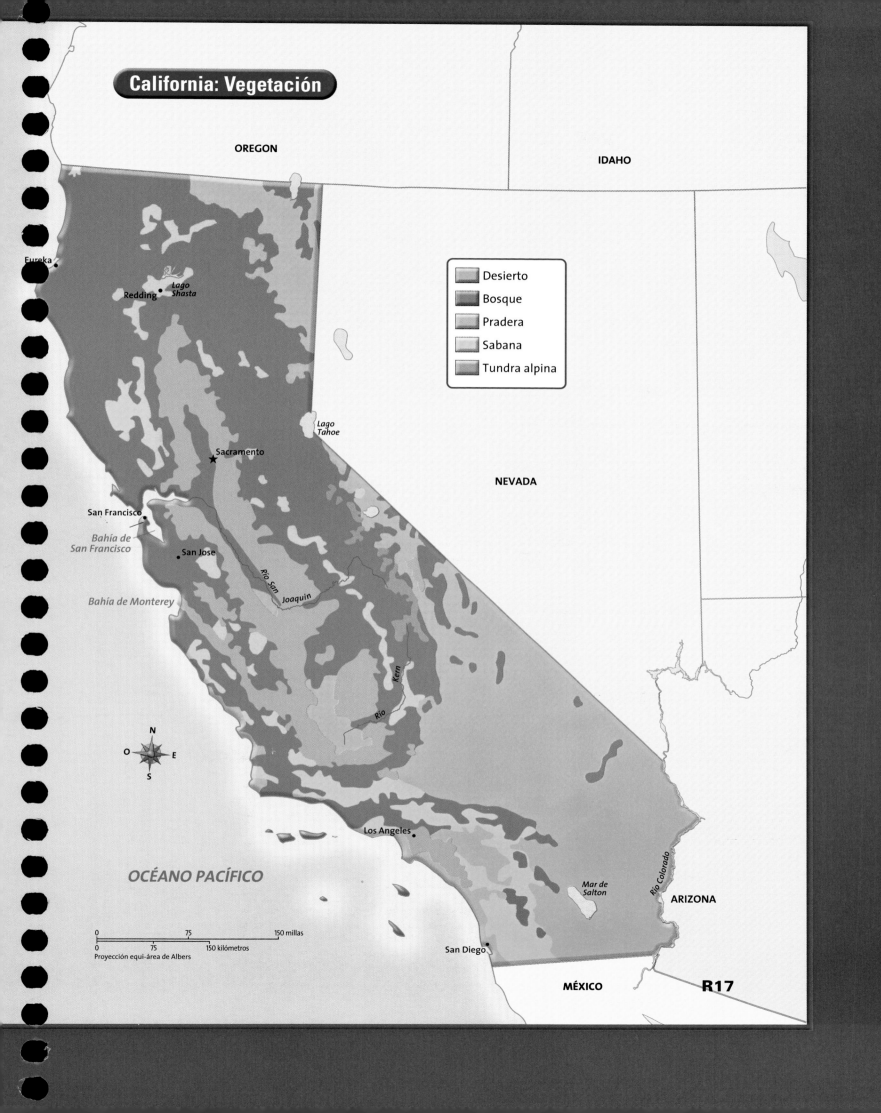

California: Vegetación

OREGON

IDAHO

NEVADA

ARIZONA

MÉXICO

Eureka

Redding

Lago Shasta

Lago Tahoe

★ Sacramento

San Francisco

Bahía de San Francisco

San Jose

Bahía de Monterey

Río San Joaquin

Río Kern

Los Angeles

Mar de Salton

Río Colorado

San Diego

OCÉANO PACÍFICO

Leyenda

- Desierto
- Bosque
- Pradera
- Sabana
- Tundra alpina

N
O E
S

0   75   150 millas
0   75   150 kilómetros
Proyección equi-área de Albers

R17

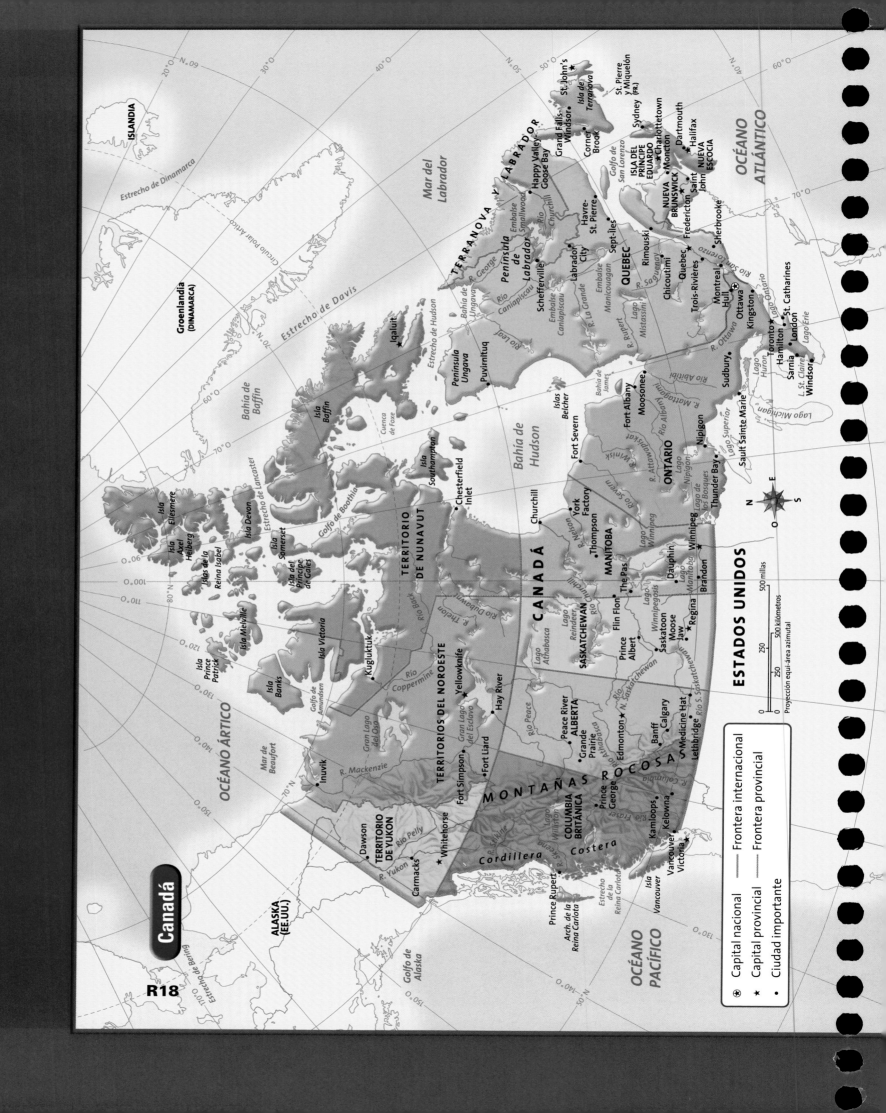

Canadá

R18

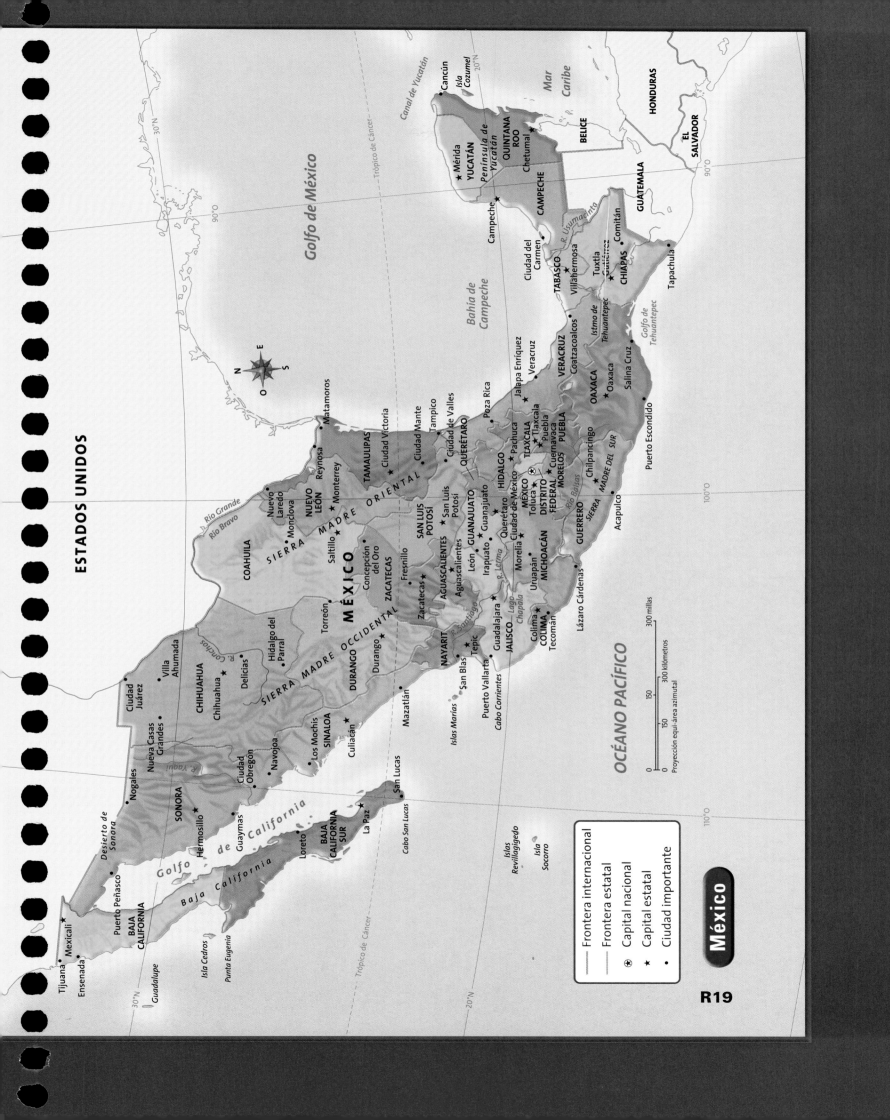

ESTADOS UNIDOS

México

- Frontera internacional
- Frontera estatal
- ✪ Capital nacional
- ★ Capital estatal
- • Ciudad importante

OCÉANO PACÍFICO

300 millas
150
0   150   300 kilómetros
Proyección equi-área azimutal

Golfo de México

Bahía de Campeche

Mar Caribe

HONDURAS

BELICE

EL SALVADOR

GUATEMALA

Cancún
Isla Cozumel
Mérida
YUCATÁN
Península de Yucatán
QUINTANA ROO
Chetumal
CAMPECHE
Campeche
Ciudad del Carmen
R. Usumacinta
TABASCO
Villahermosa
Tuxtla Gutiérrez
CHIAPAS
Comitán
Tapachula

Canal de Yucatán

Trópico de Cáncer

Matamoros
Reynosa
TAMAULIPAS
Ciudad Victoria
Ciudad Mante
Tampico
Ciudad de Valles
QUERÉTARO
Poza Rica
Jalapa Enriquez
Veracruz
VERACRUZ
Coatzacoalcos
Istmo de Tehuantepec
Golfo de Tehuantepec
Salina Cruz
OAXACA
Oaxaca
Puerto Escondido

Nuevo Laredo
Monclova
NUEVO LEÓN
Monterrey
Saltillo
SIERRA MADRE ORIENTAL
COAHUILA
Concepción del Oro
ZACATECAS
Zacatecas
Fresnillo
SAN LUIS POTOSÍ
San Luis Potosí
AGUASCALIENTES
Aguascalientes
GUANAJUATO
León
Irapuato
Guanajuato
Querétaro
Ciudad de México
HIDALGO
Pachuca
TLAXCALA
Tlaxcala
Puebla
PUEBLA
MÉXICO
Toluca
DISTRITO FEDERAL
MORELOS
Cuernavaca
Chilpancingo
GUERRERO
SIERRA MADRE DEL SUR
Acapulco

Torreón
MÉXICO
Hidalgo del Parral
DURANGO
Durango
R. Santiago
NAYARIT
Tepic
San Blas
JALISCO
Lago Chapala
R. Lerma
Guadalajara
Morelia
MICHOACÁN
Uruapan
COLIMA
Colima
Tecomán
Lázaro Cárdenas

Villa Ahumada
CHIHUAHUA
Chihuahua
Delicias
R. Conchos
SIERRA MADRE OCCIDENTAL
Ciudad Juárez
Nueva Casas Grandes
Nogales
SONORA
Navojoa
Ciudad Obregón
Guaymas
Hermosillo
SINALOA
Los Mochis
Culiacán
Mazatlán
Islas Marías
Puerto Vallarta
Cabo Corrientes
Islas Revillagigedo
Isla Socorro

Desierto de Sonora
R. Yaqui
Puerto Peñasco
BAJA CALIFORNIA
Tijuana
Mexicali
Ensenada
Isla Cedros
Punta Eugenia
Guadalupe
Golfo de California
Loreto
BAJA CALIFORNIA SUR
La Paz
Cabo San Lucas
San Lucas
Baja California

Río Grande
Río Bravo

Trópico de Cáncer

30°N
20°N

110°O
100°O
90°O

N E S O

Almanaque
DATOS SOBRE CALIFORNIA

TERRITORIO	EXTENSIÓN	CLIMA	POBLACIÓN*	PRINCIPALES PRODUCTOS Y RECURSOS

CALIFORNIA

Punto más alto: Mte. Whitney en la sierra Nevada 14,495 pies

Punto más bajo: El Death Valley, 282 pies por debajo del nivel del mar

Superficie: 158,648 millas cuadradas

Mayor distancia norte/sur: 646 millas

Mayor distancia este/oeste: 560 millas

Línea costera: 840 millas

Temperatura promedio: 75°F en julio, 44°F en enero

Precipitación anual promedio: 22 pulgadas

Población total: 33,871,648*

Densidad de población: 217,2 habitantes por milla cuadrada

Distribución de la población: 94,5 % urbana, 5,5 % rural

*última cifra disponible

Cultivos: Uvas, productos hortícolas, algodón, almendras, heno, lechugas, tomates, fresas, naranjas, brócoli, zanahorias

Ganadería: Ganado vacuno, aves de corral, ovejas

Pesca: Erizos marinos, cangrejos, calamares, atún

Madera: Abeto, pino, secuoya

Manufacturas: Computadoras y equipos electrónicos, productos alimenticios, productos farmacéuticos, equipo de transporte

Minería: Petróleo, gas natural, arena y grava, boro, oro, plata, asbesto, yeso

California es el estado que ocupa el tercer lugar en extensión en Estados Unidos. Solo Texas y Alaska son más grandes.

La temperatura más baja que se ha registrado en California ha sido de -45°F, en Boca, el 20 de enero de 1937. La más alta en California, y en todo el territorio de Estados Unidos, ha sido de 134°F, en el Death Valley el 10 de julio de 1913.

California tiene más habitantes que ningún otro estado. Uno de cada ocho habitantes de Estados Unidos vive en California.

GOBIERNO

Funcionarios electos:
Términos de 4 años:
gobernador, vicegobernador,
secretario de estado,
director financiero, fiscal
general, tesorero, superintendente de educación
pública

Senado estatal: 40
senadores, términos de
4 años

Asamblea estatal: 80
miembros, términos de 2
años

Condados: 58

**Senadores de Estados
Unidos:** 2 senadores,
términos de 6 años

**Representantes de
Estados Unidos:** 53
representantes, términos
de 2 años

SÍMBOLOS ESTATALES

Animal: Oso pardo

Pájaro: Codorniz californiana

Colores: Azul y oro

Danza: West Coast Swing

Pez: Trucha dorada

Flor: Amapola dorada

Danza folclórica: Square dance

Fósil: Tigre dientes de sable

Piedra preciosa: Benitoíta

Insecto: Mariposa faz canina

Pez marino: Pez dorado

Mamífero marino: Ballena gris
californiana

Mineral: Oro

Reptil: Tortuga del desierto

Piedra: Serpentina

Suelo: La tierra de San Joaquin

Árbol: Secuoya de California

**El árbol más alto
del mundo que
aún está en pie
se encuentra
en el condado
Mendocino, en
California. Esta
secuoya de 367
pies tiene la altura
de un edificio de
37 pisos, ¡y sigue
creciendo!**

**Aun después de la fiebre
del oro de 1849, geólogos
expertos aseguran que solo
se ha descubierto el 10% del
oro de California.**

**La constitución estatal de
California es muy voluminosa:
tiene más de 10.000 páginas y
ha sido modificada más de 500
veces desde 1879.**

Almanaque   R21

Almanaque
Datos sobre los condados de California

Nombre del condado	Capital de condado	Población*	Establecido en el año	Origen del nombre
Alameda	Oakland	1,443,741	1853	lugar donde hay álamos
Alpine	Markleeville	1,208	1864	la montañosa sierra Nevada
Amador	Jackson	35,100	1854	José María Amador, colono
Butte	Oroville	203,171	1850	Sutter Buttes o el río Butte
Calaveras	San Andreas	40,554	1850	esqueleto, conjunto de huesos
Colusa	Colusa	18,804	1850	aldea de los indios patwin
Contra Costa	Martinez	948,816	1850	la costa opuesta
Del Norte	Crescent City	27,507	1857	norteño
El Dorado	Placerville	156,299	1850	de oro
Fresno	Fresno	799,407	1856	del árbol fresno
Glenn	Willows	26,453	1891	Hugh J. Glenn, médico y productor de trigo
Humboldt	Eureka	126,518	1853	Friedrich Heinrich Alexander von Humboldt, naturalista alemán
Imperial	El Centro	142,361	1907	Compañía Imperial Land
Inyo	Independence	17,945	1866	palabra india que significa "donde habita el gran espíritu"
Kern	Bakersfield	661,645	1866	Edward M. Kern, topógrafo y artista

*Últimas cifras demográficas disponibles

Nombre del condado	Capital de condado	Población*	Establecido en el año	Origen del nombre
Kings	Hanford	129,461	1893	río Kings
Lake	Lakeport	58,309	1861	lago Clear
Lassen	Susanville	33,828	1864	Peter Lassen, pionero
Los Angeles	Los Angeles	9,519,338	1850	los ángeles
Madera	Madera	123,109	1893	la madera
Marin	San Rafael	247,289	1850	Marin, mítico líder indio; o marinero
Mariposa	Mariposa	17,130	1850	las mariposas
Mendocino	Ukiah	86,265	1850	Antonio de Mendoza o Lorenzo Suárez de Mendoza, virreyes de la Nueva España
Merced	Merced	210,554	1855	río Merced, "merced" significa piedad
Modoc	Alturas	9,449	1874	tribu india modoc
Mono	Bridgeport	12,853	1861	tribu de los indios shoshones
Monterey	Salinas	401,762	1850	conde de Monterey, virrey de la Nueva España, o bahía de Monterey
Napa	Napa	124,279	1850	palabra de los indios wappo o pomo que posiblemente significa "aldea" o "pez"
Nevada	Nevada City	92,033	1851	la sierra Nevada, "nevada" significa cubierta de nieve
Orange	Santa Ana	2,846,289	1889	naranja
Placer	Auburn	248,399	1851	depósitos de oro superficiales

*Últimas cifras demográficas disponibles

Almanaque ■ **R23**

Nombre del condado	Capital de condado	Población*	Establecido en el año	Origen del nombre
Plumas	Quincy	20,824	1854	río Feathers, en español, "plumas"
Riverside	Riverside	1,545,387	1893	ubicado cerca del río
Sacramento	Sacramento	1,223,499	1850	Sagrado Sacramento
San Benito	Hollister	53,234	1874	San Benito
San Bernardino	San Bernardino	1,709,434	1853	San Bernardino de Siena
San Diego	San Diego	2,813,833	1850	San Diego
San Francisco	San Francisco	776,733	1850	San Francisco de Asís
San Joaquin	Stockton	563,598	1850	San Joaquín
San Luis Obispo	San Luis Obispo	246,681	1850	San Luis de Toulouse
San Mateo	Redwood City	707,161	1856	San Mateo
Santa Barbara	Santa Barbara	399,347	1850	Santa Bárbara
Santa Clara	San Jose	1,682,585	1850	Santa Clara de Asís
Santa Cruz	Santa Cruz	255,602	1850	Santa Cruz
Shasta	Redding	163,256	1850	tribu india de los shasta
Sierra	Downieville	3,555	1852	la sierra Nevada; sierra significa cadena montañosa
Siskiyou	Yreka	44,301	1852	"caballo de cola corta" en el idioma cree o "seis piedras grandes" en francés
Solano	Fairfield	394,542	1850	jefe solano o San Francisco Solano

*Últimas cifras demográficas disponibles

ATLAS/ALMANAQUE

Nombre del condado	Capital de condado	Población*	Establecido en el año	Origen del nombre
Sonoma	Santa Rosa	458,614	1850	jefe tsonoma o palabra de los indio wintu, posiblemente signifique "nariz"
Stanislaus	Modesto	446,997	1854	jefe Estanislao
Sutter	Yuba City	78,930	1850	John Augustus Sutter
Tehama	Red Bluff	56,039	1856	palabra india, posiblemente significa "tierras bajas" o "poco profundas"
Trinity	Weaverville	13,022	1850	río Trinity
Tulare	Visalia	368,021	1852	"torrente" o "caña" en español, posiblemente de la palabra azteca "cattail"
Tuolumne	Sonora	54,501	1850	palabra india que significa "grupo de wigwams de piedras"
Ventura	Ventura	753,197	1873	San Buenaventura
Yolo	Woodland	168,660	1850	tribu indígena yolo, posiblemente signifique "lugar de abundantes torrentes"
Yuba	Marysville	60,219	1850	aldea india maidu o nombre tribal

*Últimas cifras demográficas disponibles

Almanaque ■ **R25**

Almanaque
Datos sobre los gobernadores de California

Gobernador	Nacimiento/ Muerte	Lugar de nacimiento	Partido político	Término
Peter Burnett	(1807–1895)	Nashville, Tennessee	Demócrata Independiente	1849–1851
John McDougall	(c.1818–1866)	Condado Ross, Ohio	Demócrata Independiente	1851–1852
John Bigler	(1805–1871)	Carlisle, Pennsylvania	Demócrata	1852–1856
Neely Johnson	(1825–1872)	Johnson Township, Indiana	Americano (Know-Nothing)	1856–1858
John Weller	(1812–1875)	Montgomery, Ohio	Demócrata	1858–1860
Milton Latham	(1827–1882)	Columbus, Ohio	Demócrata	1860
John Downey	(1827–1894)	Condado Roscommon, Irlanda	Demócrata	1860–1862
Leland Stanford	(1824–1893)	Watervliet, New York	Republicano	1862–1863
Frederick Low	(1828–1894)	Frankfort, Maine	Unión	1863–1867
Henry H. Haight	(1825–1878)	Rochester, New York	Demócrata	1867–1871
Newton Booth	(1825–1892)	Salem, Indiana	Republicano	1871–1875
Romualdo Pacheco	(1831–1899)	Santa Barbara, California	Republicano	1875
William Irwin	(1827–1886)	Condado Butler, Ohio	Demócrata	1875–1880
George Perkins	(1839–1923)	Kennebunkport, Maine	Republicano	1880–1883
George Stoneman	(1822–1894)	Busti, New York	Demócrata	1883–1887
Washington Bartlett	(1824–1887)	Savannah, Georgia	Demócrata	1887
Robert Waterman	(1826–1891)	Fairfield, New York	Republicano	1887–1891
Henry Markham	(1840–1923)	Wilmington, New York	Republicano	1891–1895
James Budd	(1851–1908)	Janesville, Wisconsin	Demócrata	1895–1899

Gobernador	Nacimiento/ Muerte	Lugar de nacimiento	Partido político	Término
Henry Gage	(1852–1924)	Geneva, New York	Republicano	1899–1903
George Pardee	(1857–1941)	San Francisco, California	Republicano	1903–1907
James Gillett	(1860–1937)	Viroqua, Wisconsin	Republicano	1907–1911
Hiram Johnson	(1866–1945)	Sacramento, California	Republicano	1911–1917
William Stephens	(1859–1944)	Eaton, Ohio	Republicano	1917–1923
Friend William Richardson	(1865–1943)	Condado Friends Colony, Michigan	Republicano	1923–1927
Clement Calhoun Young	(1869–1947)	Lisbon, New Hampshire	Republicano	1927–1931
James Rolph	(1869–1934)	San Francisco, California	Republicano	1931–1934
Frank Merriam	(1865–1955)	Hopkinton, Iowa	Republicano	1934–1939
Culbert Olson	(1876–1962)	Fillmore, Utah	Demócrata	1939–1943
Earl Warren	(1891–1974)	Los Angeles, California	Republicano	1943–1953
Goodwin Knight	(1896–1970)	Provo, Utah	Republicano	1953–1959
Edmund G. Brown	(1905–1996)	San Francisco, California	Demócrata	1959–1967
Ronald Reagan	(1911–2004)	Tampico, Illinois	Republicano	1967–1975
Edmund G. Brown, Jr.	(1938–)	San Francisco, California	Demócrata	1975–1983
George Deukmejian	(1928–)	Ciudad de New York, New York	Republicano	1983–1991
Pete Wilson	(1933–)	Lake Forest, Illinois	Republicano	1991–1999
Gray Davis	(1942–)	Ciudad de New York, New York	Demócrata	1999–2003
Arnold Schwarzenegger	(1947–)	Thal Styria, Austria	Republicano	2003–

Almanaque ■ R27

Manual de investigación

Antes de escribir un reporte o completar un proyecto, debes reunir información sobre tu tema. Puedes encontrar parte de la información en tu libro de texto. Otras fuentes de información son los recursos tecnológicos, los recursos impresos y los recursos de la comunidad.

Recursos tecnológicos

- Internet
- Discos de computadora
- Televisión y radio

Recursos impresos

- Almanaques
- Atlas
- Diccionarios
- Enciclopedias
- Libros de no ficción
- Publicaciones periódicas
- Diccionarios de sinónimos

Recursos de la comunidad

- Maestros
- Conservadores de museos
- Líderes comunitarios
- Ciudadanos mayores

R28 ■ Referencia

Recursos tecnológicos

Los principales recursos tecnológicos que puedes usar para buscar información son Internet y los discos de computadora. Tu escuela o la biblioteca local pueden tener algún CD–ROM o DVD que contenga información sobre el tema que investigas. Otros medios, como la televisión y la radio, también pueden ser buenas fuentes de información actualizada.

Cómo usar Internet

En Internet hay muchísima información. Si te conectas a Internet con una computadora, podrás leer documentos, ver imágenes y obras de arte, escuchar música, hacer un paseo virtual por un museo y leer sobre sucesos actuales. Recuerda que algunos sitios en Internet pueden contener errores o información incorrecta. Para obtener información correcta, asegúrate de visitar solamente sitios confiables, como los de museos y organismos gubernamentales. Además, trata de hallar dos o más sitios que tengan la misma información.

 **Planifica tu búsqueda**

- Identifica el tema que investigarás.
- Haz una lista de preguntas que quieras responder sobre el tema.
- Haz una lista de palabras o expresiones clave que puedan usarse para escribir o hablar del tema.
- Busca buenos recursos en línea para encontrar las respuestas a tus preguntas.

MANUAL DE INVESTIGACIÓN

Manual de investigación   R29

Usar un motor de búsqueda

Un motor de búsqueda es un conjunto de sitios en Internet que se agrupan a partir de una palabra o un grupo de palabras clave. Existen numerosos motores de búsqueda. Puedes pedirle a un bibliotecario, a un maestro o a uno de tus padres que te sugiera qué motor de búsqueda usar.

Búsqueda por tema Para buscar por tema, usa un motor de búsqueda. Elige alguna de las palabras o expresiones de la lista que hiciste al planificar la búsqueda y escríbelas en la barra del motor de búsqueda que tienes en pantalla. Luego, haz un clic en BUSCAR (SEARCH) o IR (GO). Verás una lista de los sitios en Internet relacionados con el tema. Haz un clic en los sitios que consideres que te serán más útiles. Si los que aparecen en la lista no son suficientes, elige otra palabra clave o expresión relacionada con el tema y busca nuevamente.

RIVERDALE HIGH SCHOOL SEARCH

Internet   Imágenes   Personas   Noticias

Escribe el tema aquí ▶ | Sacramento

(Buscar) (Búsqueda avanzada)

Visit Sacramento
Visit Sacramento! Learn about Sacramento's various tourist destinations and....
www.visitsacramento.com/

Historic Sacramento
This site is a collection of photographs of historic Sacramento since 1848....
www.historicsacramento.com/

Sacramento Information
A history of Sacramento, California....
www.sacramentoinfo.com/

Búsqueda por dirección Cada sitio en Internet tiene su propia dirección, que se conoce como localizador uniforme de recursos o, URL (*Uniform Resource Locator*). Para llegar a un sitio en Internet a través de su URL, simplemente escribe la dirección en el recuadro LUGAR/IR A (LOCATION/GO) que aparece en tu pantalla y haz clic en IR (GO) o presiona ENTER.

◀ ▶ Dirección ○ http:// www.harcourtschool.com

Usar marcadores La lista de marcadores es una herramienta que se usa para guardar y organizar direcciones URL. Si encuentras un sitio en Internet que te parece particularmente útil, puedes guardar su URL para regresar a esa dirección mas rápida y fácilmente en el futuro. Haz un clic en MARCADORES o FAVORITOS (BOOKMARKS or FAVORITES), en la parte superior de tu pantalla, y elige AGREGAR (ADD). Tu computadora copiará el URL y lo guardará.

Menú de marcadores
- ○ Harcourt School Publishers
- ○ Documentos de Estados Unid
- ○ Mapas de California
- ○ Estudios Sociales
- ○ Civilizaciones antiguas
- ○ Fuentes primarias
- ○ Libros electrónicos
- ○ Enciclopedia

Recursos impresos

En las bibliotecas, los libros se ordenan mediante un sistema de números. Cada libro tiene su propio número, llamado número de catálogo. El número de catálogo indica en qué parte de la biblioteca se encuentra el libro. Algunos libros de referencia, como las enciclopedias, a menudo se hallan en una sección especial. En esa sección, cada libro está marcado con R o RE en el lomo, que indica *referencia*. La mayoría de esos libros solo pueden consultarse en la biblioteca. Muchas bibliotecas tienen también una sección especial de publicaciones periódicas, que incluye revistas y periódicos.

Almanaques

Un almanaque es un libro o un recurso electrónico que contiene datos sobre diferentes temas. Los temas están ordenados alfabéticamente en un índice, y muchos de los datos estadísticos que incluyen números y fechas se muestran a través de tablas o gráficas. Cada año se publican nuevos almanaques que tienen la información más actualizada.

Atlas

Un atlas es un libro de mapas que brinda información sobre lugares. Distintos tipos de atlas muestran diferentes lugares en distintas épocas. Tu maestro o tu bibliotecario pueden ayudarte a hallar el tipo de atlas que necesitas para tu investigación.

Diccionarios

El diccionario muestra la ortografía correcta de las palabras y da sus definiciones o significados. En inglés, también indica la pronunciación de las palabras, o sea, cómo decirlas en voz alta. Además, muchos diccionarios tienen listas de palabras extranjeras, abreviaturas, personajes conocidos y nombres de lugares.

demanda. 1: Petición. **2:** El deseo o necesidad de un producto o servicio.
dependiente. 1: El que depende de otro. **2:** Empleado de comercio.
depositar. 1: Poner dinero en una cuenta bancaria. **2:** Poner una cosa cuidadosamente en un sitio.

Entrada de diccionario

Enciclopedias

Una enciclopedia es un libro, o un conjunto de libros, que ofrece información sobre muchos temas distintos. Los temas están ordenados alfabéticamente. Una enciclopedia es una buena fuente de consulta para comenzar una investigación. Además de textos, las enciclopedias electrónicas a menudo tienen sonido y videoclips.

Libros de no ficción

Un libro de no ficción contiene datos sobre personas, lugares y cosas reales. En una biblioteca, todos los libros de no ficción están ordenados por categorías de acuerdo con su número de catálogo. Para hallar el número de catálogo de un libro, se usa un fichero o un catálogo computarizado. El catálogo te permite buscar un libro por tema, autor o título.

Artículo de enciclopedia

Publicaciones periódicas

Las publicaciones periódicas aparecen con una frecuencia diaria, semanal o mensual. Son buenas fuentes para obtener información actualizada sobre temas que todavía no figuran en los libros. Muchas bibliotecas tienen una guía de artículos periodísticos, clasificados por tema. Dos de esas guías son: *Children's Magazine Guide* y *Readers's Guide to Periodical Literature*. Las entradas en las guías generalmente se ordenan alfabéticamente, por tema, autor o título.

Diccionarios de sinónimos

El diccionario de sinónimos contiene palabras que significan lo mismo o casi lo mismo que otra palabra. También incluye antónimos, es decir, palabras que significan lo contrario. El diccionario de sinónimos puede ayudarte a encontrar palabras que describan mejor tu tema y enriquezcan tu redacción.

Recursos en la comunidad

En muchos casos, las personas de tu comunidad pueden darte información sobre el tema que estás investigando. A través de preguntas bien pensadas, puedes obtener valiosos datos, opiniones o puntos de vista. Antes de hablar con alguien, pídele siempre permiso a un maestro o a uno de tus padres.

Escuchar para obtener información

Es importante planificar las entrevistas que forman parte de tu investigación. Planificar te ayudará a reunir los datos que necesites. Sigue estos consejos mientras reúnes información de las personas de tu comunidad.

Antes

- Investiga más sobre el tema del que desees conversar.
- Piensa qué tipo de información te hace falta.
- Piensa en la mejor manera de reunir la información que necesites.
- Haz una lista de las personas a las que quieras entrevistar.
- Haz una lista de las preguntas que quieras hacer.

Durante

- Al hacer las preguntas, habla con voz clara y alta.
- Escucha atentamente. Asegúrate de estar obteniendo la información que necesitas. Tal vez se te ocurran preguntas nuevas a partir de lo que escuches.
- Sé cortés. No hables cuando la otra persona esté hablando.
- A medida que escuches, escribe con tus propias palabras las ideas y los detalles importantes. Tomar notas te ayudará a recordar lo que escuches.
- Anota las palabras exactas del entrevistado para poder incluir citas en tu reporte. Si es posible, usa una grabadora. Recuerda pedir permiso a tu entrevistado antes de grabar la conversación.

Después

- Agradece a la persona con la que hablaste.
- Más tarde, escríbele también una nota de agradecimiento.

Escribir para obtener información

Para obtener información, también puedes escribir a las personas de tu comunidad. Puedes enviarles un correo electrónico o una carta. Cuando escribas, ten presente las siguientes ideas:

- Escribe con letra clara o usa una computadora.
- Indica quién eres y por qué estás escribiendo.
- Verifica cuidadosamente tu ortografía y puntuación.
- Si escribes una carta, adjunta un sobre estampillado con tu nombre y dirección para que la persona pueda enviarte una respuesta.
- Dale las gracias a la persona.

MANUAL DE
INVESTIGACIÓN

222 Central Avenue
Bakersfield, CA 93301
25 de octubre de 20– –

Secretaría de Turismo
At.: Sra. Stephanie Nguyen
123 Main Street
Sacramento, CA 94211

Estimada Sra. Nguyen:
Mi nombre es David Thomas y le escribo esta carta para saber si usted puede enviarme alguna información sobre lugares de interés turístico en el estado de California. Mi familia planea unas vacaciones para el próximo mes y nos gustaría visitar algunas de las atracciones de la zona norte del estado. Por favor, envíeme un folleto que detalle los paisajes de interés y un mapa de carreteras. Tengo entendido que ese es un servicio que ustedes brindan a quienes planean vacaciones en la región. Estoy entusiasmado con la idea de visitar esa zona del estado.

Gracias por su ayuda.
Atentamente,

David Thomas

David Thomas
222 Central Avenue
Bakersfield, CA 93301

Secretaría de Turismo
At.: Sra. Stephanie Nguyen
123 Main Street
Sacramento, CA 94211

Escribir reportes

▶ Reportes escritos

Tu maestro puede pedirte que escribas un reporte sobre la información que has obtenido. Saber cómo redactar un reporte te ayudará a usar la información adecuadamente. Los siguientes consejos te ayudarán al escribir tu reporte.

◗ Antes de escribir

- Elige una idea o tema principal.
- Piensa en preguntas acerca del tema. Las preguntas deberán ser claras y concentrarse en ideas específicas.
- Recopila información de más de una fuente. Puedes usar recursos impresos, recursos tecnológicos o recursos de la comunidad. Asegúrate de buscar las respuestas a tus preguntas.
- Toma apuntes de la información que encuentres.
- Revisa tus apuntes para asegurarte de que tienes la información necesaria. Anota ideas y detalles sobre el tema para incluirlos en tu reporte.
- Usa tus apuntes para hacer un esquema de la información que hallaste. Organiza tus ideas de manera que sean fáciles de entender.

◗ Citar fuentes

Una parte importante de la investigación y la redacción es citar, o mencionar, las fuentes. Cuando citas una fuente, conservas un registro escrito de dónde obtuviste la información. La lista de fuentes forma la bibliografía. Una bibliografía es una lista de los libros, publicaciones periódicas y otras fuentes que usaste para obtener la información para tu reporte.

Borrador

El edificio del capitolio de California

I. Dónde, cuándo y por qué se construyó el edificio del capitolio

   A. El edificio del capitolio se construyó en Sacramento.

      1. En 1849, la capital estaba en San Jose.

      2. En 1852, la capital se trasladó de San Jose a Vallejo.

      3. Más tarde, la capital se trasladó a Benicia, y luego a Sacramento.

   B. La población de California aumentó y fue necesario construir un edificio para el capitolio.

      1. Las personas querían un símbolo que representara al estado de California.

      2. En 1854, el edificio de la legislatura estatal en Sacramento se convirtió en el nuevo edificio del capitolio.

   C. En el edificio del capitolio se toman muchas decisiones importantes.

      1. Los representantes del gobierno crean nuevas leyes.

      2. Los funcionarios del gobierno se reúnen para tratar asuntos del estado de California.

   D. Para ser un buen ciudadano es importante tener información acerca del capitolio del estado.

      1. El edificio tiene información que todo el mundo debería saber.

      2. Los ciudadanos votan para elegir a sus representantes.

Bibliografía

Hernandez, Elizabeth. *Sacramento Through the Years*. San Antonio, Texas: Old Alamo Press, 2004.

Wyatt, Adam. *The History of California*. Philadelphia, Pennsylvania: Scenic River Publishing, 2003.

Ficha bibliográfica

Wyatt, Adam. *The History of California*. Philadelphia, Pennsylvania: Scenic River Publishing, 2003, pág. 25.

San Jose fue la primera capital estatal de California. Más tarde, en 1854, el gobierno estatal se trasladó a Sacramento.

EL EDIFICIO DEL CAPITOLIO DE CALIFORNIA	
Apuntes de la lectura	**Apuntes de la clase**
• La Legislatura de California se reunió por primera vez en el edificio del capitolio en 1869	• Los visitantes pueden recorrer las oficinas del fiscal general de California, del secretario de estado, del tesorero y del gobernador
• Los representantes del gobierno crean las leyes en el edificio del capitolio	• Afuera del edificio hay una estatua de Junipero Serra
• Allí, los representantes del gobierno votan sobre asuntos que tratan	• El edificio está rodeado por un jardín de 40 acres
• En 1849, la capital de California era San Jose	• La capital se trasladó de San Jose a Vallejo y finalmente a Sacramento, donde el edificio de la legislatura estatal se convirtió en el capitolio
• En 1852, la capital se trasladó a Vallejo	• El edificio del capitolio es un símbolo para los californianos
• El edificio de la legislatura estatal en Sacramento se convirtió en el nuevo edificio del capitolio	• El capitolio se construyó a partir del edificio de la legislatura y estatal y se completó en cuatro años

▶ Escribir un borrador

- Usa tus apuntes y tu esquema para escribir un borrador de tu reporte. Ten presente que tu objetivo es dar la información.
- Escribe en forma de párrafos. Desarrolla tu tema a través de datos, detalles, ejemplos y explicaciones. Cada párrafo debe centrarse en una nueva idea.
- Formula todas tus ideas por escrito. Puedes corregir errores y hacer cambios en el paso siguiente.

▶ Revisar

- Lee nuevamente tu borrador. ¿Tiene sentido? ¿Tiene una introducción, un desarrollo y una conclusión? ¿Has respondido todas tus preguntas?
- Vuelve a escribir las oraciones que sean poco claras o que estén mal expresadas. Cambia de lugar las oraciones que parezcan mal ubicadas.
- Cuando sea necesario, agrega detalles para respaldar tus ideas.
- Si hay demasiadas oraciones parecidas, acorta o alarga algunas para que tu reporte sea más atractivo.
- Revisa todas las citas para asegurarte de que hayas usado las palabras exactas del entrevistado y de que hayas anotado correctamente las fuentes.

▶ Corregir y editar

- Revisa tu reporte para verificar que no contenga errores.
- Corrige los errores de ortografía, puntuación y uso de mayúsculas.

▶ Publicar

- Haz una copia limpia y clara de tu reporte.
- Incluye ilustraciones, mapas o dibujos que ayuden a explicar el tema.

Borrador

Allison Cesareo
Estudios Sociales

Una historia del edificio del capitolio en Sacramento, California

El edificio del Capitolio de Sacramento, California, es un lugar muy importante. El edificio del capitolio es el sitio donde trabaja nuestro gobierno estatal para crear leyes. También es el sitio donde nuestros funcionarios de gobierno se reúnen acerca de los asuntos importantes de California. Muchas personas ignoran la historia del edificio del capitolio porque se construyó mucho antes del nacimiento de la mayoría de los californianos de hoy. Existen muchos datos históricos interesantes acerca del edificio capitolio de Sacramento, California. Es importante saber quién tomó la decisión de construirlo, dónde y cuándo se construyó y qué ocurre hoy en día en el edificio capitolio.

Las oficinas de nuestro gobierno no siempre estuvieron ubicadas en el edificio del capitolio en Sacramento. Hace mucho tiempo, la capital de California estaba en el año 1849. En 1852 la capital de California se trasladó desde San jose a Vallejo, California. En esa época, Vallejo no era un buen lugar para un edificio del capitolio. Los trabajos de construcción tomaban mucho tiempo y eran bastante costosos. Entonces, en 1853, la capital se trasladó a Benicia y permaneció allí hasta que la ciudad de Sacramento ofreció la sede de la corte como sede para el nuevo capitolio. En 1854, la corte de Sacramento se convirtió en la nueva legislatura estatal. El edificio donde se realizó la primera reunión no es el mismo donde actualmente funciona el capitolio. Cuando la capital se trasladó a Sacramento, los miembros de la legislatura estaban felices de poder contar con un lugar de reunión que fuera un símbolo del gran estado de California. Sin embargo, poco tiempo después, la ciudad comenzó a crecer y, a medida que la población aumentaba, surgió la necesidad de construir un nuevo capitolio.

Copia final

Allison Cesareo
Estudios Sociales

Una historia del edificio del capitolio en Sacramento, California

El edificio del capitolio en Sacramento, California, es un lugar muy importante. El edificio del capitolio es el sitio donde trabaja nuestro gobierno estatal para crear leyes. También es el sitio donde nuestros funcionarios de gobierno se reúnen para acerca de los asuntos importantes de California. Muchas personas ignoran la historia del edificio del capitolio porque se construyó mucho antes del nacimiento de la mayoría de los californianos de hoy. Existen muchos datos históricos interesantes acerca del edificio capitolio, que está ubicado en Sacramento, California. Es importante saber dónde se construyó y qué ocurre hoy en día en el edificio del capitolio.

Las oficinas de nuestro gobierno no siempre estuvieron ubicadas en el edificio del capitolio de Sacramento. En 1849, la capital de California estaba en San Jose. En capital de California se trasladó desde San Jose a Vallejo, California. En esa época, no era un buen lugar para un edificio del capitolio porque los trabajos de construcción tomaban mucho tiempo y eran bastante costosos. En 1853, la capital de California se trasladó a Benicia y permaneció allí hasta que la ciudad de Sacramento ofreció el edificio de la corte como sede para el nuevo capitolio. En 1854, la corte de Sacramento se convirtió en la nueva legislatura estatal. El edificio donde se realizó la primera reunión no es el mismo donde actualmente funciona el capitolio.

Cuando la capital se trasladó a Sacramento, los miembros de la legislatura estaban felices de poder contar con un hermoso lugar de reunión que, además, fuera un símbolo del gran estado de California. Sin embargo, poco tiempo después, la ciudad comenzó a crecer y, a medida que la población aumentaba, surgió la necesidad de construir un nuevo capitolio.

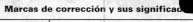

Marcas de corrección y sus significados	
Marca	**Significado**
∧	Insertar palabra.
⌃	Insertar coma.
¶	Comenzar nuevo párrafo.
≡ cap	Usar letra mayúscula.
ℯ	Borrar.
lc	Usar letra minúscula.

Presentaciones orales

A veces, pueden pedirte que hagas una presentación oral. Al igual que un reporte escrito, el propósito de una presentación oral es dar información. Estos consejos te ayudarán a preparar una presentación oral:

- Sigue los pasos enumerados en la sección "Antes de escribir" para reunir y organizar la información.
- Usa tus apuntes para planificar y organizar tu exposición. Incluye una introducción y una conclusión en tu reporte.
- Prepara tarjetas con apuntes que puedas consultar mientras hablas.
- Prepara recursos visuales tales como ilustraciones, diagramas, mapas u otros elementos gráficos que ayuden a los oyentes a comprender mejor el tema.
- Practica tu presentación.
- Asegúrate de hablar con voz clara y alta. Mantén el interés de tus oyentes utilizando expresiones faciales y movimientos de las manos.

Diccionario biográfico

El diccionario biográfico provee información acerca de muchas de las personas mencionadas en este libro. También incluye otros californianos famosos que pueden interesarte. Los nombres están ordenados alfabéticamente por apellido. Después de cada nombre, encontrarás las fechas de nacimiento y muerte de la persona, si estas fechas se conocen. Si la persona todavía vive, solo se señala su fecha de nacimiento. Luego aparece una breve descripción de sus logros principales. A continuación está el número de la página donde se encuentra la información más importante de la persona (en el Índice puedes ver otras páginas de referencia). Los nombres que aparecen en la parte superior de cada página te ayudarán a encontrar más rápido el nombre que buscas.

DICCIONARIO BIOGRÁFICO

A

Abdul-Jabbar, Kareem *1947–* Estrella de básquetbol que jugó en la Universidad de California, Los Ángeles, y en Los Angeles Lakers.

Abiko, Kyutaro *1865–1936* Fundador de la colonia Yamato en el valle Central, una comunidad agrícola de 3,000 acres para inmigrantes japoneses. pág. 315

Adams, Ansel *1902–1984* Fotógrafo reconocido por sus imágenes del Oeste y de la sierra Nevada. pág. 444

Allensworth, Allen *1842–1914* Uno de los fundadores de Allensworth, un pueblo establecido por afroamericanos. pág. 321

Anza, Juan Bautista de *1736–1788?* Soldado español que guió a los colonos por una nueva ruta terrestre hasta Alta California en 1774. pág. 122

Asisara, Lorenzo *1819–?* Indio de California, nacido y criado en la misión de Santa Cruz. pág. 152

Austin, Mary *1868–1934* Escritora estadounidense que se mudó a California en 1888. pág. 317

B

Baca, Judith *1946–* Artista que realizó un mural titulado *The Great Wall of Los Angeles* durante las décadas de 1970 y 1980. pág. 440

Bartleson, John Líder, junto con John Bidwell, de la expedición Bartleson–Bidwell. En 1841, este fue el primer grupo de colonos estadounidenses en llegar a California por tierra. pág. 200

Beckwourth, James *1798–1866* Explorador y trampero; durante las décadas de 1830 y 1840 viajó varias veces por tierra a California. El paso Beckwourth lleva su nombre. pág. 195

Bering, Vitus *1681–1741* Explorador danés que navegó al servicio de Rusia; descubrió que América del Norte y Asia eran continentes separados. pág. 119

Bidwell, John *1819–1900* Líder de la expedición Bartleson–Bidwell, junto con John Bartleson. En 1841, este fue el primer grupo de colonos estadounidenses en llegar a California por tierra. pág. 200

Bono, Sonny *1935–1998* Cantante y compositor que fue elegido alcalde de Palm Springs y, más tarde, miembro de la Cámara de Representantes de Estados Unidos.

Boxer, Barbara *1940–* Senadora de Estados Unidos por California; elegida por primera vez en 1992. pág. 464

Bradley, Thomas *1917–1998* Primer alcalde afroamericano de Los Angeles; ocupó su cargo entre 1973 y 1993.

Brannan, Samuel *1819–1889* Empresario de San Francisco; fue el primero en anunciar el descubrimiento de oro en California, en 1848. pág. 227

Brathwaite Burke, Yvonne W. *1932–* Primera mujer afroamericana en la Asamblea Estatal de California, en 1966; primera mujer afroamericana de California en ser elegida para la Cámara de Representantes de Estados Unidos, en 1972; fue elegida supervisora del condado Los Angeles en 1992. pág. 403

Briones de Miranda, Juana *1802?–1889* Propietaria del Rancho La Purísima Concepción, en las cercanías de San Jose, durante el período del dominio mexicano. pág. 169

Brubeck, Dave *1920–* Célebre pianista de jazz de Concord; formó el grupo Dave Brubeck Quartet. pág. 441

Burbank, Luther *1849–1926* Científico que mezcló semillas de diferentes plantas para crear nuevas y mejores variedades. La ciudad de Burbank lleva su nombre. pág. 304

Burnett, Peter H. *1807–1895* Primer gobernador de California, de 1849 a 1851. pág. 249

Butterfield, John *1801–1869* Fundador del primer servicio regular de correo entre California y el Este. pág. 280

C

Cabrillo, Juan Rodríguez *1499?–1543* Explorador español; llegó a la bahía de San Diego en 1542. pág. 112

Carlos III *1716–1788* Rey español; ordenó la colonización de Alta California en la década de 1760. pág. 118

Carson, Kit *1809–1868* Explorador que condujo a John C. Frémont a California. El paso Carson, en la sierra Nevada, lleva su nombre. pág. 214

Castro, José *1810?–1860?* General a cargo del ejército mexicano en California durante la revuelta de la Bandera del Oso. pág. 209

Cermeño, Sebastián Rodríguez Comerciante español que navegó desde las Filipinas hasta California en 1595. pág. 114

Chaffey, George *1848–1932* Ingeniero; trabajó en los sistemas de irrigación del sur de California a finales del siglo XIX y comienzos del siglo XX. pág. 305

Chávez, César *1927–1993* Líder sindical y organizador del Sindicato de Trabajadores Agrícolas. pág. 405

Clappe, Louise *1819–1906* Escritora; escribió una serie de cartas donde describió su vida como mujer en un campamento minero durante la fiebre del oro. pág. 233

Cook, James *1728–1779* Explorador inglés que navegó por el mundo y cartografió las costas del este de Canadá, Australia, Nueva Zelanda y el oeste de América del Norte. pág. 119

Cortés, Hernán *1485–1547* Conquistador español; derrotó a los aztecas y se posesionó de Baja California en nombre de España. pág. 111

Crespí, Juan *1721–1782* Misionero y explorador español; junto con Junípero Serra, viajó a California a finales de la década de 1760 y comienzos de la década de 1770. pág. 120

Crocker, Charles *1822–1888* Miembro de los "Big four" grupo que administró las compañías de ferrocarril Central Pacific y Southern Pacific durante la segunda mitad del siglo XIX. pág. 288

Dana, Richard Henry *1815–1882* Autor del libro *Two Years Before the Mast,* donde relataba sus viajes a California. pág. 160

Davis, Gray *1942–* Gobernador de California elegido en 1998; en 2003 se convirtió en el primer gobernador en ser destituido. pág. 475

Davis, William *1822–1909* Empresario y escritor, autor de *Sixty Years in California,* publicado en 1889. pág. 165

DiMaggio, Joe *1914–1999* Jugador profesional de béisbol, originario de Martinez. Jugó en el equipo New York Yankees.

Disney, Walt *1901–1966* Creador de dibujos animados y personajes populares para niños. En 1955, construyó Disneylandia, en Anaheim. pág. 443

Doheny, Edward *1856–1935* Descubrió petróleo en Los Angeles en 1892. pág. 324

Donner, Eliza *1843–1922* Hija de George Donner; viajó a California con el grupo Donner y luego escribió acerca de su travesía. pág. 205

Donner, George *1784–1847* Líder de la expedición del grupo Donner, que viajó desde Missouri hasta California en 1846. pág. 202

Donner, Jacob *1790–1846* Junto con su hermano George Donner lideró la expedición del grupo Donner. pág. 202

Doolittle, James *1896–1993* General del ejército de Estados Unidos nacido en Alameda; recibió la Medalla de Honor del Congreso. pág. 383

Douglas, Donald *1892–1981* Fundador de una compañía de aviación en Los Angeles, en 1920.

Drake, Francis *1543?–1596* Primer explorador inglés en llegar a la costa del Pacífico de las Américas y a lo que hoy es California. pág. 113

Duncan, Isadora *1878–1927* Bailarina estadounidense originaria de San Francisco. pág. 441

Eastwood, Clint *1930–* Actor y director de cine; ocupó el cargo de alcalde de Carmel desde 1986 hasta 1988.

Echeandía, José María *?–1855* Gobernador de California bajo el dominio mexicano, desde 1824 hasta 1831. pág. 192

Espinosa, Fermina *1779?–1865?* Propietaria de un rancho en California.

Eu, March Fong *1927–* Primera mujer asiática americana en ser elegida para la Asamblea Estatal de California, en 1966.

Feinstein, Dianne *1933–* Senadora de Estados Unidos por California, elegida por primera vez en 1992. Ocupó el cargo de alcaldesa de San Francisco desde 1978 hasta 1988. pág. 464

Field, Stephen J. *1816–1899* Magistrado de la Corte Suprema de California. pág. 465

Figueroa, José *1792?–1843?* Gobernador de California bajo el dominio mexicano, desde 1833 hasta 1835. pág. 152

Frémont, Jessie Ann Benton *1824–1902* Esposa del explorador John C. Frémont; le ayudó a escribir un popular libro acerca del oeste de Estados Unidos. pág. 201

Frémont, John C. *1813–1890* Explorador del oeste de Estados Unidos en la década de 1840. Más tarde, fue líder de la revuelta de la Bandera del Oso, y uno de los dos primeros senadores de Estados Unidos por California. Candidato presidencial en 1856. pág. 201

Fry, Johnny *1840–1863* Primer jinete del Pony Express en viajar de este a oeste. pág. 281

G

Gálvez, José de *1729–1787* Funcionario del gobierno de la Nueva España; envió expediciones a las bahías de San Diego y Monterey en 1769. pág. 120

Gehry, Frank O. *1929–* Arquitecto de Santa Monica. Diseñó numerosos edificios importantes, incluyendo la sala de conciertos Walt Disney, en Los Angeles. pág. 442

DICCIONARIO BIOGRÁFICO

Diccionario biográfico • R39

DICCIONARIO BIOGRÁFICO

George, Ronald M. *1940–* Presidente de la Corte Suprema de California, designado en 1996. pág. 474

Giannini, Amadeo Pietro *1870–1949* Banquero; su banco se convirtió en el que actualmente es uno de los más grandes del mundo. pág. 332

Gibbs, Mifflin *1823–1915* Fundador del *Mirror of the Times,* el primer periódico de California propiedad de afroamericanos. pág. 240

Gillespie, Archibald Marino de Estados Unidos; junto con John C. Frémont, se convirtió en líder de los Abanderados del Oso. pág. 214

Gonzales, David M. *1923–1945* Originario de Pacoima, recibió la Medalla de Honor del Congreso. pág. 383

Gwin, William M. *1805–1885* Uno de los dos primeros senadores de Estados Unidos por California; ejerció desde 1850 hasta 1855 y desde 1857 hasta 1861. pág. 250

Hallidie, Andrew Smith *1836–1900* Inventor del tranvía. pág. 340

Hamilton, Billy Primer jinete del Pony Express en viajar de oeste a este a través de la sierra Nevada. pág. 281

Hearst, Phoebe Apperson *1842–1919* Una de las fundadoras de la organización National PTA; madre de William Randolph Hearst.

Hearst, William Randolph *1863–1951* Político y editor del *Examiner,* un periódico de San Francisco.

Hidalgo y Costilla, Miguel 1753–1811 Sacerdote mexicano. Su discurso de 1810, conocido como el *Grito de Dolores,* marcó el comienzo de la guerra por la independencia de México. pág. 149

Hoover, Herbert *1874–1964* Trigésimo primer presidente de Estados Unidos; residente de California. pág. 465

Hopkins, Mark *1813–1878* Miembro de los "Big four", grupo que administró las compañías de ferrocarril Central Pacific y Southern Pacific durante la segunda mitad del siglo XIX. pág. 288

Hoya, Oscar de la *1973–* Boxeador de la zona este de Los Angeles; obtuvo una medalla de oro en los juegos olímpicos de 1992.

Huerta, Dolores *1930–* Líder sindical y organizadora del Sindicato de Trabajadores Agrícolas. pág. 402

Hughes, Howard *1905–1976* Piloto e importante líder empresarial de la aviación de California.

Huntington, Collis P. *1821–1900* Miembro de los "Big four", grupo que administró las compañías de ferrocarril Central Pacific y Southern Pacific durante la segunda mitad del siglo XIX. pág. 288

Ishi *1861?–1916* Considerado como el último sobreviviente de los yahi, una tribu de indios de California. pág. 93

Jackson, Helen Hunt *1830–1885* Escritora; en la década de 1880 hizo notar el maltrato que el gobierno de Estados Unidos daba a los indios americanos.

Jackson, Odis Abogado afroamericano; protestó cuando un constructor se rehusó a venderle una casa en un nuevo barrio de Los Angeles, en 1963. pág. 491

Jobs, Steven *1955–* Diseñador de computadoras; junto con Steven Wozniak, fundó una exitosa compañía de computadoras personales en Silicon Valley, en 1976. pág. 397

Johnson, Hiram *1866–1945* Gobernador de California entre 1911 y 1917, y senador de Estados Unidos de 1917 a 1945. pág. 358

José, Nicolás Indio californiano; en 1785 lideró una rebelión en la misión de San Gabriel. pág. 136

Joyner-Kersee, Jackie *1962–* Graduada de la Universidad de California, en Los Angeles; obtuvo la medalla de oro en el pentatlón y salto en largo en los juegos olímpicos de 1988 y en el heptatlón en los juegos olímpicos de 1992.

Judah, Theodore D. *1826–1863* Ingeniero que fundó la compañía de ferrocarril Central Pacific y trazó los planos de la ruta del primer ferrocarril transcontinental. pág. 287

Kaiser, Henry *1882–1967* Líder empresarial; en sus astilleros se construyeron muchos de los barcos que usaron las fuerzas armadas de Estados Unidos durante la Segunda Guerra Mundial. pág. 380

Kearny, Stephen Watts *1794–1848* General del ejército de Estados Unidos durante la guerra entre México y Estados Unidos. pág. 214

Keith, William *1839–1911* Artista escocés famoso por sus cuadros del valle de Yosemite. pág. 317

Kennedy, Anthony *1936–* Magistrado de la Corte Suprema de Estados Unidos, originario de Sacramento. pág. 465

Kientepoos, jefe *1837?–1873* Jefe de los indios modoc, también conocido como capitán Jack. pág. 320

King, Martin Luther, Jr. *1929–1968* Líder afroamericano del Movimiento por los derechos civiles. Luchó para poner fin a la segregación a través de protestas pacíficas. pág. 400

Kwan, Michelle *1980–* Patinadora artística originaria de Torrance.

Lange, Dorothea *1895–1965* Fotógrafa reconocida por sus retratos de familias y trabajadores migratorios tomadas durante la década de 1930. pág. 375

Leidesdorff, William *1810–1848* Afroamericano que construyó el primer hotel en San Francisco y ayudó a fundar la primera escuela en la década de 1840.

Lockheed, Allan *1889–1969* Junto con su hermano Malcolm y John K. Northrop, fundó una compañía de aviación en California a comienzos del siglo XX.

Lockheed, Malcolm *1887–1958* Junto con su hermano Allan y John K. Northrop, fundó una compañía de aviación en California a comienzos del siglo XX.

London, Jack *1876–1916* Autor originario de San Francisco; escribió relatos de aventuras, incluyendo *The Call of the Wild.* pág. 441

López, Nancy *1957–* Jugadora profesional de golf; originaria de Torrance.

Lu Ng Inmigrante de China que llegó a California durante la fiebre del oro. pág. 229

M

Marsh, John *1799–1856* Pionero estadounidense; se estableció en Los Angeles en 1836. pág. 200

Marshall, James *1810–1885* Carpintero de Sutter's Mill; en 1848, aseguró haber sido el primero en descubrir oro en el lugar, hecho que provocó la fiebre del oro de California. pág. 227

Martin, Glenn *1886–1955* Construyó la primera fábrica de aviones de California, en Santa Ana, en 1909. pág. 363

Mason, Biddy *1818–1891* Nació siendo esclava y se convirtió en una de las afroamericanas más adineradas de Los Angeles a finales del siglo XIX. Donó mucho de su dinero y tiempo para ayudar a otros. pág. 253

Mayer, Louis B. *1885–1957* Propietario de un estudio cinematográfico en Los Angeles que después se convirtió en el estudio Metro-Goldwyn-Mayer, o MGM. pág. 365

Maynard, Robert *1937–1993* Propietario del *Oakland Tribune* durante la década de 1980; fue el primer afroamericano dueño de un importante periódico metropolitano de Estados Unidos.

Megquier, Mary Jane Una de "los del cuarenta y nueve", que llegó a California con su esposo, Thomas, en busca de oro. pág. 240

Mendez, Sylvia *1936–* Su demanda judicial puso fin a la segregación en las escuelas de California. pág. 401

Molina, Gloria *1948–* Primera mujer hispana en ser elegida para la Asamblea Estatal de California, en 1982, y para el consejo municipal de Los Angeles en 1987.

Morgan, Julia *1872–1957* Arquitecta de San Francisco que diseñó el castillo Hearst en San Simeon. pág. 442

Morrow, Irving *1884–1952* Uno de los diseñadores del puente Golden Gate.

Morse, Samuel F. B. *1791–1872* Inventor; desarrolló el telégrafo y el código Morse. pág. 284

Muir, John *1838–1914* Líder naturalista y conservacionista. pág. 25

Mulholland, William *1855–1935* Ingeniero que diseñó el acueducto de Los Angeles. pág. 325

N

Nahl, Charles Christian *1818–1878* Pintor nacido en Alemania, famoso por recrear la vida en las minas de oro de California. También diseñó el oso que aparece en la bandera del estado de California. pág. 317

Neve, Felipe de *1728–1784* Gobernador de Alta California de 1777 a 1782. pág. 130

Ng Poon Chew *1866–1931* Inmigrante chino; estableció el primer periódico escrito en chino en California.

Nixon, Richard *1913–1994* Trigésimo séptimo presidente de Estados Unidos, nacido en Yorba Linda. pág. 465

Noguchi, Isamu *1904–1988* Escultor de Los Angeles. pág. 440

Nolan, Mae Ella *1886–1973* Primera mujer de California elegida para la Cámara de Representantes de Estados Unidos; elegida en 1922.

Northrop, John K. *1895–1981* Junto con los hermanos Lockheed, fundó una compañía de aviación en California a principios del siglo XX.

O

Ochoa, Ellen *1958–* Astronauta de Los Angeles; voló en el transbordador espacial *Discovery* en 1993.

P

Pattie, James Ohio *1804–1850?* Explorador que viajó a California con su padre, Sylvester Pattie. pág. 193

Pattie, Sylvester Explorador que viajó a California con su hijo, James Ohio Pattie. pág. 193

Patton, George *1885–1945* General del ejército de Estados Unidos, nacido en San Gabriel.

Pelosi, Nancy *1940–* Miembro de la Cámara de Representantes de Estados Unidos por California; primera mujer en liderar un partido político importante en el Congreso.

Pico, Andrés *1810–1876* General californio durante la guerra entre México y Estados Unidos. pág. 216

Pico, Pío *1801–1894* Último gobernador mexicano de Alta California; ejerció de 1845 a 1846. Hermano de Andrés Pico. pág. 158

Polk, James K. *1795–1849* Undécimo presidente de Estados Unidos. pág. 207

Portolá, Gaspar de *1723?–1784?* Capitán del ejército y funcionario del gobierno español; en 1769, lideró una expedición a Alta California para establecer colonias. pág. 120

DICCIONARIO
BIOGRÁFICO

R

Reagan, Ronald *1911–2004* Cuadragésimo presidente de Estados Unidos. Residente de California, también fue gobernador del estado de 1967 a 1975. pág. 477

Reed, Virginia *1833–1921* Hija de James Reed, uno de los líderes del grupo Donner. pág. 203

Ride, Sally *1951–* Astronauta originaria de Encino. Primera mujer estadounidense en viajar al espacio, en 1983, en el transbordador espacial *Challenger.* pág. 397

Riley, Bennett *1787–1853* General militar y gobernador de California cuando la región se independizó de México; convocó a una asamblea donde se tomaron decisiones sobre el futuro de California, contribuyendo así a que California se convirtiera en estado. pág. 247

Rivera, Diego *1886–1957* Artista mexicano conocido por sus murales, incluyendo aquellos que pintó para el San Francisco's Art Institute y el City College.

Rivera y Moncada, Fernando *1711?–1782?* Capitán del ejército español; en 1769, lideró una expedición a Alta California para establecer colonias. pág. 120

Robinson, John (Jackie) *1919–1972* Atleta de la Universidad de California en Los Angeles; en 1947 se convirtió en el primer afroamericano en jugar en las ligas mayores de béisbol. pág. 401

Rodia, Simon (Sam) *1879–1965* Artista que en la década de 1920 construyó las torres de Watts en el barrio Watts, en Los Angeles. pág. 426

Roosevelt, Franklin D. *1882–1945* Trigésimo segundo presidente de Estados Unidos. pág. 373

Roosevelt, Theodore *1858–1919* Vigésimo sexto presidente de Estados Unidos. pág. 329

Roybal-Allard, Lucille *1941–* Primera mujer hispana de California elegida para la Cámara de Representantes de Estados Unidos; elegida en 1992.

Ruíz, Bernarda *1802–1880* Mujer californiana que convenció a John C. Frémont de no castigar a los californios que habían luchado contra los estadounidenses en la guerra entre México y Estados Unidos. pág. 216

Russell, William H. Fundador del Pony Express.

Ryan, T. Claude *1898–1982* Constructor del avión *Spirit of St. Louis,* que usó Charles Lindbergh para cruzar el océano Atlántico en 1927.

S

Sánchez, José Bernardo *1778–1831* Jefe de la misión de San Gabriel que recibió al explorador Jedediah Strong Smith a finales de la década de 1820. pág. 192

Saroyan, William *1908–1981* Escritor armenio americano, originario de Fresno. pág. 441

Saund, Dalip Singh *1899–1973* Primer estadounidense de origen asiático en ser elegido para el Congreso de Estados Unidos; ejerció su cargo de 1957 a 1963. pág. 403

Schwarzenegger, Arnold *1947–* Gobernador de California, elegido en 2003 para reemplazar al gobernador destituido Gray Davis. Actor de Hollywood y culturista profesional. pág. 475

Seidner, Cheryl A. *1950–* Líder india americana; en 1996 fue elegida presidenta de la tribu wiyot. pág. 89

Semple, Robert Delegado de la primera Asamblea Constituyente de California en 1849. pág. 447

Serra, Junípero *1713–1784* Sacerdote español que fundó numerosas misiones en California entre 1769 y 1784. pág. 123

Severance, Caroline *1820–1914* Líder del movimiento por los derechos de la mujer en California. pág. 359

Shima, George *1865–1926* Inmigrante japonés que se conoció como el "rey de la papa" porque producía la mayoría de las papas que se cultivaban en California a comienzos del siglo XX. pág. 307

Sloat, John D. *1781–1867* Comandante de la armada de Estados Unidos durante la guerra entre México y Estados Unidos; se apoderó de la ciudad de Monterey. pág. 213

Smith, Jedediah Strong *1799–1831* Explorador y trampero; viajó por tierra hasta California a finales de la década de 1820. pág. 192

Solá, Pablo Vicente de *1761?–1826?* Último gobernador español de California antes de la guerra por la independencia de México. pág. 151

Stanford, Leland *1824–1893* Miembro de los "Big four", grupo que administró las compañías de ferrocarril Central Pacific y Southern Pacific durante la segunda mitad del siglo XIX. También fue gobernador de California de 1862 a 1863. pág. 288

Stearns, Abel *1789–1871* Uno de los primeros colonos de California. pág. 199

Steinbeck, John *1902–1968* Autor originario de Salinas; en su novela *Las uvas de la ira,* describió las experiencias de los inmigrantes que viajaban a California. pág. 371

Stockton, Robert F. *1795–1866* Oficial del ejército de Estados Unidos durante la guerra entre México y Estados Unidos. pág. 214

Strauss, Joseph B. *1870–1938* Ingeniero estadounidense; diseñó y supervisó la construcción del puente Golden Gate. pág. 373

Strauss, Levi *1830–1902* Inmigrante alemán que llegó a California durante la fiebre del oro; hizo fortuna vendiendo a los mineros pantalones de lona y más tarde de dril de algodón. pág. 238

Strong, Harriet Russell *1844–1929* Californiana que trabajó para mejorar los cultivos de California. pág. 304

Sutter, John Augustus *1803–1880* Inmigrante suizo que fundó el Fuerte Sutter en el valle Central. En 1848 se descubrió oro cerca de su aserradero. pág. 199

DICCIONARIO BIOGRÁFICO

T

Tac, Pablo *1822–1841* Indio luiseño; escribió un diario acerca de su vida en la misión de San Luis Rey. pág. 138

Tan, Amy *1952–* Autora chino americana originaria de Oakland. pág. 441

Tibbets, Eliza *1825–1898* Productora de naranjas; sus naranjas sin semillas impulsaron la industria de los cítricos de California a finales del siglo XIX. Esposa de Luther Calvin Tibbets. pág. 303

Tibbets, Luther Calvin Productor de naranjas; sus naranjas sin semillas impulsaron la industria de los cítricos de California a finales del siglo XIX. Esposo de Eliza Tibbets. pág. 303

Toypurina *1761–1799* Mujer gabrielina que alentó a los indios a rebelarse en la misión de San Gabriel. pág. 136

U

Uchida, Yoshiko *1921–1992* Autora estadounidense de origen japonés nacida en Berkeley. En el libro *The Invisible Thread,* escribió acerca de sus experiencias en un campo de reasentamiento durante la Segunda Guerra Mundial.

V

Valdez, Luis *1940–* Director y dramaturgo; fundó El Teatro Campesino y es considerado el padre del teatro mexicano americano.

Vallejo, Mariano *1808–1890* Propietario de un rancho en California y general mexicano que se rindió ante los Abanderados del Oso en 1846. pág. 159

Vischer, Edward Trabajador de un rancho; vivió en California durante el período del gobierno mexicano. pág. 166

Vizcaíno, Sebastián *1550?–1616* Explorador español que navegó hasta la bahía de Monterey a principios del siglo XVII y recomendó establecer colonias españolas allí. pág. 114

Vuich, Rose Ann Primera mujer en el Senado Estatal de California, elegida en 1976.

W

Walker, Joseph Reddeford *1798–1876* Explorador; en 1834, descubrió una ruta a través de las montañas de la sierra Nevada, conocida más tarde como paso Walker. pág. 194

Warren, Earl *1891–1974* Gobernador de California de 1943 a 1953; presidente de la Corte Suprema de Estados Unidos entre 1953 y 1969. pág. 465

Watson, Diane E. *1933–* Primera mujer afroamericana en el Senado Estatal de California, elegida en 1978.

Wayne, John *1907–1979* Actor; conocido por sus actuaciones en películas de vaqueros. pág. 439

Wiggin, Kate Douglas *1856–1923* Maestra y escritora; en 1878 fundó el primer jardín de niños gratuito en San Francisco. pág. 317

Williams, Paul R. *1894–1980* Arquitecto del sur de California; diseñador del edificio Theme, en el Aeropuerto Internacional de Los Angeles. pág. 442

Williams, Serena *1981–* Jugadora profesional de tenis; creció en Compton, California.

Williams, Venus *1980–* Jugadora profesional de tenis; creció en Compton, California.

Wozniak, Steven *1950–* Diseñador de computadoras; junto con Steven Jobs, fundó en 1976 una exitosa compañía de computadoras personales en Silicon Valley. pág. 397

Y

Yamaguchi, Kristi *1971–* Patinadora sobre hielo nacida en Fremont; obtuvo una medalla de oro en los juegos olímpicos de 1992.

Yeager, Chuck *1923–* Piloto de pruebas de la Fuerza Aérea de Estados Unidos; en 1947 se convirtió en el primer piloto en volar a velocidades supersónicas en la Base Edwards de la Fuerza Aérea, en California. pág. 396

Yee Fung Cheung *1825?–1907* Inmigrante chino que se convirtió en un herbolario muy respetado en California durante la segunda mitad del siglo XIX. pág. 293

Young, Ewing *1792?–1841* Trampero y explorador; ayudó a desarrollar el Antiguo Sendero Español a comienzos de la década de 1830. pág. 194

DICCIONARIO BIOGRÁFICO

Diccionario geográfico

El diccionario geográfico te ayudará a ubicar los lugares que se mencionan en este libro. Los nombres de los lugares están ordenados alfabéticamente. Después de cada nombre se ofrece una breve descripción del lugar y se indica su ubicación absoluta, es decir, su latitud y su longitud. Finalmente, aparece el número de página donde podrás ubicar cada lugar en un mapa. Las palabras que aparecen en la parte superior de cada página te ayudarán a encontrar más fácilmente el nombre del lugar que buscas.

A

Alameda Ciudad construida en una isla; importante puerto del área de la bahía de San Francisco. (38°N, 122°O) pág. 432

Alcatraz, isla de Isla en la bahía de San Francisco; sitio de una antigua prisión donde se realizó una protesta por los derechos civiles de los indios. pág. 315

Almanor, lago Lago del noreste de California. pág. R15

Alta California La parte superior de California; nombre usado por los españoles para describir la franja de tierra que controlaban en la costa del océano Pacífico y arriba de Baja California. pág. 113.

Alturas Ciudad en el noreste de California; capital del condado Modoc. (41°N, 121°O) pág. 39

American, río Afluente del río Sacramento. pág. 27

Anaheim Extensa ciudad del suroeste de California. (34°N, 118°O) pág. 17

Angel, isla Isla ubicada en la bahía de San Francisco, antiguo centro de llegada de inmigrantes; parque estatal desde 1963. pág. 315

Antiguo Sendero Español Sendero que se extendía desde Santa Fe, New Mexico, hasta el sur de California. pág. 202

Auburn Ciudad del este de California, al noreste de Sacramento; capital del condado Placer. (39°N, 121°O) pág. R14

B

Baja California La parte inferior de California; península del noroeste de México que limita con el sur de California. pág. 113

Bakersfield Ciudad en el valle de San Joaquin; capital del condado Kern. (35°N, 119°O) pág. 17

Barstow Ciudad del sur de California. (35°N, 117°O) pág. 39

Bear, río Afluente del río Feather. pág. 232

Beckwourth, Paso Paso de montaña que atraviesa la sierra Nevada; recibió su nombre en honor al explorador James Beckwourth. pág. 202

Berkeley Ciudad de la zona de la bahía de San Francisco; sitio donde está ubicada la Universidad de California. (38°N, 122°O) pág. 335

Berryessa, lago Lago del norte de California. pág. R15

Big Pine Pueblo en el valle del Owens. (37°N, 118°O) pág. 326

Bishop Ciudad del este de California, en el valle del Owens. (37°N, 118°O) pág. 326

Blythe Ciudad del sureste de California, cerca del río Colorado. (34°N, 115°O) pág. 399

Bodega, bahía de Pequeño puerto natural en la costa de California, al norte de San Francisco. pág. 160

Brawley Ciudad en el valle Imperial. (33°N, 116°O) pág. 305

Bridgeport Aldea del este de California; capital del condado Mono. (38°N, 119°O) pág. R14

Burbank Ciudad al norte de Los Angeles. (34°N, 118°O) pág. R14

C

Calexico Ciudad del sur de California, en la frontera con México. (33°N, 115°O) pág. 305

California, golfo de Parte del océano Pacífico situada frente a la costa noroeste de México. pág. 113

Cascadas, cordillera de las Cadena montañosa que se extiende al norte de la sierra Nevada. pág. 20

Central, valle Una de las cuatro regiones naturales de California. pág. 20

Channel, islas Grupo de ocho islas ubicadas frente a la costa sur de California. pág. 20

Chico Ciudad del norte de California, al norte de Sacramento; sede de la Universidad Estatal de California. (40°N, 122°O) pág. 17

Chocolate, montes Cadena montañosa del sur de California, en el valle Imperial. pág. 305

Clair Engle, lago Lago del noroeste de California. (41°N, 123°O) pág. R15

Clear, lago Lago del norte de California. (39°N, 123°O) pág. R15

Coachella Ciudad del sureste de California. (34°N, 116°O) pág. 305

Coachella, valle de Valle en la región desértica de California. pág. R15

Coloma Pueblo a orillas del río American. (39°N, 121°O) pág. 232

Colorado, desierto de Desierto al sur del desierto de Mojave. pág. 20

Colorado, río Río que fluye desde Colorado hasta el golfo de California; forma una parte del límite entre California y Arizona. pág. 20

DICCIONARIO GEOGRÁFICO

Colusa Ciudad en la parte norte del centro de California, a orillas del río Sacramento, capital del condado Colusa. (39°N, 122°O) pág. R14

Conception, punta Faja de tierra que se interna en el océano Pacífico; ubicada al sur del condado Santa Barbara. pág. 113

Coronel Allensworth, Parque Histórico Estatal Parque histórico estatal situado en Allensworth, un pueblo fundado por el coronel Allen Allensworth en 1908; único pueblo de California fundado y gobernado por afroamericanos. pág. 319

Costera, cordillera Numerosas cadenas montañosas pequeñas que se extienden a lo largo de la costa de California, hacia el norte, hasta Oregon y Washington. pág. 20

Cosumnes, río Afluente del río Mokelumne. pág. 232

Crescent City Ciudad en la costa noroeste de California; capital del condado Del Norte. (42°N, 124°O) pág. 17

Cuyama, río Río del sur de California. pág. R15

Death Valley El punto más bajo de California y del hemisferio occidental; ubicado a 282 pies bajo el nivel del mar. pág. 27

Death Valley, Parque Nacional Parque nacional situado en el este de California. pág. 469

Delano Pueblo situado en el valle Central. (36°N, 119°O) pág. 399

Diablo, montes Una de las cadenas montañosas que forman parte de la cordillera Costera. pág. R15

Downieville Pueblo del noreste de California, al noreste de Sacramento; capital del condado Sierra; originalmente era un pueblo minero. (40°N, 121°O) pág. 232

Dust Bowl Región que comprende partes de Oklahoma, Texas, Kansas, Colorado y New Mexico, y que sufrió una gran sequía y tormentas de polvo en la década de 1930. pág. 370

E

Eagle, lago Lago del norte de California. pág. R15

Eel, río Río del noroeste de California. pág. 63

El Camino Real Sendero que conectaba las misiones y presidios de Alta California. pág. 127

El Centro Ciudad del extremo sureste de California; capital del condado Imperial. (33°N, 116°O) pág. 305

Escondido Ciudad del extremo suroeste de California, al norte de San Diego. (33°N, 117°O) pág. 95

Eureka Ciudad ubicada en la costa noroeste de California; capital del condado Humboldt. (41°N, 124°O) pág. 17

Fairfield Ciudad de la parte central de California, al suroeste de Sacramento; capital del condado Solano. (38°N, 122°O) pág. R14

Farallon, islas Grupo de islas pequeñas y rocosas ubicadas frente a la costa central de California. pág. R15

Feather, río Afluente del río Sacramento. pág. 20

Florin Ciudad en la parte central de California, al sur de Sacramento; fundada por inmigrantes japoneses. (38°N, 121°O) pág. 22

Folsom, lago Lago en la parte norte del centro de California. pág. R15

Fremont Ciudad del oeste de California, al sureste de Oakland. (38°N, 122°O) pág. 432

Fresno Ciudad ubicada en el valle de San Joaquin; capital del condado Fresno. (37°N, 120°O) pág. 17

Fuerte Ross, Parque Histórico Estatal del Parque histórico estatal; sitio de un asentamiento ruso construido en 1812 en el norte de California. pág. 160

Fuerte Sutter Asentamiento también conocido como Nueva Helvetia o Nueva Switzerland. Construido por John Sutter cerca de los ríos Sacramento y American. (39°N, 121°O) pág. 198

G

Golden Gate Estrecha masa de agua que conecta la bahía de San Francisco con el océano Pacífico. (38°N, 122°O) pág. 315

Goose, lago Lago del noreste de California, en la frontera entre California y Oregon. pág. R15

H

Hanford Ciudad en la parte suroeste del centro de California; capital del condado Kings. (36°N, 120°O) pág. R14

Healdsburg Ciudad del oeste de California, al noroeste de Santa Rosa. (39°N, 123°O) pág. 160

Hemisferio norte Mitad de la Tierra situada al norte del ecuador. pág. 16

Hemisferio occidental Mitad de la Tierra conformada por América del Norte y América de Sur y las aguas e islas que las rodean. California está ubicada en Estados Unidos, en América del Norte, en el hemisferio occidental. pág. 16

DICCIONARIO GEOGRÁFICO

Hemisferio oriental Mitad de la Tierra conformada por Europa, Asia, África, Australia y las aguas e islas que los rodean. pág. 16

Hemisferio sur Mitad de la Tierra situada al sur del ecuador. pág. 16

Hetch Hetchy, acueducto Proyecto hídrico que terminó de construirse en 1931 y lleva agua desde el valle Hetch Hetchy hasta San Francisco. pág. 335

Hetch Hetchy, embalse Lago de la parte central de California, formado por la presa O'Shaughnessy. pág. 335

Hetch Hetchy, valle Valle ubicado en la sierra Nevada, en el Parque Nacional Yosemite. pág. 335

Hollister Ciudad del oeste de California, al este de la bahía de Monterey; capital del condado San Benito. (37°N, 121°O) pág. R14

Hollywood Distrito de Los Angeles; centro de la industria cinematográfica. (34°N, 118°O) pág. 415

Holtville Ciudad ubicada en el valle Imperial. (33°N, 115°O) pág. 305

Humboldt, bahía de Puerto natural en la costa norte de California (41°N, 124°O) pág. 27

Huntington Beach Ciudad ubicada en la costa sur de California (34°N, 118°O) pág. R14

Imperial Ciudad ubicada en el extremo sureste de California, en el valle Imperial, al norte de El Centro. (33°N, 116°O) pág. 305

Imperial, valle Valle de la región desértica de California, cerca de la frontera con México. pág. 305

Independence Pueblo ubicado en el este de California, al este de Fresno; capital del condado Inyo. (37°N, 118°O) pág. 39

Indio Ciudad del sureste de California, al sureste de San Bernardino. (34°N, 116°O) pág. 305

Isabella, lago Lago del sur de California. pág. R15

Islas Channel, Parque Nacional Parque nacional ubicado frente a la costa sur de California; tiene señales de actividad volcánica. pág. 469

Jackson Ciudad de la parte central de California; capital del condado Amador. (38°N, 121°O) pág. R14

Joshua Tree, Parque Nacional Parque nacional ubicado en el sur de California; conocido por su inusual vegetación desértica. pág. 469

Kern, río Río en la parte sur del centro de California. pág. R15

Kings Canyon, Parque Nacional Parque nacional ubicado a orillas del río Kings, en la parte sur del centro de California, en la sierra Nevada; célebre por sus inusuales cañones. pág. 469

Klamath, montes Una de las cadenas montañosas que forman parte de la cordillera Costera. pág. 20

Klamath, río Río del noroeste de California. pág. 27

Lakeport Ciudad del oeste de California, capital del condado Lake. (39°N, 123°O) pág. R14

Lassen, Parque Nacional de Volcanes Parque nacional ubicado en el noreste de California, en la cordillera de las Cascadas. pág. 469

Lassen, pico Volcán de 10,457 pies de altura; está ubicado en la cordillera de las Cascadas, en el Parque Nacional de Volcanes Lassen. Su última erupción fue en 1921. pág. 27

Lompoc Ciudad del suroeste de California, cerca del océano Pacífico. (35°N, 120°O) pág. 95

Lone Pine Pueblo ubicado en el valle del Owens. (36°N, 118°O). pág. 326

Long Beach Ciudad en la región costera de California, unas 20 millas al sur de Los Angeles. (34°N, 118°O) pág. 29

Los Altos Ciudad ubicada en el valle Santa Clara, cerca de San Jose. (37°N, 122°O) pág. 432

Los Angeles Ciudad del suroeste de California; el área metropolitana de Los Angeles tiene más de 15 millones de habitantes; capital del condado Los Angeles. (34°N, 118°O) pág. 17

Los Angeles, acueducto Acueducto que lleva agua desde el río Owens hasta Los Angeles. pág. 326

Los Angeles, río Río ubicado en Los Angeles; antes de la construcción del acueducto de Los Angeles, era la fuente de casi toda el agua que usaba la ciudad. pág. 326

Madera Ciudad del centro de California, a 20 millas de Fresno; capital del condado Madera. (37°N, 120°O) pág. 17

Mariposa Asentamiento no incorporado, ubicado en el centro de California; capital del condado Mariposa. (37°N, 120°O) pág. R14

Markleeville Pueblo del este de California; capital del condado Alpine. (39°N, 120°O) pág. R14

Martinez Ciudad del oeste de California; capital del condado Contra Costa. (38°N, 122°O) pág. R14

Marysville Ciudad en la parte norte del centro de California; capital del condado Yuba. (39°N, 122°O) pág. R14

Mendocino, cabo Punta de tierra que se interna en el océano Pacífico, en lo que actualmente es el condado Humboldt. pág. 113

DICCIONARIO GEOGRÁFICO

Merced Ciudad del centro de California; capital del condado Merced. (37ºN, 120ºO) pág. 296

Merced, río Afluente del río San Joaquin. pág. 232

Modesto Ciudad ubicada a orillas del río Tuolumne, en el centro de California; capital del condado Stanislaus. (38ºN, 121ºO) pág. 17

Mojave, desierto de Extensa área desértica ubicada entre la parte sur de la sierra Nevada y el río Colorado. pág. 20

Mokelumne, río Afluente del río San Joaquin. pág. 232

Mono, lago Lago del este de California, cerca de Nevada. pág. 326

Monterey Pueblo histórico ubicado en la costa de California; primera capital del estado de California. (37ºN, 122ºO) pág. 17

Monterey, bahía de Puerto natural cerca de Monterey. pág. 20

Monumento Nacional a Cabrillo Monumento nacional en el suroeste de California, donde Juan Rodríguez Cabrillo divisó tierra por primera vez, en 1542. pág. 469

Monumento Nacional Devils Postpile Monumento nacional situado en el condado Madera, en la parte central de California; tiene inusuales formaciones rocosas que se asemejan a postes de cercas. pág. 469

Monumento Nacional Lava Beds Monumento Nacional ubicado en el norte de California; conocido por sus paisajes volcánicos. pág. 469

Monumento Nacional Muir Woods Monumento Nacional ubicado 12 millas al noroeste de San Francisco. pág. 469

Monumento Nacional Pinnacles Monumento Nacional ubicado en la parte oeste del centro de California; se caracteriza por sus formaciones rocosas en espiral. pág. 469

Napa Ciudad en la parte oeste del centro de California; capital del condado Napa. (38ºN, 122ºO) pág. R14

Napa, valle de Valle ubicado en la cordillera Costera, al norte de San Francisco. pág. R15

Needles Ciudad del sureste de California; ubicada a orillas del río Colorado. (35ºN, 115ºO) pág. 17

Nevada City Ciudad del este de California; capital del condado Nevada. (39ºN, 121ºO) pág. R14

Nevada, sierra La cadena montañosa más grande de California; se extiende hacia el norte y hacia el sur a través de gran parte del este del estado. pág. 20

New, río Río del sur de California. pág. 305

O

Oakland Gran ciudad y puerto del norte de California; ubicada en la bahía de San Francisco, frente a la ciudad de San Francisco; capital del condado Alameda. (38ºN, 122ºO) pág. 17

Oceanside Ciudad ubicada en el extremo suroeste de California. (33ºN, 117ºO) pág. 95

Oroville Ciudad en la parte norte del centro de California, a orillas del río Feather; capital del condado Butte. (40ºN, 122ºO) pág. R14

Oroville, lago Embalse ubicado en el norte de California; formado por la presa Oroville. pág. R15

Owens, lago Lago que recibe las aguas del río Owens; en la actualidad está casi seco. pág. 326

Owens, río Río que fluye a través de la sierra Nevada; el agua de este río es desviada hacia el acueducto de Los Angeles para abastecer la ciudad de Los Angeles. pág. 326

Oxnard Ciudad del suroeste de California. (34ºN, 119ºO) pág. 399

P

Pacífico, cuenca del Tierras rodeadas por el océano Pacífico y tierras que se encuentran en sus orillas. pág. 420

Palm Springs Ciudad del sur de California. (34ºN, 117ºO) pág. 17

Palo Alto Ciudad ubicada en el valle Santa Clara; sitio donde está ubicada la Universidad de Stanford. (37ºN, 122ºO) pág. 432

Panamá, istmo de Estrecha franja de tierra en América Central; conecta América del Norte y América del Sur. pág. 229

Panamint, montes Cadena montañosa ubicada en el este de California, al oeste del Death Valley; su punto más alto es el pico Telescope, de 11,049 pies. pág. R15

Pasadena Ciudad del noreste de Los Angeles. (34ºN, 118ºO) pág. 399

Paso Robles Ciudad del suroeste de California, a orillas del río Salinas. (35ºN, 120ºO) pág. 399

Petaluma Ciudad del oeste de California, ubicada a orillas del río Petaluma y al sur de Santa Rosa; sitio de un antiguo rancho que perteneció a Mariano Vallejo. (38ºN, 123ºO) pág. 158

Pinos, monte El pico más alto de la cordillera Costera, con una elevación de 8,831 pies. pág. 27

Pit, río Afluente del río Sacramento. pág. R15

Placerville Ciudad ubicada en el valle Central; capital del condado El Dorado; se fundó como pueblo minero. (39ºN, 121ºO) pág. 232

DICCIONARIO
GEOGRÁFICO

Polo Norte Punto más al norte en la Tierra. (90°N) pág. 16

Polo Sur Punto más al sur en la Tierra. (90°S) pág. 16

Punta Reyes, Costa Nacional Costa Nacional que se extiende a lo largo de la costa de California, al norte de la bahía de San Francisco. pág. 469

Q

Quincy Aldea no incorporada ubicada en el noreste de California; capital del condado Plumas. (40°N, 121°O) pág. R14

R

Rancho Domínguez Rancho ubicado en el sur de California; sitio de una batalla entre soldados estadounidenses y californios durante la guerra entre México y Estados Unidos. pág. 215

Red Bluff Ciudad del norte de California; capital del condado Tehama. (40°N, 122°O) pág. R14

Redding Ciudad del norte de California, ubicada a orillas del río Sacramento; capital del condado Shasta. (41°N, 122°O) pág. 17

Redwood City Ciudad del oeste de California, ubicada al oeste de la bahía de San Francisco; capital del condado San Mateo. (37°N, 122°O) pág. R14

Redwood, Parque Nacional Parque nacional situado a lo largo de la costa noroeste de California; sus bosques de árboles antiguos incluyen algunos de los más altos del mundo. pág. 469

Ridgecrest Ciudad del sur de California, ubicada al norte de Bakersfield. (36°N, 118°O) pág. 326

Riverside Ciudad del sur de California, ubicada al este de Los Angeles; capital del condado Riverside. (34°N, 117°O) pág. 95

Russian, río Río del noroeste de California. pág. 160

S

Sacramento Ciudad ubicada en el valle Central; capital estatal de California; capital del condado Sacramento. (39°N, 121°O) pág. 22

Sacramento, río Río que fluye a través del valle del Sacramento. pág. 20

Sacramento, valle del Valle que forma la parte norte del valle Central. pág. 20

Salinas Ciudad del oeste de California; capital del condado Monterey. (37°N, 122°O) pág. 399

Salinas, río Río del oeste de California. pág. 326

Salton, mar de Uno de los dos lagos más grandes de California; ubicado en el valle Imperial. pág. 305

San Andreas Pueblo del centro de California; capital del condado Calaveras. (38°N, 121°O) pág. R14

San Andrés, falla de Falla de más de 600 millas de longitud que comienza frente a la costa norte de California y continúa hacia el sureste. pág. 42

San Bernardino Ciudad ubicada unas 55 millas al este de Los Angeles; capital del condado San Bernardino. (34°N, 117°O) pág. 17

San Bernardino, montes Cadena montañosa del sur de California. pág. 27

San Diego Ciudad ubicada 12 millas al norte de la frontera entre California y México; capital del condado San Diego. (33°N, 117°O) pág. 17

San Diego de Alcalá, misión de Primera misión española establecida en Alta California; fundada en 1769 por el padre Serra, en San Diego. pág. 127

San Diego, bahía de Puerto natural cercano a San Diego. (33°N, 117°O) pág. 20

San Francisco Ciudad del norte de California; capital del condado San Francisco. (38°N, 122°O) pág. 27

San Francisco, bahía de Puerto natural cercano a la ciudad de San Francisco. (38°N, 122°O) pág. 27

San Gabriel Ciudad ubicada a unas 10 millas al este de Los Angeles. (34°N, 118°O) pág. 193

San Jacinto, montes Cadena montañosa ubicada al sureste de Los Angeles, cerca de los montes San Bernardino. pág. 120

San Joaquin, río Río que fluye a través del valle de San Joaquin. pág. 20

San Joaquin, valle de Valle que forma la parte sur del valle Central. pág. 20

San Jose Ciudad en la parte oeste del centro de California; capital del condado Santa Clara. (37°N, 122°O) pág. 17

San Juan Capistrano Ciudad ubicada en el condado Orange; sede de una misión fundada por el padre Serra en 1776. pág. 152

San Luis Obispo Ciudad cercana a la costa de California, a mitad de camino entre Los Angeles y San Francisco; capital del condado San Luis Obispo. (35°N, 121°O) pág. 39

San Luis, embalse Lago del centro de California; formado por la presa San Luis. (37°N, 121°O) pág. R15

San Pascual Pueblo del sur de California donde combatieron los soldados del general Kearny y los de Andrés Pico, en 1846, durante la guerra entre México y Estados Unidos. (33°N, 117°O) pág. 215

San Pedro, bahía de Masa de agua frente a la costa sur de California; incluye el puerto artificial de Los Angeles. pág. 326

San Rafael Ciudad del oeste de California; capital del condado Marin. (38°N, 123°O) pág. 399

Santa Ana Ciudad del suroeste de California; capital del condado Orange. (34°N, 118°O) pág. 399

DICCIONARIO GEOGRÁFICO

Santa Barbara Ciudad situada a lo largo de la costa central de California; capital del condado Santa Barbara. (34°N, 120°O) pág. 17

Santa Barbara, canal de Masa de agua que separa el territorio continental de California de las islas Channel. pág. 71

Santa Clara, río Río del sur de California. pág. 326

Santa Cruz Ciudad ubicada en el extremo norte de la bahía de Monterey; capital del condado Santa Cruz. (37°N, 122°O) pág. 17

Santa Cruz, montes Una de las cadenas montañosas que forman la cordillera Costera. pág. R15

Santa Lucia, montes Una de las cadenas montañosas que forman la cordillera Costera. pág. R15

Santa Monica Ciudad ubicada en la costa sur de California, al oeste de Los Angeles. (34°N, 118°O) pág. 95

Santa Rosa Ciudad ubicada 50 millas al noroeste de San Francisco, en el valle Sonoma; capital del condado Sonoma. (38°N, 123°O) pág. 399

Santa Ynez, río Río del sur de California. pág. R15

Sausalito Ciudad del oeste de California; ubicada en la bahía de San Francisco, al noroeste de San Francisco. (38°N, 122°O) pág. 315

Sebastopol Ciudad del oeste de California, al suroeste de Santa Rosa. (38°N, 123°O) pág. 160

Sendero de California Ruta terrestre que seguían los colonos a mediados del siglo XIX para ir de Missouri a California. pág. 202

Sequoia, Parque Nacional Parque nacional ubicado en la región sur del centro de California, en la sierra Nevada; establecido en 1890; incluye el monte Whitney. pág. 469

Shasta, lago Embalse del norte de California; formado por la presa Shasta. pág. R15

Shasta, monte Pico ubicado en la cordillera de las Cascadas; tiene una elevación de 14,162 pies. pág. 27

Silicon Valley Área del oeste de California, ubicada entre San Jose y Palo Alto; su nombre se refiere al desarrollo en esta zona de la industria de la computación, que produce y utiliza chips de silicio. pág. 432

Sonoma Ciudad ubicada al norte de San Francisco. (38°N, 122°O) pág. 157

Sonora Ciudad del centro de California; capital del condado Tuolumne. (38°N, 120°O) pág. R14

Stanislaus, río Afluente del río San Joaquin. pág. 232

Stockton Ciudad en el valle de San Joaquin, capital del condado San Joaquin. (38°N, 121°O) pág. 17

Susanville Ciudad en el noreste de California, capital del condado Lassen. (40°N, 121°O) pág. R14

Sutter's Mill Lugar ubicado en Coloma donde se encontró oro en California en 1848. (39°N, 121°O) pág. 227

Tahoe, lago Uno de los dos lagos más grandes de California; ubicado en la sierra Nevada, en la frontera entre California y Nevada. pág. 17

Trinity, río Río del norte de California. pág. 63

Tulare Ciudad en la parte sur del centro de California. (36°N, 119°O) pág. 296

Tuolumne, río Afluente del río San Joaquin; sitio donde se encuentra la presa que abastece de agua a San Francisco. pág. 232

Ukiah Ciudad del oeste de California, a orillas del río Russian; capital del condado Mendocino. (39°N, 123°O) pág. R14

Ventura Ciudad del suroeste de California; capital del condado Ventura. (34°N, 119°O) pág. 95

Visalia Ciudad del centro de California; capital del condado Tulare. (36°N, 119°O) pág. R14

Walker, paso Paso de montaña a través de la sierra Nevada; lleva su nombre en honor al explorador Joseph Reddeford Walker. pág. 193

Weaverville Asentamiento no incorporado, ubicado en el noroeste de California; capital del condado Trinity. (41°N, 123°O) pág. R14

Whitney, monte El pico más alto de California; está ubicado en la sierra Nevada y tiene una elevación de 14,495 pies pág. 27

Willows Ciudad del norte de California; capital del condado Glenn. (40°N, 122°O) pág. R14

Woodland Ciudad en la parte norte del centro de California; capital del condado Yolo. (39°N, 122°O) pág. R14

Yosemite, Parque Nacional Parque nacional ubicado en la parte central de la sierra Nevada; establecido en 1890. pág. 469

Yreka Ciudad del norte de California; capital del condado Siskiyou. (42°N, 123°O) pág. R14

Yuba City Ciudad en la parte norte del centro de California, ubicada a orillas del río Feather; capital del condado Sutter. (39°N, 122°O) pág. R14

Yuba, río Afluente del río Feather. pág. 232

DICCIONARIO GEOGRÁFICO

Glosario

El glosario contiene palabras importantes de Historia y Estudios Sociales, y sus definiciones. Las palabras están ordenadas alfabéticamente. Al final de cada definición aparece el número de la página donde la palabra se usa por primera vez en este libro. Las palabras que aparecen en la parte superior de cada página te ayudarán a encontrar más rápido la palabra que buscas.

A

acción Título que representa la participación en la propiedad de una empresa. pág. 369

acueducto Gran conducto o canal que lleva agua de un lugar a otro. pág. 325

acuerdo Convenio donde cada lado de un conflicto renuncia a algo de lo que quiere. pág. 250

adaptarse Modificar el modo de vida para ajustarse al ambiente. pág. 41

administrador municipal Persona contratada por el consejo municipal para gobernar la ciudad, bajo la dirección del consejo. pág. 484

aeroespacial Relativo a la construcción y prueba de aparatos para viajes aéreos y espaciales. pág. 396

afluente Río que desemboca en un río más grande. pág. 22

agricultor arrendatario Agricultor que paga una renta para usar una porción de tierra. pág. 302

agricultura Cultivo de la tierra. pág. 87

alcalde Presidente municipal de los pueblos en la California española. pág. 131

altitud Altura del terreno. pág. 26

ambiente físico Características físicas, accidentes geográficos y clima de un lugar. pág. 35

antepasado Uno de los antiguos integrantes de una familia. pág. 57

área metropolitana Gran ciudad, con las ciudades cercanas y sus suburbios. pág. 36

árido Seco o que recibe poca lluvia. pág. 87

asamblea Reunión importante. pág. 247

auge Época de rápido crecimiento económico. pág. 324

autopista Carretera amplia y de varios carriles, sin cruces ni semáforos. pág. 395

aviación Industria que se dedica a la construcción y el vuelo de aviones. pág. 363

B

beneficio Algo que ayuda o que se obtiene. pág. 111

bien de consumo Producto que se fabrica para que las personas lo usen. pág. 362

boicot Forma de protesta en la que un grupo de personas decide no comprar algo hasta que se solucione un determinado problema. pág. 403

bracero Trabajador mexicano que llegó a trabajar a California durante la Segunda Guerra Mundial. pág. 381

C

californio Nombre que se daban a sí mismos los hispanohablantes de Alta California. pág. 151

campo de reasentamiento Campamento, similar a una prisión, adonde fueron enviados los japoneses americanos después del ataque a Pearl Harbor. pág. 382

canal Conducto para agua que se hace en la tierra. pág. 305

capital de condado Ciudad donde están las principales autoridades del gobierno de condado. pág. 481

GLOSARIO

característica física Característica de origen natural, como una montaña o un río. pág. I14

característica humana Elemento creado por los humanos, como edificios o puentes. pág. I14

caravana de carromatos Grupo de carromatos jalados por caballos o bueyes. pág. 200

causa Algo que hace que otra cosa ocurra. pág. 154

ceremonia Celebración para conmemorar un evento cultural o religioso. pág. 64

cesión de tierra Tierra que regala el gobierno. pág. 157

chamán Líder religioso. pág. 64

chip de silicio Dispositivo minúsculo que puede almacenar millones de bits de información. pág. 396

clasificar Agrupar información. pág. 74

clima Tipo de tiempo que un lugar tiene más frecuentemente, año tras año. pág. 29

colonia Asentamiento gobernado por un país que está lejos del asentamiento. pág. 119

comercio Intercambio, o compra y venta, de mercancías. pág. 67

comercio internacional Intercambio comercial con otros países. pág. 431

competencia Rivalidad entre dos o más empresas que tratan de conseguir la mayor cantidad de clientes o vender la mayor cantidad de productos. pág. 296

comunicación Envío y recepción de información. pág. 279

condado Parte de un estado. pág. 481

Congreso La rama del gobierno de Estados Unidos que dicta las leyes. pág. 250

conquistador Cualquiera de los exploradores españoles en las Américas. pág. 111

consecuencia Lo que ocurre a causa de una acción. pág. 376

consecuencia económica Renunciar a una cosa a cambio de otra. pág. 488

conservación Protección y uso prudente de los recursos naturales. pág. 451

constitución Plan de gobierno. pág. 249

consumidor Persona que compra un bien o paga por un servicio. pág. 238

contaminación Todo lo que ensucia o inutiliza un recurso natural. pág. 451

continente Una de las siete extensiones de terreno más grandes de la Tierra. pág. I16

cooperar Trabajar en conjunto. pág. 71

corriente oceánica Corriente de agua que fluye por el océano. pág. 114

costo Valor de lo que una persona cede a cambio de obtener otra cosa. pág. 111

costo de oportunidad Algo a lo que una persona renuncia a cambio de obtener otra cosa. pág. 488

costumbre Manera habitual de hacer las cosas. pág. 138

criollo Persona nacida en México de padres españoles. pág. 149

crisis de energía Crisis que se produce cuando no hay suficiente energía eléctrica para satisfacer la demanda. pág. 451

cronología Orden por fechas. pág. I3

cuadrícula Patrón de líneas que se entrecruzan y dividen en cuadrados un mapa u otro elemento. pág. I22

cuerpo regional Grupo integrado por personas de varias ciudades o condados que trabajan en conjunto con el fin de crear un plan para una región extensa. pág. 485

cultura Modo de vida. pág. 59

D

década Período de diez años. pág. 132

déficit Resultado de gastar más dinero del que se tiene disponible. pág. 452

delegado Persona elegida para hablar y actuar en representación de las personas que la eligieron. pág. 247

GLOSARIO

delta Terreno formado con los sedimentos que arrastran los ríos. pág. 22

demanda Necesidad o deseo de las personas por comprar ciertos productos o servicios. pág. 191

democracia Forma de gobierno en la que el pueblo gobierna, ya sea tomando decisiones él mismo o eligiendo a otros para que tomen las decisiones en su nombre. pág. 463

densidad de población Número de personas que viven en un área de determinado tamaño. pág. 38

denuncio Área que un minero afirmaba que le pertenecía. pág. 230

depresión Época en la que hay muy poco empleo y las personas tienen muy poco dinero. pág. 369

derecho Libertad que posee una persona. pág. 213

derechos civiles Derecho de todos los ciudadanos a un trato igualitario. pág. 401

desempleo Número de personas sin trabajo. pág. 369

destino manifiesto Idea que afirmaba que Estados Unidos debía expandirse desde el océano Atlántico hasta el océano Pacífico. pág. 207

destituir Remover de su cargo a un funcionario del gobierno. pág. 475

diligencia Carruaje cerrado jalado por caballos. pág. 280

dique Muro alto de tierra que ayuda a controlar las inundaciones. pág. 305

discriminación Trato injusto que se da a ciertas personas a causa de su religión, raza o lugar de nacimiento. pág. 242

diseño Mapa dibujado a mano que muestra los límites de una cesión de tierra. pág. 157

distrito especial Grupo que se forma para prestar ciertos servicios o enfrentar ciertos problemas. pág. 485

división del trabajo Distribución de diferentes tareas entre diferentes trabajadores. pág. 79

E

economía forma en que los habitantes de un lugar o región usan los recursos para satisfacer sus necesidades. pág. 135

economía diversificada Economía basada en muchas industrias. pág. 394

ecuador Línea imaginaria que divide la Tierra en el hemisferio norte y el hemisferio sur. págs. I16, 13

efecto especial Técnica que se usa para lograr que las cosas que no son reales parezcan reales en las películas. pág. 439

efecto Lo que ocurre como resultado de una acción. pág. 154

embalse Lago creado por el hombre para juntar y almacenar agua. pág. 325

empresario Persona que establece una nueva empresa. pág. 238

encañizada Estructura similar a una cerca que se colocaba a lo ancho de los ríos para atrapar peces. pág. 64

energía hidroeléctrica Electricidad que se produce usando la fuerza del agua. pág. 325

enmienda Agregado o cambio a la constitución. pág. 359

escala del mapa Parte de un mapa que indica la relación entre las distancias en el mapa y las distancias reales. pág. I21

escasez Falta de algo. pág. 380

escaso Limitado. pág. 44

escuela privada Escuela fundada y dirigida por individuos o grupos privados y no por un departamento gubernamental. pág. 447

escuela pública Escuela gratuita para los estudiantes, financiada con impuestos y dirigida por un departamento gubernamental. pág. 447

especializarse Ocuparse solamente en un tipo de trabajo y aprender a hacerlo bien. pág. 79

evidencia Prueba. pág. I3

excedente Cantidad sobrante. pág. 58

GLOSARIO

expansión urbana Crecimiento hacia afuera de las áreas urbanas. pág. 395

expedición Viaje a una zona con el propósito de conocerla mejor. pág. 120

explorador Alguien que establece nuevas rutas para que otros las sigan. pág. 192

exportar Enviar bienes a otros países para venderlos; vender productos a personas de otro país. pág. 301

F

falla Grieta en la superficie de la Tierra. pág. 42

federal Nacional. pág. 463

ferrocarril transcontinental Ferrocarril que cruzaba América del Norte y unía la costa del Atlántico con la del Pacífico. pág. 287

fértil Bueno para cultivar. pág. 22

ficción Relato inventado. pág. 204

fiebre del oro Enorme desplazamiento de personas hacia un lugar en busca de oro. pág. 227

fiesta Celebración. pág. 167

frontera Tierra ubicada más allá de las zonas pobladas de un país. pág. 191

fuente documental Fuente de información que a menudo se produce en la misma época en que ocurre un evento; su autor es alguien que participó en él o lo presenció. pág. 204

fuente primaria Registro hecho por personas que presenciaron o participaron en eventos del pasado. pág. 124

fuente secundaria Registro de un evento histórico hecho por personas que no lo presenciaron. pág. 124

G

gabinete Grupo integrado por los consejeros más importantes del presidente. pág. 465

galeón Gran barco mercante español. pág. 114

generación Grupo de personas que nacen y viven aproximadamente en la misma época. pág. 449

glaciar Masa de hielo de gran tamaño que se desplaza lentamente. pág. 57

gobierno Sistema que sirve para decidir qué es lo mejor para un grupo de personas. pág. 70

gráfica de barras dobles Tipo de gráfica de barras que permite comparar dos conjuntos de números. pág. 336

gráfica lineal Gráfica que usa una línea para mostrar cambios a medida que transcurre el tiempo. pág. 244

granero Lugar para almacenar bellotas y granos. pág. 78

granja comercial Granja que cultivaba con el único objetivo de vender sus cosechas. pág. 301

grupo étnico Grupo de personas del mismo país, de la misma raza, o que tienen la misma cultura. pág. 408

H

hacienda Casa principal de un rancho. pág. 159

hecho Declaración que se puede comprobar para así demostrar que es verdadera. pág. 196

hemisferio Una mitad de la Tierra. págs. I17, 13

huelga Tiempo en el que los trabajadores dejan de trabajar para hacer que los empleadores presten atención a sus peticiones. pág. 403

húmedo Ligeramente mojado o cargado de vapor de agua. pág. 32

huso horario Región en la cual se usa la misma hora. pág. 298

I

impuesto Dinero que el gobierno recauda de sus ciudadanos, a menudo para pagar por servicios. pág. 466

independencia Libertad. pág. 149

industria Todas las empresas que elaboran un tipo de producto o proveen un tipo de servicio. pág. 41

industria de servicios Empresas que ofrecen servicios en lugar de fabricar productos. pág. 435

inflación Aumento repentino de los precios. pág. 239

GLOSARIO

iniciativa Ley hecha directamente por los votantes y no por los legisladores. pág. 475

inmigración Proceso en el cual las personas dejan un país para vivir en otro. pág. 315

inmigrante Persona que deja su país para vivir en otro. pág. 199

interdependencia Dependencia mutua para obtener bienes o servicios. pág. 433

interpretar Explicar. pág. I3

invertir Comprar algo, como una acción o una parte de una empresa, con la esperanza de que su valor aumente en el futuro. pág. 288

investigar Estudiar en profundidad. pág. I2

irrigación El uso de canales, diques o tuberías para llevar agua a lugares secos. pág. 23

istmo Franja muy angosta de tierra que une dos masas de tierra más grandes. pág. 228

J

juicio con jurado Juicio en el que un grupo de ciudadanos se encarga de decidir si la persona acusada de un delito debe ser declarada culpable o inocente. pág. 482

junta de supervisores Grupo de personas elegidas para gobernar un condado. pág. 481

L

labor Trabajo o tarea. pág. 166

legislatura Grupo de funcionarios elegidos para dictar leyes. pág. 249

leyenda del mapa Parte de un mapa que explica qué representan los símbolos que se usan en el mapa; también se conoce como clave del mapa. pág. I20

leyenda Relato transmitido de generación en generación. pág. 60

límite político Línea imaginaria que marca las fronteras de un país. pág. 218

limo Finos granos de arcilla y piedra. pág. 87

líneas de latitud Líneas que van de este a oeste en mapas o globos terráqueos. Se miden en grados hacia el norte o hacia el sur a partir del ecuador. pág. 16

líneas de longitud Líneas que van de norte a sur en mapas o globos terráqueos. Se miden en grados hacia el este o hacia el oeste a partir del primer meridiano. pág. 16

líneas de sombreado Patrón de líneas diagonales que a menudo se usa en mapas históricos para mostrar territorios reclamados por dos o más países. pág. 219

los del cuarenta y nueve Personas que llegaron a California en busca de oro en 1849. pág. 228

llanura costera Área de tierras bajas que se extiende a lo largo de la costa. pág. 20

M

manantial Agua que surge de aberturas en la tierra. pág. 85

mapa de recuadro Mapa pequeño dentro de otro más grande. pág. I20

mapa de ubicación Pequeño mapa o globo terráqueo que indica la ubicación del área que se muestra en el mapa principal con relación a un estado, a un continente o al mundo. pág. I21

mestizo Persona de ascendencia india y europea que vivía en México o en otra parte de la Nueva España. pág. 149

migración Movimiento de personas de un lugar a otro dentro de un país. pág. 315

misión Asentamiento religioso. pág. 119

misionero Alguien que enseña religión a otras personas. pág. 119

modificar Cambiar. pág. 37

multicultural Que tiene muchas culturas diferentes. pág. 407

municipal Relativo a una ciudad. pág. 483

GLOSARIO

N

naturalista Persona que estudia la naturaleza y trabaja para protegerla. pág. 335

neófito Persona recién convertida a la fe católica. pág. 135

nivel del mar Nivel de la superficie del océano. pág. 24

no renovable Recurso que ni la naturaleza ni los seres humanos pueden volver a generar. pág. 451

O

objeto del pasado Algo hecho por personas en otra época. pág. 60

ocupante ilegal Persona que vive en un lugar sin autorización. pág. 209

oferta Cantidad de un bien o servicio que se ofrece a la venta. pág. 191

opinión Declaración que dice lo que una persona piensa o cree. pág. 196

organigrama Dibujo que muestra los pasos de un proceso. pág. 478

P

paso Camino entre montañas de gran altura. pág. 194

patrimonio cultural Tradiciones, creencias y costumbres del pasado que han sido transmitidas de generación en generación. pág. 408

península Extensión de tierra casi totalmente rodeada de agua. pág. 112

pertrechos Suministros militares y armas. pág. 380

petición Solicitud firmada para que se lleve a cabo una acción. pág. 475

petróleo Combustible no renovable que se extrae de la tierra. pág. 324

pionero Una de las primeras personas que se establecen en nuevas tierras. pág. 200

planeamiento a largo plazo Tomar decisiones que influirán en la vida futura. pág. 451

plaza Lugar al aire libre donde la gente puede reunirse. pág. 130

precipitación Agua que cae sobre la superficie de la Tierra en forma de lluvia, aguanieve, granizo o nieve. pág. 29

prejuicio Sentimiento injusto de odio o rechazo hacia los miembros de un grupo, o de una raza o religión. pág. 318

presidio Fuerte español. pág. 128

presupuesto Plan escrito que indica a qué se destinará el dinero. pág. 473

primer meridiano Línea imaginaria que divide la Tierra en el hemisferio occidental y el hemisferio oriental. págs. I17, 13

procesamiento de alimentos Cocción, envasado, secado, congelamiento y preparación de alimentos para el mercado. pág. 434

producto de importación Producto que se recibe de otro país para ser vendido. pág. 433

proyecto de ley Propuesta para una nueva ley. pág. 472

pueblo Comunidad agrícola en la California española. pág. 130

puerto natural Zona de agua donde los barcos pueden atracar con seguridad. pág. 20

punto cardinal Norte, sur, este u oeste. pág. I21

punto cardinal intermedio Punto que se encuentra entre los puntos cardinales: noreste, noroeste, sureste, suroeste. pág. I21

punto de vista Conjunto de creencias que han sido moldeadas por el origen y la condición o estado de cada persona: joven o vieja, hombre o mujer, rica o pobre. pág. I4

R

ranchería Tierras de California destinadas a los indios americanos. pág. 486

rancho Hacienda con ganado. pág. 158

rasgos de personalidad Características personales, tales como integridad, respeto, responsabilidad, compasión y patriotismo. pág. I5

ratificar Aprobar. pág. 249

rebelarse Luchar contra algo. pág. 136

GLOSARIO

rebelde Persona que lucha contra el gobierno. pág. 210

reciclar Volver a usar. pág. 381

recurso natural Algo que se encuentra en la naturaleza, como el agua, el suelo y los minerales y que las personas pueden usar para satisfacer sus necesidades. pág. 35

referéndum Elección en la cual los votantes deciden si conservan o no una ley existente. pág. 476

reformar Cambiar para mejorar. pág. 359

región Área de la Tierra que presenta al menos una característica física o humana que la diferencia de otros lugares. pág. I15

región natural Región formada por lugares que comparten el mismo tipo de características físicas o naturales, como llanuras, montañas, valles o desiertos. pág. 19

relieve Diferencias entre las alturas de terrenos que se muestran en los mapas. pág. 26

renovable Recurso que la naturaleza o los seres humanos pueden volver a generar. pág. 451

república Forma de gobierno en la que el pueblo elige a sus líderes. pág. 210

reserva Área de tierras que el gobierno destina a los indios americanos. pág. 319

resolver Solucionar. pág. 254

rosa de los vientos Indicador de direcciones en un mapa. pág. I21

rural Relativo al campo. pág. 36

sebo Grasa animal que se usaba para hacer jabón y velas. pág. 160

secularización Fin del dominio de la iglesia en las misiones. pág. 152

segregación Mantener a personas de una determinada raza o cultura separadas de las demás personas. pág. 401

sequía Largo período con poca o ninguna lluvia. pág. 32

servicio Actividad que alguien hace para otros a cambio de un pago. pág. 41

siglo Período de 100 años. pág. 132

sindicato laboral Organización de trabajadores cuyo objetivo es mejorar las condiciones de trabajo. pág. 402

sistema de cuadrícula de coordenadas Sistema de cuadrícula formado por las líneas de latitud y longitud que se cruzan y forman un patrón de cuadrados en un mapa. pág. 17

sistema de vientos Orientación general del viento. pág. 114

soberano Libre e independiente. pág. 486

sobornar Prometer dinero o algún regalo a alguien a cambio de que esa persona haga algo. pág. 359

sombra pluviométrica La ladera de una montaña que recibe la menor cantidad de lluvia. pág. 32

suburbio Ciudad pequeña o pueblo próximo a una gran ciudad. pág. 36

sufragio Derecho al voto. pág. 359

T

tecnología Uso de conocimientos o herramientas para fabricar algo o realizar una actividad. pág. 394

tecnología avanzada Tecnología relacionada con la invención, construcción o uso de computadoras y otras clases de equipos electrónicos. pág. 396

telégrafo Aparato que usa electricidad para enviar mensajes a través de cables. pág. 282

temporada de cultivo Período durante el cual el clima es lo suficientemente cálido como para sembrar y cosechar. pág. 43

título del mapa Palabras que indican el tema del mapa. pág. I20

torre de perforación Torre que se construye sobre un pozo de petróleo para sostener los equipos de perforación. pág. 324

GLOSARIO

trabajador migratorio Persona que viaja de un lugar a otro para trabajar en las cosechas. pág. 371

tratado Acuerdo escrito entre grupos o naciones. pág. 216

tribu Grupo de indios que tiene un líder y tierras propias. pág. 59

trópicos Las regiones más cálidas de la Tierra, ubicadas entre el trópico de Cáncer y el trópico de Capricornio. pág. 16

trueque Intercambio de un tipo de artículo por otro, generalmente sin uso de dinero. pág. 160

turismo Negocio de atender a los visitantes de un lugar. pág. 435

ubicación El lugar donde está algo. pág. I14

ubicación absoluta Ubicación exacta de un lugar en la Tierra, usando las líneas de latitud y longitud. pág. 16

ubicación relativa Ubicación de un lugar con relación a uno o más lugares de la Tierra. pág. 14

urbano Perteneciente o relacionado con una ciudad. pág. 36

uso de la tierra Manera en que se emplea la mayor parte de la tierra de un lugar. pág. 436

vaquero Trabajador ganadero. pág. 165

vegetación Flora. pág. 30

vetar Rechazar. pág. 473

viajar al trabajo Ir y volver entre la casa y el trabajo. pág. 395

vigilante Persona que toma la ley en sus propias manos. pág. 242

GLOSARIO

Índice

El índice te permite saber dónde encontrar información sobre las personas, los lugares y los eventos importantes que aparecen en este libro. Las entradas están ordenadas alfabéticamente. En cada entrada, los números de referencia indican la página donde puede encontrarse esa entrada en el texto. Las páginas que hacen referencia a ilustraciones aparecen en letra cursiva. Una *m* cursiva indica que se trata de un mapa. Las páginas de referencia en negrita indican las páginas donde se definen los términos de vocabulario. Las palabras que aparecen en la parte superior de cada página te ayudarán a encontrar más rápido las palabras que buscas.

ÍNDICE

ÍNDICE

ÍNDICE

R72

ÍNDICE

For permission to translate/reprint copyrighted material, grateful acknowledgment is made to the following sources:

Boyds Mills Press, Inc.: From *The Wonderful Towers of Watts* by Patricia Zelver, illustrated by Frané Lessac. Text copyright by Patricia Zelver; illustrations copyright by Frané Lessac.

Caxton Printers of Caldwell, Idaho: From *Patty Reed's Doll: The Story of the Donner Party* by Rachel K. Laurgaard. Text copyright 1956 by Caxton Printers, Ltd., renewed 1984 by Rachel Kelley Laurgaard.

Clarion Books/Houghton Mifflin Company: From *So Far from the Sea* by Eve Bunting, illustrated by Chris K. Soentpiet. Text copyright © 1998 by Eve Bunting; illustrations copyright © 1998 by Chris K. Soentpiet.

Facts On File, Inc.: Untitled Maidu Indian poem from *The First Americans: California Indians* by C. L. Keyworth.

HarperCollins Publishers: From *Sierra* by Diane Siebert, illustrated by Wendell Minor. Text copyright © 1991 by Diane Siebert; illustrations copyright © 1991 by Wendell Minor.

Kessinger Publishing, LLC: From "How *Wit'-tab-bah* the Robin got his Red Breast" in *The Dawn of the World: Myths and Tales of the Miwok Indians of California,* collected and edited by C. Hart Merriam.

Lee & Low Books Inc., New York, NY 10016: From *Amelia's Road* by Linda Jacobs Altman, illustrated by Enrique O. Sanchez. Text copyright © 1993 by Linda Jacobs Altman; illustrations copyright © 1993 by Enrique O. Sanchez.

Lerner Publications Company, a division of Lerner Publishing Group: From "With Corporal Tapia" in *A Personal Tour of La Purísima* by Robert Young. Text copyright 1999 by Robert Young.

Deidre Robinson Powell: From *Open Hands, Open Heart: The Story of Biddy Mason* by Deidre Robinson. Text copyright © 1998 by Deidre Robinson.

Scholastic Inc.: From *Valley of the Moon: The Diary of María Rosalia de Milagros* by Sherry Garland. Text copyright © 2001 by Sherry Garland. From *Jimmy Spoon and the Pony Express* by Kristiana Gregory. Text copyright © 1994 by Kristiana Gregory.

Silver Moon Press: From *Fire in the Valley* by Tracey West. Published by Silver Moon Press, 1993.

Smithsonian Institution University Press: From "My Words are Tied in One," translated by A. L. Kroeber in *Bureau of American Ethnology Bulletin 78.* Text copyright 1925 by The Smithsonian Institution.

Yosemite Association: From *Two Bear Cubs: A Miwok Legend from California's Yosemite Valley,* retold by Robert D. San Souci, illustrated by Daniel San Souci. Text copyright © 1997 by Robert D. San Souci; illustrations copyright © 1997 by Daniel San Souci.

PHOTO CREDITS

PLACEMENT KEY: (t) top; (b) bottom; (l) left; (r) right; (c) center; (bg) background; (fg) foreground; (i) inset.

COVER

Cover: Gibson Stock Photography (Juan Cabrillo statue); Bill Lies/California Stock Photo (Golden Gate Bridge); Allen Birnbach/Masterfile (Death Valley); Jim Schwabel/Index Stock(Blooming Plants on Coast).

Endsheet imagery: Jim Schwabel/Index Stock(Blooming Plants on Coast); Gibson Stock Photography (Juan Cabrillo statue); Allen Birnbach/Masterfile (Death Valley).

TITLE PAGE AND TABLE OF CONTENTS

iv The Field Museum #CSA1926; iv Cosmo Condina/Mira.com; iv Craig Aurness/Corbis; iv Galen Rowell/Corbis; iv Justin Pumfrey/Taxi/Getty Images; iv Courtesy of State Museum Resource Center/California State Parks; iv Marilyn "Angel" Wynn/Nativestock.com; iv Marilyn "Angel" Wynn/Nativestock.com; iv Mark Segal/Panoramic Images; iv Tony Freeman/PhotoEdit; iv StockImage/ImageState; vi The Granger Collection, New York; vi Courtesy of the Oakland Museum of California; vi Laurence Parent Photography; vi California Historical Society, Gift of Mr. and Mrs. Reginald Walker; FN-30659; vi Robert Fried Photography; vi Gary Conner/Index Stock Imagery; vi Seaver Center for Western History Research/Los Angeles County Museum of Natural History; vi Call number 1971.008-FR, Courtesy of The Bancroft Library University of California, Berkeley; vi Call number 1963.002:1389-B, Courtesy of The Bancroft Library University of California, Berkeley; vi Gunter Marx Photography/Corbis; viii Hulton Archive/Getty Images; viii The Society of California Pioneers, #20066; viii Smithsonian American Art Museum, Washington, DC/Art Resource, NY; viii Call number 1905.16242:042--CASE, Courtesy of The Bancroft Library University of California, Berkeley; viii Stock Montage; viii California Historical Society, FN-13679; viii Levi Strauss & Co.; x Brown Brothers; x California Historical Society, FN-10528; x Zefa/Index Stock Imagery; x Everett Collection; x Huntington Library/SuperStock; x Riverside Municipal Museum; x Bank of Stockton Photo Collection; x Union Pacific Railroad Museum; x Courtesy of State Museum Resource Center, California State Parks; xii Eric Saund, Ph.D.; xii Lambert/Archive Photos/Hulton Archive/Getty Images; xii Huntington Library/SuperStock; xii Arthur Schatz/Time Life Pictures/Getty Images; xii Library of Congress, Prints & Photographs Division, [reproduction number, LC-USZC4-2420]; xii Library of Congress, Prints & Photographs Division, [reproduction number, LC-USW361-128]; xii Harold Lloyd Trust/Getty Images; xii California Historical Society, FN-19319; xiv Kevin Winter/Getty Images Editorial; xiv Da Silva Peter/Corbis/Sygma; xiv Zefa/Index Stock Imagery; xiv Mark Jenkinson/Corbis; xiv Bettmann/Corbis; xiv Frank Capri/Hulton Archive/Getty Images; xiv Judy Baca and detail of the World Wall, Triumph of the Hearts, 1990/www.sparcmurals.org/Courtesy of Social and Public Art Resource Center/SPARC; xiv Bettmann/Corbis; xiv ML Sinibaldi/Corbis; xiv Sonja Jimenez/Tom Myers Photography; xiv Neil Lukas/Dorling Kindersley Ltd. Picture Library.

INTRODUCTION

I14 Joseph Sohm; ChromoSohm Inc./Corbis; I14 Tony Craddock/Stone/Getty Images; I15 Randy Wells/Stone/Getty Images; I15 Morton Beebe/Corbis; I15 Royalty-Free/Corbis; I4 Edward S. Curtis/National Geographic Image Collection; I4 Courtesy of State Museum Resource Center/California State Parks; I4 Richard Cummins/Corbis; I4 Spencer Grant/PhotoEdit; I6 Mark Leibowitz/Masterfile; I6 The Granger Collection, New York; I6 Huntington Library/SuperStock; I6 Comstock Images/Alamy Images; I6 Ted Streshinsky/Corbis; I6 Royalty-Free/Corbis.

UNIT 1

1 Haggin Collection, The Haggin Museum, Stockton, California; 4 (b) Richard Price/Taxi/Getty Images; 4 (c) Mark E. Gibson/Ambient Images; 4 (t) Jon Arnold/Danita Delimont Stock Photography; 5 Tony Craddock/Stone/Getty Images; 7 Gerald L. French/ThePhotoFile; 7 David A. Northcott/Corbis; 8 Craig Aurness/Corbis; 15 Craig Aurness/Corbis; 18 Warren Marr/Panoramic Images; 18 Greg Probst/Stone/Getty Images; 18 Robert Harding World Imagery/Alamy Images; 19 J. David Andrews/Masterfile; 19 Galen Rowell/Mountain Light Photography; 21 Galen Rowell/Corbis; 21 Mark E. Gibson/Ambient Images; 22 Tom Myers Photography; 24 Mitchell Funk/Image Bank/Getty Images; 25 (b) Corbis; 25 (t) The Granger Collection, New York; 28 Justin Pumfrey/Taxi/Getty Images; 30 Bruce Burkhardt/Corbis; 31 Mark E. Gibson/Ambient Images; 31 StockImage/ImageState; 33 Gary Crabbe/Ambient Images; 34 Bonhams, London, UK/Bridgeman Art Library; 34 Mark Segal/Panoramic Images; 36 Philip Condit II/Stone/Getty Images; 37 Galen Rowell/Mountain Light Photography; 38 Mark Richards/PhotoEdit; 38 Thomas Hallstein/Ambient Images; 40 Gibson Stock Photography; 40 Tony Freeman/PhotoEdit; 41 Cindy Charles/PhotoEdit; 41 Ian Vorster/Earthscape Imagery; 41 Cosmo Condina/Mira.com; 42 Joseph Sohm; ChromoSohm Inc./Corbis; 42 Lloyd Cluff/Corbis; 43 Sally Myers/Tom Myers Photography; 43 Tom Myers Photography; 43 Greig Cranna/Index Stock Imagery; 44 Robert Holmes/Corbis; 44 C. Moore/Corbis; 44 Gibson Stock Photography; 45 Gibson Stock Photography; 45 Gibson Stock Photography; 45 Roger Ressmeyer/Corbis; 46 (l) AP/Wide World Photos; 46 (r) Mark Richards/PhotoEdit; 47 (bl) Mark Downey/Ambient Images; 47 (br) Lou Dematteis/The Image Works, Inc.; 47 (t) Mark E. Gibson/Gibson Stock Photography; 50 David Muench/Corbis; 61 John Senser; 64 (b) Library of Congress, Prints & Photographs Division, Edward S. Curtis Collection,

SCHOOL TO HOME NEWSLETTERS

INDEX

CORRELATIONS

SCHOOL TO HOME NEWSLETTERS

INDEX

CORRELATIONS

School to Home Newsletters

These school to home letters offer a way of linking students' study of history-social science to the students' family members. There is one newsletter, available in English and Spanish, for each unit. The newsletters include family activities as well as books to read.

Contents

School to Home

Harcourt Reflections • California: A Changing State, Unit 1

Newsletter

Grade 4 California History– Social Science Standards

4.1 Students demonstrate an understanding of the physical and human geographic features that define places and regions in California.

4.2 Students describe the social, political, cultural, and economic life and interactions among people of California from the pre-Columbian societies to the Spanish mission and Mexican rancho periods.

Books To Read

Letters Home from Yosemite by Lisa Halvorsen. Blackbirch Press, 2000.

Fire Race: A Karuk Coyote Tale About How Fire Came to the People by Jonathan London. Chronicle Books,1997.

Mojave by Diane Siebert. HarperCollins, 1992.

© Harcourt

Content to Learn

During the next several weeks, your child will study the geographic regions of California and will also learn about the earliest people to settle in the area. Here are some topics the class will be reading about in the first unit, The Land and Early People:

- the relative location of California
- California's natural regions
- where Californians live and how ways of life differ throughout the state
- the climate and vegetation in the state's different regions
- the first people to live in California
- the ways of life of early Indian groups in each of California's regions

✏️ Activities to Try

- Talk with your child about cities in California that you find interesting. Together, use the maps of California in Chapter 1 of the textbook to learn about the location, elevation, climate, and population density of each city you named. Discuss how these factors might influence what each place is like.

- With your child, look at the map on page 59 of the textbook to identify Indian groups that live or have lived in your area. Work together to find out more about one of these groups. Make a fact sheet that tells about the group's way of life.

💡 Ideas to Discuss

- Where is California located in the world? Where in the United States?
- How do the landforms, vegetation, and climate of a region affect the way of life of people in that region?
- In the past, what were the natural resources available in your area that might have been used by Indian groups? Which of those resources are still available today?

Visit The Learning Site www.harcourtschool.com/hss for additional activities, primary sources, and other resources to use in this unit.

Carta para la casa

Normas de Historia y Ciencias Sociales de California, Grado 4

4.1 Los estudiantes demuestran una comprensión de las características físicas y humanas que definen los lugares y las regiones de California.

4.2 Los estudiantes describen la vida social, política, cultural y económica y las interacciones entre los habitantes de California, desde las sociedades precolombinas hasta los períodos de las misiones españolas y los ranchos mexicanos.

Libros

Letters Home from Yosemite por Lisa Halvorsen. Blackbirch Press, 2000.

Fire Race: A Karuk Coyote Tale About How Fire Came to the People por Jonathan London. Chronicle Books, 1997.

Mojave por Diane Siebert. HarperCollins, 1992.

Tema de estudio

Durante varias semanas su hijo estudiará las regiones geográficas de California y también aprenderá sobre los primeros habitantes que se establecieron en el área. Estos son algunos de los temas sobre los que se leerá en clase en la primera unidad, Los primeros habitantes:

- la ubicación relativa de California
- las regiones naturales de California
- dónde viven los californianos y cómo el estilo de vida difiere según la región del estado
- el clima y la vegetación en las diferentes regiones del estado
- las primeras personas que vivieron en California
- el estilo de vida de los primeros grupos indígenas de cada región de California

✏ Actividades

- Hablen acerca de las ciudades de California que a ustedes les parecen interesantes. Usen los mapas de California del Capítulo 1 del libro de texto para aprender acerca de la ubicación, la altitud, el clima y la densidad de población de cada ciudad que ustedes nombren. Comenten cómo estos factores podrían influir en el aspecto de cada lugar.

- Miren el mapa de la página 59 del libro de texto e identifiquen los grupos indígenas que viven o han vivido en su área. Busquen más información sobre uno de estos grupos. Anoten en una hoja lo que hayan encontrado sobre el estilo de vida del grupo.

☼ Ideas para comentar

- ¿Dónde está ubicada California en el mundo? ¿Y en los Estados Unidos?

- ¿Qué influencia pueden tener los accidentes geográficos, la vegetación y el clima de una región en el estilo de vida de los habitantes de esa región?

- En el pasado, ¿qué recursos naturales disponibles en su área pueden haber utilizado los grupos indígenas? ¿Cuáles de esos recursos están aún disponibles?

Visite The Learning Site en www.harcourtschool.com/hss para obtener actividades adicionales, fuentes primarias y otros recursos para usar en esta unidad.

School to Home

Grade 4 California History–Social Science Standards

4.2 Students describe the social, political, cultural, and economic life and interactions among people of California from the pre-Columbian societies to the Spanish mission and Mexican rancho periods.

4.3 Students explain the economic, social, and political life in California from the establishment of the Bear Flag Republic through the Mexican-American War, the Gold Rush, and the granting of statehood.

Books To Read

Clara Rides the Rancho by Gail Faber and Michelle Lasagna. Magpie Publications, 2001.

Juan and Mariano, Passage to Monterey by Debra Romeyn. Gossamer Books, 2003.

Missions of the Southern Coast by Nancy Lemke. Lerner Publications, 1996.

© Harcourt

Content to Learn

During the upcoming weeks, your child will study the history of European exploration of California, and will also learn about the first settlements established here by Europeans. Here are some topics the class will be reading about in the next unit, Early California:

- the experiences of early European explorers of California

- life in California missions, presidios, and pueblos during the period of Spanish rule

- the effects of Spanish rule on the ways of life of California Indians

- the effects of Mexican independence on California

- California's rancho economy and life on the ranchos

✏ Activities to Try

- Imagine with your child that you are members of a tribe of California Indians living along the coast when the first European explorers arrived. Work together to write a narrative that describes the setting of your encounter with the newcomers, your reaction to them, and your thoughts about how they might affect your lives.

- With your child, look at the map on page 127 of the textbook to find the mission that is nearest to your home. If possible, plan an outing to visit the mission to learn about its history. You might also visit the library or the Internet to gather more information about the mission.

☼ Ideas to Discuss

- Why did Europeans explore the west coast of North America?

- How did the arrival of Europeans in California affect the lives of the Indians of the region?

- What signs are there in your community of the influence of the Spanish on life in California?

- Would your family have enjoyed living on a California rancho? Why or why not?

Visit The Learning Site www.harcourtschool.com/hss for additional activities, primary sources, and other resources to use in this unit.

Carta para la casa

Harcourt Reflexiones • California: Un estado cambiante, Unidad 2

Boletín

Normas de Historia y Ciencias Sociales de California, Grado 4

4.2 Los estudiantes describen la vida social, política, cultural y económica y las interacciones entre los habitantes de California, desde las sociedades precolombinas hasta los períodos de las misiones españolas y los ranchos mexicanos.

4.3 Los estudiantes explican la vida económica, social y política en California desde el establecimiento de la República de la Bandera del Oso hasta la guerra entre México y Estados Unidos, la fiebre del oro y el otorgamiento de rango de estado.

Libros

Clara Rides the Rancho por Gail Faber y Michelle Lasagna. Magpie Publications, 2001.

Juan and Mariano, Passage to Monterey por Debra Romeyn. Gossamer Books, 2003.

Missions of the Southern Coast por Nancy Lemke. Lerner Publications, 1996.

Tema de estudio

Durante las próximas semanas su hijo estudiará la historia de la exploración europea en California y aprenderá acerca de las primeras colonias que establecieron aquí los europeos. Estos son algunos de los temas sobre los que se leerá en clase en la próxima unidad, California en el pasado:

- las experiencias de los primeros exploradores europeos en California
- la vida en las misiones, presidios y pueblos en California durante el período del dominio español
- las consecuencias del dominio español en el estilo de vida de los indios de California
- las consecuencias de la independencia mexicana en California
- la economía de los ranchos de California y la vida allí

✏ Actividades

- Imaginen que son miembros de una tribu de indios de California que vive en la costa cuando llegan los primeros exploradores europeos. Juntos escriban una narración para describir el lugar donde se encontraron con los exploradores, cómo reaccionaron ustedes al verlos y también cómo pensaron que ellos podrían influir en sus vidas.

- Miren el mapa de la página 127 del libro de texto y busquen la misión que esté más cerca de su casa. Si es posible, hagan planes para visitar la misión y aprender más sobre su historia. También pueden consultar en la biblioteca o en Internet para juntar más información sobre la misión.

☼ Ideas para comentar

- ¿Por qué los europeos estaban interesados en explorar la costa oeste de América del Norte?

- ¿Qué influencia tuvo la llegada de los europeos a California en la vida de los indios de la región?

- En el lugar donde ustedes viven, ¿qué ha quedado como muestra de la influencia española en la vida de California?

- ¿Le hubiera gustado a su familia vivir en un rancho en California? ¿Por qué?

APRENDE en línea

Visite The Learning Site en www.harcourtschool.com/hss para obtener actividades adicionales, fuentes primarias y otros recursos para usar en esta unidad.

School to Home

Harcourt Reflections • California: A Changing State, Unit 3

Newsletter

Grade 4 California History–Social Science Standards

4.2 Students describe the social, political, cultural, and economic life and interactions among people of California from the pre-Columbian societies to the Spanish mission and Mexican rancho periods.

4.3 Students explain the economic, social, and political life in California from the establishment of the Bear Flag Republic through the Mexican-American War, the Gold Rush, and the granting of statehood.

4.4 Students explain how California became an agricultural and industrial power, tracing the transformation of the California economy and its political and cultural development since the 1850s.

Books To Read

Chang's Paper Pony by Eleanor Coerr. HarperTrophy, 1993.

Gold Fever by Verla Kay. Puffin, 2003.

Nine for California by Sonia Levitin. Orchard, 2000.

© Harcourt

Content to Learn

During the next several weeks, your child will study how people from the United States first became interested in exploring and settling California, which at the time was still a part of Mexico. Your child will also learn about the events that led to California's statehood. Here are some topics the class will be reading about in the next unit, The Road to Statehood:

■ early settlers who came to California from the United States and other parts of the world

■ the Mexican-American War and the Bear Flag Revolt

■ the gold rush and its effects on life in California

■ the sequence of events that resulted in statehood for California in 1850

✎ Activities to Try

■ With your child, imagine that you are pioneers preparing to leave the United States for California as part of a wagon train. You have little space in your wagon, so you can only carry the most essential items. Create a packing list for your journey.

■ Before California became a state, the United States government engaged in a fierce debate about whether California should enter the union as a free state or a slave state. With your child, find out about the arguments on each side of the debate. Then discuss the advantages and disadvantages of the compromise that was worked out.

☼ Ideas to Discuss

■ If you had been living in an eastern state in the year 1849, how do you think you would have reacted to news of the discovery of gold in California?

■ From the point of view of a person living in California in 1850, what do you think would have been the advantages and disadvantages of statehood?

 Visit The Learning Site www.harcourtschool.com/hss for additional activities, primary sources, and other resources to use in this unit.

Carta para la casa

Harcourt Reflexiones • California: Un estado cambiante, Unidad 3

Boletín

Normas de Historia y Ciencias Sociales de California, Grado 4

4.2 Los estudiantes describen la vida social, política, cultural y económica y las interacciones entre los habitantes de California, desde las sociedades precolombinas hasta los períodos de las misiones españolas y los ranchos mexicanos.

4.3 Los estudiantes explican la vida económica, social y política en California desde el establecimiento de la República de la Bandera del Oso hasta la guerra entre México y Estados Unidos, la fiebre del oro y el otorgamiento de rango de estado.

4.4 Los estudiantes explican cómo California se convirtió en una potencia agrícola e industrial, siguiendo la transformación de la economía de California y su desarrollo político y económico desde la década de 1850.

Tema de estudio

Durante varias semanas su hijo estudiará cómo la gente de Estados Unidos comenzó a interesarse en explorar y colonizar California —que en ese momento era aún parte de México— y aprenderá sobre los acontecimientos que llevaron a que California adquiriera su rango de estado. Estos son algunos de los temas sobre los que se leerá en clase en la próxima unidad, Cómo se constituyó el estado:

- los primeros colonos que llegaron a California desde Estados Unidos y otras partes del mundo
- la guerra entre mexicanos y estadounidenses y la revuelta de la Bandera del Oso
- la fiebre del oro y sus consecuencias en la vida en California
- la secuencia de acontecimientos que tuvo como resultado que California adquiriera su rango de estado

Actividades

- Imaginen que son de los primeros pioneros y que se preparan para partir de Estados Unidos rumbo a California, como parte de una caravana de carromatos. Tienen poco lugar en su carromato, por lo tanto solo pueden llevar cosas esenciales. Hagan una lista de las cosas que empacarían para el viaje.

- Antes de que California se convirtiera en estado, el gobierno de Estados Unidos se enfrentó en un violento debate acerca de si California debía entrar a la unión como estado libre o como estado esclavo. Descubran cuáles eran los argumentos de cada una de las partes en el debate. Luego, comenten las ventajas y desventajas del compromiso al que se pudo llegar.

Ideas para comentar

- Si ustedes hubieran estado viviendo en un estado del este en 1849, ¿cómo les parece que habrían reaccionado al enterarse del descubrimiento de oro en California?

- Desde el punto de vista de una persona que haya vivido en California en la década de 1850, ¿cuáles hubieran sido las ventajas y las desventajas de haber adquirido el rango de estado?

Libros

Chang's Paper Pony por Eleanor Coerr. HarperTrophy, 1993.

Gold Fever por Verla Kay. Puffin, 2003.

Nine for California por Sonia Levitin. Orchard, 2000.

Visite The Learning Site en www.harcourtschool.com/hss para obtener actividades adicionales, fuentes primarias y otros recursos para usar en esta unidad.

School to Home

Harcourt Reflections • California: A Changing State, Unit 4

Newsletter

Grade 4 California History– Social Science Standards

4.4 Students explain how California became an agricultural and industrial power, tracing the transformation of the California economy and its political and cultural development since the 1850s.

Books To Read

Baseball Saved Us by Ken Mochizuki. Lee & Low Books, 1995.

Francis the Earthquake Dog by Judith Ross Enderle and Stephanie Gordon Tessler. Chronicle Books, 1996.

I Am Lavina Cumming by Susan Lowell. Milkweed Editions, 1997.

© Harcourt

Content to Learn

In the coming weeks, your child will study how California grew and changed between statehood in 1850 and the beginning of World War I. Here are some topics the class will be reading about in the next unit, Growth and Development:

- improvements in communication between California and the rest of the United States, including the Pony Express and the telegraph
- the building of the transcontinental railroad and its impact on the state
- California's early economic development
- migration and immigration to California in the 1800s and early 1900s
- growth in both southern and northern California in the late nineteenth and early twentieth centuries

Activities to Try

- Engage your child in a discussion about how your family came to California. If possible, invite older relatives who have knowledge of your family's history to join in the conversation. Compare your family's experiences with those of other families that you know about.

- With your child, think about the means of communication and transportation that your family uses today. Compare those to the means of transportation and communication used at the end of the nineteenth century. Make a chart that shows how things have changed and how they have stayed the same.

- Talk with your child about the central roles of energy and water in modern life. Work together to create a log of your energy and water usage for the period of a week. Discuss ways in which your family can help conserve these valuable resources.

Ideas to Discuss

- How did the completion of the transcontinental railroad change the lives of people in California and the rest of the United States?

- Which early California industries are still important to the state's economy today?

 Visit The Learning Site www.harcourtschool.com/hss for additional activities, primary sources, and other resources to use in this unit.

UNIT 4 SCHOOL TO HOME ▪ **S9**

Carta para la casa

Boletín

Normas de Historia y Ciencias Sociales de California, Grado 4

4.4 Los estudiantes explican cómo California se convirtió en ena potencia agrícola e industrial, siguiendo la transformación de la economía de California y su desarrollo político y económico desde la década de 1850.

Libros

Baseball Saved Us por Ken Mochizuki. Lee & Low Books, 1995.

Francis the Earthquake Dog por Judith Ross Enderle y Stephanie Gordon Tessler. Chronicle Books, 1996.

I Am Lavina Cumming por Susan Lowell. Milkweed Editions, 1997.

Tema de estudio

En las próximas semanas su hijo estudiará cómo creció y cambió California desde que adquirió la condición de estado en 1850, hasta el comienzo de la Primera Guerra Mundial. Estos son algunos de los temas sobre los que se leerá en clase en la próxima unidad, Crecimiento y desarrollo:

- mejoras en las comunicaciones entre California y el resto de los Estados Unidos, incluyendo el *Pony Express* y el telégrafo
- la construcción del ferrocarril transcontinental y su impacto en el estado
- el comienzo del desarrollo económico de California
- la migración y la inmigración a California en el siglo XIX y a comienzos del XX
- el crecimiento tanto en el sur como en el norte de California a fines del siglo XIX y a comienzos del siglo XX

Actividades

- Invite a su hijo a participar en una conversación acerca de cómo llegó su familia a California. Si es posible, invite a familiares mayores que conozcan la historia de su familia a conversar con ustedes. Comparen las experiencias de su familia con las de otras familias que ustedes conozcan.

- Piensen en los medios de comunicación y de transporte que usa su familia hoy en día. Compárenlos con los medios de transporte y de comunicación que se usaban al final del siglo XIX. Hagan un cuadro para mostrar en qué aspectos han cambiado las cosas y en cuáles siguen iguales.

- Hablen acerca del papel central que juegan la energía y el agua en la vida moderna. Lleven un registro de la energía y el agua que usan en un período de una semana. Comenten cómo podría su familia ayudar a conservar estos valiosos recursos.

Ideas para comentar

- ¿Cómo cambió la vida de la gente en California y en el resto de Estados Unidos al finalizarse la construcción del ferrocarril transcontinental?

- ¿Qué industrias existentes en California a mediados del siglo XIX son todavía importantes en la economía del estado hoy en día?

Visite The Learning Site en www.harcourtschool.com/hss para obtener actividades adicionales, fuentes primarias y otros recursos para usar en esta unidad.

School to Home

Harcourt Reflections • California: A Changing State, Unit 5 *Newsletter*

Grade 4 California History–Social Science Standards

4.4 Students explain how California became an agricultural and industrial power, tracing the transformation of the California economy and its political and cultural development since the 1850s.

Books To Read

Calling the Doves/El Canto de las Palomas by Juan Felipe Herrera. Children's Book Press, 1995.

City of Angels by Julie Jaskol and Brian Lewis. Dutton, 1999.

Tales from Gold Mountain by Paul Yee. Groundwood, 1999.

© Harcourt

Content to Learn

During the next several weeks, your child will study ways in which California has continued to grow and change during the past 100 years. Here are some topics the class will be reading about in the next unit, Progress as a State:

- government reforms of the early 1900s
- the effects of the Panama Canal, World War I, the Great Depression, and the Dust Bowl on life in California
- World War II and its impacts on California
- the state's political and economic development in the second half of the twentieth century
- Californians' involvement in the Civil Rights movement
- the diversity of California's population

✎ Activities to Try

- With other adult members of your family, share with your child stories about your family's experiences during the time frame discussed in this unit. Encourage your child to ask questions about how family members were affected by some of the events that occurred in the twentieth century. Discuss both opportunities and challenges.

- Work with your child to identify a cultural festival in California that you have attended or would like to attend. Help your child write a short journal entry describing the experience or explaining what he or she would be interested in seeing. Discuss how the festival celebrates an important culture in the state.

- With your child, choose one of the prominent figures discussed in this unit, such as Hiram Johnson, Dorothea Lange, or Cesar Chavez. Use an encyclopedia or the Internet to gather information about this individual. Then work with your child to write a brief biography. Include pictures or illustrations if possible.

☀ Ideas to Discuss

- Why are civil rights important to all Americans?

- How does life in California today reflect the diversity of the state's population?

 Visit The Learning Site www.harcourtschool.com/hss for additional activities, primary sources, and other resources to use in this unit.

Carta para la casa

Boletín

Normas de Historia y Ciencias Sociales de California, Grado 4

4.4 Los estudiantes explican cómo California se convirtió en una potencia agrícola e industrial, siguiendo la transformación de la economía de California y su desarrollo político y económico desde la década de 1850.

Libros

Calling the Doves/El Canto de las Palomas por Juan Felipe Herrera. Children's Book Press, 1995.

City of Angels por Julie Jaskol y Brian Lewis. Dutton, 1999.

Tales from Gold Mountain por Paul Yee. Groundwood, 1999.

Tema de estudio

Durante varias semanas su hijo estudiará cómo California ha seguido creciendo y cambiando durante los últimos 100 años. Estos son algunos de los temas sobre los que se leerá en clase en la próxima unidad, El estado progresa:

- reformas en el gobierno a comienzos del siglo XX
- las consecuencias del Canal de Panamá, la Primera Guerra Mundial, la Gran Depresión y el Dust Bowl en la vida en California
- la Segunda Guerra Mundial y su impacto en California
- el desarrollo político y económico del estado en la segunda mitad del siglo XX
- la participación de los californianos en el movimiento en pro de los derechos civiles
- la diversidad de la población de California

✏️ Actividades

- Con otros adultos de su familia, cuéntele a su hijo historias sobre experiencias que vivió su familia durante el período que se ha estudiado en esta unidad. Anime a su hijo a preguntar cómo algunos de los acontecimientos que ocurrieron en el siglo XX afectaron a miembros de la familia. Comenten tanto las buenas experiencias como las situaciones difíciles.

- Elijan un festival cultural de California al que hayan asistido o al que les gustaría asistir. Ayude a su hijo a escribir una breve anotación en un diario personal para describir la experiencia o explicar lo que le gustaría ver. Comenten cómo el festival celebra una cultura importante en el estado.

- Elijan una de las figuras prominentes que se estudian en esta unidad, como Hiram Johnson, Dorothea Lange o César Chávez. Reúnan información sobre esa persona consultando una enciclopedia o Internet. Luego, escriban juntos una breve biografía. Si es posible, incluyan fotografías o ilustraciones.

💡 Ideas para comentar

- ¿Por qué son importantes los derechos civiles para todos los estadounidenses?

- ¿Cómo refleja la vida de California de hoy en día, la diversidad de la población del estado?

APRENDE en línea

Visite The Learning Site en www.harcourtschool.com/hss para obtener actividades adicionales, fuentes primarias y otros recursos para usar en esta unidad.

School to Home

Newsletter

Harcourt Reflections • California: A Changing State, Unit 6

Grade 4 California History–Social Science Standards

4.1 Students demonstrate an understanding of the physical and human geographic features that define places and regions in California.

4.4 Students explain how California became an agricultural and industrial power, tracing the transformation of the California economy and its political and cultural development since the 1850s.

4.5 Students understand the structures, functions, and powers of the local, state, and federal governments as described in the U.S. Constitution.

Books To Read

Constitution for California by Bennett Jacobstein. Toucan Valley, 1999.

Mayor for a Day by Carl Sommer. Advance, 1999.

Woodrow, the White House Mouse by Peter W. Barnes and Cheryl Shaw. VSP, 1998.

© Harcourt

Content to Learn

During the weeks ahead, your child will be studying contemporary history and life in California, and the state's economy and government. Here are some topics the class will be reading about in the next unit, California Today and Tomorrow:

- California's modern economy
- the arts in California
- the state's educational system
- the organization and function of federal, state, and local governments

✏️ Activities to Try

- With your child, examine the land use and products map on page 437 of the textbook. Identify major industries in your area. Then work together to write a report describing the area's economy. You might use the Internet or the local library, or contact the local branch of the chamber of commerce for information.

- Choose and research with your child a well-known artist, writer, or performer from California. You may want to choose a person discussed in the text or another person whose work you enjoy. Work with your child to create a poster about the person that includes details about his or her life and work.

- Work with your child to learn more about your local government. Identify elected and appointed community and county officials. Also identify people who represent your area in the California legislature and the United States Congress. Then create a pamphlet that explains how local government serves your area, and how you are represented at the state and national levels.

💡 Ideas to Discuss

- How do you keep informed about issues being decided by local and state government officials?

- What are some ways in which you can volunteer to help in your community?

- Why do you think it is important for citizens to participate in a democracy?

Visit The Learning Site www.harcourtschool.com/hss for additional activities, primary sources, and other resources to use in this unit.

Carta para la casa

Boletín

Normas de Historia y Ciencias Sociales de California, Grado 4

4.1 Los estudiantes demuestran una comprensión de las características físicas y humanas que definen los lugares y las regiones de California.

4.4 Los estudiantes explican cómo California se convirtió en una potencia agrícola e industrial, siguiendo la transformación de la economía de California y su desarrollo político y económico desde la década de 1850.

4.5 Los estudiantes comprenden las estructuras, funciones y poderes del gobierno local, estatal y federal, y describen la Constitución de Estados Unidos.

Libros

Constitution for California por Bennett Jacobstein. Toucan Valley, 1999.

Mayor for a Day por Carl Sommer. Advance, 1999.

Woodrow, the White House Mouse por Peter W. Barnes y Cheryl Shaw. VSP, 1998.

Tema de estudio

Durante las próximas semanas su hijo estudiará historia contemporánea y la vida en California, y la economía y el gobierno del estado. Estos son algunos de los temas sobre los que se leerá en clase en la última unidad, California hoy y mañana:

- la economía moderna de California
- el arte en California
- el sistema educacional del estado
- la organización y función del gobierno federal, estatal y local

Actividades

■ Miren con atención en la página 437 del libro de texto el mapa sobre uso de la tierra y productos. Identifiquen las industrias importantes del área donde viven. Luego escriban juntos un informe para describir la economía del área. Pueden consultar la Internet o la biblioteca local, o ponerse en contacto con la oficina local de la cámara de comercio si necesitan más información.

■ Busquen información sobre un artista conocido de California. Pueden elegir a una persona que se haya estudiado en el libro o a otra que les guste. Juntos hagan un cartel que incluya detalles importantes acerca de la vida y el trabajo del artista.

■ Busquen más información sobre su gobierno local. Identifiquen los nombres de los funcionarios elegidos y designados para puestos en la comunidad y en el condado. También averigüen quiénes son los representantes de su área en el poder legislativo de California y en el Congreso de los Estados Unidos. Luego hagan un panfleto que explique cómo el gobierno local presta servicios a su comunidad y cómo ustedes están representados en el gobierno estatal y nacional.

Ideas para comentar

■ ¿Cómo se mantienen informados acerca de los temas sobre los cuales toman decisiones los funcionarios del gobierno local y estatal?

■ ¿Qué tipo de trabajo voluntario podrían hacer para ayudar a su comunidad?

■ ¿Por qué les parece que es importante que los ciudadanos participen en una democracia?

Visite The Learning Site en www.harcourtschool.com/hss para obtener actividades adicionales, fuentes primarias y otros recursos para usar en esta unidad.

Index

Reflections  Bibliography

CONFIRMED AND CURRENT RESEARCH

HISTORY AND HISTORICAL THINKING LITERATURE

Ashby, R., Lee, P., and Dickinson, A. (1997). How Children Explain the Why of History: The Chata Research Project on Teaching History. *Social Education, 61* (1), 17–21.

Barton, K. (1996). Narrative Simplifications in Elementary Students' Historical Thinking. *Advances in Research on Teaching, 6,* 51–83.

Barton, K. (1997). History—It Can Be Elementary: An Overview of Elementary Students' Understanding of History. *Social Education, 61* (1), 13–16.

Berson, M.J. (2004). Digital Images: Capturing America's Past with the Technology of Today. *Social Education.* 68 (3).

Blake, D. W. (1981). Observing Children Learning History. *The History Teacher, 14,* 533–549.

Booth, M. (1980). A Modern World History Course and the Thinking of Adolescent Pupils. *Educational Review, 32,* 245–257.

Downey, M., and Levstik, L. (1991). Teaching and Learning History. In Shaver, J. P. (Ed.), *Handbook on Research in Social Studies Teaching and Learning.* New York: Macmillan.

Foster, S. (1999). Using Historical Empathy to Excite Students About the Study of History: Can You Empathize with Neville Chamberlain? *The Social Studies* (January/February), 18–24.

Garcia, J., and Michaelis, J. (2001). *Social Studies for Children: A Guide to Basic Instruction.* Needham Heights, MA: Allyn & Bacon.

Levstik, L. S., and Barton, K. C. (1997). *Doing History: Investigating with Children in Elementary and Middle Schools.* Mahwah, NJ: Lawrence Erlbaum Associates.

McDiarmid, G. W. (1994). Understanding History for Teaching: A Study of the Historical Understanding of Prospective Teachers. In Carretero, M., and Voss, J. F. (Eds.), *Cognitive and Instructional Processes in History and the Social Sciences,* 159–185. Hillsdale, NJ: Erlbaum.

National Center for History in the Schools (1996). *National History Standards.* Los Angeles.

National Council for the Social Studies (NCSS) (1994). *Expectations of Excellence: Curriculum Standards for the Social Studies.* Washington, D.C.

National Council for the Social Studies (NCSS) (2004). *Powerful Teaching and Learning in the Social Studies* [online]. Available: http://www. ncss.org/standards/positions/powerful.html

Porter, P. H. (2005) Writing in the Content Areas: Warm-up, Build Muscle and Win the Championship. *Social Studies Review.* 44 (2).

Seixas, P. (1996). Conceptualizing the Growth of Historical Understanding. In Olson, D. R., and Torrance, N. (Eds.), *The Handbook of Education and Human Development: New Models of Learning, Teaching, and Schooling,* 765–783. Cambridge: Blackwell Publishers.

Seixas, P. (1997). Mapping the Terrain of Historical Significance. *Social Education, 61* (1), 22–27.

Seixas, P. (1998). Student Teachers Thinking Historically. *Theory and Research in Social Education, 26* (3), 310–341.

Symcox, L. (2002). *Whose History? The Struggle for National Standards in American Classrooms.* New York: Teachers College Press.

VanSledright, B. A. (1996). Closing the Gap Between School and Disciplinary History? *Advance in Research on Teaching, 6,* 257–289.

VanSledright, B. A. (2002). *In Search of America's Past: Learning to Read History in Elementary School.* New York: Teachers College Press.

Wilson, S., and Wineburg, S. S. (1988). Peering at History Through Different Lenses: The Role of Disciplinary Perspectives in Teaching History. *Teachers College Record, 89* (4), 525–539.

Wineburg, S. S. (1991a) On the Reading of Historical Texts: Notes on the Breach Between School and Academy. *American Educational Research Journal, 28* (3), 495–519.

Wineburg, S. S. (1991b). Historical Problem Solving: A Study of the Cognitive Process Used in the Evaluation of Documentary and Pictorial Evidence. *Journal of Educational Psychology, 83,* 73–87.

Yeager, E. A., and Davis, O. L., Jr. (1996). Classroom Teachers' Thinking About Historical Texts: An Exploratory Study. *Theory and Research in Social Education, 24,* 146–166.

Yeager, E. A., and Wilson, E. K. (1997). Teaching Historical Thinking in the Social Studies Methods Course: A Case Study. *The Social Studies,* May/June, 121–126.

Zarnowski, M. (2003). *History Makers: A Questioning Approach to Reading and Writing Biographies.* Portsmouth, NH: Heinemann.

Zinn, H. (1997). *A People's History of the United States.* New York: New Press.

INTEGRATION OF LITERATURE

Lamme, L. L. (1994). Stories from Our Past: Making History Come Alive for Children. *Social Education 58* (3), 1994, 159–164.

National Council for the Social Studies (NCSS) (2004). *Notable Trade Books for Young People* [online]. Available: http://www.socialstudies. org/resources/notable/

Porter, P. H. (1995). A Story Well Told: Children's Literature and the Social Studies. *Social Studies and the Young Learner* (November/December), 8 (2).

MULTICULTURAL APPROACHES

Parker, W. C. (2005). *Social Studies in Elementary Education* (12th ed.). Upper Saddle River, NJ: Pearson.

Rényi, J., and Lubeck, D. R. (1994). A Response to the NCSS Guidelines on Multicultural Education. *Social Education 58* (1), 4–6.

PRIMARY SOURCES

Barton, K. C. (1997). I Just Kinda Know: Elementary Students' Ideas About Historical Evidence. *Theory and Research in Social Education, 25* (4), 407–430.

Trofanenko, B. (2002). Images of History in Middle-Grade Social Studies Trade Books. *New Advocate, 15* (2), 129–132.

Wineburg, S. S. (2001). *Historical Thinking and Other Unnatural Acts: Charting the Future of Teaching the Past.* Philadelphia, PA: Temple University Press.

READING EXPOSITORY TEXT

Blachowicz, C., and Ogle, D. (2001). *Reading Comprehension: Strategies for Independent Learners.* New York: Guilford.

Dickson, S., Simmons, D., and Kameenii, E. (1996). *Text Organization and Its Relation to Reading Comprehension: A Synthesis of the Research.* Oregon: University of Oregon. [online]. Available: http://idea.uoregon.edu/~ncite/ documents/techrep/tech17.html

Duke, N., and Bennett-Armistead, V. (2003). *Reading & Writing Informational Text in the Primary Grades: Research-Based Practices.* New York: Scholastic, Inc.

Farstrup, A., and Samuels, S. (Eds.), (2002). *What Research Has to Say About Reading Instruction.* Newark, NJ: International Reading Association.

SOCIAL PARTICIPATION

Sunal, C. S., and Haas, M. E. (2005). *Social Studies for the Elementary and Middle Grades: A Constructivist Approach* (2nd ed.). Boston, MA: Pearson.

Tornery-Purta, J., Schwille, J., and Amado, J. (1999). *Civic Education Across Countries: Twenty-Four National Case Studies from the IEA Civic Education Project.* Amsterdam, Netherlands: IEA.

SOCIAL STUDIES AND CROSS-CURRICULUM CONNECTIONS

Parker, W. C. (2005). *Social Studies in Elementary Education* (12th ed.). Upper Saddle River, NJ: Pearson.

USE OF GRAPHIC ORGANIZERS

Howard, J. (2001). Graphic Representations as Tools for Decision Making. *Social Education, 65* (4). 220–223.

History-Social Science Standards

Grade Four Standards	Student and Teacher Edition Pages
4.1 **Students demonstrate an understanding of the physical and human geographic features that define places and regions in California.**	I18–I19, 1D, 1I, 1O, 1P, 1, 4, 7, 10–11, 12–15, 18–24, 25–27, 28–37, 40–45, 46–47, 48–49, 51, 53, 94–96, 417I, 417O, 420, 423, 425, 451, 453, 454–455, 456, 460–461
4.1.1 Explain and use the coordinate grid system of latitude and longitude to determine the absolute locations of places in California and on Earth.	I22, 13, 16–17, 49, 94, 113, 117, 398
4.1.2 Distinguish between the North and South Poles; the equator and the prime meridian; the tropics; and the hemispheres, using coordinates to plot locations.	I16–I17, 12–15, 16–17, 29, 49, 94–95
4.1.3 Identify the state capital and describe the various regions of California, including how their characteristics and physical environments (e.g., water, landforms, vegetation, climate) affect human activity.	1D, 1E, 1, 7, 10–11, 18–24, 26–37, 40–49, 62–73, 76–81, 84–88, 91, 94–96, 120, 122, 142, 301
4.1.4 Identify the locations of the Pacific Ocean, rivers, valleys, and mountain passes and explain their effects on the growth of towns.	1D, 1E, 12–15, 18–24, 34–37, 40–45, 48–49, 178, 188, 193, 195
4.1.5 Use maps, charts, and pictures to describe how communities in California vary in land use, vegetation, wildlife, climate, population density, architecture, services, and transportation.	1E, 1I, 9, 10, 18–24, 28–47, 49, 74–75, 95–96, 257, 332, 337, 348, 398–399, 436–437
4.2 **Students describe the social, political, cultural, and economic life and interactions among people of California from the pre-Columbian societies to the Spanish mission and Mexican rancho periods.**	1I, 1O, 1, 51, 52–54, 56–81, 84–88, 90–96, 97I, 97O, 97P, 97, 98–100, 102–103, 106–108, 110–115, 118–122, 126–131, 134–139, 142–143, 145, 148–153, 156–168, 170–171, 174–176, 177I, 177O, 178, 208–209, 263–264
4.2.1 Discuss the major nations of California Indians, including their geographic distribution, economic activities, legends, and religious beliefs; and describe how they depended on, adapted to, and modified the physical environment by cultivation of land and use of sea resources.	1D, 2–3, 52–55, 56–88, 89–96, 324
4.2.2 Identify the early land and sea routes to, and European settlements in, California with a focus on the exploration of the North Pacific (e.g., by Captain James Cook, Vitus Bering, Juan Cabrillo), noting especially the importance of mountains, deserts, ocean currents, and wind patterns.	97D, 98, 110–122, 142–143, 174–176
4.2.3 Describe the Spanish exploration and colonization of California, including the relationships among soldiers, missionaries, and Indians (e.g., Juan Crespi, Junipero Serra, Gaspar de Portola).	97E, 98–99, 106–115, 118–143, 146–147, 174–176
4.2.4 Describe the mapping of, geographic basis of, and economic factors in the placement and function of the Spanish missions; and understand how the mission system expanded the influence of Spain and Catholicism throughout New Spain and Latin America.	97E, 119, 121–122, 126–127, 134–139, 143, 172–175
4.2.5 Describe the daily lives of the people, native and nonnative, who occupied the presidios, missions, ranchos, and pueblos.	97D, 126–131, 134–141, 143, 146–147, 158–159, 161, 164–175
4.2.6 Discuss the role of the Franciscans in changing the economy of California from a hunter-gatherer economy to an agricultural economy.	123, 134–143, 174–175
4.2.7 Describe the effects of the Mexican War for Independence on Alta California, including its effects on the territorial boundaries of North America.	97, 146–155, 171, 174–175, 180–181, 208–209, 211, 218–219
4.2.8 Discuss the period of Mexican rule in California and its attributes, including land grants, secularization of the missions, and the rise of the rancho economy.	97D, 148–153, 156–163, 164–168, 170–171, 174–175, 188, 192, 208–209, 211, 221, 263

Correlations

History-Social Science Standards-continued

Grade Four Standards	Student and Teacher Edition Pages
4.3 Students explain the economic, social, and political life in California from the establishment of the Bear Flag Republic through the Mexican-American War, the Gold Rush, and the granting of statehood.	157, 177I, 177O, 177P–177, 178–179, 182–183, 185, 187–188, 190–194, 198–205, 207–221, 223, 226–233, 236–243, 246–252, 256–264
4.3.1 Identify the locations of Mexican settlements in California and those of other settlements, including Fort Ross and Sutter's Fort.	157, 160, 169, 186–189, 192–193, 199, 214–215, 217, 221
4.3.2 Compare how and why people traveled to California and the routes they traveled (e.g., James Beckwourth, John Bidwell, John C. Fremont, Pio Pico).	158, 177E, 178, 180, 186–203, 206–211, 220–221, 228–229, 233, 240, 243, 262–263
4.3.3 Analyze the effects of the Gold Rush on settlements, daily life, politics, and the physical environment (e.g., using biographies of John Sutter, Mariano Guadalupe Vallejo, Louise Clappe).	177P, 179, 226–243, 245, 247–248, 258–259, 262–263
4.3.4 Study the lives of women who helped build early California (e.g., Biddy Mason).	177D, 179, 216–217, 224–225, 228, 233, 240, 253
4.3.5 Discuss how California became a state and how its new government differed from those during the Spanish and Mexican periods.	178, 212–217, 221, 246–252, 254–255, 259, 262–264
4.4 Students explain how California became an agricultural and industrial power, tracing the transformation of the California economy and its political and cultural development since the 1850s.	177I, 177O, 243, 246–252, 265I, 265O, 265–268, 271, 278–283, 286–297, 300–306, 308–309, 311, 314–320, 322–327, 330–335, 339, 340–344, 345I, 345O, 345P–345, 348, 350–351, 353, 356, 358–364, 368–374, 376, 378–383, 386–387, 389, 392–397, 400–404, 406–409, 410–412, 414–416, 417I, 417O, 417P–417, 419–420, 423, 425, 430–435, 438–442, 446–449, 451–457, 494–498
4.4.1 Understand the story and lasting influence of the Pony Express, Overland Mail Service, Western Union, and the building of the transcontinental railroad, including the contributions of Chinese workers to its construction.	265D, 273–292, 294–299, 302, 308–309, 342–343
4.4.2 Explain how the Gold Rush transformed the economy of California, including the types of products produced and consumed, changes in towns (e.g., Sacramento, San Francisco), and economic conflicts between diverse groups of people.	177D, 237–239, 243, 251–252, 258–259, 263, 271, 300–302, 306
4.4.3 Discuss immigration and migration to California between 1850 and 1900, including the diverse composition of those who came; the countries of origin and their relative locations; and conflicts and accords among the diverse groups (e.g., the 1882 Chinese Exclusion Act).	266–267, 289, 293, 303, 308–309, 314–320, 321, 338–339, 342–343
4.4.4 Describe rapid American immigration, internal migration, settlement, and the growth of towns and cities (e.g., Los Angeles).	294–297, 309, 314–327, 330–339, 342, 376–377, 381, 383, 389, 392–397, 406–409, 411, 414–415
4.4.5 Discuss the effects of the Great Depression, the Dust Bowl, and World War II on California.	346, 354–357, 368–374, 376–387, 392–397, 411, 414–415
4.4.6 Describe the development and locations of new industries since the nineteenth century, such as the aerospace industry, electronics industry, large-scale commercial agriculture and irrigation projects, the oil and automobile industries, communications and defense industries, and important trade links with the Pacific Basin.	300–307, 309, 324, 339, 342–343, 360–364, 380–381, 383, 387, 390–397, 402–405, 410–411, 414–415, 430–437, 457, 496–497
4.4.7 Trace the evolution of California's water system into a network of dams, aqueducts, and reservoirs.	267, 305–306, 312–313, 325–329, 334–335, 338–339, 342–343, 348
4.4.8 Describe the history and development of California's public education system, including universities and community colleges.	401, 417, 446–449, 456
4.4.9 Analyze the impact of twentieth-century Californians on the nation's artistic and cultural development, including the rise of the entertainment industry (e.g., Louis B. Mayer, Walt Disney, John Steinbeck, Ansel Adams, Dorothea Lange, John Wayne).	346–347, 363–367, 374–375, 414, 418–419, 426–429, 438–445, 457, 497

History-Social Science Standards-continued

Grade Four Standards	Student and Teacher Edition Pages
4.5 Students understand the structures, functions, and powers of the local, state, and federal governments as described in the U.S. Constitution.	417I, 417O, 418–419, 423, 459, 462–469, 470–477, 480–487, 490–493, 496–498
4.5.1 Discuss what the U.S. Constitution is and why it is important (i.e., a written document that defines the structure and purpose of the U.S. government and describes the shared powers of federal, state, and local governments).	462–469, 491, 496–497
4.5.2 Understand the purpose of the California Constitution, its key principles, and its relationship to the U.S. Constitution.	471, 475–476, 478–479, 492–493, 497
4.5.3 Describe the similarities (e.g., written documents, rule of law, consent of the governed, three separate branches) and differences (e.g., scope of jurisdiction, limits on government powers, use of the military) among federal, state, and local governments.	464–489, 492–493, 497
4.5.4 Explain the structures and functions of state governments, including the roles and responsibilities of their elected officials.	471–474, 476, 478–479, 492–493, 497
4.5.5 Describe the components of California's governance structure (e.g., cities and towns, Indian rancherias and reservations, counties, school districts).	480–487, 492–493

Correlations

Historical and Social Sciences Analysis Skills

Grades K–5 Analysis Skills	Student and Teacher Edition Pages
Chronological and Spatial Thinking	
1 Students place key events and people of the historical era they are studying in a chronological sequence and within a spatial context; they interpret time lines.	I2–I3, 10, 1, 90, 91, 97O, 97, 99, 130, 132–133, 139, 143, 150, 151, 171, 177I, 177O, 177, 179, 213, 214, 215, 216, 220, 221, 265O, 265, 267, 288, 309, 339, 345O, 345, 347, 359, 362, 381, 385, 387, 396, 409, 410, 417, 419
2 Students correctly apply terms related to time, including *past, present, future, decade, century,* and *generation.*	60, 132–133, 143, 220, 221, 244, 265, 410, 448
3 Students explain how the present is connected to the past, identifying both similarities and differences between the two, and how some things change over time and some things stay the same.	I1–I6, 41, 80, 86, 91, 96, 122, 123, 130, 132–133, 163, 171, 201, 203, 221, 237, 243, 252, 263, 283, 297, 309, 320, 339, 345, 362, 364, 376, 397, 409, 415, 439, 447, 449, 453, 467, 469, 472, 487
4 Students use map and globe skills to determine the absolute locations of places and interpret information available through a map's or globe's legend, scale, and symbolic representations.	I14–I22, 10, 4–5, 13, 15, 17, 19, 20, 26–27, 29, 30, 38–39, 49, 57, 69, 77, 85, 95, 100-101, 108, 111, 113, 116–117, 120, 147, 157, 162–163, 175, 177O, 180–181, 193, 202, 215, 218–219, 229, 232, 255, 263, 265O, 268, 280–281, 289, 298–299, 309, 313, 326, 334, 335, 343, 348–349, 355, 360, 370, 379, 382, 398–399, 411, 415, 417O, 420–421, 436–437, 457, 460, 468, 472, 481, 486, 497
5 Students judge the significance of the relative location of a place (e.g., proximity to a harbor, on trade routes) and analyze how relative advantages or disadvantages can change over time.	I6, I14–I15, 14, 15, 35, 36, 37, 45, 48–49, 59, 63, 73, 85, 91, 95, 127, 130, 131, 153, 162–163, 175, 268, 279, 296, 297, 305, 316, 323, 327, 383, 395, 420, 433
Research, Evidence, and Point of View	
1 Students differentiate between primary and secondary sources.	25, 64, 82–83, 124–125, 140–141, 143, 162–163, 197, 215, 233, 234–235, 284–285, 366–367, 444–445, 472
2 Students pose relevant questions about events they encounter in historical documents, eyewitness accounts, oral histories, letters, diaries, artifacts, photographs, maps, artworks, and architecture.	I2–I3, 9, 15, 21, 23, 32, 42, 43, 44, 51, 64, 65, 75, 78, 82–83, 89, 105, 112, 117, 121, 123, 124–125, 128, 129, 135, 136, 140–141, 145, 152, 158, 162–163, 165, 166, 185, 195, 196, 199, 208, 209, 210, 214, 223, 227, 234–235, 238, 240, 242, 250, 256, 257, 273, 282, 284–285, 291, 301, 321, 324, 329, 343, 344, 353, 360, 365, 366–367, 369, 373, 375, 382, 385, 389, 402, 405, 425, 440, 442, 444–445, 459, 477, 483, 490, 498
3 Students distinguish fact from fiction by comparing documentary sources on historical figures and events with fictionalized characters and events.	199, 204–205, 281
Historical Interpretation	
1 Students summarize the key events of the era they are studying and explain the historical contexts of those events.	24, 37, 61, 63, 67, 75, 114, 121, 122, 138, 158, 169, 194, 203, 211, 217, 254–255, 263, 279, 280, 287, 292, 301, 313, 315, 318, 334, 335, 357, 374, 387, 404, 411, 457
2 Students identify the human and physical characteristics of the places they are studying and explain how those features form the unique character of those places.	I6, 10, 11, 24, 31, 33, 35, 49, 61, 70, 80, 81, 88, 168, 175, 259, 296, 316, 325, 332, 337, 339, 345, 395, 408, 409, 415, 425, 457, 475, 497
3 Students identify and interpret the multiple causes and effects of historical events.	58, 115, 139, 143, 152, 153, 154–155, 171, 208, 213, 253, 287, 289, 295, 302, 306, 309, 313, 315, 319, 326, 333, 370, 377, 380, 381, 401, 402, 407, 451
4 Students conduct cost-benefit analyses of historical and current events.	111, 112, 143, 160, 161, 221, 243, 343, 362, 376–377, 396, 442, 454, 487, 488–489, 493

English Language Arts Standards

Grade Four Standards	Student and Teacher Edition Pages
Reading	
1.0 Word Analysis, Fluency, and Systematic Vocabulary Development Students understand the basic features of reading. They select letter patterns and know how to translate them into spoken language by using phonics, syllabication, and word parts. They apply this knowledge to achieve fluent oral and silent reading.	57, 63, 77, 97I, 99, 157, 177D, 177E, 275, 287, 359, 370, 417D
Vocabulary and Concept Development 1.2 Apply knowledge of word origins, derivations, synonyms, antonyms, and idioms to determine the meaning of words and phrases.	19, 29, 53, 97D, 108, 127, 149, 152, 165, 224, 234, 237, 247, 355
1.3 Use knowledge of root words to determine the meaning of unknown words within a passage.	199, 295, 301
1.4 Know common roots and affixes derived from Greek and Latin and use this knowledge to analyze the meaning of complex words (e.g., *international*).	13, 30, 35, 69, 111, 119, 135, 187, 207, 227, 265D, 265E, 315, 325
1.5 Use a thesaurus to determine related words and concepts.	345D, 345E, 384
1.6 Distinguish and interpret words with multiple meanings.	41, 57, 78, 85, 191, 213, 238, 473
2.0 Reading Comprehension Students read and understand grade-level-appropriate material. They draw upon a variety of comprehension strategies as needed (e.g., generating and responding to essential questions, making predictions, comparing information from several sources). The selections in *Recommended Readings in Literature, Kindergarten Through Grade Eight* illustrate the quality and complexity of the materials to be read by students. In addition to their regular school reading, students read one-half million words annually, including a good representation of grade-level-appropriate narrative and expository text (e.g., classic and contemporary literature, magazines, newspapers, online information).	53–55, 102, 107–109, 113, 115, 131, 136, 139, 150, 153, 161, 166, 168, 224, 228, 265O, 276, 277, 292, 297, 306, 312, 313, 320, 327, 335, 355, 356, 357, 390, 417E, 417I, 426, 427, 428, 461
Structural Features of Informational Materials 2.1 Identify structural patterns found in informational text (e.g., compare and contrast, cause and effect, sequential or chronological order, proposition and support) to strengthen comprehension.	6, 20, 24, 33, 37, 42, 45, 58, 61, 64, 67, 73, 81, 97D, 97E, 146, 192, 194, 203, 209, 211, 217, 233, 338, 360, 367, 370, 374, 381
Comprehension and Analysis of Grade-Level-Appropriate Text 2.2 Use appropriate strategies when reading for different purposes (e.g., full comprehension, location of information, personal enjoyment).	10, 79, 87, 88, 188, 225, 265E, 316, 426, 435, 442, 453, 464, 482, 487
2.3 Make and confirm predictions about text by using prior knowledge and ideas presented in the text itself, including illustrations, titles, topic sentences, important words, and foreshadowing clues.	147, 187, 270, 308, 449
2.4 Evaluate new information and hypotheses by testing them against known information and ideas.	276, 289, 308, 338, 391, 428, 429
2.5 Compare and contrast information on the same topic after reading several passages or articles.	97I, 182, 243, 252, 384
2.6 Distinguish between cause and effect and between fact and opinion in expository text.	350, 394, 397, 409

English Language Arts Standards-continued

Grade Four Standards	Student and Teacher Edition Pages
3.0 Literary Response and Analysis Students read and respond to a wide variety of significant works of children's literature. They distinguish between the structural features of the text and the literary terms or elements (e.g., theme, plot, setting, characters). The selections in *Recommended Readings in Literature, Kindergarten Through Grade Eight* illustrate the quality and complexity of the materials to be read by students.	189, 357
Structural Features of Literature 3.1 Describe the structural differences of various imaginative forms of literature, including fantasies, fables, myths, legends, and fairy tales.	55, 60
Narrative Analysis Of Grade-Level-Appropriate Text 3.2 Identify the main events of the plot, their causes, and the influence of each event on future actions.	187, 225, 275, 313, 391, 427
3.3 Use knowledge of the situation and setting and of a character's traits and motivations to determine the causes for that character's actions.	107, 108, 147, 187, 275, 276, 313, 355, 356, 428, 429
3.5 Define figurative language (e.g., simile, metaphor, hyperbole, personification) and identify its use in literary works.	11
Writing	
1.0 Writing Strategies Students write clear, coherent sentences and paragraphs that develop a central idea. Their writing shows they consider the audience and purpose. Students progress through the stages of the writing process (e.g., prewriting, drafting, revising, editing successive versions).	97O, 177I, 252, 345I
Organization and Focus 1.1 Select a focus, an organizational structure, and a point of view based upon purpose, audience, length, and format requirements.	194, 203, 318
1.2 Create multiple-paragraph compositions: a. Provide an introductory paragraph. b. Establish and support a central idea with a topic sentence at or near the beginning of the first paragraph. c. Include supporting paragraphs with simple facts, details, and explanations. d. Conclude with a paragraph that summarizes the points. e. Use correct indention.	194
Research and Technology 1.5 Quote or paraphrase information sources, citing them appropriately.	205, 347, 384
1.6 Locate information in reference texts by using organizational features (e.g., prefaces, appendixes).	205, 367
1.7 Use various reference materials (e.g., dictionary, thesaurus, card catalog, encyclopedia, online information) as an aid to writing.	71

English Language Arts Standards-continued

Grade Four Standards	Student and Teacher Edition Pages
2.0 Writing Applications (Genres and Their Characteristics) Students write compositions that describe and explain familiar objects, events, and experiences. Student writing demonstrates a command of standard American English and the drafting, research, and organizational strategies outlined in Writing Standard 1.0.	153, 265I, 265O, 283, 297, 345I, 345O, 383, 417I

Using the writing strategies of grade four outlined in Writing Standard 1.0, students: 2.1 Write narratives:
  a. Relate ideas, observations, or recollections of an event or experience.
  b. Provide a context to enable the reader to imagine the world of the event or experience.
  c. Use concrete sensory details.
  d. Provide insight into why the selected event or experience is memorable.
	15, 61, 71, 97D, 115, 122, 139, 170, 176, 177D, 177E, 197, 209, 211, 217, 220, 233, 258, 344, 345D, 374, 386, 417D

2.2 Write responses to literature:
  a. Demonstrate an understanding of the literary work.
  b. Support judgments through references to both the text and prior knowledge.
	11, 55, 97E, 109, 147, 177D, 187, 189, 225, 265D, 275, 277, 345D, 345E, 417E, 429, 461

2.3 Write information reports:
  a. Frame a central question about an issue or situation.
  b. Include facts and details for focus.
  c. Draw from more than one source of information (e.g., speakers, books, newspapers, other media sources).
	97D, 142, 170, 220, 264, 410, 417D, 435, 453, 456, 469, 487, 492, 498

2.4 Write summaries that contain the main ideas of the reading selection and the most significant details.	258, 292, 386, 410, 416, 422, 456, 469, 487, 492
Written And Oral English Language Conventions	
1.0 Written and Oral English Language Conventions Students write and speak with a command of standard English conventions appropriate to this grade level.	37, 55, 61, 109, 115, 122, 139, 153, 168, 364, 374, 383, 449, 469
Spelling 1.7 Spell correctly roots, inflections, suffixes and prefixes, and syllable constructions.	367
Listening and Speaking	
1.0 Listening and Speaking Strategies Students listen critically and respond appropriately to oral communication. They speak in a manner that guides the listener to understand important ideas by using proper phrasing, pitch, and modulation.	73, 97I
Comprehension 1.1 Ask thoughtful questions and respond to relevant questions with appropriate elaboration in oral settings.	155
1.2 Summarize major ideas and supporting evidence presented in spoken messages and formal presentations.	79, 155
Organization and Delivery of Oral Communication 1.6 Use traditional structures for conveying information (e.g., cause and effect, similarity and difference, and posing and answering a question).	79, 367
1.8 Use details, examples, anecdotes, or experiences to explain or clarify information.	243
1.9 Use volume, pitch, phrasing, pace, modulation, and gestures appropriately to enhance meaning.	73

Correlations

English Language Arts Standards-continued

Grade Four Standards	Student and Teacher Edition Pages
2.0 Speaking Applications (Genres and Their Characteristics) Students deliver brief recitations and oral presentations about familiar experiences or interests that are organized around a coherent thesis statement. Student speaking demonstrates a command of standard American English and the organizational and delivery strategies outlined in Listening and Speaking Standard 1.0.	
Using the speaking strategies of grade four outlined in Listening and Speaking Standard 1.0, students:	
2.1 Make narrative presentations: a. Relate ideas, observations, or recollections about an event or experience. b. Provide a context that enables the listener to imagine the circumstances of the event or experience. c. Provide insight into why the selected event or experience is memorable.	131
2.2 Make informational presentations: a. Frame a key question. b. Include facts and details that help listeners to focus. c. Incorporate more than one source of information (e.g., speakers, books, newspapers, television or radio reports).	185, 466, 476

Mathematics Standards

Grade Four Standards	Student and Teacher Edition Pages
Number Sense	
1.0 Students understand the place value of whole numbers and decimals to two decimal places and how whole numbers and decimals relate to simple fractions. Students use the concepts of negative numbers:	239
1.3 Round whole numbers through the millions to the nearest ten, hundred, thousand, ten thousand, or hundred thousand.	21, 200
1.7 Write the fraction represented by a drawing of parts of a figure; represent a given fraction by using drawings; and relate a fraction to a simple decimal on a number line.	240
2.0 Students extend their use and understanding of whole numbers to the addition and subtraction of simple decimals:	
2.1 Estimate and compute the sum or difference of whole numbers and positive decimals to two places.	402
3.0 Students solve problems involving addition, subtraction, multiplication, and division of whole numbers and understand the relationships among the operations:	107, 159, 276
3.1 Demonstrate an understanding of, and the ability to use, standard algorithms for the addition and subtraction of multidigit numbers.	169, 396
3.2 Demonstrate an understanding of, and the ability to use, standard algorithms for multiplying a multidigit number by a two-digit number and for dividing a multidigit number by a one-digit number; use relationships between them to simplify computations and to check results.	162, 328

Mathematics Standards-continued

Grade Four Standards	Student and Teacher Edition Pages
3.3 Solve problems involving multiplication of multidigit numbers by two-digit numbers.	432
3.4 Solve problems involving division of multidigit numbers by one-digit numbers.	21, 30, 229, 281
Algebra and Functions	
1.0 Students use and interpret variables, mathematical symbols, and properties to write and simplify expressions and sentences:	
1.1 Use letters, boxes, or other symbols to stand for any number in simple expressions or equations (e.g., demonstrate an understanding and the use of the concept of a variable).	30, 169
Measurement and Geometry	
1.0 Students understand perimeter and area:	
1.4 Understand and use formulas to solve problems involving perimeters and areas of rectangles and squares. Use those formulas to find the areas of more complex figures by dividing the figures into basic shapes.	432
3.0 Students demonstrate an understanding of plane and solid geometric objects and use this knowledge to show relationships and solve problems:	
3.1 Identify lines that are parallel and perpendicular.	129
3.5 Know the definitions of a right angle, an acute angle, and an obtuse angle. Understand that 90°, 180°, 270°, and 360° are associated, respectively, with 1/4, 1/2, 3/4, and full turns.	129
3.8 Know the definition of different quadrilaterals (e.g., rhombus, square, rectangle, parallelogram, trapezoid).	129
Mathematical Reasoning	
3.0 Students move beyond a particular problem by generalizing to other situations.	159

Correlations

Science Standards

Grade Four Standards	Student and Teacher Edition Pages
Physical Sciences	
1. Electricity and magnetism are related effects that have many useful applications in everyday life. As a basis for understanding this concept:	325
a. *Students know* how to design and build simple series and parallel circuits by using components such as wires, batteries, and bulbs.	432
g. *Students know* electrical energy can be converted to heat, light, and motion.	413
Life Sciences	
2. All organisms need energy and matter to live and grow. As a basis for understanding this concept:	
a. *Students know* plants are the primary source of matter and energy entering most food chains.	58
b. *Students know* producers and consumers (herbivores, carnivores, omnivores, and decomposers) are related in food chains and food webs and may compete with each other for resources in an ecosystem.	58, 238
3. Living organisms depend on one another and on their environment for survival. As a basis for understanding this concept:	65
b. *Students know* that in any particular environment, some kinds of plants and animals survive well, some survive less well, and some cannot survive at all.	23, 86
Earth Sciences	
5. Waves, wind, water, and ice shape and reshape Earth's land surface. As a basis for understanding this concept:	
a. *Students know* some changes in the earth are due to slow processes, such as erosion, and some changes are due to rapid processes, such as landslides, volcanic eruptions, and earthquakes.	21, 332
Investigation and Experimentation	
6. Scientific progress is made by asking meaningful questions and conducting careful investigations. As a basis for understanding this concept and addressing the content in the other three strands, students should develop their own questions and perform investigations. Students will:	372
d. Conduct multiple trials to test a prediction and draw conclusions about the relationships between predictions and results.	

Health Standards

Grade Four Standards	Student and Teacher Edition Pages
Expectation 1	
Students will demonstrate ways in which they can enhance and maintain their health and well-being.	271, 304
Expectation 2	
Students will understand and demonstrate behaviors that prevent disease and speed recovery from illness.	114, 137, 356
Expectation 3	
Students will practice behaviors that reduce the risk of becoming involved in potentially dangerous situations and react to potentially dangerous situations in ways that help to protect their health.	42

Visual and Performing Arts: Music Standards

Grade Four Standards	Student and Teacher Edition Pages
2.0 Creative Expression	
Creating, Performing, and Participating in Music Students apply vocal and instrumental musical skills in performing a varied repertoire of music. They compose and arrange music and improvise melodies, variations, and accompaniments, using digital/electronic technology when appropriate.	231
Compose, Arrange, and Improvise 2.3 Compose and improvise simple rhythmic and melodic patterns on classroom instruments.	65
3.0 Historical and Cultural Context	
Understanding the Historical Contributions and Cultural Dimensions of Music Students analyze the role of music in past and present cultures throughout the world, noting cultural diversity as it relates to music, musicians, and composers.	
Diversity of Music 3.2 Identify music from diverse cultures and time periods.	167
3.3 Sing and play music from diverse cultures and time periods.	361

Correlations

Visual and Performing Arts: Visual Arts Standards

Grade Four Standards	Student and Teacher Edition Pages
1.0 Artistic Perception	
Processing, Analyzing, and Responding to Sensory Information Through the Language and Skills Unique to the Visual Arts Students perceive and respond to works of art, objects in nature, events, and the environment. They also use the vocabulary of the visual arts to express their observations.	428
Develop Visual Arts Vocabulary 1.1 Perceive and describe contrast and emphasis in works of art and in the environment.	445
1.3 Identify pairs of complementary colors (yellow/violet; red/green; orange/blue) and discuss how artists use them to communicate an idea or mood.	317
Analyze Art Elements and Principles of Design 1.5 Describe and analyze the elements of art (color, shape/form, line, texture, space and value), emphasizing form, as they are used in works of art and found in the environment.	317
2.0 Creative Expression	
Creating, Performing, and Participating in the Visual Arts Students apply artistic processes and skills, using a variety of media to communicate meaning and intent in original works of art.	71, 88, 97O, 161, 177O, 257, 265I, 265O, 341, 345I, 345O, 417I, 417O, 429
Skills, Processes, Materials, and Tools 2.4 Use fibers or other materials to create a simple weaving.	93
Communication and Expression Through Original Works of Art 2.5 Use accurate proportions to create an expressive portrait or a figure drawing or painting.	161, 465
3.0 Historical and Cultural Context	
Understanding the Historical Contributions and Cultural Dimensions of the Visual Arts Students analyze the role and development of the visual arts in past and present cultures throughout the world, noting human diversity as it relates to the visual arts and artists.	
Diversity of the Visual Arts 3.2 Identify and discuss the content of works of art in the past and present, focusing on the different cultures that have contributed to California's history and art heritage.	151, 173, 427, 428
3.3 Research and describe the influence of religious groups on art and architecture, focusing primarily on buildings in California both past and present.	173

Visual and Performing Arts: Visual Arts Standards

Grade Four Standards	Student and Teacher Edition Pages
4.0 Aesthetic Valuing	
Responding to, Analyzing, and Making Judgments About Works in the Visual Arts Students analyze, assess, and derive meaning from works of art, including their own, according to elements of art, the principles of design, and aesthetic qualities.	
Derive Meaning 4.3 Discuss how the subject and selection of media relate to the meaning or purpose of a work of art.	151
5.0 Connections, Relationships, Applications	
Connecting and Applying What Is Learned in the Visual Arts to Other Art Forms and Subject Areas and to Careers Students apply what they learned in the visual arts across subject areas. They develop competencies and creative skills in problem solving, communication, and management of time and resources that contribute to lifelong learning and career skills. They also learn about careers in and related to the visual arts.	440
Visual Literacy 5.3 Construct diagrams, maps, graphs, timelines, and illustrations to communicate ideas or tell a story about a historical event.	161, 290, 413, 467

Correlations

Visual and Performing Arts: Theatre Standards

Grade Four Standards	Student and Teacher Edition Pages
2.0 Creative Expression	
Creating, Performing, and Participating in Theatre Students apply processes and skills in acting, directing, designing, and scriptwriting to create formal and informal theatre, film/videos, and electronic media productions and to perform in them.	214
Development of Theatrical Skills 2.1 Demonstrate the emotional traits of a character through gesture and action.	109
3.0 Historical and Cultural Context	
Understanding the Historical Contributions and Cultural Dimensions of Theatre Students analyze the role and development of theatre, film/video, and electronic media in past and present cultures throughout the world, noting diversity as it relates to theatre.	
History of Theatre 3.2 Recognize key developments in the entertainment industry in California, such as the introduction of silent movies, animation, radio and television broadcasting, and interactive video.	365, 419
5.0 Connections, Relationships, Applications	
Connecting and Applying What Is Learned in Theatre, Film/Video, and Electronic Media to Other Art Forms and Subject Areas and to Careers Students apply what they learn in theatre, film/video, and electronic media across subject areas. They develop competencies and creative skills in problem solving, communication, and time management that contribute to lifelong learning and career skills. They also learn about careers in and related to theatre.	
Connections and Applications 5.2 Use improvisation and dramatization to explore concepts in other content areas.	484
Careers and Career-Related Skills 5.3 Exhibit team identity and commitment to purpose when participating in theatrical experiences.	484

Visual and Performing Arts: Dance Standards

Grade Four Standards	Student and Teacher Edition Pages
2.0 Creative Expression	
Creating, Performing, and Participating in Dance Students apply choreographic principles, processes, and skills to create and communicate meaning through the improvisation, composition, and performance of dance.	
Creation/Invention of Dance Movements 2.1 Create, develop, and memorize set movement patterns and sequences.	367
Application of Choreographic Principles and Processes to Creating Dance 2.4 Create a dance study that has a beginning, a middle, and an end. Review, revise, and refine.	367
Development of Partner and Group Skills 2.7 Demonstrate additional partner and group skills (e.g., imitating, leading/following, mirroring, calling/responding, echoing).	367

Correlations

Program Correlations

Grade 4	Harcourt School Publishers Reflections	Houghton Mifflin Reading 2003	Open Court Reading 2002
Unit 1 **Focus Skill:** **Main Idea &** **Details**	**Main Idea & Details** 6–7, 13, 15, 19, 22, 24, 29, 30, 33, 35, 37, 41, 43, 45, 57, 59, 61, 63, 67, 69, 71, 73, 77, 81, 85, 88	**Main Idea & Details** (Noting Details) 110–127, 300–317, 660–681	**Main Idea & Details** 82–97, 126–131, 146–153, 156–171, 208–223, 334–359, 406–411
Unit 2 **Focus Skill:** **Generalize**	**Generalize** 102, 103, 111, 115, 119, 122, 127, 131, 135, 139, 149, 151, 153, 157, 159, 161, 165, 168, 170	**Generalize** 219–239	**Generalize**
Unit 3 **Focus Skill:** **Compare &** **Contrast**	**Compare & Contrast** 182-183, 191, 193, 194, 199, 203, 207, 211, 213, 217, 220, 227, 229, 233, 237, 239, 243, 247, 249, 252, 258	**Compare & Contrast** 328–339	**Compare & Contrast** 32–47, 172–187, 242–255, 288–307, 508–519
Unit 4 **Focus Skill:** **Draw** **Conclusions**	**Draw Conclusions** 270–271, 279, 283, 287, 292, 295, 297, 301, 306, 308, 315, 319, 320, 323, 325, 327, 331, 333, 335, 338	**Draw Conclusions** 452–479	**Draw Conclusions** 100–113, 226–239, 322–331, 334–359, 446–459, 460–473
Unit 5 **Focus Skill:** **Cause &** **Effect**	**Cause & Effect** 350–351, 359, 361, 364, 369, 371, 374, 381, 383, 386, 393, 394, 395, 397, 401, 403–404, 407, 409, 410	**Cause & Effect** 534–549	**Cause & Effect** 20–31, 66–79, 288–307, 360–375, 460–473, 542–547
Unit 6 **Focus Skill:** **Summarize**	**Summarize** 422–423, 431, 435, 439, 442, 447, 449, 451, 453, 456, 463, 465, 469, 471, 476, 478–479, 481, 487, 492	**Summarize** 28–51, 219–239, 452–479, 634–647	**Summarize** 48–63, 66–79, 100–113, 132–143, 146–153, 172–187, 208–223, 226–239, 264–287, 288–307, 334–359, 378–389, 434–443, 460–473, 484–491, 492–499, 522–531, 532–541

The Best of GEORGIA FARMS

COOKBOOK and TOUR BOOK

To Gail & Ken

1998

Featuring All Time
Favorite Recipes From

FARMERS AND CONSUMERS
MARKET BULLETIN

GEORGIA DEPARTMENT OF AGRICULTURE • TOMMY IRVIN, COMMISSIONER